NOUVEAU TESTAMENT
ET
PSAUMES

Imprimatur,

+ Jean-Guy Couture
évêque de Chicoutimi
le 5 mars 1984.

Publié par la
Société biblique canadienne
Secteur francophone:
4050, avenue du Parc-Lafontaine
Montréal (Québec) H2L 3M8

DISTRIBUTION GRATUITE PAR
LE CENTRE CATHOLIQUE DE DIFFUSION
DE LA PAROLE DE DIEU
225, rue Saint-Vallier
Chicoutimi (Québec) G7H 5H6

NOUVEAU TESTAMENT ET PSAUMES

Traduction oecuménique de la Bible

Nouvelle édition revue
avec introductions

SOCIÉTÉ BIBLIQUE CANADIENNE
Siège Social: 10 Carnforth Road
Toronto, Ontario M4A 2S4
Secteur Francophone: 4050, avenue du Parc-Lafontaine
Montréal (Québec) H2L 3M8

La diffusion de cette édition est autorisée exclusivement en Amérique du Nord (Canada, Etats-Unis) ainsi qu'en Haïti.

ISBN 0-88834-223-3
22210 TOB360N Imprimé au Canada SBC-1994-100M

LA TRADUCTION ŒCUMÉNIQUE DE LA BIBLE

PRÉSENTATION

Le projet d'une traduction française de la Bible commune aux diverses confessions chrétiennes n'est pas entièrement nouveau. Déjà, au XVIIe siècle, le théologien catholique *Richard Simon*, de la Congrégation de l'Oratoire et, au siècle dernier, la *Société Nationale pour une traduction nouvelle des Livres saints en langue française* avaient fait des tentatives dans ce sens. Cependant, les conditions n'étaient pas encore réunies pour le succès de telles entreprises. Aujourd'hui, grâce à Dieu, après la publication du *Nouveau Testament* en 1972, puis de l'*Ancien Testament* en 1975, voici une édition nouvelle, révisée en 1988 de la *Traduction Œcuménique de la Bible.*

Trois facteurs historiques principaux avaient permis de mener à bien l'entreprise de traduction et d'annotation.

D'abord, le développement spectaculaire des sciences bibliques, une même soumission aux disciplines de l'analyse philologique, littéraire et historique, des contacts et des échanges personnels au cours de rencontres internationales et interconfessionnelles ont permis aux spécialistes de l'étude de la Bible d'être très proches dans les méthodes de travail et les conceptions générales. L'expérience de traductions communes s'est alors naturellement imposée à eux ; en même temps, dans un très large public, se faisait sentir le besoin d'éditions répondant aux exigences scientifiques actuelles, telles qu'on les trouve réalisées, par exemple, dans les versions protestante de la *Bible du Centenaire (1917-1948)* et catholique de la *Sainte Bible traduite en français sous la direction de l'Ecole biblique de Jérusalem* (1945-1955, troisième édition révisée en 1973).

En second lieu, les progrès du mouvement œcuménique sous ses multiples formes ont créé, dans les Eglises, un climat favorable de dialogue, dans une commune référence à l'Ecriture ; d'où l'intérêt et l'urgence de l'effort visant à offrir aux chrétiens encore divisés une version nouvelle, vraiment œcuménique, du texte de l'Ecriture.

Certes, la présente traduction n'entend nullement mettre un terme à la recherche d'une meilleure compréhension du texte dans les diverses confessions, pas plus qu'elle ne vise à éliminer les traductions en usage aujourd'hui. Elle n'implique pas qu'une fin ait été mise aux divergences doctrinales qui séparent les Eglises. Elle atteste seulement qu'il est devenu possible aujourd'hui de proposer une Bible traduite et annotée en commun.

Enfin, évangélisation et mission ne peuvent atteindre leur vraie dimension sans la diffusion et la lecture effective des Ecritures. Cette vérité, remise en lumière au siècle dernier par le mouvement missionnaire protestant a été soulignée, du côté catholique, dans les décrets du dernier Concile du Vatican où la collaboration œcuménique dans ce domaine est également mentionnée. Qui dit « traduction œcuménique » dit donc, par là même, perspective missionnaire : bien des hommes dans le monde entier ne lisent pas la Bible parce qu'elle leur est présentée dans des versions différentes par des Eglises séparées. Qui sait si une version œcuménique de l'Ecriture ne peut être, pour eux, un signe que les divisions des chrétiens n'arrêtent pas la Parole de Dieu et que l'Esprit Saint qui a guidé les auteurs bibliques inspire aujourd'hui encore un témoignage commun ?

★

Les *Editions du Cerf* et les *Sociétés bibliques*, pressenties en 1963 par les promoteurs du projet de traduction œcuménique de la Bible, donnèrent leur accord et s'engagèrent à en assurer la publication. Les *Editions du Cerf* avaient déjà l'expérience de la « Bible de Jérusalem » qui, par sa présentation, devait servir de modèle à la nouvelle traduction. De même, les Sociétés bibliques, fédérées dans l'*Alliance Biblique Universelle*, venaient d'être invitées en diverses régions du monde à participer à la réalisation de projets de traduction œcuménique. Malgré les différences considérables dans leurs habitudes et leurs principes, les deux éditeurs parvinrent à un accord complet assurant l'équilibre administratif et financier de l'entreprise.

Cette version nouvelle est présentée sous deux formes :

L'Alliance Biblique Universelle, en coédition avec les *Editions du Cerf*, publie cette traduction œcuménique dans une édition comportant un minimum d'indications indispensables à tout lecteur de la Bible (brèves introductions, références parallèles, notes explicatives portant seulement sur des points de traduction, d'histoire, de géographie et de particularités culturelles). Cette édition est conforme à l'accord conclu en 1968 par l'*Alliance Biblique Universelle* et le *Secrétariat romain pour l'Unité des chrétiens*. C'est celle dont nous présentons ici le Nouveau Testament et les Psaumes.

D'autre part, les *Editions du Cerf*, du côté catholique, en coédition avec la *Société Biblique Française* du côté protestant, assument la responsabilité de publier cette même version dans une présentation comportant des introductions plus fournies et un appareil de notes plus développé. Celui-ci apporte une information sur l'état actuel du dialogue œcuménique en matière d'histoire, d'exégèse et de théologie bibliques ; il présente une indication des diverses options possibles dans la traduction et l'interprétation d'un texte donné.

La méthode de travail, adoptée dès l'origine, a tenu compte de deux exigences fondamentales : la rigueur scientifique d'une traduction nouvelle établie sur la base des meilleures éditions critiques des textes originaux (pour l'Ancien Testament hébreu et araméen, la Biblia Hebraica, éditée par R. Kittel en 1937 ; pour l'Ancien Testament grec, la « Septuaginta » éditée par A. Rahlfs en 1935 ; pour le Nouveau Testament, le texte de Nestle-Aland, 25e édition, 1962, ou des Sociétés Bibliques, dit « GNT », 1966) et la nécessité d'un travail véritablement commun pour chacun des livres bibliques. Chaque texte a été traduit par une équipe œcuménique, qui s'est efforcée à autant d'exactitude et de clarté que possible. Les différentes équipes ont bénéficié des services de quatre coordinateurs, protestants et catholiques, deux pour l'Ancien Testament et deux pour le Nouveau. La première traduction a été soumise à deux biblistes orthodoxes de langue française, puis à l'ensemble des traducteurs de la TOB et à nombre de lecteurs, théologiens spécialistes ou non, d'Europe et d'Outre-Mer, à des réviseurs littéraires et liturgiques, et aux membres des Comités de coordination du Nouveau Testament et de l'Ancien, ainsi qu'aux responsables de l'*Alliance Biblique Universelle* et du *Secrétariat français pour l'Unité des chrétiens*, en tout plus d'une centaine de critiques. La version définitive a été finalement mise au point par les traducteurs de chaque livre, compte tenu des remarques reçues et de l'avis des coordinateurs.

★

Cette traduction apparaît à la fois comme moins originale et plus nouvelle que les autres, anciennes ou contemporaines. *Moins origi-*

nale, parce que le risque de l'entreprise et le caractère collectif du travail ont exclu dès le départ certaines options personnelles et libertés dans la traduction qui font l'intérêt d'autres versions. *Plus nouvelle*, parce que les vérifications impitoyables auxquelles ont été soumises les différentes traductions ont fait surgir des exigences et des apports complémentaires qui apparaissent souvent dans le texte.

La révision proposée ici est une preuve tangible de l'intérêt qu'a suscité la TOB chez ses lecteurs. Nombreux, en effet, ont été ceux qui ont pris la peine d'écrire pour signaler telle faute matérielle ayant échappé aux relectures d'épreuves ou pour discuter le bien-fondé de telle traduction ou de telle note. Certes, toutes leurs suggestions n'ont pu être retenues telles quelles, mais toutes leurs remarques ont été examinées avec le plus grand soin. Beaucoup d'entre elles ont abouti à des retouches intéressantes. Ajoutons que plusieurs traducteurs ont spontanément tenu à reprendre tel ou tel passage de leur premier travail et que plusieurs collaborateurs de la TOB se sont réunis en équipe de volontaires pour contrôler la formulation des passages parallèles (AT surtout), harmoniser la traduction de certains termes, vérifier et compléter le système de ponts établis entre l'Ancien et le Nouveau Testament.

★

En achevant cette œuvre, dans le sentiment d'en avoir été les premiers bénéficiaires, les éditeurs et les traducteurs espèrent qu'elle servira à faire connaître et aimer ces Ecritures où le peuple de Dieu entend la Parole de son Seigneur et où tous les hommes sont appelés à trouver le sens de leur vie.

TABLE DES MATIÈRES

Les numéros en gras renvoient au début de chaque livre biblique. Les précédant, des numéros en maigre renvoient au début des introductions correspondantes.

ABRÉVIATIONS ET SIGLES UTILISÉS

LIVRES BIBLIQUES (ORDRE ALPHABÉTIQUE)

Ab Abdias
Ac Actes des apôtres
Ag Aggée
Am Amos
Ap Apocalypse

Ba *Baruch*

1 Ch 1 Chroniques
2 Ch 2 Chroniques
1 Co 1 Corinthiens
2 Co 2 Corinthiens
Col Colossiens
Ct Cantique des Cantiques

Dn Daniel
Dn grec *Daniel grec*
Dt Deutéronome

Eph Ephésiens
Es Esaïe
Esd Esdras
Est Esther
Est grec *Esther grec*
Ex Exode
Ez Ezéchiel

Ga Galates
Gn Genèse

Ha Habaquq
He Hébreux

Jb Job
Jc Jacques
Jdt *Judith*
Jg Juges
Jl Joël
Jn évangile selon Jean
1 Jn 1re ép. de Jean
2 Jn 2e ép. de Jean
3 Jn 3e ép. de Jean
Jon Jonas
Jos Josué
Jr Jérémie
Jude Jude

Lc Luc
Lm Lamentations
Lt-Jr *Lettre de Jérémie*
Lv Lévitique

1 M *1 Maccabées*
2 M *2 Maccabées*
Mc Marc
Mi Michée
Ml Malachie
Mt Matthieu

Na Nahoum
Nb Nombres
Ne Néhémie

Os Osée

1 P 1 Pierre
2 P 2 Pierre
Ph Philippiens
Phm Philémon
Pr Proverbes
Ps Psaumes

Qo Qohéleth

1 R 1 Rois
2 R 2 Rois
Rm Romains
Rt Ruth

1 S 1 Samuel
2 S 2 Samuel
Sg *Sagesse*
Si *Siracide*
So Sophonie

Tb Tobit
1 Th 1 Thessaloniciens
2 Th 2 Thessaloniciens
1 Tm 1 Timothée
2 Tm 2 Timothée
Tt Tite

Za Zacharie

DANS LE TEXTE

Sous-titres	Ils n'appartiennent pas au texte biblique, mais sont proposés par les éditeurs. On y a parfois ajouté une ou plusieurs références à des passages parallèles.
Appels de notes	*Exemple :* « J'avais consacré mon premier livre[a]... » Le sigle[a] renvoie à une *note en bas de page*, qu'on trouvera en face du signe *a*.
Citations d'un texte biblique	Il arrive qu'un livre biblique cite tel ou tel passage d'un autre livre biblique. Par exemple Mt 3.3 cite Es 40.3. Le cas est surtout fréquent dans le Nouveau Testament, qui cite l'Ancien. Dans tous les cas, le passage cité est noté en *caractères italiques*. La référence exacte du texte cité est indiqué en note.
*	L'astérique (avant un mot) renvoie au *glossaire* en fin de volume.

DANS LES NOTES

+	indique qu'à cette référence, on en trouvera d'autres, utiles pour la compréhension du texte.
ap. J.-C.	après Jésus-Christ.
A.T.	Ancien Testament.
av. J.-C.	avant Jésus-Christ.
ch.	chapitre.
grec *ou* gr.	la référence qui précède ne porte pas sur le texte hébreu mais sur la traduction grecque *(Septante)*.
lit.	traduction littérale.
N.T.	Nouveau Testament.
par.	renvoie aux passages parallèles au texte indiqué (évangiles).
v.	verset.

Les titres des livres bibliques sont abrégés comme indiqué ci-contre.

18.2	ch. 18, v. 2 *dans le livre étudié.*
Lc 5.12	évangile selon Luc, ch. 5, v. 12.
Jr 1.4-10	Jérémie, ch. 1, du v. 4 au v. 10.
Jg 3.9,15	Juges, ch. 3, versets 9 et 15.
Es 36—39	Esaïe, ch. 36 à 39.
Jn 18.28—19.16	évangile selon Jean, du ch. 18, v. 28 au ch. 19, v. 16.

Plusieurs citations successives sont séparées par un *point-virgule*. Exemples : Jg 3.9,15 ; Rm 6.15-20 ; 15.8.

NOUVEAU TESTAMENT

ÉVANGILE SELON MATTHIEU

INTRODUCTION

Le prologue et la finale

En évangéliste, Matthieu rapporte, à sa manière propre, la vie et l'enseignement de Jésus, le Christ. L'intention de l'œuvre est indiquée dans un prologue et une finale qui se correspondent. L'Emmanuel annoncé à Joseph « Dieu avec nous » (1.23) va « être avec » les disciples jusqu'à la fin des temps (28.20).

Le prologue (1—2) a pour fonction moins de raconter les épisodes de l'Enfance que d'exprimer en condensé, à partir de vieilles traditions, le sens de la destinée de Jésus. Accueilli par Joseph dans la lignée de David, l'Enfant est rejeté par les chefs d'Israël, suite à la visite des mages, prémices des païens. Menacé de mort, Dieu le sauve, et il se réfugie en Galilée, terre symbolisant « les nations ». Mort et Résurrection sont ainsi préfigurées en une histoire qui débouche sur la proclamation de l'Evangile au-delà des frontières d'Israël.

Dans la finale (28.16-20), le Ressuscité, investi d'autorité souveraine, charge les Onze de faire de toutes les nations ses disciples en leur enseignant l'Evangile. La Bonne Nouvelle à annoncer est celle du Royaume des cieux, *expression reprise à la tradition juive qui évitait de prononcer le Nom (3.2 note). Le joug romain avait avivé l'attente d'une nouvelle intervention de Dieu, souverain d'Israël. Mais Jésus ne vise pas une libération politique, encore moins Matthieu qui écrit après la mort de Jésus et ne peut espérer la réalisation d'un tel rêve. Le message a une portée plus mystérieuse : Celui qui règne depuis toujours sur le monde s'est approché des hommes en la personne de Jésus. Inauguré par le geste du Semeur, son Règne doit fructifier jusqu'à la moisson finale (13). Dans cette perspective eschatologique, le Règne de Dieu ne peut être identifié à l'Eglise. Le terme matthéen « Eglise » (16.18 ; 18.17) désigne la communauté des disciples chargés d'annoncer le Règne et d'en produire les signes. Elle détient, avec Pierre, les clefs du Royaume (16.19 ; 18.19), sa loi est le service mutuel (18.12-14). Tout en sachant que le Règne est déjà inauguré, elle prie encore et toujours : « Fais venir ton Règne ! » (6.10).*

Composition littéraire

Notre traduction n'a pas voulu imposer au texte de grandes subdivisions. Signalons ici trois « plans » proposés par les spécialistes.

a) Le plan géographique *: ministère en Galilée (4.12—13.58), activité dans les régions limitrophes de la Galilée et en route vers Jérusalem (14—20), enfin enseignement, Passion et Résurrection à Jérusalem (21—28). Mais nul n'a pu montrer quelle intention théologique aurait dicté une telle répartition, qui pourrait n'être pas plus qu'un cadre dans lequel les matériaux ont été groupés.*

b) *Le plan établi d'après les cinq* « discours », *tous clos par la formule : « Or, quand Jésus eut achevé ces instructions » (7.28 ; 11.1 ; 13.53 ; 19.1 ; 26.1). De fait, il y a là cinq masses où est rassemblé l'essentiel de l'enseignement de Jésus : la justice du Règne (5—7), les hérauts du Règne (10), les mystères du Règne (13), les enfants du Règne (18), l'attitude requise avant la manifestation finale du Règne (24—25). Mais on ne peut établir de correspondance entre ces discours et les récits intercalés : à l'examen, il n'y a pas de relation spécifique entre tel discours et son éventuel « complément » narratif. Le premier évangile n'est pas un catéchisme illustré par des exemples.*

c) *Il présente une existence historique qui a une portée doctrinale. De fait, selon d'autres, Matthieu a voulu rapporter, sur une trame géographique, le* drame de l'existence *de Jésus. On peut distribuer l'ensemble en deux grandes parties :* Dans la première (3—13), *Jésus se présente à son peuple, mais celui-ci refuse de croire en lui. Tout-puissant en œuvres et en paroles (4.12—9.34), Jésus envoie les disciples annoncer la Bonne Nouvelle (9.35—10.42) ; les auditeurs sont affrontés à l'option pour ou contre lui à l'occasion des miracles accomplis (11—12) et du nouvel enseignement en paraboles (13). Mais Jésus est rejeté (13.53-58).*

Dans la seconde partie (14—28), *Jésus parcourt le chemin qui le mène par la croix à la Résurrection. En deux étapes (14.1—16.20 et 16.21—20.34), il s'attache d'abord à donner aux Douze un enseignement particulier, puis il entre solennellement à Jérusalem et prend possession du Temple (21.1-22). Après quoi, il affronte ses ennemis : en trois paraboles, il manifeste le dessein de Dieu (21.28—22.14), il sort victorieux des controverses et des pièges tendus (22.15-46), il démasque l'hypocrisie des scribes et des pharisiens (23). Ayant annoncé le jugement du monde entier (24—25), il se laisse juger et condamner par les hommes (26—27). Dieu enfin le ressuscite (28).*

Ainsi Matthieu rapporte un drame. Jésus exigeait des Juifs une adhésion sans réserve à sa personne. Cette rencontre avec lui aurait dû mener le « peuple de Dieu » à son accomplissement, mais, par suite du refus d'Israël, elle devient séparation, arrachement. Dès lors, la communauté chrétienne fidèle à l'enseignement du Ressuscité devient le peuple de Dieu appelé à produire les fruits attendus par le maître de la vigne (21.43). Cette fidélité est d'ailleurs menacée : que les disciples deviennent vigilants, car ils n'échapperont pas au jugement (23—25) !

La communauté matthéenne

*L'*Evangile de Matthieu *reflète le milieu ecclésial dans lequel il a vu le jour. Matthieu insiste sur les Ecritures, sur la Loi et sur les coutumes* juives *que, à la différence de Marc, il n'éprouve pas le besoin d'expliquer (10.6 ; 15.24). Mais la loi juive doit connaître un accomplissement que l'Ecriture elle-même manifeste en l'œuvre et la personne de Jésus ; voilà pourquoi le texte évangélique est parsemé de citations introduites par : « Ainsi devait s'accomplir l'oracle prophétique » (1.22 ; 2.15,17,23 ; 4.14, etc). Tout est soumis à une réinterprétation radicale (« antithèses » du Sermon sur la montagne). Et l'Evangile doit rayonner dans le monde entier (25.32 ; 28.19).*

Malgré leur faiblesse, les disciples *occupent une place unique : ce sont les « sages » de la nouvelle Loi (13.52 ; 23.34). Estompant leurs visages historiques, Matthieu en fait des « types » du croyant : ils préfigurent le comportement de tout disciple à venir, même quand ils se montrent « hommes de peu de foi » (8.26 ; 14.31 ; 16.8 ; 17.20).*

Le Christ *est présenté non seulement comme le Messie promis, mais comme le Maître par excellence, enseignant une nouvelle « justice », une nouvelle fidélité à la loi de Dieu, dont il est l'interprète eschatologique (5.17). Les traits, propres à Marc, de colère, d'irritation ou de tendresse sont atténués (13.35 ; 15.33). Dès le début du texte, Jésus est le Christ, fils de David, Fils de Dieu même, que le disciple appelle déjà « Seigneur », et qui révèle de manière décisive la volonté du Père.*

Auteur, destinataires, date

De son auteur, *le texte ne dit rien. La plus ancienne tradition ecclésiastique (Papias, avant 150) l'identifie avec l'apôtre Matthieu-Lévi, ainsi que le feront de nombreux Pères (Origène, Jérôme...). D'où on a supposé que l'apôtre aurait produit une première forme, araméenne ou hébraïque, de l'évangile actuel, qui est de rédaction grecque ; mais l'examen ne permet pas d'en affirmer sûrement l'existence. A travers l'œuvre, l'auteur se manifeste comme un lettré juif, devenu chrétien, versé dans les Ecritures et passé maître dans l'art de faire « comprendre » Jésus, insistant toujours sur les conséquences pratiques de son enseignement.*

Quoique pétri de traditions juives et malgré un vocabulaire typiquement palestinien, le texte, *rédigé « pour les croyants venus du judaïsme » (Origène), a dû être écrit en Syrie ou en Phénicie. A cause de traits polémiques contre le judaïsme orthodoxe qui s'est affirmé à l'assemblée de Jamnia vers 80, on date volontiers l'évangile des années 80-90.*

Actualité du premier évangile

*Dès le IIe siècle, l'*Evangile de Matthieu *fut considéré comme l'Evangile de l'Eglise, peut-être en raison des traditions qu'il rapporte sur « l'Eglise », plus probablement en raison de la richesse et de la belle ordonnance de sa documentation. Il peut l'être aujourd'hui encore, à condition qu'on ne lui demande pas ce qu'il ne veut ni ne peut nous donner. En interpellant son Eglise, Matthieu ne se soucie guère de reprendre à la lettre le langage du temps de Jésus : il s'identifie si bien à la voix de son Eglise, dont il est l'expression, qu'on parvient difficilement à entendre le « témoin oculaire ». Au lieu donc de s'adresser à lui pour reconstituer une histoire du temps passé, il faut d'abord y lire l'évangile de la communauté matthéenne.*

Evangile de l'accomplissement d'Israël par Jésus, Matthieu manifeste l'enracinement de l'Eglise dans sa tradition originelle. L'Eglise n'est pas un « nouvel Israël », mais le « véritable Israël » ; elle ne succède pas à Israël, elle indique le sens dans lequel l'Israël non converti à Jésus doit avancer pour s'accomplir, et inversement, elle doit découvrir en cet Israël sa racine même.

En n'identifiant pas l'Eglise au Royaume des cieux, Matthieu rappelle à l'Eglise son vrai visage. Sans doute l'institution est nécessaire pour que la communauté de Jésus survive, mais elle est provisoire ; seul le Royaume lui donne sens, en la situant à sa place par rapport à Dieu et au Christ agissant dans l'histoire humaine.

Le chrétien est invité à prendre l'attitude des disciples du temps de Jésus. Il peut reconnaître son Seigneur et s'entendre reprocher son peu de foi, mais aussi écouter sans cesse la Parole et recevoir la mission de l'annoncer jusqu'aux extrémités du monde.

Dans un monde en devenir, le Ressuscité manifeste sa présence et invite les croyants à revenir sans cesse aux enseignements qu'il a donnés durant sa vie terrestre : l'identité entre le Christ ressuscité et Jésus de Nazareth rendu présent par l'Evangile, tel est bien le cœur du témoignage matthéen.

ÉVANGILE SELON MATTHIEU

Généalogie de Jésus Christ

(Lc 3.23-38)

1 [1] Livre des origines de Jésus Christ, fils de David, fils d'Abraham[a]:
[2] Abraham engendra Isaac,
Isaac engendra Jacob,
Jacob engendra Juda[b] et ses frères,
[3] Juda engendra Pharès et Zara, de Thamar[c],
Pharès engendra Esrôm,
Esrôm engendra Aram,
[4] Aram engendra Aminadab,
Aminadab engendra Naassôn,
Naassôn engendra Salmon,
[5] Salmon engendra Booz, de Rahab,
Booz engendra Jobed, de Ruth,
Jobed engendra Jessé[d],
[6] Jessé engendra le roi David.
David engendra Salomon, de la femme d'Urie[e],
[7] Salomon engendra Roboam[f],
Roboam engendra Abia,
Abia engendra Asa,
[8] Asa engendra Josaphat,
Josaphat engendra Joram,
Joram engendra Ozias,
[9] Ozias engendra Joatham,
Joatham engendra Achaz,
Achaz engendra Ezéchias,

a ***1.1*** *Livre des origines* Gn 5.1. – *Fils de David* 2 S 7.1 ; Mt 9.27 ; 12.23 ; 15.22 ; 20.30-31 par. ; 21.9, 15 par. ; 22.41-45 par. ; Jn 7.42 ; Rm 1.3 ; 2 Tm 2.8 ; Ap 5.5 ; 22.16. – Abraham et sa descendance Gn 15.2-5 ; 22.15-18 ; Jn 8.33-39. **b** ***1.2*** *Isaac* Gn 21.3, 12. – *Jacob* Gn 25.26. – *Juda* Gn 29.35. **c** ***1.3*** *Thamar* Gn 38. **d** ***1.5*** *Booz* et *Ruth* Rt 4.13. – *Jobed, Jessé* Rt 4.17, 22. **e** ***1.6*** *le roi David* 1 S 16.13 ; Ac 13.22. – *David, la femme d'Urie, Salomon* 2 S 12.24. **f** ***1.7*** v. 7-11 : de Roboam à Jéchonias 1 Ch 3. 10-16.

10 Ezéchias engendra Manassé,
Manassé engendra Amon,
Amon engendra Josias,
11 Josias engendra Jéchonias et ses frères;
ce fut alors la déportation[g] à Babylone.
12 Après la déportation à Babylone,
Jéchonias[h] engendra Salathiel,
Salathiel engendra Zorobabel,
13 Zorobabel engendra Abioud,
Abioud engendra Eliakim,
Eliakim engendra Azor,
14 Azor engendra Sadok,
Sadok engendra Akhim,
Akhim engendra Elioud,
15 Elioud engendra Eléazar,
Eléazar engendra Mathan,
Mathan engendra Jacob,
16 Jacob engendra Joseph, l'époux de Marie,
de laquelle est né Jésus, que l'on appelle *Christ.

17 Le nombre total des générations est donc: quatorze d'Abraham à
David, quatorze de David à la déportation de Babylone, quatorze de la
déportation de Babylone au Christ.

L'annonce à Joseph

18 Voici quelle fut l'origine de Jésus Christ. Marie, sa mère, était
accordée en mariage à Joseph; or, avant qu'ils aient habité ensemble,
elle se trouva enceinte par le fait de l'Esprit Saint. 19 Joseph, son
époux, qui était un homme juste et ne voulait pas la diffamer publique-
ment, résolut de la répudier secrètement. 20 Il avait formé ce projet, et
voici que l'Ange du Seigneur lui apparut en songe[i] et lui dit: «Joseph,
fils de David, ne crains pas de prendre chez toi Marie, ton épouse: ce
qui a été engendré en elle vient de l'Esprit Saint, 21 et elle enfantera un
fils auquel tu donneras le nom de Jésus[j], car c'est lui qui sauvera son
peuple de ses péchés.» 22 Tout cela arriva pour que s'accomplisse ce
que le Seigneur avait dit par le *prophète[k]: 23 *Voici que la vierge*

g 1.11 2 R 24.12-16. ***h 1.12*** Jéchonias et sa descendance 1 Ch 3.17, 19. ***i 1.20*** *l'Ange du Seigneur :* expression familière à l'A.T. pour rapporter une intervention de Dieu lui-même. — Gn 16.7, 13 ; 22.11-15 ; Ex 3.2-6 ; Mt 1.24 ; 2.13, 19 ; 28.2 ; Lc 1.11 ; 2.9 ; Ac 5.19 ; 8.26 ; 12.7, 23. — *songe* Mt 2.12, 13, 19, 22 ; 27.19 ; Ac 2.17. ***j 1.21*** *Jésus,* forme grecque de *Josué,* signifie : le Seigneur est (ou donne) le salut. Mt 1.16, 25 ; Lc 1.31 ; 2.21. ***k 1.22*** Accomplissement des Ecritures 2.15, 17, 23 ; 4.14 ; 8.17 ; 12.17 ; 13.14, 35 ; 21.4 ; 26.56 ; 27.9 ; Lc 4.21 ; 21.22 ; 22.44 ; Jn 12.38 ; Ac 1.16 ; Jc 2.23.

concevra et enfantera un fils auquel on donnera le nom d'Emmanuel[l],
ce qui se traduit: *«Dieu avec nous».* 24 A son réveil, Joseph fit ce que
l'Ange du Seigneur lui avait prescrit: il prit chez lui son épouse, 25 mais
il ne la connut pas[m] jusqu'à ce qu'elle eût enfanté un fils, auquel il
donna le nom de Jésus.

La visite des mages

2 1 Jésus étant né à Bethléem de Judée, au temps du roi Hérode,
voici que des mages[n] venus d'Orient arrivèrent à Jérusalem 2 et
demandèrent: «Où est le roi des Juifs qui vient de naître? Nous avons
vu son astre à l'Orient[o] et nous sommes venus lui rendre hommage.»
3 A cette nouvelle, le roi Hérode fut troublé, et tout Jérusalem avec lui.
4 Il assembla tous les *grands prêtres et les scribes du peuple, et
s'enquit auprès d'eux du lieu où le *Messie devait naître. 5 «A
Bethléem de Judée, lui dirent-ils, car c'est ce qui est écrit par le pro-
phète: 6 *Et toi, Bethléem, terre de Juda, tu n'es certes pas le plus petit
des chefs-lieux de Juda: car c'est de toi que sortira le chef qui fera
paître Israël, mon peuple*[p].» 7 Alors Hérode fit appeler secrètement les
mages, se fit préciser par eux l'époque à laquelle l'astre apparaissait,
8 et les envoya à Bethléem en disant: «Allez vous renseigner avec pré-
cision sur l'enfant; et, quand vous l'aurez trouvé, avertissez-moi pour
que, moi aussi, j'aille lui rendre hommage.» 9 Sur ces paroles du roi,
ils se mirent en route; et voici que l'astre, qu'ils avaient vu à l'Orient,
avançait devant eux jusqu'à ce qu'il vînt s'arrêter au-dessus de
l'endroit où était l'enfant. 10 A la vue de l'astre, ils éprouvèrent une
très grande joie. 11 Entrant dans la maison, ils virent l'enfant avec
Marie, sa mère, et, se prosternant, ils lui rendirent hommage;
ouvrant leurs coffrets, ils lui offrirent en présent de l'or, de l'encens
et de la myrrhe[q]. 12 Puis, divinement avertis en songe[r] de ne pas
retourner auprès d'Hérode, ils se retirèrent dans leur pays par un autre
chemin.

l* *1.23 Es 7.14 ; 8.8, 10. ***m* *1.25*** Voir Gn 4.1, 17 ; 1 S 1.19, etc. C'est le terme biblique traditionnel pour désigner la relation conjugale. ***n* *2.1*** Selon 1 S 16.1, *Bethléem* est la patrie de David Mt 2.5 ; Lc 2.4, 15 ; Jn 7.42. — *Hérode :* il s'agit d'*Hérode le Grand* qui régna à Jérusalem de 37 à 4 av. J.C. Lc 1.5. — *mages :* sans doute des astrologues babyloniens Dn 2.2, 10, 11. ***o* *2.2*** *roi des Juifs* 21.5 ; 27.11, 29, 37 ; Mc 15.2, 9, 12, 18, 26 ; Lc 23.3, 37, 38 ; Jn 18.33, 39 ; 19.3, 14, 15, 19, 21. — *à l'Orient* ou *à son lever.* ***p* *2.6*** Mi 5.1 ; voir 2 S 5.2 ; 1 Ch 11.2. ***q* *2.11*** Parfums traditionnels de l'Arabie. — *or et encens* Es 60.6. ***r* *2.12*** 1.20+ ; Gn 20.3-7 ; 31.24 ; 46.2-4 ; voir Ac 16.9 ; 18.9 ; 23.11.

La fuite en Egypte

13 Après leur départ, voici que l'Ange du Seigneur[s] apparaît en songe
à Joseph et lui dit: «Lève-toi, prends avec toi l'enfant et sa mère, et
fuis en Egypte; restes-y jusqu'à nouvel ordre, car Hérode va recher-
cher l'enfant pour le faire périr.» 14 Joseph se leva, prit avec lui l'enfant
et sa mère, de nuit, et se retira en Egypte. 15 Il y resta jusqu'à la mort
d'Hérode, pour que s'accomplisse ce qu'avait dit le Seigneur par le
prophète: *D'Egypte, j'ai appelé mon fils*[t].

Massacre des enfants de Bethléem

16 Alors Hérode, se voyant joué par les mages, entra dans une grande
fureur et envoya tuer, dans Bethléem et tout son territoire, tous les
enfants jusqu'à deux ans, d'après l'époque qu'il s'était fait préciser par
les mages. 17 Alors s'accomplit ce qui avait été dit par le prophète
Jérémie:

18 *Une voix dans Rama s'est fait entendre,*
des pleurs et une longue plainte:
c'est Rachel qui pleure ses enfants
et ne veut pas être consolée,
parce qu'ils ne sont plus[u].

Retour d'Egypte. Etablissement à Nazareth

19 Après la mort d'Hérode, l'Ange du Seigneur apparaît en songe à
Joseph, en Egypte, 20 et lui dit: «Lève-toi, prends avec toi l'enfant et sa
mère, et mets-toi en route pour la terre d'Israël; en effet, ils sont
morts, ceux qui en voulaient à la vie de l'enfant.» 21 Joseph se leva, prit
avec lui l'enfant et sa mère, et il entra dans la terre d'Israël. 22 Mais,
apprenant qu'Archélaüs régnait sur la Judée à la place de son père
Hérode, il eut peur de s'y rendre; et divinement averti en songe, il se
retira dans la région de Galilée[v] 23 et vint habiter une ville appelée
Nazareth, pour que s'accomplisse ce qui avait été dit par les *pro-
phètes: *Il sera appelé Nazôréen*[w].

s 2.13 1.20+ et la note. ***t 2.15*** Os 11.1 ; voir Mt 1.22+. ***u 2.18*** Jr 31.15. – *Rama* Jr 40.1. – *Rachel* (mère de Joseph et Benjamin) Gn 30.22-24 ; 35.16-18. ***v 2.22*** *Archélaüs :* fils et successeur d'Hérode le Grand ; il régna de 4 av. J.C. à 6 ap. J.C. – *Galilée* 2 R 15.29 ; Es 8.23 ; Mt 3.13 ; 4.23 ; 26.32 ; 28.7 par. ; Jn 4.3 ; 7.41, 52 ; Ac 1.11 ; 9.31 ; 10.37, etc. ***w 2.23*** 21.11 ; 26.71 ; Jn 1.45 ; Ac 10.38.

Jean-Baptiste

(Mc 1.2-6; Lc 3.1-6; Jn 1.19-23)

3 1 En ces jours-là paraît Jean le Baptiste, proclamant dans le désert de Judée[x]: 2 «Convertissez-vous: le *Règne des cieux[y] s'est approché!» 3 C'est lui dont avait parlé le prophète Esaïe quand il disait: *«Une voix crie dans le désert: "Préparez le chemin du Seigneur, rendez droits ses sentiers[z]."»* 4 Jean avait un vêtement de poil de chameau et une ceinture de cuir autour des reins[a]; il se nourrissait de sauterelles et de miel sauvage. 5 Alors Jérusalem, toute la Judée et toute la région du Jourdain se rendaient auprès de lui; 6 ils se faisaient baptiser par lui[b] dans le Jourdain en confessant leurs péchés.

Appel de Jean à la conversion

(Lc 3.7-9)

7 Comme il voyait beaucoup de *Pharisiens et de Sadducéens venir à son baptême, il leur dit: «Engeance de vipères, qui vous a montré le moyen d'échapper à la colère qui vient[c]? 8 Produisez donc du fruit[d] qui témoigne de votre conversion; 9 et ne vous avisez pas de dire en vous-mêmes: "Nous avons pour père Abraham[e]." Car je vous le dis, des pierres que voici, Dieu peut susciter des enfants à Abraham. 10 Déjà la hache est prête à attaquer la racine des arbres; tout arbre donc qui ne produit pas de bon fruit va être coupé[f] et jeté au feu.

Baptême d'eau et baptême de feu

(Mc 1.7-8; Lc 3.15-18; voir Jn 1.24-28)

11 «Moi, je vous baptise dans l'eau en vue de la conversion; mais

***x* 3.1** *Jean le Baptiste* 4.12 ; 9.14 ; 11.2-19 ; 14. 2-12 ; 16.14 ; 17.13 ; 21.25-32 par. ; Lc 1 ; 3.2 ; 11.1 ; Jn 1.6-36 ; 3.23-30 ; 5.33-36 ; Ac 1.22 ; 10.37 ; voir aussi Mt 3.6+ (activité baptismale de Jean). – *proclamation* Es 40.9 ; Mt 4.17, 23 ; 9.35 ; 10.7, 27 ; 11.1 ; 24.14 ; 26.13 ; Ac 8.5. – *désert* Mt 4.1 ; 11.7 ; 14.13 ; 24.26. – *de Judée :* région à peine peuplée située entre la ligne de crête Jérusalem-Hébron et la mer Morte ou le Jourdain inférieur. ***y* 3.2** appel à la *conversion* 3. 8, 11 ; 4.17 ; 11.20, 21 ; 12.41 ; Mc 1.15 ; Lc 5.32 ; 15.7. – *le Règne des cieux* = Règne de Dieu (voir au glossaire). Mt se conforme ici à l'usage juif qui évite d'avoir à prononcer le nom de Dieu. 4.17 ; 5.3 ; 7.21 ; 8.11 ; 10.7 ; 11.11-12 ; 13 ; 16.19 ; 18.1, 23 ; 19.12, 23 ; 20.1 ; 22.2 ; 23.13 ; 25.1. Autres exemples de tournures analogues : 21.25, et les formules impersonnelles de 7.2, 7, etc. – Règne ou Royaume de Dieu 6.10+. ***z* 3.3** Es 40.3. ***a* 3.4** Le costume de Jean 2 R 1.8 ; Za 13.4. ***b* 3.6** Activité baptismale de Jean 3.11-16 ; 21.25 par. ; Mc 1.4-5 ; Lc 3.3, 7, 16 ; Jn 1.25, 31-33 ; 3.23 ; 4.1 ; 10.40 ; Ac 1.5 ; 11.16 ; 13.24 ; 18.25 ; 19.3-4 ; voir Mt 21.25-27 par. ***c* 3.7** *Engeance de vipères* 12.34 ; 23.33 ; Lc 3.7. – *la colère :* il s'agit de la colère de Dieu (voir 3.2 et la note). Es 30.27-33 ; Mt 23.33 ; Lc 21.23 ; Rm 1.18 ; 2.5 ; 5.9 ; Ep 5.6 ; Col 3.6 ; Ap 6.16-17. ***d* 3.8** 7.16-20 par. ; 12.33 ; Mc 4.20 ; Jn 15.2-8, 16 ; Rm 7.4 ; Ga 5.22 ; Ep 5.9 ; Col 1.6, 10. ***e* 3.9** C'est-à-dire comme ancêtre : Jn 8.33, 37, 39 ; Rm 4.12. ***f* 3.10** 7.19 ; Lc 13.7-9 ; Jn 15.6.

celui qui vient après moi est plus fort que moi : je ne suis pas digne de lui ôter ses sandales ; lui, il vous baptisera dans l'Esprit Saint et le feu[g]. 12 Il a sa pelle à vanner à la main, il va nettoyer son aire et recueillir son blé dans le grenier ; mais la bale, il la brûlera au feu qui ne s'éteint pas[h]. »

Baptême de Jésus

(Mc 1.9-11 ; Lc 3.21-22 ; voir Jn 1.29-34)

13 Alors paraît Jésus, venu de Galilée jusqu'au Jourdain auprès de Jean, pour se faire baptiser par lui. 14 Jean voulut s'y opposer : « C'est moi, disait-il, qui ai besoin d'être baptisé par toi, et c'est toi qui viens à moi ! » 15 Mais Jésus lui répliqua : « Laisse faire maintenant : c'est ainsi qu'il nous convient d'accomplir toute justice[i]. » Alors, il le laisse faire. 16 Dès qu'il fut baptisé, Jésus sortit de l'eau. Voici que les *cieux s'ouvrirent[j] et il vit l'Esprit de Dieu descendre comme une colombe et venir sur lui. 17 Et voici qu'une voix venant des cieux disait : « Celui-ci est mon Fils bien-aimé[k], celui qu'il m'a plu de choisir. »

La tentation de Jésus

(Mc 1.12-13 ; Lc 4.1-13)

4 1 Alors Jésus fut conduit par l'Esprit au désert, pour être tenté[l] par le *diable. 2 Après avoir *jeûné quarante[m] jours et quarante nuits, il finit par avoir faim. 3 Le tentateur s'approcha et lui dit : « Si tu es le Fils de Dieu, ordonne que ces pierres deviennent des pains[n]. » 4 Mais il répliqua : « Il est écrit : *Ce n'est pas seulement de pain que l'homme vivra, mais de toute parole sortant de la bouche de Dieu*[o]. » 5 Alors le diable l'emmène dans la Ville Sainte[p], le place sur le faîte du *temple 6 et lui dit : « Si tu es le Fils de Dieu, jette-toi en bas, car il est écrit : *Il donnera pour toi des ordres à ses *anges et ils te porteront sur leurs mains pour t'éviter de heurter du pied quelque pierre*[q]. » 7 Jésus lui dit :

g 3.11 *Jean baptise* 3.6+. – *conversion* 3.2+. – *celui qui vient* Ml 3.1 ; Mt 11.3 ; 21.9 ; Jn 1.15 ; 6.14 ; Ac 19.4 ; He 10.37 ; Ap 1.4, 8 ; voir Ha 2.3 (grec). – *pas digne* Ac 13.25. – *baptême par l'Esprit* Jn 1.33 ; Ac 1.5 ; 11.16. – *le feu* Ml 3.2 ; Za 13.9 ; 1 Co 3.13, 15 ; 1 P 1.7. **h 3.12** La moisson, image du jugement Es 17.5 ; Jr 13.24 ; Jl 4.12-13 ; Mt 13.30-39 ; Ap 14.14-16. **i 3.15** L'idée fondamentale du terme rendu ici par *justice* est celle de conformité (ou de fidélité) à la volonté de Dieu. Voir 5.6, 10, 20 ; 6.33 ; 21.32, etc. **j 3.16** Es 63.19 ; Ez 1.1 ; Jn 1.51 ; Ac 7.56 ; 10.11-16 ; Ap 4.1 ; 19.11. **k 3.17** Ps 2.7 ; 2 S 7.14 ; Es 42.1-4 ; Mt 12.18 ; 17.5 par. ; 2 P 1.17. **l 4.1** *au désert* 3.1+. – *tenté* He 2.18 ; 4.15. **m 4.2** *quarante* Gn 7.4 ; Ex 24.18 ; 34.28 ; Dt 9.9, 18 ; Nb 14.34 ; 1 R 19.8 ; Ac 1.3 ; 4.22 ; 7.23 ; 13.18 ; He 3.9, 17. **n 4.3** *tentateur* 16.1 ; 19.3 ; 22.18, 35. – *Si tu es...* 4.6 ; 27.40. **o 4.4** Dt 8.3 (grec). **p 4.5** C'est-à-dire Jérusalem. Ne 11.1 ; Es 52.1 ; Mt 27.53 ; Ap 11.2 ; 21.2, 10 ; 22.19. **q 4.6** Ps 91.11-12 (grec).

«Il est aussi écrit: *Tu ne mettras pas à l'épreuve le Seigneur ton*
Dieu[r].» 8 Le diable l'emmène encore sur une très haute montagne; il
lui montre tous les royaumes du monde[s] avec leur gloire 9 et lui dit:
«Tout cela je te le donnerai, si tu te prosternes et m'adores[t].» 10 Alors
Jésus lui dit: «Retire-toi, *Satan! Car il est écrit[u]: *Le Seigneur ton Dieu*
tu adoreras et c'est à lui seul que tu rendras un culte.» 11 Alors le diable
le laisse, et voici que des anges s'approchèrent, et ils le servaient.

Jésus se retire en Galilée

(Mc 1.14-15; Lc 4.14-15)

12 Ayant appris que Jean avait été livré[v], Jésus se retira en Galilée.
13 Puis, abandonnant Nazara, il vint habiter à Capharnaüm, au bord de
la mer, dans les territoires de Zabulon et de Nephtali[w], 14 pour que
s'accomplisse ce qu'avait dit le prophète Esaïe:

15 *Terre de Zabulon, terre de Nephtali,*
route de la mer,
pays au-delà du Jourdain,
Galilée des Nations[x]!
16 *Le peuple qui se trouvait dans les ténèbres*
a vu une grande lumière[y];
pour ceux qui se trouvaient dans le sombre pays de la mort,
une lumière s'est levée.

17 A partir de ce moment, Jésus commença à proclamer: «Convertissez-vous: le *Règne des cieux[z] s'est approché.»

Appel des premiers disciples

(Mc 1.16-20; Lc 5.1-11)

18 Comme il marchait le long de la mer de Galilée, il vit deux frères,
Simon appelé Pierre et André[a], son frère, en train de jeter le filet dans

r 4.7 Dt 6.16. — Tenter Dieu Ex 17.2-7 ; Nb 14.22 ; Ps 78.18, etc. ; 1 Co 10.9. ***s 4.8*** 18.7+. ***t 4.9*** 2.2 ; 28.17. ***u 4.10*** *retire-toi* 16.23. — Jésus cite Dt 6.13. ***v 4.12*** *Jean :* voir 3.1. Il s'agit de Jean le Baptiste. — *livré* 14.3 ; Mc 1.14 et la note ; 6.17 ; Lc 3.20 ; Jn 3.24. ***w 4.13*** *Nazara :* forme rare de Nazareth (2.23). *Capharnaüm* 8.5 ; 11.23 ; 17.24 ; Mc 1.21 ; 2.1 ; Lc 4.23 ; Jn 2.12 ; 4.46 ; 6.17. — *au bord de la mer :* voir Mc 1.16 et la note. — *Zabulon* et *Nephtali* sont deux anciennes tribus septentrionales d'Israël. ***x 4.15*** v. 15-16 : Es 8.23—9.1. — *Galilée* Mt 2.22+. ***y 4.16*** *ténèbres, lumière* 10.27 ; Lc 1.79 ; 11. 34-36 ; 12.3 ; Jn 1.5 ; 3.19 ; 8.12 ; 12.35, 46 ; Ac 26.18 ; Rm 2.19 ; 13.12 ; 1 Co 4.5 ; 2 Co 4.6 ; 6.14 ; Ep 5.8 ; Col 1.13 ; 1 Th 5.4 ; 1 P 2.9 ; 1 Jn 1.5-6 ; 2.8, 9, 11 ; Ap 8.12. ***z 4.17*** *proclamation* 3.1 +. — *Convertissez-vous* 3.2 +. — *le Règne des cieux* 3.2 + et la note. ***a 4.18*** *Pierre* 10.2 ; 14.28 ; 16.16-18, 22-23 ; 17.1 ; 18.21 ; 19.27 ; 26.33-37 et par. ; Lc 5.4-10 ; 22.31 ; 24.34 ; Jn 1.40-41 ; 3.6-10 ; 21.15-19 ; Ac 2.14, etc. ; 3.1—4.23 ; 5.1-10 ; 8.14-25 ; 9.32-43 ; 10.9—11.17 ; 15.7-11 ; Ga 2.7-14 ; 1 P 1.1 ; voir Jn 1.42 ; 1 Co 1.12 ; 3.22 ; 9.5 ; 15.5 ; Ga 1.18. — *André* Mt 10.2 ; Mc 13.2 ; Jn 1.40-44 ; 6.8 ; 12.22.

la mer: c'étaient des pêcheurs. 19 Il leur dit: «Venez à ma suite[b] et je vous ferai pêcheurs d'hommes.» 20 Laissant aussitôt leurs filets, ils le suivirent. 21 Avançant encore, il vit deux autres frères: Jacques, fils de Zébédée, et Jean[c] son frère, dans leur barque, avec Zébédée leur père, en train d'arranger leurs filets. Il les appela. 22 Laissant aussitôt leur barque et leur père, ils le suivirent.

Jésus et les foules

(Mc 1.39; Lc 4.44; 6.17-18)

23 Puis, parcourant toute la Galilée, il enseignait dans leurs *synagogues, proclamait la Bonne Nouvelle du Règne et guérissait[d] toute maladie et toute infirmité parmi le peuple. 24 Sa renommée gagna toute la Syrie, et on lui amena tous ceux qui souffraient[e], en proie à toutes sortes de maladies et de tourments: *démoniaques, lunatiques, paralysés; il les guérit. 25 Et de grandes foules le suivirent, venues de la Galilée et de la Décapole[f], de Jérusalem et de la Judée, et d'au-delà du Jourdain.

Le sermon sur la montagne

(Mc 3.13; Lc 6.12-13,20)

5 1 A la vue des foules, Jésus monta dans la montagne. Il s'assit, et ses disciples s'approchèrent de lui. 2 Et, prenant la parole, il les enseignait:

Les béatitudes

(Lc 6.20-26)

3 «Heureux les pauvres[g] de cœur: le *Royaume des cieux est à eux.
4 Heureux les doux[h]: ils auront la terre en partage.
5 Heureux ceux qui pleurent: ils seront consolés[i].
6 Heureux ceux qui ont faim et soif de la justice[j]: ils seront rassasiés.

b 4.19 *à la suite de Jésus* 4.25 ; 8.1 ; 12.15 ; 14.13 ; 19.27, etc. ; Jn 8.12 ; 10.27. – Appelé à suivre Jésus Mt 8.22 ; 9.9 ; 10.38 ; 16.23-24 ; Lc 14.27 ; Jn 1.43 ; 12.26 ; 13.36 ; 21.19 ; 1 P 2.21 ; Ap 14.4. **c 4.21** *Jacques et Jean (fils de Zébédée)* 10.2 ; 17.1 ; 20.20 ; 26.37 par. ; Lc 5.10 ; 9.54 ; Ac 1.13. – *Jacques* Ac 12.2. – *Jean* Lc 22.8 ; Ac 4.13-21 ; 8.14-17. **d 4.23** *Jésus enseigne, prêche et guérit* 9.35 ; 11.5 ; Mc 1.39. – *la Bonne Nouvelle du Règne* Mt 9.35 ; 24.14. **e 4.24** *Syrie :* région païenne située au nord de la Palestine juive. – Afflux de gens qui souffrent Mc 6.55-56. **f 4.25** Afflux des foules Mc 3.7-8. – *la Décapole :* voir Mc 5.20 et la note. **g 5.3** *Heureux* 11.6 ; 13.16 ; 16.17 ; 24.46 ; Lc 1.45 ; 10.23 ; 11.28 ; 14.15 ; Jn 13.17 ; 20.19 ; Rm 14.22 ; 1 P 3.14 ; 4.14 ; Ap 1.3 ; 14.13 ; 16.15 ; 19.9 ; 20.6 ; 22.7. – *pauvres* Ps 34.19 ; 40.18 ; Mt 11.5. **h 5.4** Ps 37.11 ; Mt 11.29 ; 21.5 ; 2 Co 10.1 ; Ga 5.23 ; Tt 3.2 ; 1 P 3.16. **i 5.5** *consolation* attendue Es 61.2 ; Lc 2.25. **j 5.6** 3.15 ; 5.10 ; 6.1, 33 ; 21.32.

7 Heureux les miséricordieux[k]: il leur sera fait miséricorde.
8 Heureux les *cœurs purs[l]: ils verront Dieu.
9 Heureux ceux qui font œuvre de paix[m]: ils seront appelés fils de
Dieu.
10 Heureux ceux qui sont persécutés[n] pour la justice: le Royaume des
cieux est à eux.
11 Heureux êtes-vous lorsque l'on vous insulte[o], que l'on vous persé-
cute et que l'on dit faussement contre vous toute sorte de mal à
cause de moi. 12 Soyez dans la joie et l'allégresse, car votre récom-
pense est grande dans les *cieux; c'est ainsi en effet qu'on a per-
sécuté les *prophètes qui vous ont précédés.

Le sel et la lumière

(Mc 9.50; 4.21; Lc 14.34-35; 8.16; 11.33)

13 «Vous êtes le sel[p] de la terre. Si le sel perd sa saveur, comment
redeviendra-t-il du sel? Il ne vaut plus rien; on le jette dehors et il est
foulé aux pieds par les hommes.
14 «Vous êtes la lumière du monde[q]. Une ville située sur une hauteur
ne peut être cachée. 15 Quand on allume une lampe, ce n'est pas pour
la mettre sous le boisseau, mais sur son support et elle brille pour tous
ceux qui sont dans la maison[r]. 16 De même, que votre lumière brille
aux yeux des hommes, pour qu'en voyant vos bonnes actions ils ren-
dent gloire à votre Père[s] qui est aux cieux.

Jésus et la loi

17 «N'allez pas croire que je sois venu abroger la Loi ou les Pro-
phètes: je ne suis pas venu abroger, mais accomplir[t]. 18 Car, en vérité
je vous le déclare, avant que ne passent le ciel et la terre[u], pas un *i*, pas
un point sur l'*i* ne passera de la loi, que tout ne soit arrivé. 19 Dès lors
celui qui transgressera un seul de ces plus petits commandements[v] et
enseignera aux hommes à faire de même sera déclaré le plus petit dans
le Royaume des cieux; au contraire, celui qui les mettra en pratique
et les enseignera, celui-là sera déclaré grand dans le Royaume des
cieux. 20 Car je vous le dis: si votre justice ne surpasse pas celle des

***k* 5.7** 18.33 ; Jc 2.13. ***l* 5.8** Ps 24.4 ; So 3.9 ; 2 Co 11.2-3 ; 1 Tm 1.5 ; Tt 1.15. ***m* 5.9** He 12.14 ; Jc 3.18. ***n* 5.10** 2 Ch 24.20-22 ; 36.16 ; Mt 23.30-37 ; Ac 7.52 ; He 11.32-38 ; Jc 5.10 ; 1 P 3.14. ***o* 5.11** 10.22 ; 1 P 4.14. ***p* 5.13** Jb 6.6 ; Mc 9.50 ; Lc 14.34-35. ***q* 5.14** Jn 8.12 ; 9.5 ; Ph 2.15. ***r* 5.15** *lampe* Mc 4.21 ; Lc 8.16 ; 11.33. — *la maison :* en Orient la maison des gens simples comprend une seule pièce. ***s* 5.16** *votre lumière* Ep 5.8-9. — *pour la gloire de votre Père* 1 Co 10.31 ; 1 P 2.12. ***t* 5.17** *la Loi ou les Prophètes* 7.12+ ; voir Rm 3.19 et la note. — *non pour abroger* Rm 3.31. — *accomplir* Mt 3.15. ***u* 5.18** *disparition du ciel et de la terre* Lc 16.17 ; 21.33. ***v* 5.19** Jc 2.10.

scribes et des *Pharisiens, non, vous n'entrerez pas dans le Royaume des cieux[w].

Meurtre et réconciliation

(Mc 11.25; Lc 12.57-59)

21 «Vous avez appris qu'il a été dit aux anciens: *Tu ne commettras pas de meurtre*[x]; celui qui commettra un meurtre en répondra au tribunal. 22 Et moi, je vous le dis: quiconque se met en colère contre son frère en répondra au tribunal; celui qui dira à son frère: "Imbécile" sera justiciable du *Sanhédrin; celui qui dira: "Fou" sera passible de la *géhenne[y] de feu. 23 Quand donc tu vas présenter ton offrande à *l'autel, si là tu te souviens que ton frère a quelque chose contre toi, 24 laisse là ton offrande, devant l'autel, et va d'abord te réconcilier[z] avec ton frère; viens alors présenter ton offrande. 25 Mets-toi vite d'accord avec ton adversaire[a], tant que tu es encore en chemin avec lui, de peur que cet adversaire ne te livre au juge, le juge au gendarme, et que tu ne sois jeté en prison. 26 En vérité, je te le déclare: tu n'en sortiras pas tant que tu n'auras pas payé jusqu'au dernier centime.

Adultère et scandale

(Mt 18.8-9; Mc 9.43,47-48)

27 «Vous avez appris qu'il a été dit: *Tu ne commettras pas d'adultère*[b]. 28 Et moi, je vous dis: quiconque regarde une femme avec convoitise a déjà, dans son *cœur, commis l'adultère avec elle.

29 «Si ton œil droit entraîne ta chute, arrache-le et jette-le loin de toi: car il est préférable pour toi que périsse un seul de tes membres et que ton corps tout entier ne soit pas jeté dans la *géhenne[c]. 30 Et si ta main droite entraîne ta chute, coupe-la et jette-la loin de toi: car il est préférable pour toi que périsse un seul de tes membres et que ton corps tout entier ne s'en aille pas dans la géhenne.

w 5.20 *justice* 5.6+ ; voir 3.15 et la note. — *entrer dans le Royaume des cieux* 7.21 ; 18.3 par. ; 19.23-24 par. ; 23.13 ; Lc 16.16 ; Jn 3.5 ; Ac 14.22. ***x 5.21*** Comme en Lc 9.8, 19 *les anciens* sont ici les Israélites d'autrefois. — *pas de meurtre* Ex 20.13 ; Dt 5.17 (Mt 19.18 par. ; Rm 13.9 ; Jc 2.11). Voir Ex 21.12 ; Lv 24.17 ; Nb 35.16-18 ; Dt 17.8-13. ***y 5.22*** *colère* 1 Jn 3.15. — *fou* Dt 32.6 ; 1 Co 4.10. — *la géhenne* 2 R 23.10 ; Jr 7.31 ; Mt 5. 29-30 ; 10.28 ; 18.9 ; 23.15, 33 ; Mc 9.43-47 ; Lc 12.5 ; Jc 3.6. ***z 5.24*** Mc 11.25. ***a 5.25*** Lc 12.57-59. ***b 5.27*** Ex 20.14 ; Dt 5.18 (Mt 19.18 par. ; Rm 13.9 ; Jc 2.11). ***c 5.29*** *entraîne ta chute :* certains traduisent : *te scandalise*. Voir Mc 9.42 et la note ; voir aussi Es 8.14, 15 ; Rm 9.33 ; 1 P 2.8. — *occasion de chute* 1) Jésus Mt 11.6 ; 13.57 ; 15.12 ; 17.27 ; 26.31-33 ; 2) les hommes 5.29 ; 16.23 ; 18.6-9 ; 3) le monde 13.41 ; 18.7 ; 4) la persécution 13.21 ; 24.10. — *géhenne* 5.22+.

La répudiation

(Mt 19.7-9; Mc 10.4-5,10-12; Lc 16.18)

31 «D'autre part il a été dit: *Si quelqu'un répudie sa femme, qu'il lui remette un certificat de répudiation*[d]. 32 Et moi, je vous dis: quiconque répudie sa femme — sauf en cas d'union illégale[e] — la pousse à l'adultère; et si quelqu'un épouse une répudiée, il est adultère.

Le serment

33 «Vous avez encore appris qu'il a été dit aux anciens: *Tu ne te parjureras pas*, mais *tu t'acquitteras envers le Seigneur de tes serments*[f]. 34 Et moi, je vous dis de ne pas jurer du tout: ni *par le ciel* car *c'est le trône de Dieu,* 35 ni *par la terre* car c'est *l'escabeau de ses pieds*, ni par Jérusalem car c'est *la Ville du grand Roi*[g]. 36 Ne jure pas non plus par ta tête, car tu ne peux en rendre un seul cheveu blanc ou noir. 37 Quand vous parlez, dites "Oui" ou "Non"[h]: tout le reste vient du Malin.

Le talion

(Lc 6.29-30)

38 «Vous avez appris qu'il a été dit: *Œil pour œil et dent pour dent*[i]. 39 Et moi, je vous dis de ne pas résister au méchant. Au contraire, si quelqu'un te gifle sur la joue droite, tends-lui aussi l'autre. 40 A qui veut te mener devant le juge pour prendre ta tunique, laisse aussi ton manteau. 41 Si quelqu'un te force à faire mille pas, fais-en deux mille avec lui. 42 A qui te demande[j], donne; à qui veut t'emprunter, ne tourne pas le dos.

L'amour des ennemis

(Lc 6.27-28, 32-36)

43 «Vous avez appris qu'il a été dit: *Tu aimeras ton prochain* et tu haïras ton ennemi[k]. 44 Et moi, je vous dis: Aimez vos ennemis et priez pour ceux qui vous persécutent[l], 45 afin d'être vraiment les fils[m] de votre Père qui est aux *cieux, car il fait lever son soleil sur les méchants et sur les bons, et tomber la pluie sur les justes et les

d 5.31 Dt 24.1. – *répudiation* Mt 19.3-9 ; Mc 10.4. ***e 5.32*** Lv 18.6-18 ; voir Ac 15.20, 29. ***f 5.33*** *parjure* Lv 19.12. – *serment* tenu Nb 30.3 ; Dt 23.22-24. ***g 5.34*** v. 34-35 : *trône* et *escabeau* Es 66.1 ; Mt 23.22 ; Ac 7.49. – *Jérusalem, ville de Dieu* Ps 48.2. ***h 5.37*** *Oui, non* Jc 5.12 ; 2 Co 1.17-20. ***i 5.38*** Loi du talion Ex 21.24-25 ; Lv 24.19-20 ; Dt 19.21. ***j 5.42*** *mille pas* (v.41) : c'est-à-dire 1 000 doubles pas, soit environ 1 500 mètres. – *A qui te demande :* allusion probable aux réquisitions pratiquées par les militaires ou les fonctionnaires romains. ***k 5.43*** Lv 19.18 (Mt 19.19 ; 22.39 ; Mc 12.31 ; Lc 10.27 ; Rm 13.9 ; Ga 5.14 ; Jc 2.8). – *ton ennemi* Ps 31.7 ; 139.21 ; Rm 5.10 ; 2 Th 3.15 ; Mt 10.22 ; 24.9-10. ***l 5.44*** *amour pour les ennemis* Ex 23.4-5 ; Pr 25.21 ; Rm 12.20-21. – *prière pour les persécuteurs* Lc 23.34 ; Ac 7.60 ; Rm 12.14 ; 1 Co 4.12. ***m 5.45*** Ep 5.1.

injustes. 46 Car si vous aimez ceux qui vous aiment, quelle récompense
allez-vous en avoir? Les collecteurs d'impôts[n] eux-mêmes n'en font-ils
pas autant? 47 Et si vous saluez seulement vos frères, que faites-vous
d'extraordinaire? Les *païens n'en font-ils pas autant? 48 Vous donc,
vous serez parfaits[o] comme votre Père céleste est parfait.

L'aumône

6 1 «Gardez-vous de pratiquer votre religion devant les hommes
pour attirer leurs regards; sinon, pas de récompense[p] pour vous
auprès de votre Père qui est aux cieux. 2 Quand donc tu fais l'aumône,
ne le fais pas claironner devant toi, comme font les hypocrites[q] dans
les *synagogues et dans les rues, en vue de la gloire qui vient des
hommes. En vérité, je vous le déclare: ils ont reçu leur récompense.
3 Pour toi, quand tu fais l'aumône, que ta main gauche ignore ce que
fait ta main droite, 4 afin que ton aumône reste dans le secret; et ton
Père, qui voit dans le secret, te le rendra.

La prière

5 «Et quand vous priez, ne soyez pas comme les hypocrites qui
aiment faire leurs prières debout dans les synagogues et les carre-
fours[r], afin d'être vus des hommes. En vérité, je vous le déclare: ils ont
reçu leur récompense. 6 Pour toi, quand tu veux prier, entre dans ta
chambre la plus retirée, verrouille ta porte[s] et adresse ta prière à ton
Père qui est là dans le secret. Et ton Père, qui voit dans le secret, te le
rendra. 7 Quand vous priez, ne rabâchez pas comme les *païens[t]; ils
s'imaginent que c'est à force de paroles qu'ils se feront exaucer. 8 Ne
leur ressemblez donc pas, car votre Père sait[u] ce dont vous avez
besoin, avant que vous le lui demandiez.

Le «Notre Père»

(Lc 11.2-4)

9 «Vous donc, priez ainsi:
Notre Père qui es aux cieux,

n 5.46** quelle récompense* ou *quel salaire* 5.12, 46 ; 6.1, 2, 5, 16 ; 10.41-42. – *collecteurs d'impôts* 10.3 ; 18.7 ; 21.31-32 ; Mc 2.15 et la note, 16 ; Lc 3.12 ; 5.27, 29 ; 7.29, 34 ; 15.1 ; 18.10, 11, 13 ; 19.2 assimilés aux « pécheurs » Mt 9.10-11 ; 11.19. ***o 5.48 Lv 19.2 ; Dt 18.13. ***p 6.1** devant les hommes* 6.5, 16 ; 23.5. – *récompense* 5.46+. ***q 6.2*** 6.5, 16 ; 7.5 ; 15.7 ; 22.18 ; 23.13 ; 24.51 ; Lc 6.42 ; 12.56 ; 13.15. ***r 6.5** synagogues, carrefours :* la prière des Juifs pieux devant se faire à heures fixes, c'est en ces lieux publics que certains trouvaient une bonne occasion de faire remarquer leur piété. ***s 6.6** ta chambre* Es 26.20 ; Dn 6.11. – *porte fermée* 2 R 4.33. ***t 6.7*** Prière à la manière païenne 1 R 18.27 ; Es 1.15 ; *Si* 7.14. ***u 6.8*** 6.32 ; Lc 12.30.

fais connaître à tous qui tu es[v],
10 fais venir ton Règne,
fais se réaliser ta volonté[w]
sur la terre à l'image du *ciel.
11 Donne-nous aujourd'hui le pain[x] dont nous avons besoin,
12 pardonne-nous nos torts envers toi,
comme nous-mêmes[y] nous avons pardonné à ceux qui avaient des torts envers nous,
13 et ne nous conduis pas dans la tentation,
mais délivre-nous du Tentateur[z].
14 « En effet, si vous pardonnez[a] aux hommes leurs fautes, votre Père
céleste vous pardonnera à vous aussi ; 15 mais si vous ne pardonnez pas
aux hommes, votre Père non plus ne vous pardonnera pas vos fautes[b].

Le jeûne

16 « Quand vous *jeûnez, ne prenez pas un air sombre, comme font
les hypocrites : ils prennent une mine défaite pour bien montrer aux
hommes[c] qu'ils jeûnent. En vérité, je vous le déclare : ils ont reçu leur
récompense. 17 Pour toi, quand tu jeûnes, parfume-toi la tête et lave-toi
le visage, 18 pour ne pas montrer aux hommes que tu jeûnes, mais seulement à ton Père qui est là dans le secret ; et ton Père, qui voit dans le secret, te le rendra.

Le trésor dans le ciel

(Lc 12.33-34)

19 « Ne vous amassez pas de trésors sur la terre, où les mites et les vers font tout disparaître, où les voleurs percent les murs[d] et dérobent.

v* *6.9 *Père qui es aux cieux* 5.16, 45 ; 6.1, 9 ; 7.11 ; 12.50 ; 14.26 ; 16.17 ; 18.14 ; 23.9, etc. ; Mc 11.25 ; Lc 11.13. – *fais connaître à tous qui tu es* (que ton nom soit sanctifié) Lv 22.32 ; Dt 32.51 ; Ez 28.22, 25 ; 36.23 ; voir Jn 12.28. ***w 6.10*** *ton Règne* 3.2+ ; Règne/Royaume de Dieu 6.33 ; 12.28 ; 19.24 ; 21.31, 43 ; Mc 1.15 ; 4.11, 26, 30 ; 9.1, 47 ; 10.14-15, 23-25 ; 12.34 ; 14.25 ; 15.43 et par. ; Jn 3.3, 5 ; Ac 1.3 ; 8.12 ; 14.22 ; 19.8 ; 28.23, 31 ; Rm 14.17 ; 1 Co 4.20 ; 6.9 ; 15.24, 50 ; Ga 5.21 ; Col 4.11 ; 1 Th 2.12 ; 2 Th 1.5 ; Jc 2.5 ; Ap 12.10. – *ta volonté* Es 44.28 ; Ez 36.27 ; Mt 7.21, 24-27 ; 12.50 ; 18.14 ; 21.31 ; 26.42 par. ; Jn 7.17 ; 9.31 ; Ep 1.5, 9. ***x 6.11*** 6.34. ***y 6.12*** Dette remise 18.24-27. – *comme nous-mêmes...* 5.7 ; 6.14-15 ; 18.28-35 ; Mc 11.25. ***z 6.13*** *tentation* 4.1-10 par. ; 26.41 par. ; 1 Co 7.5 ; 10.13 ; 1 Th 3.5 ; 1 Tm 6.9 ; Jc 1.13 ; 1 P 5. 5-9 ; Ap 2.10. – *du Tentateur :* ou *du mal* (Mt 5.11 ; 6.23) ; ou encore *du Malin,* ou *du Méchant* (5.37 ; 13.19, 38) ; Jn 17.15 ; 2 Th 3.3. Certains manuscrits ajoutent ici : *Car le règne, la puissance et la gloire sont à toi pour toujours.* ***a 6.14*** Ep 4.32 ; Col 3.13. ***b 6.15*** 18.35. ***c 6.16*** *jeûne* Ex 34.28 ; Dn 9.3 ; Jl 2.12 ; Mt 4.2 ; 9.14-17 ; 17.21 ; Ac 13.2-3 ; 14.23. – *bien montrer aux hommes* Mt 6.5 ; 23.5. ***d 6.19*** *mites* Jc 5.2-3. – *trous dans les murs* Mt 24.43. – Les maisons palestiniennes étaient bâties en torchis, amalgame d'argile et de paille.

20 Mais amassez-vous des trésors dans le *ciel[e], où ni les mites ni les
vers ne font de ravages, où les voleurs ne percent ni ne dérobent.
21 Car où est ton trésor, là aussi sera ton *cœur.

La lampe du corps

(Lc 11.34-36)

22 «La lampe du corps, c'est l'œil. Si donc ton œil est sain, ton corps
tout entier sera dans la lumière. 23 Mais si ton œil est malade[f], ton
corps tout entier sera dans les ténèbres. Si donc la lumière qui est en
toi est ténèbres, quelles ténèbres!

Ou Dieu ou l'argent

(Lc 16.13)

24 «Nul ne peut servir deux maîtres: ou bien il haïra l'un et aimera
l'autre, ou bien il s'attachera à l'un et méprisera l'autre. Vous ne
pouvez servir Dieu et l'Argent[g].

Les soucis

(Lc 12.22-31)

25 «Voilà pourquoi je vous dis: Ne vous inquiétez pas[h] pour votre vie
de ce que vous mangerez, ni pour votre corps de quoi vous le vêtirez. La
vie n'est-elle pas plus que la nourriture, et le corps plus que le vêtement?
26 Regardez les oiseaux du ciel: ils ne sèment ni ne moissonnent, ils
n'amassent point dans des greniers; et votre Père céleste les nourrit! Ne
valez-vous pas beaucoup plus qu'eux[i]? 27 Et qui d'entre vous peut, par
son inquiétude, prolonger tant soit peu son existence? 28 Et du vête-
ment, pourquoi vous inquiéter? Observez les lis des champs, comme
ils croissent: ils ne peinent ni ne filent, 29 et je vous le dis, Salomon[j]
lui-même, dans toute sa gloire, n'a jamais été vêtu comme l'un d'eux!
30 Si Dieu habille ainsi l'herbe des champs, qui est là aujourd'hui et qui
demain sera jetée au feu, ne fera-t-il pas bien plus pour vous, gens de
peu de foi[k]! 31 Ne vous inquiétez donc pas, en disant: "Qu'allons-nous
manger? qu'allons-nous boire? de quoi allons-nous nous vêtir?" 32 —
tout cela, les *païens le recherchent sans répit —, il sait bien[l], votre
Père céleste, que vous avez besoin de toutes ces choses. 33 Cherchez
d'abord le *Royaume et la justice de Dieu, et tout cela vous sera donné
par surcroît. 34 Ne vous inquiétez donc pas pour le lendemain[m]: le len-
demain s'inquiétera de lui-même. A chaque jour suffit sa peine.

***e* 6.20** 19.21 par.; Col 3.1-2. ***f* 6.23** 20.15; Mc 7.22. ***g* 6.24** *l'Argent*-Mamon Lc 16.9. ***h* 6.25** 6.11; 7.7-11; 16.5-12; Mc 13.15; Ph 4.6; 1 P 5.7. ***i* 6.26** 10.31; Lc 12.7, 24. ***j* 6.29** 1 R 10. ***k* 6.30** 8.26; 14.31; 16.8; 17.20; Lc 12.28. ***l* 6.32** 6.8; Lc 12.30. ***m* 6.34** Ex 16.4-5, 19-20.

La paille et la poutre

(Lc 6.37-38, 41-42)

7 1 «Ne vous posez pas en juge[n], afin de n'être pas jugés; 2 car c'est
de la façon dont vous jugez qu'on vous jugera, et c'est la mesure
dont vous vous servez qui servira de mesure pour vous[o]. 3 Qu'as-tu à
regarder la paille qui est dans l'œil de ton frère? Et la poutre qui est
dans ton œil, tu ne la remarques pas? 4 Ou bien, comment vas-tu dire à
ton frère: "Attends! que j'ôte la paille de ton œil"? Seulement voilà:
la poutre est dans ton œil! 5 Homme au jugement perverti[p], ôte
d'abord la poutre de ton œil, et alors tu verras clair pour ôter la paille
de l'œil de ton frère.

Les perles aux pourceaux

6 «Ne donnez pas aux chiens ce qui est sacré[q], ne jetez pas vos
perles aux porcs, de peur qu'ils ne les piétinent et que, se retournant,
ils ne vous déchirent.

Prier le Père

(Lc 11.9-13)

7 «Demandez[r], on vous donnera; cherchez, vous trouverez; frappez,
on vous ouvrira. 8 En effet, quiconque demande reçoit, qui cherche
trouve, à qui frappe on ouvrira. 9 Ou encore, qui d'entre vous, si son
fils lui demande du pain, lui donnera une pierre? 10 Ou s'il demande un
poisson, lui donnera-t-il un serpent? 11 Si donc vous, qui êtes mauvais,
savez donner de bonnes choses à vos enfants, combien plus votre
Père[s] qui est aux *cieux, donnera-t-il de bonnes choses à ceux qui le
lui demandent.

Autrui

(Lc 6.31)

12 «Ainsi, tout ce que vous voulez que les hommes fassent pour vous,
faites-le vous-mêmes pour eux: c'est la Loi et les Prophètes[t].

n 7.1 Ps 50.6 ; Rm 2.1 ; 14.10 ; 1 Co 5.12 ; Jc 4.11. ***o 7.2*** *on vous jugera :* cette tournure impersonnelle est une manière de parler de Dieu sans avoir à le nommer. Voir la note sur Mt 3.2. — *la même mesure* Mc 4.24. ***p 7.5*** Ou *hypocrite.* Le terme désigne des gens qui masquent leur vraie personnalité derrière des apparences flatteuses. 6.2+. ***q 7.6*** Ex 29.33-34 ; Lv 2.3. ***r 7.7*** Mc 11.24 ; Jn 14.13-14 ; 15.7 ; 16.23-24 ; Jc 1.5 ; 1 Jn 3.22 ; 5.14-15. ***s 7.11*** 6.9+ ; Jc 1.17. ***t 7.12*** la règle d'or Rm 13.8-10. — *la Loi et les Prophètes :* voir Rm 3.19 et la note ; Mt 5.17 ; 11.13 ; 22.40 ; Lc 16.16 ; 24.44 ; Jn 1.45 ; Ac 13.15 ; 24.14 ; 28.23 ; Rm 3.21.

Les deux voies

(Lc 13.23-24)

13 «Entrez par la porte étroite. Large est la porte et spacieux le
chemin qui mène à la perdition, et nombreux ceux qui s'y engagent;
14 combien étroite est la porte[u] et resserré le chemin qui mène à la
*vie, et peu nombreux ceux qui le trouvent.

Tel arbre, tels fruits

(Mt 12.33; Lc 6.43-44)

15 «Gardez-vous des faux prophètes, qui viennent à vous vêtus en
brebis, mais qui au-dedans sont des loups[v] rapaces. 16 C'est à leurs
fruits que vous les reconnaîtrez. Cueille-t-on des raisins sur un buisson
d'épines, ou des figues sur des chardons[w]? 17 Ainsi tout bon arbre pro-
duit de bons fruits, mais l'arbre malade produit de mauvais fruits. 18 Un
bon arbre ne peut pas porter de mauvais fruits, ni un arbre malade
porter de bons fruits. 19 Tout arbre qui ne produit pas un bon fruit, on
le coupe[x] et on le jette au feu. 20 Ainsi donc, c'est à leurs fruits que
vous les reconnaîtrez.

Les vrais disciples

(Lc 6.46; 13.27)

21 «Il ne suffit pas de me dire: "Seigneur, Seigneur!" pour entrer
dans le *Royaume des cieux; il faut faire la volonté de mon Père[y] qui
est aux *cieux. 22 Beaucoup me diront en ce jour-là: "Seigneur, Sei-
gneur! n'est-ce pas en ton *nom[z] que nous avons *prophétisé? en ton
nom que nous avons chassé les *démons? en ton nom que nous avons
fait de nombreux miracles?" 23 Alors je leur déclarerai: "Je ne vous ai
jamais connus; *écartez-vous*[a] *de moi, vous qui commettez l'iniquité* !"

Bâtir sur le roc

(Lc 6.47-49)

24 «Ainsi tout homme qui entend les paroles que je viens de dire et
les met en pratique[b], peut être comparé à un homme avisé qui a bâti
sa maison sur le roc. 25 La pluie est tombée, les torrents sont venus, les

u 7.14 Ac 14.22. **v 7.15** *faux prophètes* 24.11, 14 ; Lc 6.26 ; voir Ac 13.6 ; 2 P 2.1 ; 1 Jn 4.1 ; Ap 16.13 ; 19.20 ; 20.10. – *loups* Ez 22.27 ; Mt 10.16 ; Jn 10.12 ; Ac 20.29. **w 7.16** *fruits* 3.8+. – *reconnaître* 11.27 ; 12.33 ; 14.35 ; 17.12. – Tel arbre, tels fruits Jc 3.11-12. **x 7.19** 3.10 ; Lc 3.9 ; 13.6-9 ; Jn 15.6. **y 7.21** *entrer dans le Royaume des cieux* 5.20+. – *faire* Rm 2.13 ; Jc 1.22, 25 ; 1 Jn 2.17 *la volonté du Père* Mt 6.10+. **z 7.22** *ce jour-là* Es 2.11 ; 10.3 ; 49.8 ; Mt 24.36. – *en ton nom* Jr 14.14 ; 27.15 ; Mc 9.38 ; Lc 9.49. **a 7.23** *jamais connus* 10.33 ; 2 Tm 2.12. – *écartez-vous* Mt 13.41-42 ; 25.41. **b 7.24** 5.19 ; 7.12, 24 ; Jc 1.22-23.

vents ont soufflé; ils se sont précipités contre cette maison et elle ne s'est pas écroulée, car ses fondations étaient sur le roc. 26 Et tout homme qui entend les paroles que je viens de dire et ne les met pas en pratique, peut être comparé à un homme insensé qui a bâti sa maison sur le sable. 27 La pluie est tombée, les torrents sont venus, les vents ont soufflé; ils sont venus battre cette maison, elle s'est écroulée, et grande fut sa ruine[c].»

Autorité de Jésus

(Mc 1.22; Lc 4.32)

28 Or, quand Jésus eut achevé ces instructions[d], les foules restèrent frappées de son enseignement; 29 car il les enseignait en homme qui a autorité et non pas comme leurs *scribes.

Guérison d'un lépreux

(Mc 1.40-44; Lc 5.12-14)

8 1 Comme il descendait de la montagne, de grandes foules le suivirent. 2 Voici qu'un *lépreux[e] s'approcha et, prosterné devant lui, disait: «Seigneur, si tu le veux, tu peux me *purifier.» 3 Il étendit la main, le toucha et dit: «Je le veux, sois purifié!» A l'instant, il fut purifié[f] de sa lèpre. 4 Et Jésus lui dit: «Garde-toi d'en dire mot à personne, mais va te montrer au *prêtre et présente l'offrande que Moïse a prescrite: ils auront là un témoignage[g].»

La foi d'un centurion

(Lc 7.1-10; voir Jn 4.46-54)

5 Jésus entrait dans Capharnaüm quand un centurion[h] s'approcha de lui et le supplia 6 en ces termes: «Seigneur, mon serviteur est couché à la maison, atteint de paralysie et souffrant terriblement.» 7 Jésus lui dit: «Moi, j'irai le guérir[i]?» 8 Mais le centurion reprit: «Seigneur, je ne suis pas digne que tu entres sous mon toit: dis seulement un mot et mon serviteur sera guéri. 9 Ainsi moi, je suis soumis à une autorité avec des soldats sous mes ordres, et je dis à l'un: "Va" et il va, à un autre: "Viens" et il vient, et à mon esclave: "Fais ceci" et il le fait.» 10 En l'entendant, Jésus fut plein d'admiration et dit à ceux qui le suivaient: «En vérité, je vous le déclare, chez personne en Israël je n'ai trouvé

c 7.27 *pluie torrentielle* et *ruine* Ez 13. 11-12. **d 7.28** 11.1 ; 13.53 ; 19.1 ; 26.1 ; Lc 7.1. **e 8.2** Dt 28.27, 35 ; Lv 13—14 ; Mt 10.8 ; 11.5 ; Mc 1.40. **f 8.3** 2 R 5.13-14. **g 8.4** *garder le secret* Dn 12.4, 9 ; Mt 9.30 ; 12.16 ; 16.20 ; 17.9 ; Mc 1.34, 44 ; 3.12 ; 7.36 ; 8.30 ; 9.9. — *faire constater par le prêtre* Lc 17.14. — *l'offrande prescrite* Lv 14.2-32. — *témoignage* Lc 5.14. **h 8.5** Officier de l'armée romaine commandant à 100 hommes. **i 8.7** Ou *je vais aller le guérir.*

une telle foi. 11 Aussi, je vous le dis, beaucoup viendront du levant et du
couchant prendre place au festin avec Abraham, Isaac et Jacob dans le
*Royaume des cieux, 12 tandis que les héritiers du Royaume seront jetés
dans les ténèbres du dehors : là seront les pleurs et les grincements de
dents[j]. » 13 Et Jésus dit au centurion : « Rentre chez toi ! Qu'il te soit fait
comme tu as cru. » Et le serviteur fut guéri à cette heure-là[k].

Guérison de la belle-mère de Pierre

(Mc 1.29-31 ; Lc 4.38-39)

14 Comme Jésus entrait dans la maison de Pierre, il vit sa belle-mère
couchée, et avec de la fièvre. 15 Il lui toucha la main, et la fièvre la
quitta ; elle se leva[l] et se mit à le servir.

Guérisons et exorcismes

(Mc 1.32-34 ; Lc 4.40-41)

16 Le soir venu, on lui amena de nombreux *démoniaques. Il chassa
les esprits d'un mot[m] et il guérit tous les malades, 17 pour que s'accom-
plisse ce qui avait été dit par le prophète Esaïe : *C'est lui qui a pris nos
infirmités et s'est chargé de nos maladies*[n].

Pour suivre Jésus

(Lc 9.57-60)

18 Voyant de grandes foules autour de lui, Jésus donna l'ordre de s'en
aller sur l'autre rive. 19 Un *scribe s'approcha et lui dit : « Maître, je te
suivrai partout où tu iras. » 20 Jésus lui dit : « Les renards ont des terriers
et les oiseaux du ciel des nids ; le *Fils de l'homme[o], lui, n'a pas où
poser la tête. » 21 Un autre des disciples lui dit : « Seigneur, permets-
moi d'aller d'abord[p] enterrer mon père. » 22 Mais Jésus lui dit : « Suis-
moi[q], et laisse les morts enterrer leurs morts. »

La tempête apaisée

(Mc 4.35-41 ; Lc 8.23-25)

23 Il monta dans la barque et ses disciples le suivirent. 24 Et voici qu'il
y eut sur la mer une grande tempête[r], au point que la barque allait être

j **8.12** *fils du Royaume* 13.38. – *les ténèbres du dehors* 22.13 ; 25.30. – *pleurs et grincements de dents* Jb 16.9 ; Ps 35.16 ; 37.12 ; Mt 13.42-43, 50 ; 22.13 ; 24.51 ; 25.30 ; Lc 13.28. *k* **8.13** *comme tu as cru* 9.29 ; 15.28. – *à cette heure-là* Jn 4.52-53. *l* **8.15** 9.25 ; 16.21 ; 17.23 ; 20.19 ; 26.32 ; 28.6 ; Mc 9.27 ; Ac 3.15 ; 13.37 ; 1 Co 15.4. *m* **8.16** 8.8 ; Mc 2.10 ; Lc 4.36 ; 1 Th 2.13 ; He 4.12. *n* **8.17** Es 53.4 ; voir Mt 1.22+. *o* **8.20** Dn 7.13 ; Mt 8.20 ; 9.6 ; 11.19 ; 12.8 ; 16.13, 27 ; 17.9, 22 ; 20.18 ; 24.30 ; 26.2, 24, 45, etc. ; Ac 7.56 ; Ap 1.13 ; 14.14 ; voir Mt 10.23+. *p* **8.21** 1 R 19.20. *q* **8.22** 4.19+. *r* **8.24** *tempête-secousse* 24.7 ; 27.51, 54 ; 28.2, 4.

recouverte par les vagues. Lui cependant dormait. 25 Ils s'approchèrent et le réveillèrent en disant: «Seigneur, au secours! Nous périssons.» 26 Il leur dit: «Pourquoi avez-vous peur, hommes de peu de foi?» Alors, debout, il menaça les vents et la mer[s], et il se fit un grand calme. 27 Les hommes[t] s'émerveillèrent, et ils disaient: «Quel est-il, celui-ci, pour que même les vents et la mer lui obéissent!»

Les deux démoniaques gadaréniens

(Mc 5.1-20; Lc 8.26-39)

28 Comme il était arrivé de l'autre côté, au pays des Gadaréniens, vinrent à sa rencontre deux démoniaques[u] sortant des tombeaux, si dangereux que personne ne pouvait passer par ce chemin-là. 29 Et les voilà qui se mirent à crier: «Que nous veux-tu[v], Fils de Dieu? Es-tu venu ici pour nous tourmenter avant le temps?» 30 Or, à quelque distance, il y avait un grand troupeau de porcs en train de paître. 31 Les démons suppliaient Jésus, disant: «Si tu nous chasses, envoie-nous dans le troupeau de porcs.» 32 Il leur dit: «Allez!» Ils sortirent et s'en allèrent dans les porcs; et tout le troupeau se précipita du haut de l'escarpement dans la mer, et ils périrent dans les eaux. 33 Les gardiens prirent la fuite, s'en allèrent à la ville et rapportèrent tout, ainsi que l'affaire des démoniaques. 34 Alors toute la ville sortit à la rencontre de Jésus; dès qu'ils le virent, ils le supplièrent de quitter leur territoire.

Guérison d'un paralysé

(Mc 2.1-12; Lc 5.17-25)

9 1 Jésus monta donc dans la barque, retraversa la mer et vint dans sa ville[w]. 2 Voici qu'on lui amenait un paralysé étendu sur une civière. Voyant leur foi, Jésus dit au paralysé: «Confiance, mon fils, tes péchés sont pardonnés[x].» 3 Or, quelques *scribes se dirent en eux-mêmes: «Cet homme *blasphème[y]!» 4 Voyant leurs réactions[z], Jésus dit: «Pourquoi réagissez-vous mal en vos *cœurs? 5 Qu'y a-t-il donc de plus facile, de dire: "Tes péchés sont pardonnés", ou bien de dire: "Lève-toi et marche"? 6 Eh bien! afin que vous sachiez que le *Fils de

***s* 8.26** *de peu de foi* 6.30+. — *il menaça* Mc 1.25; 9.25; Lc 4.39. — *la mer* Ps 65.8; 89.10; 93.3-4. ***t* 8.27** 4.19; 5.13; 6.1, 2; 10.17, 32-33; 16.13. ***u* 8.28** *Gadara*: ville païenne située à 10 km environ au S.E. du lac de Gennésareth. Son territoire s'étendait peut-être jusqu'au lac. — *démoniaques*: voir Mc 1.32 et la note. ***v* 8.29** Jg 11.12; 2 S 16.10; 19.23; 1 R 17.18, etc.; Mc 1.24; Lc 4.34; Jn 2.4. ***w* 9.1** D'après Mc 2.1, c'est Capharnaüm qui est ici considéré comme la ville de Jésus. ***x* 9.2** *paralysé* 8.6; Ac 9.33. — *pardonnés* Lc 7.48. ***y* 9.3** Lv 24.11, 16; Mt 12.31; 26.65; Mc 3.29; 14.64; Lc 12.10; Jn 10.33; Ac 6.11; 26.11; Rm 2.24; 1 Tm 1.13; Jc 2.7; Ap 13.1, 5-6. ***z* 9.4** Pensées secrètes percées à jour 12.25.

l'homme a sur la terre autorité pour pardonner les péchés, — il dit
alors au paralysé: «Lève-toi[a], prends ta civière et va dans ta maison.»
7 L'homme se leva et s'en alla dans sa maison. 8 Voyant cela, les foules
furent saisies de crainte et rendirent gloire à Dieu qui a donné une
telle autorité[b] aux hommes.

Jésus appelle Matthieu

(Mc 2.13-17; Lc 5.27-32)

9 Comme il s'en allait, Jésus vit, en passant, assis au bureau des
taxes, un homme qui s'appelait Matthieu. Il lui dit: «Suis-moi[c].» Il se
leva et le suivit. 10 Or, comme il était à table dans sa maison, il arriva
que beaucoup de collecteurs d'impôts[d] et de *pécheurs étaient venus
prendre place avec Jésus et ses disciples. 11 Voyant cela, les *Phari-
siens disaient à ses disciples: «Pourquoi votre maître mange-t-il avec
les collecteurs d'impôts et les *pécheurs[e]?» 12 Mais Jésus, qui avait
entendu, déclara: «Ce ne sont pas les bien-portants qui ont besoin de
médecin, mais les malades. 13 Allez donc apprendre ce que signifie:
*C'est la miséricorde que je veux, non le *sacrifice*[f]. Car je suis venu
appeler non pas les justes, mais les pécheurs.»

Question sur le jeûne. Le vieux et le neuf

(Mc 2.18-22; Lc 5.33-39)

14 Alors les *disciples de Jean l'abordent et lui disent: «Pourquoi,
alors que nous et les *Pharisiens nous jeûnons[g], tes disciples ne *jeû-
nent-ils pas?» 15 Jésus leur dit: «Les invités à la noce peuvent-ils être
en deuil tant que l'époux[h] est avec eux? Mais des jours viendront où
l'époux leur aura été enlevé: c'est alors qu'ils jeûneront. 16 Personne
ne met une pièce d'étoffe neuve à un vieux vêtement; car le mor-
ceau rajouté tire sur le vêtement, et la déchirure est pire. 17 On ne
met pas du vin nouveau dans de vieilles outres; sinon, les outres
éclatent, le vin se répand et les outres sont perdues. On met au
contraire le vin nouveau dans des outres neuves, et l'un et l'autre se
conservent.»

a 9.6 Jn 5.8 ; Ac 9.33-35. ***b 9.8*** *rendre gloire à Dieu* 15.31 ; Mc 2.12+ ; Lc 5.26 ; 13.13 ; 17.15 ; 18.43 ; 23.47 ; Ac 4.21 ; 11.18 ; 21.20 ; Rm 1.21. — *une telle autorité* Mt 16.19 ; 18.18 ; Jn 20.23. ***c 9.9*** *Matthieu* 10.3 ; Mc 3.18 ; Lc 6.15 ; Ac 1.13 ; voir Mc 2.14 ; Lc 5.27-29. — *suis-moi* Mt 4.19+. ***d 9.10*** *sa maison* : c'est-à-dire la maison de Matthieu (Lc 5.29). — *collecteurs d'impôts* 5.46+. ***e 9.11*** Selon les prescriptions rabbiniques, on se mettait en état d'impureté en partageant le repas d'une personne réputée impure. ***f 9.13*** Os 6.6 (Mt 12.7). ***g 9.14*** *disciples de Jean* (le Baptiste) 11.2 ; 14.12 ; Lc 11.1 ; Jn 3.25 ; 4.1 ; Ac 18.25 ; 19.1. — pratique du *jeûne* Mt 11.18 ; Lc 18.12. ***h 9.15*** (symbole de) *l'époux* Es 62.4-5 ; Jr 2.2 ; Ez 16 ; Os 1—3 ; Mt 25.1, 5, 10 ; Jn 3.29 ; Ap 18.23 ; voir 2 Co 11.2 ; Ap 21.2.

Guérison d'une femme et résurrection de la fille d'un notable

(Mc 5.21-43; Lc 8.40-56)

18 Comme il leur parlait ainsi, voici qu'un notable s'approcha et,
prosterné, il lui disait: «Ma fille est morte à l'instant; mais viens lui
*imposer la main[i], et elle vivra.» 19 S'étant levé, Jésus le suivait avec
ses disciples. 20 Or une femme, souffrant d'hémorragie depuis douze
ans, s'approcha par derrière et toucha la frange[j] de son vêtement.
21 Elle se disait: «Si j'arrive seulement à toucher son vêtement, je serai
sauvée.» 22 Mais Jésus, se retournant et la voyant, dit: «Confiance, ma
fille! Ta foi t'a sauvée[k].» Et la femme fut sauvée dès cette heure-là. 23 A
son arrivée à la maison du notable, voyant les joueurs de flûte[l] et l'agi-
tation de la foule, Jésus dit: 24 «Retirez-vous: elle n'est pas morte, la
fillette, elle dort.» Et ils se moquaient de lui[m]. 25 Quand on eut mis la
foule dehors, il entra, prit la main de l'enfant et la fillette se réveilla[n].
26 La nouvelle s'en répandit dans toute cette région.

Guérison de deux aveugles

27 Comme Jésus s'en allait, deux aveugles le suivirent en criant: «Aie
pitié de nous, *Fils de David[o]!» 28 Quand il fut entré dans la maison,
les aveugles s'avancèrent vers lui, et Jésus leur dit: «Croyez-vous que
je puis faire cela?» – «Oui, Seigneur», lui disent-ils. 29 Alors il leur
toucha les yeux en disant: «Qu'il vous advienne selon votre foi[p].» 30 Et
leurs yeux s'ouvrirent. Puis Jésus leur dit avec sévérité: «Attention!
Que personne ne le sache[q]!» 31 Mais eux, à peine sortis, parlèrent de
lui dans toute cette région.

Guérison d'un possédé muet

(Lc 11.14-15)

32 Comme ils sortaient, voici qu'on lui amena un possédé muet[r]. 33 Le
*démon chassé, le muet se mit à parler. Et les foules s'émerveillèrent[s]
et dirent: «Jamais rien de tel ne s'est vu en Israël!» 34 Mais les *Phari-

***i* 9.18** Lv 9.22 ; 16.21 ; Mt 8.3 ; 19.15 ; Mc 5.23 ; 6.5 ; 7.32 ; 8.23, 25 ; Lc 13.13. ***j* 9.20** Voir Mc 6.56 et la note ; Nb 15.38-41 ; Dt 22.12 ; Mt 14.36 ; 23.5 ; Lc 8.44. ***k* 9.22** *ta foi* Ac 3.16. – Ou *t'a guérie* : Mt 10.22 ; 24.13 ; Mc 10.52 ; Lc 7.50 ; 17.19 ; 18.42 ; Ac 2.47 ; 4.12 ; 16.30. ***l* 9.23** Les *joueurs de flûte* accompagnaient les pleureuses professionnelles pour les bruyantes cérémonies qui commençaient à la maison mortuaire. ***m* 9.24** Lc 8.52 ; Jn 11.11 ; Ac 7.60 ; 13.36 ; 1 Co 15.18-20 ; 1 Th 4.13-15. ***n* 9.25** *réveiller-faire lever* Mc 1.31 ; 9.27 ; Lc 7.14. ***o* 9.27** 1.1+. ***p* 9.29** *leur toucha les yeux* 20.34. – *selon votre foi* 8.13 ; 15.28. ***q* 9.30** Garder le secret 8.4+. ***r* 9.32** C'est-à-dire un homme possédé par un démon qui le rendait muet ; Mc 7.32, 35 ; 9.17, 25 ; Lc 11.14. ***s* 9.33** *émerveillement* des témoins Mc 2.12.

siens disaient: «C'est par le chef des démons[t] qu'il chasse les
démons.»

Jésus et les foules sans berger

(Mc 6.6b,34; Lc 10.2)

35 Jésus parcourait toutes les villes et les villages, il y enseignait dans
leurs *synagogues, proclamant la Bonne Nouvelle du *Royaume et
guérissant[u] toute maladie et toute infirmité. 36 Voyant les foules, il fut
pris de pitié pour elles, parce qu'elles étaient harassées et prostrées
comme des brebis qui n'ont pas de berger[v]. 37 Alors il dit à ses disciples:
«La moisson[w] est abondante, mais les ouvriers peu nombreux; 38 priez
donc le maître de la moisson d'envoyer des ouvriers dans sa moisson.»

Mission des Douze

(Mc 3.16-19; Lc 6.14-16)

10 1 Ayant fait venir ses douze disciples, Jésus leur donna autorité
sur les esprits impurs, pour qu'ils les chassent et qu'ils
guérissent[x] toute maladie et toute infirmité.
2 Voici les noms des douze *apôtres. Le premier, Simon, que l'on
appelle Pierre, et André, son frère; Jacques, fils de Zébédée, et Jean[y]
son frère; 3 Philippe et Barthélemy; Thomas et Matthieu le collecteur
d'impôts[z]; Jacques, fils d'Alphée et Thaddée; 4 Simon le zélote et
Judas Iscariote[a], celui-là même qui le livra.

(Mc 6.7-11; Lc 9.2-5; voir Lc 10.3-12)

5 Ces douze, Jésus les envoya en mission avec les instructions sui-
vantes: «Ne prenez pas le chemin des *païens et n'entrez pas dans
une ville de Samaritains[b]; 6 allez plutôt vers les brebis perdues[c] de la

t 9.34 12.24 ; Mc 3.22 ; Lc 11.15. ***u 9.35*** Activité de Jésus 4.23-25 ; Mc 1.39. — *Bonne Nouvelle du Royaume* Mt 4.23+. — *guérison* 10.1 ; Mc 1.34 ; Lc 7.21. ***v 9.36*** Des foules pitoyables Ez 34.23 ; Za 13.7 ; Mt 14.14 par. ; 15.32 ; Mc 6.34. — *brebis sans berger* Nb 27.17 ; 1 R 22.17 ; Ez 34.5 ; Mc 6.34. ***w 9.37*** 3.12+ ; Mc 4.29 ; Jn 4.35-37. ***x 10.1*** *esprits impurs* : voir Mc 1.23 et la note. — *guérisons* Mt 9.35 ; Mc 1.34 ; Lc 7.21. ***y 10.2*** *les douze* 26.14 ; Mc 6.7 ; Lc 9.1 *apôtres* Ac 1.26 ; Ap 21.14. — Liste des Douze Mc 3.16-19 ; Lc 6.14-16 ; Ac 1.13-14. — *Simon-Pierre, André* Mt 4.18+. — *Jacques, Jean* 4.21+. ***z 10.3*** *Philippe* Jn 1.43-48 ; 6.5, 7 ; 12.21-22 ; 14.8-9. — *Thomas* Lc 6.15 ; Jn 11.16 ; 14.5 ; 20. 24-28 ; 21.2. — *Matthieu* Mt 9.9+. — *collecteurs d'impôts* 5.46+. ***a 10.4*** 26.14, 25, 47 par. ; 27.3 ; Jn 6.71 ; 12.4 ; 13.2, 26 ; 18.2 ; Ac 1.16, 25. ***b 10.5*** *envoyer* 10.16, 40 ; 15.24 ; Jn 3.17, 34 ; 5.36-37 ; 17.3, 18, etc. — Les *Samaritains* constituaient une population d'origine mélangée occupant la région située entre la Judée et la Galilée. Depuis le retour de l'exil les Juifs tenaient les Samaritains à l'écart. Lc 10.30-37 ; Jn 4.4-48 ; Ac 1.8. ***c 10.6*** Jr 50.6 ; Mt 15.24.

maison d'Israël. 7 En chemin, proclamez que le *Règne des cieux[d] s'est approché. 8 Guérissez les malades, ressuscitez les morts, purifiez les *lépreux, chassez les *démons. Vous avez reçu gratuitement, donnez gratuitement.

9 «Ne vous procurez ni or, ni argent, ni monnaie à mettre dans vos ceintures, 10 ni sac pour la route, ni deux tuniques, ni sandales ni bâton, car l'ouvrier a droit[e] à sa nourriture. 11 Dans quelque ville ou village que vous entriez, informez-vous pour savoir qui est digne de vous recevoir et demeurez là jusqu'à votre départ. 12 En entrant dans la maison, saluez-la; 13 si cette maison en est digne, que votre paix[f] vienne sur elle; mais si elle n'en est pas digne, que votre paix revienne à vous. 14 Si l'on ne vous accueille pas et si l'on n'écoute pas vos paroles, en quittant cette maison ou cette ville, secouez la poussière de vos pieds[g]. 15 En vérité, je vous le déclare: au jour du jugement, le pays de Sodome et de Gomorrhe[h] sera traité avec moins de rigueur que cette ville.

Annonce des persécutions

(Mc 13.9-13; Lc 12.11-12; 21.12-19)

16 «Voici que moi, je vous envoie comme des brebis au milieu des loups[i]; soyez donc rusés comme les serpents et candides comme les colombes.

17 «Prenez garde aux hommes: ils vous livreront aux tribunaux[j] et vous flagelleront dans leurs *synagogues. 18 Vous serez traduits devant des gouverneurs et des rois, à cause de moi: ils auront là un témoignage[k], eux et les *païens. 19 Lorsqu'ils vous livreront, ne vous inquiétez pas[l] de savoir comment parler ou que dire: ce que vous aurez à dire vous sera donné à cette heure-là, 20 car ce n'est pas vous qui parlerez, c'est l'Esprit de votre Père qui parlera en vous. 21 Le frère livrera son frère à la mort, et le père son enfant; les enfants se dresseront contre leurs parents et les feront condamner à mort[m]. 22 Vous serez haïs de tous à cause de mon *Nom. Mais celui qui tiendra[n] jusqu'à la fin, celui-là sera sauvé. 23 Quand on vous pourchassera dans telle ville, fuyez dans telle autre; en vérité, je vous le déclare, vous n'achèverez pas le tour des villes d'Israël avant que ne vienne le *Fils

d 10.7 L'avènement du Règne des cieux 3.2 et la note ; 4.17 ; Lc 10.9, 11. ***e 10.10*** *le droit de l'ouvrier* Nb 18.31 ; Lc 10.7 ; 1 Co 9.14 ; 1 Tm 5.18. ***f 10.13*** La salutation juive (v. 12) consistait à souhaiter la paix. ***g 10.14*** *secouez la poussière* voir Mc 6.11 et la note ; Lc 10.11 ; Ac 13.51. ***h 10.15*** *Sodome et Gomorrhe* Gn 18—19 ; Mt 10.15 ; 11.23 ; Lc 10.12 ; 17.29 ; Rm 9.29 ; 2 P 2.6 ; Jude 7 ; Ap 11.8. ***i 10.16*** *brebis* et *loups* Jn 10.12 ; Ac 20.29. ***j 10.17*** Il s'agit des « petits sanhédrins », tribunaux de 23 notables attachés à certaines synagogues ; Mc 13.9 ; Lc 21.12-13. ***k 10.18*** 24.14. ***l 10.19*** Lc 12.11-12. ***m 10.21*** Famille déchirée Mi 7.6. ***n 10.22*** *haïs à cause de Jésus* 24.9. — *celui qui tiendra* 24.13.

de l'homme[o]. 24 Le *disciple n'est pas au-dessus de son maître[p], ni le serviteur au-dessus de son seigneur. 25 Au disciple il suffit d'être comme son maître, et au serviteur d'être comme son seigneur. Puisqu'ils ont traité de Béelzéboul[q] le maître de maison, à combien plus forte raison le diront-ils de ceux de sa maison!

Ne craignez rien!

(Mc 8.38; Lc 9.26; 12.2-9)

26 « Ne les craignez donc pas! Rien n'est voilé qui ne sera dévoilé, rien n'est secret[r] qui ne sera connu. 27 Ce que je vous dis dans l'ombre, dites-le au grand jour; ce que vous entendez dans le creux de l'oreille, proclamez-le sur les terrasses[s]. 28 Ne craignez pas ceux qui tuent le corps, mais ne peuvent tuer l'âme; craignez bien plutôt celui qui peut faire périr âme et corps dans la *géhenne. 29 Est-ce que l'on ne vend pas deux moineaux pour un sou? Pourtant, pas un d'entre eux ne tombe à terre indépendamment de votre Père. 30 Quant à vous, même vos cheveux sont tous comptés. 31 Soyez donc sans crainte: vous valez mieux, vous, que tous les moineaux. 32 Quiconque se déclarera pour moi[t] devant les hommes, je me déclarerai moi aussi pour lui devant mon Père qui est aux *cieux; 33 mais quiconque me reniera[u] devant les hommes, je le renierai moi aussi devant mon Père qui est aux cieux.

Non la paix, mais le glaive

(Lc 12.51-53)

34 « N'allez pas croire que je sois venu apporter la paix sur la terre; je ne suis pas venu apporter la paix, mais bien le glaive. 35 Oui, je suis venu séparer l'homme *de son père, la fille de sa mère, la belle-fille de sa belle-mère:* 36 *on aura pour ennemis les gens de sa maison*[v].

Se renier soi-même pour suivre Jésus

(Mc 8.34-35; Lc 14.26-27; 9.23-24)

37 « Qui aime son père ou sa mère[w] plus que moi n'est pas digne de moi; qui aime son fils ou sa fille plus que moi n'est pas digne de moi. 38 Qui ne se charge pas de sa croix[x] et ne me suit pas n'est pas digne de moi. 39 Qui aura assuré sa vie la perdra et qui perdra sa vie à cause de moi l'assurera[y].

o 10.23 *Fils de l'homme* 8.20+. – sa venue 16.27 ; 25.31 ; voir 24.3+. ***p 10.24*** *le disciple et son maître* Lc 6.40 ; Jn 13.16 ; 15.20. ***q 10.25*** Voir Mc 3.22 et la note ; 2 R 1.2 ; Mt 12.24, 27 ; Lc 11.15, 18, 19. ***r 10.26*** *secret dévoilé* Mc 4.22 ; Lc 8.17 ; voir Mt 10.7. ***s 10.27*** Voir Lc 12.3 et la note. ***t 10.32*** *se déclarer pour (Jésus)* Lc 12.8-9 ; Ap 3.5. ***u 10.33*** 26.34, 74 par. ; Lc 9.26 ; 2 Tm 2.12 ; voir Mt 7.23 ; 25.12. ***v 10.35*** v. 35-36 : Mi 7.6. ***w 10.37*** *aimer* (grec : philein) 6.5 ; 10.37 ; 23.6 ; 26.48 ; (grec : agapân) 5.43 ; 19.19 ; 22.37-39. – *son père ou sa mère* Dt 33.9 ; Lc 14.26. ***x 10.38*** *se charger de sa croix* 16.24. ***y 10.39*** *vie perdue, vie assurée* 16.25 ; Lc 17.33 ; Jn 12.25.

Qui vous accueille m'accueille

(Mc 9.37,41; Lc 9.48; 10.16; Jn 13.20)

40 «Qui vous accueille m'accueille moi-même, et qui m'accueille, accueille Celui qui m'a envoyé[z]. 41 Qui accueille un *prophète en sa qualité de prophète recevra une récompense de prophète, et qui accueille un juste en sa qualité de juste recevra une récompense de juste[a]. 42 Quiconque donnera à boire, ne serait-ce qu'un verre d'eau fraîche, à l'un de ces petits[b] en sa qualité de disciple, en vérité, je vous le déclare, il ne perdra pas sa récompense.»

11 1 Or, quand Jésus eut achevé de donner ces instructions[c] à ses douze disciples, il partit de là enseigner et prêcher dans leurs villes.

Question de Jean et déclaration de Jésus

(Lc 7.18-35)

2 Or Jean, dans sa prison, avait entendu parler des œuvres du Christ. Il lui envoya demander par ses *disciples[d]: 3 «Es-tu "Celui qui doit venir[e]" ou devons-nous en attendre un autre?» 4 Jésus leur répondit: «Allez rapporter à Jean ce que vous entendez et voyez: 5 *les aveugles retrouvent la vue* et *les boiteux marchent droit,* les *lépreux sont purifiés et *les sourds entendent,* les morts ressuscitent et *la Bonne Nouvelle est annoncée aux pauvres*[f]; 6 et heureux celui qui ne tombera pas à cause de moi[g]!»

7 Comme ils s'en allaient, Jésus se mit à parler de Jean aux foules: «Qu'êtes-vous allés regarder au désert[h]? Un roseau secoué par le vent? 8 Alors, qu'êtes-vous allés voir? Un homme vêtu d'habits élégants? Mais ceux qui portent des habits élégants sont dans les demeures des rois. 9 Alors qu'êtes-vous allés voir? Un *prophète[i]? Oui, je vous le déclare, et plus qu'un prophète. 10 C'est celui dont il est écrit: *Voici, j'envoie mon messager en avant de* toi; *il préparera* ton *chemin devant* toi[j]. 11 En vérité, je vous le déclare, parmi ceux qui sont nés d'une femme, il ne s'en est pas levé de plus grand que Jean le Baptiste; et cependant le plus petit dans le *Royaume des cieux est plus

z 10.40 *accueil à Jésus* 18.5 ; Ga 4.14. — *Celui qui m'a envoyé* Jn 12.44. ***a 10.41*** *accueil à un prophète* 1 R 17.9-24 ; 2 R 4.8-37. — *prophète* et *juste* Mt 13.17 ; 23.29. ***b 10.42*** 18.5, 10 ; 25.40, 45. ***c 11.1*** 7.28+. ***d 11.2*** Il s'agit de Jean le Baptiste (voir 3.1+). — *ses disciples* 9.14+. ***e 11.3*** L'un des titres du Messie attendu (voir 3.11+). ***f 11.5*** Es 26.19 ; 29.18 ; 35.5-6 ; 61.1. ***g 11.6*** *heureux !* 5.3+. — *qui ne tombera pas* ou *qui ne viendra pas à être scandalisé par moi.* Voir Mc 9.42 et la note. — Jésus, occasion de chute Mt 5.29+. ***h 11.7*** 3.1+. ***i 11.9*** *Jean le Baptiste, prophète* 14.5 ; 21.26 ; Lc 1.76. ***j 11.10*** *mon messager devant toi* Ex 23.20 ; Ml 3.1 (Mc 1.2 ; Lc 1.76 ; 7.27) ; Jn 3.28.

grand que lui. 12 Depuis les jours de Jean le Baptiste jusqu'à présent, le
Royaume des cieux est assailli avec violence; ce sont des violents qui
l'arrachent. 13 Tous les prophètes en effet, ainsi que la Loi[k], ont pro-
phétisé jusqu'à Jean. 14 C'est lui, si vous voulez bien comprendre,
l'Elie[l] qui doit revenir. 15 Celui qui a des oreilles, qu'il entende[m]! 16 A
qui vais-je comparer cette génération[n]? Elle est comparable à des
enfants assis sur les places, qui en interpellent d'autres:

17 "Nous vous avons joué de la flûte, et vous n'avez pas dansé!
Nous avons entonné un chant funèbre, et vous ne vous êtes pas
frappé la poitrine!"

18 En effet, Jean est venu, il ne mange ni ne boit, et l'on dit: "Il a
perdu la tête[o]." 19 Le *Fils de l'homme est venu, il mange, il boit, et
l'on dit: "Voilà un glouton et un ivrogne, un ami des collecteurs
d'impôts et des *pécheurs[p]!" Mais la Sagesse a été reconnue juste
d'après ses œuvres.»

Lamentation sur les villes de Galilée

(Mt 10.15; Lc 10.12-15)

20 Alors il se mit à invectiver contre les villes où avaient eu lieu la
plupart de ses miracles, parce qu'elles ne s'étaient pas converties.
21 «Malheureuse es-tu, Chorazin! Malheureuse es-tu, Bethsaïda! Car si
les miracles qui ont eu lieu chez vous avaient eu lieu à Tyr et à Sidon,
il y a longtemps que, sous le sac et la cendre[q], elles se seraient conver-
ties. 22 Oui, je vous le déclare, au jour du Jugement, Tyr et Sidon seront
traitées avec moins de rigueur que vous.

23 Et toi, Capharnaüm,
seras-tu élevée jusqu'au ciel?
Tu descendras jusqu'au séjour des morts!

Car si les miracles qui ont eu lieu chez toi avaient eu lieu à Sodome[r],
elle subsisterait encore aujourd'hui. 24 Aussi bien, je vous le déclare, au
jour du jugement, le pays de Sodome sera traité avec moins de rigueur
que toi.»

k 11.13 *les prophètes* et *la Loi* 7.12+ et la note. ***l 11.14*** *Elie* Ml 3.23 ; Mt 16.14 ; 17.2, 10-13 ; Mc 9.11-13 ; Lc 1.17 ; Jn 1.21. ***m 11.15*** Avoir des oreilles pour entendre Dt 29.3 ; Ps 115.6 ; Mt 13.9, 43 ; Lc 8.8 ; 14.35 ; Ap 2.7 ; 13.9 ; voir Mt 19.12. ***n 11.16*** 12.39-45 ; 17.17. ***o 11.18*** Ascétisme de Jean 3.4 ; 9.14. – *il a perdu la tête* Jn 7.20. ***p 11.19*** Jésus ne jeûne pas 9.14. – *ami* des gens tenus à l'écart 9.11 ; Lc 15.1-2 ; 19.7. ***q 11.21*** *Malheureuse !* 18.7 ; 23 ; 24.19 ; 26.24 ; Lc 6.24 ; 11.46 ; 1 Co 9.16 ; Jude 11 ; Ap 8.13 ; 12.12 ; 18.10. – *Chorazin* et *Bethsaïda* : villes voisines de Capharnaüm ; Bethsaïda Mc 6.45 ; 8.22 ; Lc 9.10 ; 10.13 ; Jn 1.44 ; 12.21. – *Tyr et Sidon* : voir Mc 3.8 et la note ; Es 23.1-8 ; Ez 26 ; Am 1.9-10 ; Mt 15.21 ; Mc 7.24 ; Lc 6.17 ; 10.13 ; Ac 12.20 ; 21.3. – *sous le sac et la cendre* : voir Jr 6.26 ; Jon 3.5-8 : c'est le geste traditionnel en Israël pour exprimer qu'on se reconnaît pécheur. ***r 11.23*** Es 14.13, 15. – *Sodome* Mt 10.15+.

Le Père et le Fils

(Lc 10.21-22)

25 En ce temps-là, Jésus prit la parole et dit: «Je te loue, Père, Seigneur du ciel et de la terre, d'avoir caché cela aux sages et aux intelligents et de l'avoir révélé aux tout petits[s]. 26 Oui, Père, c'est ainsi que tu en as disposé dans ta bienveillance. 27 Tout m'a été remis par mon Père. Nul ne connaît le Fils si ce n'est le Père, et nul ne connaît le Père si ce n'est le Fils, et celui à qui le Fils[t] veut bien le révéler.

Prenez mon joug

28 «Venez à moi, vous tous qui peinez sous le poids du fardeau, et moi je vous donnerai le repos. 29 Prenez sur vous mon joug[u] et mettez-vous à mon école, car je suis doux et humble de cœur, et vous trouverez le repos de vos âmes. 30 Oui, mon joug est facile à porter et mon fardeau léger.»

Les épis arrachés

(Mc 2.23-28; Lc 6.1-5)

12 1 En ce temps-là, un jour de *sabbat[v], Jésus vint à passer à travers des champs de blé. Ses disciples eurent faim et se mirent à arracher des épis et à les manger. 2 Voyant cela, les *Pharisiens lui dirent: «Vois tes disciples qui font ce qu'il n'est pas permis de faire pendant le sabbat[w].» 3 Il leur répondit: «N'avez-vous pas lu ce que fit David, lorsqu'il eut faim, lui et ses compagnons, 4 comment il est entré dans la maison de Dieu et comment ils ont mangé les pains de l'offrande[x], que ni lui, ni ses compagnons n'avaient le droit de manger, mais seulement les *prêtres? 5 Ou n'avez-vous pas lu dans la *Loi que, le jour du sabbat, dans le temple, les prêtres profanent le sabbat sans être en faute? 6 Or, je vous le déclare, il y a ici plus grand que[y] le *temple. 7 Si vous aviez compris ce que signifie: *C'est la miséricorde que je veux, non le sacrifice*[z], vous n'auriez pas condamné ces hommes qui ne sont pas en faute. 8 Car il est maître du sabbat, le *Fils de l'homme.»

s 11.25 *caché aux sages* Dn 2.3-13 ; 1 Co 1. 17-29. – *révélé* Dn 2.18-29 ; Mt 13.11. – *les petits* 10.42. ***t 11.27*** *Tout* 28.18 ; Jn 3.35 ; 13.3 ; 17.2 ; Ph 2.9. – *le Père et le Fils* Mt 21.37 ; 24.36 ; Mc 14.36 ; Jn 1.18 ; 10.15. ***u 11.29*** Lourde pièce taillée dans le bois pour atteler les bœufs. Jésus emploie ici le terme d'une manière symbolique. ***v 12.1*** Débat sur *le sabbat* 12.9-14 ; Lc 13. 10-17 ; 14.1-6 ; Jn 5.1-18 ; 7.19-24 ; voir Mt 9.13. ***w 12.2*** Ex 34.21. ***x 12.4*** *David* et *les pains de l'offrande* 1 S 21.2-7 ; voir Lv 24.5-9. ***y 12.6*** *il y a ici plus que...* 12.41-42 ; Lc 11. 31-32. ***z 12.7*** Os 6.6 (Mt 9.13).

L'homme à la main paralysée

(Mc 3.1-6; Lc 6.6-11)

[9] De là, il se dirigea vers leur synagogue et y entra. [10] Or se trouvait là
un homme qui avait une main paralysée; ils lui posèrent cette ques-
tion: «Est-il permis de faire une guérison le jour du *sabbat[a]?» C'était
pour l'accuser. [11] Mais il leur dit: «Qui d'entre vous, s'il n'a qu'une
brebis et qu'elle tombe[b] dans un trou le jour du sabbat, n'ira la prendre
et l'en retirer? [12] Or, combien l'homme l'emporte sur la brebis! Il est
donc permis de faire le bien le jour du sabbat[c].» [13] Alors il dit à cet
homme: «Etends la main.» Il l'étendit et elle fut remise en état, aussi
saine que l'autre. [14] Une fois sortis, les *Pharisiens tinrent conseil[d]
contre lui, sur les moyens de le faire périr.

Jésus, le serviteur de Dieu

[15] L'ayant appris, Jésus se retira de là. Beaucoup le suivirent[e]; il les
guérit tous. [16] Il leur commanda sévèrement de ne pas le faire con-
naître[f], [17] afin que soit accompli ce qu'a dit le prophète Esaïe[g]:

[18] *Voici mon serviteur que j'ai élu,*
mon Bien-aimé qu'il m'a plu de choisir,
je mettrai mon Esprit sur lui,
et il annoncera le droit[h] aux nations.
[19] *Il ne cherchera pas de querelles, il ne poussera pas de cris,*
on n'entendra pas sa voix sur les places.
[20] *Il ne brisera pas le roseau froissé[i],*
il n'éteindra pas la mèche qui fume encore,
jusqu'à ce qu'il ait conduit le droit à la victoire.
[21] *En son *nom les nations mettront leur espérance.*

Jésus et Béelzéboul

(Mc 3.22-30; Lc 11.14-23; 12.10)

[22] Alors on lui amena un possédé aveugle et muet[j]; il le guérit, en
sorte que le muet parlait et voyait. [23] Bouleversées, toutes les foules
disaient: «Celui-ci n'est-il pas le *Fils de David[k]?» [24] Mais les Phari-

a 12.10 *paralysée* 1 R 13.4. — *est-il permis de guérir...* Lc 14.3. **b 12.11** *brebis accidentée* Lc 14.5. **c 12.12** Plus qu'une brebis 6.26 ; 10.31 ; Lc 12.7, 24. — *faire du bien un jour de sabbat* Lc 13.16 ; Jn 5.9 ; 7.23 ; 9.14. **d 12.14** Conciliabule des adversaires de Jésus 22. 15 ; 27.1 ; 28.12 ; Mc 11.18 ; Lc 19.47 ; Jn 5.16, 18. **e 12.15** Jésus s'esquive 14.13. — Jésus suivi par une foule de gens 4.19+ ; Mc 3.7-10 ; Lc 6.17-19. **f 12.16** Garder secret 8.4+. **g 12.17** v. 17-21 : Es 42.1-4 ; voir Mt 1.22+. **h 12.18** Le texte sous-entend ici (le droit) *de Dieu*. **i 12.20** Certains pensent que *briser le roseau froissé* était le geste par lequel le juge annonçait un verdict de condamnation. **j 12.22** *possédé* : voir 9.32 et la note. — *muet* 9.27-33. **k 12.23** 1.1+.

siens, entendant cela, dirent: «Celui-là ne chasse les démons que par
Béelzéboul, le chef des *démons[l].»
25 Voyant leurs réactions, il leur dit: «Tout royaume divisé contre
lui-même court à la ruine; aucune ville, aucune famille, divisée contre
elle-même, ne se maintiendra. 26 Si donc *Satan expulse Satan, il est
divisé contre lui-même: comment alors son royaume se maintiendra-
t-il? 27 Et si c'est par Béelzéboul que moi, je chasse les démons, vos dis-
ciples, par qui les chassent-ils? Ils seront donc eux-mêmes vos juges.
28 Mais si c'est par l'Esprit de Dieu que je chasse les démons, alors le
*Règne de Dieu vient de vous atteindre[m]. 29 Ou encore, comment
quelqu'un pourrait-il entrer dans la maison de l'homme fort et
s'emparer de ses biens, s'il n'a d'abord ligoté l'homme fort? Alors il
pillera sa maison. 30 Qui n'est pas avec moi est contre moi, et qui ne
rassemble pas avec moi disperse[n].
31 «Voilà pourquoi, je vous le déclare, tout péché, tout *blasphème
sera pardonné[o] aux hommes, mais le blasphème contre l'Esprit ne
sera pas pardonné. 32 Et si quelqu'un dit une parole contre le *Fils
de l'homme, cela lui sera pardonné; mais s'il parle contre l'Esprit
Saint, cela ne lui sera pardonné ni en ce monde ni dans le monde à
venir.

Les paroles et le cœur

(Mt 7.16-17; Lc 6.44-45)

33 «Supposez qu'un arbre soit bon, son fruit sera bon; supposez-le
malade, son fruit sera malade: c'est au fruit qu'on reconnaît l'arbre[p].
34 Engeance de vipères, comment pourriez-vous dire de bonnes
choses, alors que vous êtes mauvais? Car ce que dit la bouche, c'est ce
qui déborde du *cœur[q]. 35 L'homme bon, de son bon trésor, retire de
bonnes choses; l'homme mauvais, de son mauvais trésor, retire de
mauvaises choses. 36 Or je vous le dis: les hommes rendront compte au
jour du jugement de toute parole sans portée[r] qu'ils auront proférée.
37 Car c'est d'après tes paroles que tu seras justifié, et c'est d'après tes
paroles que tu seras condamné.»

l 12.24 Division des auditeurs de Jésus Jn 7. 11-13; 10.19-21. — *Béelzéboul* Mt 10.25+. — *chef des démons* 9.34. ***m 12.28*** *par l'Esprit de Dieu* Ac 10.38. — *le Règne de Dieu* Mt 3.2+ ; 6.10+. — *vient de vous atteindre* 10.7 ; Mc 1.15 ; Lc 17.21. ***n 12.30*** *avec moi* Mc 9.40 ; Lc 9.50. — *rassembler-disperser* Mt 3.12 ; 13.30 ; 25.24. ***o 12.31*** *tout péché pardonné* 1 Tm 1.13. ***p 12.33*** L'arbre reconnu à ses fruits 7.16+. ***q 12.34*** *engeance de vipères* 3.7+. — *ce qui déborde du cœur* 15.18 ; Mc 7.21. ***r 12.36*** Ou *sans fondement.*

Le signe de Jonas

(Mt 16.1-4; Mc 8.11-12; Lc 11.16,29-32)

38 Alors quelques scribes et *Pharisiens prirent la parole: «Maître,
nous voudrions que tu nous fasses voir un *signe[s].» 39 Il leur répondit:
«Génération mauvaise[t] et adultère qui réclame un signe! En fait de
signe, il ne lui en sera pas donné d'autre que le signe du prophète
Jonas. 40 Car tout comme *Jonas fut dans le ventre du monstre marin
trois jours et trois nuits*, ainsi le *Fils de l'homme[u] sera dans le sein de
la terre trois jours et trois nuits. 41 Lors du jugement, les hommes de
Ninive se lèveront avec cette génération et ils la condamneront, car ils
se sont convertis[v] à la prédication de Jonas; eh bien! ici il y a plus que
Jonas. 42 Lors du jugement, la reine du Midi se lèvera avec cette géné-
ration et elle la condamnera, car elle est venue du bout du monde pour
écouter la sagesse de Salomon; eh bien! ici il y a plus que[w] Salomon.

Retour offensif de l'esprit impur

(Lc 11.24-26)

43 «Lorsque l'esprit impur est sorti d'un homme, il parcourt les
régions arides en quête de repos, mais il n'en trouve pas. 44 Alors il se
dit: "Je vais retourner dans mon logis, d'où je suis sorti." A son
arrivée, il le trouve inoccupé, balayé, mis en ordre. 45 Alors il va
prendre avec lui sept autres esprits plus mauvais que lui, ils y entrent
et s'y installent. Et le dernier état[x] de cet homme devient pire que le
premier. Ainsi en sera-t-il également de cette génération mauvaise.»

La vraie famille de Jésus

(Mc 3.31-35; Lc 8.19-21)

46 Comme il parlait encore aux foules, voici que sa mère et ses frè-
res[y] se tenaient dehors, cherchant à lui parler.
[47 Quelqu'un lui dit: «Voici que ta mère et tes frères se tiennent
dehors: ils cherchent à te parler.»[z]]
48 A celui qui venait de lui parler, Jésus répondit: «Qui est ma mère
et qui sont mes frères?» 49 Montrant de la main ses disciples, il dit:
«Voici ma mère et mes frères; 50 quiconque fait la volonté de mon
Père[a] qui est aux *cieux, c'est lui mon frère, ma sœur, ma mère.»

s 12.38 16.1 ; 24.3, 30 ; Jn 6.30 ; 1 Co 1.22. ***t 12.39*** Dt 32.5, 20 ; Mt 11.16 : 16.4 ; Lc 11.29 ; Ac 2.40 ; Ph 2.15. ***u 12.40*** Jon 1.17. — *le Fils de l'homme* Mt 8.20+. ***v 12.41*** *conversion des hommes de Ninive* Jon 3.5, 8. ***w 12.42*** *la reine du Midi* 1 R 10.1-10. — *il y a ici plus que...* Mt 12.6+. ***x 12.45*** 2 P 2.20. ***y 12.46*** 13.55 ; Mc 6.3 ; Jn 2.12 ; Ac 1.14. ***z 12.47*** Ce verset manque dans plusieurs manuscrits importants. ***a 12.50*** 6.10+.

Les paraboles du Royaume

(Mc 4.1; Lc 8.4)

13 1 En ce jour-là, Jésus sortit de la maison et s'assit au bord de la
mer[b]. 2 De grandes foules se rassemblèrent près de lui, si bien
qu'il monta dans une barque[c] où il s'assit; toute la foule se tenait sur le
rivage.

Le semeur

(Mc 4.2-9; Lc 8.5-8)

3 Il leur dit beaucoup de choses en *paraboles. « Voici que le semeur
est sorti pour semer. 4 Comme il semait, des grains sont tombés au
bord du chemin; et les oiseaux du ciel sont venus et ont tout mangé.
5 D'autres sont tombés dans les endroits pierreux, où ils n'avaient pas
beaucoup de terre; ils ont aussitôt levé parce qu'ils n'avaient pas de
terre en profondeur; 6 le soleil étant monté, ils ont été brûlés et, faute
de racine, ils ont séché. 7 D'autres sont tombés dans les épines; les
épines ont monté et les ont étouffés. 8 D'autres sont tombés dans la
bonne terre et ont donné du fruit, l'un cent, l'autre soixante, l'autre
trente. 9 Entende qui a des oreilles[d] ! »

Pourquoi Jésus parle en paraboles

(Mc 4.10-12; Lc 10.9-10)

10 Les disciples s'approchèrent et lui dirent: « Pourquoi leur parles-tu
en *paraboles? » 11 Il répondit: « Parce qu'à vous il est donné de con-
naître les *mystères[e] du *Royaume des cieux, tandis qu'à ceux-là ce
n'est pas donné. 12 Car à celui qui a, il sera donné, et il sera dans la
surabondance; mais à celui qui n'a pas, même ce qu'il a lui sera
retiré[f]. 13 Voici pourquoi je leur parle en paraboles: parce qu'ils regar-
dent sans regarder et qu'ils entendent sans entendre ni comprendre;
14 et pour eux s'accomplit la prophétie d'Esaïe, qui dit[g]:
Vous aurez beau entendre, vous ne comprendrez pas;
vous aurez beau regarder, vous ne verrez pas.
15 *Car le cœur de ce peuple s'est épaissi,*
ils sont devenus durs d'oreille,
ils se sont bouché les yeux,
pour ne pas voir de leurs yeux,

b 13.1 *maison* : voir Mc 2.1 et la note. – *au bord de la mer* : voir Mc 1.16 et la note. ***c 13.2*** Jésus enseigne depuis une barque Lc 5. 1-3. ***d 13.9*** Des oreilles pour entendre 11.15+ ; voir 19.12. ***e 13.11*** 1 Co 4.1 ; Ep 3.3-4 ; 6.19 ; Col 2.2 ; 4.3. ***f 13.12*** 25.29 ; Mc 4.25 ; Lc 8.18 ; 19.26. ***g 13.14*** v. 14-15 : Es 6.9-10 (Jn 12.40 ; Ac 28. 26-27) ; voir Mt 1.22+.

ne pas entendre de leurs oreilles,
*ne pas comprendre avec leur *cœur,*
et pour ne pas se convertir.
Et je les aurais guéris!

16 «Mais vous, heureux vos yeux[h] parce qu'ils voient, et vos oreilles
parce qu'elles entendent. 17 En vérité, je vous le déclare, beaucoup de
*prophètes, beaucoup de justes ont désiré voir ce que vous voyez et
ne l'ont pas vu, entendre ce que vous entendez et ne l'ont pas
entendu.

Interprétation du semeur

(Mc 4.13-20; Lc 8.11-15)

18 «Vous donc, écoutez la parabole du semeur. 19 Quand l'homme
entend la parole du *Royaume et ne comprend pas, c'est que le Malin
vient et s'empare de ce qui a été semé dans son cœur; tel est celui qui a
été ensemencé au bord du chemin. 20 Celui qui a été ensemencé en des
endroits pierreux, c'est celui qui, entendant la Parole, la reçoit aussitôt
avec joie; 21 mais il n'a pas en lui de racine, il est l'homme d'un moment:
dès que vient la détresse ou la persécution à cause de la Parole, il tombe.
22 Celui qui a été ensemencé dans les épines, c'est celui qui entend la
Parole, mais le souci du monde et la séduction des richesses étouffent la
Parole, et il reste sans fruit[i]. 23 Celui qui a été ensemencé dans la bonne
terre, c'est celui qui entend la Parole et comprend: alors, il porte du
fruit et produit l'un cent, l'autre soixante, l'autre trente.»

L'ivraie

24 Il leur proposa une autre *parabole: «Il en va du *Royaume des
cieux comme d'un homme qui a semé du bon grain dans son champ.
25 Pendant que les gens dormaient, son ennemi est venu; par-dessus, il
a semé de l'ivraie[j] en plein milieu du blé et il s'en est allé. 26 Quand
l'herbe eut poussé et produit l'épi, alors apparut aussi l'ivraie. 27 Les
serviteurs du maître de maison vinrent lui dire: "Seigneur, n'est-ce
pas du bon grain que tu as semé dans ton champ? D'où vient donc
qu'il s'y trouve de l'ivraie ?" 28 Il leur dit: "C'est un ennemi qui a fait
cela." Les serviteurs lui disent: "Alors, veux-tu que nous allions la
ramasser?" — 29 "Non, dit-il, de peur qu'en ramassant l'ivraie vous ne
déraciniez le blé avec elle. 30 Laissez l'un et l'autre croître ensemble

h 13.16 *heureux* 5.3+. — *vos yeux* Lc 10.23-24. ***i 13.22*** *souci du monde et séduction des richesses* 6.24 ; Mc 4.19 ; Lc 12.16-21 ; 1 Tm 6.9, 10,17. — *il reste sans fruit* ou *elle* (la Parole) *devient inféconde.* ***j 13.25*** *ivraie* : plante de la même famille que le blé ; ses grains provoquent un empoisonnement en forme d'ivresse.

jusqu'à la moisson, et au temps de la moisson[k] je dirai aux moisson-
neurs: Ramassez d'abord l'ivraie et liez-la en bottes pour la brûler;
quant au blé, recueillez-le dans mon grenier."»

Le grain de moutarde

(Mc 4.30-32; Lc 13.18-19)

31 Il leur proposa une autre *parabole: «Le *Royaume des cieux est
comparable à un grain de moutarde[l] qu'un homme prend et sème dans
son champ. 32 C'est bien la plus petite de toutes les semences; mais,
quand elle a poussé, elle est la plus grande des plantes potagères: elle
devient un arbre, si bien que les oiseaux du ciel viennent faire leurs
nids dans ses branches.»

Le levain

(Lc 13.20-21)

33 Il leur dit une autre *parabole: «Le *Royaume des cieux est com-
parable à du *levain qu'une femme prend et enfouit dans trois
*mesures de farine[m], si bien que toute la masse lève.»

Pourquoi Jésus parle en paraboles

(Mc 4.33-34)

34 Tout cela, Jésus le dit aux foules en *paraboles, et il ne leur disait
rien sans paraboles, 35 afin que s'accomplisse ce qui avait été dit par le
prophète: *J'ouvrirai la bouche pour dire des paraboles, je proclamerai
des choses cachées depuis la fondation du monde*[n].

Explication de l'ivraie

36 Alors, laissant les foules, il vint à la maison, et ses disciples
s'approchèrent de lui et lui dirent: «Explique[o]-nous la parabole de
l'ivraie dans le champ.» 37 Il leur répondit: «Celui qui sème le bon
grain, c'est le *Fils de l'homme; 38 le champ, c'est le monde; le bon
grain, ce sont les sujets du Royaume; l'ivraie, ce sont les sujets du
Malin[p]; 39 l'ennemi qui l'a semée, c'est le *diable; la moisson[q], c'est la
fin du monde; les moissonneurs, ce sont les *anges. 40 De même que
l'on ramasse l'ivraie pour la brûler[r] au feu, ainsi en sera-t-il à la fin du
monde: 41 le Fils de l'homme enverra ses anges; ils ramasseront, pour
les mettre hors de son Royaume, toutes les causes de chute[s] et tous

k 13.30 *la moisson*, image du jugement 3.12+. ***l 13.31*** 17.20 ; Lc 17.6. ***m 13.33*** Levain dans la pâte 1 Co 5.6 ; Ga 5.9. ***n 13.35*** Ps 78.2 ; voir Mt 1.22+. ***o 13.36*** *la maison* : voir Mc 2.1 et la note. – Explication Mt 15.15 ; Mc 4.10 ; 7.17 ; Lc 8.9. ***p 13.38*** 6.13+. ***q 13.39*** *la moisson*, image du jugement 3.12+. ***r 13.40*** 3.10 ; 7.19 ; Jn 15.6 ; 1 Jn 3.10. ***s 13.41*** *les anges envoyés* pour le jugement 16.27 ; 24.31 ; Mc 13.27. – *les causes de chute* ou *les scandales :* voir Mc 9.42 et la note.

ceux qui commettent l'iniquité, [42] et ils les jetteront dans la fournaise
de feu; là seront les pleurs et les grincements de dents[t]. [43] Alors les
justes resplendiront comme le soleil dans le *Royaume de leur Père.
Entende, qui a des oreilles[u]!

Le trésor et la perle

[44] «Le *Royaume des cieux est comparable à un trésor qui était
caché dans un champ et qu'un homme a découvert: il le cache à nou-
veau et, dans sa joie, il s'en va, met en vente tout ce qu'il a, et il
achète ce champ. [45] Le Royaume des cieux est encore comparable à un
marchand qui cherchait des perles fines. [46] Ayant trouvé une perle de
grand prix, il s'en est allé vendre tout ce qu'il avait, et il l'a achetée.

Le filet

[47] «Le *Royaume des cieux est encore comparable à un filet qu'on
jette en mer et qui ramène toutes sortes de poissons. [48] Quand il est
plein, on le tire sur le rivage, puis on s'assied, on ramasse dans des
paniers ce qui est bon et l'on rejette ce qui ne vaut rien. [49] Ainsi en
sera-t-il à la fin du monde: les *anges surviendront et sépareront les
mauvais d'avec les justes, [50] et ils les jetteront dans la fournaise de feu;
là seront les pleurs et les grincements de dents.»

Conclusion

[51] «Avez-vous compris[v] tout cela?» — «Oui», lui répondent-ils. [52] Et
il leur dit: «Ainsi donc, tout *scribe instruit du *Royaume des cieux
est comparable à un maître de maison qui tire de son trésor du neuf et
du vieux.»

Jésus rejeté à Nazareth

(Mc 6.1-6; Lc 4.16-24)

[53] Or, quand Jésus eut achevé ces *paraboles[w], il partit de là. [54] Etant
venu dans sa patrie, il enseignait les habitants dans leur *synagogue
de telle façon que, frappés d'étonnement[x], ils disaient: «D'où lui vien-
nent cette sagesse et ces miracles? [55] N'est-ce pas le fils du charpen-
tier? Sa mère ne s'appelle-t-elle pas Marie, et ses frères[y] Jacques,
Joseph, Simon et Jude? [56] Et ses sœurs ne sont-elles pas toutes chez
nous? D'où lui vient donc tout cela?» [57] Et il était pour eux une occa-

t 13.42 *dans la fournaise* 13.50. — *pleurs et grincements de dents* 8.12+. ***u 13.43*** *resplendissement des justes* Dn 12.3. — Des oreilles pour entendre Mt 11.15+. ***v 13.51*** 15.10. ***w 13.53*** Après ces instructions 7.28+. ***x 13.54*** *sa patrie :* d'après Lc 4.16-24 il s'agit de Nazareth ; voir aussi Mt 2.23. — *étonnement* Jn 7.15. ***y 13.55*** *fils du charpentier* Lc 3.23 ; Jn 6.42. — *les frères de Jésus* Mt 12.46+.

sion de chute. Jésus leur dit: «Un *prophète n'est méprisé que dans sa patrie[z] et dans sa maison.» 58 Et là, il ne fit pas beaucoup de miracles, parce qu'ils ne croyaient pas.

La mort de Jean-Baptiste

(Mc 6.14-29; Lc 9.7-9; 3.19-20)

14 1 En ce temps-là, Hérode le tétrarque[a] apprit la renommée de Jésus 2 et il dit à ses familiers: «Cet homme est Jean le Baptiste[b]! C'est lui, ressuscité des morts; voilà pourquoi le pouvoir de faire des miracles agit en lui.» 3 En effet, Hérode avait fait arrêter et enchaîner Jean et l'avait emprisonné, à cause d'Hérodiade, la femme de son frère Philippe; 4 car Jean lui disait: «Il ne t'est pas permis de la garder pour femme.» 5 Bien qu'il voulût le faire mourir, Hérode eut peur de la foule qui tenait Jean pour un *prophète[c]. 6 Or, à l'anniversaire d'Hérode, la fille d'Hérodiade exécuta une danse devant les invités et plut à Hérode. 7 Aussi s'engagea-t-il par serment à lui donner tout ce qu'elle demanderait. 8 Poussée par sa mère, elle lui dit: «Donne-moi ici, sur un plat, la tête de Jean le Baptiste.» 9 Le roi[d] en fut attristé; mais, à cause de son serment et des convives, il commanda de la lui donner 10 et envoya décapiter Jean dans sa prison. 11 Sa tête fut apportée sur un plat et donnée à la jeune fille qui l'apporta à sa mère. 12 Les *disciples de Jean[e] vinrent prendre le cadavre et l'ensevelirent; puis ils allèrent informer Jésus.

Jésus nourrit cinq mille hommes

(Mc 6.30-44; Lc 9.10-17; Jn 6.1-15)

13 A cette nouvelle, Jésus se retira de là en barque vers un lieu désert, à l'écart. L'ayant appris, les foules le suivirent à pied[f] de leurs diverses villes. 14 En débarquant, il vit une grande foule; il fut pris de pitié[g] pour eux et guérit leurs infirmes. 15 Le soir venu, les disciples s'approchèrent de lui et lui dirent: «L'endroit est désert et déjà l'heure est tardive; renvoie donc les foules[h], qu'elles aillent dans les villages s'acheter des vivres.» 16 Mais Jésus leur dit: «Elles n'ont pas besoin d'y aller: donnez-leur vous-mêmes à manger.» 17 Alors ils lui disent:

z 13.57 *occasion de chute* 5.29+. — *le prophète dans sa patrie* Lc 4.24 ; Jn 4.44. **a 14.1** Voir Mc 1.14 ; 6.14, 17 et les notes, 14-27 ; 8.15 ; Lc 3.1, 19 ; 8.3 ; 9.7,9 ; 13.31 ; 23.6-12,15 ; Ac 4.27 ; 13.1. **b 14.2** 3.1+. **c 14.5** *peur* de la réaction populaire 21.26, 46 ; Lc 20.19 ; 22.2. — *Jean* considéré comme un *prophète* Mt 11.9 ; 21.26 ; Lc 1.76 ; 7.26. **d 14.9** C'est-à-dire Hérode le tétrarque. **e 14.12** 9.14+. **f 14.13** En longeant le rivage. **g 14.14** La pitié de Jésus pour la foule 9.36+. **h 14.15** 15.32 ; Mc 6.36 ; 8.3 ; Lc 9.12.

« Nous n'avons ici que cinq pains et deux poissons[i]. » — 18 « Apportez-
les-moi ici », dit-il. 19 Et, ayant donné l'ordre aux foules de s'installer
sur l'herbe, il prit les cinq pains et les deux poissons et, levant son
regard vers le ciel, il prononça la bénédiction ; puis, rompant les
pains[j], il les donna aux disciples, et les disciples aux foules. 20 Ils man-
gèrent tous et furent rassasiés ; et l'on emporta ce qui restait des mor-
ceaux : douze paniers pleins[k] ! 21 Or ceux qui avaient mangé étaient
environ cinq mille hommes, sans compter les femmes et les enfants.

Jésus marche sur la mer

(Mc 6.45-52 ; Jn 6.16-21)

22 Aussitôt Jésus obligea les disciples à remonter dans la barque et à
le précéder sur l'autre rive, pendant qu'il renverrait les foules. 23 Et,
après avoir renvoyé les foules, il monta dans la montagne pour prier[l] à
l'écart. Le soir venu, il était là, seul. 24 La barque se trouvait déjà à plu-
sieurs centaines de mètres de la terre ; elle était battue par les vagues,
le vent étant contraire. 25 Vers la fin de la nuit, il vint vers eux en mar-
chant sur la mer. 26 En le voyant marcher sur la mer, les disciples
furent affolés : « C'est un fantôme[m] », disaient-ils, et, de peur, ils pous-
sèrent des cris. 27 Mais aussitôt, Jésus leur parla : « Confiance, c'est
moi, n'ayez pas peur ! » 28 S'adressant à lui, Pierre[n] lui dit : « Seigneur,
si c'est bien toi, ordonne-moi de venir vers toi sur les eaux. » —
29 « Viens », dit-il. Et Pierre, descendu de la barque, marcha sur les eaux
et alla vers Jésus. 30 Mais, en voyant le vent, il eut peur et, commen-
çant à couler, il s'écria : « Seigneur, sauve-moi ! » 31 Aussitôt, Jésus, ten-
dant la main, le saisit en lui disant : « Homme de peu de foi[o], pourquoi
as-tu douté ? » 32 Et quand ils furent montés dans la barque, le vent
tomba[p]. 33 Ceux qui étaient dans la barque se prosternèrent devant lui
et lui dirent : « Vraiment, tu es Fils de Dieu[q] ! »

Guérison à Gennésareth

(Mc 6.53-56)

34 Après la traversée, ils touchèrent terre à Gennésareth. 35 Les gens
de cet endroit le reconnurent, firent prévenir toute la région, et on lui
amena tous les malades. 36 On le suppliait de les laisser seulement tou-

i 14.17 *pains et poissons* 15.34 ; Mc 8.5 ; Jn 6.9. ***j 14.19*** Les gestes de Jésus 15.35-39 par. ; 26.26. ***k 14.20*** *rassasiés* Ex 16.4,12 ; Ps 78.29 ; Jn 6.12. — *les morceaux qui restaient* 2 R 4. 42-44. — *douze paniers pleins* Mt 10.1, 2, 5 ; 11.1 ; 19.28 ; 20.17 ; 26.20. ***l 14.23*** Jésus en prière 26.36 par. ; Lc 6.12 ; 9.28. ***m 14.26*** Lc 24.37. ***n 14.28*** 4.18+. ***o 14.31*** 6.30+. ***p 14.32*** Mc 4.39. ***q 14.33*** 4.3 ; 8.29 ; 16.16 ; 26.63 ; 27.54 ; Mc 1.1 ; 14.61 ; 15.39 ; Lc 1.32 ; 22.70 ; Jn 1.49 ; 11.4, 27 ; 19.7 ; 20.31 ; Ac 8.37 ; 9.20 ; Rm 1.4 ; 2 Co 1.19 ; Ga 2.20 ; Ep 4.13 ; He 4.14 ; 6.6 ; 7.3.

cher la frange de son vêtement; et tous ceux qui la touchèrent furent
sauvés[r].

Controverse sur la tradition

(Mc 7.1-13)

15 1 Alors des *Pharisiens et des scribes de Jérusalem s'avancent
vers Jésus et lui disent: 2 «Pourquoi tes *disciples trangres-
sent-ils la tradition des *anciens? En effet, ils ne se lavent pas les
mains[s], quand ils prennent leurs repas.» 3 Il leur répliqua: «Et vous,
pourquoi transgressez-vous le commandement de Dieu au nom de
votre tradition? 4 Dieu a dit en effet: *Honore ton père et ta mère,* et
encore: *Celui qui maudit père ou mère, qu'il soit puni de mort*[t]. 5 Mais
vous, vous dites: "Quiconque dit à son père ou à sa mère: Le secours
que tu devais recevoir de moi est offrande sacrée, 6 celui-là n'aura pas
à honorer son père." Et ainsi vous avez annulé la parole de Dieu au
nom de votre tradition. 7 Hypocrites[u]! Esaïe a bien prophétisé à votre
sujet, quand il a dit:
8 *Ce peuple m'honore des lèvres,*
*mais son *cœur est loin de moi*[v].
9 *C'est en vain qu'ils me rendent un culte,*
car les doctrines qu'ils enseignent ne sont que préceptes
d'hommes.»

Le pur et l'impur

(Mc 7.14-23)

10 Puis, appelant la foule, il leur dit: «Ecoutez et comprenez[w]! 11 Ce
n'est pas ce qui entre dans la bouche qui rend l'homme *impur; mais
ce qui sort de la bouche[x], voilà ce qui rend l'homme impur.» 12 Alors
les disciples s'approchèrent et lui dirent: «Sais-tu qu'en entendant
cette parole, les *Pharisiens ont été scandalisés[y]?» 13 Il répondit:
«Tout plant que n'a pas planté mon Père céleste sera arraché[z].
14 Laissez-les: ce sont des aveugles qui guident des aveugles[a]. Or si un
aveugle guide un aveugle, tous les deux tomberont dans un trou!»
15 Pierre intervint et lui dit: «Explique-nous cette parole énigmati-
que[b].» 16 Jésus dit: «Etes-vous encore, vous aussi, sans intelligence?

r 14.36 Ou *furent guéris* 9.22+. ***s 15.2*** Mains lavées Lc 11.38 ; voir Ex 30.18-21 ; Dt 21.6. ***t 15.4*** Ex 20.12 ; Dt 5.16 (Mt 19.19 ; Mc 10.19 ; Lc 18.20 ; Ep 6.2) ; Ex 21.17 ; voir Lv 20.9. ***u 15.7*** 6.2+. ***v 15.8*** v. 8-9 : Es 29.13 ; Ps 78.36-37. ***w 15.10*** 13.13, 14, 51 ; 16.12. ***x 15.11*** 12.34. ***y 15.12*** 5.29+. ***z 15.13*** Dieu qui plante Es 5.1-7. — *plant arraché* Lc 13.6-9 ; Jn 15.2. ***a 15.14*** Aveugles conducteurs d'aveugles 23.16, 24 ; Lc 6.39 ; Rm 2.19. ***b 15.15*** Demande d'explication 13.36 ; Mc 4.10 ; 7.17 ; Lc 8.9.

17 Ne savez-vous pas que tout ce qui pénètre dans la bouche passe dans le
ventre, puis est rejeté dans la fosse? 18 Mais ce qui sort de la bouche pro-
vient du *cœur, et c'est cela qui rend l'homme impur. 19 Du cœur en effet
proviennent intentions mauvaises, meurtres, adultères, inconduites,
vols, faux témoignages, injures[c]. 20 C'est là ce qui rend l'homme impur;
mais manger sans s'être lavé les mains ne rend pas l'homme impur.»

La foi de la Cananéenne

(Mc 7.24-30)

21 Partant de là, Jésus se retira dans la région de Tyr et de Sidon. 22 Et
voici qu'une Cananéenne vint de là et elle se mit à crier: «Aie pitié de
moi, Seigneur, *Fils de David! Ma fille est cruellement tourmentée par
un démon[d].» 23 Mais il ne lui répondit pas un mot. Ses disciples,
s'approchant, lui firent cette demande: «Renvoie-la[e], car elle nous
poursuit de ses cris.» 24 Jésus répondit: «Je n'ai été envoyé qu'aux
brebis perdues de la maison d'Israël[f].» 25 Mais la femme vint se pros-
terner devant lui: «Seigneur, dit-elle, viens à mon secours!» 26 Il
répondit: «Il n'est pas bien de prendre le pain des enfants pour le jeter
aux petits chiens.» — 27 «C'est vrai[g], Seigneur! reprit-elle; et juste-
ment les petits chiens mangent des miettes qui tombent de la table de
leurs maîtres.» 28 Alors Jésus lui répondit: «Femme, ta foi est grande!
Qu'il t'arrive comme tu le veux[h]!» Et sa fille fut guérie dès cette heure-là.

Guérisons près du lac

(Mc 7.31)

29 De là Jésus gagna les bords de la mer[i] de Galilée. Il monta dans la
montagne, et là il s'assit. 30 Des gens en grande foule vinrent à lui,
ayant avec eux des boiteux, des aveugles[j], des estropiés, des muets et
bien d'autres encore. Ils les déposèrent à ses pieds, et il les guérit.
31 Aussi les foules s'émerveillaient-elles à la vue des muets qui par-
laient, des estropiés qui redevenaient valides, des boiteux qui mar-
chaient droit et des aveugles qui recouvraient la vue. Et elles rendirent
gloire au Dieu[k] d'Israël.

c 15.19 Catalogue de dérèglements Rm 1.29-30 ; 1 Co 5.10-11 ; 6.9-10 ; Ga 5.19-21 ; Ep 5.2-5 ; Col 3.5-8 ; 1 Tm 1.9-10 ; 1 P 4.3 ; Ap 21.8 ; 22.15. ***d 15.22*** *Cananéenne :* appellation qui désigne cette femme comme appartenant à la population autochtone de cette partie de la Phénicie. Qu'elle soit païenne n'exclut pas qu'elle ait entendu parler de Jésus. — *aie pitié* 9.27 ; 20.30-31 ; Mc 10.47-48 ; Lc 18.38-39. — *démon :* voir la note sur Mc 1.23. ***e 15.23*** ou *fais-lui grâce.* ***f 15.24*** 10.5-6 ; 18.12-14. ***g 15.27*** Ou *de grâce !* ***h 15.28*** *ta foi est grande* 8.10. — *comme tu le veux* 8.13 ; 9.29. ***i 15.29*** Voir Mc 1.16 et la note. ***j 15.30*** 11.5 ; 21.14. ***k 15.31*** *émerveillement des foules* Mc 7.37. — *rendre gloire à Dieu* 9.8 +.

Jésus nourrit quatre mille hommes

(Mc 8.1-10; voir Mt 14.13-21 par.)

32 Jésus appela ses disciples et leur dit: «J'ai pitié de cette foule, car
voilà déjà trois jours qu'ils restent auprès de moi, et ils n'ont pas de
quoi manger. Je ne veux pas les renvoyer[l] à jeun: ils pourraient
défaillir en chemin.» 33 Les disciples lui disent: «D'où nous viendra-t-il
dans un désert assez de pains pour rassasier une telle foule[m]?» 34 Jésus
leur dit: «Combien de pains avez-vous?» — «Sept, dirent-ils, et quel-
ques petits poissons.» 35 Il ordonna à la foule de s'étendre par terre,
36 prit les sept pains et les poissons, et, après avoir rendu grâce[n], il les
rompit et les donnait aux disciples, et les disciples aux foules. 37 Et ils
mangèrent tous et furent rassasiés; on emporta ce qui restait des mor-
ceaux: sept corbeilles pleines. 38 Or, ceux qui avaient mangé étaient
au nombre de quatre mille hommes, sans compter les femmes et les
enfants. 39 Après avoir renvoyé les foules, Jésus monta dans la barque
et se rendit dans le territoire de Magadan[o].

Les signes des temps

(Mc 8.11-13; Mt 12.38-39; Lc 11.16,29; 12.54-56)

16 1 Les *Pharisiens et les Sadducéens s'avancèrent et, pour lui
tendre un piège, lui demandèrent de leur montrer un *signe[p]
qui vienne du *ciel. 2 Il leur répondit[q]: «Le soir venu, vous dites: "Il
va faire beau temps, car le ciel est rouge feu"; 3 et le matin:
"Aujourd'hui, mauvais temps, car le ciel est rouge sombre." Ainsi
vous savez interpréter l'aspect du ciel, et les signes des temps, vous
n'en êtes pas capables! 4 Génération mauvaise et adultère qui réclame
un signe! En fait de signe, il ne lui en sera pas donné d'autre que le
signe de Jonas[r].» Il les planta là et partit.

Le levain des Pharisiens

(Mc 8.14-21; Lc 12.1-6)

5 En passant sur l'autre rive, les disciples oublièrent de prendre des
pains. 6 Jésus leur dit: «Attention! Gardez-vous du *levain[s] des Phari-
siens et des Sadducéens!» 7 Eux se faisaient cette réflexion: «C'est
que nous n'avons pas pris de pains.» 8 Mais Jésus s'en aperçut et leur
dit: «Gens de peu de foi, pourquoi cette réflexion sur le fait que vous
n'avez pas de pains? 9 Vous ne saisissez pas encore? Vous ne vous rap-

***l* 15.32** *foules pitoyables* 9.36+. — *renvoyer la foule* 14.15+. ***m* 15.33** Incapacité des disciples Mc 6.37; Jn 6.5. ***n* 15.36** 1 Co 11.24. ***o* 15.39** Localité inconnue; variante: *Magdala.* ***p* 16.1** *piège tendu* à Jésus 19.3; 22.15, 35. — *signe* 12.38+. ***q* 16.2** La suite du v. 2 et le v. 3 manquent dans plusieurs manuscrits importants. ***r* 16.4** 12.39; Lc 11.29. ***s* 16.6** 13.33; 1 Co 5.6-8; Ga 5.9.

pelez pas les cinq pains[t] pour les cinq mille, et combien de paniers
vous avez remportés? 10 Ni les sept pains[u] pour les quatre mille et
combien de corbeilles vous avez remportées? 11 Comment ne saisissez-
vous pas que je ne vous parlais pas de pains, quand je vous disais:
Gardez-vous du levain des Pharisiens et des Sadducéens!» 12 Alors ils
comprirent qu'il n'avait pas dit de se garder du levain des pains, mais
de l'enseignement des Pharisiens et des Sadducéens.

Pierre reconnaît en Jésus le Fils de Dieu

(Mc 8.27-30; Lc 9.18-21)

13 Arrivé dans la région de Césarée de Philippe, Jésus interrogeait ses
disciples: «Au dire des hommes, qui est le *Fils de l'homme[v]?» 14 Ils
dirent: «Pour les uns, Jean le Baptiste; pour d'autres, Elie; pour
d'autres encore, Jérémie ou l'un des *prophètes[w].» 15 Il leur dit: «Et
vous, qui dites-vous que je suis?» 16 Prenant la parole, Simon-Pierre
répondit: «Tu es le *Christ, le Fils du Dieu[x] vivant.» 17 Reprenant alors
la parole, Jésus lui déclara: «Heureux es-tu, Simon fils de Jonas, car ce
n'est pas la chair et le sang[y] qui t'ont révélé cela, mais mon Père qui
est aux *cieux. 18 Et moi, je te le déclare: Tu es Pierre, et sur cette
pierre je bâtirai[z] mon Eglise, et la Puissance de la mort n'aura pas de
force contre elle. 19 Je te donnerai les clefs du *Royaume des cieux;
tout ce que tu lieras sur la terre sera lié aux *cieux, et tout ce que tu
délieras sur la terre sera délié[a] aux cieux.» 20 Alors il commanda sévè-
rement aux disciples de ne dire à personne qu'il était le Christ[b].

Jésus annonce sa passion et sa résurrection

(Mc 8.31-33; Lc 9.22)

21 A partir de ce moment, Jésus Christ commença à montrer à ses dis-
ciples qu'il lui fallait s'en aller à Jérusalem, souffrir beaucoup de la part
des anciens, des *grands prêtres et des scribes, être mis à mort et, le
troisième jour[c], ressusciter. 22 Pierre, le tirant à part, se mit à le répri-
mander, en disant: «Dieu t'en préserve, Seigneur! Non, cela ne t'arri-
vera pas!» 23 Mais lui, se retournant, dit à Pierre: «Retire-toi! Derrière

t 16.9 14.13-21 par.; Jn 6.1-13. ***u 16.10*** 15.32-38; Mc 8.1-9. ***v 16.13*** 8.20+. ***w 16.14*** *Jean le Baptiste* 3.1+; Mc 6.14-15; Lc 9.7-8. – *Elie* Mt 11.14+. – Jésus regardé comme *un prophète* 21.11,46; Mc 6.15; Lc 7.16, 39; 24.19; Jn 4.19; 9.17; voir Mt 13.57; Jn 7.52. ***x 16.16*** 14.33+. ***y 16.17*** *Heureux!* 5.3+. – *la chair et le sang:* même expression sémitique en 1 Co 15.50 et Ga 1.16, pour désigner l'homme tout entier comme être faible et incapable. Voir la note sur Rm 7.5. ***z 16.18*** *Pierre* 4.18+. – Edification Ep 2.20. ***a 16.19*** *lier-délier* 18.18; Jn 20.23. ***b 16.20*** Garder le secret 8.4+. ***c 16.21*** *Jésus Christ* (dans les évangiles) 1.1, 18; Jn 17.3. – Annonce de la Passion Mt 17.22-23; 20.17-19 par.; voir 17.12. – *le troisième jour* 1 Co 15.4; voir Mt 27.63; Mc 8.31.

moi, *Satan! Tu es pour moi occasion de chute[d], car tes vues ne sont pas celles de Dieu, mais celles des hommes.»

Conditions pour suivre Jésus

(Mc 8.34–9.1; Lc 9.23-27)

24 Alors Jésus dit à ses disciples: «Si quelqu'un veut venir à ma
suite[e], qu'il se renie lui-même et prenne sa croix, et qu'il me suive. 25 En
effet, qui veut sauvegarder sa vie[f], la perdra; mais qui perd sa vie à cause
de moi, l'assurera. 26 Et quel avantage l'homme aura-t-il à gagner le
monde entier[g], s'il le paie de sa vie? Ou bien que donnera l'homme qui
ait la valeur de sa vie? 27 Car le *Fils de l'homme va venir avec ses *anges
dans la gloire de son Père; et alors il rendra à chacun selon sa conduite[h].
28 En vérité, je vous le déclare, parmi ceux qui sont ici, certains ne mour-
ront pas avant de voir le Fils de l'homme venir comme roi[i].»

Jésus transfiguré

(Mc 9.2-9; Lc 9.28-36)

17 1 Six jours après, Jésus prend avec lui Pierre, Jacques et Jean
son frère, et les emmène à l'écart sur une haute montagne[j]. 2 Il
fut transfiguré devant eux: son visage resplendit[k] comme le soleil, ses
vêtements devinrent blancs comme la lumière. 3 Et voici que leur
apparurent Moïse et Elie[l] qui s'entretenaient avec lui. 4 Intervenant,
Pierre dit à Jésus: «Seigneur, il est bon que nous soyons ici; si tu le
veux, je vais dresser ici trois tentes[m], une pour toi, une pour Moïse,
une pour Elie.» 5 Comme il parlait encore, voici qu'une nuée lumi-
neuse les recouvrit. Et voici que, de la nuée, une voix disait: «Celui-ci
est mon Fils bien-aimé, celui qu'il m'a plu de choisir. Ecoutez-le[n]!»
6 En entendant cela, les disciples tombèrent la face contre terre, saisis
d'une grande crainte. 7 Jésus s'approcha, il les toucha et dit: «Relevez-
vous! soyez sans crainte!» 8 Levant les yeux, ils ne virent plus que
Jésus, lui seul. 9 Comme ils descendaient de la montagne, Jésus leur

d* *16.23 *Derrière-moi* 4.10. – *occasion de chute :* certains traduisent : *tu es un scandale pour moi.* Voir la note sur Mc 9.42 ; Mt 5.29+. ***e 16.24*** S'engager à la suite de Jésus 4.19+. ***f 16.25*** 10.39 ; Lc 17.33 ; Jn 12.25. ***g 16.26*** 4.8-9. ***h 16.27*** *le Fils de l'homme* 8.20+. – La venue du Fils de l'homme 10.23+. – *à chacun selon sa conduite* Ps 62.13 (Rm 2.6 ; 2 Tm 4.14) ; voir Mt 6.4, 6, 18 ; Ap 22.12. ***i 16.28*** *venir comme roi* 10.21. ***j 17.1*** *Pierre, Jacques et Jean* 26.37 par. ; Mc 5.37 ; 13.3 ; Lc 5.10 ; 8.51 ; Jn 21.2 ; voir Ac 1.13. – *une montagne :* Mt 4.8 ; 28.16 ; voir Es 2.2-3 ; 11.9 ; Dn 9.16. ***k 17.2*** *transfiguré* 2 P 1.16-18. – Aspect resplendissant Mt 28.3 ; Ap 1.14. ***l 17.3*** *Moïse* Dt 18.15, 18 ; 34.5-7. – *Elie* 2 R 2.11 ; Mt 11.14+. ***m 17.4*** Dt 16.13. ***n 17.5*** *nuée* Ex 19.16 ; 24.15-16 ; 40.34-35 ; 1 R 8.10-12 ; *2 M* 2.7-8 ; Ac 1.9. – *mon Fils bien-aimé* Mt 3.17+. – *Ecoutez-le* Dt 18.15 ; Ac 3.22.

donna cet ordre: «Ne dites mot à personne[o] de ce qui s'est fait voir de vous, jusqu'à ce que le *Fils de l'homme soit ressuscité des morts.»

Dialogue sur Elie

(Mc 9.11-13)

10 Et les disciples l'interrogèrent: «Pourquoi donc les *scribes disent-ils qu'Elie doit venir[p] d'abord?» 11 Il répondit: «Certes Elie va venir et il rétablira tout; 12 mais, je vous le déclare, Elie est déjà venu, et, au lieu de le reconnaître, ils ont fait de lui tout ce qu'ils ont voulu. Le *Fils de l'homme lui aussi va souffrir par eux[q].» 13 Alors les disciples comprirent qu'il leur parlait de Jean le Baptiste.

Guérison d'un lunatique

(Mc 9.14-29; Lc 9.37-43)

14 Comme ils arrivaient près de la foule, un homme s'approcha de lui et lui dit en tombant à genoux: 15 «Seigneur, aie pitié de mon fils: il est lunatique[r] et souffre beaucoup; il tombe souvent dans le feu ou dans l'eau. 16 Je l'ai bien amené à tes disciples, mais ils n'ont pas pu le guérir.» 17 Prenant la parole, Jésus dit: «Génération incrédule[s] et pervertie, jusqu'à quand serai-je avec vous? Jusqu'à quand aurai-je à vous supporter? Amenez-le-moi ici.» 18 Jésus menaça le démon, qui sortit de l'enfant, et celui-ci fut guéri dès cette heure-là[t]. 19 Alors les disciples, s'approchant de Jésus, lui dirent en particulier: «Et nous, pourquoi n'avons-nous pu le chasser?» 20 Il leur dit: «A cause de la pauvreté de votre foi. Car, en vérité je vous le déclare, si un jour vous avez de la foi gros comme une graine de moutarde, vous direz à cette montagne: "Passe d'ici là-bas", et elle y passera[u]. Rien ne vous sera impossible. 21 Et puis ce genre de démon ne peut s'en aller, sinon par la prière et le *jeûne[v].»

Jésus annonce de nouveau sa passion et sa résurrection

(Mc 9.30-32; Lc 9.43-45)

22 Comme ils s'étaient rassemblés en Galilée, Jésus leur dit: «Le *Fils de l'homme va être livré aux mains des hommes[w]; 23 ils le tueront et, le troisième jour, il ressuscitera.» Et ils furent profondément attristés.

o 17.9 Garder le secret 8.4+. ***p 17.10*** Attente du retour d'Elie Ml 3.23 ; voir Mt 11.14+. ***q 17.12*** Jean le Baptiste assimilé à Elie 3.4 ; 11.14 ; 16.14 ; Mc 6.14 ; 8.28 ; Lc 1.17 ; 9.7, 19 ; Jn 1.26. – *le Fils de l'homme* Mt 8.20+. – Annonce de la Passion 16.21+. ***r 17.15*** La description des symptômes de la maladie fait penser à l'épilepsie, affectation que l'on a cru longtemps liée aux phases de la lune. ***s 17.17*** 12.39-45+. ***t 17.18*** *démon :* voir Mc 1.23 et la note. – *guéri dès ce moment* Mt 8.13 ; 9.22 ; 15.28 ; Jn 4.52-53. ***u 17.20*** *graine de moutarde* 13.31 ; Lc 17.6. – La foi qui déplace les montagnes Mt 21.21 par. ; 1 Co 13.2 ; voir Es 40.4 ; Lc 17.6. ***v 17.21*** 6.16. ***w 17.22*** v.22-23 : annonce de la Passion 16.21+.

Jésus et Pierre paient l'impôt

24 Comme ils étaient arrivés à Capharnaüm, ceux qui perçoivent les didrachmes[x] s'avancèrent vers Pierre et lui dirent: «Est-ce que votre maître ne paie pas les didrachmes?» — 25 «Si», dit-il. Quand Pierre fut arrivé à la maison, Jésus, prenant les devants, lui dit: «Quel est ton avis, Simon? Les rois de la terre, de qui perçoivent-ils taxes ou impôt? De leurs fils, ou des étrangers?» 26 Et comme il répondait: «Des étrangers», Jésus lui dit: «Par conséquent, les fils sont libres. 27 Toutefois, pour ne pas causer la chute de ces gens-là, va à la mer, jette l'hameçon, saisis le premier poisson qui mordra, et ouvre-lui la bouche: tu y trouveras un statère[y]. Prends-le et donne-le-leur, pour moi et pour toi.»

Le plus grand dans le Royaume

(Mc 9.33-37; Lc 9.46-48)

18 1 A cette heure-là, les disciples s'approchèrent de Jésus et lui dirent: «Qui donc est le plus grand[z] dans le *Royaume des cieux?» 2 Appelant un enfant[a], il le plaça au milieu d'eux 3 et dit: «En vérité, je vous le déclare, si vous ne changez et ne devenez comme les enfants, non, vous n'entrerez pas dans le Royaume des cieux[b]. 4 Celui-là donc qui se fera petit comme cet enfant, voilà le plus grand dans le Royaume des cieux. 5 Qui accueille[c] en mon *nom un enfant comme celui-là, m'accueille moi-même.

Mise en garde

(Mc 9.42-48; Lc 17.1-2)

6 «Mais quiconque entraîne la chute[d] d'un seul de ces petits qui croient en moi, il est préférable pour lui qu'on lui attache au cou une grosse meule et qu'on le précipite dans l'abîme de la mer. 7 Malheureux le monde[e] qui cause tant de chutes! Certes il est nécessaire qu'il y en ait, mais malheureux l'homme par qui la chute arrive! 8 Si ta main[f] ou ton pied entraînent ta chute, coupe-les et jette-les loin de toi; mieux vaut pour toi entrer dans la *vie manchot ou estropié que d'être jeté avec tes deux mains ou tes deux pieds dans le feu

x 17.24 *didrachme :* pièce de deux drachmes (voir au glossaire MONNAIES) représentant le montant annuel de l'impôt pour le temple de Jérusalem, exigé de tout Israélite mâle. Ex 30.13 ; 38.26. ***y 17.27*** *cause de chute* 5.29+ ; ou *pour que nous ne les scandalisions pas. — statère :* pièce de monnaie valant quatre drachmes (= deux didrachmes). Voir au glossaire MONNAIES.

z 18.1 Lc 22.24 ; voir Mt 20.26. ***a 18.2*** 2.8-11 ; 11.16 ; 19.13-14 par. ; voir Mt 11.25. ***b 18.3*** *entrer dans le Royaume des cieux* 5.20+. ***c 18.5*** 10.40 ; Jn 13.20. ***d 18.6*** 5.29+. ***e 18.7*** *le monde* (ensemble de l'humanité) 4.8 ; 5.14 ; 26.13. ***f 18.8*** v. 8-9 : *ta main, ton œil* 5.29, 30. — *la vie* (éternelle) 7.14 ; 19.16, 29 ; 25.46.

éternel! 9 Et si ton œil entraîne ta chute, arrache-le et jette-le loin de
toi; mieux vaut pour toi entrer borgne dans la vie que d'être jeté avec
tes deux yeux dans la *géhenne de feu!

La brebis égarée

(Lc 15.1-7)

10 «Gardez-vous de mépriser aucun de ces petits, car, je vous le dis,
aux *cieux leurs *anges[g] se tiennent sans cesse en présence de mon
Père qui est aux cieux. [11 [h]] 12 Quel est votre avis? Si un homme a cent
brebis et que l'une d'entre elles vienne à s'égarer[i], ne va-t-il pas laisser
les quatre-vingt-dix-neuf autres dans la montagne pour aller à la
recherche de celle qui s'est égarée? 13 Et s'il parvient à la retrouver, en
vérité je vous le déclare, il en a plus de joie que des quatre-vingt-dix-
neuf qui ne se sont pas égarées. 14 Ainsi votre Père qui est aux cieux
veut qu'aucun de ces petits ne se perde.

Correction fraternelle

15 «Si ton frère vient à pécher, va le trouver et fais-lui tes reproches
seul à seul. S'il t'écoute, tu auras[j] gagné ton frère. 16 S'il ne t'écoute
pas, prends encore avec toi une ou deux personnes pour que *toute
affaire soit décidée sur la parole de deux ou trois témoins*[k]. 17 S'il
refuse de les écouter, dis-le à l'Eglise, et s'il refuse d'écouter même
l'Eglise, qu'il soit pour toi comme le *païen et le collecteur d'impôts[l].
18 En vérité, je vous le déclare: tout ce que vous lierez sur la terre sera
lié au *ciel, et tout ce que vous délierez sur la terre sera délié[m] au ciel.

Prier ensemble

19 «Je vous le déclare encore, si deux d'entre vous, sur la terre, se
mettent d'accord pour demander[n] quoi que ce soit, cela leur sera
accordé par mon Père qui est aux cieux. 20 Car, là où deux ou trois se
trouvent réunis en mon *nom, je suis au milieu d'eux[o].»

Le pardon entre frères

(Lc 17.4)

21 Alors Pierre[p] s'approcha et lui dit: «Seigneur, quand mon frère

g 18.10 Ac 12.15; He 1.14. ***h 18.11*** Quelques manuscrits ajoutent ici un v. 11 reproduisant Lc 19.10: *Car le Fils de l'homme est venu sauver ce qui était perdu.* ***i 18.12*** 24.4, 11, 24; 2 Tm 3.13; 1 Jn 1.8; 2.26; 3.7; Ap 12.9; 19.20. ***j 18.15*** *ton frère* Lc 17.3. – *reprends-le* Lv 19.17. – *gagner* Mt 16.26; 25.16; 1 Co 9.19-22. ***k 18.16*** Dt 19.15 (Jn 8.17; 2 Co 13.1; 1 Tm 5.19). ***l 18.17*** 5.46+. ***m 18.18*** *lier-délier* 16.19+. ***n 18.19*** 7.7; 21.22; Mc 11.14; Jn 15.7; 16.23; Jc 1.5; 1 Jn 3.22; 5.14, 15. ***o 18.20*** Présence de Jésus 28.20; Jn 14.23. ***p 18.21*** 4.18+.

commettra une faute à mon égard, combien de fois lui pardonnerai-je?
Jusqu'à sept fois?» 22 Jésus lui dit: «Je ne te dis pas jusqu'à sept fois,
mais jusqu'à soixante-dix fois sept fois.

Le débiteur impitoyable

23 «Ainsi en va-t-il du *Royaume des cieux comme d'un roi qui
voulut régler ses comptes avec ses serviteurs. 24 Pour commencer, on
lui en amena un qui devait dix mille talents[q]. 25 Comme il n'avait pas
de quoi rembourser, le maître donna l'ordre de le vendre ainsi que sa
femme, ses enfants et tout ce qu'il avait, en remboursement de sa
dette. 26 Se jetant alors à ses pieds, le serviteur, prosterné, lui disait:
"Prends patience envers moi, et je te rembourserai tout." 27 Pris de
pitié, le maître de ce serviteur le laissa aller et lui remit sa dette[r]. 28 En
sortant, ce serviteur rencontra un de ses compagnons, qui lui devait
cent pièces d'argent; il le prit à la gorge et le serrait à l'étrangler, en
lui disant: "Rembourse ce que tu dois." 29 Son compagnon se jeta
donc à ses pieds et il le suppliait en disant: "Prends patience envers
moi, et je te rembourserai." 30 Mais l'autre refusa; bien plus, il s'en alla
le faire jeter en prison, en attendant qu'il eût remboursé ce qu'il
devait. 31 Voyant ce qui venait de se passer, ses compagnons furent
profondément attristés et ils allèrent informer leur maître de tout ce
qui était arrivé. 32 Alors, le faisant venir, son maître lui dit: "Mauvais
serviteur, je t'avais remis toute cette dette, parce que tu m'en avais
supplié. 33 Ne devais-tu pas, toi aussi, avoir pitié de ton compagnon,
comme moi-même j'avais eu pitié de toi?" 34 Et, dans sa colère, son
maître le livra[s] aux tortionnaires, en attendant qu'il eût remboursé
tout ce qu'il lui devait. 35 C'est ainsi que mon Père céleste vous trai-
tera, si chacun de vous ne pardonne pas à son frère[t] du fond du
cœur.»

Contre la répudiation

(Mc 10.1-12; Lc 16.18)

19 1 Or, quand Jésus eut achevé ces instructions, il partit de la
Galilée et vint dans le territoire de la Judée au-delà du Jour-
dain[u]. 2 De grandes foules le suivirent, et là il les guérit. 3 Des *Phari-
siens s'avancèrent vers lui et lui dirent pour lui tendre un piège[v]: «Est-
il permis de répudier sa femme pour n'importe quel motif?» 4 Il

q *18.24* Une somme de 10 000 talents correspond au salaire de 60 millions de journées de travail. **r *18.27*** Lc 7.42 ; voir Mt 6.12. **s *18.34*** 5.25-26 ; Lc 12.58-59. **t *18.35*** 6.14-15 ; Mc 11.25 ; Ep 4.32 ; Col 3.13. **u *19.1*** *après ces instructions* 7.28+. — *au-delà du Jourdain :* c'est-à-dire à l'est du fleuve. **v *19.3*** 16.1+.

répondit: «N'avez-vous pas lu que le Créateur, au commencement, *les fit mâle et femelle*[w] 5 et qu'il a dit: *C'est pourquoi l'homme quittera son père et sa mère et s'attachera à sa femme, et les deux ne feront qu'une seule chair*[x]. 6 Ainsi ils ne sont plus deux, mais une seule chair. Que l'homme donc ne sépare pas ce que Dieu a uni!» 7 Ils lui disent: «Pourquoi donc Moïse a-t-il prescrit de *délivrer un certificat de répudiation*[y] quand on répudie?» 8 Il leur dit: «C'est à cause de la dureté de votre cœur que Moïse vous a permis de répudier vos femmes; mais au commencement il n'en était pas ainsi. 9 Je vous le dis: Si quelqu'un répudie sa femme — sauf en cas d'union illégale[z] — et en épouse une autre, il est adultère.»

Mariage et célibat

10 Les disciples lui dirent: «Si telle est la condition de l'homme envers sa femme, il n'y a pas intérêt à se marier[a].» 11 Il leur répondit: «Tous ne comprennent pas ce langage, mais seulement ceux à qui c'est donné[b]. 12 En effet, il y a des eunuques qui sont nés ainsi du sein maternel; il y a des eunuques qui ont été rendus tels par les hommes; et il y en a qui se sont eux-mêmes rendus eunuques à cause du *Royaume des cieux. Comprenne qui peut[c] comprendre!»

Jésus et les enfants

(Mc 10.13-16; Lc 18.15-17)

13 Alors des gens lui amenèrent des enfants[d], pour qu'il leur imposât les mains en disant une prière. Mais les disciples les rabrouèrent. 14 Jésus dit: «Laissez faire ces enfants, ne les empêchez pas de venir à moi, car le *Royaume des cieux est à ceux qui sont comme eux.» 15 Et, après leur avoir imposé les mains[e], il partit de là.

Le jeune homme riche

(Mc 10.17-31; Lc 18.18-30; 13.30)

16 Et voici qu'un homme s'approcha de lui et lui dit: «Maître, que dois-je faire de bon pour avoir la *vie éternelle[f]?» 17 Jésus lui dit: «Pourquoi m'interroges-tu sur le bon? Unique est celui qui est bon. Si tu veux entrer dans la vie, garde les commandements[g].» — 18 «Lesquels?» lui dit-il. Jésus répondit[h]: *«Tu ne commettras pas de*

w 19.4 Gn 1.27 ; 5.2. ***x 19.5*** Gn 2.24 (1 Co 6.16 ; Ep 5.31). ***y 19.7*** Dt 24.1 ; Mt 5.31. ***z 19.9*** *répudier* 1 Co 7.10-11. — *union illégale* voir Mt 5.32+. ***a 19.10*** S'abstenir du mariage ? 1 Co 7.1-2, 7-9. ***b 19.11*** une option qui corresponde au don de Dieu 1 Co 7.17. ***c 19.12*** *comprenne qui peut* 11.15 ; 13.9. ***d 19.13*** 18.2+. ***e 19.15*** 9.18+. ***f 19.16*** 18.8+ ; Lc 10.25. ***g 19.17*** Lv 18.5 ; Lc 10.28. ***h 19.18*** v. 18-19 : énumération des commandements de Dieu Ex 20.12-16 ; Dt 5.16-20 ; voir Rm 13.9.

meurtre. Tu ne commettras pas d'adultère. Tu ne voleras pas. Tu ne
porteras pas de faux témoignage. 19 *Honore ton père et ta mère.* Enfin:
Tu aimeras ton prochain[i] *comme toi-même.»* 20 Le jeune homme lui
dit: «Tout cela, je l'ai observé. Que me manque-t-il encore?» 21 Jésus
lui dit: «Si tu veux être parfait, va, vends ce que tu possèdes, donne-le
aux pauvres, et tu auras un trésor dans les *cieux[j]. Puis viens, suis-
moi!» 22 A cette parole, le jeune homme s'en alla tout triste, car il avait
de grands biens.

23 Et Jésus dit à ses disciples: «En vérité, je vous le déclare, un riche
entrera difficilement dans le *Royaume des cieux[k]. 24 Je vous le répète,
il est plus facile à un chameau de passer par un trou d'aiguille qu'à un
riche d'entrer dans le Royaume de Dieu.» 25 A ces mots, les disciples
étaient très impressionnés et ils disaient: «Qui donc peut être sauvé?»
26 Fixant sur eux son regard, Jésus leur dit: «Aux hommes c'est impos-
sible, mais à Dieu tout est possible[l].»

27 Alors, prenant la parole, Pierre[m] lui dit: «Eh bien! nous, nous
avons tout laissé et nous t'avons suivi. Qu'en sera-t-il donc pour
nous?» 28 Jésus leur dit: «En vérité, je vous le déclare: Lors du renou-
vellement de toutes choses, quand le *Fils de l'homme siégera sur son
trône de gloire, vous qui m'avez suivi, vous siégerez vous aussi sur
douze trônes pour juger[n] les douze tribus d'Israël. 29 Et quiconque aura
laissé maisons, frères, sœurs, père, mère, enfants ou champs, à cause
de mon *Nom, recevra beaucoup plus et, en partage, la *vie éter-
nelle[o]. 30 Beaucoup de premiers seront derniers[p] et beaucoup de der-
niers, premiers.

Les ouvriers de la onzième heure

20 1 «Le *Royaume des cieux est comparable, en effet, à un
maître de maison qui sortit de grand matin, afin d'embaucher
des ouvriers pour sa vigne[q]. 2 Il convint avec les ouvriers d'une pièce
d'argent pour la journée et les envoya à sa vigne. 3 Sorti vers la troi-
sième heure[r], il en vit d'autres qui se tenaient sur la place, sans travail,

i* *19.19 Lv 19.18 ; Mt 5.43 ; 22.39 ; Lc 10.27 ; Rm 13.9. ***j 19.21*** *parfait* 5.48. – *vends* et *donne* Mc 14.5 ; Lc 12.33 ; Jn 12.5 ; Ac 2.45 ; 4.34-37. – *un trésor dans le ciel* Mt 6.20 ; Col 3.1-2. ***k 19.23*** *un riche* Lc 16.6, 24 ; 12.16 ; 16.19-31 ; Jc 1.10-11 ; 5.1-6 ; Ap 3.17. – *entrer dans le Royaume des cieux* Mt 5.20+. ***l 19.26*** Gn 18.14 ; Jr 32.17 ; Jb 42.2. ***m 19.27*** 4.18+. ***n 19.28*** *Fils de l'homme* 8.20+. – *son trône* voir Dn 7.9-10, 14. – Participation des disciples au jugement final Mt 20.21 par. ; Lc 22.30 ; 1 Co 6.2 ; voir Ap 3.21 ; 20.4. ***o 19.29*** 18.8+ ; Lc 10.25. ***p 19.30*** 20.16 ; Lc 13.30. ***q 20.1*** 21.28, 33. ***r 20.3*** La *troisième heure :* 9 h du matin ; la *sixième heure* (v.5) : midi ; la *neuvième heure* (v.5) : 3 h de l'après-midi ; la *onzième heure :* 5 h de l'après-midi.

4 et il leur dit: "Allez, vous aussi, à ma vigne, et je vous donnerai ce
qui est juste." 5 Ils y allèrent. Sorti de nouveau vers la sixième heure,
puis vers la neuvième, il fit de même. 6 Vers la onzième heure, il sortit
encore, en trouva d'autres qui se tenaient là et leur dit: "Pourquoi
êtes-vous restés là tout le jour, sans travail?" — 7 "C'est que, lui
disent-ils, personne ne nous a embauchés." Il leur dit: "Allez, vous
aussi, à ma vigne." 8 Le soir venu, le maître de la vigne dit à son inten-
dant: "Appelle les ouvriers, et remets à chacun son salaire, en com-
mençant par les derniers pour finir par les premiers." 9 Ceux de la
onzième heure vinrent donc et reçurent chacun une pièce d'argent.
10 Les premiers, venant à leur tour, pensèrent qu'ils allaient recevoir
davantage; mais ils reçurent, eux aussi, chacun une pièce d'argent.
11 En la recevant, ils murmuraient contre le maître de maison: 12 "Ces
derniers venus, disaient-ils, n'ont travaillé qu'une heure, et tu les
traites comme nous, qui avons supporté le poids du jour et la grosse
chaleur." 13 Mais il répliqua à l'un d'eux: "Mon ami, je ne te fais pas
de tort; n'es-tu pas convenu avec moi d'une pièce d'argent?
14 Emporte ce qui est à toi et va-t'en. Je veux donner à ce dernier
autant qu'à toi. 15 Ne m'est-il pas permis de faire ce que je veux de
mon bien? Ou alors ton œil est-il mauvais parce que je suis bon?"
16 Ainsi les derniers seront premiers, et les premiers seront derniers[s].»

Pour la troisième fois, Jésus annonce sa passion et sa résurrection

(Mc 10.32-34; Lc 18.31-34)

17 Sur le point de monter à Jérusalem, Jésus prit les Douze à part et
leur dit en chemin: 18 «Voici que nous montons à Jérusalem, et le *Fils
de l'homme sera livré aux *grands prêtres et aux scribes; ils le con-
damneront à mort[t] 19 et le livreront aux *païens pour qu'ils se moquent
de lui, le flagellent, le crucifient; et, le troisième jour[u], il ressuscitera.»

Ambition et service

(Mc 10.35-45; Lc 22.25-27)

20 Alors la mère des fils de Zébédée[v] s'approcha de lui, avec ses fils,
et elle se prosterna pour lui faire une demande. 21 Il lui dit: «Que veux-
tu?» — «Ordonne, lui dit-elle, que dans ton Royaume mes deux fils

s 20.16 19.30 ; Mc 10.31 ; Lc 13.30. ***t 20.18*** Annonce de la Passion 16.21-23+. ***u 20.19*** Lc 24.7, 46 ; 1 Co 15.4. ***v 20.20*** *les fils de Zébédée* 4.21+. — *leur mère* 27.56.

que voici siègent l'un à ta droite et l'autre à ta gauche[w].» 22 Jésus
répondit: «Vous ne savez pas ce que vous demandez. Pouvez-vous
boire la coupe[x] que je vais boire?» Ils lui disent: «Nous le pouvons.»
23 Il leur dit: «Ma coupe, vous la boirez; quant à siéger à ma droite et à
ma gauche, il ne m'appartient pas de l'accorder: ce sera donné à ceux
pour qui mon Père l'a préparé[y].» 24 Les dix, qui avaient entendu,
s'indignèrent contre les deux frères. 25 Mais Jésus les appela et leur dit:
«Vous le savez, les chefs des nations les tiennent sous leur pouvoir et
les grands sous leur domination. 26 Il ne doit pas en être ainsi parmi
vous. Au contraire, si quelqu'un veut être grand parmi vous, qu'il soit
votre serviteur[z], 27 et si quelqu'un veut être le premier parmi vous,
qu'il soit votre esclave. 28 C'est ainsi que le *Fils de l'homme est venu
non pour être servi, mais pour servir et donner sa vie en rançon pour
la multitude[a].»

Les deux aveugles de Jéricho

(Mc 10.46-52; Lc 18.35-43)

29 Comme ils sortaient de Jéricho, une grande foule le suivit. 30 Et
voici que deux aveugles, assis au bord du chemin, apprenant que
c'était Jésus qui passait, se mirent à crier: «Seigneur, *Fils de David[b],
aie pitié de nous!» 31 La foule les rabrouait pour qu'ils se taisent. Mais
ils crièrent encore plus fort: «Seigneur, Fils de David, aie pitié de
nous!» 32 Jésus s'arrêta, les appela et leur dit: «Que voulez-vous que je
fasse pour vous?» 33 Ils lui disent: «Seigneur, que nos yeux
s'ouvrent[c]!» 34 Pris de pitié, Jésus leur toucha les yeux[d]. Aussitôt ils
retrouvèrent la vue. Et ils le suivirent.

Entrée messianique à Jérusalem

(Mc 11.1-11; Lc 19.28-40; Jn 12.12-16)

21 1 Lorsqu'ils approchèrent de Jérusalem et arrivèrent près de
Bethphagé, au mont des Oliviers[e], alors Jésus envoya deux
disciples 2 en leur disant: «Allez au village qui est devant vous; vous
trouverez aussitôt une ânesse[f] attachée et un ânon avec elle; déta-
chez-la et amenez-les-moi. 3 Et si quelqu'un vous dit quelque chose,

w 20.21 Qu'ils siègent à tes côtés 19.28 ; Lc 22.30. ***x 20.22*** Jr 25.15-29 ; Mt 26.39 par. ; Jn 18.11. ***y 20.23*** Le Fils au service du Père 24.36. ***z 20.26*** Grandeur du service 23.11 ; Mc 9.35 ; 10.43-44 ; Lc 9.48 ; 22.26. ***a 20.28*** *pour servir* Ph 2.7. — *en rançon pour la multitude* Mt 26.28 ; Mc 10.45 ; 1 Tm 2.6. ***b 20.30*** *deux aveugles* 9.27. — *Fils de David* 1.1+. ***c 20.33*** Es 61.1-3 ; Mt 11.5 ; Jn 9. ***d 20.34*** *Jésus pris de pitié* 9.36 par. ; Mc 9.22 ; voir Mt 18.27 ; Lc 10.33 ; 15.20. — *il leur toucha les yeux* Mt 9.29-30. ***e 21.1*** *Bethphagé* Mc 11.1 ; Lc 19.29. — *le mont des Oliviers* Za 14.4. ***f 21.2*** Gn 49. 11 ; Jg 5.10.

vous répondrez: "Le Seigneur en a besoin", et il les laissera aller tout de suite.» 4 Cela est arrivé pour que s'accomplisse ce qu'a dit le prophète: 5 *Dites à la fille de *Sion: Voici que ton roi vient à toi, humble et monté sur une ânesse et sur un ânon, le petit d'une bête de somme*[g]. 6 Les disciples s'en allèrent et, comme Jésus le leur avait prescrit, 7 ils amenèrent l'ânesse et l'ânon; puis ils disposèrent sur eux leurs vêtements, et Jésus s'assit dessus. 8 Le peuple, en foule, étendit ses vêtements[h] sur la route; certains coupaient des branches aux arbres et en jonchaient la route. 9 Les foules qui marchaient devant lui et celles qui le suivaient, criaient: «*Hosanna* au *Fils de David! *Béni soit au *nom du Seigneur Celui qui vient*[i]*! Hosanna* au plus haut des cieux!» 10 Quand Jésus entra dans Jérusalem, toute la ville fut en émoi[j]: «Qui est-ce?» disait-on; 11 et les foules répondaient: «C'est le *prophète Jésus[k], de Nazareth en Galilée.»

Les vendeurs chassés du temple

(Mc 11.15-19; Lc 19.45-48; Jn 2.13-16)

12 Puis Jésus entra dans le *temple et chassa tous ceux qui vendaient et achetaient dans le temple; il renversa les tables des changeurs et les sièges des marchands de colombes. 13 Et il leur dit: «Il est écrit: *Ma maison sera appelée maison de prière;* mais vous, vous en faites une *caverne de bandits*[l]! » 14 Des aveugles et des boiteux[m] s'avancèrent vers lui dans le temple, et il les guérit. 15 Voyant les choses étonnantes qu'il venait de faire et ces enfants qui criaient dans le temple: «Hosanna au *Fils de David!», les *grands prêtres et les scribes furent indignés 16 et ils lui dirent: «Tu entends ce qu'ils disent?» Mais Jésus leur dit: «Oui; n'avez-vous jamais lu ce texte[n]: *Par la bouche des tout-petits et des nourrissons, tu t'es préparé une louange?* » 17 Puis il les planta là et sortit de la ville pour se rendre à Béthanie[o], où il passa la nuit.

Le figuier sans fruit

(Mc 11.12-14,20-25)

18 Comme il revenait à la ville de bon matin, il eut faim. 19 Voyant un figuier[p] près du chemin, il s'en approcha, mais il n'y trouva rien, que

g 21.5 Za 9.9 (voir Es 62.11). ***h 21.8*** *vêtements étendus* en tapis d'honneur 2 R 9.13. ***i 21.9*** *Hosanna* 21.15 ; voir Ps 118.25 ; 2 S 14.4. – *Béni soit...* Ps 118.26 ; Mt 23.39 ; Lc 13.35. – *celui qui vient* Mt 3.11+. ***j 21.10*** 2.3. ***k 21.11*** *les foules* 9.33 ; 12.23. – *Jésus* considéré comme un *prophète* 16.14+. – *le prophète* Dt 18.15 ; Mt 13.57 ; 17.5 par. ; Jn 1.21 ; 6.14 ; 7.40 ; Ac 3.22-23. ***l 21.13*** Es 56.7 ; Jr 7.11. ***m 21.14*** 11.4 ; voir Lv 21.18 ; 2 S 5.8. ***n 21.16*** Ps 8.3. – Le Ps 8 considéré comme Ecriture messianique : 1 Co 15.27 ; Ep 1.22 ; Ph 3.21 ; 1 P 3.22 ; He 2.6-8. ***o 21.17*** 26.6 par. ; Mc 11.1 et la note, 11-12 ; Lc 19.29 ; 24.50 ; Jn 11.1, 18 ; 12.1. ***p 21.19*** 24.32 ; Lc 13.6.

des feuilles. Il lui dit: «Jamais plus tu ne porteras de fruit!» A l'instant
même, le figuier sécha. 20 Voyant cela, les disciples furent saisis
d'étonnement et dirent: «Comment, à l'instant même, le figuier a-t-il
séché?» 21 Jésus leur répondit: «En vérité, je vous le déclare, si un jour
vous avez la foi et ne doutez pas, non seulement vous ferez ce que je
viens de faire au figuier, mais même si vous dites à cette montagne:
"Ote-toi de là et jette-toi dans la mer", cela se fera[q]. 22 Tout ce que
vous demanderez dans la prière avec foi, vous le recevrez[r].»

Question des Juifs sur l'autorité de Jésus

(Mc 11.27-33; Lc 20.1-8)

23 Quand il fut entré dans le *temple, les *grands prêtres et les
anciens du peuple s'avancèrent vers lui pendant qu'il enseignait, et ils
lui dirent: «En vertu de quelle autorité fais-tu cela? Et qui t'a donné
cette autorité[s]?» 24 Jésus leur répondit: «Moi aussi, je vais vous poser
une question, une seule; si vous me répondez, je vous dirai à mon tour
en vertu de quelle autorité je fais cela. 25 Le baptême de Jean, d'où
venait-il? Du *ciel ou des hommes?» Ils raisonnèrent en eux-mêmes:
«Si nous disons: "Du ciel", il nous dira: "Pourquoi donc n'avez-vous
pas cru en lui[t]?" 26 Et si nous disons: "Des hommes", nous devons
redouter la foule, car tous tiennent Jean pour un *prophète[u].» 27 Alors
ils répondirent à Jésus: «Nous ne savons pas.» Et lui aussi leur dit:
«Moi non plus, je ne vous dis pas en vertu de quelle autorité je fais
cela.»

Les deux fils

28 «Quel est votre avis? Un homme avait deux fils. S'avançant vers le
premier, il lui dit: "Mon enfant, va donc aujourd'hui travailler à la
vigne[v]." 29 Celui-ci lui répondit: "Je ne veux pas"; un peu plus tard,
pris de remords, il y alla. 30 S'avançant vers le second, il lui dit la même
chose. Celui-ci lui répondit: "J'y vais, Seigneur"; mais il n'y alla pas.
31 Lequel des deux a fait la volonté de son père?» — «Le premier»,
répondent-ils. Jésus leur dit: «En vérité, je vous le déclare, collecteurs
d'impôts[w] et prostituées vous précèdent dans le *Royaume de Dieu.

q 21.21 La foi qui déplace les montagnes 17.20+. **r 21.22** L'exaucement de la prière 7.7-11 ; 18.19 ; Jn 14.13-14. **s 21.23** *l'autorité de Jésus* 7.29 ; 8.10 ; 9.6 ; 28.18. **t 21.25** Activité baptismale de Jean 3.6+. — *ciel :* voir Mt 3.2 et la note. — Confiance refusée à Jean le Baptiste 21.32 ; Lc 7.30. **u 21.26** *peur* de la réaction populaire 14.5 ; 21.46. — *Jean* considéré comme *prophète* 14.5+. **v 21.28** *deux fils* Lc 15.11. — *travailler à la vigne* 20.1,4. **w 21.31** *faire la volonté du Père* 6.10+ . — *collecteurs d'impôts* 5.46+.

32 En effet, Jean[x] est venu à vous dans le chemin de la justice, et vous
ne l'avez pas cru; collecteurs d'impôts et prostituées, au contraire,
l'ont cru. Et vous, voyant cela, vous ne vous êtes pas dans la suite
davantage repentis pour le croire.»

Les métayers révoltés

(Mc 12.1-12; Lc 20.9-19)

33 «Ecoutez une autre *parabole. Il y avait un propriétaire qui *planta
une vigne, l'entoura d'une clôture, y creusa un pressoir et bâtit une
tour*[y]; puis il la donna en fermage à des vignerons et partit en voyage.
34 Quand le temps des fruits approcha, il envoya ses serviteurs aux
vignerons pour recevoir les fruits[z] qui lui revenaient. 35 Mais les vigne-
rons saisirent ces serviteurs; l'un, ils le rouèrent de coups; un autre, ils
le tuèrent; un autre, ils le lapidèrent[a]. 36 Il envoya encore d'autres ser-
viteurs, plus nombreux que les premiers; ils les traitèrent de même.
37 Finalement, il leur envoya son fils, en se disant: "Ils respecteront
mon fils." 38 Mais les vignerons, voyant le fils, se dirent entre eux:
"C'est l'héritier. Venez! Tuons-le et emparons-nous de l'héritage."
39 Ils se saisirent de lui, le jetèrent hors de la vigne et le tuèrent[b]. 40 Eh
bien! lorsque viendra le maître de la vigne, que fera-t-il à ces vigne-
rons-là?» 41 Ils lui répondirent: «Il fera périr misérablement ces misé-
rables, et il donnera la vigne en fermage à d'autres[c] vignerons, qui lui
remettront les fruits en temps voulu.» 42 Jésus leur dit: «N'avez-vous
jamais lu dans les Ecritures:

La pierre qu'ont rejetée les bâtisseurs,
c'est elle qui est devenue la pierre angulaire;
c'est là l'œuvre du Seigneur:
Quelle merveille à nos yeux[d].

43 Aussi je vous le déclare: le *Royaume de Dieu vous sera enlevé, et
il sera donné à un peuple qui en produira les fruits. 44 Celui qui tom-
bera sur cette pierre[e] sera brisé, et celui sur qui elle tombera, elle
l'écrasera.» 45 En entendant ses paraboles, les *grands prêtres et les
Pharisiens comprirent que c'était d'eux qu'il parlait. 46 Ils cherchaient
à l'arrêter, mais ils eurent peur des foules, car elles le tenaient pour un
*prophète[f].

x 21.32 Jean le Baptiste. ***y 21.33*** Es 5.2. ***z 21.34*** 3.8. ***a 21.35*** Mauvais traitements infligés aux envoyés 22.6 ; 23.37. ***b 21.39*** *jeté dehors, tué* Lv 24.14-16 ; Ac 7.58 ; voir Jn 19.17 ; He 13.12. ***c 21.41*** 21.43. ***d 21.42*** Ps 118.22-23 (grec) ; voir Ac 4.11 ; 1 P 2.7. ***e 21.44*** Dn 2.34-35, 44-45. ***f 21.46*** *peur* de la réaction populaire 14.5 ; 21.26. — *Jésus* considéré comme *prophète* 16.14+.

Le festin nuptial

(Lc 14.15-24)

22 1 Et Jésus se remit à leur parler en *paraboles: 2 «Il en va du
*Royaume des cieux comme d'un roi qui fit un festin de
noces[g] pour son fils. 3 Il envoya ses serviteurs appeler à la noce les
invités. Mais eux ne voulaient pas venir. 4 Il envoya encore d'autres
serviteurs chargés de dire aux invités: "Voici, j'ai apprêté mon ban-
quet; mes taureaux et mes bêtes grasses sont égorgés, tout est prêt,
venez aux noces." 5 Mais eux, sans en tenir compte, s'en allèrent, l'un
à son champ, l'autre à son commerce; 6 les autres, saisissant les servi-
teurs, les maltraitèrent et les tuèrent[h]. 7 Le roi se mit en colère; il
envoya ses troupes, fit périr ces assassins et incendia leur ville. 8 Alors
il dit à ses serviteurs: "La noce est prête, mais les invités n'en étaient
pas dignes. 9 Allez donc aux places d'où partent les chemins et convo-
quez à la noce tous ceux que vous trouverez." 10 Ces serviteurs s'en
allèrent par les chemins et rassemblèrent tous ceux qu'ils trouvèrent,
mauvais et bons[i]. Et la salle de noce fut remplie de convives. 11 Entré
pour regarder les convives, le roi aperçut là un homme qui ne portait
pas de vêtement de noce. 12 "Mon ami, lui dit-il, comment es-tu entré
ici sans avoir de vêtement de noce?" Celui-ci resta muet. 13 Alors le roi
dit aux servants: "Jetez-le, pieds et poings liés, dans les ténèbres du
dehors: là seront les pleurs et les grincements de dents[j]." 14 Certes, la
multitude est appelée, mais peu sont élus.»

Le tribut à César

(Mc 12.13-17; Lc 20.20-26)

15 Alors les *Pharisiens allèrent tenir conseil afin de le prendre au
piège[k] en le faisant parler. 16 Ils lui envoient leurs *disciples, avec les
Hérodiens[l], pour lui dire: «Maître, nous savons que tu es franc et que
tu enseignes les chemins de Dieu en toute vérité, sans te laisser
influencer par qui que ce soit, car tu ne tiens pas compte de la condi-
tion des gens. 17 Dis-nous donc ton avis: Est-il permis, oui ou non, de
payer le tribut à César?» 18 Mais Jésus, s'apercevant de leur malice,
dit: «Hypocrites[m]! Pourquoi me tendez-vous un piège? 19 Montrez-
moi la monnaie qui sert à payer le tribut.» Ils lui présentèrent une
pièce d'argent. 20 Il leur dit: «Cette effigie et cette inscription, de qui
sont-elles?» 21 Ils répondent: «De César.» Alors il leur dit: «Rendez

g 22.2 9.15 par.; 25.1-12. ***h 22.6*** Mauvais traitements infligés aux envoyés 21.35+. ***i 22.10*** voir 9.9-13; 13.37-43. ***j 22.13*** *les ténèbres du dehors* 8.12+. — *pleurs et grincements de dents* 8.12+.

k 22.15 Conciliabule des adversaires de Jésus 12.14+. — *piège tendu* à Jésus 16.1+. ***l 22.16*** Voir note sur Mc 3.6. ***m 22.18*** 6.2+.

donc à César[n] ce qui est à César, et à Dieu ce qui est à Dieu.» 22 A ces mots, ils furent tout étonnés et, le laissant, ils s'en allèrent.

A la résurrection des morts

(Mc 12.18-27; Lc 20.27-38)

23 Ce jour-là, des *Sadducéens s'approchèrent de lui. Les Sadducéens disent qu'il n'y a pas de résurrection. Ils lui posèrent cette question: 24 «Maître, Moïse a dit: *Si quelqu'un meurt sans avoir d'enfants, son frère épousera la veuve, pour donner une descendance à son frère*[o]. 25 Or il y avait chez nous sept frères. Le premier, qui était marié, mourut; et comme il n'avait pas de descendance, il laissa sa femme à son frère; 26 de même le deuxième, le troisième, et ainsi jusqu'au septième. 27 Finalement, après eux tous, la femme mourut. 28 Eh bien! A la résurrection, duquel des sept sera-t-elle la femme, puisque tous l'ont eue pour femme?» 29 Jésus leur répondit: «Vous êtes dans l'erreur, parce que vous ne connaissez ni les Ecritures ni la puissance de Dieu. 30 A la résurrection, en effet, on ne prend ni femme ni mari; mais on est comme des *anges dans le ciel. 31 Et pour ce qui est de la résurrection des morts, n'avez-vous pas lu la parole que Dieu vous a dite: 32 *Je suis le Dieu d'Abraham, le Dieu d'Isaac et le Dieu de Jacob*[p] ? Il n'est pas le Dieu des morts, mais des vivants.» 33 En entendant cela, les foules étaient frappées de son enseignement[q].

Le plus grand commandement

(Mc 12.28-34; voir Lc 10.25-28)

34 Apprenant qu'il avait fermé la bouche aux *Sadducéens, les Pharisiens se réunirent. 35 Et l'un d'eux, un *légiste, lui demanda pour lui tendre un piège[r]: 36 «Maître, quel est le grand commandement dans la *Loi?» 37 Jésus lui déclara: *«Tu aimeras le Seigneur ton Dieu de tout ton cœur, de toute ton âme et de toute ta pensée*[s]. 38 C'est là le grand, le premier commandement. 39 Un second est aussi important: *Tu aimeras ton prochain comme toi-même*[t]. 40 De ces deux commandements dépendent toute la Loi et les Prophètes[u].»

Le fils de David et son Seigneur

(Mc 12.35-37; Lc 20.41-44)

41 Comme les *Pharisiens se trouvaient réunis, Jésus leur posa cette question: 42 «Quelle est votre opinion au sujet du Messie? De qui est-il

***n* 22.21** Rm 13.7. ***o* 22.24** Le lévirat Gn 38.8 ; Dt 25.5-10. ***p* 22.32** Ex 3.6, 15, 16. ***q* 22.33** 7.28 ; 13.54 ; Mc 11.18 ; Jn 7.15. ***r* 22.35** 16.1+. ***s* 22.37** Dt 6.5 (Jos 22.5). ***t* 22.39** Lv 19.18 (Mt 5.43 ; 19.19 ; Rm 13.9 ; Ga 5.14 ; Jc 2.8). — *aussi important :* ou *semblable.* ***u* 22.40** 7.12+ ; voir Rm 13.10.

fils?» Ils lui répondent: «De David[v].» 43 Jésus leur dit: «Comment
donc David, inspiré par l'Esprit, l'appelle-t-il Seigneur, en disant:
44 *Le Seigneur a dit à mon Seigneur:*
Siège à ma droite
jusqu'à ce que j'aie mis tes ennemis sous tes pieds[w]?
45 Si donc David l'appelle Seigneur, comment est-il son fils?»
46 Personne ne fut capable de lui répondre un mot[x]. Et, depuis ce jour-là, nul n'osa plus l'interroger.

Invectives contre les Pharisiens

(Mc 12.38-40; Lc 20.45-47; 11.39-52)

23 1 Alors Jésus s'adressa aux foules et à ses *disciples: 2 «Les
scribes et les *Pharisiens siègent dans la chaire de Moïse[y]:
3 faites donc et observez tout ce qu'ils peuvent vous dire[z], mais ne
vous réglez pas sur leurs actes, car ils disent et ne font pas. 4 Ils lient de
pesants fardeaux[a] et les mettent sur les épaules des hommes, alors
qu'eux-mêmes se refusent à les remuer du doigt. 5 Toutes leurs actions,
ils les font pour se faire remarquer des hommes. Ils élargissent leurs
phylactères et allongent leurs franges[b]. 6 Ils aiment à occuper les pre-
mières places[c] dans les dîners et les premiers sièges dans les *synago-
gues, 7 à être salués sur les places publiques et à s'entendre appeler
"Maître" par les hommes. 8 Pour vous, ne vous faites pas appeler
"Maître", car vous n'avez qu'un seul Maître et vous êtes tous frères.
9 N'appelez personne sur la terre votre "Père", car vous n'en avez
qu'un seul, le Père céleste[d]. 10 Ne vous faites pas non plus appeler
"Docteurs", car vous n'avez qu'un seul Docteur, le Christ. 11 Le plus
grand parmi vous sera votre serviteur[e]. 12 Quiconque s'élèvera sera
abaissé, et quiconque s'abaissera sera élevé[f]. 13 Malheureux êtes-vous,
scribes et Pharisiens hypocrites, vous qui fermez devant les hommes
l'entrée du *Royaume des cieux[g]! Vous-mêmes en effet n'y entrez pas,
et vous ne laissez pas entrer ceux qui le voudraient! [14 [h]]

***v* 22.42** 1.1+ ; voir au glossaire FILS DE DAVID. ***w* 22.44** Ps 110.1 (Mt 26.64 par. ; Mc 16.19 ; Ac 2.34-35 ; Rm 8.34 ; 1 Co 15.25 ; Ep 1.20 ; Col 3.1 ; He 1.3, 13 ; 8.1 ; 10.12-13 ; 12.2). ***x* 22.46** Personne n'ose plus questionner Jésus Mc 12.34 ; Lc 20.40. ***y* 23.2** Symbole de l'autorité officielle conférée à ceux qui sont chargés d'enseigner et d'appliquer la Loi. ***z* 23.3** Ml 2.7-8. ***a* 23.4** voir 11.30. ***b* 23.5** *pour se faire remarquer* 6.1,5. — *phylactères :* petits étuis contenant la copie des passages essentiels de la Loi (Ex 13.1-16 ; Dt 6.4-9 ; 11. 13-21). — *franges* Mt 9.20+. ***c* 23.6** Lc 14.7. ***d* 23.9** 6.9+. ***e* 23.11** grandeur du service 20.26+. ***f* 23.12** *abaissement* Es 2.9-17. — inversion des situations Jb 22.29 ; Pr 29.23 ; Ez 21.31 ; Lc 14.11 ; 18.14. ***g* 23.13** *Malheureux !* 11.21+. — *hypocrites* 6.2+. — *entrée du Royaume des cieux* 5.20+. ***h* 23.14** Certains manuscrits introduisent ici : *Malheureux êtes-vous, scribes et Pharisiens hypocrites, vous qui dévorez les biens des veuves et faites pour l'apparence de longues prières : pour cela vous recevrez une condamnation particulièrement sévère.*

15 Malheureux êtes-vous, scribes et Pharisiens hypocrites, vous qui
parcourez mers et continents pour gagner un seul prosélyte[i], et, quand
il l'est devenu, vous le rendez digne de la *géhenne, deux fois plus
que vous! 16 Malheureux êtes-vous, guides aveugles[j], vous qui dites:
"Si l'on jure par le *sanctuaire, cela ne compte pas; mais si l'on jure
par l'or du sanctuaire, on est tenu." 17 Insensés et aveugles! Qu'est-ce
donc qui l'emporte, l'or, ou le sanctuaire qui a rendu sacré cet or?
18 Vous dites encore: "Si l'on jure par *l'autel, cela ne compte pas,
mais si l'on jure par l'offrande placée dessus, on est tenu."
19 Aveugles! Qu'est-ce donc qui l'emporte, l'offrande, ou l'autel qui
rend sacrée cette offrande? 20 Aussi bien, celui qui jure par l'autel jure-
t-il par lui et par tout ce qui est dessus; 21 celui qui jure par le sanc-
tuaire jure par lui et par Celui qui l'habite[k]; 22 celui qui jure par le *ciel
jure par le trône de Dieu[l] et par Celui qui y siège. 23 Malheureux êtes-
vous, scribes et Pharisiens hypocrites, vous qui versez la dîme de la
menthe, du fenouil et du cumin, alors que vous négligez ce qu'il y a de
plus grave dans la *Loi: la justice, la miséricorde et la fidélité[m]; c'est
ceci qu'il fallait faire, sans négliger cela. 24 Guides aveugles, qui arrêtez
au filtre le moucheron et avalez le chameau! 25 Malheureux êtes-vous,
scribes et Pharisiens hypocrites, vous qui purifiez l'extérieur de la
coupe[n] et du plat, alors que l'intérieur est rempli des produits de la
rapine et de l'intempérance. 26 Pharisien aveugle[o]! purifie d'abord le
dedans de la coupe, pour que le dehors aussi devienne pur.
27 Malheureux êtes-vous, scribes et Pharisiens hypocrites, vous qui res-
semblez à des sépulcres blanchis[p]: au-dehors ils ont belle apparence,
mais au-dedans ils sont pleins d'ossements de morts et *d'impuretés
de toutes sortes. 28 Ainsi de vous: au-dehors vous offrez aux hommes
l'apparence[q] de justes, alors qu'au-dedans vous êtes remplis d'hypo-
crisie et d'iniquité. 29 Malheureux, scribes et Pharisiens hypocrites,
vous qui bâtissez les sépulcres des *prophètes et décorez les tom-
beaux des justes, 30 et vous dites: "Si nous avions vécu du temps de
nos pères, nous n'aurions pas été leurs complices pour verser le sang
des prophètes." 31 Ainsi vous témoignez contre vous-mêmes: vous
êtes les fils de ceux qui ont assassiné les prophètes[r]! 32 Eh bien! vous,

***i* 23.15** Terme spécifique pour désigner un païen converti à la foi juive et rattaché au peuple élu par la circoncision. ***j* 23.16** 15.14 ; 23.24 ; Rm 2.19. ***k* 23.21** 1 R 8.13. ***l* 23.22** Es 66.1 ; Mt 5.34 ; Ac 7.49. ***m* 23.23** *la dîme* Dt 14.22 ; Lv 27.30. – *menthe, fenouil, cumin :* plantes potagères. – *justice, miséricorde et fidélité* voir Jr 5.1 ; Mi 6.8 ; Rm 3.3 ; Ga 5.22. ***n* 23.25** *coupes* lavées Mc 7.4. ***o* 23.26** Jn 9.40. ***p* 23.27** Les tombeaux palestiniens étaient peints en blanc pour éviter qu'on ne les touche la nuit et qu'on ne soit tenu ainsi à des rites de purification ; Ac 23.3. ***q* 23.28** Lc 16.15. ***r* 23.31** Ac 7.52.

comblez la mesure de vos pères! 33 Serpents, engeance de vipères,
comment pourriez-vous échapper au châtiment de la géhenne[s]?
34 C'est pourquoi, voici que moi, j'envoie vers vous des prophètes, des
sages et des *scribes. Vous en tuerez et mettrez en croix, vous en flagel-
lerez dans vos *synagogues et vous les pourchasserez[t] de ville en ville,
35 pour que retombe sur vous tout le sang des justes répandu sur la terre,
depuis le sang d'Abel le juste jusqu'au sang de Zacharie[u], fils de Bara-
chie, que vous avez assassiné entre le sanctuaire et l'autel. 36 En vérité,
je vous le déclare, tout cela va retomber sur cette génération[v].

Lamentation sur Jérusalem

(Lc 13.34-35)

37 «Jérusalem, Jérusalem, toi qui tues les *prophètes[w] et lapides ceux
qui te sont envoyés, que de fois j'ai voulu rassembler tes enfants
comme une poule rassemble ses poussins sous ses ailes, et vous n'avez
pas voulu! 38 Eh bien! *elle va vous être laissée déserte, votre maison*[x].
39 Car, je vous le dis, désormais vous ne me verrez plus, jusqu'à ce que
vous disiez: *Béni soit, au *nom du Seigneur, Celui qui vient*[y]*!*»

Annonce de la destruction du temple

(Mc 13.1-4; Lc 21.5-7)

24 1 Jésus était sorti du *temple et s'en allait. Ses disciples s'avan-
cèrent pour lui faire remarquer les constructions du temple[z].
2 Prenant la parole, il leur dit: «Vous voyez tout cela, n'est-ce pas? En
vérité, je vous le déclare, il ne restera pas ici pierre sur pierre[a]: tout
sera détruit.» 3 Comme il était assis, au mont des Oliviers, les disciples
s'avancèrent vers lui, à l'écart, et lui dirent: «Dis-nous quand cela arri-
vera, et quel sera le signe de ton *avènement[b] et de la fin du monde.»

Le commencement des douleurs

(Mc 13.5-13; Lc 21.8-19)

4 Jésus leur répondit: «Prenez garde que personne ne vous égare[c].

***s* 23.33** *engeance de vipères* 3.7+. — *la géhenne* 5.22+. ***t* 23.34** Persécution des envoyés 10.23 ; Ac 7.52 ; 1 Th 2.15 ; voir Mt 21.35+. ***u* 23.35** *le sang des justes :* voir les notes sur Mt 27.24-25. — *le sang d'Abel* Gn 4.10 ; He 11.4. — *le sang de Zacharie* 2 Ch 24.20-22. ***v* 23.36** Imminence du jugement 10.23. ***w* 23.37** *Jérusalem qui tues les prophètes* Ac 7.59 ; 1 Th 2.15. ***x* 23.38** 1 R 9.7-8 ; voir Jr 12.7 ; 22.5. ***y* 23.39** Ps 118.26 (Mt 21.9 ; Mc 11.9-10 ; Lc 19.38). ***z* 24.1** Le temple de Jérusalem en voie d'achèvement Jn 2.20. ***a* 24.2** Lc 19.44. ***b* 24.3** *mont des Oliviers :* voir la note sur Mc 11.1. — *l'avènement de Jésus* Mt 24.27, 37, 39 ; 1 Co 15.23 ; 1 Th 2.19 ; 3.13 ; 4.15 ; 5.23 ; 2 Th 2.1,8 ; Jc 5.7,8 ; 2 P 3.4,12 ; 1 Jn 2.28 ; voir Mt 10.23+. ***c* 24.4** ou *ne vous séduise ;* 24.5, 11, 24 ; 1 Jn 1.8 ; 2.26 ; 3.7 ; Ap 2.20 ; 12.9 ; 13.14.

5 Car beaucoup viendront en prenant mon nom; ils diront: "C'est moi,
le *Messie", et ils égareront bien des gens. 6 Vous allez entendre
parler de guerres et de rumeurs de guerre. Attention! Ne vous alarmez
pas: *il faut que* cela *arrive*[d], mais ce n'est pas encore la fin. 7 Car on se
dressera nation[e] contre nation et royaume contre royaume; il y aura
en divers endroits des famines et des tremblements de terre. 8 Et tout
cela sera le commencement des douleurs de l'enfantement[f]. 9 Alors on
vous livrera à la détresse, on vous tuera, vous serez haïs[g] de tous les
*païens à cause de mon *nom; 10 et alors un grand nombre succombe-
ront[h]; ils se livreront les uns les autres, ils se haïront entre eux. 11 Des
faux *prophètes[i] surgiront en foule et égareront beaucoup d'hommes.
12 Par suite de l'iniquité croissante, l'amour du grand nombre se refroi-
dira; 13 mais celui qui tiendra jusqu'à la fin[j], celui-là sera sauvé. 14 Cette
Bonne Nouvelle du *Royaume sera proclamée dans le monde entier;
tous les païens auront là un témoignage. Et alors viendra la fin[k].

La grande tribulation

(Mc 13.14-23; Lc 21.20-24)

15 Quand donc vous verrez *installé dans le lieu *saint l'Abominable
Dévastateur*[l], dont a parlé le prophète Daniel, — que le lecteur com-
prenne! — 16 alors, ceux qui seront en Judée, qu'ils fuient dans les
montagnes; 17 celui qui sera sur la terrasse[m], qu'il ne descende pas
pour emporter ce qu'il y a dans sa maison; 18 celui qui sera au champ,
qu'il ne retourne pas en arrière pour prendre son manteau.
19 Malheureuses[n] celles qui seront enceintes et celles qui allaiteront en
ces jours-là! 20 Priez pour que vous n'ayez pas à fuir en hiver ni un jour
de *sabbat. 21 Il y aura alors en effet une grande *détresse, telle qu'il n'y
en a pas eu depuis le commencement du monde jusqu'à maintenant*[o]
et qu'il n'y en aura jamais plus. 22 Et si ces jours-là n'étaient abrégés,
personne n'aurait la vie sauve; mais à cause des élus, ces jours-là
seront abrégés. 23 Alors, si quelqu'un vous dit: "Le *Messie est ici!"
ou bien: "Il est là", n'allez pas le croire. 24 En effet, de faux messies et

d 24.6 Dn 2.28. ***e 24.7*** Es 19.2-6, 17. ***f 24.8*** Es 13.8 ; Os 13.13 ; Jn 16.21. ***g 24.9*** *on vous livrera* 10.17,23. — *détresses* 13.21 ; voir 2 Co 1.4 ; 2.4 ; 6.4 ; Ap 7.14. — *on vous tuera* Jn 16.2. — *vous serez haïs* Mt 10.22 ; Jn 15.18. ***h 24.10*** Certains traduisent : *seront scandalisés* (voir note sur Mc 9.42). ***i 24.11*** 7.15+. ***j 24.13*** 10.22. ***k 24.14*** *proclamation de la Bonne Nouvelle* 26.13 ; 28.19 ; Mc 1.14 ; 14.9 ; 16.15 ; Ga 2.2 ; Col 1.23 ; 1 Th 2.9 ; voir Mt 3.1+. — *dans le monde entier* Rm 10.18. — *témoignage pour les païens* Mt 10.18. — *la fin* 10.22 ; 24.6,13. ***l 24.15*** Dn 9.27 ; 11.31 ; 12.11 ; *1 M* 1.54 ; 6.7. ***m 24.17*** Lc 17.31. ***n 24.19*** 11.21+. ***o 24.21*** *détresse* sans précédent Dn 12.1 ; voir Jl 2.2. ; Ap 7.14.

de faux *prophètes se lèveront et produiront des signes formidables[p]
et des prodiges, au point d'égarer, s'il était possible, même les élus.
25 Voilà, je vous ai prévenus.

L'avènement du Fils de l'homme

(Mc 13.24-31; Lc 17.23-24; 21.25-31)

26 « Si donc on vous dit: "Le voici dans le désert", ne vous y rendez
pas. "Le voici dans les lieux retirés", n'allez pas le croire. 27 En effet,
comme l'éclair part du levant et brille jusqu'au couchant, ainsi en sera-
t-il de *l'avènement du *Fils de l'homme[q]. 28 Où que soit le cadavre, là
se rassembleront les vautours[r]. 29 Aussitôt après la détresse de ces
jours-là, *le soleil s'obscurcira, la lune ne brillera plus, les étoiles tom-
beront* du ciel, *et les puissances des cieux* seront ébranlées[s]. 30 Alors
apparaîtra dans le ciel le signe du Fils de l'homme; alors *toutes les
tribus de la terre se frapperont la poitrine; et elles verront le Fils de
l'homme venir sur les nuées du ciel*[t] dans la plénitude de la puissance
et de la gloire. 31 Et il enverra ses *anges *avec la grande trompette,* et,
des quatre vents, d'une extrémité des cieux à l'autre, ils *rassembleront*
ses élus[u]. 32 Comprenez cette comparaison empruntée au figuier: dès
que ses rameaux deviennent tendres et que poussent ses feuilles, vous
reconnaissez que l'été est proche. 33 De même, vous aussi, quand vous
verrez tout cela, sachez que le Fils de l'homme[v] est proche, qu'il est à
vos portes. 34 En vérité, je vous le déclare, cette génération ne passera
pas que tout cela n'arrive[w]. 35 Le ciel et la terre passeront, mes paroles
ne passeront pas[x].

Nul n'en connaît le jour: veillez!

(Mc 13.32,35; Lc 17.26-27,34-35; 12.39-40)

36 « Mais ce jour et cette heure[y], nul ne les connaît, ni les *anges des
cieux, ni le Fils, personne sinon le Père, et lui seul. 37 Tels furent les
jours de Noé, tel sera *l'avènement du *Fils de l'homme[z]; 38 car de
même qu'en ces jours d'avant le déluge[a], on mangeait et on buvait,

***p* 24.24** *faux messies* 24.5 ; Ac 5.36 ; 1 Jn 2.18. — *des signes formidables* Dt 13.2-4 ; 2 Th 2.9-10 ; Ap 13.13-14. ***q* 24.27** *l'avènement (du Fils de l'homme)* 24.3+ ; voir 10.23+. ***r* 24.28** *le cadavre et les vautours* Lc 17.37. ***s* 24.29** Es 13.10 ; 34.4. — *obscurcissement* des astres Ez 32.7 ; Jl 2.10 ; 3.4 ; Ap 6.12. — *puissances ébranlées* Ag 2.6, 21 ; Ap 6.13. ***t* 24.30** Lamentation générale Za 12.10,14 ; Ap 1.7. — *le Fils de l'homme venant sur les nuées* Dn 7.13-14 (Mt 26.64) ; Mt 16.27 ; voir Ex 19.16 ; 34.5 ; Ez 10.3-4 ; Mt 17.5. ***u* 24.31** Dt 30.4 ; Za 2.10 ; voir Ne 1.9 ; Ez 37.9. — *il enverra ses anges* Mt 13.41. — *trompette* Es 27.13 ; 1 Co 15.52 ; 1 Th 4.16. ***v* 24.33** 8.20+. ***w* 24.34** Imminence de ces événements 10.23 ; 16.28 ; 23.36. ***x* 24.35** Ce qui passe et ce qui ne passera pas 5.18 ; Lc 16.17. ***y* 24.36** Ac 1.7 ; 1 Th 5.1,2. ***z* 24.37** *les jours de Noé* Gn 6.9,12. — *avènement du Fils de l'homme* Mt 24.3+ ; voir 10.23+. ***a* 24.38** Gn 6.13—7.24 ; 2 P 3.6.

l'on se mariait ou l'on donnait en mariage, jusqu'au jour où Noé entra dans l'arche, 39 et on ne se doutait de rien jusqu'à ce que vînt le déluge, qui les emporta tous. Tel sera aussi l'avènement du Fils de l'homme. 40 Alors deux hommes seront aux champs: l'un est pris, l'autre laissé; 41 deux femmes en train de moudre à la meule: l'une est prise, l'autre laissée. 42 Veillez[b] donc, car vous ne savez pas quel jour votre Seigneur va venir. 43 Vous le savez: si le maître de maison connaissait l'heure de la nuit à laquelle le voleur va venir, il veillerait et ne laisserait pas percer le mur de sa maison[c]. 44 Voilà pourquoi, vous aussi, tenez-vous prêts, car c'est à l'heure que vous ignorez que le Fils de l'homme va venir.

Le serviteur fidèle

(Lc 12.42-46)

45 « Quel est donc le serviteur fidèle et avisé que le maître a établi sur les gens de sa maison pour leur donner la nourriture en temps voulu? 46 Heureux ce serviteur que son maître en arrivant trouvera en train de faire ce travail. 47 En vérité, je vous le déclare, il l'établira sur tous ses biens[d]. 48 Mais si ce mauvais serviteur se dit en son *cœur: "Mon maître tarde", 49 et qu'il se mette à battre ses compagnons de service, qu'il mange et boive avec les ivrognes, 50 le maître de ce serviteur arrivera au jour qu'il n'attend pas et à l'heure qu'il ne sait pas; 51 il le chassera et lui fera partager le sort des hypocrites: là seront les pleurs et les grincements de dents[e].

Les dix vierges

25 1 « Alors il en sera du *Royaume des cieux comme de dix jeunes filles qui prirent leurs lampes[f] et sortirent à la rencontre de l'époux. 2 Cinq d'entre elles étaient insensées et cinq étaient avisées[g]. 3 En prenant leurs lampes, les filles insensées n'avaient pas emporté d'huile; 4 les filles avisées, elles, avaient pris, avec leurs lampes, de l'huile dans des fioles. 5 Comme l'époux tardait[h], elles s'assoupirent toutes et s'endormirent. 6 Au milieu de la nuit, un cri retentit: "Voici l'époux! Sortez à sa rencontre." 7 Alors toutes ces jeunes filles se réveillèrent et apprêtèrent leurs lampes. 8 Les insensées

***b* 24.42** 26.38-41 ; Mc 13.35-37 ; Lc 12.37,40 ; 21.36 ; Ac 20.31 ; 1 Co 16.13 ; 1 Th 5.6 ; 1 P 5.8 ; Ap 3.3 ; 16.15. ***c* 24.43** Image du voleur 1 Th 5.2 ; 1 P 3.10 ; Ap 3.3 ; 16.15 ; voir Mt 6.19.– *percer le mur :* voir la note sur Mt 6.19. ***d* 24.47** 25.21,23. ***e* 24.51** *il le chassera :* à la lumière des textes de Qumrân on pense qu'il est question ici d'une sorte d'excommunication ou de mise en quarantaine. –*hypocrites* 6.2+. – *pleurs et grincements de dents* 8.12+. ***f* 25.1** Lc 12.35-36. ***g* 25.2** *insensées, avisées* 7.24, 26. ***h* 25.5** *l'époux* 9.15+. – Le retard du Seigneur 24.48 ; 2 P 3.9.

dirent aux avisées: "Donnez-nous de votre huile, car nos lampes s'éteignent." 9 Les avisées répondirent: "Certes pas, il n'y en aurait pas assez pour nous et pour vous! Allez plutôt chez les marchands et achetez-en pour vous." 10 Pendant qu'elles allaient en acheter, l'époux arriva; celles qui étaient prêtes entrèrent avec lui dans la salle des noces[i], et l'on ferma la porte. 11 Finalement, arrivent à leur tour les autres jeunes filles, qui disent: "Seigneur, seigneur, ouvre-nous[j]!" 12 Mais il répondit: "En vérité, je vous le déclare, je ne vous connais pas[k]." 13 Veillez[l] donc, car vous ne savez ni le jour ni l'heure.

Les talents

(Lc 19.12-27)

14 «En effet, il en va comme d'un homme qui, partant en voyage, appela ses serviteurs et leur confia ses biens. 15 A l'un il remit cinq talents[m], à un autre deux, à un autre un seul, à chacun selon ses capacités; puis il partit. Aussitôt 16 celui qui avait reçu les cinq talents s'en alla les faire valoir et en gagna cinq autres. 17 De même celui des deux talents en gagna deux autres. 18 Mais celui qui n'en avait reçu qu'un s'en alla creuser un trou dans la terre et y cacha l'argent de son maître. 19 Longtemps après, arrive le maître de ces serviteurs, et il règle ses comptes[n] avec eux. 20 Celui qui avait reçu les cinq talents s'avança et en présenta cinq autres, en disant: "Maître, tu m'avais confié cinq talents; voici cinq autres talents que j'ai gagnés." 21 Son maître lui dit: "C'est bien, bon et fidèle serviteur, tu as été fidèle en peu de choses, sur beaucoup je t'établirai[o]; viens te réjouir avec ton maître." 22 Celui des deux talents s'avança à son tour et dit: "Maître, tu m'avais confié deux talents; voici deux autres talents que j'ai gagnés." 23 Son maître lui dit: "C'est bien, bon et fidèle serviteur, tu as été fidèle en peu de choses, sur beaucoup je t'établirai; viens te réjouir avec ton maître." 24 S'avançant à son tour, celui qui avait reçu un seul talent dit: "Maître, je savais que tu es un homme dur: tu moissonnes où tu n'as pas semé, tu ramasses où tu n'as pas répandu; 25 par peur, je suis allé cacher ton talent dans la terre: le voici, tu as ton bien." 26 Mais son maître lui répondit: "Mauvais serviteur, timoré! Tu savais que je moissonne où je n'ai pas semé et que je ramasse où je n'ai rien répandu. 27 Il te fallait donc placer mon argent chez les banquiers: à mon retour, j'aurais recouvré mon bien avec un intérêt. 28 Retirez-lui donc son

***i* 25.10** *prêtes* 24.44. — *les noces* Ap 19.7,9. ***j* 25.11** Lc 13.25. ***k* 25.12** 7.23; Lc 13.27. ***l* 25.13** 24.42+. ***m* 25.15** Voir au glossaire MONNAIES.
***n* 25.19** *des comptes à régler* 18.23. ***o* 25.21** *peu-beaucoup* Lc 16.10. — *je t'établirai* Mt 24.47.

talent et donnez-le à celui qui a les dix talents. 29 Car à tout homme qui
a, l'on donnera[p] et il sera dans la surabondance; mais à celui qui n'a
pas, même ce qu'il a lui sera retiré. 30 Quant à ce serviteur bon à rien,
jetez-le dans les ténèbres du dehors[q]: là seront les pleurs et les grince-
ments de dents."

Le jugement

31 «Quand le *Fils de l'homme viendra dans sa gloire, accompagné
de tous les *anges, alors il siégera sur son trône[r] de gloire. 32 Devant
lui seront rassemblées toutes les nations, et il séparera les hommes les
uns des autres, comme le *berger sépare les brebis des chèvres. 33 Il
placera les brebis à sa droite[s] et les chèvres à sa gauche. 34 Alors le roi
dira à ceux qui seront à sa droite: "Venez, les bénis de mon Père,
recevez en partage le Royaume[t] qui a été préparé pour vous depuis la
fondation du monde. 35 Car j'ai eu faim et vous m'avez donné à
manger; j'ai eu soif et vous m'avez donné à boire; j'étais un étranger
et vous m'avez recueilli[u]; 36 nu, et vous m'avez vêtu; malade, et vous
m'avez visité[v]; en prison, et vous êtes venus à moi." 37 Alors les justes
lui répondront: "Seigneur, quand nous est-il arrivé de te voir affamé et
de te nourrir, assoiffé et de te donner à boire? 38 Quand nous est-il
arrivé de te voir étranger et de te recueillir, nu et de te vêtir? 39 Quand
nous est-il arrivé de te voir malade ou en prison, et de venir à toi?"
40 Et le roi leur répondra: "En vérité, je vous le déclare, chaque fois
que vous l'avez fait à l'un de ces plus petits, qui sont mes frères, c'est à
moi[w] que vous l'avez fait!" 41 Alors il dira à ceux qui seront à sa
gauche: "Allez-vous-en loin de moi, maudits, au feu éternel[x] qui a été
préparé pour le *diable et pour ses anges. 42 Car j'ai eu faim et vous ne
m'avez pas donné à manger; j'ai eu soif et vous ne m'avez pas donné à
boire; 43 j'étais un étranger et vous ne m'avez pas recueilli[y]; nu, et
vous ne m'avez pas vêtu; malade et en prison, et vous ne m'avez pas
visité." 44 Alors eux aussi répondront: "Seigneur, quand nous est-il
arrivé de te voir affamé ou assoiffé, étranger ou nu, malade ou en
prison, sans venir t'assister?" 45 Alors il leur répondra: "En vérité, je

***p* 25.29** 13.12 ; Mc 4.25 ; Lc 8.18 ; 19.26. ***q* 25.30** 8.12+. ***r* 25.31** *la venue glorieuse du Fils de l'homme* 10.23+ ; 24.3+ ; 24.30+. – *ses anges* Za 14.5 ; Mt 13.41+ ; Jude 14. – *son trône* Mt 19.28 ; Ap 3.21 ; 20.11. ***s* 25.33** 22.44+ par. ; voir Lc 12.32. ***t* 25.34** *recevez le Royaume* Lc 22.30. ***u* 25.35** Nourrir les affamés Es 58.7 ; Mt 10.42 ; Lc 3.11 ; 14.12-14 ; Ac 6.1-3 ; Rm 12.20 ; 1 Co 11.33. – Exercer l'hospitalité Mt 10.40-42 ; Rm 12.13 ; Col 4.10 ; 1 P 4.9 ; He 13.2. ***v* 25.36** Vêtir les démunis Lc 3.11 ; Ac 9.36, 39 ; Jc 2.15-16. – Visiter les malades Lc 10.33-35 ; 2 Tm 1.16-18 ; He 13.3 ; Jc 5.14. ***w* 25.40** *ces plus petits* 10.42. – *à moi* Pr 19.17 ; Mt 10.40 ; 18.5 ; voir Mc 9.41. ***x* 25.41** *Allez-vous-en* 7.23. – *feu éternel* Mc 9.48 ; Jude 7 ; Ap 20.10. ***y* 25.43** Hospitalité refusée 10.14 ; Lc 9.53-54.

vous le déclare, chaque fois que vous ne l'avez pas fait à l'un de ces
plus petits, à moi non plus vous ne l'avez pas fait." 46 Et ils s'en iront,
ceux-ci au châtiment éternel, et les justes à la *vie éternelle[z].»

Complot contre Jésus

(Mc 14.1-2; Lc 22.1-2; Jn 11.47-49,53)

26 1 Or, quand Jésus eut achevé toutes ces instructions[a], il dit à
ses disciples: «Vous le savez, dans deux jours, c'est la
*Pâque: 2 le *Fils de l'homme va être livré pour être crucifié[b].» 3 Alors
les *grands prêtres et les anciens du peuple se réunirent[c] dans le
palais du Grand Prêtre, qui s'appelait Caïphe. 4 Ils tombèrent d'accord
pour arrêter Jésus par ruse et le tuer. 5 Toutefois ils disaient: «Pas en
pleine fête, pour éviter des troubles dans le peuple.»

L'onction à Béthanie

(Mc 14.3-9; Jn 12.1-8)

6 Comme Jésus se trouvait à Béthanie[d], dans la maison de Simon le
lépreux, 7 une femme[e] s'approcha de lui, avec un flacon d'albâtre con-
tenant un parfum de grand prix; elle le versa sur la tête de Jésus pen-
dant qu'il était à table. 8 Voyant cela, les disciples s'indignèrent: «A
quoi bon, disaient-ils, cette perte? 9 On aurait pu le vendre très cher et
donner[f] la somme à des pauvres.» 10 S'en apercevant, Jésus leur dit:
«Pourquoi tracasser cette femme? C'est une bonne œuvre[g] qu'elle
vient d'accomplir envers moi. 11 Des pauvres[h], en effet, vous en avez
toujours avec vous; mais moi, vous ne m'avez pas pour toujours. 12 En
répandant ce parfum sur mon corps, elle a préparé mon ensevelisse-
ment. 13 En vérité, je vous le déclare: partout où sera proclamé cet
*Evangile dans le monde entier[i], on racontera aussi, en souvenir
d'elle, ce qu'elle a fait.»

Trahison de Judas

(Mc 14.10-11; Lc 22.3-6)

14 Alors l'un des Douze, qui s'appelait Judas Iscariote[j], se rendit chez
les *grands prêtres 15 et leur dit: «Que voulez-vous me donner, et je

z 25.46 *châtiment éternel/vie éternelle* Dn 12.2 ; Jn 5.29. ***a 26.1*** 7.28+. ***b 26.2*** *la Pâque* Ex 12.1-27. – Annonce de la Passion Mt 16.21+. – *livré* 4.12 ; 5.25 ; 10.17,19 ; 17.22 par. ; 27.26 par. ; Mc 10.33 ; Lc 24.7,20 ; Jn 19.16 ; Rm 4.25 ; 1 Co 11.23 ; Ga 2.20 ; Ep 5.2. ***c 26.3*** Réunion du Conseil Jn 11.47-53. ***d 26.6*** 21.17+. ***e 26.7*** voir Lc 7.36-38. ***f 26.9*** *vendre* et *donner* 19.21+. ***g 26.10*** *Tb* 1.17-19 ; Ac 8.2. ***h 26.11*** Dt 15.11. ***i 26.13*** *Evangile* Mc 1.1+.– *dans le monde entier* Mt 24.14 ; Rm 10.18. ***j 26.14*** *Les Douze* 10.2+. – *Judas Iscariote* ou *Iscarioth* 10.4+ et voir la note sur Mc 3.19.

vous le livrerai?» *Ceux-ci* lui *fixèrent trente pièces d'argent*[k]. 16 Dès
lors il cherchait une occasion favorable pour le livrer[l].

Préparation du repas pascal

(Mc 14.12-16; Lc 22.7-13)

17 Le premier jour des pains sans levain, les disciples vinrent dire à
Jésus: «Où veux-tu que nous te préparions le repas de la *Pâque[m]?»
18 Il dit: «Allez à la ville chez un tel et dites-lui: "Le Maître dit: Mon
temps est proche[n], c'est chez toi que je célèbre la Pâque avec mes dis-
ciples."» 19 Les disciples firent comme Jésus le leur avait prescrit et
préparèrent la Pâque.

Désignation du traître

(Mc 14.17-21; Lc 22.14; Jn 13.21-30)

20 Le soir venu, il était à table avec les Douze[o]. 21 Pendant qu'ils man-
geaient, il dit: «En vérité, je vous le déclare, l'un de vous va me
livrer[p].» 22 Profondément attristés, ils se mirent chacun à lui dire:
«Serait-ce moi, Seigneur?» 23 En réponse, il dit: «Il a plongé la main
avec moi dans le plat[q], celui qui va me livrer. 24 Le *Fils de l'homme
s'en va selon ce qui est écrit de lui; mais malheureux l'homme par qui
le Fils de l'homme est livré! Il aurait mieux valu[r] pour lui qu'il ne fût
pas né, cet homme-là!» 25 Judas, qui le livrait, prit la parole et dit:
«Serait-ce moi, rabbi?» Il lui répond: «Tu l'as dit[s]!»

Le dernier repas. Institution de l'Eucharistie

(Mc 14.22-25; Lc 22.15-20; 1 Co 11.23-26)

26 Pendant le repas, Jésus prit du pain[t] et, après avoir prononcé la
bénédiction, il le rompit; puis, le donnant aux disciples, il dit:
«Prenez, mangez, ceci est mon corps.» 27 Puis il prit une coupe[u] et,
après avoir rendu grâce, il la leur donna en disant: «Buvez-en tous,
28 car ceci est mon sang, le sang de *l'Alliance, versé pour la multi-
tude, pour le pardon des péchés[v]. 29 Je vous le déclare: je ne boirai plus

k 26.15 Ex 21.32 ; Za 11.12. ***l 26.16*** 26.2+. ***m 26.17*** *pains sans levain* Mc 14.1 par. ; 14.12 ; Lc 22.1 ; Ac 12.3 ; 20.6 ; 1 Co 5.7-8. — *le premier jour* Ex 12.14-20. — *la Pâque* Mt 26.2. ***n 26.18*** Jn 13.1 ; et voir 7.30. ***o 26.20*** 10.2+. ***p 26.21*** 26.2+. ***q 26.23*** Ps 41.10. ***r 26.24*** *le Fils de l'homme* 8.20+. — *ce qui est écrit de lui* Ps 22.7,8,16,18 ; Es 53.9. — *malheureux l'homme* Mt 11.21+. — *il aurait mieux valu* 18.6 par. ***s 26.25*** *Judas* 26.14. — *Tu l'as dit* 26.64. ***t 26.26*** 14.19 par. ; 15.36 par. ***u 26.27*** 1 Co 10.16. ***v 26.28*** *le sang de l'Alliance* Ex 24.8 ; Za 9.11 ; He 9.20. — *pour la multitude* Es 53.12. — *le pardon des péchés* Mc 1.4 ; Lc 1.77 ; 3.3 ; 24.47 ; Ac 2.38 ; 5.31 ; 10.43 ; 13.38 ; 26.18 ; Ep 1.7 ; Col 1.14 ; He 9.22 ; 10.18.

désormais de ce fruit de la vigne jusqu'au jour où je le boirai, nouveau,
avec vous dans le *Royaume de mon Père[w].»

Annonce du reniement de Pierre

(Mc 14.26-31; Lc 22.33-34,39; Jn 13.37-38)

30 Après avoir chanté les psaumes[x], ils sortirent pour aller au mont
des Oliviers. 31 Alors Jésus leur dit: «Cette nuit même, vous allez tous
tomber à cause de moi. Il est écrit, en effet: *Je frapperai le *berger et*
les brebis du troupeau seront dispersées[y]. 32 Mais, une fois ressuscité,
je vous précéderai en Galilée[z].» 33 Prenant la parole, Pierre[a] lui dit:
«Même si tous tombent à cause de toi, moi je ne tomberai jamais.»
34 Jésus lui dit: «En vérité, je te le déclare, cette nuit même, avant que
le coq chante, tu m'auras renié[b] trois fois.» 35 Pierre lui dit: «Même
s'il faut que je meure avec toi[c], non, je ne te renierai pas.» Et tous les
disciples en dirent autant.

A Gethsémani

(Mc 14.32-42; Lc 22.40-46)

36 Alors Jésus arrive avec eux à un domaine appelé Gethsémani et il
dit aux disciples: «Restez ici pendant que j'irai prier[d] là-bas.»
37 Emmenant Pierre et les deux fils de Zébédée[e], il commença à res-
sentir tristesse et angoisse. 38 Il leur dit alors: «Mon âme est triste à en
mourir. Demeurez ici et veillez[f] avec moi.» 39 Et allant un peu plus loin
et tombant la face contre terre, il priait, disant: «Mon Père, s'il est
possible, que cette coupe passe loin de moi! Pourtant, non pas comme
je veux, mais comme tu veux[g]!» 40 Il vient vers les disciples et les
trouve en train de dormir; il dit à Pierre: «Ainsi vous n'avez pas eu la
force de veiller une heure avec moi! 41 Veillez et priez afin de ne pas
tomber au pouvoir de la *tentation[h]. L'esprit est plein d'ardeur, mais
la chair est faible.» 42 De nouveau, pour la deuxième fois, il s'éloigna
et pria, disant: «Mon Père, si cette coupe ne peut passer sans que je la
boive, que ta volonté se réalise!» 43 Puis, de nouveau, il vint et les
trouva en train de dormir, car leurs yeux étaient appesantis. 44 Il les
laissa, il s'éloigna de nouveau et pria pour la troisième fois[i], en répé-

w 26.29 8.11. ***x 26.30*** Ps 113–118. ***y 26.31*** *tous vont tomber* 5.29+. – *il est écrit* Za 13.7 ; voir Mt 26.56 ; Jn 16.32. ***z 26.32*** 28.7. ***a 26.33*** 4.18+. ***b 26.34*** *cette nuit même* 26.69-75 par. – *renier* 10.33+. ***c 26.35*** Jn 11.16. ***d 26.36*** *Gethsémani* voir Jn 18.1. – *Jésus en prière* Mt 14.23+ ; He 5.7-8. ***e 26.37*** Pierre, Jacques et Jean : 17.1+ ; voir 4.18+. ***f 26.38*** *tristesse mortelle* 1 R 19.4 ; Jn 12.27. – *veillez* Mt 24.42+. ***g 26.39*** *cette coupe* 20.22+. – *comme tu veux* 6.10+. ***h 26.41*** 6.13 ; Lc 11.4. ***i 26.44*** 2 Co 12.8.

tant les mêmes paroles. 45 Alors il vient vers les disciples et leur dit:
«Continuez à dormir et reposez-vous! Voici que l'heure s'est appro-
chée où le *Fils de l'homme est livré[j] aux mains des *pécheurs.
46 Levez-vous[k]! Allons! Voici qu'est arrivé celui qui me livre.»

Arrestation de Jésus

(Mc 14.43-52; Lc 22.47-53; Jn 18.2-11)

47 Il parlait encore quand arriva Judas[l], l'un des Douze, avec toute
une troupe armée d'épées et de bâtons, envoyée par les *grands prê-
tres et les anciens du peuple. 48 Celui qui le livrait leur avait donné un
signe: «Celui à qui je donnerai un baiser, avait-il dit, c'est lui, arrêtez-
le!» 49 Aussitôt il s'avança vers Jésus et dit: «Salut, rabbi!» Et il lui
donna un baiser. 50 Jésus lui dit: «Mon ami, fais ta besogne!» S'avan-
çant alors, ils mirent la main sur Jésus et l'arrêtèrent. 51 Et voici, un de
ceux qui étaient avec Jésus, portant la main à son épée, la tira, frappa
le serviteur du grand prêtre et lui emporta l'oreille[m]. 52 Alors Jésus lui
dit: «Remets ton épée à sa place, car tous ceux qui prennent l'épée
périront par l'épée[n]. 53 Penses-tu que je ne puisse faire appel à mon
Père, qui mettrait aussitôt à ma disposition plus de douze légions[o]
*d'anges? 54 Comment s'accompliraient alors les Ecritures[p] selon les-
quelles il faut qu'il en soit ainsi?» 55 En cette heure-là, Jésus dit aux
foules: «Comme pour un hors-la-loi vous êtes partis avec des épées et
des bâtons, pour vous saisir de moi! Chaque jour[q] j'étais dans le
*temple assis à enseigner, et vous ne m'avez pas arrêté. 56 Mais tout
cela est arrivé pour que s'accomplissent les écrits des *prophètes.»
Alors les disciples l'abandonnèrent tous et prirent la fuite[r].

Jésus devant le Sanhédrin

(Mc 14.53-65; Lc 22.54-55,63-71; Jn 18.12-18)

57 Ceux qui avaient arrêté Jésus l'emmenèrent chez Caïphe[s], le
*Grand Prêtre, chez qui s'étaient réunis les scribes et les anciens.
58 Quant à Pierre, il le suivait de loin jusqu'au palais du Grand Prêtre; il
y entra et s'assit avec les serviteurs pour voir comment cela finirait.
59 Or les grands prêtres et tout le *Sanhédrin cherchaient un faux
témoignage contre Jésus pour le faire condamner à mort; 60 ils n'en

j ***26.45*** *l'heure s'est approchée* Jn 12.23 ; 13.1 ; 17.1. – *livré* Mt 26.2+. ***k 26.46*** Jn 14.31. ***l 26.47*** 10.4+. ***m 26.51*** Jn 18.26. ***n 26.52*** *prendre l'épée, périr par l'épée* Gn 9.6 ; Ap 13.10. ***o 26.53*** Voir la note sur Mc 5.9. ***p 26.54*** Accomplissement des Ecritures 1.22+. ***q 26.55*** Lc 19.47 ; 21.37 ; Jn 18.20. ***r 26.56*** *fuite des disciples* Za 13.7 ; Mt 26.31 ; Jn 16.32. ***s 26.57*** 26.3 ; Lc 3.2 ; Jn 11.49 ; 18.13-14, 24, 28 ; Ac 4.6.

trouvèrent pas, bien que beaucoup de faux témoins[t] se fussent présentés. Finalement il s'en présenta deux qui 61 déclarèrent: «Cet homme a dit: "Je peux détruire le *sanctuaire de Dieu[u] et le rebâtir en trois jours."» 62 Le Grand Prêtre se leva et lui dit: «Tu n'as rien à répondre? De quoi ces gens témoignent-ils contre toi?» 63 Mais Jésus gardait le silence. Le Grand Prêtre lui dit: «Je t'adjure par le Dieu vivant de nous dire si tu es, toi, le *Messie, le Fils de Dieu[v].» 64 Jésus lui répond: «Tu le dis. Seulement, je vous le déclare, désormais vous verrez *le *Fils de l'homme siégeant à la droite du Tout-Puissant* et *venant sur les nuées*[w] *du ciel.*» 65 Alors le Grand Prêtre déchira ses vêtements et dit: «Il a *blasphémé[x]. Qu'avons-nous encore besoin de témoins! Vous venez d'entendre le blasphème. 66 Quel est votre avis?» Ils répondirent: «Il mérite la mort[y].» 67 Alors ils lui crachèrent au visage et lui donnèrent des coups; d'autres le giflèrent[z]. 68 «Pour nous, dirent-ils, fais le *prophète, Messie: qui est-ce qui t'a frappé?»

Reniement de Pierre

(Mc 14.66-72; Lc 22.56-62; Jn 18.17,25-27)

69 Or Pierre était assis dehors dans la cour. Une servante s'approcha de lui en disant: «Toi aussi, tu étais avec Jésus le Galiléen!» 70 Mais il nia devant tout le monde, en disant: «Je ne sais pas ce que tu veux dire.» 71 Comme il s'en allait vers le portail, une autre le vit et dit à ceux qui étaient là: «Celui-ci était avec Jésus le Nazôréen[a].» 72 De nouveau, il nia avec serment: «Je ne connais pas cet homme!» 73 Peu après, ceux qui étaient là s'approchèrent et dirent à Pierre: «A coup sûr, toi aussi tu es des leurs! Et puis, ton accent te trahit.» 74 Alors il se mit à jurer avec des imprécations: «Je ne connais pas cet homme!» Et aussitôt un coq chanta[b]. 75 Et Pierre se rappela la parole que Jésus avait dite: «Avant que le coq chante, tu m'auras renié trois fois.» Il sortit et pleura amèrement.

t 26.60 Ps 27.12 ; 35.11 ; Ac 6.13. ***u 26.61*** Destruction du temple 24.2-3 ; 27.40 ; Jn 2.19 ; Ac 6.14. ***v 26.63*** *le silence de Jésus* 27.12, 14 ; voir Es 53.7 ; Ac 8.32. — *Fils de Dieu* Mt 14.33+. ***w 26.64*** *Tu le dis* 26.25. — *Fils de l'homme* 8.20+. — *à la droite* Ps 110.1 (Mt 22.44+). — *venant sur les nuées* Mt 24.30+. ***x 26.65*** *vêtements déchirés* Nb 14.6 ; 2 S 13.19 ; Esd 9.3 ; Jb 1.20 ; 2.12 ; Jr 36.24 ; Ac 14.14. — *blasphème* Mt 9.2+. ***y 26.66*** Lv 24.16 ; Jn 19.7. ***z 26.67*** Mauvais traitements Es 50.5-7 ; 53.7 ; voir Mt 21.35+. ***a 26.71*** 2.23+ ; on hésite sur le sens de cette appellation donnée à Jésus : équivalent de « Galiléen » (v. 69) ? Evocation de « naziréen » — le Saint de Dieu par excellence — (Jg 13.5) ? ***b 26.74*** 26.34 ; Jn 13.38.

Jésus conduit devant Pilate

(Mc 15.1-2; Lc 22.66; 23.1; Jn 18.28)

27 1 Le matin venu, tous les *grands prêtres et les anciens du peuple tinrent conseil[c] contre Jésus pour le faire condamner à mort. 2 Puis ils le lièrent, ils l'emmenèrent et le livrèrent[d] au gouverneur Pilate.

Mort de Judas

3 Alors Judas, qui l'avait livré, voyant que Jésus avait été condamné, fut pris de remords et rapporta les trente pièces d'argent[e] aux *grands prêtres et aux anciens, 4 en disant: «J'ai péché en livrant un sang innocent.» Mais ils dirent: «Que nous importe! C'est ton affaire[f]!» 5 Alors il se retira, en jetant l'argent du côté du *sanctuaire, et alla se pendre. 6 Les grands prêtres prirent l'argent et dirent: «Il n'est pas permis de le verser au trésor, puisque c'est le prix du sang[g].» 7 Après avoir tenu conseil, ils achetèrent avec cette somme le champ du potier pour la sépulture des étrangers. 8 Voilà pourquoi jusqu'à maintenant ce champ est appelé: "Champ du sang[h]". 9 Alors s'accomplit ce qui avait été dit par le prophète Jérémie: *Et ils prirent les trente pièces d'argent: c'est le prix de celui qui fut évalué, de celui qu'ont évalué les fils d'Israël.* 10 *Et ils les donnèrent pour le champ du potier, ainsi que le Seigneur* me *l'avait ordonné*[i].

Jésus devant Pilate

(Mc 15.2-15; Lc 23.2-5,13-25; Jn 18.28—19.16)

11 Jésus comparut devant le gouverneur. Le gouverneur l'interrogea: «Es-tu le roi des Juifs[j]?» Jésus déclara: «C'est toi qui le dis»; 12 mais aux accusations que les *grands prêtres et les anciens portaient contre lui, il ne répondit rien[k]. 13 Alors Pilate lui dit: «Tu n'entends pas tous ces témoignages contre toi?» 14 Il ne lui répondit sur aucun point, de sorte que le gouverneur était fort étonné. 15 A chaque fête, le gouverneur avait coutume de relâcher à la foule un prisonnier, celui qu'elle voulait. 16 On avait alors un prisonnier fameux, qui s'appelait Jésus Barabbas[l]. 17 Pilate demanda donc à la foule rassemblée: «Qui voulez-vous que je vous relâche, Jésus Barabbas ou Jésus qu'on appelle

c 27.1 12.14; Mc 3.6. ***d 27.2*** 26.2+. ***e 27.3*** 26.15+. ***f 27.4*** *un sang innocent :* ou *un homme* (vivant) *innocent.* — *C'est ton affaire* 27.24. ***g 27.6*** *trésor :* Il s'agit du trésor du temple. — *le prix du sang :* le prix d'une vie humaine. ***h 27.8*** Ac 1.19. ***i 27.9*** Accomplissement de l'Ecriture 1.22+. — v. 9-10 : la citation combine Za 11.12-13 avec des éléments empruntés à Jr 18.2-3 ; 19.1-2 ; 32.6-15. ***j 27.11*** 2.2+. ***k 27.12*** *silence de Jésus* 26.63+. ***l 27.16*** De nombreux manuscrits omettent le mot *Jésus* devant *Barabbas.*

Messie?» 18 Car il savait qu'ils l'avaient livré par jalousie. 19 Pendant qu'il
siégeait sur l'estrade, sa femme lui fit dire: «Ne te mêle pas de l'affaire de
ce juste! Car aujourd'hui j'ai été tourmentée en rêve à cause de lui.»
20 Les grands prêtres et les anciens persuadèrent les foules de demander
Barabbas et de faire périr Jésus. 21 Reprenant la parole, le gouverneur leur
demanda: «Lequel des deux voulez-vous que je vous relâche?» Ils
répondirent: «Barabbas.» 22 Pilate leur demande: «Que ferai-je donc de
Jésus, qu'on appelle Messie?» Ils répondirent tous: «Qu'il soit cruci-
fié[m]!» 23 Il reprit: «Quel mal a-t-il donc fait?» Mais eux criaient de plus
en plus fort: «Qu'il soit crucifié!» 24 Voyant que cela ne servait à rien,
mais que la situation tournait à la révolte, Pilate prit de l'eau et se lava les
mains en présence de la foule, en disant: «Je suis innocent de ce sang.
C'est votre affaire[n]!» 25 Tout le peuple répondit: «Nous prenons son
sang sur nous et sur nos enfants[o]!» 26 Alors il leur relâcha Barabbas.
Quant à Jésus, après l'avoir fait flageller[p], il le livra pour qu'il soit crucifié.

Le roi des Juifs bafoué

(Mc 15.16-20; Lc 23.11; Jn 19.2-3)

27 Alors les soldats du gouverneur, emmenant Jésus dans le *prétoire,
rassemblèrent autour de lui toute la cohorte. 28 Ils le dévêtirent et lui
mirent un manteau écarlate[q]; 29 avec des épines, ils tressèrent une cou-
ronne qu'ils lui mirent sur la tête, ainsi qu'un roseau dans la main droite;
s'agenouillant devant lui, ils se moquèrent de lui en disant: «Salut, roi
des Juifs[r]!» 30 Ils crachèrent[s] sur lui, et, prenant le roseau, il le frappaient
à la tête. 31 Après s'être moqués de lui ils lui enlevèrent le manteau et
lui remirent ses vêtements. Puis ils l'emmenèrent pour le crucifier.

Jésus est crucifié

(Mc 15.21-32; Lc 23.26-43; Jn 19.16-24)

32 Comme ils sortaient, ils trouvèrent un homme de Cyrène[t], nommé
Simon; ils le requirent pour porter la croix de Jésus. 33 Arrivés au lieu-
dit Golgotha, ce qui veut dire lieu du Crâne, 34 *ils lui donnèrent à boire*
du vin mêlé *de fiel*[u]. L'ayant goûté, il ne voulut pas boire. 35 Quand ils
l'eurent crucifié, *ils partagèrent ses vêtements en tirant au sort*[v]. 36 Et

m* *27.22 Ac 3.13 ; 13.28. ***n* *27.24*** *Pilate se lave les mains* voir Dt 21.6-8. – *innocent* Ac 18.6 ; 20.26. – *de ce sang :* ou *de la mort de cet homme.* – *C'est votre affaire* Mt 27.4. ***o* *27.25*** *son sang sur nous :* tournure sémitique pour signifier que quelqu'un est responsable de la mort d'un autre et doit en supporter les conséquences. 2 S 1.13-16 ; 3.29 ; Jr 51.35 ; Ac 5.28. – *sur nos enfants* Lc 23.28. ***p* *27.26*** Voir Mc 10.34 et la note ; 10.17 ; 23.34 ; Ac 5.40 ; 22.19. ***q* *27.28*** C'est le manteau des soldats romains. ***r* *27.29*** *moqueries* 20.19 ; 27.41 ; voir Ps 22.8 ; 44.14 ; 52.8. – *roi des Juifs* Mt 2.2+. ***s* *27.30*** 26.67 ; voir Es 50.6. ***t* *27.32*** Ac 2.10 ; 11.20. ***u* *27.34*** Ps 69.22. ***v* *27.35*** Ps 22.19.

ils étaient là, assis, à le garder. 37 Au-dessus de sa tête, ils avaient placé
le motif de sa condamnation, ainsi libellé: «Celui-ci est Jésus, le roi
des Juifs.» 38 Deux bandits sont alors crucifiés avec lui, l'un à droite,
l'autre à gauche[w]. 39 Les passants l'insultaient, *hochant la tête*[x] 40 et
disant: «Toi qui détruis le *sanctuaire et le rebâtis en trois jours,
sauve-toi toi-même, si tu es le Fils de Dieu[y], et descends de la croix!»
41 De même, avec les scribes et les anciens, les grands prêtres se
moquaient[z]: 42 «Il en a sauvé d'autres et il ne peut pas se sauver lui-
même! Il est Roi d'Israël[a], qu'il descende maintenant de la croix, et
nous croirons en lui! 43 *Il a mis en Dieu sa confiance, que Dieu le
délivre* maintenant, *s'il l'aime*, car il a dit: "Je suis Fils de Dieu[b]!"»
44 Même les bandits crucifiés avec lui l'injuriaient de la même manière.

Mort de Jésus

(Mc 15.33-39; Lc 23.44-48; Jn 19.28-30)

45 A partir de midi, il y eut des ténèbres[c] sur toute la terre jusqu'à
trois heures. 46 Vers trois heures, Jésus s'écria d'une voix forte: «*Eli,
Eli, lema sabaqthani*», c'est-à-dire: «*Mon Dieu, mon Dieu, pourquoi
m'as-tu abandonné*[d]*?*» 47 Certains de ceux qui étaient là disaient, en
l'entendant: «Le voilà qui appelle Elie![e]» 48 Aussitôt l'un d'eux courut
prendre une éponge qu'il imbiba de *vinaigre* ; et, la fixant au bout d'un
roseau, il lui *présenta à boire*[f]. 49 Les autres dirent: «Attends! Voyons
si Elie va venir le sauver.» 50 Mais Jésus, criant de nouveau d'une voix
forte, rendit l'esprit. 51 Et voici que le voile du sanctuaire se déchira en
deux du haut en bas; la terre trembla, les rochers se fendirent[g]; 52 les
tombeaux s'ouvrirent, les corps de nombreux *saints défunts ressusci-
tèrent: 53 sortis des tombeaux, après sa résurrection, ils entrèrent dans
la ville sainte[h] et apparurent à un grand nombre de gens. 54 A la vue du
tremblement de terre et de ce qui arrivait, le centurion et ceux qui
avec lui gardaient Jésus furent saisis d'une grande crainte et dirent:
«Vraiment, celui-ci était Fils de Dieu[i].»

Ensevelissement de Jésus

(Mc 15.40-47; Lc 23.49-56; Jn 19.25,38-42)

55 Il y avait là plusieurs femmes qui regardaient à distance; elles

w 27.38 *bandits* 26.55 ; voir Es 53.12. – *à sa droite* et *à sa gauche* Mt 20.21. ***x 27.39*** Ps 22.8 ; 109.25 ; Lm 2.15. ***y 27.40*** *destructeur du sanctuaire* 26.61 +. – *Fils de Dieu* 14.33+. ***z 27.41*** 27.29. ***a 27.42*** Jn 1.49 ; 12.13. ***b 27.43*** Ps 22.9 ; *Sg* 2.13, 18-20. – *il a dit...* Jn 5.18 ; 10.36 ; 19.7. ***c 27.45*** Ex 10.22 ; Am 8.9-10. ***d 27.46*** Ps 22.2. ***e 27.47*** 11.14+. ***f 27.48*** Ps 69.22. ***g 27.51*** *le voile du sanctuaire* Ex 26.31-35 ; He 6.19 ; 10.20. – v. 51-53 : bouleversements de la nature Am 8.3 ; Es 26.19 ; Ez 37.12 ; Dn 12.2. ***h 27.53*** C'est-à-dire Jérusalem ; 4.5+. ***i 27.54*** 14.33+.

avaient suivi Jésus depuis les jours de Galilée[j] en le servant; 56 parmi
elles se trouvaient Marie de Magdala, Marie la mère de Jacques et de
Joseph, et la mère des fils de Zébédée[k]. 57 Le soir venu, arriva un
homme riche d'Arimathée[l], nommé Joseph, qui lui aussi était devenu
*disciple de Jésus. 58 Cet homme alla trouver Pilate et demanda le
corps de Jésus[m]. Alors Pilate ordonna de le lui remettre. 59 Prenant le
corps, Joseph l'enveloppa dans une pièce de lin pur 60 et le déposa
dans le tombeau tout neuf qu'il s'était fait creuser dans le rocher; puis
il roula une grosse pierre[n] à l'entrée du tombeau et s'en alla.
61 Cependant Marie de Magdala et l'autre Marie[o] étaient là, assises en
face du sépulcre.

La garde du tombeau

62 Le lendemain, jour qui suit la Préparation[p], les *grands prêtres et
les *Pharisiens se rendirent ensemble chez Pilate. 63 «Seigneur, lui
dirent-ils, nous nous sommes souvenus que cet imposteur a dit de
son vivant: "Après trois jours[q], je ressusciterai." 64 Donne donc
l'ordre que l'on s'assure du sépulcre jusqu'au troisième jour, de peur
que ses disciples ne viennent le dérober et ne disent au peuple: "Il
est ressuscité des morts." Et cette dernière imposture serait pire que
la première.» 65 Pilate leur déclara: «Vous avez une garde. Allez!
Assurez-vous du sépulcre, comme vous l'entendez.» 66 Ils allèrent
donc s'assurer du sépulcre en scellant la pierre et en y postant une
garde.

Jésus n'est plus au tombeau

(Mc 16.1-8; Lc 24.1-11; Jn 20.1,11-18)

28 1 Après le *sabbat, au commencement du premier jour de la
semaine, Marie[r] de Magdala et l'autre Marie vinrent voir le
sépulcre. 2 Et voilà qu'il se fit un grand tremblement de terre: *l'Ange
du Seigneur[s] descendit du ciel, vint rouler la pierre et s'assit dessus.

j ***27.55*** *plusieurs femmes* Lc 8.2-3. – *jours de Galilée :* c'est-à-dire depuis le début du ministère de Jésus. ***k 27.56*** *Marie de Magdala* 27.61 ; 28.1 ; Mc 15.40, 47 ; 16.1, 9 ; Lc 8.2 ; 24.10 ; Jn 19.25 ; 20. 1-18. – femme de Zébédée Mt 20.20. ***l 27.57*** Ville située à environ 35 km au N.O. de Jérusalem. ***m 27.58*** Le corps du supplicié Dt 21.22-23. ***n 27.60*** *tombeau* Mc 6.29 ; Ac 13.29. – *grosse pierre* Mt 28.2 ; Mc 16.3-4. ***o 27.61*** 27.56 ; 28.1 ; Mc 15.40, 47 ; 16.1 ; Lc 24.10 ; Jn 19.25. ***p 27.62*** Ce terme désignait le vendredi, jour où les Juifs préparaient la célébration du sabbat ; Mc 15.42 ; Lc 23.54 ; Jn 19.31, 42. ***q 27.63*** 12.40 ; 16.21 par. ; 17.23 par. ; 20.19 ; Lc 24.7. ***r 28.1*** *Marie de Magdala* 27.56+. – *l'autre Marie* 27.61+. ***s 28.2*** *tremblement de terre* Ex 19.18 ; Ps 114.7 ; He 12.26. – *l'Ange du Seigneur* Mt 1.20+.

3 Il avait l'aspect de l'éclair et son vêtement était blanc[t] comme neige.
4 Dans la crainte qu'ils en eurent, les gardes furent bouleversés et de-
vinrent comme morts. 5 Mais l'ange prit la parole et dit aux femmes:
«Soyez sans crainte[u], vous. Je sais que vous cherchez Jésus, le crucifié.
6 Il n'est pas ici, car il est ressuscité[v] comme il l'avait dit; venez voir
l'endroit où il gisait. 7 Puis, vite, allez dire à ses disciples: "Il est res-
suscité des morts, et voici qu'il vous précède en Galilée; c'est là que
vous le verrez[w]." Voilà, je vous l'ai dit.» 8 Quittant vite le tombeau,
avec crainte et grande joie, elles coururent porter la nouvelle[x] à ses
disciples. 9 Et voici que Jésus vint à leur rencontre et leur dit: «Je vous
salue.» Elles s'approchèrent de lui et lui saisirent les pieds en se pros-
ternant[y] devant lui. 10 Alors Jésus leur dit: «Soyez sans crainte. Allez
annoncer à mes frères[z] qu'ils doivent se rendre en Galilée: c'est là
qu'ils me verront.» 11 Comme elles étaient en chemin, voici que quel-
ques hommes de la garde vinrent à la ville informer les *grands prêtres
de tout ce qui était arrivé. 12 Ceux-ci, après s'être assemblés avec les
anciens et avoir tenu conseil[a], donnèrent aux soldats une bonne
somme d'argent, 13 avec cette consigne: «Vous direz ceci: "Ses disci-
ples sont venus de nuit et l'ont dérobé pendant que nous dormions[b]."
14 Et si l'affaire vient aux oreilles du gouverneur, c'est nous qui l'apai-
serons, et nous ferons en sorte que vous ne soyez pas inquiétés.» 15 Ils
prirent l'argent et se conformèrent à la leçon qu'on leur avait apprise.
Ce récit s'est propagé chez les Juifs jusqu'à ce jour.

Le Ressuscité envoie ses disciples en mission

16 Quant aux onze disciples, ils se rendirent en Galilée[c], à la mon-
tagne où Jésus leur avait ordonné de se rendre. 17 Quand ils le virent,
ils se prosternèrent, mais quelques-uns eurent des doutes[d]. 18 Jésus
s'approcha d'eux et leur adressa ces paroles: «Tout pouvoir[e] m'a été
donné au *ciel et sur la terre. 19 Allez donc: de toutes les nations faites

t 28.3 17.2 par.; Ac 1.10. ***u 28.5*** Gn 15.1; 26.24; Es 41.10; Jr 30.10; Mt 14.27 par.; 28.20; Mc 5.36; Jn 6.20; Ap 1.17. ***v 28.6*** 16.21 par.; 17.23 par.; 20.19 par.; Lc 24.7; Ac 2.24; 4.10; 1 Co 15.4, 12, etc. ***w 28.7*** *en Galilée* 26.32; Mc 14.28. — *vous le verrez* Mt 28.10, 17; Jn 21.1-23. ***x 28.8*** voir Mc 16.8. ***y 28.9*** *saisir les pieds* 2 R 24.27. — *se prosterner* Mt 2.2, 8, 11; 8.2; 14.33; 15.25; 28.17. ***z 28.10*** Jn 20.17. ***a 28.12*** Conciliabule des adversaires de Jésus 12.14+. ***b 28.13*** Prétendu vol de cadavre 27.64. ***c 28.16*** 26.32; 28.7, 10. ***d 28.17*** Mc 16.11, 13-14; Lc 24.11, 37-44; Jn 20.25-27. ***e 28.18*** Dn 7.14; Mt 11.27; Jn 3.35; 13.3; 17.2; Rm 1.4; Ep 1.20-22; Ph 2.5-11; 1 Tm 3.16; voir Mt 4.9-10.

des *disciples, les baptisant au *nom du Père et du Fils et du Saint
Esprit[f], [20] leur apprenant à garder tout ce que je vous ai prescrit. Et
moi, je suis avec vous tous les jours jusqu'à la fin des temps[g]. »

***f* 28.19** *Allez* 2.8 ; 9.13 ; 10.6 ; 11.4 ; 27.66 ; 28.7. — *toutes les nations* Es 42.6 ; 49.6 ; Mt 24.9, 14 ; 25.32 ; Ac 1.8 ; voir Mt 10.5-6, 23 ; 15.24. — *baptiser* Mc 16.16 ; Ac 2.38 ; 8.12, 38 ; 9.18 ; 10.48 ; 11.16 ; 16.15, 33 ; 18.8 ; 19.5 ; 22.16 ; Rm 6.3 ; 1 Co 1.13-17 ; 12.13 ; Ga 3.27 ; Ep 4.5 ; Col 2.12 ; 1 P 3.21 ; voir Mc 10.38-39 ; Lc 12.50 ; Mt 3.6+. — *au nom de* 1 Co 1.13 ; 10.2. — *le Père, le Fils, l'Esprit* 1 Co 12.3-5 ; 2 Co 13.13.

***g* 28.20** *avec vous* Ex 3.12 ; Es 41.10 ; 43.5 ; Jr 1.8 ; Ag 1.13 ; Mt 1.23 ; Jn 14.16, 23 ; 16.7-11. — *la fin des temps* Mt 13.39+.

ÉVANGILE SELON MARC

INTRODUCTION

Ordre et principaux thèmes

Le deuxième évangile se présente comme une suite de récits généralement courts et sans liens très précis. Le cadre le plus visible est constitué par des indications géographiques. L'activité de Jésus se développe en Galilée (1.14) et aux alentours de cette région jusqu'en terre païenne (7.24,31 ; 8.27). Puis, en passant par la Pérée et Jéricho (ch. 10), Jésus monte à Jérusalem (11.1).

Ce cadre ne rend pas compte de l'ordonnance interne du livre, commandée plutôt par le développement de quelques thèmes majeurs.

A. L'Evangile

Dès ses premiers mots, le livre déclare l'intérêt qu'il porte à « l'Evangile de Jésus Christ, Fils de Dieu » (1.1), bientôt appelé encore « l'Evangile de Dieu » (1.14), ou « l'Evangile » tout court (1.15). Pour Marc, comme pour Paul, ce mot désigne la Bonne Nouvelle, destinée à tous les hommes, et dont l'accueil définit la foi chrétienne : par Jésus, Dieu a réalisé ses promesses en leur faveur (voir 1.1 et la note). Aussi l'Evangile doit-il être proclamé à toutes les nations (13.10 ; 14.9). Cette tâche définit l'actualité à laquelle Marc ne craint pas d'adapter certaines paroles de Jésus : celui-ci disparu, renoncer à soi et tout quitter pour lui, c'est le faire pour l'Evangile (8.25 et la note ; 10.29). Car l'action de Dieu qui s'est manifestée par la vie, la mort, la résurrection de Jésus se poursuit en ce monde par la parole confiée aux disciples. Plus qu'un message venant de Dieu et touchant Jésus Christ, l'Evangile est cette action divine parmi les hommes.

B. Jésus, Christ, Fils de Dieu

La puissance de l'enseignement et des actes de Jésus contre les forces du mal est reconnue par un large public (1.21-45 ; 3.7-10...).

Mais que Jésus soit le Fils de Dieu, cela doit rester secret (1.25 ; 3.12). L'opposition des observateurs sourcilleux de la loi mosaïque se déclare (2.1—3.6) et va jusqu'à présenter Jésus comme un instrument du prince des démons (3.22-30). Cependant, les disciples se distinguent nettement de la foule (4.10,33-34). Et parmi eux, la question du tout-venant : « Qu'est-ce que cela ? » (1.27) est relayée par une autre : « Qui donc est-il ? » (4.41). Des réponses diverses sont données (6.14-16 ; 8.27-28). Et malgré leur inintelligence profonde de la mission de Jésus (6.52 ; 8.14-21), les disciples, par la bouche de Pierre, parviennent à reconnaître qu'il est le Christ (8.29). Mais ils reçoivent l'ordre de se taire (8.30).

A partir de là, un enseignement nouveau commence : le Fils de l'homme doit passer par la souffrance, la mort et la résurrection. Trois fois répété (8.31-33 ; 9.30-32 ; 10.32-34), cet enseignement conduit le lecteur jusqu'à l'affrontement de Jésus avec ses adversaires à Jérusalem (ch. 11 à 13). Le drame trouve là son dénouement ; au cours de la Passion (ch.14 et 15), le secret de Jésus est dévoilé. Sa déclaration devant le Sanhédrin qui le condamne à mort (14.61-62), et la parole du centurion à sa mort (15.39), rejoignent les révélations de Dieu lors du baptême et de la Transfiguration (1.11 ; 9.7) et justifient le titre du livre : Jésus est le Christ, le Fils de Dieu (1.1).

Le récit de la Passion constitue le sommet du livre. Non seulement il est préparé par les conflits à Jérusalem, par la triple annonce qui suit la profession de foi de Pierre, par une remarque faite en 3.6 déjà. Mais il répond à la question posée dès le premier acte public de Jésus selon Marc (1.27) et permet de comprendre l'insistance du livre sur ce qu'on a appelé le secret messianique *(voir 1.34,44 ; 8.30). Cette insistance correspond sans doute au fait que Jésus n'a pas été reconnu, au temps de sa vie terrestre, comme il le fut après Pâques. Mais puisque le secret porte précisément sur les titres derrière lesquels la foi chrétienne s'exprime (1.1 ; 3.11 ; 8.29), Marc semble vouloir indiquer qu'ils étaient prématurés et qu'ils restent équivoques pour les Juifs et pour les païens, tant que leur vérité n'est pas reconnue dans l'humiliation du Crucifié.*

C. Jésus et les disciples

*Au « commencement » de l'*Evangile de Marc, *Jésus n'apparaît pas seul, mais avec les disciples par qui l'œuvre commencée doit se poursuivre. Dès le début de l'activité galiléenne, Marc place, sans aucun souci de vraisemblance chronologique et psychologique, l'appel de quatre pêcheurs à suivre Jésus (1.16-20). Par la suite, le Maître est toujours accompagné de disciples, sauf quand il les envoie prêcher (6.7-*

30). Il n'est seul que pour sa Passion, après leur fuite. Mais le livre ne s'achève pas sans que, deux fois, ait été annoncé leur regroupement en Galilée autour du Christ ressuscité (14.28 ; 16.7).

L'insistance sur leur lenteur à croire, leur continuelle inintelligence, leur carence à l'heure où la révélation du Christ, Fils de Dieu, s'accomplit en vérité, répond certainement à un dessein réfléchi. Le rôle de continuateurs de l'Evangile qui leur est reconnu interdit de penser à une polémique dirigée directement contre les premiers disciples de Jésus. Comme la foi en Jésus ne s'est développée qu'après Pâques, sa vie terrestre pouvait apparaître à Marc comme le temps d'une manifestation réelle, mais retenue par la nécessité du secret et limitée par l'incompréhension des disciples. Celle-ci met paradoxalement en valeur le mystère de Jésus, indéchiffrable hors de la foi pascale.

Elle prend aussi la valeur de type pour la foi des chrétiens qui risque toujours, comme la leur, d'être en retard sur la révélation. Pour être proclamé et reçu dans sa vérité, l'Evangile n'exige pas seulement la fidélité aux termes de la confession de foi, mais surtout l'authenticité d'une vie à la suite de Jésus. L'intelligence de son mystère est inséparable d'une lente et difficile initiation à la condition de disciple.

Origine du livre

Dès les environs de l'an 150, Papias, évêque d'Hiérapolis, atteste l'attribution du deuxième évangile à Marc, « interprète » de Pierre à Rome. Le livre aurait été composé à Rome après la mort de Pierre (prologue antimarcionite du IIe siècle, Irénée) ou du vivant de Pierre (selon Clément d'Alexandrie). Quant à Marc, on l'identifiait à Jean-Marc, originaire de Jérusalem (Ac 12.12), compagnon de Paul et Barnabas (Ac 12.25 ; 13.5-13 ; 15.37-39 ; Col 4.10), puis de Pierre à « Babylone », c'est-à-dire probablement Rome, d'après 1 P 5.13.

L'origine romaine du livre, après la persécution de Néron en 64, est assez communément admise. Quelques mots latins grécisés, plusieurs tournures latines, peuvent servir d'indices. Du moins le souci d'expliquer les coutumes juives (7.3-4 ; 14.12 ; 15.42), de traduire les mots araméens, de souligner la portée de l'Evangile pour les païens (7.27 ; 10.12 ; 11.17 ; 13.10), supposent que le livre est destiné à des non-juifs, hors de Palestine. Quant à l'insistance sur la nécessité de suivre Jésus en portant sa croix, elle pouvait être d'une particulière actualité dans une communauté secouée par la persécution de Néron.

La relation du livre avec l'enseignement de Pierre est plus délicate à préciser. L'expression de Papias (interprète de Pierre) *n'est pas claire. Mais, plus que les détails descriptifs et leur allure de témoignage oculaire, la place faite à Pierre parle en faveur d'une tradition pétrinienne.*

Du groupe des Douze, seuls se détachent Jacques et Jean, comme garants, semble-t-il, du témoignage de Pierre. Celui-ci n'est pas flatté pour autant. Mais s'il n'a pas toujours le beau rôle, ce n'est pas le signe d'une polémique contre lui.

*Le problème des sources de Marc reste donc entier. Les spécialistes les imaginent différemment selon que la comparaison avec Matthieu et Luc les amène à souligner l'importance de Marc à leur origine ou à supposer l'existence, dès avant Marc, d'une première synthèse de la tradition sur Jésus. En toute hypothèse, la composition de l'*Evangile de Marc *laisse deviner une étape antérieure de la tradition, où actes et paroles de Jésus étaient transmis hors de toute présentation d'ensemble de sa vie ou de son enseignement.*

Importance du livre

Marc demeure pour nous le premier exemple connu du genre littéraire appelé évangile. Dans l'usage de l'Eglise, on lui a souvent préféré les synthèses postérieures et plus larges de Matthieu et de Luc. Il a été remis en valeur par les études littéraires et historiques du XIXe *et du XX*[e] *siècle. On renonce aujourd'hui à construire une biographie de Jésus sur la seule base des séquences de Marc. Cependant, sa rudesse, l'absence d'apprêt, l'abondance des sémitismes, le caractère élémentaire de la réflexion théologique, indiquent un état ancien des matériaux utilisés. Les personnages et les lieux nommés proviennent de traditions archaïques. Les enseignements de Jésus, l'insistance sur la proximité du Royaume de Dieu, les paraboles, les controverses, les exorcismes ne trouvent leur situation historique d'origine que dans la vie de Jésus en Palestine. Les souvenirs ne proviennent pas directement d'une mémoire individuelle. Formulés d'abord pour les besoins de la prédication, de la catéchèse, de la polémique ou de la liturgie des Eglises, ils s'enracinent dans le témoignage des premiers disciples.*

Le mérite de Marc fut de les fixer au moment où la vie des Eglises répandues hors de la Palestine et la réflexion théologique attisée par la rencontre de cultures étrangères risquaient de perdre le contact avec les origines de l'Evangile. Il a réussi à maintenir vivante, ineffaçable, la vision d'une existence mouvementée, difficile à comprendre. Qui donc est cet homme ? A cette question, Marc apporte la réponse des premiers croyants, qui furent les premiers témoins. Mais pour qui se contenterait de répéter cette réponse, il rouvre la question et rappelle que la foi s'éprouve dans l'engagement sans compromis à suivre Jésus, toujours à l'œuvre, par l'Evangile, au milieu des hommes.

ÉVANGILE SELON MARC

Jean le Baptiste

(Mt 3.1-6,11-12; Lc 3.1-6,15-18)

1 1 Commencement de *l'Evangile de Jésus Christ Fils de Dieu[a]:
2 Ainsi qu'il est écrit dans le livre du prophète Esaïe,

Voici, j'envoie mon messager en avant de toi,
Pour préparer ton *chemin*[b].
3 *Une voix crie dans le désert:*
Préparez le chemin du Seigneur,
Rendez droits ses sentiers[c].

4 Jean le Baptiste parut dans le désert, proclamant un baptême de
conversion en vue du pardon des péchés[d]. 5 Tout le pays de Judée et
tous les habitants de Jérusalem se rendaient auprès de lui; ils se fai-
saient baptiser par lui dans le Jourdain en confessant leurs péchés[e].
6 Jean était vêtu de poil de chameau avec une ceinture de cuir autour
des reins[f]; il se nourrissait de sauterelles et de miel sauvage. 7 Il procla-
mait: « Celui qui est plus fort que moi vient après moi, et je ne suis pas
digne[g], en me courbant, de délier la lanière de ses sandales. 8 Moi, je
vous ai baptisés d'eau, mais lui vous baptisera d'Esprit Saint[h]. »

Baptême de Jésus

(Mt 3.13-17; Lc 3.21-22)

9 Or, en ces jours-là, Jésus vint de Nazareth en Galilée et se fit bap-
tiser par Jean dans le Jourdain. 10 A l'instant où il remontait de l'eau, il

a ***1.1*** *Evangile* 1.14 ; 8.35 ; 10.29 ; 13.10 ; 14.9 ; 16.15 ; Rm 1.1 ; 15.19 ; 16.25. – *Christ* Mc 8.29-30 ; 14.61-62. – *Fils de Dieu* 1.11 ; 3.11 ; 5.7 ; 9.7 ; 14.61-62 ; 15.39 ; voir Mt 14.33+. **b** ***1.2*** Ex 23.20 (grec) ; Ml 3.1 (Mt 11.10 ; Lc 1.76 ; 7.27). **c** ***1.3*** Es 40.3 (Jn 1.23). **d** ***1.4*** Autre texte : *Jean parut, baptisant dans le désert et proclamant...* – *Jean* (le Baptiste) 6.14, 24-25 ; 8.18 ; voir Mt 3.1+. – *le désert* Mt 3.1+. – *baptême de conversion* Ac 13.24 ; 19.4 ; voir Mt 3.6+. – *proclamer* Mt 3.1+ ; Mc 1.14, 38-39, 45 ; 3.14 ; 5.20 ; 6.12 ; 7.36 ; 13.10 ; 14.9 ; 16.15 ; Ga 2.2 ; Col 1.23 ; 1 Th 2.9. – *conversion* Mt 3.2+. – *pardon des péchés* Ps 32.5 ; Pr 28.13 ; Lc 18.13-14 ; Ac 19.18 ; Jc 4.10 ; 1 Jn 1.9 ; voir Mt 26.28+. **e** ***1.5*** activité baptismale de Jean Mt 3.6+. – *confession des péchés* Lv 5.5-6 ; 26.40 ; Ne 1.6 ; Dn 9.20. **f** ***1.6*** Mt 3.4+. **g** ***1.7*** Ac 13.25. **h** ***1.8*** Mt 3.11+.

vit les *cieux se déchirer et l'Esprit, comme une colombe, descendre
sur lui[i]. 11 Et des cieux vint une voix: «Tu es mon Fils bien-aimé[j], il
m'a plu de te choisir.»

Jésus tenté au désert

(Mt 4.1-11; Lc 4.1-13)

12 Aussitôt l'Esprit pousse Jésus au désert[k]. 13 Durant quarante jours,
au désert, il fut tenté par *Satan[l]. Il était avec les bêtes sauvages et les
anges le servaient.

Jésus proclame l'Evangile en Galilée

(Mt 4.12-17; Lc 4.14-15)

14 Après que Jean eut été livré, Jésus vint en Galilée. Il proclamait
*l'Evangile de Dieu[m] et disait: 15 «Le temps est accompli, et le *Règne
de Dieu s'est approché: convertissez-vous et croyez à l'Evangile[n].»

Appel de quatre pêcheurs

(Mt 4.18-22; Lc 5.1-3,10-11)

16 Comme il passait le long de la mer de Galilée, il vit Simon et
André[o], le frère de Simon, en train de jeter le filet dans la mer:
c'étaient des pêcheurs. 17 Jésus leur dit: «Venez à ma suite, et je ferai
de vous des pêcheurs d'hommes[p].» 18 Laissant aussitôt leurs filets, ils
le suivirent. 19 Avançant un peu, il vit Jacques, fils de Zébédée, et Jean
son frère[q], qui étaient dans leur barque en train d'arranger leurs filets.
20 Aussitôt, il les appela. Et laissant dans la barque leur père Zébédée
avec les ouvriers, ils partirent à sa suite.

i 1.10 *les cieux déchirés* Es 63.19 ; voir Mt 3.16+. – *l'Esprit descend sur Jésus* voir Es 11.2 ; 42.1 ; 63.11. ***j 1.11*** Gn 22.2 ; Mt 3.17+. ***k 1.12*** Mt 3.1+. ***l 1.13*** *quarante* Mt 4.2+. – *tenté* He 2.18 ; 4.15. – *Satan* Jb 1.6 ; Mt 4.10 ; Mc 3.23, 26 par. ; 4.15 ; 8.33 par. ; Lc 10.18 ; 13.16 ; 22.3, 31 ; Jn 13.27 ; Ac 5.3 ; 26.18 ; Rm 16.20 ; 1 Co 5.5 ; 7.5 ; 2 Co 2.11 ; 11.14 ; 12.7 ; 1 Th 2.18 ; 2 Th 2.9 ; 1 Tm 1.20 ; 5.15 ; Ap 2.9, 13, 24 ; 3.9 ; 12.9 ; 20.7. ***m 1.14*** *livré* : selon Lc 3.20 il faut sous-entendre ici : (livré) au pouvoir de l'autorité politique – c'est-à-dire emprisonné. A l'époque, c'est *Hérode Antipas* qui règne en Galilée avec le titre de *tétrarque* ; voir Mt 4.12+. – *l'Evangile de Dieu* Rm 1.1 ; 15.16 ; 2 Co 11.7. ***n 1.15*** *temps accompli* Dn 12.4-9 ; Mc 13.20 ; Ga 4.4 ; Ep 1.10. – *le Règne de Dieu* Mt 3.2+ ; 6.10+. – appel à la conversion Mt 3.2+. – accueillir l'Evangile 1 Th 1.5-6, 9 ; 2.13 ; Col 1.5-6. ***o 1.16*** *mer de Galilée* ou lac de Gennésareth. – *Simon et André* Mt 4.18+. ***p 1.17*** appel à suivre Jésus Mt 4.19+. – *pêcheurs d'hommes* Mt 13.47-50. ***q 1.19*** 3.17 ; 10.35 ; Mt 4.21+.

Jésus manifeste son autorité à la synagogue de Capharnaüm

(Lc 4.31-37)

21 Ils pénètrent dans Capharnaüm. Et dès le jour du *sabbat, entré
dans la *synagogue[r], Jésus enseignait. 22 Ils étaient frappés de son
enseignement, car il les enseignait en homme qui a autorité[s] et non
pas comme les *scribes. 23 Justement il y avait dans leur synagogue un
homme possédé d'un esprit impur[t]; il s'écria: 24 «Que nous veux-tu,
Jésus de Nazareth? tu es venu pour nous perdre. Je sais qui tu es: le
*Saint de Dieu[u].» 25 Jésus lui commanda sévèrement: «Tais-toi[v] et
sors de cet homme.» 26 L'esprit impur le secoua avec violence et il
sortit de lui en poussant un grand cri. 27 Ils furent tous tellement sai-
sis[w] qu'ils se demandaient les uns aux autres: «Qu'est-ce que cela?
Voilà un enseignement nouveau, plein d'autorité! Il commande même
aux esprits impurs et ils lui obéissent!» 28 Et sa renommée[x] se répandit
aussitôt partout, dans toute la région de Galilée.

Guérison de la belle-mère de Simon

(Mt 8.14-15; Lc 4.38-39)

29 Juste en sortant de la *synagogue, ils allèrent, avec Jacques et
Jean, dans la maison de Simon et d'André. 30 Or la belle-mère de
Simon était couchée, elle avait de la fièvre; aussitôt on parle d'elle à
Jésus. 31 Il s'approcha et la fit lever en lui prenant la main[y]: la fièvre la
quitta et elle se mit à les servir.

Guérisons après le sabbat

(Mt 4.24; 8.16-17; Lc 4.40-41)

32 Le soir venu, après le coucher du soleil[z], on se mit à lui amener
tous les malades et les démoniaques[a]. 33 La ville entière était rassem-
blée à la porte. 34 Il guérit de nombreux malades souffrant de maux de

r 1.21 *synagogue* et *jour de sabbat* 6.2 ; Lc 4.16 ; 6.6 ; 13.10. — *Capharnaüm* Mt 4.13+. ***s 1.22*** *l'enseignement* de Jésus et l'impression produite Mt 7.28-29 ; Mc 6.2 ; 10.26 ; 11.18. — *autorité* de Jésus 1.27 ; 2.10 ; 11.28-33 ; voir Jn 7.46. ***t 1.23*** Expression fréquente dans les évangiles (3.11, 30 ; 5.2, etc.) pour désigner un démon auquel on attribuait certaines maladies (9.20). ***u 1.24*** *que nous veux-tu ?* Mt 8.29+. — *pour nous perdre* Lc 10.18 ; Ap 20.10. — *le Saint de Dieu* Lc 4.34 ; Jn 6.69 ; Ac 3.14 ; 4.27, 30. ***v 1.25*** Jésus impose le secret 1.34, 44 ; 3.12 ; 5.43 ; 7.36 ; 8.26, 30 ; 9.9 ; Lc 4.41 ; 5.14 ; 8.56 ; voir Mt 8.4+. — sévérité Mc 9.25 ; Lc 4.39. ***w 1.27*** 9.15 ; 10.24, 32 ; voir 1.22+. ***x 1.28*** Mt. 4.24. ***y 1.31*** 5.41 par. ; 9.27. ***z 1.32*** Le sabbat se terminait à l'apparition des premières étoiles. ***a 1.32*** Personnes se trouvant sous l'influence d'un démon (voir 1.23 et note). — malades amenés à Jésus Mt 4.14. — esprit mauvais et maladie Mc 3.10-11 ; 6.13 ; voir Mt 8.16 ; Lc 6.18 ; Ac 5.16 ; 8.7.

toutes sortes et il chassa de nombreux démons; et il ne laissait pas parler les démons[b], parce que ceux-ci le connaissaient.

Jésus quitte Capharnaüm

(Mt 4.23; Lc 4.42-44)

35 Au matin, à la nuit noire, Jésus se leva, sortit et s'en alla dans un lieu désert; là, il priait[c]. 36 Simon se mit à sa recherche, ainsi que ses compagnons, 37 et ils le trouvèrent. Ils lui disent: «Tout le monde te cherche.» 38 Et il leur dit: «Allons ailleurs, dans les bourgs voisins, pour que j'y proclame aussi *l'Evangile[d]: car c'est pour cela que je suis sorti.» 39 Et il alla par toute la Galilée[e]; il prêchait dans leurs *synagogues et chassait les *démons.

Purification d'un lépreux

(Mt 8.1-4; Lc 5.12-16)

40 Un *lépreux[f] s'approche de lui; il le supplie et tombe à genoux en lui disant: «Si tu le veux, tu peux me purifier.» 41 Pris de pitié[g], Jésus étendit la main et le toucha. Il lui dit: «Je le veux, sois purifié.» 42 A l'instant, la lèpre le quitta et il fut purifié. 43 S'irritant[h] contre lui, Jésus le renvoya aussitôt. 44 Il lui dit: «Garde-toi de rien dire à personne, mais va te montrer au *prêtre et offre pour ta purification ce que Moïse a prescrit[i]: ils auront là un témoignage.» 45 Mais une fois parti, il se mit à proclamer[j] bien haut et à répandre la nouvelle, si bien que Jésus ne pouvait plus entrer ouvertement dans une ville, mais qu'il restait dehors en des endroits déserts. Et l'on venait à lui de toute part.

Pardon et guérison d'un paralysé à Capharnaüm

(Mt 9.1-8; Lc 5.17-26)

2 1 Quelques jours après, Jésus rentra à Capharnaüm et l'on apprit qu'il était à la maison[k]. 2 Et tant de monde s'y rassembla qu'il n'y avait plus de place, pas même devant la porte. Et il leur annonçait la Parole[l]. 3 Arrivent des gens qui lui amènent un paralysé porté par quatre hommes. 4 Et comme ils ne pouvaient l'amener jusqu'à lui à cause de la foule, ils ont découvert le toit[m] au-dessus de l'endroit où il

b 1.34 1.25+ ; 3.12. ***c 1.35*** Mt 14.23+ ; Mc 6.46 ; Lc 3.21+. ***d 1.38*** *proclamer* 1.4+. — *l'Evangile* 1.1+. ***e 1.39*** ministère itinérant de Jésus Mt 9.35 ; Mc 6.6. ***f 1.40*** Mt 8.2+. ***g 1.41*** Mt 9.36+ ; 20.34 ; Mc 8.2 ; 9.22 ; Lc 7.13 ; Mt 18.27 ; Lc 10.33 ; 15.20. — autre texte : *irrité.* ***h 1.43*** Mt 9.30 ; voir la note *g.* ***i 1.44*** secret recommandé 1.25+. — *se montrer au prêtre* Lc 17.14. — *offrande prescrite* Lv 14.2-32. ***j 1.45*** 1.4+. ***k 2.1*** D'après 1.29 c'est la maison de Simon. — *Capharnaüm* Mt 4.13+. ***l 2.2*** Ac 4.29, 31 ; 8.25, etc. ; voir Mc 1.4+. ***m 2.4*** *le toit* des maisons palestiniennes, en forme de terrasse, était fait de bois et de terre battue.

était et, faisant une ouverture, ils descendent le brancard sur lequel le
paralysé était couché. 5 Voyant leur foi, Jésus dit au paralysé: «Mon
fils, tes péchés sont pardonnés[n].» 6 Quelques *scribes étaient assis là
et raisonnaient en leurs *cœurs: 7 «Pourquoi cet homme parle-t-il
ainsi? Il *blasphème. Qui peut pardonner les péchés sinon Dieu
seul[o]?» 8 Connaissant aussitôt en son esprit qu'ils raisonnaient ainsi
en eux-mêmes, Jésus leur dit: «Pourquoi tenez-vous ces raisonne-
ments en vos cœurs[p]? 9 Qu'y a-t-il de plus facile, de dire au paralysé:
"Tes péchés sont pardonnés", ou bien de dire: "Lève-toi, prends ton
brancard et marche"? 10 Eh bien! afin que vous sachiez que le *Fils
de l'homme[q] a autorité pour pardonner les péchés sur la terre, — il
dit au paralysé: 11 "Je te dis: lève-toi, prends ton brancard et va dans
ta maison."» 12 L'homme se leva, il prit aussitôt son brancard et il
sortit devant tout le monde, si bien que tous étaient bouleversés et
rendaient gloire à Dieu en disant: «Nous n'avons jamais rien vu de
pareil[r]!»

Appel de Lévi et accueil des pécheurs

(Mt 9.9-13; Lc 5.27-32)

13 Jésus s'en alla de nouveau au bord de la mer. Toute la foule venait
à lui, et il les enseignait[s]. 14 En passant, il vit Lévi, le fils d'Alphée, assis
au bureau des taxes. Il lui dit: «Suis-moi[t].» Il se leva et le suivit. 15 Le
voici à table dans sa maison, et beaucoup de collecteurs d'impôts et de
*pécheurs[u] avaient pris place avec Jésus et ses disciples, car ils étaient
nombreux et ils le suivaient. 16 Et des scribes pharisiens[v], voyant qu'il
mangeait avec les pécheurs et les collecteurs d'impôts, disaient à ses
disciples: «Quoi? Il mange avec les collecteurs d'impôts et les

n* *2.5 *foi* 4.40 ; 11.23 et guérison 5.34, 36 ; 9.23 ; 10.52. — *péchés pardonnés* Lc 7.48. ***o 2.7*** *blasphème* Mt 9.2+. — *Dieu (seul) peut pardonner* les péchés Ps 103.3 ; Es 43.25 ; 1 Jn 1.9. ***p 2.8*** pensées secrètes percées à jour Mt 12.25. — *pourquoi ?* Mt 16.8. ***q 2.10*** Mt 8.20+. ***r 2.12*** *rendre gloire à Dieu* Mt 5.16 ; 9.8+ ; Lc 2.20+ ; Jn 12.28 ; 13.31-32 ; 14.13 ; 17.1 ; 21.19 ; Ac 12.23 ; 13.48 ; Rm 15.6, 9 ; 1 Co 6.20 ; 2 Co 9.13 ; Ga 1.24 ; 2 Th 3.1 ; 1 P 2.12 ; 4.11, 16 ; Ap 15.4. — *jamais rien vu de pareil* Mt 9.33. ***s 2.13*** afflux des foules à Jésus 3.7-8+. — Jésus *enseigne* 1.22 ; 6.2. ***t 2.14*** *bureau des taxes* : on y percevait des taxes sur les marchandises entrant ou sortant de la ville. La perception de ces taxes était affermée à des personnes privées qui utilisaient du personnel subalterne. Voir note suivante et Lc 19.2. — *Lévi* Lc 5.27, 29 ; voir Mt 9.9+ (Matthieu) — *suis-moi* Mt 4.19+ ; 19.21 par. ; Mc 1.17 ; Lc 9.59. ***u 2.15*** *collecteurs d'impôts* Mt 5.46+ voir Lc 3.12-13. Ces percepteurs étaient souvent accusés d'abuser de leur charge pour s'enrichir. Compromis en outre avec les occupants romains, ils étaient assimilés aux *pécheurs*, qui n'observaient pas la loi de Moïse. — *pécheurs* Mt 11.19 ; Lc 6.32-34 ; 7.34 ; 15.1-2, 10 ; 19.7 ; Jn 9.16, 24. ***v 2.16*** Autre texte : *car il y avait beaucoup de monde, (16) et même des scribes pharisiens le suivaient. Ceux-ci, voyant qu'il mangeait...*

pécheurs[w]?» 17 Jésus, qui avait entendu, leur dit: «Ce ne sont pas les
bien-portants qui ont besoin de médecin, mais les malades; je suis
venu[x] appeler non pas les justes, mais les pécheurs.»

Question sur le jeûne. Le vieux et le neuf

(Mt 9.14-17; Lc 5.33-39)

18 Les *disciples de Jean et les *Pharisiens étaient en train de jeû-
ner[y]. Ils viennent dire à Jésus: «Pourquoi, alors que les disciples de
Jean et les disciples des Pharisiens jeûnent, tes disciples ne jeûnent-ils
pas?» 19 Jésus leur dit: «Les invités à la noce peuvent-ils jeûner pen-
dant que l'époux[z] est avec eux? Tant qu'ils ont l'époux avec eux, ils ne
peuvent pas jeûner. 20 Mais des jours viendront où l'époux leur aura
été enlevé; alors ils jeûneront, ce jour-là. 21 Personne ne coud une
pièce d'étoffe neuve à un vieux vêtement; sinon le morceau neuf
qu'on ajoute tire sur le vieux vêtement, et la déchirure est pire.
22 Personne ne met du vin nouveau dans de vieilles outres; sinon, le
vin fera éclater les outres, et l'on perd à la fois le vin et les outres; mais
à vin nouveau, outres neuves[a].»

Les épis arrachés et l'observation du sabbat

(Mt 12.1-8; Lc 6.1-5)

23 Or Jésus, un jour de *sabbat, passait à travers des champs de blé et
ses disciples se mirent, chemin faisant, à arracher des épis[b]. 24 Les
*Pharisiens lui disaient: «Regarde ce qu'ils font le jour du sabbat! Ce
n'est pas permis[c].» 25 Et il leur dit: «Vous n'avez donc jamais lu ce
qu'a fait David[d] lorsqu'il s'est trouvé dans le besoin et qu'il a eu faim,
lui et ses compagnons, 26 comment, au temps du *grand prêtre Abia-
thar[e], il est entré dans la maison de Dieu, a mangé les pains de
l'offrande que personne n'a le droit de manger, sauf les prêtres, et en a
donné aussi à ceux qui étaient avec lui?» 27 Et il leur disait: «Le sabbat
a été fait pour l'homme[f] et non l'homme pour le sabbat, 28 de sorte que
le *Fils de l'homme[g] est maître même du sabbat.»

w 2.16 ami des gens tenus à l'écart Mt 9.11 ; 11.19+ ; Lc 7.34. ***x 2.17*** Jésus venu pour... 10.45 ; 11.9. ***y 2.18*** *disciples de Jean* Mt 9.14+. — *jeûne* Mt 6.16+. ***z 2.19*** (symbole de) *l'époux* Mt 9.15+. ***a 2.22*** Les *outres* (peaux de chèvre retournées, dont on liait les orifices) servaient à transporter et à conserver l'eau, le lait ou le vin. — le vieux et le neuf 2 Co 5.17 ; Ga 1.6 ; 4.9 ; Jn 1.17. ***b 2.23*** *sabbat* Mt 12.1+. — *épis arrachés* Dt 23.26. ***c 2.24*** Ex 34.21. ***d 2.25*** David et les pains de l'offrande 1 S 21. 2-7. ***e 2.26*** Abiathar 2 S 15.35. ***f 2.27*** Ex 20.8-10 ; Dt 5.12-14 ; voir *1 M* 2.39-41 ; Mc 3.4 ; Mt 12.11-12 ; Lc 14.5. ***g 2.28*** Mt 8.20+.

Guérison un jour de sabbat

(Mt 12.9-14; Lc 6.6-11)

3 1 Il entra de nouveau dans une *synagogue; il y avait là un homme
qui avait la main paralysée. 2 Ils observaient Jésus pour voir s'il le
guérirait le jour du *sabbat; c'était pour l'accuser[h]. 3 Jésus dit à l'homme
qui avait la main paralysée: «Lève-toi! viens au milieu.» 4 Et il leur dit:
«Ce qui est permis le jour du sabbat, est-ce de faire le bien[i] ou de faire le
mal? de sauver un être vivant ou de le tuer?» Mais eux se taisaient.
5 Promenant sur eux un regard de colère, navré de l'endurcissement de
leur *cœur[j], il dit à cet homme: «Etends la main.» Il l'étendit et sa main
fut guérie. 6 Une fois sortis, les Pharisiens tinrent aussitôt conseil avec
les Hérodiens contre Jésus[k] sur les moyens de le faire périr[l].

Jésus et la foule

(Mt 4.25; 12.15-16; Lc 6.17-19)

7 Jésus se retira avec ses disciples au bord de la mer[m]. Une grande
multitude venue de la Galilée le suivit. Et de la Judée, 8 de Jérusalem,
de l'Idumée, d'au-delà du Jourdain, du pays de Tyr et Sidon, une
grande multitude vint à lui[n], à la nouvelle de tout ce qu'il faisait. 9 Il dit
à ses disciples de tenir une barque[o] prête pour lui à cause de la foule
qui risquait de l'écraser. 10 Car il en avait tant guéri que tous ceux qui
étaient frappés de quelque mal se jetaient sur lui pour le toucher[p].
11 Les esprits impurs, quand ils le voyaient, se jetaient à ses pieds et
criaient: «Tu es le Fils de Dieu[q].» 12 Et il leur commandait très sévère-
ment de ne pas le faire connaître[r].

Institution des Douze

(Mt 10.1-4; Lc 6.12-16)

13 Il monte dans la montagne et il appelle[s] ceux qu'il voulait. Ils

h 3.2 Jn 8.6. ***i 3.4*** *permis le jour du sabbat* Lc 14.3 ; Jn 5.10. — *faire du bien le jour du sabbat* Jn 5.16-17. ***j 3.5*** regard circulaire de Jésus 3.34 ; 5.32 ; 10.23 ; 11.11. — *endurcissement du cœur* Ex 7.13 ; Es 6.9-10 ; Mt 13.15 ; 19.8 ; Mc 6.52 ; 8.17 ; 10.5 ; 16.14 ; Lc 21.34 ; Jn 12.40 ; Ac 7.51 ; 28.27 ; Rm 2.5 ; 11.25 ; Ep 4.18 ; He 3.8, 10, 12, 15 ; 4.7. ***k 3.6*** *Hérodiens* (Mt 22.16 ; Mc 3.6 ; 12.13) : amis ou partisans d'*Hérode Antipas* (4 av. J.C.-39 ap. J.C.). Voir la note sur 1.14 et Mt 14.1 +. — conciliabule contre Jésus : Mt 12.14+. ***l 3.6*** Ou *afin de le faire périr.* ***m 3.7*** 2.13 ; 3.7-8 ; 4.1-2 ; 5.21 ; Lc 5.1-3 ; voir 1.16 et la note. ***n 3.8*** *L'Idumée*, au sud de la Judée, comprenait la ville d'Hébron ; *Tyr et Sidon* : villes phéniciennes du Nord, sur la côte méditerranéenne. — afflux des foules à Jésus Mt 4.25 ; 8.1 ; 12.15 ; 14.13 ; Mc 1.32, 45 ; 2.1, 13 ; 3.7-8, 20 ; 4.1 ; 5.21 ; 6.31, 34, 54 ; 8.1 ; Lc 6.17-19. ***o 3.9*** 4.1 par. ; Lc 5.3. ***p 3.10*** 5.28+. ***q 3.11*** *esprits impurs* : voir 1.23 et la note. — *Fils de Dieu* Mt 14.33+ ; Mc 1.1+. — les démons identifient Jésus 5.7. ***r 3.12*** 1.25+. ***s 3.13*** Jésus *sur la montagne* 6.46 ; 9.2. — l'*appel* à devenir disciple 1.17 ; 2.14 ; Mt 4.19+.

vinrent à lui 14 et il en établit douze pour être avec lui et pour les
envoyer prêcher[t] 15 avec pouvoir de chasser les *démons[u]. 16 Il établit
les Douze: Pierre — c'est le surnom qu'il a donné à Simon[v] —,
17 Jacques, le fils de Zébédée et Jean, le frère de Jacques — et il leur
donna le surnom de Boanerguès, c'est-à-dire fils du tonnerre[w] —,
18 André, Philippe, Barthélemy, Matthieu, Thomas, Jacques, le fils
d'Alphée, Thaddée et Simon le zélote[x], 19 et Judas Iscarioth[y], celui-là
même qui le livra.

Jésus et Béelzéboul

(Mt 12.24-32; Lc 11.15-23; 12.10)

20 Jésus vient à la maison, et de nouveau la foule se rassemble[z], à tel
point qu'ils ne pouvaient même pas prendre leur repas. 21 A cette nou-
velle, les gens de sa parenté vinrent pour s'emparer de lui. Car ils
disaient: «Il a perdu la tête[a].»

22 Et les *scribes qui étaient descendus de Jérusalem disaient: «Il a
Béelzéboul en lui[b]» et: «C'est par le chef des démons qu'il chasse les
démons.» 23 Il les fit venir et il leur disait en *paraboles: «Comment
*Satan[c] peut-il expulser Satan? 24 Si un royaume est divisé contre lui-
même, ce royaume ne peut se maintenir. 25 Si une famille est divisée
contre elle-même, cette famille ne pourra pas tenir. 26 Et si Satan s'est
dressé contre lui-même et s'il est divisé, il ne peut pas tenir, c'en est
fini de lui. 27 Mais personne ne peut entrer dans la maison de l'homme
fort[d] et piller ses biens, s'il n'a d'abord ligoté l'homme fort; alors il pil-
lera sa maison. 28 En vérité, je vous déclare que tout sera pardonné aux
fils des hommes, les péchés et les *blasphèmes[e] aussi nombreux qu'ils
en auront proférés. 29 Mais si quelqu'un blasphème contre l'Esprit
Saint, il reste sans pardon à jamais: il est coupable de péché pour tou-
jours.» 30 Cela parce qu'ils disaient: «Il a un esprit impur[f].»

t* *3.14 *être avec Jésus* 5.18. — *envoyer* Mt 10.5+. — *prêcher* Mt 3.1+ ; Mc 1.4+. ***u 3.15*** Mt 7.22 ; 8.16 par., 31 ; 9.32-34 par. ; 10.8 ; 12.24 ; 17.18 ; Mc 1.39 ; 6.13 ; 7.26 ; 9.38 ; 16.9, 17 ; Lc 4.35 ; 9.1 ; 13.32. ***v 3.16*** *les Douze* Mt 10.2+. — *Simon surnommé Pierre* Mt 16.16-18 ; Jn 1.42. ***w 3.17*** Lc 9.54. — Sur l'emploi particulier de l'expression *fils de*, voir 1 Th 5.5 et la note. ***x 3.18*** Lc 6.15. Les *zélotes* formaient un parti religieux qui préconisait la violence contre les ennemis intérieurs et extérieurs du peuple d'Israël. ***y 3.19*** Mt 10.4+. L'interprétation de ce surnom est discutée. En Jn 6.71 ; 13.26, c'est le surnom du père de Judas. ***z 3.20*** *à la maison* : voir 2.1 et la note. — afflux de la foule 3.8+. ***a 3.21*** Jn 10.20. ***b 3.22*** *Béelzéboul* : un nom du prince des démons. Voir 2 R 1.2-16 ; Mt 10.25+. — Jésus accusé d'être possédé Mt 9.34 par. ; 10.25 ; 12.24 ; Jn 7.20 ; 8.48-52 ; 10.20-21. ***c 3.23*** *parabole* 4.11 ; 7.17. — *Satan* 1.13+. ***d 3.27*** Es 49.24-25 ; 53.12 ; Mc 1.7. ***e 3.28*** *tout sera pardonné* 1 Tm 1.13. — *blasphème* Mt 9.3+ ; Mc 2.7 par. ***f 3.30*** Jésus accusé d'être possédé 3.22+.

La vraie parenté de Jésus

(Mt 12.46-50; Lc 8.19-21)

31 Arrivent sa mère et ses frères[g]. Restant dehors, ils le firent appeler. 32 La foule était assise autour de lui. On lui dit: «Voici que ta mère et tes frères sont dehors; ils te cherchent.» 33 Il leur répond: «Qui sont ma mère et mes frères?» 34 Et, parcourant du regard ceux qui étaient assis en cercle autour de lui, il dit: «Voici ma mère et mes frères. 35 Quiconque fait la volonté de Dieu[h], voilà mon frère, ma sœur, ma mère.»

Parabole du semeur

(Mt 13.1-9; Lc 8.4-8)

4 1 De nouveau, Jésus se mit à enseigner au bord de la mer. Une foule se rassemble près de lui, si nombreuse qu'il monte s'asseoir dans une barque, sur la mer. Toute la foule était à terre face à la mer[i]. 2 Et il leur enseignait beaucoup de choses en *paraboles[j]. Il leur disait dans son enseignement: 3 «Ecoutez. Voici que le semeur est sorti pour semer. 4 Or, comme il semait, du grain est tombé au bord du chemin; les oiseaux sont venus et ont tout mangé. 5 Il en est aussi tombé dans un endroit pierreux, où il n'y avait pas beaucoup de terre; il a aussitôt levé parce qu'il n'avait pas de terre en profondeur; 6 quand le soleil fut monté, il a été brûlé et, faute de racines, il a séché. 7 Il en est aussi tombé dans les épines; les épines ont monté, elles l'ont étouffé, et il n'a pas donné de fruit. 8 D'autres grains sont tombés dans la bonne terre et, montant et se développant, ils donnaient du fruit, et ils ont rapporté trente pour un, soixante pour un, cent pour un.» 9 Et Jésus disait: «Qui a des oreilles pour entendre, qu'il entende[k]!»

Le pourquoi des paraboles

(Mt 13.10-15; Lc 8.9-10)

10 Quand Jésus fut à l'écart, ceux qui l'entouraient avec les Douze se mirent à l'interroger[l] sur les *paraboles. 11 Et il leur disait: «A vous, le *mystère du *Règne de Dieu est donné, mais pour ceux du dehors[m] tout devient énigme

g 3.31 Mt 13.55-56 ; Mc 6.3 ; Jn 2.12 ; Ac 1.14. ***h 3.35*** Mt 6.10+. ***i 4.1*** *au bord de la mer* : voir 1.16 et la note. — avec la foule au bord de la mer 2.13 ; 3.7-9 ; 4.1-2 ; 5.21 ; Lc 5.1-3. ***j 4.2*** Mt 13.34 ; Mc 4.33-34. ***k 4.9*** Mt 11.15+ ; Mc 4.23 (7.16). ***l 4.10*** *ceux qui l'entouraient* 3.34. — *les Douze* Mt 10.2+ ; Mc 3.16. — explication demandée Mt 13.36 par. ; 15.15 ; Mc 7.17 ; 9.28 ; 10.10 ; 13.3. ***m 4.11*** *le mystère (du Règne de Dieu)* Dn 2.19, 22, 27-30 ; Ep 1.9 ; 3.3+ ; 6.19 ; Col 4.3. — *ceux du dehors* 1 Co 5.12-13 ; Col 4.5 ; 1 Th 4.12.

12 pour que, *tout en regardant, ils ne voient pas*
et que, *tout en entendant, ils ne comprennent pas*
de peur qu'ils ne se convertissent et qu'il leur soit pardonné[n].»
13 Et il leur dit: «Vous ne comprenez pas[o] cette parabole! Alors com-
ment comprendrez-vous toutes les paraboles?

Explication de la parabole du semeur

(Mt 13.18-23; Lc 8.11-15)

14 «"Le semeur" sème la Parole. 15 Voilà ceux qui sont "au bord du
chemin" où la Parole est semée: quand ils ont entendu, Satan[p] vient
aussitôt et il enlève la Parole qui a été semée en eux. 16 De même, voilà
ceux qui sont ensemencés "dans des endroits pierreux": ceux-là,
quand ils entendent la Parole, la reçoivent aussitôt avec joie; 17 mais ils
n'ont pas en eux de racines, ils sont les hommes d'un moment; et dès
que vient la détresse ou la persécution à cause de la Parole, ils tom-
bent[q]. 18 D'autres sont ensemencés "dans les épines": ce sont ceux
qui ont entendu la Parole, 19 mais les soucis du monde, la séduction
des richesses[r] et les autres convoitises s'introduisent et étouffent la
Parole, qui reste sans fruit. 20 Et voici ceux qui ont été ensemencés
"dans la bonne terre": ceux-là entendent la Parole, ils l'accueillent et
portent du fruit, "trente pour un, soixante pour un, cent pour un".»

La lampe et la mesure

(Mt 5.15; 10.26; Lc 8.16-18; 11.33; 6.38)

21 Il leur disait: «Est-ce que la lampe arrive pour être mise sous le
boisseau[s] ou sous le lit? n'est-ce pas pour être mise sur son support?
22 Car il n'y a rien de secret qui ne doive être mis au jour, et rien n'a
été caché qui ne doive venir au grand jour[t]. 23 Si quelqu'un a des
oreilles pour entendre, qu'il entende[u]!» 24 Il leur disait: «Faites atten-
tion à ce que vous entendez. C'est la mesure dont vous vous servez qui
servira de mesure pour vous[v], et il vous sera donné plus encore. 25 Car
à celui qui a, il sera donné; et à celui qui n'a pas, même ce qu'il a lui
sera retiré[w].»

La semence qui pousse d'elle-même

26 Il disait: «Il en est du *Royaume de Dieu comme d'un homme qui

***n* 4.12** Es 6.9-10 (Jn 12.40; Ac 28.26-27). ***o* 4.13** 6.52; 7.18; 8.17, 18, 21, 33; 9.10, 32; 10.38. ***p* 4.15** 1.13+. ***q* 4.17** Mt 5.29+; Mc 14.27. ***r* 4.19** Mt 13.22 par.+; 19.23; Lc 12.15-21. ***s* 4.21** *boisseau*: une mesure pour les grains, d'environ 9 litres. ***t* 4.22** Lc 12.2. ***u* 4.23** Mt 11.15+; Mc 4.9. ***v* 4.24** Mt 7.2. ***w* 4.25** Mt 13.12+.

jette la semence en terre: 27 qu'il dorme ou qu'il soit debout, la nuit et
le jour, la semence germe[x] et grandit, il ne sait comment. 28 D'elle-
même la terre produit d'abord l'herbe, puis l'épi, enfin du blé plein
l'épi. 29 Et dès que le blé est mûr, on y met la faucille[y], car c'est le
temps de la moisson.»

La graine de moutarde
(Mt 13.31-32; Lc 13.18-19)

30 Il disait: «A quoi allons-nous comparer le *Royaume de Dieu, ou
par quelle *parabole allons-nous le représenter? 31 C'est comme une
graine de moutarde[z]: quand on la sème en terre, elle est la plus petite
de toutes les semences du monde; 32 mais quand on l'a semée, elle
monte et devient plus grande que toutes les plantes potagères, et elle
pousse de grandes branches, si bien que les oiseaux du ciel peuvent
faire leurs nids à son ombre[a].»

L'enseignement en paraboles
(Mt 13.34-35)

33 Par de nombreuses *paraboles de ce genre, il leur annonçait la
Parole, dans la mesure où ils étaient capables de l'entendre. 34 Il ne
leur parlait pas sans parabole, mais, en particulier, il expliquait tout à
ses disciples.

La tempête apaisée
(Mt 8.18,23-27; Lc 8.22-25)

35 Ce jour-là, le soir venu, Jésus leur dit: «Passons sur l'autre rive.»
36 Quittant la foule, ils emmènent Jésus dans la barque où il se trouvait,
et il y avait d'autres barques avec lui. 37 Survient un grand tourbillon de
vent. Les vagues se jetaient sur la barque, au point que déjà la barque
se remplissait. 38 Et lui, à l'arrière, sur le coussin, dormait. Ils le réveil-
lent et lui disent: «Maître, cela ne te fait rien que nous périssions?»
39 Réveillé, il menaça[b] le vent et dit à la mer: «Silence! Tais-toi!» Le
vent tomba, et il se fit un grand calme. 40 Jésus leur dit: «Pourquoi
avez-vous si peur? Vous n'avez pas encore de foi[c]?» 41 Ils furent saisis
d'une grande crainte, et ils se disaient entre eux: «Qui donc est-il,
pour que même le vent et la mer lui obéissent[d]?»

***x* 4.27** Jc 5.7. ***y* 4.29** Jl 4.13; Ap 14.15. ***z* 4.31** *graine de moutarde* Mt 17.20; Lc 17.6. ***a* 4.32** Ez 17.23; 31.6; Dn 4.9, 11, 18. ***b* 4.39** 1.25; 9.25; Lc 4.39. ***c* 4.40** Autre texte: *comment se fait-il que vous n'ayez pas de foi?* ***d* 4.41** la mer dominée Ps 65.8; 77.17; 89.10; 107.23-32. — étonnement devant l'autorité de Jésus Mc 1.27.

Guérison d'un démoniaque dans la Décapole

(Mt 8.28-34; Lc 8.26-39)

5 1 Ils arrivèrent de l'autre côté de la mer, au pays des Géraséniens[e].
2 Comme il descendait de la barque, un homme possédé d'un
esprit impur vint aussitôt à sa rencontre, sortant des tombeaux[f]. 3 Il
habitait dans les tombeaux et personne ne pouvait plus le lier, même
avec une chaîne. 4 Car il avait été souvent lié avec des entraves et des
chaînes, mais il avait rompu les chaînes et brisé les entraves, et per-
sonne n'avait la force de le maîtriser. 5 Nuit et jour, il était sans cesse
dans les tombeaux et les montagnes, poussant des cris et se déchirant
avec des pierres. 6 Voyant Jésus de loin, il courut et se prosterna
devant lui. 7 D'une voix forte il crie: «Que me veux-tu, Jésus, Fils du
Dieu Très-Haut? Je t'adjure[g] par Dieu, ne me tourmente pas.» 8 Car
Jésus lui disait: «Sors de cet homme, esprit impur!» 9 Il l'interrogeait:
«Quel est ton nom?» Il lui répond: «Mon nom est Légion, car nous
sommes nombreux[h].» 10 Et il le suppliait avec insistance de ne pas les
envoyer hors du pays. 11 Or il y avait là, du côté de la montagne, un
grand troupeau de porcs[i] en train de paître. 12 Les esprits impurs sup-
plièrent Jésus en disant: «Envoie-nous dans les porcs pour que nous
entrions en eux.» 13 Il le leur permit. Et ils sortirent, entrèrent dans les
porcs et le troupeau se précipita du haut de l'escarpement dans la
mer[j]; il y en avait environ deux mille et ils se noyaient dans la mer.
14 Ceux qui les gardaient prirent la fuite et rapportèrent la chose dans
la ville et dans les hameaux. Et les gens vinrent voir ce qui était arrivé.
15 Ils viennent auprès de Jésus et voient le démoniaque[k], assis, vêtu et
dans son bon sens, lui qui avait eu le démon Légion. Ils furent saisis de
crainte. 16 Ceux qui avaient vu leur racontèrent ce qui était arrivé au
démoniaque et à propos des porcs. 17 Et ils se mirent à supplier Jésus
de s'éloigner de leur territoire. 18 Comme il montait dans la barque,
celui qui avait été démoniaque le suppliait, demandant à être avec lui[l].
19 Jésus ne le lui permit pas, mais il lui dit: «Va dans ta maison[m] auprès
des tiens et rapporte-leur tout ce que le Seigneur a fait pour toi dans sa

e 5.1 Marc semble désigner ici la région située à l'est du lac de Gennésareth. ***f 5.2*** *un homme possédé* Mc 1.23 et la note. – tombeaux et impureté Es 65.4. – *tombeaux* : aménagés le plus souvent dans des grottes naturelles ou creusés dans le roc. ***g 5.7*** *Que me veux-tu ?* Mt 8.29+. – *Fils de Dieu* Mt 14.33+ ; Mc 1.1+ ; voir 1.24 ; 3.11 ; *Fils du Très Haut* Lc 1.32+ ; 6.35. – *je t'adjure* Mt 26.63. ***h 5.9*** *Légion* : nom des grandes unités de l'armée romaine (6 000 hommes). – plusieurs démons Mt 12.45 ; Lc 8.2, 27 ; 11.26. ***i 5.11*** Selon Lv 11.7 ; Dt 14.8, le *porc* était tenu par les Juifs pour *impur* et interdit à la consommation. Le détail indique qu'on est en pays païen. ***j 5.13*** Voir 1.16 et la note. ***k 5.15*** Voir 1.32 et la note. ***l 5.18*** 3.14. ***m 5.19*** Mt 9.6 ; Mc 8.26 ; Lc 5.24 ; 8.39.

miséricorde.» 20 L'homme s'en alla et se mit à proclamer dans la Décapole[n] tout ce que Jésus avait fait pour lui. Et tous étaient dans l'étonnement.

Guérison d'une femme. La fille de Jaïros rappelée à la vie

(Mt 9.18-26; Lc 8.40-56)

21 Quand Jésus eut regagné en barque l'autre rive, une grande foule
s'assembla près de lui. Il était au bord de la mer. 22 Arrive l'un des
chefs de la *synagogue, nommé Jaïros: voyant Jésus, il tombe à ses
pieds 23 et le supplie avec insistance en disant: «Ma petite fille est près
de mourir; viens lui *imposer les mains[o] pour qu'elle soit sauvée et
qu'elle vive.» 24 Jésus s'en alla avec lui; une foule nombreuse le suivait
et l'écrasait. 25 Une femme, qui souffrait d'hémorragies depuis douze
ans 26 — elle avait beaucoup souffert du fait de nombreux médecins et
avait dépensé tout ce qu'elle possédait sans aucune amélioration; au
contraire, son état avait plutôt empiré —, 27 cette femme, donc, avait
appris ce qu'on disait de Jésus. Elle vint par derrière dans la foule et
toucha son vêtement[p]. 28 Elle se disait: «Si j'arrive à toucher au moins
ses vêtements, je serai sauvée[q].» 29 A l'instant, sa perte de sang
s'arrêta et elle ressentit en son corps qu'elle était guérie de son mal.
30 Aussitôt Jésus s'aperçut qu'une force[r] était sortie de lui. Il se
retourna au milieu de la foule et il disait: «Qui a touché mes vêtements?» 31 Ses disciples lui disaient: «Tu vois la foule qui te presse et
tu demandes: "Qui m'a touché?"» 32 Mais il regardait autour de lui
pour voir celle qui avait fait cela. 33 Alors la femme, craintive et tremblante, sachant ce qui lui était arrivé, vint se jeter à ses pieds et lui dit
toute la vérité. 34 Mais il lui dit: «Ma fille, ta foi t'a sauvée; va en paix[s]
et sois guérie de ton mal.» 35 Il parlait encore quand arrivent, de chez
le chef de la synagogue, des gens qui disent: «Ta fille est morte; pourquoi ennuyer encore le Maître[t]?» 36 Mais, sans tenir compte de ces
paroles, Jésus dit au chef de la synagogue: «Sois sans crainte[u], crois
seulement.» 37 Et il ne laissa personne l'accompagner, sauf Pierre, Jacques et Jean[v], le frère de Jacques. 38 Ils arrivent à la maison du chef de

n 5.20 Groupe autonome de dix villes situées au S.E. du lac de Gennésareth. — *proclamer* Mt 3.1+; Mc 1.4+. ***o 5.23*** Mt 9.18+; Lc 4.40; Ac 9.12, 17; 28.8. ***p 5.27*** Mt 14.36; Mc 6.56. ***q 5.28*** un contact qui guérit Mt 14.36; Mc 3.10; 6.56; Lc 6.19; Ac 5.15; 19.11-12. ***r 5.30*** Lc 6.19. ***s 5.34*** *ta foi t'a sauvée* 10.52 par.; Lc 7.50; 17.19; voir Mt 9.22+. — *va en paix* 1 S 1.17; 20.42; 2 S 15.9; 2 R 5.19; Lc 7.50; Ac 16.36; Jc 2.16. ***t 5.35*** des limites au pouvoir de Jésus? Jn 11.21, 32. ***u 5.36*** 16.6+. ***v 5.37*** Mt 17.1 par.+; Mc 1.29; 9.2; 14.33.

la synagogue. Jésus voit de l'agitation, des gens qui pleurent et poussent de grands cris. 39 Il entre et leur dit : « Pourquoi cette agitation et ces pleurs ? L'enfant n'est pas morte, elle dort[w]. » 40 Et ils se moquaient de lui. Mais il met tout le monde dehors et prend avec lui le père et la mère de l'enfant et ceux qui l'avaient accompagné. Il entre là où se trouvait l'enfant, 41 il prend la main de l'enfant et lui dit : « Talitha qoum », ce qui veut dire : « Fillette, je te le dis, réveille-toi[x] ! » 42 Aussitôt la fillette se leva et se mit à marcher, — car elle avait douze ans. Sur le coup, ils furent tout bouleversés. 43 Et Jésus leur fit de vives recommandations pour que personne ne le sache[y], et il leur dit de donner à manger à la fillette.

Jésus à Nazareth

(Mt 13.54-58 ; Lc 4.16,22,24)

6 1 Jésus partit de là. Il vient dans sa patrie et ses disciples le suivent. 2 Le jour du *sabbat, il se mit à enseigner dans la *synagogue. Frappés d'étonnement, de nombreux auditeurs disaient : « D'où cela lui vient-il ? Et quelle est cette sagesse[z] qui lui a été donnée, si bien que même des miracles se font par ses mains ? 3 N'est-ce pas le charpentier, le fils de Marie et le frère de Jacques, de Josès, de Jude et de Simon ? et ses sœurs ne sont-elles pas ici, chez nous ? » Et il était pour eux une occasion de chute[a]. 4 Jésus leur disait : « Un *prophète n'est méprisé que dans sa patrie[b], parmi ses parents et dans sa maison. » 5 Et il ne pouvait faire là aucun miracle ; pourtant il guérit quelques malades en leur *imposant les mains[c]. 6 Et il s'étonnait de ce qu'ils ne croyaient pas.

Mission des Douze

(Mt 9.35 ; 10.1,5-14 ; Lc 9.1-6)

Il parcourait les villages des environs en enseignant. 7 Il fait venir les Douze. Et il commença à les envoyer deux par deux, leur donnant autorité sur les esprits impurs[d]. 8 Il leur ordonna de ne rien prendre pour la route, sauf un bâton : pas de pain, pas de sac, pas de monnaie dans la ceinture[e], 9 mais pour chaussures des sandales, « et ne mettez

w 5.39 la mort décrite comme un sommeil Mt 9.24+ ; 27.52 ; 1 Co 11.30 ; 15.6. ***x 5.41*** *Talitha qoum* : en araméen, langue parlée par les Juifs au temps de Jésus. — *réveiller*, faire lever Mt 9.25+. ***y 5.43*** Mt 8.4+. ***z 6.2*** *étonnement* 1.22+. — *quelle sagesse ?* Jn 7.15. ***a 6.3*** *le fils de Marie* Jn 6.42. — la mère et les frères de Jésus Mc 3.31+. — *occasion de chute* Mt 5.29+. ***b 6.4*** Lc 4.24 ; Jn 4.44. ***c 6.5*** guérison et foi Mc 2.5+. — Jésus *guérit* Mt 14.14 ; Mc 6.13. — *imposition des mains* Mt 9.18+ ; Mc 5.23+. ***d 6.7*** Voir 1.23 et la note. — *deux par deux* Lc 10.1. ***e 6.8*** recommandations aux envoyés Lc 10.4.

pas deux tuniques». 10 Il leur disait: «Si, quelque part, vous entrez
dans une maison, demeurez-y[f] jusqu'à ce que vous quittiez l'endroit.
11 Si une localité ne vous accueille pas et si l'on ne vous écoute pas, en
partant de là, secouez la poussière de vos pieds: ils auront là un témoi-
gnage[g].» 12 Ils partirent et ils proclamèrent qu'il fallait se convertir[h].
13 Ils chassaient beaucoup de *démons, ils faisaient des onctions
d'huile à beaucoup de malades et ils les guérissaient[i].

Hérode et Jésus

(Mt 14.1-2; Lc 9.7-9)

14 Le roi Hérode[j] entendit parler de Jésus, car son nom était devenu
célèbre. On disait: «Jean le Baptiste est ressuscité des morts; voilà
pourquoi le pouvoir de faire des miracles agit en lui.» 15 D'autres
disaient: «C'est Elie.» D'autres disaient: «C'est un *prophète sem-
blable à l'un de nos prophètes[k].» 16 Entendant ces propos, Hérode
disait: «Ce Jean que j'ai fait décapiter, c'est lui qui est ressuscité.»

Mort de Jean le Baptiste

(Mt 14.3-12; Lc 3.19-20)

17 En effet, Hérode avait fait arrêter Jean et l'avait enchaîné en
prison, à cause *d'Hérodiade, la femme de son frère Philippe[l], qu'il
avait épousée. 18 Car Jean disait à Hérode: «Il ne t'est pas permis de
garder la femme de ton frère[m].» 19 Aussi, Hérodiade le haïssait et vou-
lait le faire mourir, mais elle ne le pouvait pas, 20 car Hérode craignait
Jean, sachant que c'était un homme juste et *saint, et il le protégeait.
Quand il l'avait entendu, il restait fort perplexe; cependant il l'écou-
tait volontiers. 21 Mais un jour propice arriva lorsque Hérode, pour son
anniversaire, donna un banquet à ses dignitaires, à ses officiers et aux
notables de Galilée. 22 La fille de cette Hérodiade vint exécuter une
danse et elle plut à Hérode et à ses convives. Le roi dit à la jeune fille:
«Demande-moi ce que tu veux et je te le donnerai.» 23 Et il lui fit ce

f 6.10 Lc 10.7. ***g 6.11*** *secouez la poussière* : voir Lc 10.11 ; Ac 13.51 et 18.6 : c'est un geste de rupture. Il signifie que l'envoyé ne doit plus rien aux personnes visées, pas même la poussière de leur ville qui aurait pu rester attachée à ses chaussures. — *un témoignage* Mt 8.4 ; 10.18 ; Mc 1.44 ; 13.9 ; Lc 5.14. ***h 6.12*** Mt 3.2+. ***i 6.13*** *onctions d'huile* Jc 5.14. — *guérisons* Mt 14.14 ; Mc 6.5. ***j 6.14*** Il s'agit d'*Hérode Antipas.* Voir note sur Mc 1.14 et Mt 14.1+. ***k 6.15*** ceux à qui l'on comparait Jésus Mt 16.14 par. — *Elie* : voir Ml 3.23. Les Juifs contemporains de Jésus se référaient à ce texte pour attendre le retour du prophète *Elie* comme précurseur du Messie (Mt 11.14+ ; Mc 9.4). — Jésus comparé à un prophète Mt 16.14+ ; voir Mt 21.11+. ***l 6.17*** C'est-à-dire *Hérode Philippe* (qui vivait à Rome) ; à ne pas confondre avec Philippe le tétrarque, qui régnait à Césarée de Philippe (8.27). ***m 6.18*** union interdite Lv 18.16.

serment: «Tout ce que tu me demanderas, je te le donnerai[n], serait-ce
la moitié de mon royaume.» 24 Elle sortit et dit à sa mère: «Que vais-je
demander?» Celle-ci répondit: «La tête de Jean le Baptiste.» 25 En
toute hâte, elle rentra auprès du roi et lui demanda: «Je veux que tu
me donnes tout de suite sur un plat la tête de Jean le Baptiste.» 26 Le
roi devint triste, mais, à cause de son serment et des convives, il ne
voulut pas lui refuser. 27 Aussitôt le roi envoya un garde avec l'ordre
d'apporter la tête de Jean. Le garde alla le décapiter dans sa prison, 28 il
apporta la tête sur un plat, il la donna à la jeune fille, et la jeune fille la
donna à sa mère. 29 Quand ils l'eurent appris, les *disciples de Jean
vinrent prendre son cadavre et le déposèrent dans un tombeau[o].

Retour des apôtres. Jésus nourrit cinq mille hommes au désert

(Mt 14.13-21; Lc 9.10-17; Jn 6.1-15)

30 Les *apôtres se réunissent auprès de Jésus et ils lui rapportèrent
tout ce qu'ils avaient fait et tout ce qu'ils avaient enseigné[p]. 31 Il leur
dit: «Vous autres, venez à l'écart dans un lieu désert et reposez-vous
un peu.» Car il y avait beaucoup de monde qui venait et repartait, et
eux n'avaient pas même le temps de manger[q]. 32 Ils partirent en barque
vers un lieu désert, à l'écart. 33 Les gens les virent s'éloigner et beau-
coup les reconnurent. Alors, à pied, de toutes les villes, ils coururent à
cet endroit et arrivèrent avant eux. 34 En débarquant, Jésus vit une
grande foule. Il fut pris de pitié pour eux parce qu'ils étaient comme
des brebis qui n'ont pas de *berger[r], et il se mit à leur enseigner beau-
coup de choses. 35 Puis, comme il était déjà tard, ses disciples s'appro-
chèrent de lui pour lui dire: «L'endroit est désert et il est déjà tard.
36 Renvoie-les: qu'ils aillent dans les hameaux et les villages des envi-
rons s'acheter de quoi manger.» 37 Mais il leur répondit: «Donnez-leur
vous-mêmes à manger[s].» Ils lui disent: «Nous faut-il aller acheter pour
deux cents pièces d'argent de pains et leur donner à manger?» 38 Il
leur dit: «Combien avez-vous de pains? Allez voir!» Ayant vérifié, ils

n 6.23 Est 5.3, 6 ; 7.2. ***o 6.29*** *dans un tombeau* Mt 27.59-60 ; Lc 23.52-53 ; Jn 19.38, 41. ***p 6.30*** *les apôtres* Mt 10.2+ ; Lc 6.13 ; voir Mc 6.13-14. — retour de mission Lc 10.17. ***q 6.31*** 3.20. ***r 6.34*** *pitié de Jésus* pour la foule Mt 9.36+ ; Mc 8.2. — *comme des brebis sans berger* Mt 9.36+ ; Za 10.2 ; *Jdt* 11.19. — *bergers d'Israël* Nb 27.15-17 ; Ez 34.15, 23 ; 37.24 ; Ps 23.1 ; 77.21 ; 78.52-53, 70-72 ; 80.1. ***s 6.37*** les disciples poussés à l'action 3.14-15 ; 6.7, 12-13, 30.

disent: «Cinq, et deux poissons.» 39 Et il leur commanda d'installer
tout le monde par groupes sur l'herbe verte. 40 Ils s'étendirent par ran-
gées de cent et de cinquante. 41 Jésus prit les cinq pains et les deux
poissons, et levant son regard vers le ciel, il prononça la bénédiction,
rompit les pains et il les donnait aux disciples pour qu'ils les offrent
aux gens. Il partagea aussi les deux poissons entre tous. 42 Ils mangè-
rent tous et furent rassasiés[t]. 43 Et l'on emporta les morceaux, qui rem-
plissaient douze paniers[u], et aussi ce qui restait des poissons. 44 Ceux
qui avaient mangé les pains étaient cinq mille hommes[v].

Jésus marche sur la mer

(Mt 14.22-33; Jn 6.16-21)

45 Aussitôt, Jésus obligea ses disciples à remonter dans la barque et à
le précéder sur l'autre rive, vers Bethsaïda, pendant que lui-même ren-
voyait la foule. 46 Après l'avoir congédiée, il partit dans la montagne
pour prier[w]. 47 Le soir venu, la barque était au milieu de la mer[x], et lui,
seul, à terre. 48 Voyant qu'ils se battaient à ramer contre le vent qui
leur était contraire, vers la fin de la nuit, il vient vers eux en marchant
sur la mer[y], et il allait les dépasser. 49 En le voyant marcher sur la mer,
ils crurent que c'était un fantôme[z] et ils poussèrent des cris. 50 Car ils
le virent tous et ils furent affolés. Mais lui aussitôt leur parla; il leur
dit: «Confiance, c'est moi, n'ayez pas peur[a].» 51 Il monta auprès d'eux
dans la barque, et le vent tomba[b]. Ils étaient extrêmement boule-
versés. 52 En effet, ils n'avaient rien compris à l'affaire des pains, leur
*cœur était endurci[c].

Guérisons à Gennésareth

(Mt 14.34-36)

53 Après la traversée, ils touchèrent terre à Gennésareth[d] et ils abor-
dèrent. 54 Dès qu'ils eurent débarqué, les gens reconnurent Jésus; 55 ils
parcoururent tout le pays et se mirent à apporter les malades sur des
brancards là où l'on apprenait qu'il était[e]. 56 Partout où il entrait, vil-

***t* 6.42** nourriture au désert Ex 16 ; Dt 8.3, 16 ; Ps 78.24-25, 29 ; 105.40 ; *Sg* 16.20-26 ; 1 Co 10.3. — *rassasiés* (le banquet messianique) Es 25.6-8 ; 55.1-2 ; voir Mt 8.11 ; 22.1-4. ***u* 6.43** Il s'agit de paniers d'osier rigides dans lesquels les Juifs transportaient leurs provisions. ***v* 6.44** Jésus rassasie une foule Mt 15.32-38 ; Mc 8.1-9. ***w* 6.46** Jésus s'isole *pour prier* 1.35 ; Lc 3.21+ ; voir Mt 14.23+ ; Jn 6.15. — *dans la montagne* Mc 3.13 ; 6.46 ; 9.2. ***x* 6.47** Voir Mc 1.16 et la note. ***y* 6.48** Jb 9.8 ; Ps 77.20 ; voir Mc 4.41. ***z* 6.49** Lc 24.37. ***a* 6.50** *C'est moi* Ex 3.14 ; Dt 32.39 ; Es 41.4 ; 43.10, 13 ; voir Jn 8.24, 28, 58. — *n'ayez pas peur* Mc 16.6+. ***b* 6.51** 4.39. ***c* 6.52** 3.5+ ; voir 4.13 ; 8.17. ***d* 6.53** Plaine fertile au S.O. de Capharnaüm. ***e* 6.55** 1.32+ ; voir 3.8+.

lages, villes ou hameaux, on mettait les malades sur les places; on le
suppliait de les laisser toucher seulement la frange de son vêtement[f];
et ceux qui le touchaient étaient tous sauvés.

Discussions avec les Pharisiens sur les traditions
(Mt 15.1-20)

7 1 Les *Pharisiens et quelques scribes venus de Jérusalem se ras-
semblent auprès de Jésus. 2 Ils voient que certains de ses disciples
prennent leurs repas avec des mains *impures, c'est-à-dire sans les
avoir lavées[g]. 3 En effet, les Pharisiens, comme tous les Juifs, ne man-
gent pas sans s'être lavé soigneusement les mains, par attachement à
la tradition des anciens[h]; 4 en revenant du marché, ils ne mangent pas
sans avoir fait des ablutions; et il y a beaucoup d'autres pratiques tra-
ditionnelles auxquelles ils sont attachés: lavages rituels des coupes,
des cruches et des plats[i]. 5 Les Pharisiens et les scribes demandent
donc à Jésus: «Pourquoi tes disciples ne se conduisent-ils pas confor-
mément à la tradition des anciens, mais prennent-ils leur repas avec
des mains impures?» 6 Il leur dit: «Esaïe a bien prophétisé à votre
sujet, hypocrites, car il est écrit:

Ce peuple m'honore des lèvres,
*mais son *cœur est loin de moi;*
7 *c'est en vain qu'ils me rendent un culte*
car les doctrines qu'ils enseignent ne sont que préceptes d'hom-
mes[j].

8 Vous laissez de côté le commandement de Dieu et vous vous atta-
chez à la tradition des hommes.» 9 Il leur disait: «Vous repoussez bel
et bien le commandement de Dieu pour garder votre tradition. 10 Car
Moïse a dit: "Honore ton père et ta mère", et encore: "Celui qui
insulte père ou mère, qu'il soit puni de mort[k]." 11 Mais vous, vous
dites: "Si quelqu'un dit à son père ou à sa mère: le secours que tu
devais recevoir de moi est *qorban*[l], c'est-à-dire offrande sacrée..."
12 vous lui permettez de ne plus rien faire pour son père ou pour sa

f 6.56 Les Juifs pieux portaient une *frange* à leur vêtement (Nb 15.38-41), munie d'un fil pourpre rappelant les commandements de Dieu. Ce détail explique la vénération dont cette frange était l'objet. (Mt 9.20 et la note ; Lc 8.44). ***g 7.2*** Il ne s'agit pas d'hygiène mais d'une observance rituelle. — ablutions rituelles non observées Lc 11.38. ***h 7.3*** Ensemble de commentaires de la Loi de Moïse, transmis oralement dans les écoles rabbiniques ; ils ont été fixés plus tard dans la Mishna, puis dans le Talmud. ***i 7.4*** Mt 23.25 ; Lc 11.39. ***j 7.7*** Es 29.13 (grec). ***k 7.10*** Cinquième commandement : Ex 20.12 ; Dt 5.16 (Mt 15.4+). — *qui insulte père ou mère* Ex 21.17 ; Lv 20.9. ***l 7.11*** mot araméen.

mère: 13 vous annulez ainsi la parole de Dieu par la tradition que vous
transmettez. Et vous faites beaucoup de choses du même genre.»
14 Puis, appelant de nouveau la foule, il leur disait: «Ecoutez-moi tous
et comprenez. 15 Il n'y a rien d'extérieur à l'homme qui puisse le
rendre impur en pénétrant en lui, mais ce qui sort de l'homme, voilà
ce qui rend l'homme impur.» [16[m]] 17 Lorsqu'il fut entré dans la maison,
loin de la foule, ses disciples l'interrogeaient[n] sur cette parole énigma-
tique. 18 Il leur dit: «Vous aussi, êtes vous donc sans intelligence? Ne
savez-vous pas que rien de ce qui pénètre de l'extérieur dans l'homme
ne peut le rendre impur, 19 puisque cela ne pénètre pas dans son cœur,
mais dans son ventre, puis s'en va dans la fosse?» Il déclarait ainsi que
tous les aliments sont *purs[o]. 20 Il disait: «Ce qui sort de l'homme,
c'est cela qui rend l'homme impur. 21 En effet, c'est de l'intérieur, c'est
du cœur des hommes que sortent les intentions mauvaises, incon-
duite, vols, meurtres, 22 adultères, cupidité, perversités, ruse,
débauche, envie, injures, vanité, déraison[p]. 23 Tout ce mal sort de
l'intérieur et rend l'homme impur.»

La foi d'une Syro-phénicienne

(Mt 15.21-28)

24 Parti de là, Jésus se rendit dans le territoire de Tyr[q]. Il entra dans
une maison et il ne voulait pas qu'on le sache, mais il ne put rester
ignoré. 25 Tout de suite, une femme dont la fille avait un esprit impur[r]
entendit parler de lui et vint se jeter à ses pieds. 26 Cette femme était
païenne, syro-phénicienne[s] de naissance. Elle demandait à Jésus de
chasser le *démon hors de sa fille. 27 Jésus lui disait: «Laisse d'abord
les enfants se rassasier, car ce n'est pas bien de prendre le pain des
enfants pour le jeter aux petits chiens.» 28 Elle lui répondit: «C'est
vrai, Seigneur, mais les petits chiens, sous la table, mangent des
miettes des enfants.» 29 Il lui dit: «A cause de cette parole, va, le
démon est sorti de ta fille.» 30 Elle retourna chez elle et trouva l'enfant
étendue sur le lit: le démon l'avait quittée.

Guérison d'un sourd-muet

31 Jésus quitta le territoire de Tyr et revint par Sidon vers la mer de
Galilée en traversant le territoire de la Décapole[t]. 32 On lui amène un

m 7.16 Quelques manuscrits ajoutent ici : *Si quelqu'un a des oreilles pour entendre, qu'il entende* (mots empruntés à 4.9 ; voir aussi 4.23). ***n 7.17*** Mt 13.26 ; Mc 4.10 ; Lc 8.9. ***o 7.19*** Ac 10.9-16 ; Tt 1.15. ***p 7.22*** catalogue des dérèglements Mt 15.19+. ***q 7.24*** Voir 3.8 et la note. ***r 7.25*** Voir 1.23 et la note. ***s 7.26*** Cette femme appartient à l'ancienne population de Phénicie, dans la province romaine de Syrie. Voir aussi Mt 15.22 et la note. ***t 7.31*** Voir 5.20 et la note.

sourd qui, de plus, parlait difficilement et on le supplie de lui *imposer la main[u]. 33 Le prenant loin de la foule, à l'écart, Jésus lui mit les doigts dans les oreilles, cracha et lui toucha la langue[v]. 34 Puis, levant son regard vers le ciel, il soupira. Et il lui dit: «Ephphata[w]», c'est-à-dire: «Ouvre-toi.» 35 Aussitôt ses oreilles s'ouvrirent, sa langue se délia, et il parlait correctement. 36 Jésus leur recommanda de n'en parler à personne: mais plus il le leur recommandait, plus ceux-ci le proclamaient[x]. 37 Ils étaient très impressionnés et ils disaient: «Il a bien fait toutes choses; il fait entendre les sourds et parler les muets[y].»

Jésus nourrit quatre mille hommes

(Mt 15.32-39; voir Mc 6.30-44 par.)

8 1 En ces jours-là, comme il y avait de nouveau une grande foule et qu'elle n'avait pas de quoi manger, Jésus appelle ses disciples et leur dit: 2 «J'ai pitié de cette foule, car voilà déjà trois jours qu'ils restent auprès de moi et ils n'ont pas de quoi manger. 3 Si je les renvoie chez eux à jeun, ils vont défaillir en chemin, et il y en a qui sont venus de loin.» 4 Ses disciples lui répondirent: «Où trouver de quoi les rassasier de pains, ici dans un désert?» 5 Il leur demandait: «Combien avez-vous de pains?» — «Sept», dirent-ils. 6 Et il ordonne à la foule de s'étendre par terre. Puis il prit les sept pains et, après avoir rendu grâce, il les rompit et il les donnait à ses disciples pour qu'ils les offrent. Et ils les offrirent à la foule. 7 Ils avaient aussi quelques petits poissons. Jésus prononça sur eux la bénédiction et dit de les offrir également. 8 Ils mangèrent et furent rassasiés. Et l'on emporta les morceaux qui restaient: sept corbeilles; 9 or ils étaient environ quatre mille[z]. Puis Jésus les renvoya; 10 et aussitôt il monta dans la barque avec ses disciples et se rendit dans la région de Dalmanoutha[a].

Le signe refusé aux Pharisiens

(Mt 12.38-39; 16.1-4; Lc 11.16-29; 12.54-56)

11 Les *Pharisiens vinrent et se mirent à discuter avec Jésus; pour lui tendre un piège, ils lui demandent un *signe qui vienne du *ciel[b]. 12 Poussant un profond soupir, Jésus dit: «Pourquoi cette génération

u 7.32 Mt 9.18+ ; Mc 5.23+. ***v 7.33*** gestes opérés par Jésus 8.23. ***w 7.34*** En araméen. — *le regard vers le ciel* Mt 14.19 ; Mc 6.41. ***x 7.36*** Jésus impose le secret 1.25+. — recommandation sans effet 1.45. ***y 7.37*** Es 35.5-6 (Mt 11.5 par.). ***z 8.9*** Jésus rassasie une foule Mt 14.14-21 ; Mc 6.35-44 ; Lc 9.12-17 ; Jn 6.5-13. ***a 8.10*** Localité inconnue. ***b 8.11*** *piège tendu à Jésus* Mt 16.1+. — *un signe venant du ciel* Es 7.10-14 ; Mt 12.38 ; 16.1 ; Lc 11.16 ; Jn 6.30 ; 1 Co 1.22 ; voir Dt 18.20-22.

demande-t-elle un signe? En vérité, je vous le déclare, il ne sera pas donné de signe à cette génération[c].» 13 Et les quittant, il remonta dans la barque et il partit pour l'autre rive.

L'inintelligence des disciples

(Mt 16.5-12; Lc 12.1)

14 Les disciples avaient oublié de prendre des pains et n'en avaient qu'un seul avec eux dans la barque. 15 Jésus leur faisait cette recommandation: «Attention! prenez garde au *levain des *Pharisiens[d] et à celui *d'Hérode.» 16 Ils se mirent à discuter entre eux parce qu'ils n'avaient pas de pains. 17 Jésus s'en aperçoit et leur dit: «Pourquoi discutez-vous parce que vous n'avez pas de pains? Vous ne saisissez pas encore et vous ne comprenez pas? Avez-vous le *cœur endurci[e]? 18 *Vous avez des yeux: ne voyez-vous pas? Vous avez des oreilles: n'entendez-vous pas*[f]? Ne vous rappelez-vous pas, 19 quand j'ai rompu les cinq pains pour les cinq mille hommes[g], combien de paniers pleins de morceaux vous avez emportés?» Ils disent: «Douze.» 20 «Et quand j'ai rompu les sept pains pour les quatre mille hommes[h], combien de corbeilles pleines de morceaux avez-vous emportées?» Ils disent: «Sept.» 21 Et il leur disait: «Ne comprenez-vous pas encore?»

Guérison d'un aveugle

22 Ils arrivent à Bethsaïda; on lui amène un aveugle[i] et on le supplie de le toucher. 23 Prenant l'aveugle par la main, il le conduisit hors du village. Il mit de la salive sur ses yeux[j], lui *imposa les mains et il lui demandait: «Vois-tu quelque chose?» 24 Ayant ouvert les yeux, il disait: «J'aperçois les gens, je les vois comme des arbres, mais ils marchent.» 25 Puis, Jésus lui posa de nouveau les mains sur les yeux et l'homme vit clair; il était guéri et voyait tout distinctement. 26 Jésus le renvoya chez lui en disant: «N'entre même pas dans le village.»

Pierre reconnaît en Jésus le Messie

(Mt 16.13-20; Lc 9.18-21)

27 Jésus s'en alla avec ses disciples vers les villages voisins de

c 8.12 *cette génération* Mt 11.16 ; 12.41-42 ; Mc 13.30 par. ; Lc 7.31 ; 11.29-32, 50-51 ; 17.25 ; He 3.10 ; voir Mt 12.39+. – signe refusé Mt 12.39+. **d 8.15** Lc 12.1 ; voir 1 Co 5.6-8 ; Ga 5.9. **e 8.17** inintelligence des disciples 4.13 ; 6.52 ; 7.18. – *cœur endurci* 3.5+. **f 8.18** Jr 5.21 ; Ez 12.2 ; Mc 4.12 ; Ac 28.26. **g 8.19** 6.35-44 par. **h 8.20** Mt 15.32-38 ; Mc 8.1-9. **i 8.22** 10.46-52. **j 8.23** gestes opérés par Jésus 7.32-33. – *salive sur les yeux* Jn 9.6.

Césarée de Philippe[k]. En chemin, il interrogeait ses disciples: «Qui
suis-je, au dire des hommes?» 28 Ils lui dirent: «Jean le Baptiste; pour
d'autres, Elie; pour d'autres, l'un des *prophètes[l].» 29 Et lui leur
demandait: «Et vous, qui dites-vous que je suis?» Prenant la parole,
Pierre lui répond: «Tu es le *Christ[m].» 30 Et il leur commanda sévère-
ment de ne parler de lui à personne[n].

Jésus annonce sa Passion et sa Résurrection

(Mt 16.21-23; Lc 9.22)

31 Puis il commença à leur enseigner qu'il fallait que le *Fils de
l'homme souffre beaucoup, qu'il soit rejeté par les anciens, les
*grands prêtres et les scribes, qu'il soit mis à mort et que, trois jours
après, il ressuscite[o]. 32 Il tenait ouvertement ce langage. Pierre, le
tirant à part, se mit à le réprimander. 33 Mais lui, se retournant et
voyant ses disciples, réprimanda Pierre; il lui dit: «Retire-toi! Derrière
moi, Satan[p], car tes vues ne sont pas celles de Dieu, mais celles des
hommes.»

Comment il faut suivre Jésus

(Mt 16.24-28; Lc 9.23-27)

34 Puis il fit venir la foule avec ses disciples et il leur dit: «Si quel-
qu'un veut venir à ma suite, qu'il se renie lui-même et prenne sa
croix[q], et qu'il me suive. 35 En effet, qui veut sauver sa vie, la perdra;
mais qui perdra sa vie à cause de moi et de *l'Evangile, la sauvera[r].
36 Et quel avantage l'homme a-t-il à gagner le monde entier, s'il le paie
de sa vie? 37 Que pourrait donner l'homme qui ait la valeur de sa vie?
38 Car si quelqu'un a honte de moi[s] et de mes paroles au milieu de
cette génération adultère et pécheresse, le *Fils de l'homme aussi aura
honte de lui, quand il viendra dans la gloire de son Père avec les saints
*anges.»

9 1 Et il leur disait: «En vérité, je vous le déclare, parmi ceux qui
sont ici, certains ne mourront pas avant de voir le *Règne de Dieu
venu avec puissance[t].»

k 8.27 Ville située près des sources du Jourdain, fondée par Philippe Hérode. Aujourd'hui Banijas. ***l 8.28*** opinions sur Jésus 6.14-15 ; Lc 9.7-8. — *Elie* Mt 11.14+. ***m 8.29*** *le Christ* 1.1 ; 14.61-62 ; Lc 4.41+. ***n 8.30*** 1.25+ ; voir Mt 8.4+. ***o 8.31*** nécessité de la Passion Mt 17.12, 22 ; Mc 9.12 ; Lc 17.25 ; Ac 17.3 ; voir Mc 9.30-32 ; 10.32-34. — *le Fils de l'homme* Mt 8.20+. — *trois jours après* Mc 10.34. ***p 8.33*** *derrière moi* 1.17, 20 ; 8.34. — *Satan* 1.13+. ***q 8.34*** *suivre Jésus* Mt 4.19+. — *prendre sa croix* Mt 18.38 ; Lc 14.27. ***r 8.35*** *vie perdue, vie sauvée* Mt 10.39+. — *l'Evangile* Mc 1.1+. ***s 8.38*** Mt 10.33 ; Lc 12.9 ; 2 Tm 2.12 ; voir Mt 7.23 ; 25.12 ; Rm 1.16. ***t 9.1*** imminence du *Règne de Dieu* 13.30. — *avec puissance* Rm 1.4.

La Transfiguration

(Mt 17.1-9; Lc 9.28-36; voir 2 P 1.17-18)

2 Six jours après, Jésus prend avec lui Pierre, Jacques et Jean[u] et les emmène seuls à l'écart sur une haute montagne. Il fut transfiguré devant eux, 3 et ses vêtements devinrent éblouissants, si blancs qu'aucun foulon[v] sur terre ne saurait blanchir ainsi. 4 Elie[w] leur apparut avec Moïse; ils s'entretenaient avec Jésus. 5 Intervenant, Pierre dit à Jésus: «Rabbi[x], il est bon que nous soyons ici; dressons trois tentes: une pour toi, une pour Moïse, une pour Elie.» 6 Il ne savait que dire car ils étaient saisis de crainte. 7 Une nuée vint les recouvrir et il y eut une voix venant de la nuée: «Celui-ci est mon Fils bien-aimé. Ecoutez-le[y]!» 8 Aussitôt, regardant autour d'eux, ils ne virent plus personne d'autre que Jésus, seul avec eux. 9 Comme ils descendaient de la montagne, il leur recommanda de ne raconter à personne[z] ce qu'ils avaient vu, jusqu'à ce que le *Fils de l'homme ressuscite d'entre les morts. 10 Ils observèrent cet ordre, tout en se demandant entre eux ce qu'il entendait par «ressusciter d'entre les morts».

Dialogue sur Elie

(Mt 17.10-13)

11 Et ils l'interrogeaient: «Pourquoi les *scribes disent-ils qu'Elie doit venir d'abord[a]?» 12 Il leur dit: «Certes, Elie vient d'abord et rétablit tout, mais alors comment est-il écrit du *Fils de l'homme qu'il doit beaucoup souffrir et être méprisé[b]? 13 Eh bien! je vous le déclare, Elie est venu et ils lui ont fait tout ce qu'ils voulaient, selon ce qui est écrit de lui.»

Guérison d'un enfant possédé

(Mt 17.14-21; Lc 9.37-43)

14 En venant vers les disciples, ils virent autour d'eux une grande foule et des scribes qui discutaient avec eux. 15 Dès qu'elle vit Jésus, toute la foule fut remuée et l'on accourait pour le saluer. 16 Il leur demanda: «De quoi discutez-vous avec eux?» 17 Quelqu'un dans la foule lui répondit: «Maître, je t'ai amené mon fils: il a un esprit muet[c].

***u* 9.2** Mt 17.1+ ; Mc 1.29. ***v* 9.3** Chargés de tous les travaux de blanchisserie, les *foulons* travaillaient le linge avec les pieds. — *vêtements blancs* Mt 28.3 ; Ap 3.4 ; 4.4. ***w* 9.4** Mt 11.14 ; 2 R 2.11-12. ***x* 9.5** 11.21 ; 14.44-45 ; Jn 1.38 ; voir Mc 10.51. ***y* 9.7** *nuée* Mt 17.5+. — *mon Fils bien-aimé* Mc 1.11 par. ; 2 P 1.17. — *écoutez-le* Dt 18.15 (Ac 3.22). ***z* 9.9** Mt 8.4+ ; Mc 1.25+. ***a* 9.11** Mt 11.4+ ; voir Jn 1.21. ***b* 9.12** Es 53.3 ; Ps 22.1-18 ; voir Mc 8.31. ***c* 9.17** La maladie a eu pour effet d'empêcher l'enfant d'apprendre à parler ; voir 1.23 et la note.

18 L'esprit s'empare de lui n'importe où, il le jette à terre et l'enfant
écume, grince des dents et devient raide. J'ai dit à tes disciples de le
chasser, et ils n'en ont pas eu la force.» 19 Prenant la parole, Jésus
leur dit: «Génération incrédule[d], jusqu'à quand serai-je auprès de
vous? Jusqu'à quand aurai-je à vous supporter? Amenez-le-moi.»
20 Ils le lui amenèrent. Dès qu'il vit Jésus, l'esprit se mit à agiter
l'enfant de convulsions; celui-ci, tombant par terre, se roulait en
écumant. 21 Jésus demanda au père: «Depuis combien de temps cela
lui arrive-t-il?» Il dit: «Depuis son enfance. 22 Souvent l'esprit l'a
jeté dans le feu ou dans l'eau pour le faire périr. Mais si tu peux
quelque chose, viens à notre secours, par pitié pour nous.» 23 Jésus
lui dit: «Si tu peux!... Tout est possible[e] à celui qui croit.»
24 Aussitôt le père de l'enfant s'écria: «Je crois! Viens au secours de
mon manque de foi[f]!» 25 Jésus, voyant la foule s'attrouper, menaça[g]
l'esprit impur: «Esprit sourd et muet, je te l'ordonne, sors de cet
enfant et n'y rentre plus!» 26 Avec des cris et de violentes convulsions,
l'esprit sortit[h]. L'enfant devint comme mort, si bien que tous disaient:
«Il est mort.» 27 Mais Jésus, en lui prenant la main, le fit lever[i] et il se
mit debout. 28 Quand Jésus fut rentré à la maison, ses disciples lui
demandèrent en particulier: «Et nous, pourquoi n'avons-nous pu
chasser cet esprit?» 29 Il leur dit: «Ce genre d'esprit, rien ne peut le
faire sortir, que la prière.»

Deuxième annonce de la Passion et de la Résurrection

(Mt 17.22-23; Lc 9.43-45)

30 Partis de là, ils traversaient la Galilée et Jésus ne voulait pas qu'on
le sache. 31 Car il enseignait ses disciples et leur disait: «Le *Fils de
l'homme va être livré aux mains des hommes[j]; ils le tueront et, lors-
qu'il aura été tué, trois jours après il ressuscitera.» 32 Mais ils ne com-
prenaient pas cette parole et craignaient de l'interroger.

Qui est le plus grand?

(Mt 18.1-5; Lc 9.46-48)

33 Ils allèrent à Capharnaüm. Une fois à la maison, Jésus leur deman-
dait: «De quoi discutiez-vous en chemin?» 34 Mais ils se taisaient, car,
en chemin, ils s'étaient querellés pour savoir qui était le plus grand[k].

d 9.19 Mt 12.39+. ***e 9.23*** Mt 21.21 ; Mc 11.23-24 ; Lc 17.6 ; voir Mt 5.36. ***f 9.24*** Lc 17.5. ***g 9.25*** 1.25 ; Lc 4.39. ***h 9.26*** 1.26. ***i 9.27*** *par la main* 1.31 ; 5.41 par. — *faire lever* Mt 9.25 ; Mc 1.31 ; 5.41 ; Lc 7.14 ; 8.54 ; Ac 3.7. ***j 9.31*** nécessité de la Passion Mt 16.21 ; 20. 18-19 ; Mc 8.31 ; 10.33-34 ; Lc 18.32-33 ; 24.7. ***k 9.34*** Lc 22.24.

[35] Jésus s'assit et il appela les Douze; il leur dit: «Si quelqu'un veut
être le premier, qu'il soit le dernier de tous et le serviteur de tous[l].»
[36] Et prenant un enfant, il le plaça au milieu d'eux et, après l'avoir
embrassé, il leur dit: [37] «Qui accueille en mon *nom un enfant comme
celui-là, m'accueille moi-même; et qui m'accueille, ce n'est pas moi
qu'il accueille, mais Celui qui m'a envoyé[ll].»

Qui n'est pas contre nous est pour nous

(Lc 9.49-50)

[38] Jean lui dit: «Maître, nous avons vu quelqu'un qui chassait les
*démons en ton nom et nous avons cherché à l'en empêcher parce
qu'il ne nous suivait pas[m].» [39] Mais Jésus dit: «Ne l'empêchez pas, car
il n'y a personne qui fasse un miracle en mon nom et puisse, aussitôt
après, mal parler de moi. [40] Celui qui n'est pas contre nous est pour
nous[n]. [41] Quiconque vous donnera à boire un verre d'eau[o] parce que
vous appartenez au Christ, en vérité, je vous le déclare, il ne perdra
pas sa récompense.

Mise en garde

(Mt 18.6-11; Lc 17.1-2)

[42] «Quiconque entraîne la chute[p] d'un seul de ces petits qui croient,
il vaut mieux pour lui qu'on lui attache au cou une grosse meule, et
qu'on le jette à la mer. [43] Si ta main entraîne ta chute, coupe-la; il vaut
mieux que tu entres manchot dans la *vie[q] que d'aller avec tes deux
mains dans la *géhenne, dans le feu qui ne s'éteint pas [[44] [r]]. [45] Si ton
pied entraîne ta chute, coupe-le; il vaut mieux que tu entres estropié
dans la vie que d'être jeté avec tes deux pieds dans la géhenne[[46] [r]].
[47] Et si ton œil[s] entraîne ta chute, arrache-le; il vaut mieux que tu
entres borgne dans le *Royaume de Dieu que d'être jeté avec tes deux
yeux dans la géhenne, [48] où le ver ne meurt pas et où le feu ne s'éteint
pas. [49] Car chacun sera salé au feu[t]. [50] C'est une bonne chose que le sel.
Mais si le sel perd son goût, avec quoi le lui rendrez-vous? Ayez du sel
en vous-mêmes et soyez en paix[u] les uns avec les autres.»

***l* 9.35** grandeur du service Mt 20.26+. ***ll* 9.37** Mt 10.40 ; Lc 10.16 ; Jn 13.20. ***m* 9.38** D'après 1.18 ; 6.1 ; 8.34, etc. *suivre* Jésus est le propre du disciple. L'homme en question ne faisait pas partie du groupe des disciples. ***n* 9.40** avec ou contre Jésus Mt 12.30 ; Lc 11.23. ***o* 9.41** Mt 10.42. ***p* 9.42** voir Mt 5.29+. ***q* 9.43** C'est-à-dire la vie éternelle. — *ta main* Mt 5.30. ***r* 9.44,46** Certains manuscrits ajoutent ici : *où le ver ne meurt pas et où le feu ne s'éteint pas.* Voir v. 48. C'est une citation assez libre d'Es 66.24. ***s* 9.47** *ton œil* Mt 5.29. ***t* 9.49** Ou *pour le feu,* ou encore *par le feu.* ***u* 9.50** *le sel* Mt 5.13 ; Lc 14.34. — *ayez du sel* Col 4.6. — *en paix* Rm 12.18 ; 1 Th 5.13.

Mariage et divorce

(Mt 19.1-9; Lc 16.18)

10 1 Partant de là, Jésus va dans le territoire de la Judée, au-delà
du Jourdain. De nouveau, les foules se rassemblent autour de
lui et il les enseignait une fois de plus, selon son habitude. 2 Des *Pha-
risiens s'avancèrent et, pour lui tendre un piège[v], ils lui demandaient
s'il est permis à un homme de répudier sa femme. 3 Il leur répondit:
«Qu'est-ce que Moïse vous a prescrit?» 4 Ils dirent: «Moïse a permis
d'*écrire un certificat de répudiation*[w] *et de renvoyer* sa femme.» 5 Jésus
leur dit: «C'est à cause de la dureté de votre *cœur[x] qu'il a écrit pour
vous ce commandement. 6 Mais au commencement du monde, Dieu
les fit mâle et femelle[y]; 7 *c'est pourquoi l'homme quittera son père et
sa mère et s'attachera à sa femme,* 8 *et les deux ne feront qu'une seule
chair*[z]. Ainsi, ils ne sont plus deux, mais une seule chair. 9 Que
l'homme donc ne sépare pas ce que Dieu a uni.» 10 A la maison, les
disciples l'interrogeaient de nouveau sur ce sujet. 11 Il leur dit: «Si
quelqu'un répudie sa femme et en épouse une autre, il est adultère à
l'égard de la première; 12 et si la femme répudie son mari et en épouse
un autre, elle est adultère[a].»

Jésus et les enfants

(Mt 19.13-15; Lc 18.15-17)

13 Des gens lui amenaient des enfants pour qu'il les touche, mais les
disciples les rabrouèrent. 14 En voyant cela, Jésus s'indigna et leur dit:
«Laissez les enfants venir à moi, ne les empêchez pas, car le
*Royaume de Dieu est à ceux qui sont comme eux. 15 En vérité, je vous
le déclare, qui n'accueille pas le Royaume de Dieu comme un enfant
n'y entrera pas[b].» 16 Et il les embrassait et les bénissait en leur *impo-
sant les mains.

L'appel du riche

(Mt 19.16-30; Lc 18.18-30)

17 Comme il se mettait en route, quelqu'un vint en courant et se jeta
à genoux devant lui; il lui demandait: «Bon Maître, que dois-je faire
pour recevoir la *vie éternelle en partage?» 18 Jésus lui dit: «Pourquoi

v 10.2 Mt 16.1+ ; Mc 8.11 ; 12.13-15. ***w 10.4*** Dt 24.1, 3 (Mt 5.31 ; 19.7). ***x 10.5*** 3.5+. ***y 10.6*** Gn 1.27 ; 5.2. ***z 10.8*** ou *un seul être ;* voir Gn 2.24 (Ep 5.31). ***a 10.12*** répudiation et adultère Mt 5.32 ; Lc 16.18 ; voir 1 Co 7.10-11. ***b 10.15*** *comme un enfant* Mt 18.3. – *entrer dans le Royaume* Mt 5.20+.

m'appelles-tu bon? Nul n'est bon que Dieu seul. 19 Tu connais les commandements: *Tu ne commettras pas de meurtre, tu ne commettras pas d'adultère, tu ne voleras pas, tu ne porteras pas de faux témoignage*, tu ne feras de tort à personne, *honore ton père et ta mère*[c].» 20 L'homme lui dit: «Maître, tout cela, je l'ai observé dès ma jeunesse.» 21 Jésus le regarda et se prit à l'aimer; il lui dit: «Une seule chose te manque; va, ce que tu as, vends-le, donne-le aux pauvres et tu auras un trésor dans le *ciel[d]; puis viens, suis-moi.» 22 Mais à cette parole, il s'assombrit et il s'en alla tout triste, car il avait de grands biens.
23 Regardant autour de lui, Jésus dit à ses disciples: «Qu'il sera difficile à ceux qui ont les richesses[e] d'entrer dans le *Royaume de Dieu!» 24 Les disciples étaient déconcertés par ces paroles. Mais Jésus leur répète: «Mes enfants, qu'il est difficile[f] d'entrer dans le Royaume de Dieu! 25 Il est plus facile à un chameau de passer par le trou d'une aiguille qu'à un riche d'entrer dans le Royaume de Dieu.» 26 Ils étaient de plus en plus impressionnés; ils se disaient entre eux: «Alors qui peut être sauvé?» 27 Fixant sur eux son regard, Jésus dit: «Aux hommes, c'est impossible, mais pas à Dieu, car tout est possible à Dieu[g].» 28 Pierre se mit à lui dire: «Eh bien! nous, nous avons tout laissé pour te suivre.» 29 Jésus lui dit: «En vérité, je vous le déclare, personne n'aura laissé maison, frères, sœurs, mère, père, enfants ou champs à cause de moi et à cause de *l'Evangile[h], 30 sans recevoir au centuple maintenant, en ce temps-ci, maisons, frères, sœurs, mères, enfants, et champs, avec des persécutions, et dans le monde à venir la vie éternelle. 31 Beaucoup de premiers seront derniers et les derniers seront premiers[i].»

Troisième annonce de la Passion et de la Résurrection

(Mt 20.17-19; Lc 18.31-34)

32 Ils étaient en chemin et montaient à Jérusalem[j], Jésus marchait devant eux. Ils étaient effrayés, et ceux qui suivaient avaient peur. Prenant de nouveau les Douze avec lui, il se mit à leur dire ce qui allait lui arriver: 33 «Voici que nous montons à Jérusalem et le *Fils de l'homme sera livré[k] aux *grands prêtres et aux scribes; ils le condamneront à

c 10.19 énumération des commandements Ex 20.12-16 ; Dt 5.16-20. – *pas de tort...* Dt 24.14 ; Jc 5.4 ; ces mots ne figurent pas au décalogue et sont absents dans les passages parallèles de Mt et de Lc. ***d 10.21*** Mt 6.20 ; Lc 12.33. ***e 10.23*** 4.19. ***f 10.24*** Certains manuscrits précisent : difficile *à ceux qui se confient dans les richesses.* ***g 10.27*** Gn 18.14 ; Jb 42.2 ; Za 8.6 (grec) ; Mc 14.36. ***h 10.29*** 8.35 ; voir 1.1+. ***i 10.31*** *premiers-derniers* Mt 19.30 ; 20.16 ; Lc 13.30. ***j 10.32*** Lc 9.51+ ; Jn 11.7-16. ***k 10.33*** annonce de la Passion Mt 16.21 ; 17. 22-23 ; Mc 8.31 ; 9.31 ; Lc 24.7.

mort et le livreront aux *païens, 34 ils se moqueront de lui, ils crache-
ront sur lui, ils le flagelleront[l], ils le tueront et, trois jours après, il res-
suscitera. »

La demande de Jacques et de Jean

(Mt 20.20-28; voir Lc 22.25-27)

35 Jacques et Jean[m], les fils de Zébédée, s'approchent de Jésus et lui
disent: « Maître, nous voudrions que tu fasses pour nous ce que nous
allons te demander. » 36 Il leur dit: « Que voulez-vous que je fasse pour
vous[n]? » 37 Ils lui dirent: « Accorde-nous de siéger dans ta gloire l'un à
ta droite et l'autre à ta gauche[o]. » 38 Jésus leur dit: « Vous ne savez pas
ce que vous demandez. Pouvez-vous boire la coupe que je vais boire,
ou être baptisés du baptême[p] dont je vais être baptisé? » 39 Ils lui
dirent: « Nous le pouvons. » Jésus leur dit: « La coupe que je vais boire,
vous la boirez, et du baptême dont je vais être baptisé, vous serez bap-
tisés[q]. 40 Quant à siéger à ma droite ou à ma gauche, il ne m'appartient
pas de l'accorder: ce sera donné à ceux pour qui cela est préparé. »
41 Les dix autres, qui avaient entendu, se mirent à s'indigner contre
Jacques et Jean. 42 Jésus les appela et leur dit: « Vous le savez, ceux
qu'on regarde comme les chefs des nations les tiennent sous leur pou-
voir et les grands sous leur domination[r]. 43 Il n'en est pas ainsi parmi
vous. Au contraire, si quelqu'un veut être grand parmi vous, qu'il soit
votre serviteur. 44 Et si quelqu'un veut être le premier parmi vous, qu'il
soit l'esclave de tous[s]. 45 Car le *Fils de l'homme est venu non pour
être servi, mais pour servir et donner sa vie en rançon pour la multi-
tude[t]. »

Guérison de l'aveugle Bartimée

(Mt 20.29-34; Lc 18.35-43)

46 Ils arrivent à Jéricho. Comme Jésus sortait de Jéricho avec ses dis-
ciples et une assez grande foule, l'aveugle Bartimée, fils de Timée,
était assis au bord du chemin en train de mendier. 47 Apprenant que

***l* 10.34** Pratiquée à l'aide d'un fouet à plusieurs lanières munies de pointes, la *flagellation* était administrée par les Romains comme supplice préliminaire à la crucifixion. ***m* 10.35** Mt 4.21+. ***n* 10.36** 10.51 par. ***o* 10.37** les disciples associés à la gloire du Christ Mt 19.28 ; Lc 22.30. ***p* 10.38** *coupe* Mt 20.22+ ; voir Ps 75.9 ; Es 51.17-22 ; Ez 23.31-34 ; Mc 14.36. — *baptême* Lc 12.50. ***q* 10.39** le martyre de Jacques Ac 12.2. ***r* 10.42** l'exercice habituel du pouvoir Lc 22.25. ***s* 10.44** grandeur du service Mt 20.26+. ***t* 10.45** *le Fils de l'homme* Mt 8.20+. — *en rançon pour la multitude* Es 53.11-12 ; Mc 14.24 par. ; 1 Tm 2.5-6.

c'était Jésus de Nazareth, il se mit à crier: «*Fils de David, Jésus, aie
pitié de moi[u]!» 48 Beaucoup le rabrouaient pour qu'il se taise, mais lui
criait de plus belle: «Fils de David, aie pitié de moi!» 49 Jésus s'arrêta
et dit: «Appelez-le.» On appelle l'aveugle, on lui dit: «Confiance,
lève-toi, il t'appelle.» 50 Rejetant son manteau, il se leva d'un bond et il
vint vers Jésus. 51 S'adressant à lui, Jésus dit: «Que veux-tu que je fasse
pour toi?» L'aveugle lui répondit: «Rabbouni[v], que je retrouve la
vue!» 52 Jésus dit: «Va, ta foi t'a sauvé[w].» Aussitôt il retrouva la vue et
il suivait Jésus sur le chemin.

L'entrée triomphale à Jérusalem

(Mt 21.1-11; Lc 19.28-40; Jn 12.12-16)

11 1 Lorsqu'ils approchent de Jérusalem, près de Bethphagé et de
Béthanie, vers le mont des Oliviers[x], Jésus envoie deux de ses
disciples 2 et leur dit: «Allez au village qui est devant vous: dès que
vous y entrerez, vous trouverez un ânon[y] attaché que personne n'a
encore monté. Détachez-le et amenez-le. 3 Et si quelqu'un vous dit:
"Pourquoi faites-vous cela?" répondez: "Le Seigneur en a besoin et il
le renvoie ici tout de suite[z]."» 4 Ils sont partis et ont trouvé un ânon
attaché dehors près d'une porte, dans la rue. Ils le détachent.
5 Quelques-uns de ceux qui se trouvaient là leur dirent: «Qu'avez-vous
à détacher cet ânon?» 6 Eux leur répondirent comme Jésus l'avait dit et
on les laissa faire. 7 Ils amènent l'ânon à Jésus; ils mettent sur lui leurs
vêtements et Jésus s'assit dessus. 8 Beaucoup de gens étendirent leurs
vêtements sur la route[a] et d'autres des feuillages qu'ils coupaient dans
la campagne. 9 Ceux qui marchaient devant et ceux qui suivaient
criaient: «Hosanna[b]! *Béni soit au *nom du Seigneur Celui qui vient!*
10 Béni soit le règne qui vient, le règne de David[c] notre père! Hosanna
au plus haut des cieux!» 11 Et il entra à Jérusalem dans le *temple.
Après avoir tout regardé autour de lui, comme c'était déjà le soir, il
sortit pour se rendre à Béthanie avec les Douze.

u 10.47 *Fils de David* Mt 1.1+. – *aie pitié* Mt 9.27 ; 15.22. ***v 10.51*** *Que veux-tu...* 10.36. – *Rabbouni* (voir Mc 9.5) : en araméen : *Mon Maître.* ***w 10.52*** Mt 9.22+ ; Mc 5.34 par. ; Lc 7.50 ; 17.19 ; voir Ac 3.16. ***x 11.1*** *Bethphagé :* village situé sur le flanc oriental du mont des Oliviers, à quelques km de Jérusalem. *Béthanie* (Mt 21.17+) : autre village voisin du précédent. Le *mont des Oliviers* (Za 14.4 ; Mc 13.3 par. ; 14.26 par. ; Lc 21.37 ; Jn 8.1 ; Ac 1.12) : colline à l'est de Jérusalem, séparée de la ville par la vallée du Cédron. ***y 11.2*** Za 9.9. ***z 11.3*** Autre texte : *et il* (le propriétaire) *l'enverra ici tout de suite.* ***a 11.8*** Comme en 2 R 9.13 il s'agit d'une sorte de tapis d'honneur. ***b 11.9*** En araméen : exclamation tirée de Ps 118.25, équivalant à peu près à « Gloire à Dieu ! » ; voir aussi Mt 21.15 ; 23.39. ***c 11.10*** Lc 1.32-33 ; Ac 2.29 ; voir Mt 1.5+.

Le figuier stérile

(Mt 21.18-19)

12 Le lendemain, à leur sortie de Béthanie, il eut faim. 13 Voyant de
loin un figuier qui avait des feuilles, il alla voir s'il n'y trouverait pas
quelque chose. Et s'étant approché, il ne trouva que des feuilles[d], car
ce n'était pas le temps des figues. 14 S'adressant à lui, il dit: «Que
jamais plus personne ne mange de tes fruits[e]!» Et ses disciples écou-
taient.

Les vendeurs chassés du temple

(Mt 21.10-17; Lc 19.45-48; Jn 2.13-16)

15 Ils arrivent à Jérusalem. Entrant dans le *temple[f], Jésus se mit à
chasser ceux qui vendaient et achetaient dans le temple; il renversa
les tables des changeurs et les sièges des marchands de colombes, 16 et
il ne laissait personne traverser le temple en portant quoi que ce soit[g].
17 Et il les enseignait et leur disait: «N'est-il pas écrit: *Ma maison sera
appelée maison de prière pour toutes les nations* ? Mais vous, vous en
avez fait une *caverne de bandits[h].*» 18 Les *grands prêtres et les scribes
l'apprirent et ils cherchaient comment ils le feraient périr. Car ils le
redoutaient, parce que la foule était frappée de son enseignement[i].
19 Le soir venu, Jésus et ses disciples sortirent de la ville[j].

Le figuier desséché. Foi et prière

(Mt 21.20-22)

20 En passant le matin, ils virent le figuier desséché jusqu'aux raci-
nes[k]. 21 Pierre, se rappelant, lui dit: «Rabbi[l], regarde, le figuier que tu
as maudit est tout sec.» 22 Jésus leur répond et dit: «Ayez foi en Dieu.
23 En vérité, je vous le déclare, si quelqu'un dit à cette montagne:
"Ote-toi de là et jette-toi dans la mer", et s'il ne doute pas en son
*cœur, mais croit que ce qu'il dit arrivera, cela lui sera accordé[m].
24 C'est pourquoi je vous déclare: Tout ce que vous demandez en

d 11.13 *figuier* Lc 13.6 sans fruit Jr 8.13 ; Os 9.16-17 ; Jl 1.7 ; Mi 7.1. ***e 11.14*** malédiction du figuier 11.20. ***f 11.15*** C'est-à-dire dans l'une des cours du temple ouverte aux païens. Les *changeurs* permettaient aux Juifs venus de l'étranger de changer leur argent pour acheter leur offrande ou pour payer l'impôt du temple. ***g 11.16*** Beaucoup de gens empruntaient sans doute la « cour des païens » comme raccourci entre la ville et le mont des Oliviers. ***h 11.17*** *maison de prière* Es 56.7. – *caverne de bandits* Jr 7.11. ***i 11.18*** conciliabule contre Jésus Mt 12.14+ ; Mc 14.1 ; Lc 20.19 ; 22.2. – peur de la réaction populaire Mt 14.5+. ***j 11.19*** Ou *quand venait le soir, Jésus et ses disciples sortaient de la ville.* ***k 11.20*** 11.14. ***l 11.21*** araméen : *Maître.* ***m 11.23*** la foi qui déplace les montagnes Mt 17.20+ ; voir Mc 9.23.

priant, croyez que vous l'avez reçu, et cela vous sera accordé[n]. 25 Et quand vous êtes debout en prière, si vous avez quelque chose contre quelqu'un, pardonnez, pour que votre Père qui est aux cieux vous pardonne aussi vos fautes[o].» [26 [p]]

L'autorité de Jésus mise en question

(Mt 21.23-27; Lc 20.1-8)

27 Ils reviennent à Jérusalem. Alors que Jésus allait et venait dans le *temple, les *grands prêtres, les scribes et les anciens[q] s'approchent de lui. 28 Ils lui disaient: «En vertu de quelle autorité fais-tu cela? Ou qui t'a donné autorité pour le faire?» 29 Jésus leur dit: «Je vais vous poser une seule question; répondez-moi et je vous dirai en vertu de quelle autorité je fais cela. 30 Le baptême de Jean[r] venait-il du *ciel ou des hommes? Répondez-moi!» 31 Ils raisonnaient ainsi entre eux: «Si nous disons: "Du ciel", il dira: "Pourquoi donc n'avez-vous pas cru en lui[s]?" 32 Allons-nous dire au contraire: "Des hommes"?...» Ils redoutaient la foule[t], car tous pensaient que Jean était réellement un *prophète. 33 Alors ils répondent à Jésus: «Nous ne savons pas.» Et Jésus leur dit: «Moi non plus, je ne vous dis pas en vertu de quelle autorité je fais cela.»

Parabole des vignerons meurtriers

(Mt 21.33-46; Lc 20.9-19)

12 1 Et il se mit à leur parler en *paraboles. «Un homme *a planté une vigne[u], l'a entourée d'une clôture, il a creusé une cuve et bâti une tour* ; puis il l'a donnée en fermage à des vignerons et il est parti.

2 «Le moment venu, il a envoyé un serviteur aux vignerons pour recevoir d'eux sa part des fruits de la vigne. 3 Les vignerons l'ont saisi, roué de coups et renvoyé les mains vides. 4 Il leur a envoyé encore un autre serviteur; celui-là aussi, ils l'ont frappé à la tête et insulté. 5 Il en a envoyé un autre — celui-là ils l'ont tué —, puis beaucoup d'autres: ils ont roué de coups les uns et tué les autres. 6 Il ne lui restait plus que

n 11.24 prière et foi Mt 18.19. ***o 11.25*** *Père céleste* Mt 6.9+. — pardon de Dieu et pardon mutuel Mt 6.14 ; Ep 4.32 ; Col 3.13. — *un grief contre quelqu'un* Mt 5.23 ; Ap 2.4, 14, 20. ***p 11.26*** Quelques manuscrits ajoutent ici, d'après Mt 6.15 : *mais si vous ne pardonnez pas, votre Père céleste ne vous pardonnera pas non plus vos fautes.* ***q 11.27*** Mt 16.21 ; 27.41 ; Mc 8.31 ; 14.43, 53 ; 15.1 ; Lc 9.22 ; 20.1 ; 22.66. ***r 11.30*** Mt 3.6+. ***s 11.31*** *du ciel* Lc 11.6+. — confiance refusée à Jean le Baptiste Mc 21.32 ; Lc 7.30. ***t 11.32*** Mt 14.5+ ; Mc 14.2. ***u 12.1*** Es 5.1-2.

son fils bien-aimé[v]. Il l'a envoyé en dernier vers eux en disant: "Ils res-
pecteront mon fils." 7 Mais ces vignerons se sont dit entre eux: "C'est
l'héritier. Venez! Tuons-le et nous aurons l'héritage." 8 Ils l'ont saisi,
tué et jeté hors de la vigne[w]. 9 Que fera le maître de la vigne? Il
viendra, il fera périr les vignerons et confiera la vigne à d'autres.
10 N'avez-vous pas lu ce passage de l'Ecriture[x]:

La pierre qu'ont rejetée les bâtisseurs,
c'est elle qui est devenue la pierre angulaire[y].
11 *C'est là l'œuvre du Seigneur:*
quelle merveille à nos yeux!»

12 Ils cherchaient à l'arrêter, mais ils eurent peur de la foule[z]. Ils
avaient bien compris que c'était pour eux qu'il avait dit cette para-
bole. Et le laissant, ils s'en allèrent.

L'impôt dû à César

(Mt 22.15-22; Lc 20.20-26)

13 Ils envoient auprès de Jésus quelques *Pharisiens et quelques
Hérodiens pour le prendre au piège[a] en le faisant parler. 14 Ils viennent
lui dire: «Maître, nous savons que tu es franc et que tu ne te laisses pas
influencer par qui que ce soit: tu ne tiens pas compte de la condition
des gens, mais tu enseignes les chemins de Dieu[b] selon la vérité. Est-il
permis, oui ou non, de payer le tribut[c] à César? Devons-nous payer ou
ne pas payer?» 15 Mais lui, connaissant leur hypocrisie, leur dit: «Pour-
quoi me tendez-vous un piège? Apportez-moi une pièce d'argent, que
je voie!» 16 Ils en apportèrent une. Jésus leur dit: «Cette effigie et cette
inscription, de qui sont-elles?» Ils lui répondirent: «De César.»
17 Jésus leur dit: «Rendez à César ce qui est à César[d], et à Dieu ce qui
est à Dieu.» Et ils restaient à son propos dans un grand étonnement.

La résurrection des morts

(Mt 22.23-33; Lc 20.27-38)

18 Des *Sadducéens viennent auprès de lui. Ces gens disent qu'il n'y
a pas de résurrection[e]. Ils lui posaient cette question: 19 «Maître,

***v* 12.6** Gn 22.2 ; Mc 1.11 par. ; 9.7 par. ; 2 P 1.17. ***w* 12.8** *tué et jeté dehors* Mt 21.39. ***x* 12.10** Ps 118.22-23. ***y* 12.10** *pierre angulaire* Ac 4.11 ; 1 P 2.7. ***z* 12.12** Mt 14.5+. ***a* 12.13** *Hérodiens :* voir 3.6 et la note. — *piège* tendu à Jésus Mt 16.1+ ; voir Mc 8.11 ; 10.2. ***b* 12.14** Expression imagée de la conduite que Dieu réclame de ses fidèles ; voir Mt 7.14 ; 11.10 ; 21.32 ; Mc 1.2-3 par. ; Lc 1.76 ; 7.27 ; Jn 1.23. Ac 13.10 ; 16.17 ; Rm 3.17 ; 11.33 ; He 3.10 ; Ap 15.3. ***c* 12.14** C'était l'impôt direct, le même pour tous les Juifs ; il s'ajoutait aux charges indirectes (péages, douanes, taxes). *César* est ici le titre de l'empereur romain. ***d* 12.17** Rm 13.7. ***e* 12.18** Ac 23.8.

Moïse a écrit pour nous: *Si un homme a un frère qui meurt en laissant une femme, mais sans laisser d'enfant, qu'il épouse la veuve et donne une descendance à son frère*[f]... 20 Il y avait sept frères. Le premier a pris femme et est mort sans laisser de descendance. 21 Le second a épousé cette femme et est mort sans laisser de descendance. Le troisième également, 22 et les sept n'ont laissé aucune descendance. Après eux tous, la femme est morte aussi. 23 A la résurrection, quand ils ressusciteront, duquel d'entre eux sera-t-elle la femme, puisque les sept l'ont eue pour femme?» 24 Jésus leur dit: «N'est-ce point parce que vous ne connaissez ni les Ecritures ni la puissance de Dieu que vous êtes dans l'erreur? 25 En effet, quand on ressuscite d'entre les morts, on ne prend ni femme ni mari, mais on est comme des *anges dans les cieux. 26 Quant au fait que les morts doivent ressusciter, n'avez-vous pas lu dans le livre de Moïse, au récit du buisson ardent, comment Dieu lui a dit: *"Je suis le Dieu d'Abraham, le Dieu d'Isaac et le Dieu de Jacob*[g]"? 27 Il n'est pas le Dieu des morts, mais des vivants. Vous êtes complètement dans l'erreur.»

Le premier commandement

(Mt 22.34-40; Lc 10.25-28; 20.39-40)

28 Un *scribe s'avança. Il les avait entendus discuter et voyait que Jésus leur avait bien répondu. Il lui demanda: «Quel est le premier de tous les commandements?» 29 Jésus répondit: «Le premier, c'est: *Ecoute, Israël, le Seigneur notre Dieu est l'unique Seigneur;* 30 *tu aimeras le Seigneur ton Dieu de tout ton cœur, de toute ton âme, de toute ta pensée et de toute ta force*[h]. 31 Voici le second: *Tu aimeras ton prochain comme toi-même*[i]. Il n'y a pas d'autre commandement plus grand que ceux-là.» 32 Le scribe lui dit: «Très bien, Maître, tu as dit vrai: *Il est unique et il n'y en a pas d'autre que lui*[j], 33 *et l'aimer de tout son cœur, de toute son intelligence, de toute sa force, et aimer son prochain comme soi-même*, cela vaut mieux que tous les holocaustes et *sacrifices[k].» 34 Jésus, voyant qu'il avait répondu avec sagesse, lui dit: «Tu n'es pas loin du *Royaume de Dieu.» Et personne n'osait plus l'interroger[l].

f 12.19 Gn 38.8 ; Dt 25.5-10. ***g 12.26*** *le buisson ardent* Ex 3.2. – *Dieu d'Abraham...* Ex 3.6, 15-16. ***h 12.30*** Dt 6.4-5 (Jos 22.5 ; Lc 10.27). ***i 12.31*** Lv 19.18 (Rm 13.9 ; Ga 5.14 ; Jc 2.8). ***j 12.32*** *très bien, Maître* Lc 20.39. – *Dieu unique* Dt 6.4. – *pas d'autre Dieu* Dt 4.35 ; Es 45.21. ***k 12.33*** *de tout son cœur...* v. 30 ; 2 R 23.25. – *mieux que les sacrifices* 1 S 15.22 ; Os 6.6. ***l 12.34*** *le Royaume de Dieu* Mt 3.2+ ; 6.10+. – *personne n'osait plus...* Mt 22.46 ; Lc 20.40.

Le Messie et David

(Mt 22.41-46; Lc 20.41-44)

35 Prenant la parole, Jésus enseignait dans le *temple. Il disait:
«Comment les *scribes peuvent-ils dire que le *Messie est fils de
David[m]? 36 David lui-même, inspiré par l'Esprit Saint, a dit:

Le Seigneur a dit à mon Seigneur:
Siège à ma droite
jusqu'à ce que j'aie mis tes ennemis
sous tes pieds[n].

37 David lui-même l'appelle Seigneur; alors, de quelle façon est-il
son fils?» La foule nombreuse l'écoutait avec plaisir[o].

Les scribes jugés par Jésus

(Mt 23.1-12; Lc 20.45-47)

38 Dans son enseignement, il disait: «Prenez garde aux *scribes qui
tiennent à déambuler en grandes robes, à être salués sur les places
publiques, 39 à occuper les premiers sièges dans les *synagogues et les
premières places dans les dîners. 40 Eux qui dévorent les biens des
veuves et affectent de prier longuement[p], ils subiront la plus rigou-
reuse condamnation.»

L'offrande de la veuve pauvre

(Lc 21.1-4)

41 Assis en face du tronc[q], Jésus regardait comment la foule mettait
de l'argent dans le tronc. De nombreux riches mettaient beaucoup.
42 Vint une veuve pauvre qui mit deux petites pièces, quelques centi-
mes[r]. 43 Appelant ses disciples, Jésus leur dit: «En vérité, je vous le
déclare, cette veuve pauvre a mis plus que tous ceux qui mettent dans
le tronc. 44 Car tous ont mis en prenant sur leur superflu; mais elle, elle
a pris sur sa misère pour mettre tout ce qu'elle possédait[s], tout ce
qu'elle avait pour vivre.»

Jésus annonce la ruine du temple

(Mt 24.1-3; Lc 21.5-7)

13 1 Comme Jésus s'en allait du *temple, un de ses disciples lui
dit: «Maître, regarde: quelles pierres, quelles constructions!»
2 Jésus lui dit: «Tu vois ces grandes constructions! Il ne restera pas

m* *12.35 Mt 1.1+. ***n* *12.36*** Ps 110.1 (Mt 22.44+). ***o* *12.37*** Lc 19.48; 21.38. ***p* *12.40*** Autre traduction *et, comme prétexte, prient longuement.* ***q* *12.41*** Jn 8.20; voir 2 R 12.9. ***r* *12.42*** Le texte mentionne ici *deux leptes*, les plus petites pièces de monnaie alors en circulation. ***s* *12.44*** *ce qu'elle possédait* 2 Co 8.12.

pierre sur pierre[t]; tout sera détruit.» 3 Comme il était assis au mont des Oliviers en face du temple, Pierre, Jacques, Jean et André[u], à l'écart, lui demandaient: 4 «Dis-nous quand cela arrivera et quel sera le *signe que tout cela va finir.»

Le commencement des douleurs

(Mt 10.17-22; 24.4-14; Lc 12.11-12; 21.8-19)

5 Jésus se mit à leur dire: «Prenez garde que personne ne vous égare[v]. 6 Beaucoup viendront en prenant mon nom[w]; ils diront: "C'est moi", et ils égareront bien des gens. 7 Quand vous entendrez parler de guerres et de rumeurs de guerres, ne vous alarmez pas: il faut que cela arrive, mais ce ne sera pas encore la fin. 8 On se dressera en effet nation contre nation, et royaume contre royaume; il y aura en divers endroits des tremblements de terre, il y aura des famines; ce sera le commencement des douleurs de l'enfantement[x]. 9 Soyez sur vos gardes. On vous livrera aux tribunaux et aux *synagogues, vous serez roués de coups, vous comparaîtrez devant des gouverneurs et des rois à cause de moi: ils auront là un témoignage[y]. 10 Car il faut d'abord que *l'Evangile soit proclamé à toutes les nations[z]. 11 Quand on vous conduira pour vous livrer, ne soyez pas inquiets[a] à l'avance de ce que vous direz; mais ce qui vous sera donné à cette heure-là, dites-le; car ce n'est pas vous qui parlerez, mais l'Esprit Saint. 12 Le frère livrera son frère à la mort, et le père son enfant; les enfants se dresseront contre leurs parents et les feront condamner à mort. 13 Vous serez haïs de tous à cause de mon *nom. Mais celui qui tiendra[b] jusqu'à la fin, celui-là sera sauvé.

La grande détresse

(Mt 24.15-25; Lc 21.20-24; 17.23; 21.8)

14 «Quand vous verrez l'*Abominable Dévastateur*[c] installé là où il ne faut pas — que le lecteur comprenne! — alors, ceux qui seront en

t 13.2 Lc 19.44. **u 13.3** *mont des Oliviers :* voir la note sur Mc 11.1. — *Pierre, Jacques et Jean* Mt 17.1+. — *André* Mt 4.18+. **v 13.5** Mt 24.4+. **w 13.6** *venir au nom de* Jn 5.43. **x 13.8** *nation contre nation* Es 19.2-6, 17 ; 2 Ch 15.6. — *douleurs de l'enfantement* Mt 24.8. **y 13.9** *livrés aux tribunaux* Mt 10.17, 23. — *témoignage* Mt 10.18 ; 24.14 ; Mc 1.44 ; 6.11. **z 13.10** *l'Evangile* 1.1+. — *proclamé* Mt 3.1+ ; 24.14+. — *toutes les nations* Mt 10.18 ; 28.19 ; Lc 21.24 ; Rm 11.25. **a 13.11** Mt 10.19 ; Lc 12.11-12. **b 13.13** famille déchirée (v. 12) Mi 7.6. — *haïs à cause de Jésus* Mt 10.22 ; 24.9 ; Jn 15.18-21 ; 16.2 ; 1 P 4.14. — *celui qui tiendra* Mt 10.22. **c 13.14** *Abominable* Dn 9.27 ; 11.31 ; 12.11 ; *1 M* 1.54 ; 6.7.

Judée, qu'ils fuient dans les montagnes; 15 celui qui sera sur la terrasse,
qu'il ne descende pas, qu'il n'entre pas dans sa maison pour en
emporter quelque chose; 16 celui qui sera au champ, qu'il ne retourne
pas en arrière[d] pour prendre son manteau! 17 Malheureuses[e] celles qui
seront enceintes et celles qui allaiteront en ces jours-là! 18 Priez pour
que cela n'arrive pas en hiver. 19 Car ces jours-là seront des jours de
*détresse comme il n'y en a pas eu de pareille depuis le commence-
ment du monde* que Dieu a créé *jusqu'à maintenant*[f], et comme il n'y
en aura plus. 20 Et si le Seigneur n'avait pas abrégé ces jours, personne
n'aurait la vie sauve; mais à cause des élus, qu'il a choisis, il a abrégé
ces jours. 21 Alors, si quelqu'un vous dit: "Vois, le *Messie est ici!
Vois, il est là!", ne le croyez pas. 22 De faux messies et de faux pro-
phètes se lèveront et feront des signes et des prodiges[g] pour égarer, si
possible, même les élus. 23 Vous donc, prenez garde, je vous ai pré-
venus de tout.

La venue du Fils de l'homme

(Mt 24.29-31; Lc 21.25-28)

24 «Mais en ces jours-là, après cette détresse, *le soleil s'obscurcira,
la lune ne brillera plus,* 25 *les étoiles se mettront à tomber du ciel et les
puissances qui sont dans les cieux* seront ébranlées[h]. 26 Alors on verra
le **Fils de l'homme venir, entouré de nuées*[i], dans la plénitude de la
puissance et dans la gloire. 27 Alors il enverra les *anges et, *des quatre
vents, de l'extrémité* de la terre à *l'extrémité du ciel*[j], il *rassemblera* ses
élus.

La leçon du figuier

(Mt 24.32-36; Lc 21.29-33)

28 «Comprenez cette comparaison empruntée au figuier[k]: dès que
ses rameaux deviennent tendres et que poussent ses feuilles, vous
reconnaissez que l'été est proche. 29 De même, vous aussi, quand vous
verrez cela arriver, sachez que le Fils de l'homme est proche, qu'il est
à vos portes. 30 En vérité, je vous le déclare, cette génération ne pas-
sera pas que tout cela n'arrive. 31 Le ciel et la terre passeront, mes

d 13.16 Lc 17.31. ***e 13.17*** Lc 23.29 ; voir Mt 11.21+. ***f 13.19*** Mt 24.21+. ***g 13.22*** *faux messies* : voir Ac 5.36-37. — *des signes et des prodiges* Dt 13.2-4 ; 2 Th 2.9-10 ; Ap 13.13-14. ***h 13.25*** Es 13.10 ; 34.4 ; Ez 32.7-8 ; Jl 2.10 ; 3.4 ; 4.15 ; Ap 6.12-14 ; 8.12. ***i 13.26*** *le Fils de l'homme* Mt 8.20+. — sa *venue* Mt 10.23+ ; Mc 8.38 ; Ap 1.7 *sur les nuées* Lv 16.2 ; Nb 11.25 ; Mt 24.30+. ***j 13.27*** *les quatre vents* ou les quatre points cardinaux. Le v. 27 combine plusieurs passages de l'A.T. : Dt 30.4 ; Za 2.10. Voir Ne 1.9 ; Ez 37.9. ***k 13.28*** Mt 21.19 ; Mc 11.13.

paroles ne passeront pas[l]. 32 Mais ce jour ou cette heure, nul ne les
connaît, ni les anges du *ciel, ni le Fils, personne sinon le Père[m].

Veillez

(Mt 24.42; 25.13-15; Lc 12.36-38; 19.12-13)

33 «Prenez garde, restez éveillés[n], car vous ne savez pas quand ce
sera le moment. 34 C'est comme un homme qui part en voyage[o]: il a
laissé sa maison, confié à ses serviteurs l'autorité, à chacun sa tâche,
et il a donné au portier l'ordre de veiller. 35 Veillez donc, car vous ne
savez pas quand le maître de la maison va venir[p], le soir ou au milieu
de la nuit, au chant du coq ou le matin, 36 de peur qu'il n'arrive à
l'improviste et ne vous trouve en train de dormir. 37 Ce que je vous dis,
je le dis à tous: veillez[q].»

Complot contre Jésus

(Mt 26.1-5; Lc 22.1-2; Jn 11.47,49,53)

14 1 La *Pâque et la fête des Pains sans levain devaient avoir lieu
deux jours après. Les *grands prêtres et les scribes cher-
chaient comment arrêter Jésus par ruse pour le tuer[r]. 2 Ils disaient en
effet: «Pas en pleine fête, de peur qu'il n'y ait des troubles dans le
peuple.»

L'onction à Béthanie

(Mt 26.6-13; Jn 12.1-8; voir Lc 7.36-38)

3 Jésus était à Béthanie dans la maison de Simon le lépreux et, pen-
dant qu'il était à table, une femme vint, avec un flacon d'albâtre conte-
nant un parfum de nard[s], pur et très coûteux. Elle brisa le flacon
d'albâtre et lui versa le parfum sur la tête. 4 Quelques-uns se disaient
entre eux avec indignation: «A quoi bon perdre ainsi ce parfum? 5 On
aurait bien pu vendre ce parfum-là plus de trois cents pièces d'argent
et les donner aux pauvres!» Et ils s'irritaient contre elle. 6 Mais Jésus
dit: «Laissez-la, pourquoi la tracasser? C'est une bonne œuvre qu'elle
vient d'accomplir à mon égard. 7 Des pauvres[t], en effet, vous en avez
toujours avec vous, et quand vous voulez, vous pouvez leur faire du
bien. Mais moi, vous ne m'avez pas pour toujours. 8 Ce qu'elle pouvait

l 13.31 Mt 5.18 ; Lc 16.17. ***m 13.32*** *ce jour et cette heure* Ac 1.7 ; 1 Th 5.1, 2. – *le Fils, le Père* Mt 11.27 ; Lc 10.22. ***n 13.33*** Mt 24.42+ ; 25.13. ***o 13.34*** Mt 25.14. ***p 13.35*** Lc 12.36-38. ***q 13.37*** Mt 24.42+. ***r 14.1*** *Pâque et fête des Pains sans levain* Ex 12.1-20 ; Dt 16.1-8. – conciliabule contre Jésus Mt 12.14+. ***s 14.3*** *Béthanie* : voir Mc 11.1 et la note ; Mt 21.17+. – *à table* : les convives étaient allongés sur le côté, à la manière antique. – *une femme* voir Lc 7.36-38. – Le *nard* : extrait d'une plante originaire du Nord de l'Inde. ***t 14.7*** Dt 15.11.

faire, elle l'a fait: d'avance elle a parfumé mon corps pour l'ensevelis-
sement[u]. 9 En vérité, je vous le déclare, partout où sera proclamé
l'Evangile dans le monde entier[v], on racontera aussi, en souvenir
d'elle, ce qu'elle a fait.»

Trahison de Judas

(Mt 26.14-16; Lc 22.3-6)

10 Judas Iscarioth, l'un des Douze, s'en alla chez les *grands prêtres
pour leur livrer Jésus[w]. 11 A cette nouvelle, ils se réjouirent et promi-
rent de lui donner de l'argent. Et Judas cherchait comment il le livre-
rait au bon moment.

Préparatifs du repas pascal

(Mt 26.17-19; Lc 22.7-13)

12 Le premier jour des Pains sans levain, où l'on immolait la *Pâque[x],
ses disciples lui disent: «Où veux-tu que nous allions faire les prépara-
tifs pour que tu manges la Pâque?» 13 Et il envoie deux de ses disciples
et leur dit: «Allez à la ville; un homme viendra à votre rencontre, por-
tant une cruche d'eau. Suivez-le 14 et, là où il entrera, dites au proprié-
taire: "Le maître dit: Où est ma salle, où je vais manger la Pâque avec
mes disciples?" 15 Et lui vous montrera la pièce du haut, vaste, garnie,
toute prête; c'est là que vous ferez les préparatifs pour nous.» 16 Les
disciples partirent et allèrent à la ville. Ils trouvèrent tout comme il
leur avait dit et ils préparèrent la Pâque.

Un traître au repas

(Mt 26.20-25; Lc 22.14; Jn 13.21-30)

17 Le soir venu, il arrive avec les Douze. 18 Pendant qu'ils étaient à
table et mangeaient, Jésus dit: «En vérité, je vous le déclare, l'un de
vous va me livrer, un *qui mange avec moi*[y].» 19 Pris de tristesse, ils se
mirent à lui dire l'un après l'autre: «Serait-ce moi?» 20 Il leur dit:
«C'est l'un des Douze, qui plonge la main avec moi dans le plat[z].
21 Car le *Fils de l'homme[a] s'en va selon ce qui est écrit de lui, mais
malheureux l'homme par qui le Fils de l'homme est livré! Il vaudrait
mieux pour lui qu'il ne soit pas né, cet homme-là!»

u 14.8 Les coutumes funéraires juives de l'époque comprenaient un embaumement sommaire pratiqué à l'aide d'onguents et de parfums; voir Mc 16.1; Jn 19.40. ***v 14.9*** *l'Evangile* 1.1+. — *dans le monde entier* Mt 24.14; Rm 10.8. ***w 14.10*** *Judas Iscarioth* 3.19 et la note; Mt 10.4+. — *les Douze* Mt 10.2+. — *livrer* Mt 26.2+. ***x 14.12*** Ex 12.6, 14-20. ***y 14.18*** Ps 41.10 (Jn 13.18). ***z 14.20*** Les convives se servaient eux-mêmes directement dans le plat commun. ***a 14.21*** Mt 8.20+.

Institution de l'Eucharistie

(Mt 26.26-29; Lc 22.15-20; 1 Co 11.23-26)

22 Pendant le repas,il prit du pain[b] et, après avoir prononcé la béné-
diction, il le rompit, le leur donna et dit: «Prenez, ceci est mon
corps.» 23 Puis il prit une coupe[c] et, après avoir rendu grâce, il la leur
donna et ils en burent tous. 24 Et il leur dit: «Ceci est mon sang, le sang
de *l'Alliance, versé pour la multitude[d]. 25 En vérité, je vous le déclare,
jamais plus je ne boirai du fruit de la vigne jusqu'au jour où je le boirai,
nouveau, dans le *Royaume de Dieu[e].»

Annonce du reniement de Pierre

(Mt 26.30-35; Lc 22.33-34; Jn 13.37-38)

26 Après avoir chanté les psaumes[f], ils sortirent pour aller au mont
des Oliviers[g]. 27 Et Jésus leur dit: «Tous, vous allez tomber, car il est
écrit[h]: *Je frapperai le *berger, et les brebis seront dispersées.* 28 Mais
une fois ressuscité, je vous précéderai en Galilée[i].» 29 Pierre lui dit:
«Même si tous tombent, eh bien! pas moi!» 30 Jésus lui dit: «En vérité,
je te le déclare, toi, aujourd'hui, cette nuit même, avant que le coq
chante deux fois, tu m'auras renié trois fois.» 31 Mais lui affirmait de
plus belle: «Même s'il faut que je meure avec toi[j], non, je ne te
renierai pas.» Et tous en disaient autant.

A Gethsémani

(Mt 26.36-46; Lc 22.40-46)

32 Ils arrivent à un domaine du nom de Gethsémani[k] et il dit à ses dis-
ciples: «Restez ici pendant que je prierai.»

33 Il emmène avec lui Pierre, Jacques et Jean[l]. Et il commença à res-
sentir frayeur et angoisse. 34 Il leur dit: «Mon âme est triste à en mou-
rir[m]. Demeurez ici et veillez.» 35 Et, allant un peu plus loin, il tombait à
terre et priait pour que, si possible, cette heure[n] passât loin de lui. 36 Il
disait: «Abba, Père, à toi tout est possible, écarte de moi cette coupe!

***b* 14.22** Mt 14.19 par. ; 15.36 ; Mc 8.6. ***c* 14.23** 1 Co 10.16. ***d* 14.24** *le sang de l'alliance* Ex 24.8 ; Za 9.11 ; He 9.20. – *pour la multitude* Mc 10.45+. ***e* 14.25** Royaume de Dieu et festin messianique Es 25.6 ; Lc 13.29. ***f* 14.26** Les Ps 115—118 étaient chantés après la fin du repas pascal. ***g* 14.26** Voir Mc 11.1 et la note. ***h* 14.27** *tomber* : certains traduisent *vous serez scandalisés* ; voir 9.42 et la note ; Mt 5.29+. – *il est écrit* Za 13.7 ; voir Mt 26.56 ; Mc 14.50. ***i* 14.28** Mt 26.32 ; 28.7, 10, 16 ; Mc 16.1 ; Jn 21 ; voir Mc 1.14. ***j* 14.31** Jn 11.16. ***k* 14.32** En araméen *pressoir à huile* ; voir Jn 18.1. ***l* 14.33** Mt 17.1+ par. ; Mc 1.29. ***m* 14.34** *mon âme* ou moi-même, ma personne tout entière. – *tristesse* Ps 42.6, 12 ; 43.5 ; Jn 12.27 *à en mourir* Jon 4.9 (grec). ***n* 14.35** Jn 12.27 ; 13.1 ; 17.1.

Pourtant, non pas ce que je veux, mais ce que tu veux[o]!» 37 Il vient et
les trouve en train de dormir; il dit à Pierre: «Simon, tu dors! Tu n'as
pas eu la force de veiller une heure! 38 Veillez et priez afin de ne pas
tomber au pouvoir de la *tentation[p]. L'esprit est plein d'ardeur, mais
la chair est faible.» 39 De nouveau, il s'éloigna et pria en répétant les
mêmes paroles. 40 Puis, de nouveau, il vint et les trouva en train de
dormir, car leurs yeux étaient appesantis. Et ils ne savaient que lui
dire. 41 Pour la troisième fois, il vient; il leur dit: «Continuez à dormir
et reposez-vous[q]! C'en est fait. L'heure est venue: voici que le *Fils de
l'homme est livré aux mains des *pécheurs. 42 Levez-vous! Allons!
Voici qu'est arrivé celui qui me livre.»

Arrestation de Jésus

(Mt 26.47-56; Lc 22.47-53; Jn 18.2-11)

43 Au même instant, comme il parlait encore, survient Judas, l'un
des Douze, avec une troupe armée d'épées et de bâtons, qui venait
de la part des *grands prêtres, des scribes et des anciens[r]. 44 Celui qui
le livrait avait convenu avec eux d'un signal: «Celui à qui je donnerai
un baiser, avait-il dit, c'est lui! Arrêtez-le et emmenez-le sous bonne
garde.» 45 Sitôt arrivé, il s'avance vers lui et lui dit: «Rabbi[s].» Et il lui
donna un baiser. 46 Les autres mirent la main sur lui et l'arrêtèrent.
47 L'un de ceux qui étaient là tira l'épée, frappa le serviteur du Grand
Prêtre et lui emporta l'oreille[t]. 48 Prenant la parole, Jésus leur dit:
«Comme pour un hors-la-loi[u], vous êtes partis avec des épées et des
bâtons pour vous saisir de moi! 49 Chaque jour, j'étais parmi vous
dans le *temple à enseigner[v] et vous ne m'avez pas arrêté. Mais
c'est pour que les Ecritures soient accomplies.» 50 Et tous l'abandon-
nèrent et prirent la fuite[w]. 51 Un jeune homme le suivait, n'ayant qu'un
drap sur le corps. On l'arrête, 52 mais lui, lâchant le drap, s'enfuit tout
nu.

Jésus devant le Sanhédrin

(Mt 26.57-68; Lc 22.54-55,63-71; Jn 18.12-18)

53 Ils emmenèrent Jésus chez le *Grand Prêtre. Ils s'assemblent tous,
les grands prêtres, les anciens et les scribes[x]. 54 Pierre, de loin, l'avait

o 14.36 *Abba, Père* Rm 8.15 et la note ; Ga 4.6 ; voir Lc 11.2. – *cette coupe* Mt 20.22+ ; Mc 10.38+. – *ce que tu veux* Mt 6.10+ ; Jn 5.30 ; 6.38. **p 14.38** Mt 6.13 ; Lc 11.4. **q 14.41** Ou *Vous dormez maintenant et vous vous reposez !* **r 14.43** *Judas* Mt 10.4+ ; Mc 14.10. – *grands prêtres, scribes et anciens* 11.27+. **s 14.45** Voir 11.21 et la note ; 9.5+. **t 14.47** Jn 18.26. **u 14.48** Voir 15.27 et la note. **v 14.49** Lc 19.47 ; 21.37 ; Jn 18.20. **w 14.50** Za 13.7 ; Mc 14.27 par. ; Jn 16.32. **x 14.53** *grands prêtres, anciens et scribes* 11.27+.

suivi jusqu'à l'intérieur du palais du Grand Prêtre. Il était assis avec les
serviteurs et se chauffait près du feu. 55 Or les grands prêtres et tout le
*Sanhédrin cherchaient contre Jésus un témoignage pour le faire con-
damner à mort et ils n'en trouvaient pas. 56 Car beaucoup portaient de
faux témoignages contre lui, mais les témoignages ne concordaient
pas. 57 Quelques-uns se levaient pour donner un faux témoignage
contre lui en disant: 58 «Nous l'avons entendu dire: "Moi, je détruirai
ce *sanctuaire fait de main d'homme et, en trois jours, j'en bâtirai un
autre, qui ne sera pas fait de main d'homme[y]."» 59 Mais, même de
cette façon, ils n'étaient pas d'accord dans leur témoignage. 60 Le
Grand Prêtre, se levant au milieu de l'assemblée, interrogea Jésus:
«Tu ne réponds rien aux témoignages que ceux-ci portent contre toi?»
61 Mais lui gardait le silence; il ne répondit rien. De nouveau le Grand
Prêtre l'interrogeait; il lui dit: «Es-tu le *Messie, le Fils du Dieu
béni[z]?» 62 Jésus dit: «Je le suis, et vous verrez *le *Fils de l'homme sié-
geant à la droite du Tout-Puissant et venant avec les nuées du ciel*[a].»
63 Le Grand Prêtre *déchira ses habits[b] et dit: «Qu'avons-nous encore
besoin de témoins! 64 Vous avez entendu le *blasphème. Qu'en
pensez-vous?» Et tous le condamnèrent comme méritant la mort[c].
65 Quelques-uns se mirent à cracher sur lui[d], à lui couvrir le visage, à
lui donner des coups et à lui dire: «Fais le *prophète!» Et les servi-
teurs le reçurent avec des gifles.

Reniement de Pierre

(Mt 26.69-75; Lc 22.56-62; Jn 18.17,25-27)

66 Tandis que Pierre était en bas, dans la cour, l'une des servantes du
*Grand Prêtre arrive. 67 Voyant Pierre qui se chauffait, elle le regarde
et lui dit: «Toi aussi, tu étais avec le Nazaréen, avec Jésus!» 68 Mais il
nia en disant: «Je ne sais pas et je ne comprends pas ce que tu veux
dire.» Et il s'en alla dehors dans le vestibule[e]. 69 La servante le vit et se
mit à redire à ceux qui étaient là: «Celui-là, il est des leurs!» 70 Mais de
nouveau il niait. Peu après, ceux qui étaient là disaient une fois de plus
à Pierre: «A coup sûr, tu es des leurs! et puis, tu es galiléen.» 71 Mais

y 14.58 destructeur du temple Mt 24.2-3 ; Mc 15.29 par. ; Jn 2.19 ; Ac 6.14. – *non fait de main d'homme* Ac 7.48-50 ; 17.24. ***z 14.61*** *silence* de Jésus Mc 15.4-5 par. ; voir Es 50.6-8 ; 53.7 ; Ac 8.32. – *Fils de Dieu* Mt 14.33+ ; Mc 5.7 ; Lc 8.28. ***a 14.62*** *Fils de l'homme* Mt 8.20+. – *à la droite* Ps 110.1 (Mt 22.44+) ; voir la note sur He 1.3. – *avec les nuées* Mt 24.30+ ; Mc 13.26 ; Lc 21.27 ; 1 Th 4.17 ; Ap 1.7 ; 14.14. ***b 14.63*** Mt 26.65+. ***c 14.64*** *blasphème* Mt 9.3+. – *méritant la mort* Lv 24.16 ; Jn 19.7. ***d 14.65*** Es 50.6. ***e 14.68*** Quelques manuscrits ajoutent *et un coq chanta*.

lui se mit à jurer avec des imprécations: «Je ne connais pas l'homme dont vous me parlez!» 72 Aussitôt, pour la deuxième fois, un coq chanta. Et Pierre se rappela la parole que Jésus lui avait dite: «Avant que le coq chante deux fois, tu m'auras renié trois fois[f].» Il sortit précipitamment[g]; il pleurait.

Jésus devant Pilate

(Mt 27.1-2,11-26; Lc 23.1-5,13-25; Jn 18.28—19.16)

15 1 Dès le matin, les *grands prêtres tinrent conseil avec les anciens, les scribes et le *Sanhédrin tout entier. Ils lièrent Jésus, l'emmenèrent et le livrèrent à Pilate[h]. 2 Pilate l'interrogea: «Es-tu le roi des Juifs?» Jésus lui répond: «C'est toi qui le dis[i].» 3 Les grands prêtres portaient contre lui beaucoup d'accusations. 4 Pilate l'interrogeait de nouveau: «Tu ne réponds rien? Vois toutes les accusations qu'ils portent contre toi.» 5 Mais Jésus ne répondit plus rien[j], de sorte que Pilate était étonné. 6 A chaque fête, il leur relâchait un prisonnier, celui qu'ils réclamaient. 7 Or celui qu'on appelait Barabbas était en prison avec les émeutiers qui avaient commis un meurtre pendant l'émeute. 8 La foule[k] monta et se mit à demander ce qu'il leur accordait d'habitude. 9 Pilate leur répondit: «Voulez-vous que je vous relâche le roi des Juifs?» 10 Car il voyait bien que les grands prêtres l'avaient livré par jalousie. 11 Les grands prêtres excitèrent la foule pour qu'il leur relâche plutôt Barabbas[l]. 12 Prenant encore la parole, Pilate leur disait: «Que ferai-je donc de celui que vous appelez le roi des Juifs?» 13 De nouveau, ils crièrent: «Crucifie-le!» 14 Pilate leur disait: «Qu'a-t-il donc fait de mal?» Ils crièrent de plus en plus fort: «Crucifie-le[m]!» 15 Pilate, voulant contenter la foule, leur relâcha Barabbas et il livra Jésus, après l'avoir fait flageller[n], pour qu'il soit crucifié.

Le couronnement d'épines

(Mt 27.27-31; Jn 19.2-3)

16 Les soldats le conduisirent à l'intérieur du palais, c'est-à-dire du *prétoire. Ils appellent toute la cohorte[o]. 17 Ils le revêtent de

***f* 14.72** 14.30 par.; Jn 13.38. ***g* 14.72** On hésite sur le sens exact du terme grec. Autres traductions: *il commença à pleurer;* ou *se couvrant* (la tête ?) *il pleura*; ou *en songeant à ceci il pleura.* ***h* 15.1** réunion matinale du Sanhédrin Lc 22.66. — *grands prêtres, anciens et scribes* Mc 11.27+. — *Ponce Pilate* fut gouverneur romain de la Judée entre les années 26 et 36. ***i* 15.2** *roi des Juifs* Mt 2.2+. — *c'est toi qui le dis* Mt 26.25. ***j* 15.5** 14.60-61; Lc 23.9; voir Es 53.7; Ac 8.32. ***k* 15.8** 12.37. ***l* 15.11** Ac 3.14. ***m* 15.14** la condamnation de Jésus exigée de Pilate Ac 3.13; 13.28. ***n* 15.15** Voir 10.34 et la note; voir aussi Ac 5.40; 16.37; 22.19; 2 Co 11.25 etc. ***o* 15.16** Unité de l'armée romaine (600 hommes).

pourpre[p] et ils lui mettent sur la tête une couronne d'épines qu'ils ont tressée. 18 Et ils se mirent à l'acclamer: «Salut, roi des Juifs[q]!» 19 Ils lui frappaient la tête[r] avec un roseau, ils crachaient sur lui et, se mettant à genoux, ils se prosternaient devant lui. 20 Après s'être moqués de lui, ils lui enlevèrent la pourpre et lui remirent ses vêtements. Puis ils le font sortir pour le crucifier.

La crucifixion

(Mt 27.33-44; Lc 23.36-43; Jn 19.16-24)

21 Ils réquisitionnent pour porter sa croix[s] un passant, qui venait de la campagne. Simon de Cyrène, le père d'Alexandre et de Rufus[t]. 22 Et ils le mènent au lieu-dit Golgotha, ce qui signifie lieu du Crâne. 23 Ils voulurent lui donner du vin mêlé de myrrhe[u], mais il n'en prit pas. 24 Ils le crucifient, et *ils partagent ses vêtements, en les tirant au sort*[v] pour savoir ce que chacun prendrait. 25 Il était neuf heures quand ils le crucifièrent. 26 L'inscription portant le motif de sa condamnation était ainsi libellée: «Le roi des Juifs». 27 Avec lui, ils crucifient deux bandits, l'un à sa droite, l'autre à sa gauche[w]. [28 [x]...] 29 Les passants l'insultaient *hochant la tête* et disant: «Hé! Toi qui détruis le *Sanctuaire[y] et le rebâtis en trois jours, 30 sauve-toi toi-même en descendant de la croix.» 31 De même, les *grands prêtres, avec les scribes, se moquaient entre eux: «Il en a sauvé d'autres, il ne peut pas se sauver lui-même! 32 Le *Messie, le roi d'Israël, qu'il descende maintenant de la croix, pour que nous voyions et que nous croyions!» Ceux qui étaient crucifiés avec lui l'injuriaient.

La mort de Jésus

(Mt 27.45-56; Lc 23.44-49; Jn 19.28-30)

33 A midi, il y eut des ténèbres[z] sur toute la terre jusqu'à trois heures.

p 15.17 *pourpre* : teinture précieuse réservée aux rois et aux personnages importants ; par extension le terme désigne les vêtements teints à la pourpre. ***q 15.18*** moqueries 10.34 ; 15.31 ; Lc 23.11 ; voir Ps 22.8 ; 44.14 ; 52.8. — *roi des Juifs* Mt 2.2+. ***r 15.19*** Mi 4.14. ***s 15.21*** Le condamné devait porter lui-même la poutre transversale de la croix jusqu'au lieu de l'exécution. ***t 15.21*** *Cyrène* : sur la côte nord-africaine. Voir Ac 2.10 ; 11.20. — *Rufus* voir Rm 16.13. ***u 15.23*** Boisson assoupissante offerte aux condamnés selon une coutume juive ; voir Ps 69.22. ***v 15.24*** Ps 22.19 ; voir Jn 19.24. ***w 15.27*** *l'un à droite, l'autre à gauche* 10.37. — *bandits*. Il s'agit probablement de révolutionnaires (zélotes) ; voir 15.7 et la note sur 3.18 ; voir aussi 14.48 ; voir Es 53.12. ***x 15.28*** Certains manuscrits ajoutent ici, d'après Lc 22.37 : *Et fut accomplie l'Ecriture, qui dit : il fut compté au nombre des malfaiteurs* (citation d'Es 53.12). ***y 15.29*** *hochant la tête* Ps 22.8 ; Jr 18.16 ; voir Ps 109.25 ; Jb 16.4 ; Lm 2.15. — *destructeur du sanctuaire* Mc 14.58 ; voir Mt 26.61+. ***z 15.33*** Ex 10.22 ; Am 8.9-10.

34 Et à trois heures, Jésus cria d'une voix forte: «*Eloï, Eloï, lama sabaqthani?*» ce qui signifie: «*Mon Dieu, mon Dieu, pourquoi m'as-tu abandonné*[a]?» 35 Certains de ceux qui étaient là disaient, en l'entendant: «Voilà qu'il appelle Elie[b]!» 36 Quelqu'un courut, emplit une éponge de *vinaigre* et, la fixant au bout d'un roseau, il lui *présenta à boire*[c] en disant: «Attendez, voyons si Elie va venir le descendre de là.» 37 Mais, poussant un grand cri, Jésus expira. 38 Et le voile du *Sanctuaire[d] se déchira en deux du haut en bas. 39 Le centurion[e] qui se tenait devant lui, voyant qu'il avait ainsi expiré[f], dit: «Vraiment, cet homme était Fils de Dieu.» 40 Il y avait aussi des femmes[g] qui regardaient à distance, et parmi elles Marie de Magdala, Marie, la mère de Jacques le Petit et de José, et Salomé, 41 qui le suivaient et le servaient quand il était en Galilée, et plusieurs autres qui étaient montées avec lui à Jérusalem.

L'ensevelissement

(Mt 27.57-61; Lc 23.50-56; Jn 19.38-42)

42 Déjà le soir était venu, et comme c'était un jour de Préparation, c'est-à-dire une veille de *sabbat, 43 un membre éminent du conseil[h], Joseph d'Arimathée, arriva. Il attendait lui aussi le *Règne de Dieu. Il eut le courage d'entrer chez Pilate pour demander le corps de Jésus. 44 Pilate s'étonna qu'il soit déjà mort. Il fit venir le centurion et lui demanda s'il était mort depuis longtemps. 45 Et, renseigné par le centurion, il permit à Joseph de prendre le cadavre. 46 Après avoir acheté un linceul, Joseph descendit Jésus de la croix et l'enroula dans le linceul. Il le déposa dans une tombe[i] qui était creusée dans le rocher et il roula une pierre à l'entrée du tombeau. 47 Marie de Magdala et Marie, mère de José regardaient où on l'avait déposé.

Les femmes au tombeau

(Mt 28.1-8; Lc 24.1-11; Jn 20.1)

16 1 Quand le *sabbat fut passé[j], Marie de Magdala, Marie, mère de Jacques, et Salomé achetèrent des aromates pour aller

a 15.34 Ps 22.2 (cité en araméen). ***b 15.35*** Mt 11.14+ ; Mc 9.11-13. ***c 15.36*** *vinaigre* : vin aigri constituant la boisson habituelle des troupes romaines. Citation de Ps 69.22 ; voir Mt 27.34 ; Mc 15.23 ; Lc 23.36. ***d 15.38*** Voir Ex 36.35 : ce rideau fermait l'entrée du Sanctuaire, partie la plus reculée du temple proprement dit et lieu par excellence de la présence de Dieu ; voir Ex 26.31-35 ; He 6.19 ; 9.3, 6-12 ; 10.19-20. ***e 15.39*** Voir Mt 8.5 et la note. ***f 15.39*** Autre texte : qu'il avait expiré *en criant* ainsi. Habituellement les crucifiés mouraient par étouffement. ***g 15.40*** Lc 8.2-3. ***h 15.43*** *Le conseil* : appelé le Sanhédrin. Les Romains ne s'occupaient pas de l'ensevelissement des condamnés, mais la Loi juive (Dt 21.22-23) exigeait que les suppliciés soient ensevelis avant le coucher du soleil. ***i 15.46*** 6.29 ; Ac 13.29. ***j 16.1*** Après le coucher du soleil (voir note sur 1.32).

l'embaumer[k]. 2 Et de grand matin, le premier jour de la semaine, elles
vont à la tombe, le soleil étant levé. 3 Elles se disaient entre elles: «Qui
nous roulera la pierre de l'entrée du tombeau[l]?» 4 Et, levant les yeux,
elles voient que la pierre est roulée; or, elle était très grande. 5 Entrées
dans le tombeau, elles virent, assis à droite, un jeune homme, vêtu
d'une robe blanche[m], et elles furent saisies de frayeur. 6 Mais il leur
dit: «Ne vous effrayez pas. Vous cherchez Jésus de Nazareth, le cru-
cifié: il est ressuscité[n], il n'est pas ici; voyez l'endroit où on l'avait
déposé. 7 Mais allez dire à ses disciples et à Pierre: "Il vous précède en
Galilée; c'est là que vous le verrez[o], comme il vous l'a dit."» 8 Elles
sortirent et s'enfuirent loin du tombeau, car elles étaient toutes trem-
blantes et bouleversées; et elles ne dirent rien à personne, car elles
avaient peur[p].

Apparitions de Jésus ressuscité

9 Ressuscité le matin du premier jour de la semaine, Jésus apparut
d'abord à Marie de Magdala[q], dont il avait chassé sept *démons.
10 Celle-ci partit l'annoncer à ceux qui avaient été avec lui et qui
étaient dans le deuil et les pleurs. 11 Mais, entendant dire qu'il vivait et
qu'elle l'avait vu, ceux-ci ne la crurent pas. 12 Après cela, il se mani-
festa sous un autre aspect à deux d'entre eux qui faisaient route pour
se rendre à la campagne. 13 Et ceux-ci revinrent l'annoncer aux autres;
eux non plus, on ne les crut pas. 14 Ensuite, il se manifesta aux Onze,
alors qu'ils étaient à table, et il leur reprocha leur incrédulité et la
dureté de leur *cœur, parce qu'ils n'avaient pas cru ceux qui l'avaient
vu ressuscité. 15 Et il leur dit: «Allez par le monde entier, proclamez
*l'Evangile à toutes les créatures. 16 Celui qui croira et sera baptisé
sera sauvé[r], celui qui ne croira pas sera condamné. 17 Et voici les
*signes qui accompagneront ceux qui auront cru: en mon *nom, ils
chasseront les démons, ils parleront des langues nouvelles[s], 18 ils pren-
dront dans leurs mains des serpents, et s'ils boivent quelque poison
mortel, cela ne leur fera aucun mal; ils *imposeront les mains à des

k 16.1 *Marie de Magdala* Mt 27.56+. — onction funéraire Mc 14.8 et la note ; Jn 19.40. ***l 16.3*** Jn 11.38-39. ***m 16.5*** 9.3 ; Ac 1.10 ; Ap 7.9, 13. ***n 16.6*** *ne vous effrayez pas* Jos 1.9 ; Es 41.10 ; Jr 1.8 ; Mt 17.7 ; Mc 5.36 ; 6.50 ; Lc 1.30 ; 2.9-10 ; 12.32 ; Jn 6.20 ; Ap 1.17. — *ressuscité* Ac 2.23-24 ; 3.15 ; 4.10 ; 5.30 ; 10.40 ; 13.28, 30. ***o 16.7*** apparition du Ressuscité à Pierre Lc 24.34 ; 1 Co 15.5. — *en Galilée* Mt 26.32 ; Mc 14.28. ***p 16.8*** Selon les meilleurs manuscrits, l'évangile de Marc se termine ici. ***q 16.9*** Mt 27.56+. ***r 16.16*** foi, baptême, salut Ac 2.38 ; 16.31, 33. ***s 16.17*** *démons chassés* au nom de Jésus Ac 8.7 ; 16.18. — *langues nouvelles* Ac 2.4, 11 ; 10.46 ; 19.6 ; 1 Co 14.2-40.

malades[t], et ceux-ci seront guéris.» [19] Donc le Seigneur Jésus, après
leur avoir parlé, fut enlevé au *ciel et s'assit à la droite de Dieu[u].
[20] Quant à eux, ils partirent prêcher partout: le Seigneur agissait avec
eux et confirmait la Parole par les signes[v] qui l'accompagnaient.

t 16.18 *serpents* Lc 10.19 ; Ac 28.3-6. — *imposition des mains* Mt 9.18+ ; Mc 5.23+ ; Ac 4.30 ; 5.16 ; Jc 5.14-15.
u 16.19 *enlèvement au ciel* 2 R 2.11 ; Ac 1.9-11 ; 1 Tm 3.16. — *à la droite de Dieu* Ps 110.1 (Mt 22.44+). ***v 16.20*** Ac 14.3 ; He 2.3-4.

ÉVANGILE SELON LUC

INTRODUCTION

L'intention de l'auteur (Lc 1.1-4)

L'Evangile de Luc *est le seul à commencer par un prologue, à la manière de nombreux écrits grecs de cette époque. Il est adressé à un certain Théophile qui nous est inconnu. Le prologue du livre des Actes est dédié au même Théophile et renvoie explicitement à un « premier livre ». On en a conclu dès l'Eglise ancienne qu'il s'agit d'un seul ouvrage en deux parties, rédigé par le même auteur. Les études modernes ont confirmé cette opinion. La langue et la pensée des deux livres sont bien homogènes et le dessein y est continu : un premier temps conduit à Jérusalem où s'accomplissent les événements décisifs pour le salut ; puis la prédication rayonne à partir de Jérusalem jusqu'à Rome, la capitale du monde païen.*

L'auteur se présente comme un historien qui s'est soigneusement informé avant d'exposer avec ordre les événements. Mais ce qu'il veut écrire, c'est l'histoire sainte, dans le prolongement de celle d'Israël.

Le contenu du « premier livre »

Le schéma est le même que celui de Matthieu et de Marc : une introduction, la prédication de Jésus en Galilée, sa montée à Jérusalem, l'accomplissement de sa mission dans cette ville par la Passion et la Résurrection. Mais Luc use de ce cadre avec une certaine liberté.

1. L'introduction *(1.5—4.13) comporte deux sections fort différentes.*

Les récits de l'enfance sont propres à Luc (1.5—2.52). Ils annoncent qui est Jésus dans une série de messages révélés, qui le proclament conçu de l'Esprit, saint, Fils de Dieu (1.35), Sauveur et Christ Seigneur (2.11), salut de Dieu et lumière des païens (2.30,32), et pourtant voué au refus de la masse de son peuple (2.34). Ces révéla-

tions constituent un prologue christologique comparable à celui de l'évangile de Jean (Jn 1.1-18).

Le prélude de la mission (3.1—4.13) comporte, comme chez Matthieu et Marc, la mission de Jean le Baptiste, le baptême de Jésus et sa victoire initiale sur le tentateur. Mais Luc y distingue nettement le temps de Jean et celui de Jésus (3.20). Il place ici la généalogie de Jésus, qu'il fait remonter jusqu'à Adam pour marquer son lien à l'humanité tout entière (3.23-38).

2. La première partie de la mission de Jésus *(4.14—9.50) est toute située en Galilée. Elle s'ouvre, selon Luc, par une prédication dans la synagogue de Nazareth (4.16-30) qui préfigure toute la suite de l'évangile : annonce du salut, refus des auditeurs, allusion au salut des païens, menaces de mort.*

Une première section (4.31—6.11) suit l'ordre de Mc 1.16—3.6. Elle présente Jésus face à la foule, aux premiers disciples, aux adversaires, dans les miracles et les controverses.

La deuxième section (6.12—7.52), pour laquelle Matthieu offre des parallèles dispersés, s'ouvre par l'appel des Douze et comporte avant tout l'enseignement de Jésus à ses disciples dans le discours de Béatitudes.

La troisième section (8.1—9.50), où Luc rejoint le récit de Mc 4.1—9.40, associe étroitement les Douze à la mission de Jésus (8.1). Ils sont envoyés proclamer le Règne de Dieu (9.1-6) et participent à la multiplication des pains (9.12). Jésus peut les mettre en demeure de se prononcer sur lui, et Pierre reconnaît en lui « le Christ de Dieu » (9.20). Cette première déclaration de foi est aussitôt complétée par le Maître, qui se définit comme le Messie voué à la mort (9.22), et par Dieu lui-même, qui proclame Jésus comme son Fils au cours d'une transfiguration (9.35).

3. La montée à Jérusalem *(9.51 — 19.28) est la partie la plus originale de la construction de Luc. Un bon nombre de ses matériaux se retrouvent çà et là chez Matthieu et quelques-uns chez Marc, mais Luc est seul à les présenter dans le cadre d'un voyage.*

Celui-ci est introduit par une phrase solennelle qui oriente la marche de Jésus vers l'événement pascal dont l'accomplissement est proche (9.51). Le Maître prend la route de Jérusalem, la cité sainte où doit se réaliser l'œuvre du salut. Tout au long de cette partie, la parole de Jésus prévaut sur les miracles et l'exhortation sur la présentation du mystère du Christ (sauf 10.21-24 ; 12.49-50 ; 18.31-33 ; 19.12-15). Une large part de ces enseignements envisage une situation où Jésus ne sera plus présent, ce qui correspond à la perspective indiquée dès le début du voyage, celle de son « enlèvement » (9.51) ; le temps vient où les disciples auront à demander l'Esprit Saint (11.13), à confesser leur Maître devant les hommes (12.1-12), à attendre son retour (12.35-40 ; 17.22—18.8 ; 19. 11-27), à prendre soin de leurs frères dans les communautés (12. 41-48).

En finale, la parabole des mines prépare l'affrontement tragique entre Jérusalem et le roi qu'elle va refuser de reconnaître (19.11-27).

4. L'accomplissement du salut à Jérusalem *(19.29—24.53) est inauguré par une entrée dans la ville, où Jésus se présente en roi et affirme son autorité dans le temple (19.29-48). Luc conclut son enseignement public par une exhortation à la vigilance dans l'attente du Fils de l'homme (21.34-36). Les récits de la Passion (22—23) et de la Résurrection (24) contiennent aussi quelques particularités. C'est ainsi que la Cène se prolonge par des enseignements aux Douze (22.34-38) et que, lors du procès puis de la crucifixion, sont soulignées à la fois l'innocence et la royauté de Jésus (par exemple 23.4,14,22 et 22.29 ; 23.37,38,42). Quant aux récits de Pâques, ils sont tous localisés à Jérusalem ; aucune mention n'est faite d'apparitions en Galilée. Jésus apparaît aux Douze pour triompher de leurs doutes (24.36-43) et les investir de leur mission de témoins (24.47-49). Et le livre s'achève avec un premier récit de l'Ascension.*

Le temps de Jésus et le temps de l'Eglise

Luc marque la différence entre le temps de Jésus, *qu'il raconte dans son évangile,* et le temps de l'Eglise, *dont il parlera dans le livre des Actes. Dans le premier livre, Jésus ne s'adresse qu'au peuple d'Israël ; c'est seulement le Ressuscité qui ordonne la mission aux païens (24.47-48).*

Dès le début de l'évangile, Luc insiste pourtant sur le fait que le salut est pleinement donné « aujourd'hui » *(2.11 ; 3.22 ; 4.21...). Et d'emblée, Jésus se présente comme le Sauveur des pauvres et des malheureux (4.18-21). En fait, Luc pense constamment à la portée du message de Jésus pour le temps de l'Eglise. Son enseignement est une règle pour « chaque jour » (9.23 ; 11.3 ; 17.4). Il insiste sur la conversion initiale (5.32 ; 7.36-50 ; 13.1-5 ; 15.4-32 ; 19.1-10 ; 23.39-43), sur la foi (1.20,45 ; 7.50 ; 8.12-13 ; 17.5-6 ; 18.8 ; 22.32 ; 24.25), sur la prière (11.1-13 ; 18.1-8 ; 21.36 ; 22.40-46) à l'exemple de Jésus (3.21 ; 5.16 ; 6.12 ; 9.18,28-29, etc.). Les exigences du Seigneur sont rigoureuses (5.11,28 ; 14.25-33), en particulier en ce qui concerne le renoncement aux richesses (6.24 ; 12.13-34 ; 16.1-13 ; 18.24-30) ; et pourtant, la joie éclate dans cet évangile plus que dans tous les autres : devant l'annonce du salut (1.14,28,41,44 ; 6.23 ; 8.13), devant les miracles (10.17 ; 13.17 ; 19.37), devant la foi des petits (10.21) et la conversion des pécheurs (15 ; 19.6), devant la Résurrection (24.52).*

L'insistance sur le salut présent atténue la tension vers l'avènement final du Fils de l'homme *(17.23 ; 19.11 ; 21.8-9), mais cette perspective demeure comme un motif de vigilance (12.35-48 ; 17.22-37 ; 18.8 ; 19.11-27 ; 21.5-36).*

Modalités et circonstances de la rédaction de cet évangile

Luc utilise dans son évangile bon nombre de matériaux qui lui sont communs avec Matthieu et Marc, mais aussi beaucoup d'éléments qui lui sont propres, les récits de l'enfance, les miracles, les paraboles, les interventions d'Hérode, etc. Il y a aussi des rencontres entre les évangiles de Luc et de Jean, mais il s'agit moins de textes suivis que de traits communs ou semblables, comme le lien entre une pêche miraculeuse et la vocation de Pierre (Lc 5.1-11 et Jn 21.1-19), la triple reconnaissance de l'innocence de Jésus par Pilate (Lc 23.4,14,22 et Jn 18.38 ; 19.4,6), etc.

Sur tous les matériaux de la tradition, le travail de Luc est considérable. On l'a perçu dans « l'ordre » qu'il a adopté. Mais c'est aussi son vocabulaire qui est beaucoup plus varié que celui des parallèles de Matthieu et Marc. Et puis, quand il présente les paroles ou les actes de Jésus, Luc s'intéresse avant tout à leur sens ; il manifeste parfois une indifférence profonde pour leur chronologie (4.16-30 ; 5.1-11 ; 24.51 et Ac 1.2-3,9) ou pour leur localisation (10.13-15 ; 13.34-35 ; 24.36-49) ; il ne craint pas de composer librement des scènes significatives (1—2 ; 4.16-30...). Son souci premier étant de proclamer l'histoire de Jésus en tant qu'histoire du salut, il se sent la liberté et même le devoir de déchiffrer les événements et d'en faire apparaître le sens caché à ses lecteurs.

Pour fixer la date de composition de l'évangile, on peut observer que Luc semble avoir connu le siège et la ruine de Jérusalem survenus en l'année 70 (19.43-44 ; 21.20,24). Les spécialistes actuels situent souvent la rédaction vers les années 80-90 ; plusieurs cependant lui attribuent une date plus ancienne.

Le livre paraît s'adresser à des chrétiens de culture grecque. Il y a de cela plusieurs indices : sa langue, ses explications sur la géographie de la Palestine (4.31 ; 8.26 ; 23.51) et sur les usages juifs (2.23-24 ; 22.1.7), son peu d'intérêt pour les discussions sur la loi, son souci des païens...

L'auteur lui-même semble appartenir au monde hellénistique. Il connaît mal certains usages palestiniens (5.19 ; 6.48-49 ; 9.12). Le nom de Luc lui est attribué par une tradition dont le plus ancien témoin connu est Irénée, à la fin du IIe siècle. Il s'agit du médecin que Paul nomme en Col 4.14 ; Phm 24 ; 2 Tm 4.11. Plusieurs ont cru trouver confirmation de cette identité dans la précision avec laquelle sont décrites les maladies ; mais on a montré que tout homme cultivé de l'époque pouvait en dire autant. Quant aux relations avec Paul, il n'est pas possible de les apprécier clairement dans l'évangile. On se reportera pour toute la question à l'introduction au livre des Actes.

Le témoignage de Luc

Luc est agréable à lire à cause de son goût de la clarté et de son souci d'expliquer, à cause de sa sensibilité et de son art. Il aide à approcher le mystère de Jésus : il montre le Fils de Dieu comme le Sauveur de tous les hommes, avec une attention particulière pour les petits, les pécheurs et les païens, comme le Maître de vie avec toutes ses exigences, avec aussi son accueil et sa grâce.

ÉVANGILE SELON LUC

Dédicace

1 1 Puisque beaucoup ont entrepris de composer un récit des événe-
ments accomplis parmi nous, 2 d'après ce que nous ont transmis
ceux qui furent dès le début témoins oculaires et qui sont devenus ser-
viteurs de la parole[a], 3 il m'a paru bon, à moi aussi, après m'être soi-
gneusement informé de tout à partir des origines, d'en écrire pour toi
un récit ordonné, très honorable Théophile[b], 4 afin que tu puisses
constater la solidité des enseignements que tu as reçus.

Annonce de la naissance de Jean le Baptiste

5 Il y avait au temps d'Hérode, roi de Judée, un *prêtre nommé
Zacharie, de la classe d'Abia; sa femme appartenait à la descendance
d'Aaron[c] et s'appelait Elisabeth. 6 Tous deux étaient justes devant Dieu
et ils suivaient tous les commandements et observances du Seigneur
d'une manière irréprochable. 7 Mais ils n'avaient pas d'enfant parce
qu'Elisabeth était stérile et ils étaient tous deux avancés en âge[d]. 8 Vint
pour Zacharie le temps d'officier devant Dieu selon le tour de sa
classe; 9 suivant la coutume du *sacerdoce, il fut désigné par le sort
pour offrir l'encens[e] à l'intérieur du *sanctuaire du Seigneur. 10 Toute
la multitude du peuple[f] était en prière au-dehors à l'heure de
l'offrande de l'encens. 11 Alors lui apparut un *ange du Seigneur,
debout à droite de *l'autel de l'encens[g]. 12 A sa vue, Zacharie fut
troublé et la crainte s'abattit sur lui[h]. 13 Mais l'ange lui dit: « Sois sans

a ***1.2*** *témoins oculaires* Jn 15.27. — *la parole* Ac 4.31 ; 6.2, 7 ; 11.1. **b** ***1.3*** *Théophile* Ac 1.1. **c** ***1.5*** Selon l'usage grec, Luc désigne ici par *Judée* l'ensemble du pays des Juifs. Sur *Hérode* voir Mt 2.1 et la note. — *la classe d'Abia* 1 Ch 24.10. — *Aaron*, frère de Moïse, était considéré comme l'ancêtre des familles sacerdotales de Jérusalem. **d** ***1.7*** *stérile* Gn 11.30 ; 25.21 ; 29.31 ; Jg 13.2-3 ; 1 S 1.5. — *avancés en âge* Gn 18.11. **e** ***1.9*** *offrir l'encens* Ex 30.7. **f** ***1.10*** *le peuple* 1.21, 68, 77 ; 2.10, 32 ; 3.15, 18, 21, etc. **g** ***1.11*** *la droite* : voir la note sur He 1.3. — *l'autel de l'encens* 1 R 6.20-21 ; 7.48. **h** ***1.12*** *troublé* Jg 6.22 ; 13.20, 22 ; Dn 8.17-18 ; 10.7-8, 11, 16 ; *Tb* 12.16. — *crainte* devant 1) les révélations Lc 2.9 ; 9.34, 2) les miracles 1.65 ; 5.26 ; 7.16 ; 8.25, 35, 37 ; 24.5, 37 ; Ac 2.43, 3) les autres interventions de Dieu Ac 5.5, 11 ; 19.17.

crainte, Zacharie, car ta prière a été exaucée. Ta femme Elisabeth
t'enfantera un fils[i] et tu lui donneras le nom de Jean. 14 Tu en auras joie
et allégresse et beaucoup se réjouiront de sa naissance. 15 Car il sera
grand devant le Seigneur; il ne boira ni vin ni boisson fermentée et il
sera rempli de l'Esprit Saint dès le sein de sa mère[j]. 16 Il ramènera[k]
beaucoup de fils d'Israël au Seigneur leur Dieu; 17 et il marchera par
devant sous le regard de Dieu, avec l'esprit et la puissance d'Elie, pour
*ramener le *cœur des pères vers leurs enfants* et conduire les rebelles
à penser comme les justes, afin de former pour le Seigneur un peuple
préparé[l]. » 18 Zacharie dit à l'ange: « A quoi le saurai-je? Car je suis un
vieillard et ma femme est avancée en âge[m].» 19 L'ange lui répondit:
«Je suis Gabriel qui me tiens devant Dieu. J'ai été envoyé pour te
parler et pour t'annoncer cette bonne nouvelle[n]. 20 Eh bien, tu vas être
réduit au silence et tu ne pourras plus parler jusqu'au jour où cela se
réalisera, parce que tu n'as pas cru[o] à mes paroles qui s'accompliront
en leur temps.» 21 Le peuple attendait Zacharie et s'étonnait qu'il
s'attardât dans le sanctuaire. 22 Quand il sortit, il ne pouvait leur parler
et ils comprirent qu'il avait eu une vision dans le sanctuaire; il leur fai-
sait des signes et demeurait muet. 23 Quand prit fin son temps de ser-
vice, il repartit chez lui. 24 Après quoi Elisabeth, sa femme, devint
enceinte; cinq mois durant elle s'en cacha; elle se disait: 25 «Voilà ce
qu'a fait pour moi le Seigneur au temps où il a jeté les yeux sur moi
pour mettre fin à ce qui faisait ma honte[p] devant les hommes.»

Annonce de la naissance de Jésus

26 Le sixième mois, *l'ange Gabriel fut envoyé par Dieu dans une
ville de Galilée du nom de Nazareth[q], 27 à une jeune fille accordée en
mariage à un homme nommé Joseph, de la famille de David; cette
jeune fille s'appelait Marie[r]. 28 L'ange entra auprès d'elle et lui dit:
«Sois joyeuse, toi qui as la faveur de Dieu, le Seigneur est avec toi[s].»
29 A ces mots, elle fut très troublée, et elle se demandait ce que pouvait

i 1.13 *sans crainte* Mt 28.5+ ; Mc 16.6+. – *elle t'enfantera un fils* Gn 17.19 ; Jg 13.3, 5 ; Es 7.14. ***j 1.15*** *devant le Seigneur* 1 R 17.1 ; 18.15. – *ni vin ni boisson fermentée* Nb 6.3-4 ; Jg 13.4, 7, 14 ; 1 S 1.11 (grec) ; Lc 7.33. – *dès le sein de sa mère* Jg 13.5 ; 16.17 ; Jr 1.5 ; Es 49.1, 5 ; Ga 1.15 ; voir Lc 1.41-44. ***k 1.16*** *il ramènera* Ml 2.6. ***l 1.17*** *Elie* Mt 11.14+. – *pour ramener le cœur des pères...* Ml 3.23-24 ; *Si* 48.10. – *former* (ou *préparer*) *pour le Seigneur un peuple...* Ml 3.1 ; voir Es 40.3 ; Mc 1.3 ; Lc 1.76 ; 3.4. ***m 1.18*** Objection de Zacharie Gn 18.11. ***n 1.19*** *Gabriel* Dn 8.16 ; 9.21. – *envoyé* He 1.14. – *annoncer la bonne nouvelle* Lc 2.10 ; 3.18 ; 4.18, 43. ***o 1.20*** 1.45. ***p 1.25*** Gn 30.23. ***q 1.26*** Jn 1.46. ***r 1.27*** *Joseph* et *Marie* Mt 1.16, 18 ; Lc 2.5. ***s 1.28*** Ex 3.12 ; Jg 6.12 ; Jr 1.8, 19 ; 15.20 ; voir Gn 26.24 ; 28.15.

signifier cette salutation. 30 L'ange lui dit: «Sois sans crainte, Marie,
car tu as trouvé grâce auprès de Dieu. 31 *Voici que tu vas être enceinte,
tu enfanteras un fils et tu lui donneras le nom* de Jésus[t]. 32 Il sera grand
et sera appelé Fils du Très-Haut. Le Seigneur Dieu lui donnera le trône
de David son père[u]; 33 il régnera pour toujours sur la famille de Jacob,
et son règne n'aura pas de fin[v].» 34 Marie dit à l'ange: «Comment cela
se fera-t-il puisque je n'ai pas de relations conjugales?» 35 L'ange lui
répondit:

«L'Esprit Saint viendra sur toi
et la puissance du Très Haut te couvrira de son ombre;
c'est pourquoi celui qui va naître sera *saint et sera appelé Fils de
Dieu[w]. 36 Et voici qu'Elisabeth, ta parente, est elle aussi enceinte d'un
fils dans sa vieillesse et elle en est à son sixième mois, elle qu'on appe-
lait la stérile, 37 car *rien n'est impossible à Dieu*[x]. » 38 Marie dit alors:
«Je suis la servante[y] du Seigneur. Que tout se passe pour moi comme
tu me l'as dit!» Et l'ange la quitta.

Visite de Marie à Elisabeth

39 En ce temps-là, Marie partit en hâte pour se rendre dans le haut
pays[z], dans une ville de Juda. 40 Elle entra dans la maison de Zacharie
et salua Elisabeth. 41 Or, lorsque Elisabeth entendit la salutation de
Marie, l'enfant bondit dans son sein et Elisabeth fut remplie du Saint
Esprit[a]. 42 Elle poussa un grand cri et dit: «Tu es bénie plus que toutes
les femmes, béni aussi est le fruit de ton sein! 43 Comment m'est-il
donné que vienne à moi la mère de mon Seigneur? 44 Car lorsque ta
salutation a retenti à mes oreilles, voici que l'enfant a bondi d'allé-
gresse en mon sein. 45 Bienheureuse celle qui a cru: ce qui lui a été dit
de la part du Seigneur s'accomplira[b]!» 46 Alors Marie dit[c]:

«Mon âme exalte le Seigneur
47 et mon esprit s'est rempli d'allégresse
à cause de Dieu, mon Sauveur,

t 1.31 Gn 16.11 ; Jg 13.5 ; Es 7.14 ; Mt 1.21-23. ***u 1.32*** *Fils* (de Dieu) 2 S 7.14 ; Ps 2.7 ; 89.27. — *le Très-Haut* Mc 5.7 ; Lc 1.35, 76 ; 6.35 ; 8.28 ; Ac 7.48 ; 16.17 ; He 7.1. — *le trône de David* Es 9.6 ; 2 S 7.12, 13, 16. — Voir au glossaire FILS DE DAVID. ***v 1.33*** *famille de Jacob* : c'est-à-dire le peuple d'Israël. — *règne sans fin* Mi 4.7 ; Dn 7.14. ***w 1.35*** Ou *l'enfant sera appelé Saint, Fils de Dieu.* — *l'Esprit Saint viendra sur toi* Mt 1.20. — *Fils de Dieu* Lc 3.22 ; 4.3, 9, 34, 41 ; 8.28 ; 9.35 ; 10.22 ; 22.70 ; Ac 9.20, 22 ; voir Mt 14.33+ ; Mc 1.1+. ***x 1.37*** Gn 18.14. ***y 1.38*** Rt 3.9 ; 1 S 25.41. ***z 1.39*** Zone montagneuse centrale de la Judée. ***a 1.41*** 1.15. ***b 1.45*** Ou *Bienheureuse celle qui a cru, parce qu'il y aura un accomplissement à ce qui a été dit...* — *Bienheureuse !* Mt 5.3+. — *celle qui a cru* 1.20. ***c 1.46*** v. 46-55 : le cantique de Marie 1 S 2.1-10.

48 parce qu'il a porté son regard sur son humble servante[d].
Oui, désormais, toutes les générations me proclameront bienheureuse,
49 parce que le Tout Puissant a fait pour moi de grandes choses:
*saint est son *Nom[e].
50 Sa bonté s'étend de génération en génération sur ceux qui le craignent[f].
51 Il est intervenu de toute la force de son bras;
il a dispersé les hommes à la pensée orgueilleuse[g];
52 il a jeté les puissants à bas de leurs trônes
et il a élevé les humbles[h];
53 les affamés, il les a comblés de biens
et les riches, il les a renvoyés les mains vides[i].
54 Il est venu en aide à Israël son serviteur
en souvenir de sa bonté[j],
55 comme il l'avait dit à nos pères,
en faveur d'Abraham et de sa descendance[k] pour toujours.»
56 Marie demeura avec Elisabeth environ trois mois, puis elle retourna chez elle.

Naissance et circoncision de Jean le Baptiste

57 Pour Elisabeth arriva le temps où elle devait accoucher et elle mit
au monde un fils. 58 Ses voisins et ses parents apprirent que le Seigneur
l'avait comblée de sa bonté et ils se réjouissaient avec elle. 59 Or, le
huitième jour, ils vinrent pour la *circoncision de l'enfant[l] et ils voulaient l'appeler comme son père, Zacharie. 60 Alors sa mère prit la
parole: «Non, dit-elle, il s'appellera Jean[m].» 61 Ils lui dirent: «Il n'y a
personne dans ta parenté qui porte ce nom.» 62 Et ils faisaient des
signes au père pour savoir comment il voulait qu'on l'appelle. 63 Il
demanda une tablette et écrivit ces mots: «Son nom est Jean»; et tous
furent étonnés[n]. 64 A l'instant sa bouche et sa langue furent libérées et
il parlait, bénissant Dieu. 65 Alors la crainte s'empara de tous ceux qui

d 1.48 1 S 1.11. ***e 1.49*** *Saint est son Nom* Ps 111.9. ***f 1.50*** *sa bonté...* Ps 103.13, 17. ***g 1.51*** 2 S 22.28. ***h 1.52*** *les puissants jetés à bas* Jb 12.19. – *les humbles élevés* Jb 5.11. ***i 1.53*** Renversement de situation 1 S 2.5. – *affamés rassasiés* Ps 107.9. ***j 1.54*** *aide à Israël* Ps 98.3. – *Israël son serviteur* Es 41.8. – *Dieu se souvient* Gn 8.1 ; 9.15 ; Ex 2.24, etc. ; Lc 1.72. ***k 1.55*** Mi 7.20 ; Gn 17.7 ; 22.17. ***l 1.59*** 2.21 ; voir Gn 17.12 ; Lv 12.3 ; Ph 3.5. ***m 1.60*** *il s'appellera Jean* 1.13. ***n 1.63*** *étonnement* devant les miracles 8.25, 56 ; 9.43 ; 11.14 ; Ac 3.10 ou d'autres interventions divines 24.12, 41 ; Ac 2.7.

habitaient alentour; et dans le haut pays de Judée tout entier on parlait
de tous ces événements. 66 Tous ceux qui les apprirent les gravèrent
dans leur *cœur; ils se disaient: «Que sera donc cet enfant?» Et vrai-
ment la main du Seigneur était avec lui[o].

Psaume prophétique de Zacharie

67 Zacharie, son père, fut rempli de l'Esprit Saint et il prophétisa[p] en
ces termes:

68 «Béni soit le Seigneur, le Dieu d'Israël,
parce qu'il a visité son peuple, accompli sa libération[q],
69 et nous a suscité une force de salut
dans la famille de David[r], son serviteur.
70 C'est ce qu'il avait annoncé par la bouche de ses saints *prophètes d'autrefois:
71 un salut qui nous libère de nos ennemis[s]
et des mains de tous ceux qui nous haïssent.
72 Il a montré sa bonté envers nos pères
et s'est rappelé son *alliance sainte[t],
73 le serment qu'il a fait à Abraham[u] notre père:
il nous accorderait,
74 après nous avoir arrachés aux mains des ennemis,
de lui rendre sans crainte notre culte
75 dans la piété et la justice[v]
sous son regard, tout au long de nos jours.
76 Et toi, petit enfant, tu seras appelé prophète du Très Haut,
car tu marcheras par devant sous le regard du Seigneur, pour préparer ses routes[w],
77 pour donner à son peuple la connaissance du salut
par le pardon des péchés[x].
78 C'est l'effet de la bonté profonde de notre Dieu:
grâce à elle nous a visités l'astre levant[y] venu d'en haut.

o 1.66 1 R 18.46 ; 2 R 3.15 ; Ez 1.3 ; 3.14, 22 ; 8.1, etc. ; Ps 80.18 ; 139.5. ***p 1.67*** *prophétiser* est à comprendre ici au sens large de *parler sous l'inspiration de Dieu.* ***q 1.68*** *Béni soit le Seigneur !* Ps 41.14 ; 72.18 ; 106.48 ; 2 Co 1.3 ; Ep 1.3 ; 1 P 1.3. – *Dieu visite* Gn 21.1 ; 50.24-25 ; Ex 3.16 ; Jr 29.10 ; Ps 65.10 ; 80.15 ; 106.4 ; voir Ex 32.34 ; Es 10.12, etc. ; Lc 1.78 ; 7.16 ; 19.44 ; Ac 15.14. – *libération* Ps 111.9 ; 130.7-8 ; Es 63.4 ; Lc 2.38 ; 21.28 ; 24.21. ***r 1.69*** *une force* (corne) *de salut* Ps 18.3. – *dans la famille de David* Mt 1.1 +. – Voir au glossaire FILS DE DAVID. ***s 1.71*** Ps 106.10. ***t 1.72*** *bonté et alliance* Ps 106.45-46. – *souvenir de l'alliance* Ps 105.8-9 ; Gn 17.7 ; Lv 26.42. ***u 1.73*** Gn 22.16-17. ***v 1.75*** *la piété et la justice* Tt 2.12. ***w 1.76*** Es 40.3 ; Ml 3.1 ; Mt 3.3. ***x 1.77*** Mt 26.28+. ***y 1.78*** Mt 3.20.

79 Il est apparu à ceux qui se trouvent dans les ténèbres et l'ombre de
la mort,
afin de guider nos pas sur la route de la paix[z].»

Jeunesse de Jean le Baptiste

80 Quant à l'enfant, il grandissait et son esprit se fortifiait; et il fut
dans les déserts[a] jusqu'au jour de sa manifestation à Israël.

Naissance et circoncision de Jésus

2 1 Or, en ce temps-là, parut un décret de César Auguste[b] pour faire
recenser le monde entier. 2 Ce premier recensement eut lieu à
l'époque où Quirinius était gouverneur de Syrie[c]. 3 Tous allaient se
faire recenser, chacun dans sa propre ville; 4 Joseph aussi monta de la
ville de Nazareth en Galilée à la ville de David qui s'appelle
Bethléem[d] en Judée, parce qu'il était de la famille et de la descendance
de David, 5 pour se faire recenser avec Marie[e] son épouse, qui était
enceinte.

6 Or, pendant qu'ils étaient là, le jour où elle devait accoucher
arriva; 7 elle accoucha de son fils premier-né[f], l'emmaillota et le
déposa dans une mangeoire, parce qu'il n'y avait pas de place pour
eux dans la salle d'hôtes. 8 Il y avait dans le même pays des *bergers
qui vivaient aux champs et montaient la garde pendant la nuit auprès
de leur troupeau. 9 Un *ange du Seigneur se présenta devant eux, la
gloire du Seigneur[g] les enveloppa de lumière et ils furent saisis d'une
grande crainte. 10 L'ange leur dit: «Soyez sans crainte, car voici, je
viens vous annoncer une bonne nouvelle, qui sera une grande joie
pour tout le peuple: 11 Il vous est né aujourd'hui, dans la ville de David,
un Sauveur[h] qui est le *Christ Seigneur; 12 et voici le signe qui vous est
donné: vous trouverez un nouveau-né emmailloté et couché dans une

z 1.79 Illumination de *ceux qui sont dans les ténèbres* Es 9.1 ; 58.8 ; 60.1-2 ; Mt 4.16. — *la paix* Es 9.5-6 ; Mi 5.4 ; Lc 2.14, 29 ; 7.50 ; 8.48 ; 10.5-6 ; 11.21 ; 19.38, 42 ; 24.36. ***a 1.80*** *l'enfant grandissait* 2.40 ; voir Gn 21.8, 20 ; Jg 13.24-25 ; 1 S 2.21, 26 ; 3.19. — *dans les déserts* Mt 3.1 + ; Lc 3.2, 4 ; 7.24. ***b 2.1*** Empereur à Rome de 29 av. J.-C. à 14 ap. J.-C. ***c 2.2*** Province de l'empire romain dont dépendit la Palestine à diverses époques. ***d 2.4*** *Bethléem* Mi 5.1 ; Mt 2.1 +. ***e 2.5*** *Marie* Mt 1.16, 20 ; 2.11, 19 ; 13.55 ; Mc 6.3 ; Lc 1.27-56 ; 2.16, 19, 34 ; Ac 1.14. ***f 2.7*** Naissance de Jésus Mt 1.25. — *premier-né* Ex 13.2, 12, 15 (Lc 2.23) ; Rm 8.29 ; Col 1.15, 18 ; He 1.6 ; Ap 1.5. ***g 2.9*** 9.26, 32 ; 21.27 ; 24.26 ; Rm 3.23. ***h 2.11*** *aujourd'hui* 3.22 ; 4.21 ; 5.26 ; 13.32 ; 19.9 ; 23.43. — *Sauveur* 1) Dieu Dt 32.15 ; 1 S 10.19 ; Ps 24.5 ; 27.1, 9 ; 62.2, 7, etc ; Lc 1.47 ; 1 Tm 1.1, 2) Jésus Jn 4.42 ; Ac 5.31 ; 13.23 ; Ep 5.23 ; Ph 3.20 ; 2 Tm 1.10 ; Tt 1.4 ; 2.13 ; 3.6 ; 2 P 1.1, 11 ; 2.20 ; 3.18 ; 1 Jn 4.14 ; voir Mc 3.4 ; 5.23, 28, 34 ; 6.56 ; 10.52 ; 15.31 par.

mangeoire.» 13 Tout à coup il y eut avec l'ange l'armée céleste en masse qui chantait les louanges de Dieu et disait:

14 «Gloire à Dieu au plus haut des *cieux
et sur la terre paix pour ses bien-aimés[i].»

15 Or, quand les anges les eurent quittés pour le ciel, les bergers se dirent entre eux: «Allons donc jusqu'à Bethléem et voyons ce qui est arrivé, ce que le Seigneur nous a fait connaître.» 16 Ils y allèrent en hâte et trouvèrent Marie, Joseph et le nouveau-né couché dans la mangeoire. 17 Après avoir vu, ils firent connaître ce qui leur avait été dit au sujet de cet enfant. 18 Et tous ceux qui les entendirent furent étonnés[j] de ce que leur disaient les bergers. 19 Quant à Marie, elle retenait tous ces événements en en cherchant le sens[k]. 20 Puis les bergers s'en retournèrent, chantant la gloire et les louanges de Dieu[l] pour tout ce qu'ils avaient entendu et vu, en accord avec ce qui leur avait été annoncé. 21 Huit jours plus tard, quand vint le moment de *circoncire l'enfant, on l'appela du nom de Jésus, comme l'ange l'avait appelé avant sa conception[m].

Présentation de Jésus au temple. Prophéties de Syméon et d'Anne

22 Puis quand vint le jour où, suivant la loi de Moïse, ils devaient être *purifiés[n], ils l'amenèrent à Jérusalem pour le présenter au Seigneur 23 — ainsi qu'il est écrit dans la loi du Seigneur: *Tout garçon premier-né sera consacré au Seigneur*[o] — 24 et pour offrir en *sacrifice, suivant ce qui est dit dans la loi du Seigneur, *un couple de tourterelles ou deux petits pigeons*[p].

25 Or, il y avait à Jérusalem un homme du nom de Syméon. Cet homme était juste et pieux, il attendait la consolation d'Israël et l'Esprit Saint était sur lui[q]. 26 Il lui avait été révélé par l'Esprit Saint qu'il ne verrait pas la mort avant d'avoir vu le *Christ du Seigneur[r]. 27 Il vint alors au *temple poussé par l'Esprit; et quand les parents de

***i* 2.14** Autre texte : *sur terre, paix : pour les hommes, bienveillance* ; 19.38 ; voir 1.79+. ***j* 2.18** Ou *émerveillés.* ***k* 2.19** 2.51. ***l* 2.20** *gloire à Dieu* 5.25-26 ; 7.16 ; 13.13 ; 17.15, 18 ; 18.43 ; Ac 4.21. – *et louange* Lc 18.43 ; 19.37 ; Ac 3.8-9. ***m* 2.21** *circoncision le huitième jour* Gn 17.12 ; Lv 12.3 ; Lc 1.59. – *dès avant sa conception* 1.31. ***n* 2.22** Lv 12.3, 6. ***o* 2.23** Ex 13.2, 12, 15 ; 34.20 ; Nb 18.15-16. ***p* 2.24** Lv 12.8. ***q* 2.25** *il attendait* 2.38 ; 23.51. – *consolation d'Israël* Es 40.1 ; 49.13 ; 51.12 ; 61.2. – *l'Esprit Saint était sur lui* Nb 11.17 ; 2 R 2.15 ; Es 11.2 ; 42.1 ; 61.1 ; Ez 11.5. ***r* 2.26** 1 S 24.7,11 ; 26.9,11,16, 23 ; 2 S 1.14,16.

l'enfant Jésus l'amenèrent pour faire ce que la *Loi prescrivait à son
sujet, 28 il le prit dans ses bras et il bénit Dieu en ces termes:
29 «Maintenant, Maître, c'est en paix,
comme tu l'as dit, que tu renvoies ton serviteur.
30 Car mes yeux ont vu ton salut[s],
31 que tu as préparé face à tous les peuples[t]:
32 lumière pour la révélation aux *païens
et gloire d'Israël ton peuple[u].»

33 Le père et la mère de l'enfant étaient étonnés[v] de ce qu'on disait
de lui. 34 Syméon les bénit et dit à Marie sa mère: «Il est là pour la
chute ou le relèvement de beaucoup[w] en Israël et pour être un *signe
contesté — 35 et toi-même, un glaive te transpercera l'âme; ainsi
seront dévoilés les débats de bien des *cœurs[x].»

36 Il y avait aussi une prophétesse, Anne, fille de Phanuel, de la tribu
d'Aser. Elle était fort avancée en âge; après avoir vécu sept ans avec
son mari, 37 elle était restée veuve et avait atteint l'âge de quatre-vingt-
quatre ans. Elle ne s'écartait pas du temple, participant au culte nuit et
jour[y] par des *jeûnes et des prières. 38 Survenant au même moment,
elle se mit à célébrer Dieu et à parler de l'enfant à tous ceux qui atten-
daient la libération de Jérusalem[z].

39 Lorsqu'ils eurent accompli tout ce que prescrivait la loi du Sei-
gneur, ils retournèrent en Galilée, dans leur ville de Nazareth[a].

Jeunesse de Jésus

40 Quant à l'enfant, il grandissait et se fortifiait, tout rempli de
sagesse[b], et la faveur de Dieu était sur lui.

Premières paroles de Jésus au temple

41 Ses parents allaient chaque année à Jérusalem pour la fête de la
*Pâque[c]. 42 Quand il eut douze ans[d], comme ils y étaient montés sui-
vant la coutume de la fête 43 et qu'à la fin des jours de fête ils s'en
retournaient, le jeune Jésus resta à Jérusalem sans que ses parents s'en
aperçoivent. 44 Pensant qu'il était avec leurs compagnons de route, ils

***s* 2.30** Es 40.5 (grec) ; Lc 1.69, 71, 77 ; 3.6 ; Tt 2.11. ***t* 2.31** Es 52.10. ***u* 2.32** *lumière pour les païens* Es 42.6 ; 49.6 ; Lc 24.47. — *gloire de ton peuple* Es 46.13. ***v* 2.33** Ou *émerveillés.* ***w* 2.34** Es 8.14 ; 1 Co 1.23 ; 1 P 2.8. ***x* 2.35** Mc 7.6-8 ; Lc 16.15 ; Ac 1.24 ; 15.8. ***y* 2.37** 1 Tm 5.5. ***z* 2.38** *ceux qui attendaient* 2.25 ; 23.51. — *la libération de Jérusalem* Es 52.9. ***a* 2.39** *Nazareth* Mt 2.23. ***b* 2.40** *l'enfant grandissait* 2.52 ; voir 1.80. — *sagesse* 2.52 ; 11.31 ; 21.15. ***c* 2.41** Ex 12.24-27 ; Dt 16.1-8 ; Lc 22.1, 7-15 par. ; Jn 2.13, 23. ***d* 2.42** C'était à peu près l'âge de la maturité religieuse dans le judaïsme.

firent une journée de chemin avant de le chercher parmi leurs parents
et connaissances. 45 Ne l'ayant pas trouvé, ils retournèrent à Jérusalem
en le cherchant. 46 C'est au bout de trois jours qu'ils le retrouvèrent
dans le *temple, assis au milieu des maîtres, à les écouter et les inter-
roger. 47 Tous ceux qui l'entendaient s'extasiaient sur l'intelligence de
ses réponses. 48 En le voyant, ils furent frappés d'étonnement et sa
mère lui dit: «Mon enfant, pourquoi as-tu agi de la sorte avec nous?
Vois, ton père et moi, nous te cherchons tout angoissés.» 49 Il leur dit:
«Pourquoi donc me cherchiez-vous? Ne saviez-vous pas qu'il me faut
être chez mon Père[e]?» 50 Mais eux ne comprirent pas ce qu'il leur
disait. 51 Puis il descendit avec eux pour aller à Nazareth; il leur était
soumis; et sa mère retenait tous ces événements dans son *cœur[f].
52 Jésus progressait en sagesse[g] et en taille, et en faveur auprès de Dieu
et auprès des hommes.

Vocation prophétique de Jean le Baptiste

(Mt 3.1-6; Mc 1.1-6)

3 1 L'an quinze du gouvernement de Tibère César, Ponce Pilate
étant gouverneur de la Judée, *Hérode tétrarque de Galilée, Phi-
lippe[h] son frère tétrarque du pays d'Iturée et de Trachonitide, et Lysa-
nias tétrarque d'Abilène, 2 sous le *sacerdoce de Hanne et Caïphe, la
parole de Dieu fut adressée à Jean fils de Zacharie dans le désert[i]. 3 Il
vint dans toute la région du Jourdain, proclamant un baptême de con-
version[j] en vue du pardon des péchés, 4 comme il est écrit au livre des
oracles du prophète Esaïe:

Une voix crie dans le désert:
Préparez le chemin du Seigneur,
rendez droits ses sentiers.
5 *Tout ravin sera comblé,*
toute montagne et toute colline seront abaissées[k];

e 2.49 *chez mon Père* Jn 2.16. ***f 2.51*** 2.19. ***g 2.52*** 1 S 2.26 ; Pr 3.4 ; Lc 1.80 ; 2.40. ***h 3.1*** *Tibère* : successeur d'Auguste sur le trône impérial de Rome (voir 2.1 et la note). L'indication chronologique de Luc renvoie aux environs de l'année 28 de notre ère. *Ponce Pilate* : voir la note sur Mc 15.1. *Hérode le tétrarque* est Hérode Antipas (Mt 14.1 + ; voir les notes sur Mc 1.14 et 3.6). *Philippe* : voir la note sur Mc 8.27. ***i 3.2*** *Hanne* : grand prêtre déposé en l'an 15 ; il exerçait encore une influence certaine sous le ministère de son successeur et gendre *Caïphe* (Jn 18.13-24 ; Ac 4.6). – *Caïphe* Mt 26.5 ; Jn 11.49 ; 18.13, 28 ; Ac 4.6. – *Jean, fils de Zacharie* Mt 3.1 +. – *dans le désert* Lc 1.80 ; Mt 3.1 et la note. ***j 3.3*** *proclamer* Mt 3.1 + ; Mc 1.4+ ; Lc 4.18, 19,44 ; 8.1, 39 ; 9.2 ; 12.3 ; 24.47 ; Ac 8.5 ; 9.20 ; 10.42 ; 19.13 ; 20.25 ; 28.31. – Activité baptismale de Jean Mt 3.6+. – *baptême de conversion* Ac 13.24 ; 19.4. ***k 3.5*** Es 2.2-18 ; Ps 68.16-17 ; Lc 1.52 ; 14.11 ; 18.14.

les passages tortueux seront redressés,
les chemins rocailleux aplanis;
6 *et tous verront le salut de Dieu*[l].

Menace de Jugement

(Mt 3.7-10)

7 Jean disait alors aux foules qui venaient se faire baptiser par lui:
«Engeance de vipères, qui vous a montré le moyen d'échapper[m] à la
colère qui vient? 8 Produisez donc des fruits qui témoignent de votre
conversion; et n'allez pas dire en vous-mêmes: "Nous avons pour
père Abraham[n]." Car je vous le dis, des pierres que voici Dieu peut
susciter des enfants à Abraham. 9 Déjà même, la hache est prête à atta-
quer la racine des arbres; tout arbre donc qui ne produit pas de bon
fruit va être coupé et jeté au feu[o].»

Les fruits de la conversion

10 Les foules demandaient à Jean: «Que nous faut-il donc faire[p]?»
11 Il leur répondait: «Si quelqu'un a deux tuniques, qu'il partage
avec celui qui n'en a pas; si quelqu'un a de quoi manger, qu'il fasse
de même.» 12 Des collecteurs d'impôts aussi vinrent se faire bapti-
ser[q] et lui dirent: «Maître, que nous faut-il faire?» 13 Il leur dit:
«N'exigez rien de plus que ce qui vous a été fixé.» 14 Des militaires
lui demandaient: «Et nous, que nous faut-il faire?» Il leur dit: «Ne
faites ni violence ni tort à personne, et contentez-vous de votre
solde.»

Annonce de celui qui vient

(Mt 3.11-12; Mc 1.7-8)

15 Le peuple était dans l'attente et tous se posaient en eux-mêmes
des questions au sujet de Jean: ne serait-il pas le *Messie[r]? 16 Jean
répondit à tous: «Moi, c'est d'eau que je vous baptise; mais il vient,
celui qui est plus fort que moi, et je ne suis pas digne de délier la
lanière de ses sandales[s]. Lui, il vous baptisera dans l'Esprit Saint et le
feu; 17 il a sa pelle à vanner à la main pour nettoyer son aire et pour

l* *3.6 v. 4-6 : Es 40.3-5. — *le salut de Dieu* Lc 2. 30-31 ; Ac 28.28 ; Tt 2.11. ***m 3.7*** *engeance de vipères* Mt 3.7+. — *échapper* Mt 23.33. ***n 3.8*** C'est-à-dire pour ancêtre ; Jn 8.39. ***o 3.9*** *coupé et jeté au feu* Mt 7.19 ; Jn 15.6. ***p 3.10*** 10.25+. ***q 3.12*** 7.29. — *collecteurs d'impôts* Mt 5.46+ ; Mc 2.14, 15 et les notes. ***r 3.15*** *le Messie* (le Christ) 2.11, 26 ; 4.41+ ; 9.20 ; 20.41 ; 22.67 ; 23.2, 35, 39 ; 24.26, 46. — *Jean est-il le Messie ?* Jn 1.19-20 ; 3.28 ; Ac 13.25. ***s 3.16*** Ac 13.25.

recueillir le blé dans son grenier; mais la bale, il la brûlera au feu qui
ne s'éteint pas[t].» 18 Ainsi, avec bien d'autres exhortations encore, il
annonçait au peuple la Bonne Nouvelle.

Fin du ministère de Jean le Baptiste

(Mt 14.3-4; Mc 6.17-18)

19 Mais *Hérode le tétrarque, qu'il blâmait au sujet d'Hérodiade, la
femme de son frère, et de tous les forfaits qu'il avait commis, 20 ajouta
encore ceci à tout le reste: il enferma Jean en prison[u].

Baptême de Jésus

(Mt 3.13-17; Mc 1.9-11)

21 Or comme tout le peuple était baptisé, Jésus, baptisé lui aussi,
priait[v]; alors le *ciel s'ouvrit; 22 l'Esprit Saint descendit sur Jésus sous
une apparence corporelle, comme une colombe, et une voix vint du
ciel: « *Tu es mon fils, moi, aujourd'hui, je t'ai engendré*[w]. »

Généalogie de Jésus

(Mt 1.1-16)

23 Jésus, à ses débuts, avait environ trente ans. Il était fils, croyait-on,
de Joseph[x], fils de Héli, 24 fils de Matthat, fils de Lévi, fils de Melchi,
fils de Iannaï,
fils de Joseph, 25 fils de Mattathias, fils d'Amôs, fils de Naoum, fils de
Hesli, fils de Naggaï, 26 fils de Maath,
fils de Mattathias, fils de Semein, fils de Iôsech, fils de Iôda, 27 fils de
Iôanan, fils de Résa, fils de Zorobabel[y],
fils de Salathiel, fils de Néri, 28 fils de Melchi, fils d'Addi, fils de
Kôsam, fils d'Elmadam, fils d'Er,
29 fils de Jésus, fils d'Elièser, fils de Iôrim, fils de Matthat, fils de Lévi,
30 fils de Syméôn, fils de Juda,
fils de Joseph, fils de Iônam, fils d'Eliakim, 31 fils de Méléa, fils de
Menna, fils de Mattatha, fils de Natham,
fils de David, 32 fils de Jessé[z], fils de Iôbed, fils de Boos, fils de Sala,
fils de Naassôn, 33 fils d'Aminadab,

***t* 3.17** Images du jugement 1) *vannage* Jr 15.7 ; 51.2 ; 2) *le feu* mis à *la paille* Es 5.24 ; 47.14 ; Jl 2.5 ; Na 1.10 ; 3) voir Mt 3.12+. ***u* 3.20** Mt 14.3-4 ; Mc 6.17-18 ***v* 3.21** *Jésus priait* 5.16 ; 6.12 ; 9.18, 28-29 ; 10.21 ; 11.1 ; 22.32, 40-46 ; 23.34, 46 ; voir Mt 14.23+ ; Mc 6.46+. ***w* 3.22** *l'Esprit comme une colombe* Jn 1.32. — *c'est toi mon fils* Ps 2.7 ; Mt 3.17+. — *aujourd'hui* Lc 2.11+. ***x* 3.23** *fils de Joseph* 4.22 ; Jn 6.42. ***y* 3.27** *Zorobabel* 1 Ch 3.17 ; Esd 3.2. ***z* 3.32** v. 31-32 : *Natham* 2 S 5.14. — *David, Jessé* 1 S 16.1, 13 ; *fils de David* Mt 1.1+.

fils d'Admin, fils d'Arni, fils d'Esrôm, fils de Pharès, fils de Juda[a],
34 fils de Jacob, fils d'Isaac,
fils d'Abraham[b], fils de Thara, fils de Nachôr, 35 fils de Sérouch, fils
de Ragau, fils de Phalek, fils d'Eber,
fils de Sala, 36 fils de Kaïnam, fils d'Arphaxad, fils de Sem, fils de
Noé, fils de Lamech, 37 fils de Mathousala,
fils de Hénoch, fils de Iaret, fils de Maléléel, fils de Kaïnam, 38 fils
d'Enôs, fils de Seth, fils d'Adam,
fils de Dieu[c].

Jésus victorieux dans la tentation

(Mt 4.1-11 ; Mc 1.12-13)

4 1 Jésus, rempli d'Esprit Saint, revint du Jourdain et il était dans le
désert, conduit par l'Esprit, 2 pendant quarante jours, et il était
tenté[d] par le *diable.
Il ne mangea rien durant ces jours-là, et lorsque ce temps fut écoulé,
il eut faim. 3 Alors le diable lui dit: «Si tu es le Fils de Dieu[e], ordonne à
cette pierre de devenir du pain.» 4 Jésus lui répondit: «Il est écrit: *Ce
n'est pas seulement de pain que l'homme vivra*[f].» 5 Le diable le con-
duisit plus haut, lui fit voir en un instant tous les royaumes de la terre
6 et lui dit: «Je te donnerai tout ce pouvoir avec la gloire de ces
royaumes, parce que c'est à moi[g] qu'il a été remis et que je le donne
à qui je veux. 7 Toi donc, si tu m'adores, tu l'auras tout entier.» 8 Jésus
lui répondit: «Il est écrit: *Tu adoreras le Seigneur ton Dieu, et c'est à
lui seul que tu rendras un culte*[h].» 9 Le diable le conduisit alors à
Jérusalem; il le plaça sur le faîte du *temple et lui dit: «Si tu es Fils
de Dieu, jette-toi d'ici en bas; 10 car il est écrit: *Il donnera pour toi
ordre à ses *anges de te garder,* 11 et encore: *ils te porteront sur leurs
mains pour t'éviter de heurter du pied quelque pierre*[i].» 12 Jésus lui
répondit: «Il est dit: *Tu ne mettras pas à l'épreuve le Seigneur ton
Dieu*[j].»
13 Ayant alors épuisé toute tentation possible, le diable s'écarta de
lui jusqu'au moment fixé[k].

a 3.33 v. 31-33 : *David... Juda* Rt 4.17-22 ; 1 Ch 2.3-15. – *Juda* Gn 29.35. **b 3.34** *Jacob* Gn 25.26 ; 1 Ch 1.34. – v. 34-36 : *Abraham... Sem* Gn 11.10-26 ; 1 Ch 1.24-27. **c 3.38** v. 36-38 : *Sem... Adam* Gn 4.25—5.32 ; 1 Ch 1.1-4. – *fils de Dieu* Mt 14.33+ ; Mc 1.1+. **d 4.2** *tenté* He 4.15. **e 4.3** 3.22+ ; voir Mt 3.17+. **f 4.4** Dt 8.3. **g 4.6** *c'est à moi* voir Mt 28.18. **h 4.8** Dt 6.13-14. **i 4.11** v. 10-11 : Ps 91.11-12. **j 4.12** Dt 6.16 ; 1 Co 10.9. **k 4.13** Ou *jusqu'à une occasion.* – *ayant épuisé toute tentation possible* He 4.15.

Débuts de Jésus en Galilée

(Mt 4.12-17; Mc 1.14-15)

14 Alors Jésus, avec la puissance de l'Esprit, revint en Galilée, et sa
renommée se répandit dans toute la région. 15 Il enseignait dans leurs
*synagogues et tous disaient sa gloire.

Echec de la prédication à Nazareth

(Mt 13.54-58; Mc 6.1-6)

16 Il vint à Nazara[l] où il avait été élevé. Il entra suivant sa coutume le
jour du *sabbat dans la *synagogue, et il se leva pour faire la lecture.
17 On lui donna le livre du prophète Esaïe, et en le déroulant il trouva
le passage où il était écrit:

18 *L'Esprit du Seigneur est sur moi*
*parce qu'il m'a conféré *l'onction*
pour annoncer la Bonne Nouvelle aux pauvres.
Il m'a envoyé proclamer aux captifs la libération
et aux aveugles le retour à la vue,
renvoyer les opprimés en liberté,
19 *proclamer une année d'accueil par le Seigneur*[m].

20 Il roula le livre, le rendit au servant et s'assit; tous dans la syna-
gogue avaient les yeux fixés sur lui. 21 Alors il commença à leur dire:
«Aujourd'hui[n], cette écriture est accomplie pour vous qui
l'entendez.» 22 Tous lui rendaient témoignage; ils s'étonnaient du
message de la grâce qui sortait de sa bouche, et ils disaient: «N'est-ce
pas là le fils de Joseph[o]?» 23 Alors il leur dit: «Sûrement vous allez me
citer ce dicton: "Médecin, guéris-toi toi-même." Nous avons appris
tout ce qui s'est passé à Capharnaüm[p], fais-en donc autant ici dans ta
patrie.» 24 Et il ajouta: «Oui, je vous le déclare, aucun *prophète ne
trouve accueil dans sa patrie[q].

25 En toute vérité, je vous le déclare,
il y avait beaucoup de veuves en Israël aux jours d'Elie,
quand le ciel fut fermé trois ans et six mois[r]
et que survint une grande famine sur tout le pays;
26 pourtant ce ne fut à aucune d'entre elles qu'Elie fut envoyé,
mais bien dans le pays de Sidon,
à une veuve de Sarepta[s].

l ***4.16*** Forme rare de Nazareth. ***m 4.19*** v. 18-19 : Es 61.1-2 ; voir 58.6. ***n 4.21*** *aujourd'hui* 2.11+. ***o 4.22*** 3.23 ; 6.42 ; voir Mt 13.55 ; Mc 6.3. ***p 4.23*** *Capharnaüm* Mt 4.13+. – *ce qui s'y est passé* Lc 4.31-41. ***q 4.24*** Jn 4.44 ; voir Mt 13.57 ; Mc 6.4. ***r 4.25*** 1 R 17.1, 7 ; 18.1 ; Jc 5.17 ; voir Mt 11.14+. ***s 4.26*** 1 R 17.9.

27 Il y avait beaucoup de *lépreux en Israël au temps du prophète Elisée;
pourtant aucun d'entre eux ne fut purifié,
mais bien Naamân le Syrien[t].»

28 Tous furent remplis de colère, dans la synagogue, en entendant ces
paroles. 29 Ils se levèrent, le jetèrent hors de la ville et le menèrent jusqu'à
un escarpement de la colline sur laquelle était bâtie leur ville, pour le pré-
cipiter en bas. 30 Mais lui, passant au milieu d'eux, alla son chemin.

Jésus à Capharnaüm. Autorité de sa parole

(Mt 7.28-29; Mc 1.21-28)

31 Il descendit alors à Capharnaüm[u], ville de Galilée. Il les enseignait
le jour du *sabbat, 32 et ils étaient frappés de son enseignement parce
que sa parole était pleine d'autorité[v]. 33 Il y avait dans la *synagogue
un homme qui avait un esprit de démon impur. Il s'écria d'une voix
forte: 34 «Ah! que nous veux-tu, Jésus de Nazareth? Tu es venu pour
nous perdre. Je sais qui tu es: le *Saint de Dieu[w].» 35 Jésus lui com-
manda sévèrement: «Tais-toi et sors de cet homme»; et jetant
l'homme à terre au milieu d'eux, le démon sortit de lui sans lui faire
aucun mal. 36 Tous furent saisis d'effroi, et ils se disaient les uns aux
autres: «Qu'est-ce que cette parole! Il commande avec autorité et
puissance aux esprits impurs, et ils sortent.» 37 Et son renom se propa-
geait en tout lieu de la région.

Guérisons

(Mt 8.14-17; Mc 1.29-34)

38 Quittant la *synagogue, il entra dans la maison de Simon[x]. La
belle-mère de Simon était en proie à une forte fièvre, et ils le prièrent
de faire quelque chose pour elle. 39 Il se pencha sur elle, il commanda
sévèrement à la fièvre, et celle-ci la quitta; et se levant aussitôt, elle se
mit à les servir. 40 Au coucher du soleil, tous ceux qui avaient des
malades de toutes sortes les lui amenèrent; et lui, *imposant les mains
à chacun d'eux, les guérissait. 41 Des démons aussi sortaient d'un
grand nombre en criant: «Tu es le Fils de Dieu!» Alors, leur comman-
dant sévèrement, il ne leur permettait pas de parler, parce qu'ils
savaient qu'il était le *Christ[y].

t 4.27 2 R 5.1-14. ***u 4.31*** *Capharnaüm* Mt 4.13+. ***v 4.32*** Mc 1.22+. ***w 4.34*** *que nous veux-tu ?* Mt 8.29+ ; Mc 5.7 ; Lc 8.28. – *le Saint de Dieu* Mc 1.24+ ; voir Lc 4.41. ***x 4.38*** *Simon* Mt 4.18+. ***y 4.41*** *Fils de Dieu* Mt 14.33+ ; Mc 1.1+ ; 3.11 ; Lc 4.34. – Secret recommandé Mt 8.4+ ; Mc 1.25+. – *le Christ* Mt 1.16 ; 2.1 ; 11.2 ; 16.13 par. ; 22.41 par. ; 23.63+ ; 27.17 par. ; Lc 3.15+ ; Jn 1.20, 41 ; 3.28 ; 4.25 ; 7.26-27, 41-42 ; 9.22 ; 10.24 ; 11.27 ; 12.34 ; 20.31 ; Ac 2.31 ; 3.18 ; 4.26 ; 8.5 ; 9.22 ; 17.3 ; 18.5, 28 ; 26.23 ; Rm 9.5 ; 1 Jn 2.22 ; 5.1.

Départ de Capharnaüm

(Mc 1.35-39; Mt 4.23)

42 Quand il fit jour, il sortit et se rendit dans un lieu désert. Les foules
le recherchaient; puis, l'ayant rejoint, elles voulaient le retenir de
peur qu'il ne s'éloignât d'eux. 43 Mais il leur dit: «Aux autres villes
aussi il me faut annoncer la bonne nouvelle du *Règne de Dieu[z], car
c'est pour cela que j'ai été envoyé.» 44 Et il prêchait dans les *synago-
gues de la Judée[a].

Pêche miraculeuse. Simon, Jacques et Jean suivent Jésus

(Mt 4.18-22; Mc 1.16-20; Jn 21.1-11)

5 1 Or, un jour, la foule se serrait contre lui à l'écoute de la parole de
Dieu; il se tenait au bord du lac de Gennésareth. 2 Il vit deux bar-
ques qui se trouvaient au bord du lac; les pêcheurs qui en étaient des-
cendus lavaient leurs filets. 3 Il monta dans l'une des barques, qui
appartenait à Simon, et demanda à celui-ci de quitter le rivage et
d'avancer un peu; puis il s'assit et, de la barque, il enseignait les fou-
les[b]. 4 Quand il eut fini de parler, il dit à Simon: «Avance en eau pro-
fonde et jetez vos filets pour attraper du poisson.» 5 Simon répondit:
«Maître[c], nous avons peiné toute la nuit sans rien prendre; mais, sur
ta parole, je vais jeter les filets.» 6 Ils le firent et capturèrent une
grande quantité de poissons; leurs filets se déchiraient. 7 Ils firent
signe à leurs camarades de l'autre barque de venir les aider; ceux-ci
vinrent et ils remplirent les deux barques au point qu'elles enfon-
çaient. 8 A cette vue, Simon Pierre tomba aux genoux de Jésus en
disant: «Seigneur, éloigne-toi de moi, car je suis un coupable.» 9 C'est
que l'effroi l'avait saisi, lui et tous ceux qui étaient avec lui, devant la
quantité de poissons qu'ils avaient pris; 10 de même Jacques et Jean,
fils de Zébédée, qui étaient les compagnons de Simon. Jésus dit à
Simon: «Sois sans crainte, désormais ce sont des hommes que tu auras
à capturer.» 11 Ramenant alors les barques à terre, laissant tout[d], ils le
suivirent.

Purification d'un lépreux

(Mt 8.1-14; Mc 1.40-45)

12 Or, comme il était dans une de ces villes[e], un homme couvert de

***z* 4.43** *bonne nouvelle du Règne de Dieu* Mt 4.23 ; 9.35 ; 24.14 ; Mc 1.14-15 ; Lc 8.1. — *annonce de la bonne nouvelle* Mt 24.14+. ***a* 4.44** Voir la note sur 1.5. Certains manuscrits lisent ici *de la Galilée.* — *Jésus prêche* Mt 4.23. ***b* 5.3** *Simon* Mt 4.18+. ***c* 5.5** *Maître* 8.24, 45 ; 9.33, 49 ; 17.13. ***d* 5.11** Mt 19.27 ; Lc 5.28 ; 14.33 ; 18.22 ; voir Mt 4.19-20+. ***e* 5.12** Voir Lc 4.43.

*lèpre se trouvait là. A la vue de Jésus, il tomba la face contre terre et lui adressa cette prière: «Seigneur, si tu le veux, tu peux me purifier.» 13 Jésus étendit la main, le toucha et dit: «Je le veux, sois purifié», et à l'instant la lèpre le quitta. 14 Alors Jésus lui ordonna de n'en parler à personne: «Va-t'en plutôt te montrer au *prêtre et fais l'offrande pour ta purification comme Moïse l'a prescrit[f]: ils auront là un témoignage.» 15 On parlait de lui de plus en plus, et de grandes foules s'assemblaient pour l'entendre et se faire guérir de leurs maladies. 16 Et lui se retirait dans les lieux déserts et il priait[g].

La guérison d'un paralysé, signe de pardon

(Mt 9.1-8; Mc 2.1-12)

17 Or, un jour qu'il était en train d'enseigner, il y avait dans l'assistance des *Pharisiens et des *docteurs de la loi qui étaient venus de tous les villages de Galilée et de Judée ainsi que de Jérusalem; et la puissance du Seigneur[h] était à l'œuvre pour lui faire opérer des guérisons. 18 Survinrent des gens portant sur une civière un homme qui était paralysé; ils cherchaient à le faire entrer et à le placer devant lui; 19 et comme, à cause de la foule, ils ne voyaient pas par où le faire entrer, ils montèrent sur le toit et, au travers des tuiles, ils le firent descendre avec sa civière en plein milieu, devant Jésus. 20 Voyant leur foi, il dit: «Tes péchés te sont pardonnés[i].» 21 Les scribes et les Pharisiens se mirent à raisonner: «Quel est cet homme qui dit des *blasphèmes? Qui peut pardonner les péchés, sinon Dieu seul[j]?» 22 Mais Jésus, connaissant leurs raisonnements, leur rétorqua: «Pourquoi raisonnez-vous[k] dans vos *cœurs? 23 Qu'y a-t-il de plus facile, de dire: "Tes péchés te sont pardonnés" ou bien de dire: "Lève-toi et marche"? 24 Eh bien, afin que vous sachiez que le *Fils de l'homme a sur la terre autorité pour pardonner les péchés, — il dit au paralysé: "Je te dis, lève-toi, prends ta civière et va dans ta maison[l]."» 25 A l'instant, celui-ci se leva devant eux, il prit ce qui lui servait de lit et il partit pour sa maison en rendant gloire à Dieu[m]. 26 La stupeur les saisit tous et ils ren-

***f* 5.14** Secret recommandé Mt 8.4+ ; Mc 1.25+. — *l'offrande prescrite* Lv 14.2-32. ***g* 5.16** 3.21+ ; voir Mt 14.23+ ; Mc 6.46+. ***h* 5.17** Comme dans l'A.T. et de nombreux passages des chap. 1 à 4, ce titre est appliqué ici à Dieu ; 1.35 ; 4.36 ; 6.19 ; 8.46 ; 9.1 ; Ac 3.12 ; 4.7, 33 ; 10.38. ***i* 5.20** 7.48 ; voir Mt 26.28+. ***j* 5.21** *blasphème* Mt 9.3+. — *Dieu seul pardonne* Ps 103.3 ; Es 43.25 ; 1 Jn 1.9 ; voir Lc 7.49. ***k* 5.22** Ou *Quel raisonnement faites-vous ?* — Pensées secrètes percées à jour Mt 12.25 ; Lc 6.8 ; 9.47. — *Pourquoi ?* Mt 16.8. ***l* 5.24** *le Fils de l'homme* Mt 8.20+. — *lève-toi et va...* Jn 5.8 ; Ac 9.33-35. ***m* 5.25** *gloire à Dieu* 2.20+.

daient gloire à Dieu; remplis de crainte, ils disaient: «Nous avons vu aujourd'hui[n] des choses extraordinaires.»

Vocation de Lévi et appel des pécheurs

(Mt 9.9-13; Mc 2.13-17)

27 Après cela, il sortit et vit un collecteur d'impôts[o] du nom de Lévi assis au bureau des taxes. Il lui dit: «Suis-moi.» 28 Quittant tout[p], il se leva et se mit à le suivre.

29 Lévi fit à Jésus un grand festin dans sa maison; et il y avait toute une foule de collecteurs d'impôts et d'autres gens qui étaient à table avec eux. 30 Les *Pharisiens et leurs scribes murmuraient, disant à ses disciples: «Pourquoi mangez-vous et buvez-vous avec les collecteurs d'impôts et les *pécheurs[q]?» 31 Jésus prenant la parole leur dit: «Ce ne sont pas les bien portants qui ont besoin de médecin, mais les malades. 32 Je suis venu appeler non pas les justes, mais les pécheurs pour qu'ils se convertissent[r].»

Question sur le jeûne

(Mt 9.14-15; Mc 2.18-20)

33 Ils lui dirent: «Les *disciples de Jean *jeûnent[s] souvent et font des prières, de même ceux des *Pharisiens, tandis que les tiens mangent et boivent.» 34 Jésus leur dit: «Est-ce que vous pouvez faire jeûner les invités à la noce pendant que l'époux[t] est avec eux? 35 Mais des jours viendront où l'époux leur aura été enlevé, alors ils jeûneront en ces jours-là.»

Le vieux et le neuf

(Mt 9.16-17; Mc 2.21-22)

36 Il leur dit encore une *parabole: «Personne ne déchire un morceau dans un vêtement neuf pour mettre une pièce à un vieux vêtement; sinon, et on aura déchiré le neuf et la pièce tirée du neuf n'ira pas avec le vieux[u]. 37 Personne ne met du vin nouveau dans de vieilles outres; sinon le vin nouveau fera éclater les outres et le vin se répandra, et les outres seront perdues. 38 Mais il faut mettre le vin nouveau dans des outres neuves. 39 Quiconque boit du vin vieux n'en désire pas du nouveau, car il dit: "Le vieux est meilleur."»

n* *5.26 *aujourd'hui* 2.11+. ***o 5.27*** *collecteur d'impôts* Mt 5.46+. ***p 5.28*** *quittant tout* 5.11+. ***q 5.30*** v. 29-30 : Jésus ami des gens tenus à l'écart Mt 9.11 ; 11.19+; Mc 2.16 ; Lc 7.34 ; 15.1-2 ; 19.7. ***r 5.32*** 13.1-5 ; 15 ; 16.30 ; 24.47 ; voir Mt 3.2+. ***s 5.33*** *disciples de Jean* Mt 9.14+. – *jeûne* Mt 11.18 ; Lc 18.12 ; voir Mt 6.16+. ***t 5.34*** *l'époux* Mt 9.15+. ***u 5.36*** 2 Co 5.17 ; Ga 1.6 ; 4.9.

Les épis arrachés le jour du sabbat

(Mt 12.1-8; Mc 2.23-28)

6 1 Or, un second *sabbat du premier mois, comme il traversait des
champs de blé, ses disciples arrachaient des épis[v], les frottaient
dans leurs mains et les mangeaient. 2 Quelques *Pharisiens dirent:
«Pourquoi faites-vous ce qui n'est pas permis[w] le jour du sabbat?»
3 Jésus leur répondit: «Vous n'avez même pas lu ce que fit David lors-
qu'il eut faim, lui et ses compagnons? 4 Comment il entra dans la
maison de Dieu, prit les pains de l'offrande, en mangea et en donna à
ses compagnons: ces pains que personne n'a le droit de manger, sauf
les *prêtres et eux seuls[x]?» 5 Et il leur disait: «Il est maître du sabbat,
le *Fils de l'homme.»

Guérison d'un homme à la main paralysée, le jour du sabbat

(Mt 12.9-14; Mc 3.1-6)

6 Un autre jour de *sabbat, il entra dans la *synagogue et il
enseigna; il y avait là un homme dont la main droite était paralysée.
7 Les scribes et les *Pharisiens observaient Jésus pour voir s'il ferait
une guérison le jour du sabbat[y], afin de trouver de quoi l'accuser.
8 Mais lui savait leurs raisonnements[z]; il dit à l'homme qui avait la
main paralysée: «Lève-toi et tiens-toi là au milieu.» Il se leva et se tint
debout. 9 Jésus leur dit: «Je vous demande s'il est permis le jour du
sabbat de faire le bien ou de faire le mal, de sauver une vie ou de la
perdre.» 10 Et les regardant tous à la ronde, il dit à l'homme: «Etends
la main.» Il le fit et sa main fut guérie. 11 Eux furent remplis de fureur
et ils parlaient entre eux de ce qu'ils pourraient faire à Jésus.

Choix des douze apôtres

(Mt 5.1; 10.1-4; Mc 3.13-19)

12 En ces jours-là, Jésus s'en alla dans la montagne pour prier et il
passa la nuit à prier Dieu[a]; 13 puis, le jour venu, il appela ses *disciples
et en choisit douze, auxquels il donna le nom *d'apôtres[b]: 14 Simon,
auquel il donna le nom de Pierre, André son frère, Jacques, Jean, Phi-

v* *6.1 Le *second sabbat du premier mois* de l'année juive est proche de la moisson (Lv 23.5-14). A cette date la Loi de Moïse interdit de manger le grain de la moisson nouvelle. — *épis arrachés* Dt 23.26. ***w* *6.2*** Ex 34.21 ; Jn 5.10. ***x* *6.4*** v. 3-4 : 1 S 21.2-7 ; voir Lv 24.5-9. ***y* *6.7*** *les Pharisiens épient Jésus* 14.1. — *guérison le jour du sabbat* 13.14 ; 14.1-2. ***z* *6.8*** Mt 12.25 ; Lc 5.22 ; 9.47 ; 11.17 ; 20.23. ***a* *6.12*** 3.21+. ***b* *6.13*** *il en choisit douze* Jn 6.70. — *les Douze* Mt 10.2+. — *apôtres* Lc 9.10 ; 11.49 ; 17.5 ; 22.14 ; 24.10.

lippe[c], Barthélemy, 15 Matthieu, Thomas, Jacques fils d'Alphée[d],
Simon qu'on appelait le zélote, 16 Judas fils de Jacques et Judas Isca-
rioth[e] qui devint traître.

Jésus et la foule

(Mt 4.24-25; Mc 3.7-11)

17 Descendant avec eux, il s'arrêta sur un endroit plat avec une
grande foule de ses disciples et une grande multitude du peuple de
toute la Judée[f], de Jérusalem et du littoral de Tyr et de Sidon; 18 ils
étaient venus pour l'entendre et se faire guérir de leurs maladies; ceux
qui étaient affligés d'esprits impurs étaient guéris; 19 et toute la foule
cherchait à le toucher, parce qu'une force sortait de lui et les guérissait
tous[g].

Prédication à la foule.
Les heureux et les malheureux

(Mt 5.1-12)

20 Alors, levant les yeux sur ses disciples, Jésus dit:
«Heureux, vous les pauvres: le *Royaume de Dieu est à vous[h].
21 Heureux, vous qui avez faim maintenant: vous serez rassasiés.
Heureux, vous qui pleurez maintenant: vous rirez[i].
22 Heureux êtes-vous lorsque les hommes vous haïssent, lorsqu'ils vous
rejettent, et qu'ils insultent et proscrivent votre nom comme
infâme, à cause du *Fils de l'homme[j]. 23 Réjouissez-vous ce jour-là
et bondissez de joie, car voici, votre récompense est grande dans
le *ciel; c'est en effet de la même manière que leurs pères trai-
taient les *prophètes[k].

c 6.14 *Simon-Pierre, André* Mt 4.18+. – *donner un nom* (nouveau) Gn 17.5, 15 ; 32.29 ; 2 R 23.34 ; 24.17. – *Jacques, Jean* Mt 4.21+. – *Philippe* Mt 10.3+. **d 6.15** *Matthieu* Mt 9.9+. – *Thomas* Mt 10.3+. – *fils* ou *frère d'Alphée.* **e 6.16** *Judas fils de* (ou *frère de*) *Jacques* Ac 1.13 ; Jn 14.22. – *Judas Iscarioth* Mt 10.4+. **f 6.17** Comme en Lc 1.5, l'appellation *Judée* désigne ici sans doute toute la Palestine. Afflux des foules à Jésus Mc 3.8+. **g 6.19** *toucher Jésus* Mt 14.36 ; Mc 6.56 ; Lc 8.44, 46 par. – *une force qui guérit* Mc 5.30. **h 6.20** *heureux !* Mt 5.3+ ; voir Es 30.18 ; 32.20 ; Dn 12.12... ; Ps 32.1-2 ; 33.12 ; 84.5... ; Pr 3.13 ; 8.32, 34, etc. – *pauvres* Ps 34.19 ; 40.18 ; Mt 11.5 ; Lc 4.18 ; 7.22 ; voir 10.21 ; 14.11 ; 18.14. – *Royaume de Dieu* Mt 3.2+ ; 6.10+. **i 6.21** *affamés, rassasiés* Es 49.10 ; Jr 31.25. – Renversement de situation 1.51-53 ; 16.19-26. – Pleurs et réjouissances Ps 126.5-6 ; Es 25.6-9 ; 61.3 ; Ap 7.16-17. **j 6.22** *proscrivent... infâme :* expression sémitique désignant la diffamation. – *haïs à cause de Jésus* Mc 13.13+. – *Fils de l'homme* Mt 8.20+. **k 6.23** *leurs pères ;* c'est-à-dire les ancêtres des Juifs. – *prophètes maltraités* 2 Ch 36.16 ; Mt 23.30-31 ; Lc 11.47 ; 13.33-34 ; voir Mt 21.35+.

24 Mais malheureux, vous les riches: vous tenez votre consolation[l].
25 Malheureux, vous qui êtes repus maintenant: vous aurez faim.
Malheureux, vous qui riez maintenant: vous serez dans le deuil et
vous pleurerez.
26 Malheureux êtes-vous lorsque tous les hommes disent du bien de
vous: c'est en effet de la même manière que leurs pères[m] trai-
taient les faux prophètes.

L'amour des ennemis

(Mt 5.39-47)

27 «Mais je vous dis, à vous qui m'écoutez: Aimez vos ennemis[n],
faites du bien à ceux qui vous haïssent, 28 bénissez ceux qui vous mau-
dissent[o], priez pour ceux qui vous calomnient.
29 «A qui te frappe sur une joue, présente encore l'autre[p]. A qui te
prend ton manteau, ne refuse pas non plus ta tunique. 30 A quiconque
te demande, donne, et à qui te prend ton bien, ne le réclame pas. 31 Et
comme vous voulez que les hommes agissent envers vous, agissez de
même envers eux[q].
32 «Si vous aimez ceux qui vous aiment, quelle reconnaissance vous
en a-t-on? Car les *pécheurs aussi aiment ceux qui les aiment. 33 Et si
vous faites du bien à ceux qui vous en font, quelle reconnaissance
vous en a-t-on? Les pécheurs eux-mêmes en font autant. 34 Et si vous
prêtez à ceux dont vous espérez qu'ils vous rendent, quelle reconnais-
sance vous en a-t-on? Même des pécheurs prêtent aux pécheurs pour
qu'on leur rende l'équivalent. 35 Mais aimez vos ennemis, faites du
bien et prêtez sans rien espérer en retour[r]. Alors votre récompense
sera grande, et vous serez les fils du Très-Haut, car il est bon, lui, pour
les ingrats et les méchants.

La générosité envers le prochain

(Mt 5.48; 7.1-12; 15.14; 10.24-25; 7.3-5)

36 «Soyez généreux comme votre Père est généreux[s]. 37 Ne vous
posez pas en juges et vous ne serez pas jugés, ne condamnez pas et
vous ne serez pas condamnés, acquittez et vous serez acquittés[t].

l 6.24 *malheureux!* Mt 11.21+ ; Lc 10.13 ; 11.42-52 ; 17.1 ; 21.23 ; 22.22 ; voir Es 3.10-11 ; Jr 17.5-8 ; Pr 28.14 ; Qo 10.16-17. – *riches* Jc 5.1. – *vous tenez votre consolation* 16.25. **m 6.26** *quand on dit du bien de vous* Jc 4.4. – *leurs pères :* c'est-à-dire les ancêtres des Juifs. **n 6.27** Mt 5.44+. **o 6.28** *bénissez...* Rm 12.14. **p 6.29** Voir Jn 18.22-23 ; Ac 23.3.

q 6.31 La règle d'or Mt 7.12 ; Rm 13.8-10. **r 6.35** *aimer ses ennemis* v.27. – *prêter* sans arrière-pensée Lv 25.35-36. **s 6.36** Ex 34.6 ; Dt 4.31 ; Ps 78.38 ; 86.15. **t 6.37** Les tournures au passif (v. 36) et au mode impersonnel (v.38) font allusion à l'action de Dieu. Voir les notes sur Mt 3.2 et 7.1. – *acquittez...* Mt 6.14.

38 Donnez et on vous donnera; c'est une bonne mesure, tassée,
secouée, débordante qu'on vous versera dans le pan de votre vête-
ment, car c'est la mesure dont vous vous servez qui servira aussi de
mesure pour vous[u].»
39 Il leur dit aussi une *parabole: «Un aveugle peut-il guider un aveu-
gle[v]? Ne tomberont-ils pas tous les deux dans un trou? 40 Le *disciple
n'est pas au-dessus de son maître, mais tout disciple bien formé sera
comme son maître[w].
41 «Qu'as-tu à regarder la paille qui est dans l'œil de ton frère? Et la
poutre qui est dans ton œil à toi, tu ne la remarques pas? 42 Comment
peux-tu dire à ton frère: "Frère, attends. Que j'ôte la paille qui est
dans ton œil", toi qui ne vois pas la poutre qui est dans le tien?
Homme au jugement perverti, ôte d'abord la poutre de ton œil! et
alors tu verras clair pour ôter la paille qui est dans l'œil de ton frère.

Le vrai disciple

(Mt 12.33-37; 7.16-21)

43 «Il n'y a pas de bon arbre qui produise un fruit malade, et pas
davantage d'arbre malade qui produise un bon fruit. 44 Chaque arbre
en effet se reconnaît au fruit[x] qui lui est propre: ce n'est pas sur un
buisson d'épines que l'on cueille des figues, ni sur des ronces que l'on
récolte du raisin. 45 L'homme bon, du bon trésor de son *cœur, tire le
bien, et le mauvais, de son mauvais trésor, tire le mal; car ce que dit la
bouche, c'est ce qui déborde du cœur.
46 «Et pourquoi m'appelez-vous "Seigneur, Seigneur" et ne faites-
vous pas ce que je dis[y]?

(Mt 7.24-27)

47 «Tout homme qui vient à moi, qui entend mes paroles et qui les
met en pratique, je vais vous montrer à qui il est comparable.
48 «Il est comparable à un homme qui bâtit une maison: il a creusé, il
est allé profond et a posé les fondations sur le roc. Une crue survenant,
le torrent s'est jeté contre cette maison mais n'a pu l'ébranler, parce
qu'elle était bien bâtie.
49 «Mais celui qui entend et ne met pas en pratique est comparable à
un homme qui a bâti une maison sur le sol, sans fondations: le torrent
s'est jeté contre elle et aussitôt elle s'est effondrée, et la destruction de
cette maison a été totale.»

u 6.38 *le pan du vêtement* Rt 3.15. — *la même mesure* Mt 7.2 ; Mc 4.24. ***v 6.39*** Mt 15.14 ; 23.16 ; Rm 2.19. ***w 6.40*** Mt 10.24-25 ; Jn 13.16 ; 15.20. ***x 6.44*** Mt 7.16 ; 12.33 ; voir Jc 3.11-12. ***y 6.46*** Ml 1.6 ; Mt 7.21 ; voir Es 29.13 (Mt 15.8 ; Mc 7.6). — *faire* Mt 7.21 ; Rm 2.13 ; Jc 1.22,25 ; 1 Jn 2.17.

La foi d'un centurion

(Mt 8.5-13; Jn 4.46-54)

7 1 Quand Jésus eut achevé tout son discours devant le peuple, il
entra dans Capharnaüm. 2 Un centurion avait un esclave malade,
sur le point de mourir[z], qu'il appréciait beaucoup. 3 Ayant entendu
parler de Jésus, il envoya vers lui quelques notables des Juifs pour le
prier de venir sauver son esclave. 4 Arrivés auprès de Jésus, ceux-ci le
suppliaient instamment et disaient: «Il mérite que tu lui accordes cela,
5 car il aime notre nation[a] et c'est lui qui nous a bâti la *synagogue.»
6 Jésus faisait route avec eux et déjà il n'était plus très loin de la maison
quand le centurion envoya des amis pour lui dire: «Seigneur, ne te
donne pas cette peine, car je ne suis pas digne que tu entres sous mon
toit. 7 C'est pour cela aussi que je ne me suis pas jugé moi-même auto-
risé à venir jusqu'à toi; mais dis un mot et que mon serviteur soit
guéri. 8 Ainsi moi, je suis placé sous une autorité, avec des soldats sous
mes ordres, et je dis à l'un: "Va" et il va, à un autre: "Viens" et il
vient, et à mon esclave: "Fais ceci" et il le fait.» 9 En entendant ces
mots, Jésus fut plein d'admiration pour lui; il se tourna vers la foule
qui le suivait et dit: «Je vous le déclare, même en Israël je n'ai pas
trouvé une telle foi.» 10 Et de retour à la maison, les envoyés trouvè-
rent l'esclave en bonne santé.

Résurrection d'un jeune homme à Naïn

11 Or, Jésus se rendit ensuite dans une ville appelée Naïn[b]. Ses disci-
ples faisaient route avec lui, ainsi qu'une grande foule. 12 Quand il
arriva près de la porte de la ville, on portait tout juste en terre un mort,
un fils unique[c] dont la mère était veuve, et une foule considérable de
la ville accompagnait celle-ci. 13 En la voyant, le Seigneur fut pris de
pitié pour elle et il lui dit: «Ne pleure plus[d].» 14 Il s'avança et toucha le
cercueil; ceux qui le portaient s'arrêtèrent; et il dit: «Jeune homme, je
te l'ordonne, réveille-toi[e].» 15 Alors le mort s'assit et se mit à parler. Et
Jésus le rendit à sa mère[f]. 16 Tous furent saisis de crainte, et ils ren-
daient gloire à Dieu en disant: «Un grand *prophète s'est levé parmi
nous et Dieu a visité son peuple[g].» 17 Et ce propos sur Jésus se répandit
dans toute la Judée[h] et dans toute la région.

***z* 7.2** *centurion :* voir Mc 15.39 et la note. — *sur le point de mourir* Jn 4.47. ***a* 7.5** *il aime notre nation* Ac 10.2. ***b* 7.11** Bourgade au S.E. de la Galilée. ***c* 7.12** 1 R 17.10-12, 17-24 ; Lc 8.42. ***d* 7.13** *ne pleure plus* 8.52. ***e* 7.14** *réveille-toi* (ou lève-toi) 8.54 ; voir Mt 9.25+ ; Mc 1.31 ; 9.27. ***f* 7.15** 1 R 17.23 ; 2 R 4.36. ***g* 7.16** Jésus comparé à un *prophète* Mt 16.14+. — *Dieu a visité son peuple* Ps 111.9 ; Lc 1.68 ; 19.44. ***h* 7.17** Voir la note sur 6.17.

Jean le Baptiste s'interroge sur Jésus

(Mt 11.2-6)

18 Les *disciples de Jean[i] rapportèrent tous ces faits à leur maître; et
lui, s'adressant à deux de ses disciples, 19 les envoya vers le Seigneur
pour lui demander: «Es-tu "Celui qui vient[j]" ou devons-nous en
attendre un autre?» 20 Arrivés auprès de Jésus, ces hommes lui dirent:
«Jean le Baptiste nous a envoyés vers toi pour te demander: Es-tu
"Celui qui vient", ou devons-nous en attendre un autre?» 21 A ce
moment-là Jésus guérit beaucoup de gens de maladies, d'infirmités et
d'esprits mauvais[k] et il donna la vue à beaucoup d'aveugles. 22 Puis il
répondit aux envoyés: «Allez rapporter à Jean ce que vous avez vu et
entendu: *les aveugles retrouvent la vue, les boiteux marchent droit,* les
*lépreux sont purifiés et *les sourds entendent, les morts ressuscitent,
la Bonne Nouvelle est annoncée aux pauvres[l],* 23 et heureux celui qui
ne tombera pas à cause de moi[m].»

Jugement de Jésus sur Jean le Baptiste

(Mt 11.7-11)

24 Quand les envoyés de Jean furent partis, Jésus se mit à parler de lui
aux foules: «Qu'êtes-vous allés regarder au désert? Un roseau agité
par le vent? 25 Alors, qu'êtes-vous allés voir? Un homme vêtu d'habits
élégants? Mais ceux qui sont vêtus d'habits somptueux et qui vivent
dans le luxe se trouvent dans les palais des rois. 26 Alors, qu'êtes-vous
allés voir? Un *prophète? Oui, je vous le déclare, et plus qu'un pro-
phète[n]. 27 C'est celui dont il est écrit: *Voici, j'envoie mon messager en
avant* de toi; *il préparera ton chemin devant toi[o].* 28 Je vous le déclare,
parmi ceux qui sont nés d'une femme, aucun n'est plus grand que
Jean; et cependant le plus petit dans le *Royaume de Dieu est plus
grand que lui[p].

L'accueil fait à Jean le Baptiste et à Jésus

(Mt 11.16-19)

29 «Tout le peuple en l'écoutant et même les collecteurs d'impôts
ont reconnu la justice de Dieu en se faisant baptiser du baptême de
Jean. 30 Mais les *Pharisiens et les *légistes ont repoussé le dessein

i 7.18 Il s'agit de Jean le Baptiste. ***j 7.19*** *Seigneur:* ici comme au v.13 ce titre désigne Jésus. Voir aussi la note sur 5.17. — *Celui qui vient* Mt 3.11+ ; 23.39 ; Lc 13.56 ; Jn 11.27 ; Ap 4.8 ; voir Ps 118.26. ***k 7.21*** Voir Mc 1.23 et la note. ***l 7.22*** *les aveugles* Es 29.18 ; 35.5-6 ; 61.1 ; Lc 4.18. — *les morts* Es 26.19. ***m 7.23*** *heureux !* Mt 5.3+ ; Lc 6.20+. — *tomber* Mt 5.29+. ***n 7.26*** Jean le Baptiste, *prophète* Mt 14.5 ; 21.26 ; Lc 1.76. — *le prophète* de la fin des temps Jn 1.21 ; 6.14 ; 7.40. ***o 7.27*** Ex 23.20 ; Ml 3.1 (Mc 1.2 ; Lc 1.76) ; voir Jn 3.23. ***p 7.28*** 1.15.

que Dieu avait pour eux[q], en ne se faisant pas baptiser par lui. 31 A qui
donc vais-je comparer les hommes de cette génération? A qui sont-ils
comparables? 32 Ils sont comparables à des enfants assis sur la place et
qui s'interpellent les uns les autres en disant:

"Nous vous avons joué de la flûte, et vous n'avez pas dansé;
Nous avons entonné[r] un chant funèbre, et vous n'avez pas pleuré."

33 «En effet, Jean le Baptiste est venu, il ne mange pas de pain, il ne
boit pas de vin, et vous dites: "Il a perdu la tête[s]." 34 Le *Fils de
l'homme est venu, il mange, il boit, et vous dites: "Voilà un glouton et
un ivrogne, un ami des collecteurs d'impôts et des *pécheurs[t]."
35 Mais la Sagesse a été reconnue juste par tous ses enfants[u].»

Jésus et la pécheresse

36 Un *Pharisien l'invita à manger avec lui[v]; il entra dans la maison
du Pharisien et se mit à table. 37 Survint une femme de la ville qui était
*pécheresse; elle avait appris qu'il était à table dans la maison du Pha-
risien. Apportant un flacon de parfum[w] en albâtre 38 et se plaçant par
derrière, tout en pleurs, aux pieds de Jésus[x], elle se mit à baigner ses
pieds de larmes; elle les essuyait avec ses cheveux, les couvrait de bai-
sers et répandait sur eux du parfum.

39 Voyant cela, le Pharisien qui l'avait invité se dit en lui-même: «Si
cet homme était un *prophète, il saurait qui est cette femme qui le
touche, et ce qu'elle est: une pécheresse.» 40 Jésus prit la parole et lui
dit: «Simon, j'ai quelque chose à te dire.» — «Parle, Maître», dit-il.
— 41 «Un créancier avait deux débiteurs; l'un lui devait cinq cents
pièces d'argent, l'autre cinquante. 42 Comme ils n'avaient pas de quoi
rembourser, il fit grâce de leur dette à tous les deux. Lequel des deux
l'aimera le plus?» 43 Simon répondit: «Je pense que c'est celui auquel
il a fait grâce de la plus grande dette.» Jésus lui dit: «Tu as bien jugé.»

44 Et se tournant vers la femme, il dit à Simon: «Tu vois cette
femme? Je suis entré dans ta maison: tu ne m'as pas versé d'eau sur
les pieds[y], mais elle, elle a baigné mes pieds de ses larmes et les a

q 7.30 Ou *ont rejeté, pour leur part, le dessein de Dieu.* — v. 29-30 *collecteurs d'impôts, Pharisiens, Jean* 3.7, 12 ; Mt 21.32. — *légistes* Mt 22.35 ; Lc 10.25 ; 11.45-46, 52 ; 14.3. — *le dessein de Dieu* Ac 2.23. **r 7.32** Quelques manuscrits ajoutent : *pour vous.* **s 7.33** Voir Jn 7.20 ; 10.20. **t 7.34** *collecteurs d'impôts* : voir les notes sur Mc 2.14-15. — *ami* des gens tenus à l'écart Lc 5. 29-30+. **u 7.35** Voir la note sur 1 Th 5.5. — *Sagesse* Lc 2.40, 52 ; 11.31 ; 21.15. **v 7.36** 11.37 ; 14.1. **w 7.37** Mt 26.7 ; Mc 14.3. **x 7.38** A la manière antique les convives étaient allongés, face à la table. — Le geste de la femme Jn 12.3. **y 7.44** Voir Gn 18.4 ; 19.2 ; Jn 13.1-17. C'est un usage de l'hospitalité orientale.

essuyés avec ses cheveux. 45 Tu ne m'as pas donné de baiser, mais
elle, depuis qu'elle est entrée, elle n'a pas cessé de me couvrir les
pieds de baisers[z]. 46 Tu n'as pas répandu d'huile odorante sur ma
tête[a], mais elle, elle a répandu du parfum sur mes pieds. 47 Si je te
déclare que ses péchés si nombreux ont été pardonnés, c'est parce
qu'elle a montré beaucoup d'amour. Mais celui à qui on pardonne
peu montre peu d'amour.» 48 Il dit à la femme: «Tes péchés ont été
pardonnés[b].»

49 Les convives se mirent à dire en eux-mêmes: «Qui est cet homme
qui va jusqu'à pardonner les péchés[c]?» 50 Jésus dit à la femme: «Ta foi
t'a sauvée. Va en paix[d].»

Ceux qui accompagnent Jésus dans sa prédication

8 1 Or, par la suite, Jésus faisait route à travers villes et villages; il
proclamait et annonçait la bonne nouvelle du *Règne de Dieu.
Les Douze[e] étaient avec lui, 2 et aussi des femmes qui avaient été gué-
ries d'esprits mauvais et de maladies: Marie, dite de Magdala[f], dont
étaient sortis sept *démons, 3 Jeanne, femme de Chouza, intendant
*d'Hérode, Suzanne et beaucoup d'autres qui les aidaient[g] de leurs
biens.

Parabole de la semence

(Mt 13.1-9; Mc 4.1-9)

4 Comme une grande foule se réunissait et que de toutes les villes on
venait à lui, il dit en *parabole: 5 «Le semeur est sorti pour semer sa
semence. Comme il semait, du grain est tombé au bord du chemin; on
l'a piétiné et les oiseaux du ciel ont tout mangé. 6 D'autre grain est
tombé sur la pierre; il a poussé et séché, faute d'humidité. 7 D'autre
grain est tombé au milieu des épines; en poussant avec lui, les épines
l'ont étouffé. 8 D'autre grain est tombé dans la bonne terre; il a poussé
et produit du fruit au centuple.» Sur quoi Jésus s'écria: «Celui qui a
des oreilles pour entendre, qu'il entende[h]!»

z 7.45 Autre texte : *depuis que je suis entré...* — *baiser* Rm 16.16 ; 1 Co 16.20 ; 2 Co 13.12 ; 1 Th 5.26 ; 1 P 5.14. ***a 7.46*** Ps 23.5. ***b 7.48*** 5.20 ; voir Mt 26.28+. ***c 7.49*** 5.21. ***d 7.50*** *Ta foi t'a sauvée* 8.48 par. ; 17.19 ; 18.42 par. ; voir Ap 3.16. — *en paix* 8.48 ; Rm 12.18 ; 1 Co 7.15 ; 1 Th 5.13. ***e 8.1*** *à travers villes et villages* Mt 9.35 ; Mc 6.6 ; Lc 4.43. — *la bonne nouvelle du Règne de Dieu* Mt 4.23 ; 9.35 ; 24.14 ; Mc 1.14-15 ; Lc 4.43. — *les Douze* Mt 10.2+. ***f 8.2*** *des femmes* 23.49 par. — *esprit mauvais* Mc 1.23 et la note. — *Marie de Magdala* Mt 27.56+. ***g 8.3*** Autre texte : *qui l'aidaient.* ***h 8.8*** Mt 11.15+.

Pourquoi cette parabole?

(Mt 13.10-13; Mc 4.10-12)

9 Ses disciples lui demandèrent ce que signifiait cette parabole. 10 Il
dit: «A vous il est donné de connaître les *mystères du Royaume de
Dieu; mais pour les autres, c'est en paraboles, pour qu'*ils voient sans
voir et qu'ils entendent sans comprendre*[i].

Explication de la parabole de la semence

(Mt 13.18-23; Mc 4.13-20)

11 «Et voici ce que signifie la parabole: la semence, c'est la parole de
Dieu[j]. 12 Ceux qui sont au bord du chemin, ce sont ceux qui entendent,
puis vient le *diable et il enlève la parole de leur *cœur, de peur qu'ils
ne croient et ne soient sauvés[k]. 13 Ceux qui sont sur la pierre, ce sont
ceux qui accueillent la parole avec joie lorsqu'ils l'entendent; mais ils
n'ont pas de racines: pendant un moment ils croient, mais au moment
de la *tentation ils abandonnent. 14 Ce qui est tombé dans les épines,
ce sont ceux qui entendent et qui, du fait des soucis, des richesses et
des plaisirs de la vie, sont étouffés en cours de route et n'arrivent pas à
maturité. 15 Ce qui est dans la bonne terre, ce sont ceux qui entendent
la parole dans un cœur loyal et bon, qui la retiennent et portent du
fruit à force de persévérance[l].

La lumière pour tous. Conclusion du discours

(Mc 4.21-25)

16 «Personne n'allume une lampe[m] pour la recouvrir d'un pot ou
pour la mettre sous un lit; mais on la met sur un support pour que ceux
qui entrent voient la lumière. 17 Car il n'y a rien de secret qui ne
paraîtra au jour, rien de caché qui ne doive être connu et venir au
grand jour[n]. 18 Faites donc attention à la manière dont vous écoutez.
Car à celui qui a, il sera donné; et à celui qui n'a pas, même ce qu'il
croit avoir lui sera retiré[o].»

La vraie famille de Jésus

(Mt 12.46-50; Mc 3.31-35)

19 Sa mère et ses frères arrivèrent près de lui, mais ils ne pouvaient le
rejoindre à cause de la foule. 20 On lui annonça: «Ta mère et tes frères

i 8.10 *mystères* Mt 13.11+. — *Royaume de Dieu* Mt 3.2+ ; 6.10+. — *voir sans voir* Es 6.9-10. ***j 8.11*** 1 P 1.23. ***k 8.12*** 1 Co 1.21. ***l 8.15*** 21.18 ; Rm 2.7 ; 5.3-4 ; 8.25 ; 15.4-5 ; 2 Co 1.6 ; 6.4 ; 12.12 ; Col 1.11 ; 1 Th 1.3. ***m 8.16*** Mt 5.15 ; Lc 11.30. ***n 8.17*** Mt 10.26 ; Lc 12.2. ***o 8.18*** Mt 13.12+.

se tiennent dehors; ils veulent te voir.» 21 Il leur répondit: «Ma mère
et mes frères, ce sont ceux qui écoutent la parole de Dieu et qui la
mettent en pratique[p].»

Jésus apaise une tempête

(Mt 8.18.23-27; Mc 4.35-41)

22 Or, un jour il monta en barque avec ses disciples; il leur dit: «Pas-
sons sur l'autre rive du lac[q]», et ils gagnèrent le large. 23 Pendant qu'ils
naviguaient, Jésus s'endormit. Un tourbillon de vent s'abattit sur le
lac; la barque se remplissait et ils se trouvaient en danger. 24 Ils
s'approchèrent et le réveillèrent en disant: «Maître[r], maître, nous
périssons!» Il se réveilla, menaça le vent et les vagues: ils s'apaisèrent
et le calme se fit. 25 Puis il leur dit: «Où est votre foi?» Saisis de
crainte, ils s'émerveillèrent[s] et ils se disaient entre eux: «Qui donc
est-il, pour qu'il commande même aux vents et aux flots et qu'ils lui
obéissent?»

Guérison d'un possédé en pays païen

(Mt 8.28-34; Mc 5.1-20)

26 Ils abordèrent au pays des Gergéséniens[t] qui est en face de la
Galilée. 27 Comme il descendait à terre, vint à sa rencontre un homme
de la ville qui avait des *démons. Depuis longtemps il ne portait plus
de vêtement et ne demeurait pas dans une maison, mais dans les
tombeaux. 28 A la vue de Jésus, il se jeta à ses pieds en poussant des
cris et dit d'une voix forte: «Que me veux-tu[u], Jésus, Fils du Dieu
Très Haut? Je t'en prie, ne me tourmente pas.» 29 Jésus ordonnait en
effet à l'esprit impur de sortir de cet homme. Car bien des fois il
s'était emparé de lui; on le liait, pour le garder, avec des chaînes et
des entraves; mais il brisait ses liens et il était poussé par le démon
vers les lieux déserts[v]. 30 Jésus l'interrogea: «Quel est ton nom?» —
«Légion», répondit-il, car de nombreux démons étaient entrés en lui.
31 Et ils le suppliaient de ne pas leur ordonner de s'en aller dans
l'abîme[w].

32 Or il y avait là un troupeau considérable de porcs en train de
paître dans la montagne. Les démons supplièrent Jésus de leur per-

***p* 8.21** 11.28. ***q* 8.22** Il s'agit du lac de Gennésareth. *L'autre rive* était habitée par des populations païennes. ***r* 8.24** 5.5+. ***s* 8.25** 1.12+, 63+. ***t* 8.26** Autre texte : *des Gadaréniens ;* ou *des Géraséniens.* ***u* 8.28** Mt 8.29+. ***v* 8.29** *esprit impur :* voir la note sur Mc 1.23. — *le désert,* séjour des *démons* Lv 16.10 ; Es 13.21 ; 34.12, 14 ; *Ba* 4.35 ; *Tb* 8.3 ; voir Lc 4.1 ; 11.24. ***w* 8.31** C'est-à-dire, selon Ap 9.1 ; 11.7, etc., le lieu où les puissances démoniaques sont momentanément emprisonnées.

mettre d'entrer dans ces porcs. Il le leur permit. 33 Les démons sorti-
rent de l'homme, ils entrèrent dans les porcs et le troupeau se préci-
pita du haut de l'escarpement dans le lac et s'y noya.
34 A la vue de ce qui était arrivé, les gardiens prirent la fuite et rap-
portèrent la chose dans la ville et dans les hameaux. 35 Les gens s'en
vinrent pour voir ce qui s'était passé. Ils arrivèrent auprès de Jésus et
trouvèrent, assis à ses pieds[x], l'homme dont les démons étaient sortis,
qui était vêtu et dans son bon sens, et ils furent saisis de crainte.
36 Ceux qui avaient vu leur rapportèrent comment celui qui était démo-
niaque avait été sauvé[y].
37 Alors, toute la population de la région des Gergéséniens demanda
à Jésus de s'éloigner d'eux, car ils étaient en proie à une grande
crainte; et lui monta en barque et s'en retourna.
38 L'homme dont les démons étaient sortis le sollicitait; il demandait
à être avec lui. Mais Jésus le renvoya en disant: 39 «Retourne dans ta
maison et raconte tout ce que Dieu a fait pour toi.» Et l'homme s'en
alla, proclamant par toute la ville tout ce que Jésus avait fait pour lui.

Guérison d'une femme et résurrection de la fille de Jaïros

(Mt 9.18-26; Mc 5.21-43)

40 A son retour, Jésus fut accueilli par la foule, car ils étaient tous à
l'attendre. 41 Et voici qu'arriva un homme du nom de Jaïros; il était
chef de la *synagogue. Tombant aux pieds de Jésus, il le suppliait de
venir dans sa maison, 42 parce qu'il avait une fille unique, d'environ
douze ans, qui était mourante[z]. Pendant que Jésus s'y rendait, les gens
le serraient à l'étouffer.
43 Il y avait là[a] une femme qui souffrait d'hémorragie depuis douze
ans; elle avait dépensé tout son avoir en médecins et aucun n'avait pu
la guérir. 44 Elle s'approcha par derrière, toucha la frange[b] de son vête-
ment et, à l'instant même, son hémorragie s'arrêta. 45 Jésus demanda:
«Qui est celui qui m'a touché?» Comme tous s'en défendaient,
Pierre[c] dit: «Maître, ce sont les gens qui te serrent et te pressent.»
46 Mais Jésus dit: «Quelqu'un m'a touché; j'ai bien senti qu'une force[d]
était sortie de moi.» 47 Voyant qu'elle n'avait pu passer inaperçue, la
femme vint en tremblant se jeter à ses pieds; elle raconta devant tout

x 8.35 10.39, voir Ac 22.3. ***y 8.36*** ou *guéri.* En 8.48 ; 17.19... Luc unit les deux sens du mot grec ; Mt 9.22+ ; Lc 6.9 ; 8.12, 48, 50 ; 19.10 ; 23.35, 37, 39. ***z 8.42*** 1 R 17.17 ; Lc 7.12. ***a 8.43*** Ces mots sont ajoutés pour la commodité de la traduction. Certains manuscrits omettent la seconde partie du verset : *elle avait... en médecins.* ***b 8.44*** Voir la note sur Mc 6.56. ***c 8.45*** De nombreux manuscrits anciens ajoutent ici : *et ses compagnons.* ***d 8.46*** 5.17 ; 6.19.

le peuple pour quel motif elle l'avait touché, et comment elle avait été
guérie à l'instant même. 48 Alors il lui dit: «Ma fille, ta foi t'a sauvée[e].
Va en paix.»
49 Il parlait encore quand arriva de chez le chef de synagogue quel-
qu'un qui dit: «Ta fille est morte. N'ennuie plus le maître.» 50 Mais
Jésus, qui avait entendu, dit à Jaïros: «Sois sans crainte; crois seule-
ment et elle sera sauvée.» 51 A son arrivée à la maison, il ne laissa
entrer avec lui que Pierre, Jean et Jacques[f], avec le père et la mère de
l'enfant. 52 Tous pleuraient et se lamentaient sur elle. Jésus dit: «Ne
pleurez pas; elle n'est pas morte, elle dort[g].» 53 Et ils se moquaient de
lui, car ils savaient qu'elle était morte. 54 Mais lui, prenant sa main,
l'appela: «Mon enfant, réveille-toi[h].» 55 Son esprit revint[i] et elle se
leva à l'instant même. Et il enjoignit de lui donner à manger. 56 Ses
parents furent bouleversés; et il leur ordonna de ne dire à personne ce
qui était arrivé[j].

Mission des Douze

(Mt 10.1-9,11-14; Mc 6.6-13)

9 1 Ayant réuni les Douze, il leur donna puissance et autorité sur
tous les démons et il leur donna de guérir les maladies[k]. 2 Il les
envoya proclamer le *Règne de Dieu[l] et faire des guérisons, 3 et il leur
dit: «Ne prenez rien pour la route, ni bâton, ni sac, ni pain, ni argent;
n'ayez pas chacun deux tuniques. 4 Dans quelque maison que vous
entriez, demeurez-y[m]. C'est de là que vous repartirez. 5 Si l'on ne vous
accueille pas, en quittant cette ville secouez la poussière[n] de vos
pieds: ce sera un témoignage contre eux.» 6 Ils partirent et allèrent de
village en village, annonçant la Bonne Nouvelle et faisant partout des
guérisons.

Hérode intrigué par la réputation de Jésus

(Mt 14.1-2; Mc 6.14-16)

7 *Hérode le tétrarque apprit tout ce qui se passait et il était perplexe
car certains disaient que Jean était ressuscité des morts[o], 8 d'autres

***e* 8.48** 7.50 ; 17.19 ; 18.42 par. ; voir Ac 3.16. ***f* 8.51** Mt 17.1+. ***g* 8.52** *Ne pleurez pas* 7.13. — *la mort* décrite comme un *sommeil* Mt 9.24+ ; Mc 5.39+. ***h* 8.54** 7.14 ; voir Mt 9.25+. ***i* 8.55** 1 R 17.21-22. ***j* 8.56** Mc 1.25+. ***k* 9.1** Voir la note sur Mc 1.23. — *les Douze* Mt 10.2+. ***l* 9.2** *proclamer* Mt 3.1+ ; Mc 1.4+. — *le Règne de Dieu* Mt 3.2+ ; 6.10+. ***m* 9.4** 10.5-7. ***n* 9.5** 10.11 ; Ac 13.51 ; 18.6. ***o* 9.7** *Hérode le tétrarque* Mt 14.1+. — v. 7-8 : ceux à qui l'on comparait Jésus Lc 9.19 par. — *Jean le Baptiste* Mt 3.1+. — *Elie* Mt 11.14+. — Jésus comparé à *un prophète* Mt 16.14+.

qu'Elie était apparu, d'autres qu'un *prophète d'autrefois était ressus-
cité. 9 Hérode dit: «Jean, je l'ai fait moi-même décapiter. Mais quel est
celui-ci, dont j'entends dire de telles choses?» Et il cherchait à le
voir[p].

Jésus rassasie une foule

(Mt 14.13-21; Mc 6.30-44)

10 A leur retour, les *apôtres racontèrent à Jésus tout ce qu'ils
avaient fait. Il les emmena et se retira à l'écart du côté d'une ville
appelée Bethsaïda[q]. 11 L'ayant su, les foules le suivirent. Jésus les
accueillit; il leur parlait du *Règne de Dieu et il guérissait ceux qui en
avaient besoin.

12 Mais le jour commença de baisser. Les Douze s'approchèrent et
lui dirent: «Renvoie la foule; qu'ils aillent loger dans les villages et les
hameaux des environs et qu'ils y trouvent à manger, car nous sommes
ici dans un endroit désert.» 13 Mais il leur dit: «Donnez-leur à manger
vous-mêmes.» Alors ils dirent: «Nous n'avons pas plus de cinq pains
et deux poissons[r]... à moins d'aller nous-mêmes acheter des vivres
pour tout ce peuple.» 14 Il y avait en effet environ cinq mille hommes.

Il dit à ses disciples: «Faites-les s'installer par groupes d'une cin-
quantaine.» 15 Ils firent ainsi et les installèrent tous. 16 Jésus prit les
cinq pains et les deux poissons et, levant son regard vers le ciel, il pro-
nonça sur eux la bénédiction, les rompit, et il les donnait aux disciples
pour les offrir à la foule. 17 Ils mangèrent et furent tous rassasiés; et
l'on emporta ce qui leur restait des morceaux[s]: douze paniers.

Pierre reconnaît Jésus comme le Messie. Jésus précise qu'il doit mourir

(Mt 16.13-21; Mc 8.27-31)

18 Or, comme il était en prière[t] à l'écart, les disciples étaient avec
lui, et il les interrogea: «Qui suis-je au dire des foules?» 19 Ils répondi-
rent: «Jean le Baptiste; pour d'autres, Elie; pour d'autres, tu es un
*prophète d'autrefois qui est ressuscité[u].»

20 Il leur dit: «Et vous, qui dites-vous que je suis?» Pierre, prenant la
parole, répondit: «Le *Christ de Dieu[v].» 21 Et lui, avec sévérité, leur

p 9.9 23.8. ***q 9.10*** *les apôtres* 6.13+. — *Bethsaïda* Mt 11.21+. ***r 9.13*** Mt 15.34; Mc 8.5; Jn 6.9. ***s 9.17*** *rassasiés* Ex 16.4, 12; Ps 78.29; Jn 6.12. — *les morceaux qui restaient* 2 R 4.44. ***t 9.18*** *Jésus en prière* 3.21+. ***u 9.19*** Ou *Les uns répondirent: «Jean le Baptiste», d'autres: «Elie», d'autres: «on dit que tu es un prophète...»*; 9.7-8. ***v 9.20*** *Et vous?* Jn 6.67. — *Pierre* Mt 4.18+. — *le Christ* Lc 3.15+; 4.41+; voir Jn 6.69.

ordonna de ne le dire à personne, 22 en expliquant: «Il faut que le *Fils
de l'homme souffre beaucoup, qu'il soit rejeté par les anciens, les
*grands prêtres et les scribes[w], qu'il soit mis à mort et que, le troi-
sième jour, il ressuscite.»

Comment suivre Jésus

(Mt 16.24-28; Mc 8.34–9.1)

23 Puis il dit à tous: «Si quelqu'un veut venir à ma suite, qu'il se renie
lui-même et prenne sa croix[x] chaque jour, et qu'il me suive. 24 En effet,
qui veut sauver sa vie[y], la perdra; mais qui perd sa vie à cause de moi,
la sauvera. 25 Et quel avantage l'homme a-t-il à gagner le monde entier,
s'il se perd ou se ruine lui-même? 26 Car si quelqu'un a honte de moi et
de mes paroles, le *Fils de l'homme aura honte de lui quand il viendra
dans sa gloire[z], et dans celle du Père et des saints *anges. 27 Vraiment,
je vous le déclare, parmi ceux qui sont ici, certains ne mourront pas
avant de voir le *Règne de Dieu[a].»

La gloire du Fils de Dieu

(Mt 17.1-8; Mc 9.2-8)

28 Or, environ huit jours après ces paroles, Jésus prit avec lui
Pierre, Jean et Jacques et monta sur la montagne pour prier[b].
29 Pendant qu'il priait, l'aspect de son visage changea et son vête-
ment devint d'une blancheur éclatante. 30 Et voici que deux hommes
s'entretenaient avec lui; c'étaient Moïse et Elie[c]; 31 apparus en
gloire, ils parlaient de son départ qui allait s'accomplir à Jérusalem[d].
32 Pierre et ses compagnons étaient écrasés de sommeil; mais, s'étant
réveillés, ils virent la gloire de Jésus[e] et les deux hommes qui se
tenaient avec lui. 33 Or, comme ceux-ci se séparaient de Jésus, Pierre
lui dit: «Maître, il est bon que nous soyons ici; dressons trois tentes:
une pour toi, une pour Moïse, une pour Elie.» Il ne savait pas ce qu'il
disait.

w* *9.22 Annonces de la Passion 9.44 par.; 18.31-34 par. – *le Fils de l'homme* Mt 8.20+. – *anciens, grands prêtres et scribes* Mc 11.27+. ***x* *9.23*** *venir à la suite de Jésus* Mt 4.19+. – *prendre sa croix* Mt 10.38; Lc 14.27. ***y* *9.24*** Mt 10.39; Lc 17.33; voir Jn 12.25-26. ***z* *9.26*** *avoir honte de Jésus* Mt 10.33; Lc 12.9; 2 Tm 2.12. – *le Fils de l'homme* Mt 8.20+. – *sa venue* Mt 10.23+. – *dans sa gloire* 9.32; 24.26. ***a* *9.27*** voir v.32. ***b* *9.28*** *Pierre, Jean et Jacques* Mt 17.1+. – La prière de Jésus Lc 3.21+. ***c* *9.30*** *Elie* Mt 11.14+; 2 R 2.11-12. – *Moïse* Dt 18.15,18; 34.5-6. ***d* *9.31*** *apparus en gloire* Ex 34.29-35; 2 Co 3.7-11. – *la gloire* Rm 5.2; 8.18, 21; 1 Co 2.7; 15.43; 2 Co 3.18; 4.17; Ph 3.21; Col 1.27; 3.4; 1 Th 2.12; 2 Th 2.14. – *son départ... à Jérusalem* Lc 9.22, 51; 13.33. ***e* *9.32*** Jn 1.14; 2 P 1.16.

34 Comme il parlait ainsi, survint une nuée[f] qui les recouvrait. La
crainte les saisit au moment où ils y pénétraient. 35 Et il y eut une voix
venant de la nuée; elle disait: «Celui-ci est mon Fils, celui que j'ai
élu[g], écoutez-le!» 36 Au moment où la voix retentit, il n'y eut plus que
Jésus seul. Les disciples gardèrent le silence et ils ne racontèrent à personne, en ce temps-là, rien de ce qu'ils avaient vu.

Guérison d'un enfant possédé

(Mt 17.14-18; Mc 9.14-27)

37 Or, le jour suivant, quand ils furent descendus de la montagne,
une grande foule vint à la rencontre de Jésus. 38 Et voilà que du milieu
de la foule un homme s'écria: «Maître, je t'en prie, regarde mon fils
car c'est mon unique enfant[h]. 39 Il arrive qu'un esprit s'empare de lui;
tout à coup il crie, il le fait se convulser et écumer, et il ne le quitte
qu'à grand-peine, en le laissant tout brisé. 40 J'ai prié tes disciples de le
chasser, et ils n'ont pas pu.» 41 Prenant la parole, Jésus dit: «Génération incrédule et pervertie, jusqu'à quand serai-je auprès de vous et
aurai-je à vous supporter? Amène ici ton fils.» 42 A peine l'enfant arrivait-il que le démon le jeta à terre et l'agita de convulsions. Mais Jésus
menaça l'esprit impur, il guérit l'enfant et le remit à son père[i]. 43 Et
tous étaient frappés de la grandeur de Dieu[j].

Deuxième annonce de la Passion

(Mt 17.22-23; Mc 9.30-32)

Comme tous s'émerveillaient de tout ce qu'il faisait, il dit à ses disciples: 44 «Ecoutez bien ce que je vais vous dire: le *Fils de l'homme va
être livré aux mains des hommes[k].» 45 Mais ils ne comprenaient pas
cette parole; elle leur restait voilée pour qu'ils n'en saisissent pas le
sens[l]; et ils craignaient de l'interroger sur ce point.

Qui est le plus grand?

(Mt 18.1-5; Mc 9.33-37)

46 Une question leur vint à l'esprit: lequel d'entre eux pouvait bien
être le plus grand[m]? 47 Jésus, sachant la question qu'ils se posaient[n],
prit un enfant, le plaça près de lui, 48 et leur dit: «Qui accueille en mon
*nom cet enfant, m'accueille moi-même; et qui m'accueille, accueille

***f* 9.34** Mt 17.5+ ; voir Lc 1.35. ***g* 9.35** Es 49.7 ; Mt 3.17+ et par. ; 2 P 1.17-18 ; voir Jn 1.34. ***h* 9.38** 7.12. ***i* 9.42** 7.15+. ***j* 9.43** 1.63+. ***k* 9.44** *le Fils de l'homme* Mt 8.20+. — *livré* Lc 18.32 par. ***l* 9.45** 18.34. ***m* 9.46** *Une question* ...ou *Une discussion s'éleva entre eux.* — *le plus grand* 22.24. ***n* 9.47** 6.8+.

Celui qui m'a envoyé ; car celui qui est le plus petit d'entre vous tous, voilà le plus grand[o]. »

Qui n'est pas contre vous est pour vous

(Mc 9.38-41)

49 Prenant la parole, Jean lui dit : « Maître, nous avons vu quelqu'un qui chassait les *démons en ton nom et nous avons cherché à l'empêcher[p], parce qu'il ne te suit pas avec nous. » 50 Mais Jésus dit : « Ne l'empêchez pas, car celui qui n'est pas contre vous est pour vous[q]. »

Le départ de Jésus pour Jérusalem. Mauvais accueil en Samarie

51 Or, comme arrivait le temps où il allait être enlevé du monde, Jésus prit résolument la route de Jérusalem[r]. 52 Il envoya des messagers devant lui. Ceux-ci s'étant mis en route entrèrent dans un village de Samaritains[s] pour préparer sa venue. 53 Mais on ne l'accueillit pas, parce qu'il faisait route vers Jérusalem. 54 Voyant cela, les disciples Jacques et Jean dirent : « Seigneur, veux-tu que nous disions que le feu tombe du ciel[t] et les consume ? » 55 Mais lui, se retournant, les réprimanda. 56 Et ils firent route vers un autre village.

Tout quitter pour suivre Jésus

(Mt 8.19-22)

57 Comme ils étaient en route, quelqu'un dit à Jésus en chemin : « Je te suivrai partout où tu iras. » 58 Jésus lui dit : « Les renards ont des terriers et les oiseaux du ciel des nids ; le *Fils de l'homme, lui, n'a pas où poser la tête. »

59 Il dit à un autre : « Suis-moi[u]. » Celui-ci répondit : « Permets-moi d'aller d'abord enterrer mon père. » 60 Mais Jésus lui dit : « Laisse les morts enterrer leurs morts, mais toi, va annoncer le *Règne de Dieu. »

61 Un autre encore lui dit : « Je vais te suivre, Seigneur ; mais d'abord permets-moi de faire mes adieux à ceux de ma maison[v]. » 62 Jésus lui dit : « Quiconque met la main à la charrue, puis regarde en arrière, n'est pas fait pour le Royaume de Dieu[w]. »

o 9.48 *accueil* fait à Jésus Mt 10.40 ; Lc 10.16 ; Jn 13.20 ; voir Ga 4.14. ***p 9.49*** *Jean :* il s'agit ici du disciple. — *démons chassés au nom de Jésus* Ac 16.18 ; 19.13. — *nous avons cherché... :* autre texte : *nous l'en avons empêché.* ***q 9.50*** qui n'est pas contre vous... Mt 12.30 ; Mc 9.40 ; Lc 11.23. ***r 9.51*** *le temps où il allait être enlevé* 9.31. — *en route vers Jérusalem* 13.22 ; 17.11. ***s 9.52*** *Samaritains* 2 R 17.24-41 ; *Si* 50.25-26 ; Mt 10.5 et la note ; Jn 4.9 ; voir Lc 10.33-37 ; 17.16-19 ; Ac 8.2-25. ***t 9.54*** *Jacques et Jean* Mt 4.21+. — *le feu du ciel* 2 R 1.10-12. ***u 9.59*** *Suis-moi* Mt 4.19+. ***v 9.61*** 1 R 19.20. ***w 9.62*** Mt 3.2+ ; 6.10+.

Mission de soixante-douze disciples

(Mt 9.37-38; 10.7-16; Mc 6.8-11; Lc 9.3-5)

10 1 Après cela, le Seigneur désigna soixante-douze autres *disci-
ples et les envoya[x] deux par deux devant lui dans toute ville
et localité où il devait aller lui-même. 2 Il leur dit: «La moisson est
abondante, mais les ouvriers peu nombreux[y]. Priez donc le maître de
la moisson d'envoyer des ouvriers à sa moisson. 3 Allez! Voici que je
vous envoie comme des agneaux au milieu des loups. 4 N'emportez
pas de bourse, pas de sac, pas de sandales, et n'échangez de saluta-
tions avec personne en chemin[z].

5 «Dans quelque maison que vous entriez, dites d'abord: "Paix à
cette maison[a]." 6 Et s'il s'y trouve un homme de paix, votre paix ira
reposer sur lui; sinon, elle reviendra sur vous. 7 Demeurez dans cette
maison, mangeant et buvant ce qu'on vous donnera, car le travailleur
mérite son salaire[b]. Ne passez pas de maison en maison.

8 «Dans quelque ville que vous entriez et où l'on vous accueillera,
mangez ce qu'on vous offrira[c]. 9 Guérissez les malades qui s'y trouve-
ront, et dites-leur: "Le *Règne de Dieu est arrivé jusqu'à vous[d]."
10 Mais dans quelque ville que vous entriez et où l'on ne vous accueil-
lera pas, sortez sur les places et dites: 11 "Même la poussière de votre
ville qui s'est collée à nos pieds, nous l'essuyons pour vous la rendre[e].
Pourtant, sachez-le: le Règne de Dieu est arrivé."

(Mt 11.24,21-23)

12 «Je vous le déclare: Ce jour-là, Sodome sera traitée avec moins de
rigueur que cette ville-là[f]. 13 Malheureuse es-tu, Chorazin! malheu-
reuse es-tu, Bethsaïda! car si les miracles qui ont eu lieu chez vous
avaient eu lieu à Tyr et à Sidon[g], il y a longtemps qu'elles se seraient
converties, vêtues de sacs et assises dans la cendre. 14 Oui, lors du

x 10.1 Autre texte : *soixante-dix.* Dans le chap. 10 de la Genèse le judaïsme comptait 70 nations (texte hébreu) ou 72 (texte grec). – *envoyés* 9.1-2 par. **y 10.2** moisson abondante Mt 9.37-38 ; voir Jn 4.35. – la moisson, image du jugement Es 33.11 ; 41.15-16 ; Am 9.9 ; Mt 3.12 ; Lc 3.17+. **z 10.4** v.4-11 : recommandations aux envoyés Lc 9.3-5 par. – *pas de salutations* (interminables) 2 R 4.29. **a 10.5** *paix* 1.79+. – *à cette maison* 1 S 25.6. **b 10.7** *demeurez dans cette maison* 9.4. – *le travailleur mérite son salaire* Mt 10.10 ; 1 Co 9.6-18 ; 2 Co 11.7-11 ; 1 Tm 5.18. **c 10.8** 1 Co 10.27. **d 10.9** Mt 3.2 ; 4.17 ; 12.28 ; Mc 1.15 ; Lc 10.11 ; 11.20 ; 17.21 ; 19.11 ; 21.31. **e 10.11** Voir Mc 6.11 et la note ; Lc 9.5 par. ; Ac 13.51 ; 18.6. **f 10.12** *Sodome* Mt 10.15+. – *traitement moins rigoureux* Mt 11.24. **g 10.13** *Malheureuse !* Mt 11.21+ ; Lc 6.24+. – *Bethsaïda* Mt 11.21+. – *Tyr et Sidon* Es 23 ; Ez 26–28 ; Jl 3.4-8 ; Am 1.9-10 ; Za 9.2-4 ; Mt 11.21+.

jugement, Tyr et Sidon seront traitées avec moins de rigueur que vous.
15 Et toi, Capharnaüm, *seras-tu élevée jusqu'au ciel? Tu descendras*
jusqu'au séjour des morts[h].

16 «Qui vous écoute m'écoute, et qui vous repousse me repousse;
mais qui me repousse repousse celui qui m'a envoyé[i].»

17 Les soixante-douze disciples revinrent dans la joie, disant: «Sei-
gneur, même les *démons nous sont soumis en ton *nom.» 18 Jésus leur
dit: «Je voyais *Satan tomber du ciel comme l'éclair[j]. 19 Voici, je vous
ai donné le pouvoir de *fouler aux pieds* serpents et scorpions, et toute la
puissance de l'ennemi, et rien ne pourra vous nuire[k]. 20 Pourtant ne
vous réjouissez pas de ce que les esprits vous sont soumis, mais
réjouissez-vous de ce que vos noms sont inscrits dans les *cieux[l].»

La révélation aux tout petits: le Père et le Fils

(Mt 11.25-27)

21 A l'instant même, il exulta sous l'action de l'Esprit Saint et dit: «Je
te loue, Père, Seigneur du ciel et de la terre, d'avoir caché cela aux sages
et aux intelligents et de l'avoir révélé aux tout petits[m]. Oui, Père, c'est
ainsi que tu en as disposé dans ta bienveillance. 22 Tout m'a été remis
par mon Père, et nul ne connaît qui est le Fils, si ce n'est le Père, ni qui
est le Père, si ce n'est le Fils[n] et celui à qui le Fils veut bien le révéler.»

(Mt 13.16-17)

23 Puis il se tourna vers les *disciples et leur dit en particulier: «Heu-
reux[o] les yeux qui voient ce que vous voyez! 24 Car je vous le déclare,
beaucoup de *prophètes, beaucoup de rois ont voulu voir ce que vous
voyez et ne l'ont pas vu, entendre ce que vous entendez et ne l'ont pas
entendu[p].»

L'amour, voie de la vie éternelle

(Mt 22.34-40; Mc 12.28-31)

25 Et voici qu'un *légiste se leva et lui dit, pour le mettre à l'épreuve:
«Maître, que dois-je faire pour recevoir en partage la *vie éternelle[q]?»

h 10.15 *jusqu'au séjour des morts* Es 14.13, 15.– *Capharnaüm* Mt 4.13+. ***i 10.16*** *qui vous écoute...*Mt 10.40 ; 18.5 par. ; Jn 5.23 ; 13.20 ; 15.23. – *celui qui m'a envoyé* Jn 12.44. ***j 10.18*** Jn 12.31 ; Ap 12.8-9 ; voir Es 14.12 ; Mc 1.13+. ***k 10.19*** *fouler aux pieds les serpents* Gn 3.15 ; Ps 91.13 ; voir Mc 16.18. – *l'ennemi* Mt 13.39. – *rien ne pourra vous nuire* Mc 16.18. ***l 10.20*** *les esprits vous sont soumis* Mt 7.22. – *livres du ciel* Ap 3.5+. ***m 10.21*** 1 Co 1.26-28. ***n 10.22*** *tout...* Mt 28.28 ; Jn 3.35 ; 13.3 ; 17.2 ; Ph 2.9. – *le Père et le Fils* Jn 10.15. ***o 10.23*** *Heureux !* Mt 5.3+. ***p 10.24*** 1 P 1.10. ***q 10.25*** *légiste* 7.30+. – Jésus *mis à l'épreuve* Mt 16.1 ; 19.3 ; 22.35 ; Mc 10.2 ; Lc 11.16. – *Que dois-je faire ?* 3.10 ; 18.18 par. ; Ac 2.37 ; 16.30 ; 22.10.

26 Jésus lui dit: «Dans la *Loi[r] qu'est-il écrit? Comment lis-tu?» 27 Il lui
répondit: «*Tu aimeras le Seigneur ton Dieu de tout ton cœur, de toute
ton âme, de toute ta force, et de toute ta pensée et ton prochain
comme toi-même*[s].» 28 Jésus lui dit: «Tu as bien répondu. Fais cela et
tu auras la vie[t].»

Qui est mon prochain? Parabole du bon Samaritain

29 Mais lui, voulant montrer sa justice, dit à Jésus: «Et qui est mon
prochain?» 30 Jésus reprit: «Un homme descendait de Jérusalem à
Jéricho, il tomba sur des bandits qui, l'ayant dépouillé et roué de
coups, s'en allèrent, le laissant à moitié mort. 31 Il se trouva qu'un
*prêtre descendait par ce chemin; il vit l'homme et passa à bonne dis-
tance. 32 Un lévite[u] de même arriva en ce lieu; il vit l'homme et passa à
bonne distance. 33 Mais un Samaritain[v] qui était en voyage arriva près
de l'homme: il le vit et fut pris de pitié. 34 Il s'approcha, banda ses
plaies en y versant de l'huile et du vin[w], le chargea sur sa propre mon-
ture, le conduisit à une auberge et prit soin de lui. 35 Le lendemain,
tirant deux pièces d'argent, il les donna à l'aubergiste et lui dit:
"Prends soin de lui, et si tu dépenses quelque chose de plus, c'est moi
qui te le rembourserai quand je repasserai." 36 Lequel des trois, à ton
avis, s'est montré le prochain de l'homme qui était tombé sur les ban-
dits?» 37 Le légiste répondit: «C'est celui qui a fait preuve de bonté
envers lui.» Jésus lui dit: «Va et, toi aussi, fais de même[x].»

Chez Marthe et Marie

38 Comme ils étaient en route, il entra dans un village et une femme
du nom de Marthe le reçut dans sa maison. 39 Elle avait une sœur
nommée Marie[y] qui, s'étant assise aux pieds du Seigneur, écoutait sa
parole. 40 Marthe s'affairait à un service compliqué. Elle survint et dit:
«Seigneur, cela ne te fait rien que ma sœur m'ait laissée seule à faire le
service? Dis-lui donc de m'aider.» 41 Le Seigneur lui répondit:
«Marthe, Marthe, tu t'inquiètes et t'agites pour bien des choses.
42 Une seule est nécessaire[z]. C'est bien Marie qui a choisi la meilleure
part; elle ne lui sera pas enlevée.»

***r* 10.26** Voir la note sur Rm 3.19. ***s* 10.27** *tu aimeras le Seigneur* Dt 6.5 (10.12 ; Jos 22.5 ; Mt 22.37 ; Mc 12.30). — *ton prochain* Lv 19.18 (Mt 5.43 ; 19.19 par. ; 22.39 par. ; Rm 13.9 ; Ga 5.14 ; Jc 2.8). ***t* 10.28** Lv 18.5 ; Rm 10.5 ; Ga 3.12. ***u* 10.32** Au temple de Jérusalem les *lévites* étaient chargés du chant, de la préparation des sacrifices et de la police intérieure. ***v* 10.33** Voir la note sur Mt 10.5 ; Lc 9.52+. ***w* 10.34** Remèdes utilisés à cette époque pour calmer la douleur (*huile*) et désinfecter les plaies (*vin*), voir Es 1.6. ***x* 10.37** *faire* Mt 7.21+. ***y* 10.39** v. 38-39 ; *Marthe et Marie* Jn 11.1 ; 12.2-3. ***z* 10.42** 12.31 ; voir Ac 6.2.

Enseignements sur la prière.
La prière des disciples

(Mt 6.9-13)

11 1 Il était un jour quelque part en prière. Quand il eut fini, un de
ses disciples lui dit: «Seigneur, apprends-nous à prier, comme
Jean l'a appris à ses disciples[a].» 2 Il leur dit: «Quand vous priez, dites:
Père,
Fais connaître à tous qui tu es,
Fais venir ton Règne[b],
3 Donne-nous le pain dont nous avons besoin pour chaque jour,
4 Pardonne-nous nos péchés, car nous-mêmes nous pardonnons à
tous ceux qui ont des torts envers nous,
Et ne nous conduis pas dans la *tentation[c].»

Parabole de l'ami qui se laisse fléchir

5 Jésus leur dit encore: «Si l'un de vous a un ami et qu'il aille le
trouver au milieu de la nuit pour lui dire: "Mon ami, prête-moi trois
pains, 6 parce qu'un de mes amis m'est arrivé de voyage et je n'ai rien
à lui offrir", 7 et si l'autre, de l'intérieur, lui répond: "Ne m'ennuie
pas[d]! Maintenant la porte est fermée; mes enfants et moi nous
sommes couchés; je ne puis me lever pour te donner du pain", 8 je
vous le déclare: même s'il ne se lève pas pour lui en donner parce
qu'il est son ami, eh bien, parce que l'autre est sans vergogne, il se
lèvera pour lui donner tout ce qu'il lui faut.

Quiconque demande reçoit

(Mt 7.7-11)

9 «Eh bien, moi je vous dis: Demandez, on vous donnera[e]; cher-
chez, vous trouverez; frappez, on vous ouvrira. 10 En effet, quiconque
demande reçoit, qui cherche trouve, et à qui frappe on ouvrira. 11 Quel
père parmi vous, si son fils lui demande[f] un poisson, lui donnera un
serpent au lieu de poisson? 12 Ou encore s'il demande un œuf, lui don-
nera-t-il un scorpion? 13 Si donc vous, qui êtes mauvais, savez donner

a *11.1* Jésus en prière Mt 14.23+ ; Mc 6.46+ ; Lc 3.21+. — *comme Jean l'a enseigné* Jn 5.33. — *les disciples de Jean* (le Baptiste) Mt 9.14+. ***b 11.2*** *Père* 10.21 ; 22.42 ; 23.34, 46. — *reconnu comme Dieu* Mt 6.9+. — *ton Règne* Mt 6.10+. ***c 11.4*** *pardon des péchés* Mt 26.28+. — Dette remise Mt 18.24-27. — Pardon fraternel Mt 18.35+. — *tentation* Mt 6.13+. ***d 11.7*** Mt 26.10 ; Lc 18.5 ; Ga 6.17. ***e 11.9*** Voir les notes sur Mt 3.2 ; 7.1. ***f 11.11*** Après *lui demande,* certains manuscrits insèrent les mots suivants : *du pain, est-ce qu'il lui présentera une pierre ? ou* un poisson... (voir Mt 7.9).

de bonnes choses à vos enfants, combien plus le Père céleste donnera-
t-il l'Esprit Saint à ceux qui le lui demandent.»

Jésus agent de Béelzéboul?

(Mt 9.32-34; 12.22-30; Mc 3.22-27)

14 Il chassait un *démon muet[g]. Or, une fois le démon sorti, le muet
se mit à parler et les foules s'émerveillèrent. 15 Mais quelques-uns
d'entre eux dirent: «C'est par Béelzéboul, le chef des démons, qu'il
chasse les démons[h].» 16 D'autres, pour le mettre à l'épreuve, récla-
maient de lui un *signe qui vienne du *ciel[i].
17 Mais lui, connaissant leurs réflexions, leur dit: «Tout royaume
divisé contre lui-même court à la ruine et les maisons s'y écroulent
l'une sur l'autre. 18 Si *Satan[j] aussi est divisé contre lui-même, com-
ment son royaume se maintiendra-t-il?... puisque vous dites que
c'est par Béelzéboul que je chasse les démons. 19 Et si c'est par Béel-
zéboul que moi, je chasse les démons, vos disciples, par qui les
chassent-ils? Ils seront donc eux-mêmes vos juges. 20 Mais si c'est
par le doigt de Dieu[k] que je chasse les démons, alors le *Règne de
Dieu vient de vous atteindre. 21 Quand l'homme fort avec ses armes
garde son palais, ce qui lui appartient est en sécurité. 22 Mais que
survienne un plus fort[l] qui triomphe de lui, il lui prend tout l'arme-
ment en quoi il mettait sa confiance, et il distribue ses dépouilles.
23 Qui n'est pas avec moi est contre moi et qui ne rassemble pas avec
moi disperse[m].

Risques de rechute

(Mt 12.43-45)

24 «Lorsque l'esprit impur est sorti d'un homme, il parcourt les
régions arides[n] en quête de repos; comme il n'en trouve pas, il se dit:
"Je vais retourner dans mon logis, d'où je suis sorti." 25 A son arrivée,
il le trouve balayé et mis en ordre. 26 Alors il va prendre sept autres
esprits plus mauvais que lui; ils y entrent et s'y installent; et le dernier
état de cet homme devient pire[o] que le premier.»

g 11.14 *démon muet* Mc 9.17-25. ***h 11.15*** *Béelzéboul* Mt 10.25+. – *chef des démons* Mt 9.34. – Jésus accusé de collusion avec *Béelzéboul* Mt 9.34 ; 12.24 ; Mc 3.22. ***i 11.16*** Jésus *mis à l'épreuve* 10.25+. – *un signe venant du ciel* Mt 12.38+ ; Mc 8.11. – *le ciel,* désignation de Dieu Lc 15.7, 18, 21 ; 20.4 ; voir Mt 3.2+. ***j 11.18*** Mc 1.3+. ***k 11.20*** Ex 8.15. ***l 11.22*** 3.16. ***m 11.23*** Mt 12.30 ; Mc 9.40 ; voir Lc 9.50. ***n 11.24*** *esprit impur :* voir la note sur Mc 1.23. – *régions arides* Lc 8.29+. ***o 11.26*** *pire* Jn 5.14.

Le vrai bonheur

27 Or comme il disait cela, une femme éleva la voix du milieu de la
foule et lui dit: «Heureuse celle qui t'a porté[p] et allaité!» 28 Mais lui, il
dit: «Heureux plutôt ceux qui écoutent la parole de Dieu et qui
l'observent[q]!»

Le signe du Fils de l'homme

(Mt 12.38-42)

29 Comme les foules s'amassaient, il se mit à dire: «Cette génération
est une génération mauvaise; elle demande un *signe! En fait de
signe, il ne lui en sera pas donné d'autre que le signe de Jonas[r]. 30 Car,
de même que Jonas fut un signe pour les gens de Ninive, de même
aussi le *Fils de l'homme[s] en sera un pour cette génération. 31 Lors du
Jugement, la reine du Midi se lèvera, avec les hommes de cette généra-
tion et elle les condamnera, car elle est venue du bout du monde pour
écouter la sagesse de Salomon[t]; eh bien! ici il y a plus que Salomon.
32 Lors du Jugement, les hommes de Ninive se lèveront avec cette
génération et ils la condamneront, car ils se sont convertis à la prédi-
cation de Jonas[u]; eh bien! ici il y a plus que Jonas.

La lumière de la foi

(Mt 5.15; Mc 4.21; Lc 8.16)

33 «Personne n'allume une lampe pour la mettre dans une cachette[v],
mais on la met sur son support, pour que ceux qui entrent voient la
clarté.

(Mt 6.22-23)

34 «La lampe de ton corps, c'est l'œil. Quand ton œil est sain, ton
corps tout entier est aussi dans la lumière; mais si ton œil est malade,
ton corps aussi est dans les ténèbres. 35 Examine donc si la lumière qui
est en toi n'est pas ténèbres. 36 Si donc ton corps est tout entier dans la
lumière, sans aucune part de ténèbres, il sera dans la lumière tout
entier comme lorsque la lampe t'illumine de son éclat.»

p 11.27 *Heureuse !* Mt 5.3+. — *celle qui t'a porté* Lc 1.31, 42, 48. ***q 11.28*** 8.21. ***r 11.29*** *cette génération* Mt 12.39+. — *elle demande un signe* 1 Co 1.22 ; voir Lc 7.22 ; 11.20. — *le signe de Jonas* Jon 3.2-5 ; Mt 16.4 ; voir Mt 12.40. ***s 11.30*** *le Fils de l'homme* Mt 8.20+. ***t 11.31*** *la reine du Midi* 1 R 10.1-10. — *la sagesse* Lc 2.40, 52 ; 21.15. — *de Salomon* 1 R 3 ; 5.9-14. ***u 11.32*** *conversion* 3.3. — *des hommes de Ninive* Jon 3.5, 8,10. ***v 11.33*** De nombreux manuscrits ajoutent (d'après Mt 5.15 ou Mc 4.21) *ou sous le boisseau.* Autre texte pour la fin du verset : que ceux qui entrent voient *la lumière.*

Attaque contre les Pharisiens et les légistes

(Mt 23.4,6-7,13,25-27,29-31,34-36)

37 Comme il parlait, un *Pharisien l'invita à déjeuner chez lui[w]. Il
entra et se mit à table. 38 Le Pharisien fut étonné en voyant qu'il n'avait
pas d'abord fait une ablution avant le déjeuner[x].

39 Le Seigneur lui dit: «Maintenant vous, les Pharisiens, c'est l'exté-
rieur de la coupe et du plat que vous purifiez, mais votre intérieur est
rempli de rapacité et de méchanceté. 40 Insensés! Est-ce que Celui qui
a fait l'extérieur n'a pas fait aussi l'intérieur? 41 Donnez[y] plutôt en
aumône ce qui est dedans, et alors tout sera *pur pour vous.

42 «Mais malheureux êtes-vous, Pharisiens, vous qui versez la dîme[z]
de la menthe, de la rue et de tout ce qui pousse dans le jardin, et qui
laissez de côté la justice et l'amour de Dieu. C'est ceci qu'il fallait
faire, sans négliger cela. 43 Malheureux êtes-vous, Pharisiens, vous qui
aimez le premier siège dans les *synagogues et les salutations sur les
places publiques. 44 Malheureux, vous qui êtes comme ces tombes que
rien ne signale et sur lesquelles on marche sans le savoir.»

45 Alors un des *légistes[a] dit à Jésus: «Maître, en parlant de la sorte,
c'est nous aussi que tu insultes.» 46 Il répondit: «Vous aussi, légistes,
vous êtes malheureux, vous qui chargez les hommes de fardeaux acca-
blants, et qui ne touchez pas vous-mêmes d'un seul de vos doigts à ces
fardeaux. 47 Malheureux, vous qui bâtissez les tombeaux des *pro-
phètes, alors que ce sont vos pères qui les ont tués. 48 Ainsi vous
témoignez que vous êtes d'accord avec les actes de vos pères,
puisque, eux, ils ont tué les prophètes et vous, vous bâtissez leurs tom-
beaux. 49 C'est pourquoi la Sagesse de Dieu elle-même a dit: je leur
enverrai des prophètes et des *apôtres; ils en tueront et persécute-
ront[b], 50 afin qu'il soit demandé compte à cette génération du sang[c] de
tous les prophètes qui a été versé depuis la fondation du monde,
51 depuis le sang d'Abel jusqu'au sang de Zacharie[d] qui a péri entre
*l'autel et le *sanctuaire. Oui, je vous le déclare, il en sera demandé
compte à cette génération. 52 Malheureux êtes-vous, légistes, vous qui
avez pris la clé de la connaissance: vous n'êtes pas entrés vous-
mêmes, et ceux qui voulaient entrer, vous les en avez empêchés.»

w 11.37 7.36 ; 14.1. ***x 11.38*** Mt 15.2, 20. ***y 11.41*** 6.30 par. ; 12.33 ; 16.9 ; 18.22 par. ; 19.8 ; 21.1-4 par. ; Ac 9.36 ; 10.2, 4, 31 ; 11.29 ; 24.17. ***z 11.42*** *malheureux...* Mt 11.21+ ; Lc 6.24+. — *la dîme* Lv 27.30 ; Dt 14.22-23. ***a 11.45*** *un légiste* 7.30+. ***b 11.49*** *la Sagesse de Dieu* 7.35+. — *prophètes et apôtres maltraités* 6.23+. ***c 11.50*** *demander compte du sang (versé)* Gn 9.5 ; 42.22 ; 2 S 4.11 ; Ps 9.13 ; Ez 33.6, 8 ; Mt 27.24-25 et les notes. ***d 11.51*** *le sang d'Abel* Gn 4.8. — *le sang de Zacharie* 2 Ch 24.20-21.

53 Quand il fut sorti de là, les *scribes et les Pharisiens se mirent
à s'acharner contre lui et à lui arracher des réponses sur quan-
tité de sujets, 54 lui tendant des pièges[e] pour s'emparer d'un de ses
propos.

Confesser ouvertement le Fils de l'homme

(Mt 10.26-33,19-20)

12 1 Là-dessus, comme la foule était assemblée par milliers, au
point qu'on s'écrasait, il commença par dire à ses disciples:
«Avant tout, gardez-vous du *levain des *Pharisiens, la fausseté[f].
2 Rien n'est voilé qui ne sera dévoilé, rien n'est secret qui ne sera
connu[g]. 3 Parce que tout ce que vous avez dit dans l'ombre sera
entendu au grand jour; et ce que vous avez dit à l'oreille dans la cave
sera proclamé sur les terrasses[h]. 4 Je vous le dis à vous, mes amis: Ne
craignez pas ceux qui tuent le corps et qui, après cela, ne peuvent rien
faire de plus. 5 Je vais vous montrer qui vous devez craindre[i]: craignez
celui qui, après avoir tué, a le pouvoir de jeter dans la *géhenne. Oui,
je vous le déclare, c'est celui-là que vous devez craindre. 6 Est-ce que
l'on ne vend pas cinq moineaux pour deux sous? Pourtant pas un
d'entre eux n'est oublié de Dieu. 7 Bien plus, même vos cheveux sont
tous comptés. Soyez sans crainte, vous valez mieux que tous les moi-
neaux[j]. 8 Je vous le dis: quiconque se déclarera pour moi devant les
hommes, le *Fils de l'homme[k] aussi se déclarera pour lui devant les
*anges de Dieu; 9 mais celui qui m'aura renié[l] par devant les hommes
sera renié par devant les anges de Dieu. 10 Et quiconque dira une
parole contre le Fils de l'homme, cela lui sera pardonné; mais qui aura
*blasphémé contre le Saint Esprit[m], cela ne lui sera pas pardonné.
11 Lorsqu'on vous amènera devant les *synagogues, les chefs et les
autorités, ne vous inquiétez pas de savoir comment vous défendre et
que dire. 12 Car le Saint Esprit vous enseignera à l'heure même ce qu'il
faut dire[n].»

e 11.54 Mt 16.1 ; 19.3 ; 22.15, 35 ; Lc 20.20. ***f 12.1*** *levain des Pharisiens* Mt 16.6 ; Mc 8.15 ; voir 1 Co 5.6-8 ; Ga 5.9. — *la fausseté* Lc 6.42. ***g 12.2*** Mc 4.22 ; Lc 8.17. ***h 12.3*** *Les terrasses :* c'est en Orient un lieu habituel pour les conversations et la divulgation des nouvelles, étant donné le rapprochement des maisons. Voir la note sur Mc 2.4. ***i 12.5*** 1.50 ; 18.2, 4 ; 23.40 ; Ac 10.2, 22, 35. ***j 12.7*** *vos cheveux* 21.18 ; Ac 27.34. — *soyez sans crainte* Mt 28.5+ ; Mc 16.6+. — *mieux que tous les moineaux* Lc 12.24. ***k 12.8*** *se déclarer pour Jésus* Ap 3.5. — *le Fils de l'homme* Mt 8.20+. ***l 12.9*** Mc 8.38 ; Lc 9.26. ***m 12.10*** *contre le Fils de l'homme* 23.34 ; Ac 3.17 ; 13.27. — *blasphémer* Mt 9.3+ ; Mc 2.7. — *contre le Saint Esprit* Ac 13.46 ; 18.6 ; 28.24-28 ; voir Mt 12.32 ; Mc 3.22-29. ***n 12.12*** v.11-12 : Mt 10.20 ; Mc 13.11 ; Lc 21. 12-15 ; Ac 4.8 ; 5.32 ; 7.55.

Les biens de ce monde

13 Du milieu de la foule, quelqu'un dit à Jésus: «Maître, dis à mon
frère de partager avec moi notre héritage.» 14 Jésus lui dit: «Qui m'a
établi pour être votre juge[o] ou pour faire vos partages?» 15 Et il leur
dit: «Attention! Gardez-vous de toute avidité[p]; ce n'est pas du fait
qu'un homme est riche qu'il a sa vie garantie par ses biens.»

Parabole du riche insensé

16 Et il leur dit une *parabole: «Il y avait un homme riche dont la
terre avait bien rapporté. 17 Et il se demandait: "Que vais-je faire? car
je n'ai pas où rassembler ma récolte." 18 Puis il se dit: "Voici ce que je
vais faire: je vais démolir mes greniers, j'en bâtirai de plus grands et j'y
rassemblerai tout mon blé et mes biens." 19 Et je me dirai à moi-même:
"Te voilà avec quantité de biens en réserve pour de longues années;
repose-toi, mange, bois, fais bombance." 20 Mais Dieu lui dit:
"Insensé, cette nuit même on te redemande[q] ta vie, et ce que tu as
préparé, qui donc l'aura?" 21 Voilà ce qui arrive à celui qui amasse un
trésor pour lui-même au lieu de s'enrichir auprès de Dieu[r].»

Vivre de la grâce de Dieu

(Mt 6.25-33)

22 Jésus dit à ses disciples: «Voilà pourquoi je vous dis: ne vous
inquiétez pas pour votre vie de ce que vous mangerez, ni pour votre
corps de quoi vous le vêtirez. 23 Car la vie est plus que la nourriture, et
le corps plus que le vêtement. 24 Observez les corbeaux: ils ne sèment
ni ne moissonnent, ils n'ont ni cellier ni grenier; et Dieu les nourrit.
Combien plus valez-vous que les oiseaux[s]! 25 Et qui d'entre vous peut
par son inquiétude prolonger tant soit peu son existence? 26 Si donc
vous êtes sans pouvoir même pour si peu[t], pourquoi vous inquiéter
pour tout le reste? 27 Observez les lis: ils ne filent ni ne tissent et, je
vous le dis: Salomon lui-même, dans toute sa gloire[u], n'a jamais été
vêtu comme l'un d'eux. 28 Si Dieu habille ainsi en pleins champs
l'herbe qui est là aujourd'hui et qui demain sera jetée au feu, combien
plus le fera-t-il pour vous, gens de peu de foi. 29 Et vous, ne cherchez
pas ce que vous mangerez ni ce que vous boirez, et ne vous tour-
mentez pas. 30 Tout cela, les *païens de ce monde le recherchent sans

o 12.14 Ex 2.14 (Ac 7.27, 35). ***p 12.15*** 1 Tm 6.9-10. ***q 12.20*** Sur cette tournure impersonnelle pour parler de Dieu sans le nommer, voir les notes sur Mt 3.2 ; 7.1. – v.19-20 assurance insensée *Si* 11.19. ***r 12.21*** Mt 6.20 ; Lc 12.33 ; 18.22. – Le v. 21 manque dans quelques manuscrits anciens. ***s 12.24*** *les corbeaux* Ps 147.9. – *plus que les oiseaux* Mt 10.31 ; Lc 12.7. ***t 12.26*** 16.10 ; 19.17. ***u 12.27*** 1 R 10.4-7.

répit, mais vous, votre Père sait que vous en avez besoin. 31 Cherchez plutôt son *Royaume, et cela vous sera donné par surcroît. 32 Sois sans crainte, petit troupeau[v], car votre Père a trouvé bon de vous donner le Royaume.

Le trésor inaltérable

(Mt 6.19-21)

33 «Vendez ce que vous possédez et donnez-le en aumône. Faites-vous des bourses inusables, un trésor inaltérable dans les *cieux[w]; là ni voleur n'approche, ni mite ne détruit. 34 Car, où est votre trésor, là aussi sera votre *cœur.

Paraboles sur la vigilance

(Mt 24.43-51)

35 «Restez en tenue de travail et gardez vos lampes allumées[x]. 36 Et soyez comme des gens qui attendent leur maître à son retour des noces[y], afin de lui ouvrir dès qu'il arrivera et frappera. 37 Heureux ces serviteurs que le maître à son arrivée trouvera en train de veiller. En vérité, je vous le déclare, il prendra la tenue de travail, les fera mettre à table et passera pour les servir[z]. 38 Et si c'est à la deuxième veille qu'il arrive, ou à la troisième, et qu'il trouve cet accueil, heureux sont-ils!

39 « Vous le savez: si le maître de maison connaissait l'heure à laquelle le voleur va venir, il ne laisserait pas percer le mur de sa maison[a]. 40 Vous aussi, tenez-vous prêts, car c'est à l'heure que vous ignorez que le *Fils de l'homme va venir[b].»

41 Pierre dit alors: «Seigneur, est-ce pour nous que tu dis cette *parabole ou bien pour tout le monde?» 42 Le Seigneur lui dit: «Quel est donc l'intendant[c] fidèle, avisé, que le maître établira sur sa domesticité pour distribuer en temps voulu les rations de blé? 43 Heureux[d] ce serviteur, que son maître en arrivant trouvera en train de faire ce travail! 44 Vraiment, je vous le déclare, il l'établira sur tous ses biens[e].

v 12.32 *ne crains pas...* Mt 28.5 ; Mc 16.6+. – Image du *troupeau* Es 40.11 ; 49.9-10 ; Ez 34 appliquée à Israël Mt 9.36 ; Mc 6.34 aux pécheurs Mt 10.6 ; 15.24 ; Lc 15.4-6 ; 19.10 au groupe des disciples Mt 26.31 ; Mc 14.27 ; voir Jn 10.1-16, 27 ; 21.15-17. ***w 12.33*** *vendre* pour *donner* Mt 19.21 + et par. – *un trésor dans le ciel* Lc 21.21. ***x 12.35*** *en tenue de travail* (ou *de voyage*) Ex 12.11 ; 1 R 18.46 ; 2 R 4.29 ; 9.1 ; Jb 38.3 ; 40.7 ; Pr 31.17 ; Jr 1.17 ; Lc 17.8 ; Ep 6.14 ; 1 P 1.13. – *lampes allumées* Mt 25.1, 7. ***y 12.36*** *le retour du maître* Mc 13.35-37. – *noces* Mt 25.6. ***z 12.37*** *Heureux !* Mt 5.3+. – *se mettre en tenue pour servir* Lc 17.7-8 ; Jn 13.4. ***a 12.39*** Voir la note sur Mt 6.19. – *le voleur* Mt 24.43+. ***b 12.40*** Mt 10.23+. ***c 12.42*** 16.1, 3, 8 ; 1 Co 4.1-2. ***d 12.43*** Mt 5.3+ ; Lc 6.20. ***e 12.44*** Mt 25.21, 23.

45 Mais si ce serviteur se dit en son *cœur : "Mon maître tarde à venir"
et qu'il se mette à battre les garçons et les filles de service, à manger, à
boire et à s'enivrer, 46 le maître de ce serviteur arrivera au jour qu'il
n'attend pas et à l'heure qu'il ne sait pas : il le chassera et lui fera partager le sort des infidèles.

47 « Ce serviteur qui connaissait la volonté de son maître et qui pourtant n'a rien préparé ni fait selon cette volonté[f] recevra bien des
coups ; 48 celui qui ne la connaissait pas et qui a fait de quoi mériter des
coups en recevra peu. A qui l'on a beaucoup donné, on redemandera
beaucoup ; à qui l'on a beaucoup confié, on réclamera davantage.

Pourquoi Jésus est venu

49 « C'est un feu que je suis venu apporter sur la terre[g], et comme je
voudrais qu'il soit déjà allumé ! 50 C'est un baptême que j'ai à recevoir[h], et comme cela me pèse jusqu'à ce qu'il soit accompli !

(Mt 10.34-36)

51 « Pensez-vous que ce soit la paix que je suis venu mettre sur la
terre[i] ? Non, je vous le dis, mais plutôt la division. 52 Car désormais, s'il
y a cinq personnes dans une maison, elles seront divisées : trois contre
deux et deux contre trois. 53 On se divisera père contre fils et fils
contre père, mère contre fille et fille contre mère, belle-mère contre
belle-fille et belle-fille contre belle-mère[j]. »

La décision à prendre. Discerner les signes de ce temps

(Mt 16.2-3)

54 Il dit encore aux foules : « Quand vous voyez un nuage se lever au
couchant, vous dites aussitôt : "La pluie vient", et c'est ce qui arrive.
55 Et quand vous voyez souffler le vent du midi, vous dites : "Il va faire
une chaleur accablante", et cela arrive. 56 Esprits pervertis, vous savez
reconnaître l'aspect de la terre et du ciel, et le temps présent, comment ne savez-vous pas le reconnaître ?

Réglez vos affaires avant le jugement

(Mt 5.25-26)

57 « Pourquoi aussi ne jugez-vous pas par vous-mêmes de ce qui est

f ***12.47*** *connaître la volonté du maître sans la faire* Jc 4.17. — *faire la volonté du maître* Mt 6.10+. ***g 12.49*** Es 66.15-16 ; Ez 38.22 ; 39.6 ; Ml 3.19 ; Lc 3.16 ; Ac 2.3, 19. ***h 12.50*** *un baptême à recevoir* Mc 10.38-39. — L'eau et le feu, instruments du jugement de Dieu Lc 17.26-29 ; 2 P 2.5-6 ; 3.6-7. ***i 12.51*** Jr 6.14 ; 8.11 ; Ez 13.10, 16 ; voir Lc 1.79 ; 2.14. ***j 12.53*** Mi 7.6 ; Ag 2.22 ; Ml 3.24 ; Lc 21.16 par.

juste? [58] Ainsi, quand tu vas avec ton adversaire devant le magistrat,
tâche de te dégager de lui en chemin, de peur qu'il ne te traîne devant
le juge, que le juge ne te livre au garde et que le garde ne te jette en
prison. [59] Je te le déclare: Tu n'en sortiras pas tant que tu n'auras pas
payé jusqu'au dernier centime.»

L'urgence de la conversion

13 [1] A ce moment survinrent des gens qui lui rapportèrent
l'affaire des Galiléens dont Pilate avait mêlé le sang à celui de
leurs *sacrifices[k]. [2] Il leur répondit: «Pensez-vous que ces Galiléens
étaient de plus grands pécheurs que tous les autres Galiléens pour
avoir subi un tel sort[l]? [3] Non, je vous le dis, mais si vous ne vous con-
vertissez pas, vous périrez tous de même[m].

[4] «Et ces dix-huit personnes sur lesquelles est tombée la tour à Siloé,
et qu'elle a tuées, pensez-vous qu'elles étaient plus coupables que tous
les autres habitants de Jérusalem? [5] Non, je vous le dis, mais si vous ne
vous convertissez pas, vous périrez tous de la même manière.»

Parabole du figuier stérile

[6] Et il dit cette *parabole: «Un homme avait un figuier planté dans
sa vigne. Il vint y chercher du fruit et n'en trouva pas[n]. [7] Il dit alors au
vigneron: "Voilà trois ans que je viens chercher du fruit sur ce figuier
et je n'en trouve pas. Coupe-le. Pourquoi faut-il encore qu'il épuise la
terre?" [8] Mais l'autre lui répond: "Maître, laisse-le encore cette
année[o], le temps que je bêche tout autour et que je mette du fumier.
[9] Peut-être donnera-t-il du fruit à l'avenir. Sinon, tu le couperas."»

Guérison d'une femme infirme un jour de sabbat

[10] Jésus était en train d'enseigner dans une *synagogue un jour de
*sabbat[p]. [11] Il y avait là une femme possédée d'un esprit[q] qui la rendait
infirme depuis dix-huit ans; elle était toute courbée et ne pouvait pas
se redresser complètement. [12] En la voyant, Jésus lui adressa la parole
et lui dit: «Femme, te voilà libérée de ton infirmité.» [13] Il lui *imposa
les mains: aussitôt elle redevint droite et se mit à rendre gloire à
Dieu[r].

k* *13.1 *Galiléens* massacrés Ac 5.37. — *Pilate:* voir la note sur Mc 15.1. ***l* *13.2*** Souffrance et *péché* Jn 9.2-3. ***m* *13.3*** Menace du jugement Ps 7.12. ***n* *13.6*** Ha 3.17; Mt 21.19; Mc 11.13; Lc 3.8-9; 6.43-44. ***o* *13.8*** 2 P 3.9, 15. ***p* *13.10*** 6.6-11; voir 14.1-6. ***q* *13.11*** Voir la note sur Mc 1.23. — Au lieu de *se redresser complètement* certains traduisent: *elle ne pouvait absolument pas se redresser.* ***r* *13.13*** *imposition des mains* Mt 9.18+; Mc 5.23+. — *gloire à Dieu* Lc 2.20+.

14 Le chef de la synagogue, indigné de ce que Jésus ait fait une gué-
rison le jour du sabbat, prit la parole et dit à la foule: «Il y a six jours
pour travailler[s]. C'est donc ces jours-là qu'il faut venir pour vous faire
guérir, et pas le jour du sabbat.» 15 Le Seigneur lui répondit: «Esprits
pervertis, est-ce que le jour du sabbat chacun de vous ne détache pas
de la mangeoire son bœuf ou son âne pour le mener boire[t]? 16 Et cette
femme, fille d'Abraham, que *Satan a liée voici dix-huit ans, n'est-ce
pas le jour du sabbat qu'il fallait la détacher de ce lien[u]?» 17 A ces
paroles, tous ses adversaires étaient couverts de honte, et toute la
foule se réjouissait de toutes les merveilles qu'il faisait.

Paraboles de la graine de moutarde et du levain

(Mt 13.31-33; Mc 4.30-32)

18 Il dit alors: «A quoi est comparable le *Royaume de Dieu[v]? A quoi
le comparerai-je? 19 Il est comparable à une graine de moutarde qu'un
homme prend et plante dans son jardin. Elle pousse, elle devient un
arbre et les oiseaux du ciel font leurs nids dans ses branches[w].» 20 Il dit
encore: «A quoi comparerai-je le Royaume de Dieu? 21 Il est compa-
rable à du *levain qu'une femme prend et enfouit dans trois *mesures
de farine, si bien que toute la masse lève.»

Israël entrera-t-il dans le Royaume?

22 Il passait par villes et villages, enseignant et faisant route vers Jéru-
salem[x].

(Mt 7.13-14)

23 Quelqu'un lui dit: «Seigneur, n'y aura-t-il que peu de gens qui
seront sauvés?» Il leur dit alors: 24 «Efforcez-vous d'entrer par la porte
étroite[y], car beaucoup, je vous le dis, chercheront à entrer et ne le
pourront pas.

(Mt 25.10-12)

25 «Après que le maître de maison se sera levé et aura fermé la porte,
quand, restés dehors, vous commencerez à frapper à la porte en

s 13.14 *guérison le jour du sabbat* 6.7, 9 par.; 14.4; Jn 5.16; 7.23; 9.14, 16; voir Mt 12.1+. – *six jours pour travailler* Ex 20.9-10; Dt 5.13-14. **t 13.15** Exception courante à la règle du sabbat Mt 12.11; Lc 14.5. **u 13.16** *fille d'Abraham* 19.9. – *Satan* Mc 1.13+. – *le sabbat*, jour du salut Mc 3.4. **v 13.18** Mt 3.2+; 6.10+. **w 13.19** Dn 4.9, 18; Ez 17.23; 31.6. **x 13.22** 9.51; 17.11; 19.28. **y 13.24** *efforcez-vous* 16.16; 1 Tm 6.12. – *la porte étroite* voir Mc 10.25.

disant: “Seigneur, ouvre-nous”, et qu’il vous répondra: “Vous, je ne sais d’où vous êtes”,

(Mt 7.22-23)

26 «alors vous vous mettrez à dire: “Nous avons mangé et bu devant toi, et c’est sur nos places que tu as enseigné”; 27 et il vous dira: “Je ne sais d’où vous êtes. Eloignez-vous[z] de moi, vous tous qui faites le mal.”

(Mt 8.12,11)

28 «Il y aura les pleurs et les grincements de dents[a], quand vous verrez Abraham, Isaac et Jacob, ainsi que tous les *prophètes dans le *Royaume de Dieu, et vous jetés dehors. 29 Alors il en viendra du levant et du couchant, du nord et du midi, pour prendre place au festin dans le Royaume de Dieu[b].

(Mt 19.30; 20.16; Mc 10.31)

30 «Et ainsi, il y a des derniers qui seront premiers et il y a des premiers qui seront derniers.»

Jésus fait face à la mort

31 A cet instant, quelques *Pharisiens s’approchèrent et lui dirent: «Va-t’en, pars d’ici, car *Hérode veut te faire mourir[c].» 32 Il leur dit: «Allez dire à ce renard: Voici, je chasse les *démons et j’accomplis des guérisons aujourd’hui[d] et demain, et le troisième jour c’est fini. 33 Mais il me faut poursuivre ma route aujourd’hui et demain et le jour suivant, car il n’est pas possible qu’un *prophète périsse hors de Jérusalem[e].

Plainte sur Jérusalem

(Mt 23.37-39)

34 «Jérusalem, Jérusalem, toi qui tues les *prophètes et lapides ceux qui te sont envoyés, que de fois j’ai voulu rassembler tes enfants comme une poule rassemble sa couvée sous ses ailes, et vous n’avez pas voulu. 35 Eh bien! elle va vous être abandonnée, votre maison. Et

z 13.27 *il vous dira :* autre texte : *il dira : je vous le dis...* — *éloignez-vous* Ps 6.9. ***a 13.28*** Mt 8.12+. ***b 13.29*** *du levant et du couchant* Ps 107.3 ; voir Es 2.2-5 ; 25.6-8 ; 60 ; 66.18-21. — *le festin dans le Royaume* Es 25.6 ; Lc 14.15-24 ; 22.26, 18, 30 ; voir Lc 16.22. ***c 13.31*** *Pharisiens* favorables à Jésus 7.36 ; 11.37 ; 14.1. ***d 13.32*** *aujourd’hui* 2.11+. ***e 13.33*** Jésus comparé à *un prophète* Mt 16.14+. — Martyre des prophètes Lc 6.23+.

je vous le dis, vous ne me verrez plus jusqu'à ce que vienne le temps où vous direz : *Béni soit, au *nom du Seigneur, Celui qui vient*[f] ! »

Guérison d'un hydropique un jour de sabbat

14 1 Or Jésus était entré dans la maison d'un chef des *Pharisiens[g] un jour de *sabbat pour y prendre un repas ; ils l'observaient, 2 et justement un hydropique se trouvait devant lui. 3 Jésus prit la parole et dit aux *légistes et aux Pharisiens : « Est-il permis ou non de guérir un malade le jour du sabbat[h] ? » 4 Mais ils gardèrent le silence. Alors Jésus, prenant le malade, le guérit et le renvoya. 5 Puis il leur dit : « Lequel d'entre vous, si son fils ou son bœuf tombe dans un puits, ne le hissera pas aussitôt, en plein jour de sabbat[i] ? » 6 Et ils ne purent rien répondre[j] à cela.

Choisir la dernière place

7 Jésus dit aux invités une *parabole, parce qu'il remarquait qu'ils choisissaient les premières places[k] ; il leur dit : 8 « Quand tu es invité à des noces, ne va pas te mettre à la première place, de peur qu'on ait invité quelqu'un de plus important que toi, 9 et que celui qui vous a invités, toi et lui, ne vienne te dire : "Cède-lui la place" ; alors tu irais tout confus prendre la dernière place. 10 Au contraire, quand tu es invité, va te mettre à la dernière place, afin qu'à son arrivée celui qui t'a invité te dise : "Mon ami, avance plus haut[l]." Alors ce sera pour toi un honneur devant tous ceux qui seront à table avec toi. 11 Car tout homme qui s'élève sera abaissé et celui qui s'abaisse sera élevé[m]. »

Inviter les pauvres

12 Il dit aussi à celui qui l'avait invité : « Quand tu donnes un déjeuner ou un dîner, n'invite pas tes amis, ni tes frères, ni tes parents, ni de riches voisins, sinon eux aussi t'inviteront en retour, et cela te sera rendu. 13 Au contraire, quand tu donnes un festin, invite des pauvres[n], des estropiés, des boiteux, des aveugles, 14 et tu seras heureux parce qu'ils n'ont pas de quoi te rendre : en effet, cela te sera rendu à la résurrection des justes[o]. »

f 13.35 Dieu *va abandonner* le temple Mi 3.12 ; Jr 7.1-15 ; 26 ; Ez 8—11 ; voir Lc 21.6. — *jusqu'à... où vous direz :* certains manuscrits lisent ici (comme en Mt 23.39) *jusqu'à ce que vous disiez...* — *Béni soit Celui...* Ps 118.26 (Lc 19.38 par.). ***g 14.1*** 7.36 ; 11.37. ***h 14.3*** *légistes* 7.30+. — *est-il permis... le jour du sabbat* 6.9 par. ; voir 13.10-17. ***i 14.5*** Mt 12.11 ; Lc 13.15. ***j 14.6*** Mt 22.46. ***k 14.7*** Mt 23.6 ; Lc 20.46. ***l 14.10*** v. 8-10 : *avance plus haut* Pr 25.6-7. ***m 14.11*** Mt 18.4 ; 23.12+ ; voir Lc 16.15. ***n 14.13*** 6.20+ ; 14.21. ***o 14.14*** Désintéressement 6.32-34. — *résurrection des justes* Jn 5.29.

Parabole des invités remplacés par les pauvres

(Mt 22.1-10)

15 En entendant ces mots, un des convives dit à Jésus: «Heureux qui
prendra part au repas dans le *Royaume de Dieu[p]!» 16 Il lui dit: «Un
homme allait donner un grand dîner, et il invita beaucoup de monde.
17 A l'heure du dîner, il envoya son serviteur dire aux invités: "Venez,
maintenant c'est prêt[q]."

18 «Alors ils se mirent à s'excuser tous de la même façon. Le premier
lui dit: "Je viens d'acheter un champ et il faut que j'aille le voir; je t'en
prie, excuse-moi." 19 Un autre dit: "Je viens d'acheter cinq paires de
bœufs et je pars pour les essayer; je t'en prie, excuse-moi." 20 Un autre
dit: "Je viens de me marier, et c'est pour cela que je ne puis venir[r]."
21 A son retour, le serviteur rapporta ces réponses à son maître. Alors,
pris de colère, le maître de maison dit à son serviteur: "Va-t'en vite
par les places et les rues de la ville, et amène ici les pauvres, les estro-
piés, les aveugles et les boiteux[s]." 22 Puis le serviteur vint dire:
"Maître, on a fait ce que tu as ordonné, et il y a encore de la place."
23 Le maître dit alors au serviteur: "Va-t'en par les routes et les jardins,
et force les gens à entrer[t], afin que ma maison soit remplie. 24 Car, je
vous le dis, aucun de ceux qui avaient été invités ne goûtera de mon
dîner."»

Renoncer à tout pour suivre Jésus

25 De grandes foules faisaient route avec Jésus; il se retourna et leur
dit: 26 «Si quelqu'un vient à moi sans me préférer à son père, sa mère,
sa femme, ses enfants, ses frères, ses sœurs, et même à sa propre vie,
il ne peut être mon *disciple[u]. 27 Celui qui ne porte pas sa croix[v] et ne
marche pas à ma suite ne peut pas être mon disciple.

28 «En effet, lequel d'entre vous, quand il veut bâtir une tour, ne
commence par s'asseoir pour calculer la dépense et juger s'il a de quoi
aller jusqu'au bout? 29 Autrement, s'il pose les fondations sans pouvoir
terminer, tous ceux qui le verront se mettront à se moquer de lui 30 et
diront: "Voilà un homme qui a commencé à bâtir et qui n'a pas pu ter-
miner!"

31 «Ou quel roi, quand il part faire la guerre à un autre roi, ne com-
mence par s'asseoir pour considérer s'il est capable, avec dix mille

p 14.15 *heureux!* Mt 5.3+. – *le repas dans le Royaume de Dieu* 13.29+ ; Ap 19.19. **q 14.17** Certains manuscrits lisent ici (comme en Mt 22.4) : *tout est prêt.* **r 14.20** 1 Co 7.33 ; voir Lc 14.26. **s 14.21** 14.13 ; voir 6.20+. **t 14.23** 24.29 ; Ac 16.15. **u 14.26** Mt 10.37 ; Lc 18.29 par. ; voir Jn 12.25. **v 14.27** Mt 10.38 ; Lc 9.23 par.

hommes, d'affronter celui qui marche contre lui avec vingt mille?
32 Sinon, pendant que l'autre est encore loin, il envoie une ambassade
et demande à faire la paix.
33 «De la même façon, quiconque parmi vous ne renonce pas à tout
ce qui lui appartient ne peut être mon disciple[w].

Ne pas s'affadir

(Mt 5.13; Mc 9.50)

34 «Oui, c'est une bonne chose que le sel. Mais si le sel lui-même
perd sa saveur, avec quoi la lui rendra-t-on? 35 Il n'est bon ni pour la
terre, ni pour le fumier; on le jette dehors. Celui qui a des oreilles pour
entendre, qu'il entende[x].»

Jésus et les pécheurs

15 1 Les collecteurs d'impôts et les *pécheurs s'approchaient
tous de lui pour l'écouter[y]. 2 Et les *Pharisiens et les scribes
murmuraient; ils disaient: «Cet homme-là fait bon accueil aux
pécheurs et mange avec eux[z]!»

Parabole de la brebis retrouvée

(Mt 18.12-14)

3 Alors il leur dit cette *parabole: 4 «Lequel d'entre vous, s'il a cent
brebis et qu'il en perde une, ne laisse pas les quatre-vingt-dix-neuf
autres dans le désert pour aller à la recherche de celle qui est perdue
jusqu'à ce qu'il l'ait retrouvée[a]? 5 Et quand il l'a retrouvée, il la charge
tout joyeux sur ses épaules, 6 et, de retour à la maison, il réunit ses
amis et ses voisins, et leur dit: "Réjouissez-vous avec moi, car je l'ai
retrouvée, ma brebis qui était perdue!" 7 Je vous le déclare, c'est ainsi
qu'il y aura de la joie dans le *ciel[b] pour un seul pécheur qui se con-
vertit, plus que pour quatre-vingt-dix-neuf justes qui n'ont pas besoin
de conversion.

Parabole de la pièce retrouvée

8 «Ou encore, quelle femme, si elle a dix pièces d'argent et qu'elle
en perde une, n'allume pas une lampe, ne balaie la maison et ne

w 14.33 18.24-30 ; voir 5.11+. ***x 14.35*** Mt 11.15+ ; Mc 4.9, 23. ***y 15.1*** *collecteurs d'impôts* Mt 5.46+ ; Mc 2.14-15 et les notes. — *et pécheurs* Lc 5.30 ; 7.34. — *Tous* est omis par certains manuscrits anciens. ***z 15.2*** Voir Mt 9.11 et la note ; Lc 5.30+. ***a 15.4*** *désert :* étendue inhabitée où l'on faisait paître les troupeaux. — Image du *troupeau* 12.32+. — *à la recherche de la brebis perdue* Jr 23.1-4 ; Ez 34.11, 16 ; Mi 4.6-7 ; Lc 19.10. ***b 15.7*** *le ciel* (Dieu) 11.16+.

cherche avec soin jusqu'à ce qu'elle l'ait retrouvée? 9 Et quand elle l'a
retrouvée, elle réunit ses amies et ses voisines, et leur dit:
"Réjouissez-vous avec moi, car je l'ai retrouvée, la pièce que j'avais
perdue!" 10 C'est ainsi, je vous le déclare, qu'il y a de la joie chez les
*anges de Dieu[c] pour un seul pécheur qui se convertit.»

Parabole du fils retrouvé

11 Il dit encore: «Un homme avait deux fils. 12 Le plus jeune dit à son
père: "Père, donne-moi la part de bien qui doit me revenir." Et le
père leur partagea son avoir. 13 Peu de jours après, le plus jeune fils,
ayant tout réalisé, partit pour un pays lointain et il y dilapida son
bien[d] dans une vie de désordre. 14 Quand il eut tout dépensé, une
grande famine survint dans ce pays, et il commença à se trouver dans
l'indigence. 15 Il alla se mettre au service d'un des citoyens de ce pays
qui l'envoya dans ses champs garder les porcs[e]. 16 Il aurait bien voulu
se remplir le ventre des gousses que mangeaient les porcs, mais personne ne lui en donnait. 17 Rentrant alors en lui-même, il se dit: "Combien d'ouvriers de mon père ont du pain de reste, tandis que moi, ici,
je meurs de faim! 18 Je vais aller vers mon père et je lui dirai: Père, j'ai
péché envers le ciel[f] et contre toi. 19 Je ne mérite plus d'être appelé ton
fils. Traite-moi comme un de tes ouvriers." 20 Il alla vers son père.
Comme il était encore loin, son père l'aperçut et fut pris de pitié: il
courut se jeter à son cou et le couvrit de baisers[g]. 21 Le fils lui dit:
"Père, j'ai péché envers le ciel et contre toi. Je ne mérite plus d'être
appelé ton fils..." 22 Mais le père dit à ses serviteurs: "Vite, apportez la
plus belle robe, et habillez-le; mettez-lui un anneau au doigt, des sandales aux pieds[h]. 23 Amenez le veau gras, tuez-le, mangeons et festoyons, 24 car mon fils que voici était mort et il est revenu à la vie[i], il
était perdu et il est retrouvé."

«Et ils se mirent à festoyer. 25 Son fils aîné était aux champs. Quand,
à son retour, il approcha de la maison, il entendit de la musique et des
danses. 26 Appelant un des serviteurs, il lui demanda ce que c'était.
27 Celui-ci lui dit: "C'est ton frère qui est arrivé, et ton père a tué le
veau gras parce qu'il l'a vu revenir en bonne santé." 28 Alors il se mit
en colère et il ne voulait pas entrer. Son père sortit pour l'en prier;

c* *15.10 *devant (les anges de) Dieu* 12.8. ***d 15.13*** Pr 29.3. ***e 15.15*** Voir la note sur Mc 5.11 ; Dt 14.8. ***f 15.18*** *j'ai péché* Ps 51.6. — *le ciel* (Dieu) Lc 11.16+ ; Mt 3.2 et la note. ***g 15.20*** *il courut* Tb 11.9. — *baiser* de pardon 2 S 14.33. ***h 15.22*** D'après Gn 41.42 ; Est 3.10 ; 8.2 *l'anneau* est signe d'autorité ; les *sandales* signalent l'homme libre par opposition à l'esclave, qui reste nu-pieds. ***i 15.24*** Ep 2.1, 5 ; 5.14.

29 mais il répliqua à son père: “Voilà tant d'années que je te sers sans
avoir jamais désobéi à tes ordres; et, à moi, tu n'as jamais donné un
chevreau pour festoyer avec mes amis. 30 Mais quand ton fils que voici
est arrivé, lui qui a mangé ton avoir avec des filles, tu as tué le veau
gras pour lui!” 31 Alors le père lui dit: “Mon enfant, toi, tu es toujours
avec moi, et tout ce qui est à moi est à toi[j]. 32 Mais il fallait festoyer et
se réjouir, parce que ton frère que voici était mort et il est vivant, il
était perdu et il est retrouvé.”»

La parabole du gérant habile

16 1 Puis Jésus dit à ses *disciples: «Un homme riche avait un
gérant[k] qui fut accusé devant lui de dilapider ses biens. 2 Il le
fit appeler et lui dit: “Qu'est-ce que j'entends dire de toi? Rends les
comptes de ta gestion, car désormais tu ne pourras plus gérer mes
affaires.” 3 Le gérant se dit alors en lui-même: “Que vais-je faire,
puisque mon maître me retire la gérance? Bêcher? Je n'en ai pas la
force. Mendier? J'en ai honte. 4 Je sais ce que je vais faire pour qu'une
fois écarté de la gérance, il y ait des gens qui m'accueillent chez eux.”
5 Il fit venir alors un par un les débiteurs de son maître et il dit au pre-
mier: “Combien dois-tu à mon maître?” 6 Celui-ci répondit: “Cent
jarres d'huile.” Le gérant lui dit: “Voici ton reçu, vite, assieds-toi et
écris cinquante.” 7 Il dit ensuite à un autre: “Et toi, combien dois-tu?”
Celui-ci répondit: “Cent sacs de blé.” Le gérant lui dit: “Voici ton
reçu et écris quatre-vingts.” 8 Et le maître fit l'éloge du gérant trom-
peur, parce qu'il avait agi avec habileté. En effet, ceux qui appartien-
nent à ce monde sont plus habiles vis-à-vis de leurs semblables que
ceux qui appartiennent à la lumière[l].

Réflexions sur l'argent trompeur et le bien véritable

9 «Eh bien! moi, je vous dis: faites-vous des amis avec l'Argent trom-
peur pour qu'une fois celui-ci disparu, ces amis vous accueillent dans
les demeures éternelles.

10 «Celui qui est digne de confiance[m] pour une toute petite affaire
est digne de confiance aussi pour une grande; et celui qui est trom-
peur pour une toute petite affaire est trompeur aussi pour une grande.
11 Si donc vous n'avez pas été dignes de confiance pour l'Argent trom-
peur, qui vous confiera le bien véritable? 12 Et si vous n'avez pas été

j 15.31 Jn 17.10. *k 16.1* *gérant* 12.42+. *l 16.8* Ep 5.8; 1 Th 5.5.

m 16.10 Ou *fidèle.* – Mt 25.21, 23; Lc 19.17.

dignes de confiance pour ce qui vous est étranger, qui vous donnera ce qui est à vous?

(Mt 6.24)

13 «Aucun domestique ne peut servir deux maîtres: ou bien il haïra l'un et aimera l'autre, ou bien il s'attachera à l'un et méprisera l'autre. Vous ne pouvez servir Dieu et l'Argent.»

La Loi et le Royaume

14 Les *Pharisiens, qui aimaient l'argent[n], écoutaient tout cela, et ils
ricanaient à son sujet. 15 Jésus leur dit: «Vous, vous montrez votre justice aux yeux des hommes, mais Dieu connaît vos *cœurs: ce qui pour les hommes est supérieur est une horreur aux yeux de Dieu[o].

(Mt 11.13,12)

16 «La Loi et les Prophètes vont jusqu'à Jean; depuis lors, la bonne nouvelle du *Royaume de Dieu est annoncée, et tout homme déploie sa force pour y entrer[p].

(Mt 5.18)

17 «Le ciel et la terre passeront plus facilement que ne tombera de la *Loi une seule virgule.

(Mt 5.32; 19.9; Mc 10.11-12)

18 «Tout homme qui répudie sa femme et en épouse une autre est adultère; et celui qui épouse une femme répudiée par son mari est adultère[q].

Parabole du riche et de Lazare

19 «Il y avait un homme riche qui s'habillait de pourpre et de linge fin
et qui faisait chaque jour de brillants festins. 20 Un pauvre du nom de
Lazare[r] gisait couvert d'ulcères au porche de sa demeure. 21 Il aurait
bien voulu se rassasier de ce qui tombait de la table du riche; mais c'étaient plutôt les chiens[s] qui venaient lécher ses ulcères.

n 16.14 20.47. ***o 16.15*** *se montrer juste aux yeux des hommes* Mt 23.28 ; voir Lc 8.9-14 ; 10.29 ; 18.9 ; 20.20. – *Dieu connaît vos cœurs* Pr 24.12 (grec) ; Ac 1.24 ; 15.8. – *pour* ou *parmi les hommes.* – *Dieu en a horreur* Pr 16.5. ***p 16.16*** *la Loi et les Prophètes* Mt 7.12+ ; Rm 3.19 et la note. – *Jean* (le Baptiste) Mt 3.1+. – *bonne nouvelle du Royaume* Lc 4.43+. – *force* 13.24. – *entrer* dans le Royaume Mt 5.20+. ***q 16.18*** 1 Co 7.10-11. ***r 16.20*** Forme abrégée *d'Eléazar* (Dieu aide). ***s 16.21*** *il aurait bien voulu* 15.16. – *ce qui tombait de la table* Mt 15.27 ; Mc 7.28. – *les chiens* Ps 22.17, 21 ; Pr 26.11 ; Mt 7.6.

22 «Or le pauvre mourut et fut emporté par les *anges au côté
d'Abraham[t]; le riche mourut aussi et fut enterré. 23 Au séjour des
morts, comme il était à la torture, il leva les yeux et vit de loin
Abraham avec Lazare à ses côtés. 24 Alors il s'écria: "Abraham, mon
père, aie pitié de moi et envoie Lazare tremper le bout de son doigt
dans l'eau pour me rafraîchir la langue, car je souffre le supplice dans
ces flammes." 25 Abraham lui dit: "Mon enfant, souviens-toi que tu as
reçu ton bonheur durant ta vie, comme Lazare le malheur; et mainte-
nant il trouve ici la consolation, et toi la souffrance[u]. 26 De plus, entre
vous et nous, il a été disposé un grand abîme pour que ceux qui vou-
draient passer d'ici vers vous ne le puissent pas et que, de là non plus,
on ne traverse pas vers nous."

27 «Le riche dit: "Je te prie alors, père, d'envoyer Lazare dans la
maison de mon père, 28 car j'ai cinq frères. Qu'il les avertisse pour
qu'ils ne viennent pas, eux aussi, dans ce lieu de torture." 29 Abraham
lui dit: "Ils ont Moïse et les prophètes[v], qu'ils les écoutent." 30 L'autre
reprit: "Non, Abraham, mon père, mais si quelqu'un vient à eux de
chez les morts, ils se convertiront." 31 Abraham lui dit: "S'ils n'écou-
tent pas Moïse, ni les prophètes, même si quelqu'un ressuscite des
morts, ils ne seront pas convaincus[w]."»

Avis aux disciples

(Mt 18.7,6; Mc 9.42)

17 1 Jésus dit à ses disciples: «Il est inévitable qu'il y ait des
causes de chute[x]. Mais malheureux celui par qui la chute
arrive. 2 Mieux vaut pour lui qu'on lui attache au cou une meule de
moulin et qu'on le jette à la mer et qu'il ne fasse pas tomber un seul de
ces petits. 3 Tenez-vous sur vos gardes.

(Mt 18.15,21-22)

«Si ton frère vient à t'offenser[y], reprends-le; et s'il se repent, par-
donne-lui. 4 Et si sept fois le jour il t'offense et que sept fois il revienne
à toi en disant: "Je me repens", tu lui pardonneras.»

t 16.22 13.28. ***u 16.25*** Renversement des situations 6.21+. ***v 16.29*** Comme en Ac 26.22; 28.23 l'expression désigne l'A.T. Voir aussi Rm 3.19 et la note. ***w 16.31*** *Moïse et les prophètes* 24.27, 44. — *même si quelqu'un ressuscite* Jn 11.44, 48; 20.29; voir Lc 10.13. ***x 17.1*** ou *des pièges pour la foi* Mt 5.29+; voir Mc 9.42. ***y 17.3*** Autre texte : *vient à pécher.*

(Mt 17.20)

[5] Les *apôtres dirent au Seigneur: «Augmente en nous la foi[z].» [6] Le Seigneur dit: «Si vraiment vous aviez de la foi gros comme une graine de moutarde, vous diriez à ce sycomore: "Déracine-toi et va te planter dans la mer", et il vous obéirait[a].

Le serviteur qui n'a fait que son devoir

[7] «Lequel d'entre vous, s'il a un serviteur qui laboure ou qui garde les bêtes, lui dira à son retour des champs: "Va vite te mettre à table"? [8] Est-ce qu'il ne lui dira pas plutôt: "Prépare-moi de quoi dîner, mets-toi en tenue[b] pour me servir, le temps que je mange et boive; et après tu mangeras et tu boiras à ton tour"? [9] A-t-il de la reconnaissance envers ce serviteur parce qu'il a fait ce qui lui était ordonné? [10] De même, vous aussi, quand vous avez fait tout ce qui vous était ordonné, dites: "Nous sommes des serviteurs quelconques[c]. Nous avons fait seulement ce que nous devions faire."»

Guérison de dix lépreux et salut du seul Samaritain

[11] Or, comme Jésus faisait route vers Jérusalem, il passa à travers la *Samarie[d] et la Galilée. [12] A son entrée dans un village, dix *lépreux vinrent à sa rencontre. Ils s'arrêtèrent à distance[e] [13] et élevèrent la voix pour lui dire: «Jésus, maître, aie pitié de nous[f].» [14] Les voyant, Jésus leur dit: «Allez vous montrer aux *prêtres[g].» Or, pendant qu'ils y allaient, ils furent purifiés. [15] L'un d'entre eux, voyant qu'il était guéri, revint en rendant gloire à Dieu[h] à pleine voix. [16] Il se jeta le visage contre terre aux pieds de Jésus en lui rendant grâce; or c'était un Samaritain[i]. [17] Alors Jésus dit: «Est-ce que tous les dix n'ont pas été purifiés? Et les neuf autres, où sont-ils? [18] Il ne s'est trouvé parmi eux personne pour revenir rendre gloire à Dieu: il n'y a que cet étranger!» [19] Et il lui dit: «Relève-toi, va. Ta foi t'a sauvé[j].»

La venue du Règne de Dieu

[20] Les *Pharisiens lui demandèrent: «Quand donc vient le *Règne de Dieu?» Il leur répondit: «Le Règne de Dieu ne vient pas comme un

z 17.5 *apôtres* Lc 6.13+. — *augmente en nous* (ou *accorde-nous*) *la foi* Mc 9.24. ***a 17.6*** *si vous avez de la foi...* Mt 21.21 ; Mc 11.23. — *une graine de moutarde* Mt 13.32 ; Mc 4.31. — *une foi qui déplace le sycomore* voir 1 Co 13.2 ; Es 40.4. ***b 17.8*** *en tenue* (de travail) 12.35+. ***c 17.10*** Mt 25.30. ***d 17.11*** *vers Jérusalem* 9.51 ; 13.22 ; 19.28. — *à travers la Samarie* 9.52 ; Jn 4.4 ; voir la note sur Mt 10.5. ***e 17.12*** *lépreux* Mt 8.2+. — *à distance* Lv 13.46. ***f 17.13*** *maître* 5.5+. — *aie pitié de nous* Mt 9.27 ; 15.22 ; Lc 18.38 par. ***g 17.14*** Lv 14.2-3 ; Lc 5.14 par. ***h 17.15*** 2.20+. ***i 17.16*** 9.52+. ***j 17.19*** 7.50+.

fait observable[k]. [21] On ne dira pas: “Le voici” ou “Le voilà”. En effet,
le Règne de Dieu est parmi vous[l].»

Le Jour du Fils de l’homme

[22] Alors il dit aux disciples: «Des jours vont venir où vous désirerez
voir ne fût-ce qu’un seul des jours du *Fils de l’homme[m], et vous ne le
verrez pas.

(Mt 24.26-27)

[23] «On vous dira: “Le voilà, le voici.” Ne partez pas, ne vous précipitez pas[n].
[24] En effet, comme l’éclair en jaillissant brille d’un bout à
l’autre de l’horizon, ainsi sera le Fils de l’homme lors de son *Jour[o].
[25] Mais auparavant il faut qu’il souffre beaucoup et qu’il soit rejeté par
cette génération[p].

(Mt 24.37-39)

[26] «Et comme il en fut aux jours de Noé[q], ainsi en sera-t-il aux jours
du Fils de l’homme: [27] on mangeait, on buvait, on prenait femme, on
prenait mari, jusqu’au jour où Noé entra dans l’arche[r]; alors le déluge
vint et les fit tous périr. [28] Ou aussi, comme il en fut aux jours de Loth[s]:
on mangeait, on buvait, on achetait, on vendait, on plantait, on bâtissait;
[29] mais, le jour où Loth sortit de Sodome, “Dieu fit tomber du ciel
une pluie de feu et de soufre[t]” et les fit tous périr. [30] Il en ira de la
même manière le Jour où le Fils de l’homme se révélera.

[31] «Ce Jour-là, celui qui sera sur la terrasse et qui aura ses affaires
dans la maison, qu’il ne descende pas les prendre; et de même celui
qui sera au champ, qu’il ne revienne pas en arrière[u]. [32] Rappelez-vous
la femme de Loth[v]. [33] Qui cherchera à conserver sa vie la perdra et qui
la perdra la sauvegardera[w]. [34] Je vous le dis, cette nuit-là, deux
hommes seront sur le même lit: l’un sera pris, et l’autre laissé. [35] Deux
femmes seront en train de moudre ensemble: l’une sera prise et l’autre
laissée[x].»

k 17.20 *le Règne de Dieu* Mt 6.10+ ; voir Mt 3.2+. — *pas comme un fait observable* voir Jn 3.3 ; 18.36. ***l 17.21*** *le voici... le voilà* Mt 24.23 ; Mc 13.21 ; Lc 17.23. — *parmi vous* voir 11.20. ***m 17.22*** Mt 8.20+. ***n 17.23*** voir 19.11 ; 21.8, 9. ***o 17.24*** Mt 10.23+. ***p 17.25*** *il faut qu’il souffre* Mt 16.21 ; Mc 8.31+. — Annonces de la Passion Lc 9.22 par. ; 18.32-33 par. ***q 17.26*** Gn 6.5-12. ***r 17.27*** Gn 7.6-23. ***s 17.28*** Gn 18.20-21 ; 19.1-14. ***t 17.29*** Gn 19.24. ***u 17.31*** *celui qui sera sur la terrasse* Mt 24.17-18 ; Mc 13.15-16. — *pas de retour en arrière* Gn 19.17 ; voir Jr 4.6 ; 6.1 ; 48.6 ; 49.8, 30 ; 51.6. ***v 17.32*** Gn 19.26. ***w 17.33*** Mt 10.39 ; 16.25 ; Mc 8.35 ; Lc 9.24 ; Jn 12.25. ***x 17.35*** v. 34-35 : Mt 24.40-41. Certains manuscrits introduisent ici un v. 36 reproduisant Mt 24.40.

37 Prenant la parole, les disciples lui demandèrent: «Où donc, Sei-
gneur?» Il leur dit: «Où sera le corps, c'est là que se rassembleront les
vautours[y].»

Parabole du juge qui se fait prier longtemps

18 1 Jésus leur dit une *parabole sur la nécessité pour eux de prier
constamment et de ne pas se décourager[z]. 2 Il leur dit: «Il y
avait dans une ville un juge qui n'avait ni crainte de Dieu ni respect
des hommes. 3 Et il y avait dans cette ville une veuve qui venait lui
dire: "Rends-moi justice contre mon adversaire." 4 Il s'y refusa long-
temps. Et puis il se dit: "Même si je ne crains pas Dieu[a] ni ne respecte
les hommes, 5 eh bien! parce que cette veuve m'ennuie[b], je vais lui
rendre justice, pour qu'elle ne vienne pas sans fin me casser la tête."»
6 Le Seigneur ajouta: «Ecoutez bien ce que dit ce juge sans justice.
7 Et Dieu ne ferait pas justice à ses élus qui crient vers lui jour et nuit?
Et il les fait attendre[c]! 8 Je vous le déclare: il leur fera justice bien vite.
Mais le *Fils de l'homme, quand il viendra, trouvera-t-il la foi sur la
terre[d]?»

Parabole du Pharisien et du collecteur d'impôts

9 Il dit encore la *parabole que voici à certains qui étaient con-
vaincus d'être justes[e] et qui méprisaient tous les autres: 10 «Deux
hommes montèrent au *temple pour prier; l'un était *Pharisien et
l'autre collecteur d'impôts[f]. 11 Le Pharisien, debout, priait ainsi en lui-
même: "O Dieu, je te rends grâce de ce que je ne suis pas comme les
autres hommes, qui sont voleurs, malfaisants, adultères, ou encore
comme ce collecteur d'impôts. 12 Je *jeûne deux fois par semaine, je
paie la dîme de tout ce que je me procure[g]." 13 Le collecteur d'impôts,
se tenant à distance, ne voulait même pas lever les yeux au ciel, mais il
se frappait la poitrine en disant: "O Dieu, prends pitié[h] du pécheur
que je suis." 14 Je vous le déclare: celui-ci redescendit chez lui justifié,
et non l'autre, car tout homme qui s'élève sera abaissé, mais celui qui
s'abaisse sera élevé[i].»

y 17.37 Jb 39.30 ; Mt 24.28. ***z 18.1*** *prier constamment* Rm 1.10 ; 12.12 ; Ph 1.4 ; Col 1.3 ; 4.2 ; 1 Th 5.17 ; 2 Th 1.11 ; Phm 4. — *ne pas se décourager* 2 Co 4.1, 16 ; Ga 6.9 ; Ep 3.13 ; 2 Th 3.13. ***a 18.4*** *même si...* 11.8. — *craindre Dieu* 12.5+. ***b 18.5*** 5.7-8 ; 11.8. ***c 18.7*** Ps 44.23-25 ; Za 1.12 ; 2 P 3.9 ; Ap 6.9-11. ***d 18.8*** *bien vite* 17.22-30. — *le Fils de l'homme* Mt 8.20+. — *sa venue* Mt 10.23+. — *trouvera-t-il la foi ?* voir Mt 24.10-12 ; 2 Th 2.3. ***e 18.9*** Voir 5.32 ; 10.29 ; 15.7 ; 16.15. ***f 18.10*** Voir les notes sur Mc 2.14-15. ***g 18.12*** *jeûne* Mt 6.16+ ; 11.18 ; 5.33. — *la dîme* Gn 14.20 ; voir Mt 23.23+ ; Lc 11.42. ***h 18.13*** *se frapper la poitrine* 23.48. — *prends pitié* Ps 51.3. ***i 18.14*** *justifié* Ph 3.9. — *élevé, abaissé* Mt 18.4 ; 23.12+.

L'exemple des enfants

(Mt 19.13-15; Mc 10.13-16)

15 Des gens lui amenaient même les bébés pour qu'il les touche.
Voyant cela, les disciples les rabrouaient. 16 Mais Jésus fit venir à lui les
bébés en disant: «Laissez les enfants venir à moi; ne les empêchez
pas, car le *Royaume de Dieu est à ceux qui sont comme eux. 17 En
vérité, je vous le déclare, qui n'accueille pas le Royaume de Dieu
comme un enfant n'y entrera pas[j].»

Renoncer aux richesses pour entrer dans le Royaume

(Mt 19.16-30; Mc 10.17-31)

18 Un notable interrogea Jésus: «Bon maître, que dois-je faire[k] pour
recevoir la *vie éternelle en partage?» 19 Jésus lui dit: «Pourquoi
m'appelles-tu bon? Nul n'est bon que Dieu seul. 20 Tu connais les com-
mandements: *tu ne commettras pas d'adultère, tu ne commettras pas de
meurtre, tu ne voleras pas, tu ne porteras pas de faux témoignage, honore
ton père et ta mère*[l].» 21 Le notable répondit: «Tout cela, je l'ai observé
dès ma jeunesse.» 22 L'ayant entendu, Jésus lui dit: «Une seule chose
encore te manque: tout ce que tu as, vends-le, distribue-le aux pauvres
et tu auras un trésor dans les *cieux[m]; puis viens, suis-moi.» 23 Quand
il entendit cela, l'homme devint tout triste, car il était très riche.
24 Le voyant, Jésus dit: «Qu'il est difficile à ceux qui ont les richesses
de parvenir dans le *Royaume de Dieu! 25 Oui, il est plus facile à un
chameau d'entrer par un trou d'aiguille qu'à un riche d'entrer dans le
Royaume de Dieu.» 26 Les auditeurs dirent: «Alors, qui peut être
sauvé?» 27 Et lui répondit: «Ce qui est impossible aux hommes est pos-
sible à Dieu[n].»
28 Pierre dit: «Pour nous, laissant nos propres biens, nous t'avons
suivi.» 29 Il leur répondit: «En vérité, je vous le déclare, personne
n'aura laissé maison, femme, frères, parents ou enfants, à cause du
Royaume de Dieu, 30 qui ne reçoive beaucoup plus en ce temps-ci et,
dans le monde à venir[o], la *vie éternelle.»

Dernière annonce de la Passion

(Mt 20.17-19; Mc 10.32-34)

31 Prenant les Douze avec lui, Jésus leur dit: «Voici que nous mon-

***j* 18.17** *comme un enfant* Mt 18.3 ; voir Lc 10.21. — *entrer* dans le Royaume Mt 5.20+. ***k* 18.18** *un notable ou un chef.* — *que dois-je faire ?* 10.25+. ***l* 18.20** Ex 20.12-16 ; Dt 5.16-20 ; voir Rm 13.9. ***m* 18.22** *tout ce que tu as* 5.11+. — *vendre pour donner* Mt 19.21+. — *un trésor dans le ciel* Mt 6.20 ; Col 3.1-2 ; voir *Si* 29.11. ***n* 18.27** Mc 14.36 ; voir Za 8.6 ; Gn 18.14 ; Jb 42.2. ***o* 18.30** Mt 12.32 ; Lc 16.8 ; 20.34-35.

tons à Jérusalem et que va s'accomplir tout ce que les *prophètes ont écrit au sujet du *Fils de l'homme[p]. 32 Car il sera livré aux *païens, soumis aux moqueries, aux outrages, aux crachats; 33 après l'avoir flagellé, ils le tueront et, le troisième jour, il ressuscitera[q].» 34 Mais eux n'y comprirent rien[r]. Cette parole leur demeurait cachée et ils ne savaient pas ce que Jésus voulait dire.

Guérison d'un aveugle à Jéricho

(Mt 20.29-34; Mc 10.46-52)

35 Or, comme il approchait de Jéricho, un aveugle était assis au bord du chemin, en train de mendier. 36 Ayant entendu passer une foule, il demanda ce que c'était. 37 On lui annonça: «C'est Jésus le Nazôréen[s] qui passe.» 38 Il s'écria: «Jésus, *Fils de David, aie pitié de moi[t]!» 39 Ceux qui marchaient en tête le rabrouaient pour qu'il se taise; mais lui criait de plus belle: «Fils de David, aie pitié de moi!» 40 Jésus s'arrêta et commanda qu'on le lui amène. Quand il se fut approché, il l'interrogea: 41 «Que veux-tu que je fasse pour toi[u]?» Il répondit: «Seigneur, que je retrouve la vue!» 42 Jésus lui dit: «Retrouve la vue. Ta foi t'a sauvé[v].» 43 A l'instant même il retrouva la vue et il suivait Jésus en rendant gloire à Dieu[w]. Tout le peuple voyant cela fit monter à Dieu sa louange.

Zachée. Le salut d'un riche

19 1 Entré dans Jéricho, Jésus traversait la ville. 2 Survint un homme appelé Zachée; c'était un chef des collecteurs d'impôts[x] et il était riche. 3 Il cherchait à voir qui était Jésus, et il ne pouvait y parvenir à cause de la foule, parce qu'il était de petite taille. 4 Il courut en avant et monta sur un sycomore afin de voir Jésus qui allait passer par là. 5 Quand Jésus arriva à cet endroit, levant les yeux, il lui dit: «Zachée, descends vite: il me faut aujourd'hui demeurer dans ta maison.» 6 Vite Zachée descendit et l'accueillit tout joyeux. 7 Voyant cela, tous murmuraient; ils disaient: «C'est chez un *pécheur qu'il est allé loger[y].» 8 Mais Zachée, s'avançant, dit au Seigneur: «Eh bien! Seigneur, je fais don aux pauvres de la moitié de mes

p 18.31** les Douze* Mt 10.2+. — *ce que les prophètes ont écrit* Lc 24.25-27, 44-46 ; Ac 3.18 ; 13. 27-29. — *le Fils de l'homme* Mt 8.20+. ***q 18.33 9.22 par. ; 9.44-45 par. ; 12.50 ; 13. 32-33 ; 17.25. ***r 18.34*** Mc 9.32 ; Lc 9.45. ***s 18.37*** Mt 2.23+ ; Ac 2.22 ; 3.6 ; 4.10 ; 6.14 ; 22.8 ; 24.5 ; 26.9. ***t 18.38** Fils de David* Mt 1.1+. — *aie pitié de moi* Mt 9.27 ; 15.22 ; Lc 17.13. ***u 18.41*** Mc 10.36. ***v 18.42*** 7.50+. ***w 18.43*** 2.20+. ***x 19.2*** Mt 5.46+ ; voir les notes sur Mc 2.14-15. ***y 19.7** murmures* Ex 15.24 ; 16.2, etc. ; Mt 20.11 ; Lc 5.11 ; 15.2 ; Jn 6.41, 61 ; Ac 6.1 ; 1 Co 10.10 ; Jude 16. — Jésus ami des gens tenus à l'écart Lc 5.29-30+.

biens et, si j'ai fait tort à quelqu'un, je lui rends le quadruple[z].» 9 Alors Jésus dit à son propos: «Aujourd'hui, le salut est venu pour cette maison, car lui aussi est un fils d'Abraham[a]. 10 En effet, le *Fils de l'homme est venu chercher et sauver ce qui était perdu[b].»

Parabole du prince qui va se faire investir: les mines

(Mt 25.14-30)

11 Comme les gens écoutaient ces mots, Jésus ajouta une *parabole parce qu'il était près de Jérusalem, et qu'eux se figuraient que le *Règne de Dieu allait se manifester sur-le-champ. 12 Il dit donc: «Un homme de haute naissance se rendit dans un pays lointain[c] pour se faire investir de la royauté et revenir ensuite. 13 Il appela dix de ses serviteurs, leur distribua dix mines[d] et leur dit: "Faites des affaires jusqu'à mon retour." 14 Mais ses concitoyens le haïssaient et ils envoyèrent derrière lui une délégation pour dire: "Nous ne voulons pas qu'il règne sur nous." 15 Or, quand il revint après s'être fait investir de la royauté, il fit appeler devant lui ces serviteurs à qui il avait distribué l'argent, pour savoir quelles affaires chacun avait faites. 16 Le premier se présenta et dit: "Seigneur, ta mine a rapporté dix mines." 17 Il lui dit: "C'est bien, bon serviteur, puisque tu as été fidèle dans une toute petite affaire[e], reçois autorité sur dix villes." 18 Le second vint et dit: "Ta mine, Seigneur, a produit cinq mines." 19 Il dit de même à celui-là: "Toi, sois à la tête de cinq villes." 20 Un autre vint et dit: "Seigneur, voici ta mine, je l'avais mise de côté dans un linge. 21 Car j'avais peur de toi parce que tu es un homme sévère: tu retires ce que tu n'as pas déposé et tu moissonnes ce que tu n'as pas semé." 22 Il lui dit: "C'est d'après tes propres paroles que je vais te juger, mauvais serviteur. Tu savais que je suis un homme sévère, que je retire ce que je n'ai pas déposé et que je moissonne ce que je n'ai pas semé. 23 Alors, pourquoi n'as-tu pas mis mon argent à la banque? A mon retour, je l'aurais repris avec un intérêt." 24 Puis il dit à ceux qui étaient là: "Retirez-lui sa mine, et donnez-la à celui qui en a dix." 25 Ils lui dirent: "Seigneur, il a déjà dix mines!" — 26 "Je vous le dis: à tout homme qui a, l'on donnera, mais à celui qui n'a pas, même ce qu'il a lui sera retiré[f]. 27 Quant à mes ennemis, ces gens qui ne voulaient pas que je

z 19.8 Ex 21.37 ; 2 S 12.6 ; Pr 6.31 ; mais Lv 5.21-24 ; Nb 5.6-7. ***a 19.9*** *aujourd'hui* 2.11+. — *le salut pour cette maison* Ac 16.31-34. — *un fils d'Abraham* Lc 13.16. ***b 19.10*** Ez 34.16 (Mt 18.11) ; Lc 15.4, 6, 9. ***c 19.12*** Mc 13.34. ***d 19.13*** Voir au glossaire MONNAIES. ***e 19.17*** 16.10. ***f 19.26*** Mt 13.12+.

règne sur eux, amenez-les ici, et égorgez-les devant moi."» 28 Sur ces
mots, Jésus partit en avant pour monter à Jérusalem[g].

L'entrée du roi Messie à Jérusalem

(Mt 21.1-11,15-17; Mc 11.1-10; Jn 12.12-16)

29 Or, quand il approcha de Bethphagé et de Béthanie, vers le mont
dit des Oliviers[h], il envoya deux disciples 30 en leur disant: «Allez au
village qui est en face; en y entrant, vous trouverez un ânon attaché
que personne n'a jamais monté. Détachez-le et amenez-le. 31 Et si quel-
qu'un vous demande: "Pourquoi le détachez-vous?" vous répondrez:
"Parce que le Seigneur[i] en a besoin."» 32 Les envoyés partirent et
trouvèrent les choses comme Jésus leur avait dit[j]. 33 Comme ils déta-
chaient l'ânon, ses maîtres leur dirent: «Pourquoi détachez-vous cet
ânon?» 34 Ils répondirent: «Parce que le Seigneur en a besoin.» 35 Ils
amenèrent alors la bête à Jésus, puis jetant sur elle leurs vêtements, ils
firent monter Jésus[k]; 36 et à mesure qu'il avançait, ils étendaient leurs
vêtements sur la route[l]. 37 Déjà il approchait de la descente du mont
des Oliviers, quand tous les disciples en masse, remplis de joie, se
mirent à louer Dieu à pleine voix pour tous les miracles qu'ils avaient
vus[m]. 38 Ils disaient:

«Béni soit Celui qui vient, le roi, *au *nom du Seigneur!*
Paix dans le *ciel et gloire au plus haut des cieux[n]!»

39 Quelques *Pharisiens, du milieu de la foule, dirent à Jésus:
«Maître, reprends tes disciples!» 40 Il répondit: «Je vous le dis: si eux
se taisent, ce sont les pierres qui crieront[o].»

Jésus pleure sur Jérusalem

41 Quand il approcha de la ville et qu'il l'aperçut, il pleura[p] sur elle.
42 Il disait: «Si toi aussi tu avais su, en ce jour, comment trouver la
paix...! Mais hélas! cela a été caché à tes yeux[q]! 43 Oui, pour toi des
jours vont venir où tes ennemis établiront contre toi des ouvrages de
siège; ils t'encercleront et te serreront de toutes parts[r]; 44 ils t'écrase-
ront, toi et tes enfants au milieu de toi; et ils ne laisseront pas en toi

***g* 19.28** 9.51 ; 13.22 ; 17.11. ***h* 19.29** *Béthanie* Mt 21.17+. — *mont des Oliviers* Mc 11.1+. ***i* 19.31** *le Seigneur* 7.13. ***j* 19.32** 22.13. ***k* 19.35** Za 9.9-10 ; voir 1 R 1.33. ***l* 19.36** 2 R 9.13. ***m* 19.37** *près de la descente* 1 R 1.38. — Joie et acclamations 1 R 1.40. — Louanges à Dieu Lc 2.20+. ***n* 19.38** Ps 118.26. — *le roi* Jn 12.13. — *paix* Lc 1.79+. — *au plus haut des cieux* 2.14. ***o* 19.40** Ha 2.11. ***p* 19.41** Jn 11.35. ***q* 19.42** *si tu avais su...* Dt 32.29. De nombreux manuscrits ajoutent ici *au moins*. — *cachés* Es 6.9-10 ; Mt 13.14 ; Mc 4.12 ; Lc 8.10 ; Ac 28.26-27 ; Rm 11.8-10. ***r* 19.43** 21.20-24 ; 23.28-31.

pierre sur pierre, parce que tu n'as pas reconnu le temps où tu as été
visitée[s].»

Jésus entre dans le temple et y exerce son autorité

(Mt 21.12-13; Mc 11.15-19; Jn 2.13-16)

45 Puis Jésus entra dans le *temple et se mit à chasser ceux qui ven-
daient. 46 Il leur disait: «Il est écrit: *Ma maison sera une maison de
prière*; mais vous, vous en avez fait *une caverne de bandits*[t].» 47 Il était
chaque jour à enseigner dans le temple. Les *grands prêtres et les
scribes cherchaient à le faire périr[u], et aussi les chefs du peuple;
48 mais ils ne trouvaient pas ce qu'ils pourraient faire, car tout le
peuple, suspendu à ses lèvres, l'écoutait[v].

Question de membres du Sanhédrin sur l'autorité de Jésus

(Mt 21.23-27; Mc 11.27-33)

20 1 Or, un de ces jours-là, comme Jésus enseignait au peuple
dans le *temple et annonçait la Bonne Nouvelle, survinrent
les *grands prêtres et les scribes avec les anciens[w]. 2 Ils lui dirent:
«Dis-nous en vertu de quelle autorité tu fais cela, ou quel est celui qui
t'a donné cette autorité?» 3 Il leur répondit: «Moi aussi, je vais vous
poser une question. Dites-moi: 4 Le baptême de Jean, venait-il du
*ciel[x] ou des hommes?» 5 Ils réfléchirent entre eux: «Si nous disons:
“Du ciel”, il dira: “Pourquoi n'avez-vous pas cru[y] en lui?” 6 Et si nous
disons: “Des hommes”, tout le peuple nous lapidera[z], car il est con-
vaincu que Jean était un *prophète.» 7 Alors ils répondirent qu'ils ne
savaient pas d'où il venait. 8 Et Jésus leur dit: «Moi non plus, je ne
vous dis pas en vertu de quelle autorité je fais cela.»

Parabole des vignerons meurtriers

(Mt 21.33-46; Mc 12.1-12)

9 Et il se mit à dire au peuple cette *parabole: «Un homme *planta
une vigne*[a], il la donna en fermage à des vignerons et partit pour long-
temps. 10 Le moment venu, il envoya un serviteur aux vignerons pour

s 19.44 *pas pierre sur pierre* 21.6 par. — *tu as été visitée* 1.68+. ***t 19.46*** *une maison de prière* Es 56.7 ; voir 1 R 8.30-40. — *une caverne de bandits* Jr 7.11. ***u 19.47*** *chaque jour dans le temple* 20.1 ; 21.37 ; 22.53 ; Jn 18.20. — *cherchaient à le faire périr* Lc 20.19 par. ; 21.38 ; 22.2 par. ; 23.27, 35 ; Jn 5.18 ; 7.30 ; voir Mt 12.14+ ; Lc 6.11 par. ***v 19.48*** Bonnes dispositions du *peuple* 20.19 ; 21.38 ; 23.27, 35. — Peur des réactions populaires Mt 14.5+. ***w 20.1*** Mc 11.27+. ***x 20.4*** *le baptême de Jean* Mt 3.6+ ; Ac 1.22 ; 10.37. — *le ciel* (Dieu) Lc 11.16+. ***y 20.5*** Mt 21.32. ***z 20.6*** Mt 14.5+ ; Mc 14.2. ***a 20.9*** *une vigne* Es 5.1.

qu'ils lui donnent sa part du fruit de la vigne; mais les vignerons le renvoyèrent roué de coups et les mains vides. 11 Il recommença en envoyant un autre serviteur; lui aussi, ils le rouèrent de coups, l'insultèrent et le renvoyèrent les mains vides. 12 Il recommença en envoyant un troisième; lui aussi, ils le blessèrent et le chassèrent[b]. 13 Le maître de la vigne se dit alors: "Que faire? Je vais envoyer mon fils bien-aimé. Lui, ils vont bien le respecter." 14 Mais, à la vue du fils, les vignerons firent entre eux ce raisonnement: "C'est l'héritier. Tuons-le pour que l'héritage soit à nous!" 15 Et le jetant hors de la vigne, ils le tuèrent. Que leur fera donc le maître de la vigne? 16 Il viendra, il fera périr ces vignerons et confiera la vigne à d'autres.»

A ces mots, ils dirent: «Non, jamais!» 17 Mais Jésus, les regardant en face, leur dit: «Que signifie donc ce texte de l'Ecriture:

La pierre qu'ont rejetée les bâtisseurs,
c'est elle qui est devenue la pierre angulaire[c] ?

18 Tout homme qui tombe sur cette pierre sera brisé, et celui sur qui elle tombera, elle l'écrasera[d].»

19 Les scribes et les *grands prêtres cherchèrent à mettre la main sur lui à l'instant même, mais ils eurent peur du peuple[e]. Ils avaient bien compris que c'était pour eux qu'il avait dit cette parabole.

Piège tendu à Jésus à propos de l'impôt dû à César

(Mt 22.15-22; Mc 12.13-17)

20 S'étant postés en observation, ils envoyèrent à Jésus des indicateurs jouant les justes; ils voulaient le prendre en défaut[f] dans ce qu'il dirait, pour le livrer à l'autorité et au pouvoir du gouverneur. 21 Ils lui posèrent cette question: «Maître, nous savons que tu parles et enseignes de façon correcte, que tu es impartial et que tu enseignes les chemins[g] de Dieu selon la vérité. 22 Nous est-il permis, oui ou non, de payer l'impôt à César[h]?» 23 Pénétrant leur fourberie, Jésus leur dit: 24 «Faites-moi voir une pièce d'argent. De qui porte-t-elle l'effigie et l'inscription?» Ils répondirent: «De César.» 25 Il leur dit: «Eh bien! rendez à César ce qui est à César, et à Dieu ce qui est à Dieu.» 26 Et ils

b 20.12 v. 10-12: 2 Ch 36.15-16. ***c 20.17*** Ps 118.22 (Ac 4.11 ; 1 P 2.4, 7) ; voir Es 28.16. ***d 20.18*** *brisé... écrasé* Es 8.14-15 ; Dn 2.44. — Salut ou perdition Lc 2.34 ; Rm 9.33 ; 1 P 2.5-8. ***e 20.19*** Tentative d'arrestation 19.47. — *peur du peuple* Mt 14.5+ ; Ac 5.26. ***f 20.20*** Piège tendu à Jésus Mt 16.1+ ; Lc 11.54. — *jouant les justes* 16.15 ; 18.9. ***g 20.21*** *Maître, nous savons que...* Jn 3.2. — *impartial* Lv 19.15 ; Ac 10.34 ; Rm 2.11 ; Ga 2.6 ; Ep 6.9 ; Col 3.25 ; Jc 2.1. — *les chemins* (la voie) Ps 25.4, 9 ; 27.11 ; 51.15 ; Ac 9.2, etc. ***h 20.22*** *payer l'impôt* Rm 13.6-7.

ne purent le prendre en défaut devant le peuple dans ses propos et, étonnés de sa réponse, ils gardèrent le silence.

Question des Sadducéens sur la résurrection

(Mt 22.23-33; Mc 12.18-27)

27 Alors s'approchèrent quelques *Sadducéens[i]. Les Sadducéens contestent qu'il y ait une résurrection. Ils lui posèrent cette question: 28 «Maître, Moïse a écrit pour nous: *Si un homme a un frère marié qui meurt sans enfants, qu'il épouse la veuve et donne une descendance à son frère*[j]. 29 Or il y avait sept frères. Le premier prit femme et mourut sans enfant. 30 Le second, 31 puis le troisième épousèrent la femme, et ainsi tous les sept: ils moururent sans laisser d'enfant. 32 Finalement la femme mourut aussi. 33 Eh bien! cette femme, à la résurrection, duquel d'entre eux sera-t-elle la femme, puisque les sept l'ont eue pour femme?»

34 Jésus leur dit: «Ceux qui appartiennent à ce monde-ci prennent femme ou mari. 35 Mais ceux qui ont été jugés dignes d'avoir part au monde à venir et à la résurrection des morts ne prennent ni femme ni mari. 36 C'est qu'ils ne peuvent plus mourir, car ils sont pareils aux *anges: ils sont fils de Dieu puisqu'ils sont fils de la résurrection[k]. 37 Et que les morts doivent ressusciter, Moïse lui-même l'a indiqué dans le récit du buisson ardent, quand il appelle le Seigneur *le Dieu d'Abraham, le Dieu d'Isaac et le Dieu de Jacob*[l]. 38 Dieu n'est pas le Dieu des morts, mais des vivants, car tous sont vivants pour lui[m].» 39 Quelques *scribes, prenant la parole, dirent: «Maître, tu as bien parlé.» 40 Car ils n'osaient plus l'interroger sur rien.

Le Messie, fils et Seigneur de David

(Mt 22.41-45; Mc 12.35-37)

41 Il leur dit alors: «Comment peut-on dire que le *Messie est *fils de David, 42 puisque David lui-même dit au livre des Psaumes: *Le Seigneur a dit à mon Seigneur: Siège à ma droite,* 43 *jusqu'à ce que j'aie fait de tes ennemis un escabeau sous tes pieds*[n]? 44 Ainsi David l'appelle Seigneur. Alors, comment est-il son fils?»

Mise en garde contre les scribes

(Mc 12.37-40)

45 Il dit aux disciples devant tout le peuple qui l'écoutait: 46 «Gardez-

i 20.27 *Sadducéens* Ac 23.8. ***j 20.28*** Dt 25.5-6; Gn 38.8. ***k 20.36*** Voir la note sur 1 Th 5.5. ***l 20.37*** *le buisson ardent* Ex 3.2. – *Dieu d'Abraham...* Ex 3.6. ***m 20.38*** Rm 14.8-9. ***n 20.43*** v. 42-43: Ps 110.1 (Mt 22.44+).

vous des *scribes qui tiennent à déambuler en grandes robes, et qui
aiment les salutations sur les places publiques, les premiers sièges
dans les *synagogues, les premières places dans les dîners. 47 Eux qui
dévorent les biens des veuves et affectent de prier longuement, ils
subiront la plus rigoureuse condamnation.»

L'offrande de la veuve pauvre

(Mc 12.41-44)

21 1 Levant les yeux, Jésus vit ceux qui mettaient leurs offrandes
dans le tronc. C'étaient des riches. 2 Il vit aussi une veuve
misérable qui y mettait deux petites pièces, 3 et il dit: «Vraiment, je
vous le déclare, cette veuve pauvre a mis plus que tous les autres. 4 Car
tous ceux-là ont pris sur leur superflu pour mettre dans les offrandes;
mais elle, elle a pris sur sa misère pour mettre tout ce qu'elle avait
pour vivre[o].»

Annonce de la ruine du temple

(Mt 24.1-2; Mc 13.1-2)

5 Comme quelques-uns parlaient du *temple, de son ornementation
de belles pierres et d'ex-voto[p], Jésus dit: 6 «Ce que vous contemplez,
des jours vont venir où il n'en restera pas pierre sur pierre: tout sera
détruit[q].»

Signes proches et lointains du Jugement

(Mt 24.3-8; Mc 13.3-8)

7 Ils lui demandèrent: «Maître, quand donc cela arrivera-t-il, et quel
sera le *signe que cela va avoir lieu?» 8 Il dit: «Prenez garde à ne pas
vous laisser égarer, car beaucoup viendront en prenant mon nom; ils
diront: "C'est moi" et "Le moment est arrivé[r]"; ne les suivez pas.
9 Quand vous entendrez parler de guerres et de soulèvements, ne
soyez pas effrayés. *Car il faut que cela arrive*[s] d'abord, mais ce ne sera
pas aussitôt la fin.»
10 Alors il leur dit: «*On se dressera nation contre nation et royaume
contre royaume*[t]. 11 Il y aura de grands tremblements de terre et en
divers endroits des pestes et des famines, des faits terrifiants venant du
ciel et de grands signes.

o 21.4 v. 3-4: *offrande* 2 Co 8.12. ***p 21.5*** Ces offrandes peuvent être des éléments entrant dans la construction ou la décoration de l'édifice. ***q 21.6*** *pas pierre sur pierre* 19.44. — La ruine du temple annoncée Mi 3.12; Jr 7.1-15; 26.1-19; voir Mt 26.61; 27.40 par.; Ac 6.14. ***r 21.8*** Dn 7.22; Ph 4.5. ***s 21.9*** Dn 2.28. ***t 21.10*** Es 19.2; 2 Ch 15.6.

Le temps préalable de la persécution et du témoignage

(Mt 10.17-22; Mc 13.9-13)

12 «Mais avant tout cela, on portera la main sur vous et on vous per-
sécutera; on vous livrera aux *synagogues, on vous mettra en prison;
on vous traînera devant des rois et des gouverneurs à cause de mon
nom[u]. 13 Cela vous donnera une occasion de témoignage[v]. 14 Mettez-
vous en tête que vous n'avez pas à préparer votre défense[w]. 15 Car,
moi, je vous donnerai un langage et une sagesse que ne pourra con-
trarier ni contredire aucun de ceux qui seront contre vous[x]. 16 Vous
serez livrés même par vos pères et mères, par vos frères, vos parents et
vos amis, et ils feront condamner à mort plusieurs d'entre vous[y].
17 Vous serez haïs de tous à cause de mon nom[z]; 18 mais pas un cheveu
de votre tête ne sera perdu[a]. 19 C'est par votre persévérance[b] que vous
gagnerez la vie.

Le jugement de Jérusalem

(Mt 24.15-21; Mc 13.14-19)

20 «Quand vous verrez Jérusalem encerclée par les armées, sachez
alors que l'heure de sa dévastation est arrivée[c]. 21 Alors, ceux qui
seront en Judée, qu'ils fuient dans les montagnes[d]; ceux qui seront à
l'intérieur de la ville, qu'ils en sortent; ceux qui seront dans les campa-
gnes, qu'ils n'entrent pas dans la ville! 22 Car ce seront des jours de
vengeance[e] où doit s'accomplir tout ce qui est écrit. 23 Malheureuses
celles qui seront enceintes et celles qui allaiteront en ces jours-là, car il
y aura grande misère[f] dans le pays et colère contre ce peuple. 24 Ils
tomberont au fil de l'épée; ils seront emmenés captifs dans toutes les
nations, et Jérusalem sera foulée aux pieds par les nations jusqu'à ce
que soit accompli le temps des nations[g].

u 21.12 *on vous livrera* Mt 24.9 ; Lc 12.11. – *devant rois et gouverneurs* Ac 25.13–26.32. ***v 21.13*** 24.48 ; Ac 1.8+. ***w 21.14*** Mc 13.11 ; Lc 12.11-12. ***x 21.15*** *une sagesse* irrésistible Ac 6.10. – L'assistance de Jésus Jn 14.18-21 ; voir Lc 12.11-12 ; Jn 15.26-27 ; 16.8-11. ***y 21.16*** *livrés* par vos proches Mc 13.12. – *la mort pour plusieurs* Lc 11.49. ***z 21.17*** Mt 24.9 ; Mc 13.13 ; Jn 15.18-21. ***a 21.18*** 1 S 14.45 ; Mt 10.30 ; Lc 12.7 ; Ac 27.34. ***b 21.19*** *persévérance* 8.15+. ***c 21.20*** 19.43 ; 23.28-31. ***d 21.21*** *fuir* 17.31. ***e 21.22*** Dt 32.35 ; Os 9.7 ; Jr 46.10. ***f 21.23*** 1 Co 7.26. ***g 21.24*** *dévorés par l'épée* Jr 21.7 ; *Si* 28.18 *et emmenés captifs* Esd 9.7. – *Jérusalem foulée aux pieds* Za 12.3 (grec) ; Ps 79.1 ; Es 63.18 ; Dn 9.26 ; *1 M* 3.45, 51. – *jusqu'à ce que soit accompli le temps* Dn 12.7 ; *Tb* 14.5 *des nations* Rm 11.25 ; Ap 11.2.

La venue du Fils de l'homme

(Mt 24.29-31 ; Mc 13.24-27)

25 «Il y aura des *signes dans le soleil, la lune et les étoiles, et sur la
terre les nations seront dans l'angoisse, épouvantées par le fracas de la
mer et son agitation[h], 26 tandis que les hommes défailleront de frayeur
dans la crainte des malheurs arrivant sur le monde ; car les *puissances
des cieux* seront ébranlées[i]. 27 Alors, ils verront *le *Fils de l'homme
venir entouré d'une nuée*[j] dans la plénitude de la puissance et de la
gloire.

L'approche du Règne de Dieu

(Mt 24.32-35 ; Mc 13.28-31)

28 «Quand ces événements commenceront à se produire, redressez-
vous et relevez la tête, car votre délivrance est proche[k].» 29 Et il leur
dit une comparaison : «Voyez le figuier et tous les arbres : 30 dès qu'ils
bourgeonnent vous savez de vous-mêmes, à les voir, que déjà l'été est
proche. 31 De même, vous aussi, quand vous verrez cela arriver, sachez
que le *Règne de Dieu est proche. 32 En vérité, je vous le déclare, cette
génération ne passera pas que tout n'arrive. 33 Le ciel et la terre passe-
ront[l], mes paroles ne passeront pas.

Exhortation à la vigilance

34 «Tenez-vous sur vos gardes, de crainte que vos *cœurs ne s'alour-
dissent dans l'ivresse, les beuveries et les soucis de la vie, et que ce
jour-là ne tombe sur vous à l'improviste[m], 35 comme un filet[n] ; car il
s'abattra sur tous ceux qui se trouvent sur la face de la terre entière.
36 Mais restez éveillés dans une prière de tous les instants pour être
jugés dignes d'échapper à tous ces événements à venir et de vous tenir
debout[o] devant le *Fils de l'homme.»

Les derniers jours de Jésus au temple

37 Jésus passait le jour dans le *temple à enseigner et il sortait passer

h 21.25 *des signes* dans les astres Es 13.10 ; Ez 32.7 ; Jl 3.3-4 ; Ap 6.12-13. – *le fracas de la mer* Ps 46.3-4 ; 65.8 ; *Sg* 5.22. ***i 21.26*** *ébranlement* Ag 2.6, 21. ***j 21.27*** Mt 24.30+. ***k 21.28*** *votre délivrance* (ou *rédemption*) Rm 3.24 ; 8.23 1 Co 1.30 ; Col 1.14 ; voir Lc 1.68 ; 2.38 ; 24.21 *est proche* Rm 13.11. ***l 21.33*** Mt 5.18 ; Lc 16.17. ***m 21.34*** Surpris en pleine *beuverie* Mt 24.48-50 ; Lc 17.27. – *à l'improviste* 1 Th 5.3. ***n 21.35*** Es 24.17. De nombreux manuscrits lient les mots *comme un filet* à la phrase suivante : *car il s'abattra comme un filet...* ***o 21.36*** *en éveil* Mc 13.33. – *priez en tout temps* 18.1. – *tenir debout* Ap 6.17.

la nuit sur le mont dit des Oliviers[p]. 38 Et tout le peuple venait à lui dès l'aurore dans le temple pour l'écouter.

Le complot contre Jésus

(Mt 26.1-5,14-16; Mc 14.1-2,10-11)

22 1 La fête des Pains sans levain, qu'on appelle *Pâque[q], approchait. 2 Les *grands prêtres et les scribes cherchaient la manière de le supprimer car ils craignaient le peuple[r]. 3 Et *Satan entra en Judas appelé Iscariote, qui était du nombre des Douze[s], 4 et il alla s'entretenir avec les grands prêtres et les chefs des gardes[t] sur la manière de le leur livrer. 5 Eux se réjouirent et convinrent de lui donner de l'argent. 6 Il accepta et se mit à chercher une occasion favorable pour le leur livrer à l'écart de la foule.

Jésus fait préparer la Pâque

(Mt 26.17-19; Mc 14.12-16)

7 Vint le jour des Pains sans levain où il fallait immoler la *Pâque[u]. 8 Jésus envoya Pierre et Jean en disant: « Allez nous préparer la Pâque[v], que nous la mangions. » 9 Ils lui demandèrent: « Où veux-tu que nous la préparions? » 10 Il leur répondit: « A votre entrée dans la ville, voici que viendra à votre rencontre un homme portant une cruche d'eau. Suivez-le dans la maison où il entrera, 11 et vous direz au propriétaire de cette maison: "Le Maître te fait dire: Où est la salle où je vais manger la Pâque avec mes disciples?" 12 Et cet homme vous montrera la pièce du haut, vaste et garnie; c'est là que vous ferez les préparatifs. » 13 Ils partirent, trouvèrent tout comme il leur avait dit[w], et ils préparèrent la Pâque.

La nouvelle Pâque

(Mt 26.26-29; Mc 14.22-25 ; 1 Co 11.23-26)

14 Et quand ce fut l'heure, il se mit à table, et les *apôtres avec lui. 15 Et il leur dit: « J'ai tellement désiré manger cette *Pâque avec vous

p 21.37 Jésus *enseigne dans le temple* 19.47 ; 22.53 ; Jn 18.20. — *la nuit au mont des Oliviers* Lc 22.39 ; voir Mc 11.1+ et la note. ***q 22.1*** Ex 12.1-27 ; Jn 11.57. ***r 22.2*** Conciliabule des adversaires de Jésus Mt 12.14+ ; Lc 19.47+ et par. — Peur de la réaction populaire Mt 14.5+. ***s 22.3*** *Satan* Mc 1.13+ — *Judas Iscariote* Mt 10.4+ ; Mc 3.19 et la note. — *l'un des Douze* Ac 1.17 ; voir Mt 10.2+. — *Satan* et *Judas* Jn 13.2, 27. ***t 22.4*** Il s'agit des officiers responsables de la police du temple. Voir v. 52 et la note sur 10.32 ; Ac 4.1 ; 5.24, 26. ***u 22.7*** 22.1+. ***v 22.8*** Ex 12.8-11. ***w 22.13*** 19.32.

avant de souffrir[x]. 16 Car, je vous le déclare, jamais plus je ne la man-
gerai jusqu'à ce qu'elle soit accomplie dans le *Royaume de Dieu[y].»
17 Il reçut alors une coupe et, après avoir rendu grâce, il dit: «Prenez-la
et partagez entre vous. 18 Car, je vous le déclare: Je ne boirai plus
désormais du fruit de la vigne jusqu'à ce que vienne le Règne de
Dieu[z].»

19 Puis il prit du pain et, après avoir rendu grâce, il le rompit et le
leur donna en disant: «Ceci est mon corps donné pour vous. Faites
cela en mémoire de moi[a].» 20 Et pour la coupe, il fit de même après le
repas, en disant: «Cette coupe est la nouvelle *Alliance en mon sang[b]
versé pour vous.

Annonce de la trahison

(Mt 26.20-25; Mc 14.17-21)

21 «Mais voici: la main de celui qui me livre se sert à cette table avec
moi[c]. 22 Car le *Fils de l'homme s'en va selon ce qui a été fixé[d]. Mais
malheureux cet homme par qui il est livré!» 23 Et ils se mirent à se
demander les uns aux autres lequel d'entre eux allait faire cela[e].

Avertissement et promesse aux Douze

(Mt 18.1; 20.25-28; Mc 9.34; 10.42-45)

24 Ils en arrivèrent à se quereller sur celui d'entre eux qui leur sem-
blait le plus grand[f]. 25 Il leur dit: «Les rois des nations agissent avec
elles en seigneurs, et ceux qui dominent sur elles se font appeler bien-
faiteurs. 26 Pour vous, rien de tel. Mais que le plus grand parmi vous
prenne la place du plus jeune, et celui qui commande la place de celui
qui sert[g]. 27 Lequel est en effet le plus grand, celui qui est à table ou
celui qui sert? N'est-ce pas celui qui est à table? Or, moi, je suis au
milieu de vous à la place de celui qui sert[h].

(Mt 19.28)

28 «Vous êtes, vous, ceux qui avez tenu bon avec moi dans mes
épreuves. 29 Et moi, je dispose pour vous du *Royaume[i] comme mon
Père en a disposé pour moi: 30 ainsi vous mangerez et boirez à ma

x 22.15 24.26, 46 ; Ac 1.3 ; 3.18 ; 17.3 ; He 2.18 ; 1 P 1.21. ***y 22.16*** Repas dans le *Royaume de Dieu* 13.29. ***z 22.18*** Mt 6.10+ ; voir 3.2+. ***a 22.19*** *il prit du pain* 24.30 ; Ac 27.35. — *en mémoire de moi* 1 Co 11.24-25 ; voir Ex 12.14 ; 13.9 ; Dt 16.3. ***b 22.20*** *le sang* de l'Alliance Ex 24.8 ; Za 9.11 ; He 9.20. — *nouvelle Alliance* Jr 31.31 ; 32.40 ; 1 Co 11.25. ***c 22.21*** Ps 41.10 ; Jn 13.21. ***d 22.22*** *le Fils de l'homme* Mt 8.20+. — *selon ce qui a été fixé* Ac 2.23 ; 10.42 ; 17.31. ***e 22.23*** Jn 13.22. ***f 22.24*** 9.46 par. ***g 22.26*** Mt 20.26+ ; Mc 9.35. ***h 22.27*** Jn 13.4-16. ***i 22.29*** 12.32.

table dans mon royaume[j], et vous siégerez sur des trônes pour juger
les douze tribus d'Israël.»

Avertissement à Pierre

31 Le Seigneur dit: «Simon, Simon, *Satan vous a réclamés pour
vous secouer dans un crible comme on fait pour le blé[k]. 32 Mais moi,
j'ai prié pour toi, afin que ta foi ne disparaisse pas. Et toi, quand tu
seras revenu, affermis tes frères.»

(Mt 26.33-34; Mc 14.29-30)

33 Pierre lui dit: «Seigneur, avec toi je suis prêt à aller même en
prison, même à la mort[l].» 34 Jésus dit: «Je te le déclare, Pierre, le coq
ne chantera pas aujourd'hui, que tu n'aies par trois fois[m] nié me con-
naître.»

Imminence de l'épreuve

35 Et il leur dit: «Lorsque je vous ai envoyés[n] sans bourse, ni sac, ni
sandales, avez-vous manqué de quelque chose?» Ils répondirent: «De
rien.» 36 Il leur dit: «Maintenant, par contre, celui qui a une bourse,
qu'il la prenne; de même celui qui a un sac; et celui qui n'a pas
d'épée, qu'il vende son manteau pour en acheter une[o]. 37 Car, je vous
le déclare, il faut que s'accomplisse en moi ce texte de l'Ecriture: *On
l'a compté parmi les criminels*[p]. Et, de fait, ce qui me concerne va être
accompli.» — 38 «Seigneur, dirent-ils, voici deux épées.» Il leur
répondit: «C'est assez.»

La prière au mont des Oliviers

(Mt 26.36-41; Mc 14.32-38)

39 Il sortit et se rendit comme d'habitude au mont des Oliviers[q] et les
disciples le suivirent. 40 Arrivé sur place, il leur dit: «Priez pour ne pas
tomber au pouvoir de la *tentation[r].» 41 Et lui s'éloigna d'eux à peu
près à la distance d'un jet de pierre; s'étant mis à genoux, il priait,
disant: 42 «Père, si tu veux écarter de moi cette coupe... Pourtant, que
ce ne soit pas ma volonté mais la tienne qui se réalise[s]!» 43 Alors lui
apparut du ciel un ange qui le fortifiait. 44 Pris d'angoisse, il priait plus

***j* 22.30** 13.28+. ***k* 22.31** *Simon* voir Mt 4.18+. — *Satan vous a réclamés* 2 Co 2.11 ; voir Mc 1.13+. — *dans un crible comme pour le blé* Am 9.9. ***l* 22.33** 22.54 ; Jn 13.37. ***m* 22.34** 22.61. ***n* 22.35** 9.3 par. ; 10.4. ***o* 22.36** 22.49. ***p* 22.37** Es 53.12 (Lc 12.50 ; Ac 8.32-33). ***q* 22.39** *au mont des Oliviers* Jn 18.1 ; voir Mc 11.1+ et la note. — *comme d'habitude* Lc 21.37. ***r* 22.40** Mt 6.13 ; Lc 22.46 par. ***s* 22.42** *cette coupe* Mc 10.38. — *non pas ma volonté mais la tienne* Mt 6.10+.

instamment, et sa sueur devint comme des caillots de sang qui tom-
baient à terre. 45 Quand, après cette prière, il se releva et vint vers les
disciples, il les trouva endormis de tristesse. 46 Il leur dit: «Quoi! Vous
dormez! Levez-vous et priez afin de ne pas tomber au pouvoir de la
tentation[t]!»

L'arrestation

(Mt 26.47-55; Mc 14.43-49)

47 Il parlait encore quand survint une troupe. Celui qu'on appelait
Judas, un des Douze, marchait à sa tête; il s'approcha de Jésus pour lui
donner un baiser. 48 Jésus lui dit: «Judas, c'est par un baiser que tu
livres le *Fils de l'homme!» 49 Voyant ce qui allait se passer, ceux qui
entouraient Jésus lui dirent: «Seigneur, frapperons-nous de l'épée[u]?»
50 Et l'un d'eux frappa le serviteur du *grand prêtre et lui emporta
l'oreille droite[v]. 51 Mais Jésus prit la parole: «Laissez faire[w], même
ceci», dit-il et, lui touchant l'oreille, il le guérit.

52 Jésus dit alors à ceux qui s'étaient portés contre lui, grands prê-
tres, chefs des gardes du *temple et anciens: «Comme pour un ban-
dit[x], vous êtes partis avec des épées et des bâtons! 53 Quand j'étais
avec vous chaque jour dans le temple, vous n'avez pas mis la main sur
moi; mais c'est maintenant votre heure, c'est le pouvoir des ténè-
bres[y].»

Jésus aux mains des gardes. Le reniement de Pierre

(Mt 26.57-58; Mc 14.53-54)

54 Ils se saisirent de lui, l'emmenèrent et le firent entrer dans la
maison du Grand Prêtre. Pierre suivait à distance[z]. 55 Comme ils
avaient allumé un grand feu au milieu de la cour et s'étaient assis
ensemble, Pierre s'assit au milieu d'eux.

(Mt 26.69-75; Mc 14.66-72; Jn 18.17,25-27)

56 Une servante, le voyant assis à la lumière du feu, le fixa du regard
et dit: «Celui-là aussi était avec lui.» 57 Mais il nia: «Femme, dit-il, je
ne le connais pas.» 58 Peu après, un autre dit en le voyant: «Toi aussi,
tu es des leurs.» Pierre répondit: «Je n'en suis pas.» 59 Environ une
heure plus tard, un autre insistait: «C'est sûr, disait-il, celui-là était

***t* 22.46** *tentation* et *prière* 22.40+. ***u* 22.49** 22.36. ***v* 22.50** Jn 18.10, 26. ***w* 22.51** Jn 18.11. ***x* 22.52** 22.37. ***y* 22.53** *chaque jour dans le temple* 19.47 ; 21.37 ; Jn 18.20. — Projets manqués d'arrestation Jn 7.30 ; 8.20. — *le pouvoir des ténèbres* Ac 26.18 ; Col 1.13. ***z* 22.54** 22.33.

avec lui; et puis, il est Galiléen.» 60 Pierre répondit: «Je ne sais pas ce
que tu veux dire.» Et aussitôt, comme il parlait encore, un coq chanta.
61 Le Seigneur, se retournant, posa son regard sur Pierre; et Pierre se
rappela la parole du Seigneur qui lui avait dit: «Avant que le coq
chante aujourd'hui, tu m'auras renié trois fois[a].» 62 Il sortit et pleura
amèrement.

(Mt 26.67-68; Mc 14.65)

63 Les hommes qui gardaient Jésus se moquaient de lui et le bat-
taient. 64 Ils lui avaient voilé le visage et lui demandaient: «Fais le
*prophète! Qui est-ce qui t'a frappé?» 65 Et ils proféraient contre lui
beaucoup d'autres insultes.

Jésus devant le Sanhédrin

(Mt 26.59,63-65; Mc 14.55,61-64)

66 Lorsqu'il fit jour, le conseil des anciens du peuple, *grands prêtres
et scribes[b], se réunit, et ils l'emmenèrent dans leur *Sanhédrin, 67 et
lui dirent: «Si tu es le *Messie, dis-le-nous.» Il leur répondit: «Si je
vous le dis, vous ne me croirez pas[c]; 68 et si j'interroge, vous ne répon-
drez pas. 69 Mais désormais *le *Fils de l'homme siégera à la droite* du
Dieu puissant[d].» 70 Ils dirent tous: «Tu es donc le Fils de Dieu[e]!» Il
leur répondit: «Vous-mêmes, vous dites que je le suis.» 71 Ils dirent
alors: «Qu'avons-nous encore besoin de témoignage, puisque nous
l'avons entendu nous-mêmes de sa bouche?»

Jésus traduit devant Pilate

(Mt 27.2,11-14; Mc 15.1-5)

23 1 Et ils se levèrent tous ensemble pour le conduire devant
Pilate. 2 Ils se mirent alors à l'accuser en ces termes: «Nous
avons trouvé cet homme mettant le trouble dans notre nation: il
empêche de payer le tribut à César et se dit *Messie, roi[f].» 3 Pilate
l'interrogea: «Es-tu le roi des Juifs?» Jésus lui répondit: «C'est toi qui
le dis[g].» 4 Pilate dit aux *grands prêtres et aux foules: «Je ne trouve
rien qui mérite condamnation en cet homme[h].» 5 Mais ils insistaient

a *22.61* 22.34. ***b 22.66*** Mc 11.27+. ***c 22.67*** *dis-le-nous* Jn 10.24. — *vous ne me croirez pas* Jn 3.12 ; 8.45. ***d 22.69*** *le Fils de l'homme* Mt 8.20+. — *à la droite de Dieu* Ps 110.1 (Mt 22.44+ ; voir Ac 7.56). ***e 22.70*** *Fils de Dieu* Mt 14.33+ ; Mc 1.1+ ; Lc 1.36+ ; 4.3, 9 ; Jn 10.24, 36.

f 23.2 *payer le tribut à César* 20.20-26 par. Mc 12.14 et la note. — *il se dit roi* Ac 17.7 ; voir Lc 23.30. ***g 23.3*** *roi des Juifs* Mt 2.2+. — La réponse de Jésus Lc 22.70. ***h 23.4*** 23.14, 22 ; Ac 3.13 ; 13.28 ; Jn 18.38 ; 19.4, 6.

en disant: «Il soulève le peuple en enseignant par toute la Judée à
partir de la Galilée jusqu'ici.»

Jésus devant Hérode

6 A ces mots, Pilate demanda si l'homme était Galiléen 7 et, appre-
nant qu'il relevait de l'autorité d'Hérode[i], il le renvoya à ce dernier qui
se trouvait lui aussi à Jérusalem en ces jours-là. 8 A la vue de Jésus,
Hérode se réjouit fort, car depuis longtemps il désirait le voir[j], à cause
de ce qu'il entendait dire de lui, et il espérait lui voir faire quelque
miracle. 9 Il l'interrogeait avec force paroles, mais Jésus ne lui répondit
rien. 10 Les *grands prêtres et les scribes étaient là qui l'accusaient
avec violence. 11 Hérode en compagnie de ses gardes le traita avec
mépris et se moqua de lui; il le revêtit d'un vêtement éclatant et le
renvoya à Pilate[k]. 12 Ce jour-là, Hérode et Pilate devinrent amis, eux
qui auparavant étaient ennemis.

Jésus innocent et condamné

13 Pilate alors convoqua les grands prêtres, les chefs et le peuple 14 et
il leur dit: «Vous m'avez amené cet homme-ci comme détournant le
peuple du droit chemin; or, moi qui ai procédé devant vous à l'interro-
gatoire, je n'ai rien trouvé en cet homme qui mérite condamnation
parmi les faits dont vous l'accusez; 15 Hérode non plus, puisqu'il nous
l'a renvoyé. Ainsi il n'y a rien qui mérite la mort dans ce qu'il a fait.
16 Je vais donc lui infliger un châtiment et le relâcher[l].»

(Mt 27.15-26; Mc 15.6-15)

18 Ils s'écrièrent tous ensemble: «Supprime-le et relâche-nous
Barabbas.» 19 Ce dernier avait été jeté en prison pour une émeute sur-
venue dans la ville et pour meurtre. 20 De nouveau Pilate s'adressa à eux
dans l'intention de relâcher Jésus. 21 Mais eux vociféraient: «Crucifie,
crucifie-le.» 22 Pour la troisième fois, il leur dit: «Quel mal a donc fait
cet homme? Je n'ai rien trouvé en lui qui mérite la mort. Je vais donc lui
infliger un châtiment et le relâcher.» 23 Mais eux insistaient à grands
cris, demandant qu'il fût crucifié, et leurs clameurs allaient croissant.
24 Alors Pilate décida que leur demande serait satisfaite. 25 Il relâcha
celui qui avait été jeté en prison pour émeute et meurtre, celui qu'ils
demandaient; quant à Jésus, il le livra à leur volonté.

***i* 23.7** Il s'agit d'*Hérode* Antipas; Mt 14.1+; voir la note sur Mc 3.6. ***j* 23.8** *il désirait voir Jésus* 9.9. ***k* 23.11** La royauté de Jésus tournée en dérision Mt 27.31; Mc 15.20. ***l* 23.16** Plusieurs manuscrits intercalent ici, sans doute à partir de Mc 15.6 ou Mt 27.15: *Or il devait leur relâcher quelqu'un à chaque fête* (v. 17).

Sur le chemin du Calvaire

(Mt 27.32; Mc 15.21)

26 Comme ils l'emmenaient, ils prirent un certain Simon de Cyrène
qui venait de la campagne, et ils le chargèrent de la croix pour la
porter derrière Jésus[m]. 27 Il était suivi d'une grande multitude du
peuple, entre autres de femmes qui se frappaient la poitrine[n] et se
lamentaient sur lui. 28 Jésus se tourna vers elles et leur dit: «Filles de
Jérusalem, ne pleurez pas sur moi, mais pleurez sur vous-mêmes et sur
vos enfants. 29 Car voici venir des jours où l'on dira: "Heureuses les
femmes stériles et celles qui n'ont pas enfanté ni allaité[o]." 30 Alors on
se mettra à *dire aux montagnes: "Tombez sur nous", et aux collines:
"Cachez-nous[p]."* 31 Car si l'on traite ainsi l'arbre vert, qu'en sera-t-il
de l'arbre sec[q]?» 32 On en conduisait aussi d'autres, deux malfaiteurs[r],
pour les exécuter avec lui.

Jésus crucifié

(Mt 27.33-44; Mc 15.22-32)

33 Arrivés au lieu dit «le Crâne», ils l'y crucifièrent ainsi que les deux
malfaiteurs, l'un à droite, et l'autre à gauche[s]. 34 Jésus disait: «Père,
pardonne-leur car ils ne savent pas ce qu'ils font.» Et, pour *partager*
ses *vêtements, ils tirèrent au sort*[t]. 35 Le peuple restait là à regarder; les
chefs, eux, *ricanaient*; ils disaient: «Il en a sauvé d'autres. Qu'il se
sauve lui-même s'il est le *Messie de Dieu, l'Elu[u]!» 36 Les soldats aussi
se moquèrent de lui: s'approchant pour lui présenter du *vinaigre*[v], ils
dirent: 37 «Si tu es le roi des Juifs[w], sauve-toi toi-même.» 38 Il y avait
aussi une inscription au-dessus de lui: «C'est le roi des Juifs.»

39 L'un des malfaiteurs crucifiés l'insultait: «N'es-tu pas le Messie?
Sauve-toi toi-même et nous aussi!» 40 Mais l'autre le reprit en disant:
«Tu n'as même pas la crainte de Dieu, toi qui subis la même peine!
41 Pour nous, c'est juste: nous recevons ce que nos actes ont mérité;
mais lui n'a rien fait de mal.» 42 Et il disait: «Jésus, souviens-toi de moi

m 23.26 *Cyrène* Ac 2.10 ; 11.20. — *derrière Jésus* Lc 9.23 ; 14.27. **n 23.27** *se frapper la poitrine* Lc 18.13 ; 23.48 ; voir Za 12.10-14. — Bonnes dispositions du *peuple* Lc 19.48+. **o 23.29** *Heureuses !* Mt 5.3+ *celles qui n'ont pas enfanté* voir Lc 21.23. **p 23.30** Os 10.8. **q 23.31** 3.9 ; 13.6-9 ; voir 19.41-44 ; 21.20-23. **r 23.32** Es 53.12 ; Lc 22.37. **s 23.33** Mt 20.21 ; Mc 10.37. **t 23.34** Prière de Jésus pour ses bourreaux Es 53.12 ; Mt 5.44 ; voir Ac 7.60. — *ils ne savent pas ce qu'ils font* Ac 3.17 ; voir Lc 12.10. — *vêtements tirés au sort* Ps 22.19. **u 23.35** *ricanements* et railleries Ps 22.8-9. — *le Messie* (Christ) *de Dieu* Lc 9.20. — *l'Elu* Es 49.7 ; Lc 9.35. **v 23.36** *du vinaigre* Ps 69.22. **w 23.37** *roi des Juifs* Mt 2.2+.

quand tu viendras comme roi[x].» 43 Jésus lui répondit: «En vérité, je te le dis, aujourd'hui, tu seras avec moi dans le paradis[y].»

La mort de Jésus

(Mt 27.45-56; Mc 15.33-41)

44 C'était déjà presque midi et il y eut des ténèbres[z] sur toute la terre jusqu'à trois heures, 45 le soleil ayant disparu. Alors le voile du *sanctuaire[a] se déchira par le milieu; 46 Jésus poussa un grand cri; il dit: «Père, *entre tes mains, je remets mon esprit[b].*» Et, sur ces mots, il expira. 47 Voyant ce qui s'était passé, le centurion rendait gloire à Dieu en disant: «Sûrement, cet homme était juste[c].» 48 Et tous les gens qui s'étaient rassemblés pour ce spectacle, à la vue de ce qui s'était passé, s'en retournaient en se frappant la poitrine[d]. 49 Tous ses familiers se tenaient à distance, ainsi que les femmes qui le suivaient depuis la Galilée[e] et qui regardaient.

La sépulture de Jésus

(Mt 27.57-61; Mc 15.42-47)

50 Alors survint un homme du nom de Joseph, membre du conseil, homme bon et juste: 51 il n'avait donné son accord ni à leur dessein, ni à leurs actes. Originaire d'Arimathée, ville juive, il attendait le *Règne de Dieu[f]. 52 Cet homme alla trouver Pilate et demanda le corps de Jésus. 53 Il le descendit de la croix, l'enveloppa d'un linceul et le déposa dans une tombe taillée dans le roc où personne encore n'avait été mis[g]. 54 C'était un jour de Préparation et le *sabbat approchait. 55 Les femmes qui l'avaient accompagné depuis la Galilée suivirent Joseph; elles regardèrent le tombeau et comment son corps avait été placé. 56 Puis elles s'en retournèrent et préparèrent aromates et parfums[h].

Le message reçu au tombeau

(Mt 28.1-9; Mc 16.1-8)

24 Durant le sabbat, elles observèrent le repos selon le commandement[i] 1 et, le premier jour de la semaine, de grand matin, elles vinrent à la tombe en portant les aromates qu'elles avaient

x 23.42 Mt 16.28 ; Lc 19.12 ; 24.26. ***y 23.43*** Pour certains Juifs de cette époque le *paradis* était le lieu où les justes attendent la résurrection après leur mort. – *aujourd'hui* 2.11 +. ***z 23.44*** Ex 10.22 ; Am 8.9-10. ***a 23.45*** Ex 26.31-33 ; 36.35. ***b 23.46*** *Père* 10.21 ; 22.42 ; 23.34 ; voir 2.49. – *entre tes mains* Ps 31.6 (Ac 7.59). ***c 23.47*** 23.4, 14, 22. ***d 23.48*** 18.13 ; 23.27. ***e 23.49*** *à distance* Ps 38.12 ; 88.9. – *les femmes... depuis la Galilée* Lc 8.2 ; 23.55. ***f 23.51*** 2.25, 38. ***g 23.53*** 19.30. ***h 23.56*** Pour l'embaumement du corps selon la coutume juive de l'époque, voir aussi Mc 14.8 et la note. ***i 23.56*** Ex 12.16 ; 20.10 ; Dt 5.14.

préparés[j]. 2 Elles trouvèrent la pierre roulée de devant le tombeau.
3 Etant entrées, elles ne trouvèrent pas le corps du Seigneur Jésus[k].
4 Or, comme elles en étaient déconcertées, voici que deux hommes se
présentèrent à elles en vêtements éblouissants[l]. 5 Saisies de crainte[m],
elles baissaient le visage vers la terre quand ils leur dirent : « Pourquoi
cherchez-vous le vivant parmi les morts ? 6 Il n'est pas ici, mais il est
ressuscité. Rappelez-vous comment il vous a parlé quand il était
encore en Galilée ; 7 il disait : "Il faut que le *Fils de l'homme soit livré
aux mains des hommes *pécheurs, qu'il soit crucifié et que le troi-
sième jour il ressuscite[n]." » 8 Alors, elles se rappelèrent ses paroles[o] ;
9 elles revinrent du tombeau et rapportèrent tout cela aux Onze et à
tous les autres. 10 C'étaient Marie de Magdala et Jeanne et Marie de
Jacques ; leurs autres compagnes[p] le disaient aussi aux *apôtres. 11 Aux
yeux de ceux-ci ces paroles semblèrent un délire et ils ne croyaient pas
ces femmes. 12 Pierre cependant partit et courut au tombeau[q] ; en se
penchant, il ne vit que les bandelettes, et il s'en alla de son côté en
s'étonnant de ce qui était arrivé.

L'apparition aux disciples d'Emmaüs

13 Et voici que, ce même jour, deux d'entre eux se rendaient à un vil-
lage du nom d'Emmaüs[r], à deux heures de marche de Jérusalem. 14 Ils
parlaient entre eux de tous ces événements. 15 Or, comme ils parlaient
et discutaient ensemble, Jésus lui-même les rejoignit et fit route avec
eux[s] ; 16 mais leurs yeux étaient empêchés de le reconnaître.

17 Il leur dit : « Quels sont ces propos que vous échangez en mar-
chant ? » Alors ils s'arrêtèrent, l'air sombre[t]. 18 L'un d'eux, nommé
Cléopas, lui répondit : « Tu es bien le seul à séjourner à Jérusalem qui
n'ait pas appris ce qui s'y est passé ces jours-ci ! » — 19 « Quoi donc ? »
leur dit-il. Ils lui répondirent : « Ce qui concerne Jésus de Nazareth, qui
fut un *prophète[u] puissant en action et en parole devant Dieu et
devant tout le peuple : 20 comment nos *grands prêtres et nos chefs
l'ont livré pour être condamné à mort et l'ont crucifié ; 21 et nous, nous

j 24.1 *premier jour de la semaine* Jn 20.1, 19 ; Ac 20.7 ; 1 Co 16.2. – *aromates préparés* 23.56. ***k 24.3*** Ac 1.21 ; 8.16 ; 11.20 ; 15.11. ***l 24.4*** *deux hommes* voir Jn 20.2. – *en vêtements éblouissants* 2 M 3.26 ; Ac 1.10. ***m 24.5*** *saisies de crainte* 1.12+. ***n 24.7*** Rappel des prédictions de la Passion 9.22 par. ; 17.25 par. ; 18.32-33 par. ; Ac 17.3. – *le Fils de l'homme* Mt 8.20+. ***o 24.8*** Jn 2.22. ***p 24.10*** *Marie de Magdala* Mt 27.56+ *et ses compagnes* Lc 8.2-3. ***q 24.12*** Jn 20.3, 5, 10. ***r 24.13*** *Emmaüs :* localisation discutée ; peut-être à une trentaine de km à l'ouest de Jérusalem, ce qui correspondrait aux indications de certains manuscrits (5 heures de marche, au lieu de 2). ***s 24.15*** Mc 16.12 ; voir Mt 18.20. ***t 24.17*** Autre texte : *et pourquoi avez-vous l'air sombre ?* ***u 24.19*** *Jésus* considéré comme *prophète* Mt 16.14+.

espérions qu'il était celui qui allait délivrer Israël[v]. Mais, en plus de tout cela, voici le troisième jour que ces faits se sont passés. 22 Toutefois, quelques femmes qui sont des nôtres nous ont bouleversés: s'étant rendues de grand matin au tombeau 23 et n'ayant pas trouvé son corps, elles sont venues dire qu'elles ont même eu la vision *d'anges qui le déclarent vivant[w]. 24 Quelques-uns de nos compagnons sont allés au tombeau et ce qu'ils ont trouvé était conforme à ce que les femmes avaient dit; mais lui, ils ne l'ont pas vu[x].»

25 Et lui leur dit: «Esprits sans intelligence, *cœurs lents à croire tout ce qu'ont déclaré les prophètes[y]! 26 Ne fallait-il pas que le *Christ souffrît cela et qu'il entrât dans sa gloire[z]?» 27 Et, commençant par Moïse et par tous les prophètes, il leur expliqua dans toutes les Ecritures ce qui le concernait[a].

28 Ils approchèrent du village où ils se rendaient, et lui fit mine d'aller plus loin. 29 Ils le pressèrent en disant: «Reste avec nous car le soir vient et la journée déjà est avancée.» Et il entra pour rester avec eux. 30 Or, quand il se fut mis à table avec eux, il prit le pain[b], prononça la bénédiction, le rompit et le leur donna. 31 Alors leurs yeux furent ouverts et ils le reconnurent, puis il leur devint invisible. 32 Et ils se dirent l'un à l'autre: «Notre cœur ne brûlait-il pas en nous tandis qu'il nous parlait en chemin et nous ouvrait les Ecritures?»

33 A l'instant même, ils partirent et retournèrent à Jérusalem; ils trouvèrent réunis les Onze et leurs compagnons, 34 qui leur dirent: «C'est bien vrai! Le Seigneur est ressuscité, et il est apparu à Simon[c].»

35 Et eux racontèrent ce qui s'était passé sur la route et comment ils l'avaient reconnu à la fraction du pain.

L'apparition aux Onze

36 Comme ils parlaient ainsi, Jésus fut présent au milieu d'eux[d] et il leur dit: «La paix soit avec vous.» 37 Effrayés et remplis de crainte, ils pensaient voir un esprit[e]. 38 Et il leur dit: «Quel est ce trouble et pourquoi ces objections s'élèvent-elles dans vos *cœurs? 39 Regardez mes mains et mes pieds: c'est bien moi. Touchez-moi, regardez; un esprit n'a ni chair, ni os, comme vous voyez que j'en ai.» 40 A ces mots, il leur montra ses mains et ses pieds. 41 Comme, sous l'effet de la joie, ils

v 24.21 1.68 ; 2.38. ***w 24.23*** v. 22-23 ; le récit des femmes Mt 28. 1-8 ; Mc 16.1-8 ; Lc 24.1-11. ***x 24.24*** Jn 20.3-8. ***y 24.25*** 24.44. ***z 24.26*** Nécessité de la Passion 9.22 par. ; 17.25 ; Ac 17.3. – pour *entrer dans sa gloire* Jn 7.39 ; 12.16, 23 ; 13.31-32 ; 17.1, 5 ; Ac 3.13. ***a 24.27*** *Moïse et les prophètes* 16.16, 29-31 et la note ; 24.44 ; 28.23. – Le Christ *dans les Ecritures* Dt 18.15, 18 ; Ps 22.2-19 ; Es 53. ***b 24.30*** 22.19 par. ; 1 Co 11.24 ; voir Ac 2.42, 46 ; 20.7, 11. ***c 24.34*** 1 Co 15.4-5. ***d 24.36*** 1 Co 15.5. ***e 24.37*** Mt 14.26 ; Mc 6.49.

restaient encore incrédules et comme ils s'étonnaient, il leur dit:
«Avez-vous ici de quoi manger[f]?» 42 Ils lui offrirent un morceau de
poisson grillé[g]. 43 Il le prit et mangea[h] sous leurs yeux.

44 Puis il leur dit: «Voici les paroles que je vous ai adressées quand
j'étais encore avec vous: il faut que s'accomplisse tout ce qui a été
écrit de moi dans la Loi de Moïse, les Prophètes et les Psaumes[i].»
45 Alors il leur ouvrit l'intelligence pour comprendre les Ecritures[j], 46 et
il leur dit: «C'est comme il a été écrit: le *Christ souffrira et ressusci-
tera des morts le troisième jour[k], 47 et on prêchera en son *nom la con-
version et le pardon des péchés à toutes les nations[l], à commencer par
Jérusalem. 48 C'est vous qui en êtes les témoins[m]. 49 Et moi, je vais
envoyer sur vous ce que mon Père a promis. Pour vous, demeurez
dans la ville jusqu'à ce que vous soyez, d'en haut, revêtus de puis-
sance[n].»

50 Puis il les emmena jusque vers Béthanie et, levant les mains, il les
bénit[o]. 51 Or, comme il les bénissait, il se sépara d'eux et fut emporté
au *ciel[p]. 52 Eux, après s'être prosternés devant lui, retournèrent à
Jérusalem pleins de joie[q], 53 et ils étaient sans cesse dans le *temple à
bénir Dieu.

f 24.41 Jn 21.5. ***g 24.42*** Jn 21.9-10. — Certains manuscrits tardifs ajoutent *et un rayon de miel.* ***h 24.43*** Ac 10.41. ***i 24.44*** 18.31 ; 24.27. ***j 24.45*** Ac 2.23-32 ; 4.10-11 ; 13.28-29, 33-37 ; 26.22-23. ***k 24.46*** *le Christ souffrira* Es 53. — *le troisième jour* Os 6.2. ***l 24.47*** *prêcher la conversion et le pardon* Ac 2.38 ; 3.19 ; 5.31 ; 10.43 ; 13.38-39 ; 26.18. — *à toutes les nations* 1 Tm 3.16. ***m 24.48*** Jn 15.27 ; Ac 1.8+. ***n 24.49*** *ce que mon Père a promis* Jn 14.16 ; 15.26 ; 16.7 ; Ac 1.4 ; 2.33. — *la ville* (Jérusalem) Lc 9.51 ; Ac 1.8. — l'Esprit et la *puissance* 1.35 ; 4.14. ***o 24.50*** *Béthanie* Mt 21.17+ ; Mc 11.1 et la note. — *il les bénit* Ac 3.26. ***p 24.51*** Ac 1.9. ***q 24.52*** *retour à Jérusalem* Ac 1.12. — *pleins de joie* Jn 14.28 ; 16.22.

ÉVANGILE SELON JEAN

INTRODUCTION

Un évangile

Fidèle à une grande tradition, le quatrième évangile rapporte ce qui s'est passé depuis les jours de Jean le Baptiste jusqu'au jour où Jésus est passé par la croix dans la gloire du Père. L'ouvrage se présente comme un témoignage (Jn 19.35) qui a été mis par écrit en vue de garantir la foi de la communauté ecclésiale (21.24). Après un prologue théologique d'une grande ampleur (1.1-18), cet évangile relate l'activité et l'enseignement de Jésus en Galilée et surtout à Jérusalem (1.19—12.50) ; la seconde partie relate longuement le dernier repas de Jésus avec ses disciples et les paroles décisives qu'il prononça au moment d'entrer dans la passion, qui est aussi le lieu de la manifestation suprême de sa gloire (13.1—21.25). Comme il le dit explicitement dans une brève conclusion (20.30-31), Jean a choisi certains signes dont il dégage le sens et la portée, afin d'amener les chrétiens auxquels il s'adresse à mieux affirmer leur foi en Jésus, Christ et Fils de Dieu. Pour ce faire, il est conduit à prendre position vis-à-vis de diverses situations qui mettent en danger la fidélité de la communauté.

L'ordonnance de l'évangile

Il n'est guère aisé de préciser davantage et de dégager le plan adopté. Certes, la plupart des épisodes sont nettement circonscrits, mais on ne voit pas clairement les critères en fonction desquels ils ont été disposés. La question est d'autant plus délicate que l'hypothèse du déplacement de certaines sections au moment de l'édition reste plausible (insertion éventuelle du chapitre 5 entre 7.14 et 15). Mais il faut sans doute tenir compte des lois très souples de la tradition et de la composition hébraïques qui ne se conforment pas toujours aux requêtes de notre logique. Il n'est d'ailleurs pas certain que l'évangile obéisse toujours et partout aux mêmes règles de composition. On peut relever la prédominance de certains thèmes dans telle ou telle section ; on peut aussi observer que dans la première partie prédominent d'abord les discours de révélation (1.19—5.47) tandis que l'opposition s'amorce (5.17ss) ; elle conduira aux grands affrontements qui dominent la seconde partie de la vie de Jésus, préparant ainsi la Passion (6.1—12.50). Dans la seconde partie de l'évangile, le récit d'allure traditionnelle de la Passion et des apparitions du ressuscité (13.1-30 ; 18.1—19.42 ; 20.1-25) est interrompu par de longs entretiens où le maître introduit ses disciples dans l'intelligence et la pratique de la vie eschatologique désormais ouverte aux croyants (13.31—17.26).

Rapports avec les évangiles synoptiques

Si Jean est fidèle à la conception d'ensemble d'un évangile, il se distingue des évangiles synoptiques à bien des points de vue. On est frappé d'abord par les différences géographiques et chronologiques : alors que les synoptiques évoquaient une longue période en Galilée suivie d'une marche plus ou moins prolongée vers la Judée et d'un bref séjour à Jérusalem qui s'achève au Calvaire, Jean répartit son récit sur une période longue mentionnant trois fêtes de la Pâque et divers séjours à Jérusalem.

Les différences apparaissent également au niveau du style et des procédés de composition : alors que les synoptiques offrent, le plus souvent, des sections brèves, recueils de sentences ou récits de miracles contenant de brèves déclarations, Jean propose un choix limité d'événements ou de signes qui sont longuement élucidés dans des discours ou des entretiens. Ce faisant il atteint à certains moments à des compositions fort complexes et à une grande intensité dramatique.

Jean se singularise enfin par le choix et l'originalité des matériaux mis en œuvre. Certes, il évoque divers événements mentionnés par les traditions synoptiques (1.19-51 ; 2.13-21 ; 4.43-54 ; 5.1-15 ; 9.1-7 ; 6.1-21 ; 9.1-7 et plus largement le récit de la Passion : 12.1-19 ; 18.1—19.42 ; 20.1-3, 19-23). Mais bien des aspects de la tradition sont absents comme la tentation au désert, la transfiguration, le récit de l'institution de l'eucharistie à la dernière cène ou la veillée de Gethsémani (allusion en 18.11) ; la comparution devant le Sanhédrin est à peine mentionnée (18.24) ; le langage lui-même est fort différent : le message fondamental n'invite plus à la conversion en vue du Royaume de Dieu (cette dernière expression n'apparaît que deux fois en 3.3-5). Jean préfère parler de la vie (éternelle) accordée à ceux qui croient en Jésus qui vient de Dieu. Par contre, Jean introduit des données nouvelles : épisodes (le signe de Cana, les entretiens avec Nicodème et la Samaritaine, la résurrection de Lazare, diverses indications relatives à la Passion et à la Résurrection) et de nombreux discours.

Dans quelle mesure Jean a-t-il connu les évangiles synoptiques ? Plusieurs commentateurs pensent qu'on ne peut démontrer qu'il les ait utilisés. D'autres croient discerner les traces d'une utilisation de Marc et surtout de Luc. On peut s'accorder sur le fait de la connaissance d'un certain nombre de traditions relatives à Jésus qui ont trouvé, par ailleurs, leur expression dans les évangiles synoptiques.

Ces traditions, Jean s'applique à les méditer et à les retravailler en fonction de ses centres d'intérêt et il le fait avec plus d'assurance et de liberté. Pour lui, la fidélité consiste à saisir et à exprimer en profondeur la véritable portée de l'événement de révélation et de salut qui s'opère en Jésus.

L'écriture johannique

Cette indépendance à l'égard des évangiles synoptiques s'expliquerait-elle par l'utilisation d'autres sources ? L'analyse de la langue doit contribuer à élucider la question. Un certain nombre d'aramaïsmes amenèrent à envisager l'hypothèse d'un original araméen qui aurait été traduit, parfois maladroitement, en grec. Des examens minutieux ne favorisent pas cette explication. Considéré dans son ensemble, le quatrième évangile a été rédigé en un grec pauvre et simple mais correct. On y trouve des vocables et des jeux de mots qui n'ont pas leur équivalent en araméen. Le style et divers traits d'écriture permettent de reconnaître l'unité du langage johannique. Bien des choses s'expliquent sans doute par la première formulation dans un milieu palestinien hellénisé et par l'influence de la version grecque de l'A.T. (Septante). Il se peut que Jean ait utilisé certaines sources araméennes, mais leur transposition s'est faite de telle façon qu'il n'est guère possible de les identifier. Ces quelques observations mettent bien en lumière la complexité des problèmes littéraires soulevés par ce texte d'allure si sobre.

L'élaboration de l'évangile

1. On peut tenter à l'aide de divers indices de reconstituer les grands moments de la formation de l'évangile de Jean. La tradition johannique s'enracine dans un cercle chrétien palestinien et plus précisément dans une communauté très proche de Jérusalem : les notations topographiques et liturgiques, les références notamment aux fêtes et à leur célébration favorisent cette explication. Il faut noter aussi certains liens avec la Samarie (4.1-42).

Aux origines, on relatait surtout des récits de miracles considérés comme des signes permettant aux croyants de discerner en Jésus le Messie annoncé par Moïse et les prophètes (1.41,45,49 ; 4.25,29 ; 7.26ss,31,41 ; 10.24). L'intelligence de la personne et du rôle de Jésus est poursuivie par le recours aux Ecritures (en particulier Ex, Dt, Es, Ps et certains écrits sapientiaux) qu'on lisait suivant une méthode proche de celle des homélies synagogales et en appliquant souvent une exégèse typologique. L'unité de l'Ecriture reconnue comme porteuse de la parole de Dieu (10.36) permettait d'éclairer les textes les uns par les autres et de montrer comment ils trouvaient dans la personne et l'œuvre de Jésus leur sens véritable (5.39). Jésus, en effet, présente un caractère transcendant tel qu'il faut reconnaître en lui non seulement le Fils de l'homme mais aussi le Fils de Dieu qui est venu dans le monde pour offrir aux hommes qui croiront la connaissance et la communion de Dieu son Père, en quoi consiste la vie véritable et éternelle.

Mais la communauté qui vivait de cette foi n'a pas tardé à connaître l'opposition de certains milieux juifs ; l'évangile porte de nombreuses traces des affrontements avec les docteurs pharisiens et les polémiques concernant Jésus et l'appartenance au véritable Israël y sont nombreuses (en particulier 5.10-47 ; 6.41ss ; 7.10). L'opposition ira en s'intensifiant et l'évangile connaît bien la décision d'exclure du culte ceux qui reconnaissaient Jésus comme Messie (9.22 ; 12.42 ; 16.2) ; il semble aussi que de graves violences aient été exercées contre des membres de la communauté (16.2 rappelle une maxime zélote).

Peut-être faut-il placer vers la même époque palestinienne certaines tensions avec un cercle de disciples de Jean le Baptiste qui refusaient de reconnaître la messianité de Jésus au nom de la fidélité au premier maître (3.22ss ; 1.15,19-36 ; 5.33) ; dans la même ligne, il convient de constater certaines rencontres de formules qui permettent d'envisager des contacts avec une théologie pratiquée à Qumrân (divers aspects de la notion de vérité ; le dualisme).

2. Mais si l'enracinement palestinien est ainsi incontestable, il faut reconnaître que l'évangile, tel qu'il se présente à nous, porte les traces de l'existence d'une communauté en dehors des limites de la Palestine, du côté vraisemblablement de la Syrie ou de l'Asie Mineure. La communauté judéenne avait-elle été contrainte d'émigrer ? avait-elle essaimé ? Toujours est-il que la tradition johannique est parvenue en terre lointaine où elle s'est ouverte à de nouvelles influences et a connu d'autres conflits. Il faut constater tout d'abord que la rupture avec le monde juif est pleinement consommée : l'emploi massif de vocables pour désigner les autorités ou de vastes groupes israélites est déjà révélateur ; on notera aussi la manière de se distancer en parlant de « votre Loi » ou de « leur Loi » (8.17 ; 10.34 ; 15.25).

Dans un premier temps, la communauté perçoit intensément les grandes aspirations qui orientaient alors bien des croyants ; beaucoup d'hommes se sentent désormais étrangers et menacés dans le monde (cosmos) et ils perçoivent profondément l'opposition du matériel et du spirituel. Désireux de trouver la sérénité et la paix, ils la cherchent dans une évasion vers le divin. L'évangile de Jean rencontre cette aspiration qui conduira bientôt aux tentatives gnostiques et il lui apporte une réponse originale. Jésus est le Fils de Dieu, il est descendu dans ce monde qui est par lui-même incapable de rejoindre Dieu, pour révéler et offrir aux hommes la connaissance de la vérité divine qui est aussi la vie divine. Cet aspect du message est si fortement mis en valeur et affirmé sous des formes si variées que l'on risque de laisser s'estomper d'autres aspects. C'est ainsi que l'eschatologie est presque uniquement située dans le présent immédiat. Cependant, certains aspects essentiels de la gnose ne se retrouveront pas : le révélateur reste Jésus et l'accès à la connaissance vivifiante s'opère par la foi en sa parole ou en lui ; par ailleurs la vie divine n'est pas la nature profonde de l'âme à laquelle il faudrait s'éveiller, cela reste un pur don du Fils et de son Esprit auquel on accède dans la communauté des croyants.

Il n'en est pas moins vrai que cette tendance n'allait pas sans dangers et que l'on risquait d'aboutir à un certain docétisme qui aurait fait du Révélateur un « Dieu marchant sur la terre » mais étranger à la condition humaine. Les épîtres de Jean donnent à penser que la tension fut si vive qu'on en vint à des ruptures (1 Jn 2.18). Dans ces circonstances douloureuses, la fidélité fut assurée grâce à la mise en lumière de quelques grands aspects de la tradition commune aux Eglises : comme on peut aussi l'observer dans les épîtres on affirma la réalité humaine de Jésus qui s'accorde avec sa filiation divine (1 Jn 2.22 ; 4.3 ; 5.5s ; 2 Jn 7), d'où l'insistance sur l'incarnation du Verbe (1.14) ou du Fils de l'homme (6.53) et sur la réalité de sa mort (19.30,33-37) ; cette mort est par ailleurs envisagée comme expression suprême de l'amour pour les hommes (13.1ss ; 15.12s ; 10.11-18), amour qui fonde celui que les vrais disciples doivent vivre dans la communauté de foi (13.34 ; 15.11-17 ; 1 Jn 3.11,23). Leur unité est un signe eschatologique (17.22ss). C'est également dans la même perspective que l'on aura sans doute accentué le rôle et le réalisme des sacrements (3.5 ; 6.51-58).

Cette mise en lumière de l'essentiel, dans la fidélité à la première tradition johannique, fut rendue possible par la présence au sein de la communauté d'un homme jouissant d'une grande autorité spirituelle.

Il semble que ce grand témoin soit évoqué dans divers passages où il est question du disciple « que Jésus aimait » et qui au dernier repas se trouvait auprès de lui (13.23) ; il est au pied de la croix où il reçoit de Jésus Marie pour mère (19.26,35), il sera celui qui, voyant le tombeau vide et les linges pliés, croira le premier (20.8). Il sera par excellence le témoin inspiré dont le témoignage consigné dans l'évangile « demeurera » à jamais comme l'attestent les éditeurs (21.20-23). C'est effectivement celui qui a été le plus aimé qui peut porter le témoignage auquel il faudra désormais se reporter fidèlement dans la communauté.

L'auteur de l'évangile

Le quatrième évangile était répandu en Egypte dès la première moitié du IIe *siècle comme l'attestent quelques fragments récemment retrouvés ; divers auteurs comme Ignace d'Antioche, Justin et d'autres utilisent des thèmes typiquement johanniques. On peut donc conclure que loin d'être confiné dans une secte ésotérique, l'évangile était reçu dans l'Eglise et qu'il y jouissait d'une autorité qui en faisait le pendant des synoptiques. C'est ce qu'Irénée formule clairement (*Adv. Haer. *3.1,1) ; il est le premier à désigner l'auteur sous le nom de Jean : « le disciple du Seigneur, celui qui reposa sur sa poitrine, a publié l'Evangile pendant son séjour à Ephèse en Asie ». Irénée disait tenir cette information de Polycarpe dont il avait été le disciple. Faut-il l'identifier avec l'apôtre saint Jean, le fils de Zébédée qui tint une place importante parmi les Douze et dans la communauté de Jérusalem ? Pendant longtemps la chose sembla très naturelle.*

*L'évangile lui-même ne nous éclaire guère sur ce point ; tout au plus peut-on y discerner un indice. Alors que l'on voit nommer divers membres du groupe des Douze qui interviennent dans l'action, les fils de Zébédée et deux disciples non nommés paraissent en 21.1-2 ; le disciple que Jésus aimait et qui est présenté comme l'auteur de l'évangile est parmi eux (21.7,20-24) ; par ailleurs, au début du récit évangélique, l'un des deux premiers disciples de Jésus n'est pas nommé (1.35ss). Cette discrétion pourrait être révélatrice et on ne peut exclure que la tradition qui se forma dans la première communauté ait bénéficié du témoignage de l'apôtre. Mais il nous paraît que le titre de « disciple que Jésus aimait » vise aussi un disciple qui assura la continuité et l'épanouissement de la tradition johannique en terre étrangère et peut-être à Ephèse. Peut-être se nommait-il lui aussi Jean comme un texte de Papias de Hiérapolis cité et interprété par Eusèbe (*Hist. eccl. *3.39,4) le suggérait déjà.*

ÉVANGILE SELON JEAN

Prologue

1 [1] Au commencement était le Verbe,
et le Verbe était tourné vers Dieu,
et le Verbe était Dieu[a].
[2] Il était au commencement tourné vers Dieu.
[3] Tout fut par lui,
et rien de ce qui fut, ne fut sans lui[b].
[4] En lui était la *vie
et la vie était la lumière[c] des hommes,
[5] et la lumière brille dans les ténèbres,
et les ténèbres ne l'ont point comprise[d].
[6] Il y eut un homme, envoyé de Dieu: son nom était Jean[e].
[7] Il vint en témoin[f], pour rendre témoignage à la lumière, afin que tous croient par lui.
[8] Il n'était pas la lumière[g], mais il devait rendre témoignage à la lumière.
[9] Le Verbe était la vraie lumière qui, en venant dans le monde[h], illumine tout homme.
[10] Il était dans le monde,
et le monde fut par lui,
et le monde ne l'a pas reconnu[i].
[11] Il est venu dans son propre bien

a 1.1 v. 1-2 : *Au commencement* Pr 8.22-26 ; *Si* 24.9 ; Jn 17.5 ; 1 Jn 1.1-2. — *le Verbe* Ap 19.13 ; voir *Si* 24.3. — *tourné vers Dieu* Jn 5.17-30. — *le Verbe était Dieu* Ph 2.6 ; Col 1.15 ; He 1.3. ***b 1.3*** Parole et création Gn 1.3 ; Ps 33.6, 9 ; 147.15-18 ; Es 40.26 ; 48.3 ; *Sg* 9.1 ; Jn 1.10 ; 1 Co 8.6 ; Col 1.16-17 ; He 1.2. — Sagesse et création Pr 8.27-30 ; *Sg* 9.9. ***c 1.4*** *en lui était la vie* 5.26. — *lumière* 8.12+. ***d 1.5*** *la lumière incomprise* 1.10-13 ; 3.19 ; voir *Sg* 13.1-9 ; Rm 1.19-23 ; 1 Co 1.21. — Autre traduction possible : *les ténèbres n'ont pas pu s'en rendre maîtresses* (voir 12.35). ***e 1.6*** Il s'agit de *Jean* le Baptiste ; voir 1.19-36 ; 3.22-30 ; Lc 1.13, 17, 76 ; Mt 3.1+. ***f 1.7*** 1.15, 19-35 ; 3.27-30 ; 5.33 ; 10.41. ***g 1.8*** 1.20. ***h 1.9*** *la vraie lumière* 1 Jn 2.8. — *en venant dans le monde* 6.14. ***i 1.10*** *le monde* 3.16 ; 12.31 ; 1 Jn 2.16. — *le monde fut par lui* Jn 1.3+. — *le monde ne l'a pas reconnu* 17.25.

et les siens ne l'ont pas accueilli.
12 Mais à ceux qui l'ont reçu, à ceux qui croient en son *nom, il a
donné le pouvoir de devenir enfants de Dieu[j]. 13 Ceux-là ne sont
pas nés du *sang, ni d'un vouloir de chair, ni d'un vouloir
d'homme, mais de Dieu[k].
14 Et le Verbe s'est fait chair
et il a habité parmi nous
et nous avons vu sa gloire,
cette gloire que, Fils unique plein de grâce et de vérité[l], il tient du Père.
15 Jean lui rend témoignage et proclame:
«Voici celui dont j'ai dit: après moi vient un homme qui m'a devancé, parce que, avant moi, il était[m].»
16 De sa plénitude[n] en effet, tous, nous avons reçu, et grâce sur grâce.
17 Si la *Loi fut donnée par Moïse[o], la grâce et la vérité sont venues par Jésus Christ.
18 Personne n'a jamais vu Dieu; Dieu Fils unique[p], qui est dans le sein du Père, nous l'a dévoilé.

Le témoignage de Jean

(Mt 3.1-12; Mc 1.2-8; Lc 3.15-17)

19 Et voici quel fut le témoignage de Jean lorsque, de Jérusalem, les
Juifs[q] envoyèrent vers lui des *prêtres et des *lévites pour lui poser la
question: «Qui es-tu?» 20 Il fit une déclaration sans restriction, il
déclara: «Je ne suis pas le *Christ[r].» 21 Et ils lui demandèrent: «Qui
es-tu? Es-tu Elie?» Il répondit: «Je ne le suis pas.» — «Es-tu le Pro-
phète[s]?» Il répondit: «Non.» 22 Ils lui dirent alors: «Qui es-tu?... que
nous apportions une réponse à ceux qui nous ont envoyés! Que dis-tu
de toi-même?» 23 Il affirma: «Je suis *la voix de celui qui crie dans le*

j 1.12 *le nom* 2.23 ; 3.18 ; 1 Jn 3.23 ; 5.13. — *ceux qui croient...* Ga 3.26. — *enfants de Dieu* Jn 11.52 ; 1 Jn 3.1-2, 10 ; 5.2, 4, 18. ***k 1.13*** 3.3, 5-6 ; Jc 1.18 ; 1 P 1.23 ; 1 Jn 3.9 ; 5.18. ***l 1.14*** *il a habité* ou *il a planté sa tente parmi nous.* — Incarnation Rm 1.3 ; Ga 4.4 ; Ph 2.7 ; 1 Tm 3.16 ; He 2.14 ; 1 Jn 4.2. — *chair* 3.6+. — *nous avons vu sa gloire* Es 60.1-2 ; Lc 9.32 ; Jn 2.11 ; voir Jn 12.23, 28 ; 13.31 ; 17.2-5, 22-23. — *grâce et vérité* Ex 34.6. ***m 1.15*** *le témoignage de Jean* 1.30. — *après moi vient...* Mt 3.11 ; Mc 1.7 ; Jn 1.27. ***n 1.16*** Col 2.9-10. ***o 1.17*** Ex 31.18 ; 34.28 ; Jn 7.19. ***p 1.18*** *voir Dieu* Ex 33.20 ; Jn 6.46 ; 1 Tm 6.16 ; 1 Jn 4.12. — *le Fils unique* Mt 11.27 ; Lc 10.22. ***q 1.19*** Voir 2.18 ; 5.10-18 ; 7.1, 13 ; 9.22, etc. Ici comme souvent chez Jn l'appellation *les Juifs* désigne les chefs spirituels de l'Israël contemporain de Jésus. ***r 1.20*** 3.28. ***s 1.21*** *Elie :* Mt 11.14+ ; voir Mc 6.15 et la note. *Le Prophète* Mt 21.11 + ; en s'appuyant sur Dt 18.15 beaucoup de Juifs contemporains de Jésus attendaient l'apparition du Prophète des derniers temps.

désert: "Aplanissez le chemin du Seigneur", comme l'a dit le *prophète Esaïe[t].» 24 Or ceux qui avaient été envoyés étaient des *Pharisiens. 25 Ils continuèrent à l'interroger en disant: «Si tu n'es ni le Christ, ni Elie, ni le Prophète, pourquoi baptises-tu?» 26 Jean leur répondit: «Moi, je baptise dans l'eau[u]. Au milieu de vous se tient celui que vous ne connaissez pas; 27 il vient après moi et je ne suis même pas digne de dénouer la lanière de sa sandale[v].» 28 Cela se passait à Béthanie, au-delà du Jourdain, où Jean baptisait[w].

L'agneau de Dieu

29 Le lendemain, il voit Jésus qui vient vers lui et il dit: «Voici l'agneau de Dieu qui enlève le péché du *monde[x]. 30 C'est de lui que j'ai dit: "Après moi vient un homme qui m'a devancé, parce que, avant moi, il était[y]." 31 Moi-même, je ne le connaissais pas, mais c'est en vue de sa manifestation à Israël que je suis venu baptiser dans l'eau.» 32 Et Jean porta son témoignage en disant: «J'ai vu l'Esprit, tel une colombe, descendre du ciel et demeurer sur lui[z]. 33 Et je ne le connaissais pas, mais celui qui m'a envoyé baptiser dans l'eau, c'est lui qui m'a dit: "Celui sur lequel tu verras l'Esprit descendre et demeurer sur lui, c'est lui qui baptise dans l'Esprit Saint." 34 Et moi j'ai vu et j'atteste qu'il est, lui, le Fils de Dieu[a].»

Les premiers disciples

35 Le lendemain, Jean se trouvait de nouveau au même endroit avec deux de ses *disciples. 36 Fixant son regard sur Jésus qui marchait, il dit: «Voici l'agneau de Dieu[b].» 37 Les deux disciples, l'entendant parler ainsi, suivirent Jésus. 38 Jésus se retourna et, voyant qu'ils s'étaient mis à le suivre, il leur dit: «Que cherchez-vous?» Ils répondirent: «Rabbi[c] — ce qui signifie Maître —, où demeures-tu?» 39 Il leur dit: «Venez et vous verrez.» Ils allèrent donc, ils virent où il demeurait et ils demeurèrent auprès de lui, ce jour-là; c'était environ la dixième heure[d].

t 1.23 Es 40.3 (Mt 3.3 par.). ***u 1.26*** Mt 3.6+. ***v 1.27*** *il vient après moi* 1.15. — *indigne de dénouer...* Mt 3.11 par. ; Ac 13.25. ***w 1.28*** *Béthanie :* village de site inconnu localisé à l'est du Jourdain ; à ne pas confondre avec le village du même nom situé à proximité de Jérusalem (voir 11.1, 18). ***x 1.29*** *l'agneau de Dieu* 1.36. — *qui ôte le péché du monde* Es 53.6-7 ; Ac 8.32 ; 1 P 1.18-19 ; voir 1 Co 5.7-12. ***y 1.30*** 1.15, 27. ***z 1.32*** *l'Esprit descend* Mt 3.16 par. — *et demeure sur lui* Es 11.2 ; 61.1 ; voir Jn 3.34. ***a 1.34*** Mt 3.17 ; 17.5 par. ; voir Mt 14.33+ ; Mc 1.1+. ***b 1.36*** 1.29. ***c 1.38*** Ce terme qui, comme l'indique le texte, signifie *Maître*, est emprunté à l'araméen. Voir Mc 11.21. ***d 1.39*** Quatre heures de l'après-midi. Voir Mt 20.3 et note.

40 André, le frère de Simon-Pierre[e], était l'un de ces deux qui avaient
écouté Jean et suivi Jésus. 41 Il va trouver, avant tout autre, son propre
frère Simon et lui dit: «Nous avons trouvé le *Messie!» — ce qui
signifie le *Christ[f]. 42 Il l'amena à Jésus. Fixant son regard sur lui, Jésus
dit: «Tu es Simon, le fils de Jean; tu seras appelé Céphas» — ce qui
veut dire Pierre[g].

43 Le lendemain, Jésus résolut de gagner la Galilée. Il trouve Philippe
et lui dit: «Suis-moi.» 44 Or, Philippe était de Bethsaïda[h], la ville
d'André et de Pierre. 45 Il va trouver Nathanaël et lui dit: «Celui de qui
il est écrit dans la *Loi de Moïse et dans les *prophètes[i], nous l'avons
trouvé: c'est Jésus, le fils de Joseph, de Nazareth.» 46 «De Nazareth,
lui dit Nathanaël, peut-il sortir quelque chose de bon?» Philippe lui
dit: «Viens et vois.» 47 Jésus regarde Nathanaël qui venait à lui et il dit
à son propos: «Voici un véritable Israélite en qui il n'est point d'arti-
fice.» — 48 «D'où me connais-tu?» lui dit Nathanaël; et Jésus de
répondre: «Avant même que Philippe ne t'appelât, alors que tu étais
sous le figuier[j], je t'ai vu.» 49 Nathanaël reprit: «Rabbi, tu es le Fils de
Dieu, tu es le roi d'Israël.[k]» 50 Jésus lui répondit: «Parce que je t'ai dit
que je t'avais vu sous le figuier, tu crois. Tu verras des choses bien plus
grandes.» 51 Et il ajouta: «En vérité, en vérité, je vous le dis, vous
verrez le *ciel ouvert et les *anges de Dieu monter et descendre au-
dessus du *Fils de l'homme[l].»

Le premier signe

2 1 Or, le troisième jour, il y eut une noce à Cana[m] de Galilée et la
mère de Jésus était là. 2 Jésus lui aussi fut invité à la noce ainsi que
ses disciples. 3 Comme le vin manquait, la mère de Jésus lui dit: «Ils
n'ont pas de vin.» 4 Mais Jésus lui répondit: «Que me veux-tu[n],
femme? Mon heure n'est pas encore venue.» 5 Sa mère dit aux servi-
teurs: «Quoi qu'il vous dise, faites-le[o].» 6 Il y avait là six jarres de

e 1.40 Mt 4.18+ par. ***f 1.41*** 4.25 ; voir Lc 4.41+. ***g 1.42*** *Céphas* 1 Co 1.12+. — *c'est-à-dire Pierre* Mt 10.2 ; 16.18 ; Mc 3.16 ; Lc 6.14 ; voir Mt 4.18+. ***h 1.44*** *Philippe* Mt 10.3+. — *de Bethsaïda* Jn 12.21 ; voir Mt 11.21+. ***i 1.45*** Dt 18.18 ; Es 9.6 ; Ez 34.23. ***j 1.48*** D'après les récits des rabbins on s'abritait volontiers *sous un figuier* pour lire et méditer l'Ecriture. ***k 1.49*** *Fils de Dieu* Ps 2.7 ; Mt 14.33+ ; Mc 1.1, 11 par. ; 4.41 ; Jn 11.27 ; Ac 13.33. — *roi d'Israël* So 3.15 ; Mt 27.42 ; Mc 15.32 ; Jn 12.13+. ***l 1.51*** *le ciel ouvert* Mt 3.16+. — *les anges montant et descendant* Gn 28.12. — *le Fils de l'homme* Mt 8.20+. ***m 2.1*** *Cana* 4.46. ***n 2.4*** Le grec a conservé la forme originale de la tournure hébraïque : *Qu'y a-t-il pour moi et pour toi ?* qu'on retrouve en Jg 11.12 ; 2 Ch 35.21 ; Mt 8.29+ ; Mc 1.24 ; 5.7 ; Lc 4.34 ; 8.28, etc. On l'employait pour écarter une intervention qu'on jugeait déplacée. — *heure non encore venue* Jn 7.30 ; 8.20 ; voir 7.6. — *l'heure* de Jésus 12.23, 27 ; 13.1 ; 17.1 ; voir 5.25, 28 ; Mc 14.35-41. ***o 2.5*** *faites-le* Gn 41.55.

pierre destinées aux *purifications des *Juifs; elles contenaient chacune de deux à trois mesures[p]. 7 Jésus dit aux serviteurs: «Remplissez d'eau ces jarres»; et ils les emplirent jusqu'au bord. 8 Jésus leur dit: «Maintenant puisez et portez-en au maître du repas.» Ils lui en portèrent 9 et il goûta l'eau devenue vin — il ne savait pas d'où il venait, à la différence des serviteurs qui avaient puisé l'eau —, aussi il s'adresse au marié 10 et lui dit: «Tout le monde offre d'abord le bon vin et, lorsque les convives sont gris, le moins bon; mais toi, tu as gardé le bon vin jusqu'à maintenant!» 11 Tel fut, à Cana de Galilée, le commencement des *signes de Jésus. Il manifesta sa gloire[q] et ses disciples crurent en lui. 12 Après quoi, il descendit à Capharnaüm avec sa mère, ses frères[r] et ses disciples; mais ils n'y restèrent que peu de jours.

La purification du temple

(Mt 21.12-17; Mc 11.15-17; Lc 19.45-46)

13 La *Pâque des *Juifs était proche[s] et Jésus monta à Jérusalem. 14 Il trouva dans le *temple les marchands[t] de bœufs, de brebis et de colombes ainsi que les changeurs qui s'y étaient installés. 15 Alors, s'étant fait un fouet avec des cordes, il les chassa tous du temple, et les brebis et les bœufs; il dispersa la monnaie des changeurs, renversa leurs tables; 16 et il dit aux marchands de colombes: «Otez tout cela d'ici et ne faites pas de la maison de mon Père[u] une maison de trafic.» 17 Ses *disciples se souvinrent qu'il est écrit: *Le zèle de ta maison me dévorera*[v]. 18 Mais les Juifs prirent la parole et lui dirent: «Quel signe[w] nous montreras-tu, pour agir de la sorte?» 19 Jésus leur répondit: «Détruisez ce temple et, en trois jours, je le relèverai[x].» 20 Alors les Juifs lui dirent: « Il a fallu quarante-six ans[y] pour construire ce temple et toi, tu le relèverais en trois jours?» 21 Mais lui parlait du Temple de son corps[z]. 22 Aussi, lorsque Jésus se releva d'entre les morts, ses disciples se souvinrent[a] qu'il avait parlé ainsi, et ils crurent à l'Ecriture ainsi qu'à la parole qu'il avait dite.

***p* 2.6** *purifications juives* Mc 7.3-4 ; Jn 3.25. — Une *mesure* correspondait à une quarantaine de litres. ***q* 2.11** *signes* opérés par Jésus 4.54 ; 20.30 ; voir Es 66.19 ; Mt 12.38+. — *il manifesta sa gloire* Lc 9.32 ; Jn 1.14 ; 12.41. ***r* 2.12** *Capharnaüm* Mt 4.13+. — *mère et frères* de Jésus Mc 3.31+. ***s* 2.13** *Pâque* Ex 12.1-27 *proche* Jn 6.4 ; 11.55 ; voir 13.1. ***t* 2.14** Voir Mc 11.15 et la note. ***u* 2.16** Lc 2.49. ***v* 2.17** Ps 69.10. ***w* 2.18** *les Juifs :* voir 1.19 et la note. — *quel signe... ?* Mt 12.38 ; 16.1 ; Mc 8.11 ; Lc 11.16, 29 ; Jn 6.30 ; 1 Co 1.22. ***x* 2.19** Mt 26.61 ; 27.40 ; Mc 14.58 ; 15.29 ; Ac 6.14. ***y* 2.20** La construction du temple avait commencé vers l'année 20 av. J.C. sous l'impulsion d'Hérode le Grand. ***z* 2.21** 1 Co 6.19 ; voir Jn 1.14, 51 ; 4.20-24. ***a* 2.22** Lc 24.6-8 ; Jn 12.16 ; 14.26 ; 16.4.

La foi qui ne suffit pas

23 Tandis que Jésus séjournait à Jérusalem, durant la fête de la
*Pâque, beaucoup crurent en son *nom à la vue des *signes qu'il opé-
rait[b]. 24 Mais Jésus, lui, ne croyait pas en eux, car il les connaissait
tous[c], 25 et il n'avait nul besoin qu'on lui rendît témoignage au sujet de
l'homme: il savait, quant à lui, ce qu'il y a dans l'homme.

L'entretien avec Nicodème

3 1 Or il y avait, parmi les *Pharisiens, un homme du nom de Nico-
dème[d], un des notables juifs. 2 Il vint, de nuit, trouver Jésus et lui
dit: «Rabbi, nous savons que tu es un maître qui vient de la part de
Dieu, car personne ne peut opérer les *signes que tu fais si Dieu n'est
pas avec lui[e].» 3 Jésus lui répondit: «En vérité, en vérité, je te le dis: à
moins de naître de nouveau, nul ne peut voir le *Royaume de Dieu[f].»
4 Nicodème lui dit: « Comment un homme pourrait-il naître s'il est
vieux? Pourrait-il entrer une seconde fois dans le sein de sa mère et
naître?» 5 Jésus lui répondit: «En vérité, en vérité, je te le dis: nul, s'il
ne naît d'eau et d'Esprit, ne peut entrer dans le Royaume de Dieu[g].
6 Ce qui est né de la chair est chair[h], et ce qui est né de l'Esprit est
esprit. 7 Ne t'étonne pas si je t'ai dit: "Il vous faut naître d'en haut".
8 Le vent souffle où il veut[i], et tu entends sa voix, mais tu ne sais ni
d'où il vient ni où il va. Ainsi en est-il de quiconque est né de l'Esprit.»
9 Nicodème lui dit: «Comment cela peut-il se faire?» 10 Jésus lui
répondit: «Tu es maître en Israël et tu n'as pas la connaissance de ces
choses! 11 En vérité, en vérité, je te le dis: nous parlons de ce que nous
savons, nous témoignons de ce que nous avons vu et pourtant vous ne
recevez pas notre témoignage[j]. 12 Si vous ne croyez pas lorsque je vous
dis les choses de la terre, comment croiriez-vous si je vous disais les
choses du *ciel[k]? 13 Car nul n'est monté au ciel sinon celui qui est des-
cendu du ciel[l], le *Fils de l'homme. 14 Et comme Moïse a élevé le ser-
pent dans le désert, il faut que le Fils de l'homme soit élevé[m] 15 afin

b 2.23 7.31 ; 11.47-48. **c 2.24** 4.16-19 ; 10.14. **d 3.1** *Nicodème* 7.50 ; 19.39. **e 3.2** *Rabbi :* voir 1.38 et la note. — Compliment adressé à Jésus Mt 22.16. — *signes probants* Jn 9.16, 33 ; Ac 10.38. **f 3.3** Le terme grec traduit par *de nouveau* signifie aussi *d'en haut.* Les deux sens sont à considérer ici conjointement (voir v. 4) ; voir Tt 3.5 ; 1 P 1.23 ; 1 Jn 2.29 ; 3.9 ; 4.7 ; 5.1. — *Royaume de Dieu* Mt 3.2+ ; 6.10+. **g 3.5** *naître d'eau et d'Esprit* Tt 3.5. — *entrer dans le Royaume de Dieu* Mt 5.20+. **h 3.6** 1.14 ; 6.51, 63 ; 8.15 ; 1 Jn 4.2. **i 3.8** En grec c'est le même terme qui désigne le *vent* et l'*Esprit.* — *le vent souffle où il veut* Ps 30.4 ; Qo 11.5. **j 3.11** 3.32 ; 8.26. **k 3.12** *choses de la terre, du ciel* Sg 9.16 ; Lc 22.67. **l 3.13** Pr 30.4 ; Rm 10.6. — D'assez nombreux manuscrits ajoutent à la fin du verset *qui est dans le ciel.* **m 3.14** *Moïse* et *le serpent* Nb 21.9 ; voir *Sg* 16. 5-10. — *élévation du Fils de l'homme* Jn 8.28 ; 12.34 ; voir Mt 8.20+.

que quiconque croit ait, en lui, la *vie éternelle[n]. 16 Dieu, en effet, a
tant aimé le *monde qu'il a donné son Fils, son unique, pour que tout
homme qui croit en lui ne périsse pas mais ait la vie éternelle[o]. 17 Car
Dieu n'a pas envoyé son Fils dans le monde pour juger le monde, mais
pour que le monde soit sauvé par lui[p]. 18 Qui croit en lui n'est pas jugé;
qui ne croit pas est déjà jugé, parce qu'il n'a pas cru au *nom[q] du Fils
unique de Dieu. 19 Et le jugement, le voici: la lumière est venue dans le
monde[r] et les hommes ont préféré l'obscurité à la lumière parce que
leurs œuvres étaient mauvaises. 20 En effet, quiconque fait le mal hait
la lumière et ne vient pas à la lumière, de crainte que ses œuvres ne
soient démasquées[s]. 21 Celui qui fait la vérité[t] vient à la lumière pour
que ses œuvres soient manifestées, elles qui ont été accomplies en
Dieu.»

Jean et Jésus

22 Après cela, Jésus se rendit avec ses disciples dans le pays de
Judée; il y séjourna avec eux et il baptisait[u]. 23 Jean, de son côté, bapti-
sait à Aïnôn, non loin de Salim[v], où les eaux sont abondantes. Les gens
venaient et se faisaient baptiser. 24 Jean, en effet, n'avait pas encore
été jeté en prison[w]. 25 Or il arriva qu'une discussion concernant la
*purification opposa un Juif à des disciples de Jean. 26 Ils vinrent
trouver Jean et lui dirent: «Rabbi[x], celui qui était avec toi au-delà du
Jourdain, celui auquel tu as rendu témoignage, voici qu'il se met lui
aussi à baptiser et tous vont vers lui.» 27 Jean leur fit cette réponse:
«Un homme ne peut rien s'attribuer au-delà de ce qui lui est donné du
*ciel[y]. 28 Vous-mêmes, vous m'êtes témoins que j'ai dit: "Moi, je ne
suis pas le *Christ, mais je suis celui qui a été envoyé devant lui[z]."
29 Celui qui a l'épouse est l'époux; quant à l'ami de l'époux[a], il se tient
là, il l'écoute et la voix de l'époux le comble de joie. Telle est ma joie,
elle est parfaite. 30 Il faut qu'il grandisse et que moi, je diminue.

n 3.15 20.31. ***o 3.16*** *Dieu a donné son Fils...* Rm 8.32 ; 1 Jn 4.9-10. – *foi en Jésus et vie éternelle* Jn 3.36 ; 10.28 ; 1 Jn 5.13. ***p 3.17*** *non pour juger mais pour sauver* 12.47. – Le Fils et le jugement 5.22, 27, 30 ; 8.15-16 ; Ac 17.31. ***q 3.18*** *pas jugé* 5.24. – *le nom (du Fils unique)* 1.12. ***r 3.19*** *le jugement* 9.39-41 ; 12.37-50. – *la lumière dans le monde* 1.5, 9 ; 8.12 ; 9.5. ***s 3.20*** Ep 5.11-13. ***t 3.21*** *Celui qui fait la vérité :* par cette tournure typique les anciens juifs désignaient celui qui conforme sa conduite à la vérité ; *Tb* 4.6 ; voir Jn 7.17 ; 1 Jn 1.6. – *la vérité* Jn 18.37. ***u 3.22*** 3.26 ; 4.1-2. ***v 3.23*** *Aïnôn et Salim :* deux localités de site incertain, dans la vallée du Jourdain. ***w 3.24*** Mt 4.12 ; 14.3 ; Mc 1.14 ; 6.17 ; Lc 3.20. ***x 3.26*** Voir 1.38 et la note. ***y 3.27*** 19.11 ; 1 Co 4.7 ; He 5.4. ***z 3.28*** Jean nie être le Christ 1.20. – *envoyé devant lui* Ml 3.1 (Mt 11.10 ; Mc 1.2). ***a 3.29*** Image de *l'épouse* Os 2.21 ; Ez 16.8 ; Es 62.4-5 ; 2 Co 11.2 ; Ep 5.25-31 ; Ap 21.2 ; 22.17. – *l'ami de l'époux* Mt 9.15 ; Mc 2.19.

Celui qui vient d'en haut

31 «Celui qui vient d'en haut est au-dessus de tout. Celui qui est de la
terre est terrestre et parle de façon terrestre[b]. Celui qui vient du *ciel
32 témoigne de ce qu'il a vu et de ce qu'il a entendu, et personne ne
reçoit son témoignage[c]. 33 Celui qui reçoit son témoignage ratifie que
Dieu est véridique. 34 En effet, celui que Dieu a envoyé dit les paroles
de Dieu, qui lui donne l'Esprit sans mesure. 35 Le Père aime le Fils et il
a tout remis en sa main[d]. 36 Celui qui croit au Fils a la *vie éternelle;
celui qui n'obéit pas au Fils ne verra pas la vie, mais la colère de Dieu[e]
demeure sur lui.»

L'entretien avec la Samaritaine

4 1 Quand Jésus apprit que les *Pharisiens avaient entendu dire qu'il
faisait plus de *disciples et en baptisait plus que Jean[f], 2 — à vrai
dire, Jésus lui-même ne baptisait pas, mais ses disciples — 3 il quitta la
Judée et regagna la Galilée. 4 Or il lui fallait traverser la *Samarie[g].
5 C'est ainsi qu'il parvint dans une ville de Samarie appelée Sychar,
non loin de la terre donnée par Jacob à son fils Joseph[h], 6 là même où
se trouve le puits de Jacob. Fatigué du chemin, Jésus était assis tout
simplement au bord du puits. C'était environ la sixième heure[i].
7 Arrive une femme de Samarie pour puiser de l'eau. Jésus lui dit:
«Donne-moi à boire.» 8 Ses disciples, en effet, étaient allés à la ville
pour acheter de quoi manger. 9 Mais cette femme, cette Samaritaine,
lui dit: «Comment? Toi, un *Juif, tu me demandes à boire à moi, une
femme samaritaine!» Les Juifs, en effet, ne veulent rien avoir de
commun avec les Samaritains[j]. 10 Jésus lui répondit: «Si tu connaissais
le don de Dieu et qui est celui qui te dit: "Donne-moi à boire", c'est
toi qui aurais demandé et il t'aurait donné de l'eau vive[k].» 11 La femme
lui dit: «Seigneur, tu n'as pas même un seau et le puits est profond;
d'où la tiens-tu donc, cette eau vive? 12 Serais-tu plus grand, toi, que
notre père Jacob[l] qui nous a donné le puits et qui, lui-même, y a bu
ainsi que ses fils et ses bêtes?» 13 Jésus lui répondit: «Quiconque boit

b 3.31 *d'en haut... de la terre* 8.23. — *parler de façon terrestre* 1 Jn 4.5. **c 3.32** 3.11 ; 8.26. **d 3.35** *le Père aime le Fils* 5.20 ; 10.17 ; 15.9. — *tout en sa main* Mt 11.27 ; Lc 10.22 ; Jn 13.3. **e 3.36** Foi et vie éternelle 3.16 ; 1 Jn 5.13. — *la colère de Dieu* Ep 5.6. **f 4.1** 3.22, 26. **g 4.4** Mt 10.5 ; Lc 9.52+ ; 17.11. **h 4.5** Gn 33.19 ; 48.22 ; Jos 24.32. **i 4.6** *le puits de Jacob* v. 12. — *la sixième heure :* midi. Voir Mt 20.3 et la note. **j 4.9** Esd 4.3 ; 9.1—10.44 ; *Si* 50.25-26 ; Mt 10.5 et la note ; Lc 9.52-53 ; 10.33. **k 4.10** *celui qui te parle* v. 26. — *eau vive :* expression d'origine hébraïque pour désigner *l'eau courante.* Mais il y a ici une sorte de jeu de mots : *l'eau vive* dont parle Jésus et aussi ce qui donne la vie (v. 14) ; Jr 2.13 ; Jn 7.37-38 ; Ap 21.6 ; 22.17. **l 4.12** 8.53.

de cette eau-ci aura encore soif; 14 mais celui qui boira de l'eau que je
lui donnerai n'aura plus jamais soif; au contraire, l'eau que je lui don-
nerai deviendra en lui une source jaillissant en *vie éternelle[m].» 15 La
femme lui dit: «Seigneur, donne-moi cette eau pour que je n'aie plus
soif et que je n'aie plus à venir puiser ici.» 16 Jésus lui dit: «Va, appelle
ton mari et reviens ici.» 17 La femme lui répondit: «Je n'ai pas de
mari.» 18 Jésus lui dit: «Tu dis bien: "Je n'ai pas de mari"; tu en as eu
cinq et l'homme que tu as maintenant n'est pas ton mari. En cela tu as
dit vrai.» 19 «Seigneur, lui dit la femme, je vois que tu es un *pro-
phète[n]. 20 Nos pères ont adoré sur cette montagne et vous, vous
affirmez qu'à Jérusalem se trouve le lieu où il faut adorer[o].» 21 Jésus lui
dit: «Crois-moi, femme, l'heure vient où ce n'est ni sur cette mon-
tagne ni à Jérusalem que vous adorerez le Père. 22 Vous adorez ce que
vous ne connaissez pas; nous adorons ce que nous connaissons, car le
salut vient des *Juifs[p]. 23 Mais l'heure vient, elle est là, où les vrais ado-
rateurs adoreront le Père en esprit et en vérité[q]; tels sont, en effet, les
adorateurs que cherche le Père. 24 Dieu est esprit[r] et c'est pourquoi
ceux qui l'adorent doivent adorer en esprit et en vérité.» 25 La femme
lui dit: «Je sais qu'un *Messie doit venir — celui qu'on appelle
*Christ. Lorsqu'il viendra, il nous annoncera toutes choses[s].» 26 Jésus
lui dit: «Je le suis, moi qui te parle[t].»

27 Sur quoi les disciples arrivèrent. Ils s'étonnaient que Jésus parlât
avec une femme; cependant personne ne lui dit «Que cherches-tu?»
ou «Pourquoi lui parles-tu?» 28 La femme alors, abandonnant sa
cruche, s'en fut à la ville et dit aux gens: 29 «Venez donc voir un
homme qui m'a dit tout ce que j'ai fait. Ne serait-il pas le Christ[u]?»
30 Ils sortirent de la ville et allèrent vers lui. 31 Entre-temps, les disciples
le pressaient: «Rabbi[v], mange donc.» 32 Mais il leur dit: «J'ai à manger
une nourriture que vous ne connaissez pas.» 33 Sur quoi les disciples se
dirent entre eux: «Quelqu'un lui aurait-il donné à manger?» 34 Jésus
leur dit: «Ma nourriture, c'est de faire la volonté de celui qui m'a
envoyé et d'accomplir son œuvre[w]. 35 Ne dites-vous pas vous-mêmes:

m* *4.14 *jamais soif* 6.35. — *une source* 7.38. — *l'eau* comme symbole 1) vie Es 12.3 ; Jr 2.13 ; 17.13 ; 2) sagesse *Ba* 3.12 ; *Si* 15.3 ; 24.30-31 ; 3) l'Esprit Es 44.3 ; Jl 3.1 ; Jn 7.38-39. ***n* *4.19*** Mt 16.14+ ; voir Jn 7.40. ***o* *4.20*** Exclus de la communauté juive, les Samaritains avaient édifié un temple sur le *mont Garizim,* montagne proche de l'ancienne Sichem ; Dt 11.29 ; Jos 8.33. — *le lieu où il faut adorer* Dt 12.5-14 ; Ps 122.1-5. ***p* *4.22*** Es 2.3 ; Rm 9.3-4. ***q* *4.23*** Ph 3.3. ***r* *4.24*** 2 Co 3.17. ***s* *4.25*** *le Messie, Christ* 1.41. — *il nous annoncera toutes choses* 14.26. ***t* *4.26*** *Je le suis* Mc 14.61-62 ; Jn 6.20, *moi qui te parle* 9.37. ***u* *4.29*** Mt 12.23 ; Jn 7.26. ***v* *4.31*** Voir 1.38 et la note. ***w* *4.34*** *la volonté de celui qui m'a envoyé* 5.30 ; 6.38. — *accomplir son œuvre* 5.36 ; 17.4.

"Encore quatre mois et viendra la moisson" ? Mais moi je vous dis:
levez les yeux et regardez; déjà les champs sont blancs pour la mois-
son[x]! 36 Déjà le moissonneur reçoit son salaire et amasse du fruit pour
la *vie éternelle, si bien que celui qui sème et celui qui moissonne se
réjouissent ensemble. 37 Car en ceci le proverbe est vrai, qui dit: "L'un
sème, l'autre moissonne[y]." 38 Je vous ai envoyés moissonner ce qui ne
vous a coûté aucune peine; d'autres ont peiné et vous avez pénétré
dans ce qui leur a coûté tant de peine.» 39 Beaucoup de Samaritains de
cette ville avaient cru en lui à cause de la parole de la femme qui attes-
tait: «Il m'a dit tout ce que j'ai fait.» 40 Aussi, lorsqu'ils furent arrivés
près de lui, les Samaritains le prièrent de demeurer parmi eux. Et il y
demeura deux jours. 41 Bien plus nombreux encore furent ceux qui cru-
rent à cause de sa parole à lui; 42 et ils disaient à la femme: «Ce n'est
plus seulement à cause de tes dires que nous croyons; nous l'avons
entendu nous-mêmes et nous savons qu'il est vraiment le Sauveur du
*monde[z].»

Le second signe de Cana

(Mt 8.5-13; Lc 7.1-10)

43 Deux jours plus tard, Jésus quitta ces lieux et regagna la Galilée.
44 Il avait en effet attesté lui-même qu'un *prophète n'est pas honoré
dans sa propre patrie[a]. 45 Cependant, lorsqu'il arriva en Galilée, les
Galiléens lui firent bon accueil: ils étaient allés à Jérusalem pour la
fête, eux aussi, et ils avaient pu voir tout ce que Jésus avait fait[b].

46 Jésus revint donc à Cana de Galilée où il avait fait du vin avec de
l'eau. Il y avait un officier royal[c] dont le fils était malade à Caphar-
naüm. 47 Ayant entendu dire que Jésus arrivait de Judée en Galilée, il
vint le trouver et le priait de descendre guérir son fils qui se mourait[d].
48 Jésus lui dit: «Si vous ne voyez *signes et prodiges, vous ne croirez
donc jamais[e]!» 49 L'officier lui dit: «Seigneur, descends avant que mon
enfant ne meure!» 50 Jésus lui dit: «Va, ton fils vit[f].» Cet homme crut à
la parole que Jésus lui avait dite et il se mit en route. 51 Tandis qu'il
descendait, ses serviteurs vinrent à sa rencontre et dirent: «Ton

x 4.35 *blancs :* les Hébreux n'avaient probablement pas de mot particulier pour désigner la couleur jaune des blés mûrs ; ils employaient le même terme pour qualifier les teintes plus pâles que le vert. — *la moisson* Mt 9.37 ; Lc 10.2. ***y 4.37*** Voir Mi 6.15. ***z 4.42*** *le Sauveur* Es 19.20 ; 43.3 ; Mt 1.21 ; Lc 2.11+ *du monde* 1 Jn 4.14. ***a 4.44*** Mt 13.57 ; Mc 6.4 ; Lc 4.24. ***b 4.45*** 2.23. ***c 4.46*** Le terme grec désigne un personnage attaché au service du « roi » Hérode Antipas (voir Mc 1.14 et la note). — *à Cana* Jn 2.1-11. ***d 4.47*** Mt 8.5-6 ; Lc 7.1-3. ***e 4.48*** Mc 13.22 ; 1 Co 1.22. ***f 4.50*** *Va...* Mt 8.13 ; Mc 7.29.

enfant vit!» 52 Il leur demanda à quelle heure il s'était trouvé mieux et
ils répondirent: «C'est hier, à la septième heure[g], que la fièvre l'a
quitté.» 53 Le père constata que c'était à cette heure même que Jésus
lui avait dit: «Ton fils vit.» Dès lors il crut, lui et toute sa maisonnée[h].
54 Tel fut le second signe[i] que Jésus accomplit lorsqu'il revint de Judée
en Galilée.

Guérison d'un paralytique à Jérusalem

5 1 Après cela et à l'occasion d'une fête juive[j], Jésus monta à Jéru-
salem. 2 Or il existe à Jérusalem, près de la porte des Brebis, une
piscine qui s'appelle en hébreu Bethzatha[k]. Elle possède cinq porti-
ques, 3 sous lesquels gisaient une foule de malades, aveugles, boiteux,
impotents[l]. [...4] 5 Il y avait là un homme infirme depuis trente-huit
ans. 6 Jésus le vit couché et, apprenant qu'il était dans cet état depuis
longtemps déjà, lui dit: «Veux-tu guérir?» 7 L'infirme lui répondit:
«Seigneur, je n'ai personne pour me plonger dans la piscine au
moment où l'eau commence à s'agiter; et, le temps d'y aller, un autre
descend avant moi.» 8 Jésus lui dit: «Lève-toi, prends ton grabat et
marche[m].» 9 Et aussitôt l'homme fut guéri; il prit son grabat, il mar-
chait.

Or ce jour-là était un jour de *sabbat[n]. 10 Aussi les Juifs dirent à celui
qui venait d'être guéri: «C'est le sabbat, il ne t'est pas permis de
porter ton grabat[o].» 11 Mais il leur répliqua: «Celui qui m'a rendu la
santé, c'est lui qui m'a dit: "Prends ton grabat et marche."» 12 Ils
l'interrogèrent: «Qui est cet homme qui t'a dit: "Prends ton grabat et
marche"?» 13 Mais celui qui avait été guéri ne savait pas qui c'était,
car Jésus s'était éloigné de la foule[p] qui se trouvait en ce lieu. 14 Plus
tard, Jésus le retrouve dans le *temple et lui dit: «Te voilà bien por-
tant: ne pèche plus[q] de peur qu'il ne t'arrive pire encore!»
15 L'homme alla raconter aux Juifs que c'était Jésus qui l'avait guéri[r].

***g* 4.52** Une heure de l'après-midi (voir Mt 20.3 et la note). ***h* 4.53** Ac 11.14 ; 16.14-15, 31. ***i* 4.54** Voir 2.11. ***j* 5.1** Certains manuscrits lisent *la fête ;* il s'agirait alors de la Pâque (voir 6.4). ***k* 5.2** Certains manuscrits lisent *Bezatha ;* d'autres *Bethesda.* Bethzatha est le nom d'un quartier situé au Nord-Est de Jérusalem. Des fouilles récentes ont permis de dégager les ruines de cette piscine. ***l* 5.3** Certains manuscrits ajoutent ici une notice qui prépare le récit qui va suivre : *qui attendaient l'agitation de l'eau, 4 car à certains moments l'ange du Seigneur descendait dans la piscine ; l'eau s'agitait et le premier qui y entrait après que l'eau avait bouillonné était guéri quelle que fût sa maladie.* ***m* 5.8** Mc 2.11 par. ***n* 5.9** *aussitôt... il prit... il marchait* Mc 2.12 ; Lc 5.25. — *un jour de sabbat* Lc 13.14 ; Jn 9.14 ; voir Mt 12.1+. ***o* 5.10** Voir Jr 17.21. — *les Juifs :* voir Jn 1.19 et la note. ***p* 5.13** Mt 8.13 ; 13.36 ; Mc 4.36 ; 7.17 ; Jn 6.2-3, 15. ***q* 5.14** 8.11. ***r* 5.15** 9.11.

16 Dès lors, les Juifs s'en prirent à Jésus qui avait fait cela un jour de
sabbat. 17 Mais Jésus leur répondit: «Mon Père, jusqu'à présent, est à
l'œuvre et moi aussi je suis à l'œuvre.» 18 Dès lors, les Juifs n'en cher-
chaient que davantage à le faire périr, car non seulement il violait le
sabbat, mais encore il appelait Dieu son propre Père, se faisant ainsi
l'égal de Dieu[s].

Le pouvoir du Fils

19 Jésus reprit la parole et leur dit: «En vérité, en vérité, je vous le
dis, le Fils ne peut rien faire de lui-même[t], mais seulement ce qu'il voit
faire au Père: car ce que fait le Père, le Fils le fait pareillement. 20 C'est
que le Père aime le Fils et lui montre tout ce qu'il fait; il lui montrera
des œuvres[u] plus grandes encore, de sorte que vous serez dans l'éton-
nement. 21 Comme le Père, en effet, relève les morts et les fait vivre, le
Fils lui aussi fait vivre[v] qui il veut. 22 Le Père ne juge personne, il a
remis tout jugement au Fils[w], 23 afin que tous honorent le Fils comme
ils honorent le Père. Celui qui n'honore pas le Fils[x], n'honore pas non
plus le Père qui l'a envoyé. 24 En vérité, en vérité, je vous le dis, celui
qui écoute ma parole et croit en Celui qui m'a envoyé, a la *vie éter-
nelle; il ne vient pas en jugement, mais il est passé de la mort à la vie[y].
25 En vérité, en vérité, je vous le dis, l'heure vient — et maintenant elle
est là — où les morts entendront[z] la voix du Fils de Dieu et ceux qui
l'auront entendue vivront. 26 Car, comme le Père possède la vie en lui-
même, ainsi a-t-il donné au Fils de posséder la vie en lui-même[a]; 27 il
lui a donné le pouvoir d'exercer le jugement parce qu'il est le *Fils de
l'homme[b]. 28 Que tout ceci ne vous étonne plus! L'heure vient où tous
ceux qui gisent dans les tombeaux entendront sa voix, 29 et ceux qui
auront fait le bien en sortiront pour la résurrection qui mène à la vie;
ceux qui auront pratiqué le mal, pour la résurrection qui mène au juge-
ment[c]. 30 Moi, je ne puis rien faire de moi-même: je juge selon ce que

s 5.18 *faire périr* Jésus Mt 14.5 ; 26.4 ; Mc 14.1 ; Jn 7.1, 19, 25 ; 8.37, 40 ; 11.53. — *l'égal de Dieu* 10.30, 33. ***t 5.19*** 5.30 ; 7.16-18, 28 ; 8.28, 42 ; 12.49 ; 14.10. ***u 5.20*** *le Père aime le Fils* 3.35 ; 10.17 ; 15.9 ; 17.23-24. — *œuvres* du Père, du Fils 5.19-20 ; 7.3, 21 ; 9.3-5 ; 10.25-38 ; 14.10-12 ; 15.24. ***v 5.21*** *le Père relève les morts* Rm 4.17 ; Ep 2.5. — *le Fils fait vivre* Jn 11.25. ***w 5.22*** 3.17 ; 5.27 ; 9.39 ; 12.47 ; Ac 10.42 ; 17.31. ***x 5.23*** *honorer le Fils,* le Père Ph 2.10-11. — *ne pas honorer le Fils* Lc 10.16. ***y 5.24*** Foi et *vie éternelle* 3.15-16 ; 8.51 ; 12.44-46. — *il ne vient pas en jugement* 3.18. — *passer de la mort à la vie* 1 Jn 3.14. ***z 5.25*** Mc 5.41 ; Lc 7.14 ; 8.54 ; Jn 5.28 ; 11.43. ***a 5.26*** 1.4. ***b 5.27*** *le pouvoir d'exercer le jugement* 5.22+. — *le Fils de l'homme* Mt 8.20+. ***c 5.29*** Dn 12.2 ; Ac 24.15.

j'entends et mon jugement est juste parce que je ne cherche pas ma
propre volonté, mais la volonté de celui qui m'a envoyé[d].

Les témoignages

31 «Si je me rendais témoignage à moi-même[e], mon témoignage ne
serait pas recevable; 32 c'est un autre qui me rend témoignage, et je
sais que le témoignage qu'il me rend est conforme à la vérité[f]. 33 Vous
avez envoyé une délégation auprès de Jean et il a rendu témoignage à
la vérité[g]. 34 Pour moi, ce n'est pas que j'aie à recevoir le témoignage
d'un homme[h], mais je parle ainsi afin que vous soyez sauvés. 35 Jean
fut la lampe qu'on allume et qui brille: et vous avez bien voulu vous
réjouir pour un moment à sa lumière. 36 Or je possède un témoignage
qui est plus grand que celui de Jean: ce sont les œuvres que le Père
m'a données à accomplir[i]; je les fais et ce sont elles qui portent à mon
sujet témoignage que le Père m'a envoyé. 37 Le Père qui m'a envoyé a
lui-même porté témoignage à mon sujet[j]. Mais jamais vous n'avez ni
écouté sa voix ni vu ce qui le manifestait, 38 et sa parole ne demeure
pas en vous, puisque vous ne croyez pas à celui qu'il a envoyé[k].
39 Vous scrutez les Ecritures parce que vous pensez acquérir par elles la
*vie éternelle: ce sont elles qui rendent témoignage à mon sujet[l]. 40 Et
vous ne voulez pas venir à moi pour avoir la vie éternelle. 41 La gloire,
je ne la tiens pas des hommes[m]. 42 Mais je vous connais, vous n'avez
pas en vous l'amour de Dieu[n]. 43 Je suis venu au nom de mon Père, et
vous refusez de me recevoir. Qu'un autre vienne en son propre nom[o],
celui-là vous le recevrez! 44 Comment pourriez-vous croire, vous qui
tenez votre gloire les uns des autres et qui ne cherchez pas la gloire
qui vient de Dieu seul[p]? 45 Ne pensez pas que ce soit moi qui vous
accuserai devant le Père: votre accusateur, c'est Moïse[q] en qui vous
avez mis vos espoirs. 46 En effet, si vous croyiez en Moïse, vous croi-

d 5.30 *ne rien faire de moi-même* 5.19+. — *la volonté de celui qui m'a envoyé* Lc 22.42 ; Jn 4.34+. **e 5.31** 8.13-14. **f 5.32** *un autre est témoin* pour Jésus 1.15, 34 ; 3.26 ; 5.36, 37, 39 ; 8.18 ; 10.25 ; 15.26 ; 1 Jn 5.6-9 — *témoignage conforme à la vérité* Jn 19.35 ; 21.24. **g 5.33** Voir 1.19-27 ; 3.22-30 : il s'agit de *Jean le Baptiste.* **h 5.34** 1 Jn 5.9. **i 5.36** *un témoignage plus grand* 1 Jn 5.9. — *les œuvres que le Père m'a confiées* Jn 10.25, 38 ; 14.11. **j 5.37** Mc 1.11 par. ; Jn 5.32 ; 8.18 ; 1 Jn 5.9. **k 5.38** *sa parole en vous* 1 Jn 2.14. — *croire en celui que Dieu a envoyé* Jn 6.29. **l 5.39** *le témoignage des Ecritures* au sujet de Jésus 1.45 ; 2.22 ; 5.47 ; 12.41 ; 19.28 ; voir Lc 14.27, 44 ; Ac 13.27 ; 1 P 1.10-11. — *les Ecritures,* source de *vie* Dt 4.1 ; 8.1, 3 ; 30.15-20 ; Ps 119. **m 5.41** 12.43. **n 5.42** Jésus connaît les cœurs 2.25. — *l'amour de Dieu en vous* 1 Jn 3.17. **o 5.43** Voir 7.17-18. **p 5.44** 7.18 ; 8.50-54 ; 12.23, 28, 43 ; 13.31-32 ; 17.1 ; 1 Co 1.29, 31 ; 3.21 ; 4.7. **q 5.45** Dt 31.26-27. — Les Juifs du temps de Jésus considéraient *Moïse* comme l'auteur des cinq premiers livres de la Bible.

riez en moi, car c'est à mon sujet qu'il a écrit[r]. 47 Si vous ne croyez pas
ce qu'il a écrit, comment croiriez-vous ce que je dis[s]?»

Jésus nourrit une grande foule

(Mt 14.13-21; Mc 6.30-44; Lc 9.10-17)

6 1 Après cela, Jésus passa sur l'autre rive de la mer de Galilée, dite
encore de Tibériade[t]. 2 Une grande foule le suivait parce que les
gens avaient vu les *signes qu'il opérait sur les malades[u]. 3 C'est pour-
quoi Jésus gravit la montagne[v] et s'y assit avec ses disciples. 4 C'était
peu avant la *Pâque[w] qui est la fête des *Juifs. 5 Or, ayant levé les
yeux, Jésus vit une grande foule qui venait à lui. Il dit à Philippe: «Où
achèterons-nous des pains pour qu'ils aient de quoi manger?» 6 En
parlant ainsi il le mettait à l'épreuve; il savait[x], quant à lui, ce qu'il
allait faire. 7 Philippe lui répondit: «Deux cents deniers[y] de pain ne
suffiraient pas pour que chacun reçoive un petit morceau.» 8 Un de ses
disciples, André[z], le frère de Simon-Pierre, lui dit: 9 «Il y a là un
garçon qui possède cinq pains d'orge et deux petits poissons; mais
qu'est-ce que cela[a] pour tant de gens?» 10 Jésus dit: «Faites-les
asseoir.» Il y avait beaucoup d'herbe à cet endroit. Ils s'assirent donc;
ils étaient environ cinq mille hommes. 11 Alors Jésus prit les pains, il
rendit grâce et les distribua aux convives. Il fit de même avec les pois-
sons; il leur en donna autant qu'ils en désiraient. 12 Lorsqu'ils furent
rassasiés, Jésus dit à ses disciples: «Rassemblez les morceaux qui res-
tent, de sorte que rien ne soit perdu.» 13 Ils les rassemblèrent et ils
remplirent douze paniers avec les morceaux des cinq pains d'orge qui
étaient restés à ceux qui avaient mangé. 14 A la vue du signe qu'il
venait d'opérer, les gens dirent: «Celui-ci est vraiment le Prophète[b],
celui qui doit venir dans le monde.» 15 Mais Jésus, sachant qu'on allait
venir l'enlever pour le faire roi, se retira[c] à nouveau, seul, dans la
montagne.

r 5.46 Dt 18.15 ; Lc 24.27 ; Ac 3.22 ; 7.37. ***s 5.47*** Lc 16.29-31. ***t 6.1*** La *mer de Galilée*, ou *de Tibériade* est encore nommée *lac de Gennésareth* en Lc 5.1. Les Hébreux désignaient par le même mot toute grande quantité d'eau : mer, lac, et même la cuve géante de 1 R 7.23-26. ***u 6.2*** Jésus suivi par la *foule* Mt 4.25 ; 8.1 ; 12.15 ; 19.2 ; 20.29 ; Mc 5.24 ; Lc 9.11. – *parce qu'ils avaient vu les signes...* Jn 2.23+ ; 6.14. ***v 6.3*** Mt 5.1 ; 24.3 ; Mc 3.13 ; Lc 22.39. ***w 6.4*** Lc 22.1 ; Jn 2.13+. ***x 6.6*** Jésus *sait* 1.48 ; 2.25 ; 4.17-19, 29 ; 6.61, 64, 71 ; 13.11, 27-28 ; 16.19, 30 ; 18.4 ; 21.17. ***y 6.7*** Voir au glossaire MONNAIES. ***z 6.8*** *André* Mt 4.18+. ***a 6.9*** *pains et poissons* 21.9, 13. – *Qu'est-ce que cela ?* 2 R 4.42-44. ***b 6.14*** Voir 1.21 et la note ; Mt 21.11+ ; Ac 7.37. ***c 6.15*** *Jésus roi* 18.36. – *Jésus se retire* Mt 14.23 ; 15.29 ; Mc 6.46 ; Lc 6.12.

La marche sur la mer

(Mt 14.22-27; Mc 6.45-52)

16 Le soir venu, ses disciples descendirent jusqu'à la mer. 17 Ils mon-
tèrent dans une barque et se dirigèrent vers Capharnaüm, sur l'autre
rive. Déjà l'obscurité s'était faite et Jésus ne les avait pas encore
rejoints. 18 Un grand vent soufflait et la mer était houleuse. 19 Ils avaient
ramé environ vingt-cinq à trente stades[d], lorsqu'ils voient Jésus mar-
cher sur la mer et s'approcher de la barque. Alors ils furent pris de
peur, 20 mais Jésus leur dit: «C'est moi, n'ayez pas peur[e]!» 21 Ils voulu-
rent le prendre dans la barque, mais aussitôt la barque toucha terre au
lieu où ils allaient.

Jésus, le pain de vie

22 Le lendemain, la foule, restée sur l'autre rive, se rendit compte
qu'il y avait eu là une seule barque et que Jésus n'avait pas accom-
pagné ses disciples dans leur barque; ceux-ci étaient partis seuls.
23 Toutefois, venant de Tibériade, d'autres barques arrivèrent près de
l'endroit où ils avaient mangé le pain après que le Seigneur eut rendu
grâce. 24 Lorsque la foule eut constaté que ni Jésus ni ses disciples ne se
trouvaient là, les gens montèrent dans les barques et ils s'en allèrent à
Capharnaüm, à la recherche de Jésus. 25 Et quand ils l'eurent trouvé de
l'autre côté de la mer, ils lui dirent: «Rabbi[f], quand es-tu arrivé ici?»
26 Jésus leur répondit: «En vérité, en vérité, je vous le dis, ce n'est pas
parce que vous avez vu des *signes que vous me cherchez, mais parce
que vous avez mangé des pains à satiété[g]. 27 Il faut vous mettre à
l'œuvre pour obtenir non pas cette nourriture périssable, mais la nour-
riture qui demeure en *vie éternelle, celle que le *Fils de l'homme
vous donnera, car c'est lui que le Père, qui est Dieu, a marqué de son
sceau[h].» 28 Ils lui dirent alors: «Que nous faut-il faire pour travailler
aux œuvres de Dieu[i]?» 29 Jésus leur répondit: «L'œuvre de Dieu c'est
de croire[j] en celui qu'Il a envoyé.» 30 Ils lui répliquèrent: «Mais toi,
quel signe[k] fais-tu donc, pour que nous voyions et que nous te
croyions? Quelle est ton œuvre? 31 Au désert, nos pères ont mangé la
manne, ainsi qu'il est écrit: *Il leur a donné à manger un pain qui vient
du *ciel*[l].» 32 Mais Jésus leur dit: «En vérité, en vérité, je vous le dis,

d 6.19 Environ 5 km. Voir au glossaire POIDS ET MESURES. ***e 6.20*** Mt 14.27 ; voir Mc 16.6+. ***f 6.25*** Voir 18.3 et la note. ***g 6.26*** *voir des signes* et *croire* 2.11. – *manger à satiété* 6.11-12. ***h 6.27*** *qui demeure en vie éternelle* 4.14 ; 6.50, 51, 54, 58. – *le Fils de l'homme* Mt 8.20+. – *marqué de son sceau* Ep 1.13 ; 4.30 ; Ap 7.2 et la note, 3-4. ***i 6.28*** 9.4 ; 1 Co 15.58. ***j 6.29*** *croire* Rm 3.28. ***k 6.30*** *quel signe ?* 2.18+. ***l 6.31*** *la manne* Ex 16.15 ; Nb 11.7-9 ; Dt 8.3 ; Ne 9.15 ; *Sg* 16.20 ; Jn 6.49, 58. – *il leur a donné...* Ps 78.24 ; 105.40.

ce n'est pas Moïse qui vous a donné le pain du ciel, mais c'est mon
Père qui vous donne le véritable pain du ciel. 33 Car le pain de Dieu[m],
c'est celui qui descend du ciel et qui donne la *vie au *monde.»
34 Ils lui dirent alors: «Seigneur, donne-nous toujours ce pain-là[n]!»
35 Jésus leur dit: «C'est moi qui suis le pain de vie; celui qui vient à
moi n'aura pas faim; celui qui croit en moi jamais n'aura soif[o]. 36 Mais
je vous l'ai dit: vous avez vu et pourtant vous ne croyez pas[p]. 37 Tous
ceux que le Père me donne viendront à moi, et celui qui vient à moi,
je ne le rejetterai pas[q], 38 car je suis descendu du ciel pour faire, non
pas ma propre volonté, mais la volonté de Celui qui m'a envoyé[r].
39 Or la volonté de Celui qui m'a envoyé, c'est que je ne perde aucun
de ceux qu'il m'a donnés, mais que je les ressuscite au dernier *jour[s].
40 Telle est en effet la volonté de mon Père: que quiconque voit le Fils
et croit en lui ait la vie éternelle, et moi, je le ressusciterai au dernier
jour.»

41 Dès lors, les *Juifs se mirent à murmurer à son sujet parce qu'il
avait dit: «Je suis le pain qui descend du ciel[t].» 42 Et ils ajoutaient:
«N'est-ce pas Jésus, le fils de Joseph[u]? Ne connaissons-nous pas son
père et sa mère? Comment peut-il déclarer maintenant: "Je suis des-
cendu du ciel"?» 43 Jésus reprit la parole et leur dit: «Cessez de mur-
murer entre vous! 44 Nul ne peut venir à moi si le Père qui m'a envoyé
ne l'attire, et moi je le ressusciterai au dernier jour[v]. 45 Dans les *Pro-
phètes il est écrit: *Tous seront instruits par Dieu*[w]. Quiconque a
entendu ce qui vient du Père et reçoit son enseignement vient à moi.
46 C'est que nul n'a vu le Père[x], si ce n'est celui qui vient de Dieu. Lui,
il a vu le Père. 47 En vérité, en vérité, je vous le dis, celui qui croit a la
vie éternelle[y]. 48 Je suis le pain de vie[z]. 49 Au désert, vos pères ont
mangé la manne[a], et ils sont morts. 50 Tel est le pain qui descend du
ciel, que celui qui en mangera ne mourra pas.

51 «Je suis le pain vivant qui descend du ciel. Celui qui mangera de
ce pain vivra pour l'éternité. Et le pain que je donnerai, c'est ma chair,

***m* 6.33** *le pain de Dieu* 6.41, 51. ***n* 6.34** *donne-nous toujours...* 4.15. — *donne-nous* Mt 6.11 ; Lc 11.3. ***o* 6.35** *Je suis...* 8.12 ; 10.7, 9 ; 11.25 ; 14.6 ; 15.1. — *le pain de vie* 6.48, 51, 58. — *plus jamais soif* 4.14. ***p* 6.36** 20.29 ; voir 9.41. ***q* 6.37** *ceux que le Père me donne* 17.2, 6-7, 24. — Accueillir celui qui vient Mt 11.28. ***r* 6.38** Mc 14.36 par. ; Jn 4.34 ; 5.30. ***s* 6.39** *aucun de ceux qu'il m'a donnés* Mt 18.14 ; Jn 10.28-29 ; 17.12 ; 18.9. — *je le ressusciterai au dernier jour* 6.44, 54 ; 11.24 ; voir 5.28-29 ; 14.3, 19. ***t* 6.41** *murmures* Ex 16.2-8. — *le pain qui descend du ciel* Jn 6.33, 35, 51, 58. ***u* 6.42** Mc 6.3 par. ***v* 6.44** *si le Père... ne l'attire* 6.65. — *je le ressusciterai au dernier jour* 6.39+. ***w* 6.45** Es 54.13 ; voir Jr 31.33-34 ; 1 Th 4.9. ***x* 6.46** 1.18. ***y* 6.47** Plusieurs manuscrits lisent ici : *celui qui croit en moi.* — Foi et *vie éternelle* 3.15, 16, 36. ***z* 6.48** 6.35+. ***a* 6.49** 6.31+.

donnée[b] pour que le monde ait la vie.» [52] Sur quoi, les Juifs se mirent
à discuter violemment entre eux: «Comment celui-là peut-il nous
donner sa chair à manger?» [53] Jésus leur dit alors: «En vérité, en
vérité, je vous le dis, si vous ne mangez pas la chair du Fils de l'homme
et si vous ne buvez pas son sang, vous n'aurez pas en vous la vie.
[54] Celui qui mange ma chair et boit mon sang a la vie éternelle, et moi,
je le ressusciterai au dernier jour[c]. [55] Car ma chair est vraie nourriture
et mon sang vraie boisson. [56] Celui qui mange ma chair et boit mon
sang demeure en moi et moi en lui[d]. [57] Et comme le Père qui est vivant
m'a envoyé et que je vis par le Père, ainsi celui qui me mangera vivra
par moi. [58] Tel est le pain qui est descendu du ciel: il est bien différent
de celui que vos pères ont mangé; ils sont morts, eux, mais celui qui
mangera du pain que voici vivra pour l'éternité.» [59] Tels furent les
enseignements de Jésus, dans la *synagogue, à Capharnaüm.

La décision de la foi

[60] Après l'avoir entendu, beaucoup de ses disciples commencèrent à
dire: «Cette parole est rude! Qui peut l'écouter?» [61] Mais, sachant en
lui-même que ses disciples murmuraient à ce sujet, Jésus leur dit:
«C'est donc pour vous une cause de scandale? [62] Et si vous voyiez le
*Fils de l'homme monter là où il était auparavant...[e]? [63] C'est l'Esprit
qui vivifie, la chair ne sert de rien[f]. Les paroles que je vous ai dites
sont esprit et *vie. [64] Mais il en est parmi vous qui ne croient pas.» En
fait, Jésus savait dès le début[g] quels étaient ceux qui ne croyaient pas
et qui était celui qui allait le livrer. [65] Il ajouta: «C'est bien pourquoi je
vous ai dit: "Personne ne peut venir à moi si cela ne lui est donné par
le Père[h]."»

[66] Dès lors, beaucoup de ses disciples s'en retournèrent et cessèrent
de faire route avec lui. [67] Alors Jésus dit aux Douze: «Et vous, ne
voulez-vous pas partir?» [68] Simon-Pierre lui répondit: «Seigneur, à qui
irions-nous? Tu as des paroles de vie éternelle[i]. [69] Et nous, nous avons
cru et nous avons connu que tu es le *Saint de Dieu[j].» [70] Jésus leur
répondit: «N'est-ce pas moi qui vous ai choisis[k], vous les Douze? et
cependant l'un de vous est un *diable!» [71] Il désignait ainsi Judas, fils de
Simon l'Iscariote; car c'était lui qui allait le livrer[l], lui, l'un des Douze.

b* *6.51 v. 50-51 : *pain du ciel* et *vie éternelle* 6.33, 58. – *chair* 3.6+. – *donnée* 10.11, 15 ; 11.50-52 ; 15.13 ; 17.19 ; 18.14 ; 1 Jn 3.16. ***c 6.54*** 6.39+. ***d 6.56*** 15.5 ; voir 1 Jn 3.24. ***e 6.62*** *le Fils de l'homme* Mt 8.20+. – *monter...* Ac 1.9-11. ***f 6.63*** *l'Esprit vivifie* 2 Co 3.6. – *la chair ne sert de rien* Jn 3.6. ***g 6.64*** 13.11. ***h 6.65*** 6.44. ***i 6.68*** 6.63. ***j 6.69*** Mc 1.24+ ; voir Jn 10.36 ; 17.18 ; Mt 16.16-23 ; Mc 8.27-33 ; Lc 9.18-22. ***k 6.70*** *choisis* 15.16. ***l 6.71*** 12.4 ; voir Mt 10.4+.

Le manque de foi des frères de Jésus

7 1 Dans la suite, Jésus continua à parcourir la Galilée; il préférait
en effet ne point parcourir la Judée où les Juifs cherchaient à le
faire périr[m]. 2 Cependant la fête juive des Tentes[n] était proche. 3 Ses
frères[o] lui dirent: «Passe d'ici en Judée afin que tes *disciples, eux
aussi, puissent voir les œuvres que tu fais. 4 On n'agit pas en cachette
quand on veut s'affirmer. Puisque tu accomplis de telles œuvres, mani-
feste-toi au *monde[p]!» 5 En effet, ses frères eux-mêmes ne croyaient
pas en lui. 6 Jésus leur dit alors: «Mon temps n'est pas encore venu[q];
votre temps à vous est toujours favorable. 7 Le *monde ne peut pas
vous haïr, tandis que moi, il me hait parce que je témoigne que ses
œuvres sont mauvaises[r]. 8 Montez donc à cette fête. Pour ma part, je
n'y monterai pas, car mon temps n'est pas encore accompli.» 9 Après
avoir ainsi parlé, il demeura en Galilée. 10 Mais lorsque ses frères
furent partis pour la fête, il se mit en route, lui aussi, sans se faire voir
et presque secrètement.

Enseignements durant la fête des Tentes

11 Au cours de la fête, les *Juifs le cherchaient[s] et on disait: «Où est-
il donc?» 12 Dans la foule, on discutait beaucoup à son propos; les uns
disaient: «C'est un homme de bien», d'autres: «Au contraire, il séduit
la foule.» 13 Toutefois, personne n'osait parler ouvertement de lui, par
crainte des Juifs[t].

14 Alors qu'on était déjà au milieu de la fête, Jésus monta au *temple
et il se mit à enseigner. 15 Les Juifs en étaient surpris et ils disaient:
«Comment est-il si savant[u], lui qui n'a pas étudié?» 16 Jésus leur
répondit: «Mon enseignement ne vient pas de moi, mais de Celui qui
m'a envoyé[v]. 17 Si quelqu'un veut faire la volonté de Dieu, il saura si
cet enseignement vient de Dieu ou si je parle de moi-même. 18 Qui
parle de lui-même cherche sa propre gloire[w]; seul celui qui cherche la

m* *7.1 *les Juifs* : voir 1.19 et la note. — *le faire périr* 5.18+. ***n 7.2*** *La fêtes des Tentes* était célébrée par les Juifs à l'automne et coïncidait avec la fête des récoltes. Elle rappelait le séjour d'Israël au désert. Pendant toute la durée de la fête les familles habitaient sous des huttes dressées pour cette occasion. Jérusalem devenait alors un centre de pèlerinage ; Lv 23.34 ; Nb 29.12-30 ; Dt 16.13-16. ***o 7.3*** *ses frères* Mc 3.31+. ***p 7.4*** 2.18 ; 4.48 ; 6.30 ; voir Mt 12.38-40. ***q 7.6*** 2.4+. ***r 7.7*** *haï par le monde* 15.18. — *ses œuvres sont mauvaises* 3.19-21. ***s 7.11*** *la fête* : voir 7.2 et la note. — On cherche Jésus 11.56. ***t 7.13*** 9.22 ; 19.38 ; 20.19 ; voir 1.19 et la note. ***u 7.15*** Ou *Comment connaît-il les lettres ?* Il s'agit des éléments de la lecture et de l'écriture, que l'on enseignait à partir des livres de la Loi. L'expression désigne donc la formation propre aux scribes et aux experts des Ecritures saintes ; Mt 15.34 ; Lc 2.47. ***v 7.16*** 3.11-13, 31-35 ; 5.19-23 ; 12.49 ; 14.10. ***w 7.18*** 8.50.

gloire de celui qui l'a envoyé est véridique et il n'y a pas en lui d'imposture. 19 N'est-ce pas Moïse qui vous a donné la *Loi ? Or aucun de vous n'agit selon la Loi: pourquoi cherchez-vous à me faire mourir[x] ?» 20 La foule lui répondit: «Tu es possédé d'un *démon[y]! Qui cherche à te faire mourir ?» 21 Jésus reprit la parole et leur dit: «Je n'ai fait qu'une seule œuvre[z] et tous vous êtes étonnés. 22 Moïse vous a donné la *circoncision[a] — encore qu'elle vienne des patriarches et non pas de Moïse — et vous la pratiquez le jour du *sabbat. 23 Si donc un homme reçoit la circoncision un jour de sabbat sans que la loi de Moïse soit violée, pourquoi vous irriter contre moi parce que j'ai guéri complètement un homme un jour de sabbat[b] ? 24 Cessez de juger selon l'apparence, mais jugez selon ce qui est juste[c] !»

25 Des gens de Jérusalem disaient: «N'est-ce pas là celui qu'ils cherchent à faire mourir[d] ? 26 Le voici qui parle ouvertement et ils ne lui disent rien! Nos autorités auraient-elles vraiment reconnu qu'il est bien le Christ ? 27 Cependant celui-ci, nous savons d'où il est, tandis que, lorsque viendra le *Christ, nul ne saura d'où il est[e].» 28 Alors Jésus, qui enseignait dans le temple, proclama: «Vous me connaissez! Vous savez d'où je suis! Et pourtant, je ne suis pas venu de moi-même. Celui qui m'a envoyé est véridique, lui que vous ne connaissez pas. 29 Moi, je le connais parce que je viens d'auprès de lui et qu'il m'a envoyé[f].» 30 Ils cherchèrent alors à l'arrêter, mais personne ne mit la main sur lui parce que son heure n'était pas encore venue[g]. 31 Dans la foule bien des gens crurent en lui[h], et ils disaient: «Lorsque le Christ viendra, opérera-t-il plus de *signes que celui-ci n'en a fait ?»

32 Ce qui se chuchotait dans la foule à son sujet parvint aux oreilles des *Pharisiens: les *grands prêtres et les Pharisiens envoyèrent alors des gardes pour l'arrêter. 33 Jésus dit: «Je suis encore avec vous pour un peu de temps et je vais vers Celui qui m'a envoyé[i]. 34 Vous me chercherez et vous ne me trouverez pas; car là où je suis[j], vous ne pouvez venir.» 35 Les *Juifs dès lors se disaient entre eux: «Où faut-il donc

x* *7.19 *Moïse,* donateur de *la Loi* 1.17. — *aucun n'agit selon la Loi* Ac 7.53 ; Rm 2.21-24. — *chercher à faire mourir* Jésus Jn 5.18+. ***y* *7.20*** Mc 3.22+. ***z* *7.21*** 5.16. ***a* *7.22*** Gn 17.10-13 ; Lv 12.3 ; Rm 4.11. ***b* *7.23*** 5.8-9, 16 ; voir Mt 12.1+. ***c* *7.24*** *juger selon l'apparence* Es 11.3 ; Jn 8.15. — *jugement juste* Lv 19.15 ; Es 11.4. ***d* *7.25*** 5.18+. ***e* *7.27*** 9.29. ***f* *7.29*** 8.55 ; 17.25. ***g* *7.30*** *heure non encore venue* 2.4+. — Tentative d'appréhender Jésus 7.44. ***h* *7.31*** 2.23 ; 8.30 ; 10.42 ; 11.45 ; 12.11, 42 ; voir 12.18-19. ***i* *7.33*** *avec vous pour un peu de temps* 13.33 ; 16.16-19 ; voir 9.10. — *vers Celui qui m'a envoyé* 16.5 ; 17.18. — Le départ de Jésus 8.14, 21-22 ; 13.3, 36 ; 14.4-5, 28 ; 16.5, 10 ; 17.11, 13. ***j* *7.34*** *vous me chercherez...* 8.21 ; 13.33. — *là où je suis* 13.36 ; voir 17.24.

qu'il aille pour que nous ne le trouvions plus? Va-t-il rejoindre ceux
qui sont dispersés parmi les Grecs? Va-t-il enseigner aux Grecs[k]?
36 Que signifie cette parole qu'il a dite: "Vous me chercherez et vous
ne me trouverez pas", et "là où je suis, vous, vous ne pouvez venir"?»

Le dernier jour de la fête

37 Le dernier jour de la fête, qui est aussi le plus solennel, Jésus,
debout, se mit à proclamer: «Si quelqu'un a soif, qu'il vienne à moi et
que boive[l] 38 celui qui croit en moi. Comme l'a dit l'Ecriture: "De son
sein couleront des fleuves d'eau vive[m]."» 39 Il désignait ainsi l'Esprit
que devaient recevoir ceux qui croiraient en lui: en effet, il n'y avait
pas encore d'Esprit parce que Jésus n'avait pas encore été glorifié[n].
40 Parmi les gens de la foule qui avaient écouté ses paroles, les uns
disaient: «Vraiment, voici le Prophète[o]!» 41 D'autres disaient: «Le
*Christ, c'est lui.» Mais d'autres encore disaient: «Le Christ pourrait-
il venir de la Galilée[p]? 42 L'Ecriture ne dit-elle pas qu'il sera *de la
lignée de David* et qu'*il viendra de Bethléem*[q], la petite cité dont David
était originaire?» 43 C'est ainsi que la foule se divisa à son sujet[r].
44 Quelques-uns d'entre eux voulurent l'arrêter[s], mais personne ne mit
la main sur lui.
45 Les gardes revinrent donc vers les *grands prêtres et les *Phari-
siens qui leur dirent: «Pourquoi ne l'avez-vous pas amené?» 46 Les
gardes répondirent: «Jamais homme n'a parlé comme cet homme.»
47 Les Pharisiens leur dirent: «Auriez-vous donc été abusés, vous
aussi? 48 Parmi les notables[t] ou parmi les Pharisiens, en est-il un seul
qui ait cru en lui? 49 Il y a tout juste cette masse qui ne connaît pas la
*Loi, des gens maudits!» 50 Mais l'un d'entre les Pharisiens, ce Nico-
dème[u] qui naguère était allé trouver Jésus, dit: 51 «Notre Loi condam-
nerait-elle un homme sans l'avoir entendu[v] et sans savoir ce qu'il

***k* 7.35** 4.35-38 ; 12.20-24. – L'appellation *les Grecs* désigne ici les païens plutôt que les Juifs vivant en pays païen. Voir Rm 1.14 et la note. ***l* 7.37** *le dernier jour de la fête* Lv 23.36. – *venir à Jésus et boire* 4.10, 14. ***m* 7.38** La ponctuation adoptée ici suit la tradition la plus ancienne. Le v. 38 b est alors, avec le v. 39, une remarque de l'Evangéliste concernant Jésus. Autre ponctuation : *... qu'il vienne à moi et qu'il boive* ; v. 38 *celui qui croit en moi, comme l'a dit l'Ecriture...* La citation serait alors appliquée au croyant. – *des fleuves d'eau vive* Pr 18.4 ; Es 58.11 ; Za 14.8. ***n* 7.39** *l'Esprit,* après la *glorification* de Jésus 16.7 ; 20.22 ; Ac 2.4. – *glorification* de Jésus 1) au cours de son ministère terrestre : 1.14 ; 2.11 ; 11.4 ; 2) à l'heure de la croix : 12.16, 23, 28 ; 13.31-32 ; 17.5. ***o* 7.40** Voir 1.21 et la note ; 6.14 ; Mt 21.11+. ***p* 7.41** *le Christ, c'est lui* 4.29 ; Ac 9.22. – *venir de la Galilée* Jn 7.52 ; voir 1.46. ***q* 7.42** *de la lignée de David* 2 S 7.12 ; Ps 89.4-5 ; Jr 23.5. – *de Bethléem* Mi 5.1 ; Mt 2.5-6. ***r* 7.43** 9.16 ; 10.19 ; voir 3.19-21. ***s* 7.44** 7.30. ***t* 7.48** 12.42. ***u* 7.50** 3.1-2 ; 19.39. ***v* 7.51** Dt 1.16.

fait?» 52 Ils répliquèrent: «Serais-tu de Galilée, toi aussi? Cherche bien
et tu verras que de Galilée il ne sort pas de *prophète[w].»

La femme adultère

53 Ils s'en allèrent chacun chez soi[x].

8 1 Et Jésus gagna le mont des Oliviers[y]. 2 Dès le point du jour, il revint
au *temple et, comme tout le peuple venait à lui, il s'assit et se
mit à enseigner[z]. 3 Les *scribes et les *Pharisiens amenèrent alors une
femme qu'on avait surprise en adultère et ils la placèrent au milieu du
groupe. 4 «Maître, lui dirent-ils, cette femme a été prise en flagrant
délit d'adultère. 5 Dans la *Loi, Moïse nous a prescrit de lapider ces
femmes-là[a]. Et toi, qu'en dis-tu?» 6 Ils parlaient ainsi dans l'intention
de lui tendre un piège[b], pour avoir de quoi l'accuser. Mais Jésus, se
baissant, se mit à tracer du doigt des traits sur le sol. 7 Comme ils conti-
nuaient à lui poser des questions, Jésus se redressa et leur dit: «Que
celui d'entre vous qui n'a jamais péché lui jette la première pierre[c].»
8 Et s'inclinant à nouveau, il se remit à tracer des traits sur le sol.
9 Après avoir entendu ces paroles, ils se retirèrent l'un après l'autre[d], à
commencer par les plus âgés, et Jésus resta seul. Comme la femme
était toujours là, au milieu du cercle, 10 Jésus se redressa et lui dit:
«Femme, où sont-ils donc? Personne ne t'a condamnée?» 11 Elle
répondit: «Personne, Seigneur», et Jésus lui dit: «Moi non plus, je ne
te condamne pas: va, et désormais ne pèche plus[e].»

Jésus est la lumière du monde

12 Jésus, à nouveau, leur adressa la parole: «Je suis la lumière du
*monde. Celui qui vient à ma suite[f] ne marchera pas dans les ténè-
bres; il aura la lumière qui conduit à la *vie.» 13 Les *Pharisiens lui
dirent alors: «Tu te rends témoignage[g] à toi-même! Ton témoignage
n'est pas recevable!» 14 Jésus leur répondit: «Il est vrai que je me
rends témoignage à moi-même, et pourtant mon témoignage est rece-
vable, parce que je sais d'où je viens et où je vais; tandis que vous,
vous ne savez ni d'où je viens ni où je vais[h]. 15 Vous jugez de façon

w 7.52 1.46 ; 7.41. ***x 7.53*** Le passage 7.53—8.11 ne figure pas dans les manuscrits les plus anciens et les versions latine, syriaque, etc. Quelques manuscrits le situent ailleurs, en particulier à la fin de l'évangile. ***y 8.1*** Voir Mc 11.1 et la note ; Lc 21.37. ***z 8.2*** Mt 26.55. ***a 8.5*** Lv 20.10 ; Dt 22.22-24. ***b 8.6*** Mt 16.1+. ***c 8.7*** Dt 17.7. ***d 8.9*** Mt 12.22. ***e 8.11*** 5.14. ***f 8.12*** *lumière du monde* Es 49.6 ; Jn 1.4, 5, 9 ; 3.19-21 ; 9.5 ; 11.9-10 ; 12.35-36, 46 ; 1 Jn 1.5-7 ; 2.8-10. — *suivre* Jésus Jn 1.37-38, 43 ; 10.4, 27 ; 12.26 ; 13.36-37 ; 21.19, 22 ; voir Mt 4.19+. ***g 8.13*** 5.31. ***h 8.14*** Origine et destination de Jésus 13.3 ; 16.28. — L'origine de Jésus ignorée 7.28 ; 9.29.

purement humaine. Moi, je ne juge personne[i]; 16 et s'il m'arrive de juger, mon jugement est conforme à la vérité parce que je ne suis pas seul[j]: il y a aussi Celui qui m'a envoyé. 17 Dans votre propre *Loi il est d'ailleurs écrit que le témoignage de deux hommes[k] est recevable. 18 Je me rends témoignage à moi-même, et le Père qui m'a envoyé me rend témoignage lui aussi[l].» 19 Ils lui dirent alors: «Ton Père, où est-il?» Jésus répondit: «Vous ne me connaissez pas et vous ne connaissez pas mon Père; si vous m'aviez connu, vous auriez aussi connu mon Père[m].» 20 Il prononça ces paroles au lieu dit du Trésor, alors qu'il enseignait dans le *temple. Personne ne mit la main sur lui, parce que son heure n'était pas encore venue[n].

Le départ de Jésus et le jugement

21 Jésus leur dit encore: «Je m'en vais; vous me chercherez, mais vous mourrez dans votre péché. Là où je vais, vous ne pouvez aller[o].» 22 Les *Juifs dirent alors: «Aurait-il l'intention de se tuer puisqu'il dit: "Là où je vais, vous ne pouvez aller[p]"?» 23 Jésus leur répondit: «Vous êtes d'en bas; moi, je suis d'en haut; vous êtes de ce *monde, moi je ne suis pas de ce monde[q]. 24 C'est pourquoi je vous ai dit que vous mourrez dans vos péchés. Si, en effet, vous ne croyez pas que Je Suis[r], vous mourrez dans vos péchés.» 25 Ils dirent alors: «Toi, qui es-tu?» Jésus leur répondit: «Ce que je ne cesse de vous dire depuis le commencement[s]. 26 En ce qui vous concerne, j'ai beaucoup à dire et à juger; mais Celui qui m'a envoyé est véridique, et ce que j'ai entendu auprès de lui, c'est cela que je déclare au monde[t].» 27 Ils ne comprirent pas qu'il leur avait parlé du Père. 28 Jésus leur dit alors: «Lorsque vous aurez élevé le *Fils de l'homme, vous connaîtrez que Je Suis et que je ne fais rien de moi-même[u]: je dis ce que le Père m'a enseigné.

i 8.15 *jugement purement humain* 1 S 16.7 ; Jn 7.24 ; 1 Co 1.26 ; 2.8-16. – Jésus *ne juge personne* Jn 12.47. ***j 8.16*** *jugement* porté par Jésus 5.22-30 ; 9.39 ; voir 3.17-21 ; 12.47. – *pas seul* 5.37 ; 8.29. ***k 8.17*** Dt 17.6 ; 19.15 ; voir Nb 35.30. ***l 8.18*** 1 Jn 5.9. ***m 8.19*** *ni moi ni mon Père* 16.3. – Connaître Jésus, connaître le Père 14.7, 9-11. ***n 8.20*** *Le Trésor* pouvait désigner, par abréviation, l'esplanade attenante au bâtiment où l'on conservait le trésor du temple ; ou encore l'endroit de la cour des femmes où se trouvaient les troncs destinés à recevoir les offrandes Mc 12.41-43 ; Lc 21.1-4. – *heure non encore venue* Jn 2.4+. ***o 8.21*** 7.34, 36 ; 13.33. ***p 8.22*** 7.35. ***q 8.23*** *d'en bas... d'en haut* 3.31. – *de ce monde... pas de ce monde* 17.14. ***r 8.24*** 8.28, 58 ; 13.19 ; voir Ex 3.14-15 ; Dt 32.39 ; Es 41.4 ; 43.10-11 ; 48.12. ***s 8.25*** Ou *Faut-il seulement que je vous parle ?* ou encore : *D'abord ce que je vous dis ;* ou même : *absolument ce que je vous dis.* ***t 8.26*** *Celui qui m'a envoyé est véridique* 7.28. – Jésus, porte-parole du Père 7.17 ; 12.49 ; 14.10. ***u 8.28*** *élévation du Fils de l'homme* 3.14+ ; voir 12.32. – *rien de moi-même* 5.19+.

29 Celui qui m'a envoyé est avec moi : il ne m'a pas laissé seul, parce que je fais toujours ce qui lui plaît[v]. » 30 Alors qu'il parlait ainsi, beaucoup crurent en lui[w].

La véritable postérité d'Abraham

31 Jésus donc dit aux *Juifs qui avaient cru en lui : « Si vous demeurez dans ma parole[x], vous êtes vraiment mes *disciples, 32 vous connaîtrez la vérité[y] et la vérité fera de vous des hommes libres. » 33 Ils lui répliquèrent : « Nous sommes la descendance d'Abraham et jamais personne ne nous a réduits en esclavage[z] : comment peux-tu prétendre que nous allons devenir des hommes libres ? » 34 Jésus leur répondit : « En vérité, en vérité, je vous le dis, celui qui commet le péché est esclave du péché[a]. 35 L'esclave ne demeure pas toujours dans la maison[b] ; le fils, lui, y demeure pour toujours. 36 Dès lors, si c'est le Fils qui vous affranchit, vous serez réellement des hommes libres. 37 Vous êtes la descendance d'Abraham, je le sais ; mais parce que ma parole ne pénètre pas en vous, vous cherchez à me faire mourir[c]. 38 Moi, je dis ce que j'ai vu auprès de mon Père, tandis que vous, vous faites ce que vous avez entendu auprès de votre père ! » 39 Ils ripostèrent : « Notre père, c'est Abraham. » Jésus leur dit : « Si vous êtes enfants d'Abraham, faites donc les œuvres d'Abraham[d]. 40 Or, vous cherchez maintenant à me faire mourir, moi qui vous ai dit la vérité que j'ai entendue auprès de Dieu ; cela Abraham ne l'a pas fait. 41 Mais vous, vous faites les œuvres de votre père. » Ils lui répliquèrent : « Nous ne sommes pas nés de la prostitution ! Nous n'avons qu'un seul père, Dieu[e] ! » 42 Jésus leur dit : « Si Dieu était votre père, vous m'auriez aimé, car c'est de Dieu que je suis sorti et que je viens ; je ne suis pas venu de mon propre chef, c'est Lui qui m'a envoyé[f]. 43 Pourquoi ne comprenez-vous pas mon langage ? Parce que vous n'êtes pas capables d'écouter ma parole[g]. 44 Votre père, c'est le *diable, et vous avez la volonté de réaliser les désirs de votre père. Dès le commencement il s'est attaché à

v 8.29 *avec moi* Ex 3.12 ; Jos 1.5 ; 1 S 10.7 ; Jr 1.8 ; Am 5.14. — *Jésus ne reste pas seul* Jn 8.16 ; 16.32. — *toujours ce qui plaît à Dieu* 4.34 ; 5.30 ; 6.38. ***w 8.30*** 7.31+. ***x 8.31*** 15.7 ; voir 5.38 ; 6.56 ; 8.37 ; 2 Jn 9. ***y 8.32*** 1.14, 17 ; 14.6, 17 ; 15.26 ; 16.7, 13 ; 17.17-19 ; 18.37-38. ***z 8.33*** *descendance d'Abraham* Mt 3.9 ; Lc 3.8 ; Jn 8.39, 56 ; voir Rm 4.12 ; Ga 3.6-16. — *réduits en esclavage* Ne 9.36. ***a 8.34*** Rm 6.16, 20 ; 2 P 2.19. ***b 8.35*** Gn 21.9-14 ; voir Ex 21.2 ; Dt 15.12 ; Jr 2.14. ***c 8.37*** 5.18+. ***d 8.39*** *Abraham notre père* Mt 3.9 ; Jn 8.33. — *les œuvres d'Abraham* Gn 15.6 ; *Si* 44.20-21 ; Rm 4.3, 18, 20 ; He 11.8-19 ; Jc 2.21-24. ***e 8.41*** *prostitution* (idolâtrie) Os 1—3 ; Jr 3.1-4 ; Ez 16.33 ; Es 57.1-13. — *un seul père, Dieu* Dt 32.6 ; Es 63.16 ; 64.7. ***f 8.42*** *avoir Dieu pour père et aimer Jésus* 1 Jn 5.1. — Jésus *vient* de Dieu Jn 13.3 ; 16.28 ; 17.8. — Jésus, *envoyé* de Dieu 7.28 ; 17.8. ***g 8.43*** 18.37.

faire mourir l'homme ; il ne s'est pas tenu dans la vérité parce qu'il n'y a
pas en lui de vérité. Lorsqu'il profère le mensonge, il puise dans son
propre bien parce qu'il est menteur et père du mensonge[h]. 45 Quant à
moi, c'est parce que je dis la vérité que vous ne me croyez pas. 46 Qui de
vous me convaincra de péché[i]? Si je dis la vérité, pourquoi ne me
croyez-vous pas ? 47 Celui qui est de Dieu écoute les paroles de Dieu[j] ; et
c'est parce que vous n'êtes pas de Dieu que vous ne m'écoutez pas. »
48 Les *Juifs lui répondirent : « N'avons-nous pas raison de dire que tu es
un Samaritain et un possédé[k] ? » 49 Jésus leur répliqua : « Non, je ne suis
pas un possédé ; mais j'honore mon Père, tandis que vous, vous me dés-
honorez ! 50 Je n'ai d'ailleurs pas à chercher ma propre gloire[l] : il y a
Quelqu'un qui y pourvoit et qui juge. 51 En vérité, en vérité, je vous le
dis, si quelqu'un garde ma parole, il ne verra jamais la mort[m]. » 52 Les
Juifs lui dirent alors : « Nous savons maintenant que tu es un possédé !
Abraham est mort, et les *prophètes aussi, et toi, tu viens dire : "Si
quelqu'un garde ma parole, il ne fera jamais l'expérience de la mort[n]."
53 Serais-tu plus grand que notre père Abraham, qui est mort[o] ? Et les
prophètes aussi sont morts ! Pour qui te prends-tu donc ? » 54 Jésus leur
répondit : « Si je me glorifiais moi-même, ma gloire ne signifierait rien.
C'est mon Père qui me glorifie, lui dont vous affirmez qu'il est votre
Dieu. 55 Vous ne l'avez pas connu tandis que moi, je le connais[p]. Si je
disais que je ne le connais pas, je serais, tout comme vous, un menteur ;
mais je le connais et je garde sa parole. 56 Abraham, votre père, a exulté à
la pensée de voir mon *Jour[q] : il l'a vu et il a été transporté de joie. »
57 Sur quoi, les Juifs lui dirent : « Tu n'as même pas cinquante ans et tu as
vu Abraham ! » 58 Jésus leur répondit : « En vérité, en vérité, je vous le dis,
avant qu'Abraham fût, Je Suis[r]. » 59 Alors, ils ramassèrent des pierres
pour les lancer contre lui[s], mais Jésus se déroba et sortit du *temple.

La guérison d'un aveugle

9 1 En passant, Jésus vit un homme aveugle de naissance. 2 Ses disci-
ples lui posèrent cette question : « Rabbi, qui a péché pour qu'il
soit né aveugle, lui ou ses parents[t] ? » 3 Jésus répondit : « Ni lui ni ses

h 8.44 *réaliser les désirs du diable* 1 Jn 3.8. — *le diable*, menteur dès l'origine Gn 3.4 ; voir Ap 12.9 ; et meurtrier voir *Sg* 1.13-16 ; 2.24 ; Rm 5.12 ; 1 Jn 3.8-15. ***i* 8.46** 2 Co 5.21 ; 1 P 2.22 ; 1 Jn 3.5 ; voir He 4.15. ***j* 8.47** 18.37 ; 1 Jn 4.6. ***k* 8.48** *un Samaritain* 4.9 ; Mt 10.5 et la note. — Jésus accusé d'être *possédé* Mc 3.22 + ; Lc 11.15-26 ; Jn 7.20 ; 10.20 ; voir Mt 11.18-19. ***l* 8.50** 5.41. ***m* 8.51** 5.24 ; 8.24, 31 ; voir 11.25-26. ***n* 8.52** Mc 9.1 ; He 2.9. ***o* 8.53** 4.12. ***p* 8.55** Mt 11.27 ; Lc 10.22 ; Jn 7.28-29 ; 17.25. ***q* 8.56** Am 5.18 ; Es 13.6 ; Ez 30.3 ; Jl 1.15, etc. ; Lc 17.24 ; 1 Co 1.8 ; 5.5 ; 2 Co 1.14. — *voir le Jour* du Christ : voir Jn 12.41. ***r* 8.58** *avant Abraham* 1.1-3. — *Je Suis* 8.24+. ***s* 8.59** 10.31 ; 11.8. ***t* 9.2** *Rabbi* ; voir 1.38 et la note. — Punition du *péché* Ex 20.5 ; Ez 18.20 ; Ps 38.2-6 ; Lc 13.2, 4.

parents. Mais c'est pour que les œuvres de Dieu se manifestent en lui[u]! 4 Tant qu'il fait jour, il nous faut travailler aux œuvres de Celui qui m'a envoyé: la nuit vient où personne ne peut travailler[v]; 5 aussi longtemps que je suis dans le monde, je suis la lumière du *monde[w].»

6 Ayant ainsi parlé, Jésus cracha à terre, fit de la boue avec la salive et l'appliqua sur les yeux de l'aveugle[x]; 7 et il lui dit: «Va te laver à la piscine de Siloé[y]» — ce qui signifie *Envoyé.* L'aveugle y alla, il se lava et, à son retour, il voyait.

8 Les gens du voisinage et ceux qui auparavant avaient l'habitude de le voir — car c'était un mendiant — disaient: «N'est-ce pas celui qui était assis à mendier[z]?» 9 Les uns disaient: «C'est bien lui!» D'autres disaient: «Mais non, c'est quelqu'un qui lui ressemble.» Mais l'aveugle affirmait: «C'est bien moi.» 10 Ils lui dirent donc: «Et alors, tes yeux, comment se sont-ils ouverts?» 11 Il répondit: « L'homme qu'on appelle Jésus a fait de la boue, m'en a frotté les yeux et m'a dit: "Va à Siloé et lave-toi." Alors moi, j'y suis allé, je me suis lavé et j'ai retrouvé la vue.» 12 Ils lui dirent: «Où est-il, celui-là?» Il répondit: «Je n'en sais rien.»

13 On conduisit chez les *Pharisiens celui qui avait été aveugle. 14 Or c'était un jour de *sabbat[a] que Jésus avait fait de la boue et lui avait ouvert les yeux. 15 A leur tour, les Pharisiens lui demandèrent comment il avait recouvré la vue. Il leur répondit: «Il m'a appliqué de la boue sur les yeux, je me suis lavé, je vois.» 16 Parmi les Pharisiens, les uns disaient: «Cet individu n'observe pas le sabbat, il n'est donc pas de Dieu.» Mais d'autres disaient: «Comment un homme *pécheur aurait-il le pouvoir d'opérer de tels *signes?» Et c'était la division entre eux[b]. 17 Alors, ils s'adressèrent à nouveau à l'aveugle: «Et toi, que dis-tu de celui qui t'a ouvert les yeux?» Il répondit: «C'est un *prophète[c].» 18 Mais tant qu'ils n'eurent pas convoqué ses parents, les *Juifs refusèrent de croire qu'il avait été aveugle et qu'il avait recouvré la vue. 19 Ils posèrent cette question aux parents: «Cet homme est-il bien votre fils dont vous prétendez qu'il est né aveugle? Alors comment voit-il maintenant?» 20 Les parents leur répondirent: «Nous sommes certains que c'est bien notre fils et qu'il est né aveugle. 21 Comment maintenant il voit, nous l'ignorons. Qui lui a ouvert les

***u* 9.3** 11.4. ***v* 9.4** *travailler aux œuvres de Dieu* 5.17. — *la nuit...* 11.10. ***w* 9.5** 8.12+. ***x* 9.6** Mc 8.23 ; voir 7.33. ***y* 9.7** *va te laver* 2 R 5.10. — *La piscine de Siloé* était située à l'intérieur des murs de Jérusalem ; 2 R 20.20 ; Es 8.6 ; Ne 3.15. ***z* 9.8** Ac 3.8. ***a* 9.14** 5.9+. ***b* 9.16** *être de Dieu* 3.2 ; 9.33. — *il n'observe pas le sabbat* 5.16, 18. — *un pécheur n'aurait pas ce pouvoir* 9.31 ; voir 3.2+ ; Dt 13.1-6. — *divisés* au sujet de Jésus Jn 7.43+. ***c* 9.17** Mt 16.14+ ; voir Jn 7.40.

yeux? Nous l'ignorons. Interrogez-le, il est assez grand, qu'il
s'explique lui-même à son sujet!» 22 Ses parents parlèrent ainsi parce
qu'ils avaient peur des Juifs. Ceux-ci étaient déjà convenus d'exclure
de la *synagogue[d] quiconque confesserait que Jésus est le *Christ.
23 Voilà pourquoi les parents dirent: «Il est assez grand, interrogez-le.»
24 Une seconde fois, les Pharisiens appelèrent l'homme qui avait été
aveugle et ils lui dirent: «Rends gloire à Dieu[e]! Nous savons, nous,
que cet homme est un pécheur.» 25 Il leur répondit: «Je ne sais si c'est
un pécheur; je ne sais qu'une chose: j'étais aveugle et maintenant je
vois.» 26 Ils lui dirent: «Que t'a-t-il fait? Comment t'a-t-il ouvert les
yeux?» 27 Il leur répondit: «Je vous l'ai déjà raconté, mais vous n'avez
pas écouté! Pourquoi voulez-vous l'entendre encore une fois?
N'auriez-vous pas le désir de devenir ses *disciples vous aussi?» 28 Les
Pharisiens se mirent alors à l'injurier et ils disaient: «C'est toi qui es
son disciple! Nous, nous sommes disciples de Moïse. 29 Nous savons
que Dieu a parlé à Moïse tandis que celui-là, nous ne savons pas d'où
il est[f]!» 30 L'homme leur répondit: «C'est bien là, en effet, l'étonnant:
que vous ne sachiez pas d'où il est, alors qu'il m'a ouvert les yeux!
31 Dieu, nous le savons, n'exauce pas les pécheurs; mais si un homme
est pieux et fait sa volonté, Dieu l'exauce[g]. 32 Jamais on n'a entendu
dire que quelqu'un ait ouvert les yeux d'un aveugle de naissance. 33 Si
cet homme n'était pas de Dieu, il ne pourrait rien faire[h].» 34 Ils ripostè-
rent: «Tu n'es que péché depuis ta naissance[i] et tu viens nous faire la
leçon!»; et ils le jetèrent dehors.
35 Jésus apprit qu'ils l'avaient chassé. Il vint alors le trouver et lui dit:
«Crois-tu, toi, au *Fils de l'homme[j]?» 36 Et lui de répondre: «Qui est-
il, Seigneur, pour que je croie en lui?» 37 Jésus lui dit: «Eh bien! Tu l'as
vu, c'est celui qui te parle[k].» 38 L'homme dit: «Je crois, Seigneur» et il
se prosterna devant lui. 39 Et Jésus dit alors: «C'est pour un jugement
que je suis venu dans le monde, pour que ceux qui ne voyaient pas
voient, et que ceux qui voyaient deviennent aveugles[l].» 40 Les Phari-
siens qui étaient avec lui entendirent ces paroles et lui dirent: «Est-ce
que, par hasard, nous serions des aveugles[m], nous aussi?» 41 Jésus leur
répondit: «Si vous étiez des aveugles, vous n'auriez pas de péché[n].
Mais à présent vous dites "nous voyons": votre péché demeure.

d* *9.22 *par crainte des Juifs* 7.13+ ; voir 1.19 et la note. — Décision d'exclusion 12.42 ; 16.2. ***e 9.24*** Jos 7.19 ; Ap 11.13. ***f 9.29*** 7.27, 28 ; 8.14. ***g 9.31*** *Dieu n'exauce pas les pécheurs* Es 1.15 ; Ps 66.18 ; 109.7 ; Jb 27.9 ; 35.13 ; *mais celui qui fait sa volonté* Ps 34.16 ; Pr 15.29 ; Jn 16.23-27 ; 1 Jn 3.21-22. ***h 9.33*** Un signe probant 3.2+. ***i 9.34*** Ps 51.7 ; Jn 9.2. ***j 9.35*** Mt 8.20+ ; Jn 1.51 ; 3.14-15 ; 6.62-63. ***k 9.37*** 4.26. ***l 9.39*** 3.17 ; 5.22, 27, 30 ; 8.15-16 ; 12.47 ; voir Mc 4.11-12. ***m 9.40*** *Pharisiens aveugles* Mt 15.14 ; 23.26. ***n 9.41*** 15.22.

La parabole du berger

10 1 «En vérité, en vérité, je vous le dis, celui qui n'entre pas par
la porte dans l'enclos des brebis[o] mais qui escalade par un
autre côté, celui-là est un voleur et un brigand. 2 Mais celui qui entre
par la porte est le *berger des brebis. 3 Celui qui garde la porte lui
ouvre, et les brebis écoutent sa voix; les brebis qui lui appartiennent,
il les appelle, chacune par son nom, et ils les emmène dehors.
4 Lorsqu'il les a toutes fait sortir, il marche à leur tête et elles le suivent
parce qu'elles connaissent sa voix[p]. 5 Jamais elles ne suivront un
étranger; bien plus, elles le fuiront parce qu'elles ne connaissent pas
la voix des étrangers.» 6 Jésus leur dit cette *parabole[q], mais ils ne
comprirent pas la portée de ce qu'il disait. 7 Jésus reprit: «En vérité, en
vérité, je vous le dis, je suis la porte des brebis. 8 Tous ceux qui sont
venus avant moi[r] sont des voleurs et des brigands, mais les brebis ne
les ont pas écoutés. 9 Je suis la porte: si quelqu'un entre par moi, il
sera sauvé, il ira et viendra et trouvera de quoi se nourrir[s]. 10 Le voleur
ne se présente que pour voler, pour tuer et pour perdre; moi, je suis
venu pour que les hommes aient la *vie et qu'ils l'aient en abondance.
11 «Je suis le bon berger: le bon berger se dessaisit de sa vie pour ses
brebis[t]. 12 Le mercenaire, qui n'est pas vraiment un berger et à qui les
brebis n'appartiennent pas, voit-il venir le loup[u], il abandonne les
brebis et prend la fuite; et le loup s'en empare et les disperse. 13 C'est
qu'il est mercenaire et que peu lui importent les brebis. 14 Je suis le bon
berger, je connais mes brebis[v] et mes brebis me connaissent, 15 comme
mon Père me connaît et que je connais mon Père[w]; et je me dessaisis
de ma vie pour les brebis. 16 J'ai d'autres brebis qui ne sont pas de cet
enclos et celles-là aussi, il faut que je les mène; elles écouteront ma
voix et il y aura un seul troupeau et un seul berger[x]. 17 Le Père m'aime
parce que je me dessaisis de ma vie pour la reprendre ensuite[y].
18 Personne ne me l'enlève mais je m'en dessaisis de moi-même; j'ai le

o 10.1 Pendant la nuit les troupeaux étaient parqués à l'intérieur d'un enclos de pierres sèches sous la surveillance d'un gardien. ***p 10.4*** v. 27. ***q 10.6*** *parabole* 16.25. ***r 10.8*** Jr 23.1-2 ; Ez 34.2-3. ***s 10.9*** *la porte* Gn 28.17 ; Ps 118.20 ; Mt 7.13-14 ; 25.10 ; Lc 11.52 ; voir Jn 14.6. — *sauvé* 3.17. — *de quoi se nourrir* ou *un pâturage*. ***t 10.11*** *berger* 1) Dieu Ps 23.1 ; Es 40.11 ; Jr 31.9 ; Ez 34.15 ; 2) le Messie Ps 78.70-72 ; Ez 37.24 ; 3) les chefs Jr 2.8 ; 10.21 ; 23.1-3 ; Ez 34 ; 4) Mc 6.34 ; 14.27 ; Mt 9.36 ; 18.12-14 ; 25.32 ; 26.31 ; Lc 15.3-7 ; 5) He 13.20 ; Ap 7.17. — *se dessaisir de sa vie pour...* Mc 10.45 ; Jn 6.51 ; 10.15 ; 11.51-52 ; 15.13 ; 18.14 ; 1 Jn 3.16 ; voir Rm 5.8. ***u 10.12*** *loup* Ac 20.29. ***v 10.14*** 10.27 ; 2 Tm 2.19. ***w 10.15*** Mt 11.27. ***x 10.16*** *d'autres brebis* à conduire Es 56.8 ; Jn 11.52 ; 1 P 2.25 ; voir Jn 4.35-38 ; 17.20 ; Ga 3.28 ; Col 3.11. — *un seul berger* Ez 34.23 ; 37.24. ***y 10.17*** Ph 2.8-9.

pouvoir de m'en dessaisir et j'ai le pouvoir de la reprendre: tel est le
commandement que j'ai reçu de mon Père[z].»
19 Ces paroles provoquèrent à nouveau la division parmi les *Juifs[a].
20 Beaucoup d'entre eux disaient: «Il est possédé[b], il déraisonne, pour-
quoi l'écoutez-vous?» 21 Mais d'autres disaient: «Ce ne sont pas là
propos de possédé; un *démon pourrait-il ouvrir les yeux d'un
aveugle?»

Déclaration solennelle et accusation de blasphème

22 On célébrait alors à Jérusalem la fête de la Dédicace[c]. C'était
l'hiver. 23 Au *temple, Jésus allait et venait sous le portique de Salo-
mon[d]. 24 Les *Juifs firent cercle autour de lui et lui dirent: «Jusqu'à
quand vas-tu nous tenir en suspens? Si tu es le *Christ, dis-le-nous[e]
ouvertement!» 25 Jésus leur répondit: «Je vous l'ai dit et vous ne
croyez pas. Les œuvres que je fais au nom de mon Père me rendent
témoignage[f], 26 mais vous ne me croyez pas[g], parce que vous n'êtes
pas de mes brebis. 27 Mes brebis écoutent ma voix[h] et je les connais et
elles viennent à ma suite. 28 Et moi, je leur donne la *vie éternelle;
elles ne périront jamais et personne ne pourra les arracher de ma
main[i]. 29 Mon Père qui me les a données est plus grand que tout, et nul
n'a le pouvoir d'arracher quelque chose de la main du Père[j]. 30 Moi et
le Père nous sommes un[k].»
31 Les Juifs, à nouveau, ramassèrent des pierres pour le lapider[l].
32 Mais Jésus reprit: «Je vous ai fait voir tant d'œuvres belles qui
venaient du Père. Pour laquelle de ces œuvres voulez-vous me
lapider?» 33 Les Juifs lui répondirent: «Ce n'est pas pour une belle
œuvre que nous voulons te lapider, mais pour un *blasphème, parce
que toi qui es un homme tu te fais Dieu[m].» 34 Jésus leur répondit:
«N'a-t-il pas été écrit dans votre *Loi: *J'ai dit: vous êtes des dieux*[n]?
35 Il arrive donc à la Loi d'appeler dieux ceux auxquels la parole de
Dieu fut adressée. Or nul ne peut abolir l'Ecriture[o]. 36 A celui que le

z* *10.18 14.31 ; 15.10. ***a* *10.19*** 7.43+. ***b* *10.20*** Mc 3.22+. ***c* *10.22*** Fête célébrée à Jérusalem vers la fin de décembre pour commémorer la purification du temple. Cette purification suivit la victoire remportée par Judas Maccabée sur le roi de Syrie Antiochus IV. Voir *1 M* 4.36-59 ; *2 M* 1.9, 18 ; 10.1-8. ***d* *10.23*** Ac 3.11 ; 5.12. ***e* *10.24*** *dis-le* Lc 22.67 ; Jn 2.18 ; 8.25. ***f* *10.25*** *les œuvres...* 5.36+. ***g* *10.26*** 6.64 ; 8.45. ***h* *10.27*** *écouter* Jn 8.47 ; 10.3. ***i* *10.28*** *donner la vie éternelle* 17.2. – *elles ne périront jamais* 3.16. – *personne ne les arrachera...* 6.39 ; 17.12 ; 18.9. ***j* *10.29*** Variante : *ce que mon Père m'a donné est plus grand que tout.* – *nul n'a le pouvoir...* Es 43.13. ***k* *10.30*** 5.17-19 ; 17.11, 21. ***l* *10.31*** 8.59+. ***m* *10.33*** *pour un blasphème* Mt 9.3+. – *tu te fais Dieu* Jn 5.18. ***n* *10.34*** *la Loi* (= l'Ecriture) 7.49 ; 12.34 ; 15.25. – *j'ai dit...* Ps 82.6. ***o* *10.35*** Mt 5.18 ; Lc 16.17.

Père a consacré et envoyé dans le *monde, vous dites: "Tu blas-
phèmes", parce que j'ai affirmé que je suis le Fils de Dieu[p]. 37 Si je ne
fais pas les œuvres de mon Père, ne me croyez pas! 38 Mais si je les
fais, quand bien même vous ne me croiriez pas, croyez en ces œuvres,
afin que vous connaissiez et que vous sachiez bien que le Père est en
moi comme je suis dans le Père[q].» 39 Alors, une fois de plus, ils cher-
chèrent à l'arrêter, mais il échappa de leurs mains[r]. 40 Jésus s'en
retourna au-delà du Jourdain, à l'endroit où Jean avait commencé à
baptiser[s], et il y demeura. 41 Beaucoup vinrent à lui et ils disaient:
«Jean, certes, n'a opéré aucun *signe, mais tout ce qu'il a dit de cet
homme était vrai[t].» 42 Et là, ils furent nombreux à croire en lui[u].

Jésus rend la vie à un mort

11 1 Il y avait un homme malade; c'était Lazare de Béthanie, le
village de Marie et de sa sœur Marthe[v]. 2 Il s'agit de cette
même Marie qui avait oint le Seigneur d'une huile parfumée et lui
avait essuyé les pieds avec ses cheveux; c'était son frère Lazare qui
était malade[w]. 3 Les sœurs envoyèrent dire à Jésus: «Seigneur, celui
que tu aimes[x] est malade.»

4 Dès qu'il l'apprit, Jésus dit: «Cette maladie n'aboutira pas à la
mort, elle servira à la gloire de Dieu[y]: c'est par elle que le Fils de Dieu
doit être glorifié.» 5 Or Jésus aimait Marthe et sa sœur et Lazare.
6 Cependant, alors qu'il savait Lazare malade, il demeura deux jours
encore à l'endroit où il se trouvait. 7 Après quoi seulement, il dit aux
disciples: «Retournons en Judée.» 8 Les disciples lui dirent: «Rabbi,
tout récemment encore les *Juifs cherchaient à te lapider[z]; et tu veux
retourner là-bas?» 9 Jésus répondit: «N'y a-t-il pas douze heures de
jour? Si quelqu'un marche de jour, il ne trébuche pas parce qu'il voit
la lumière de ce *monde[a]; 10 mais si quelqu'un marche de nuit, il tré-
buche parce que la lumière n'est pas en lui[b].»

11 Après avoir prononcé ces paroles, il ajouta: «Notre ami Lazare

p 10.36 *envoyé et consacré* Jr 1.5 ; *Si* 49.7 ; Jn 6.69 ; 17.17-19. — *Fils de Dieu* 5.17-20 ; 10.30, 38. ***q 10.38*** 14.10-11 ; 17.21. ***r 10.39*** Tentative (manquée) d'arrestation 7.30, 44 ; 8.20. — Jésus s'esquive Lc 4.30. ***s 10.40*** 1.28 ; voir 3.23. ***t 10.41*** 1.29, 34 ; 3.28 ; 5.33-36. ***u 10.42*** 7.31+. ***v 11.1*** *Lazare* : nom probablement assez courant à l'époque de Jésus ; forme abrégée d'*Eléazar* (Dieu l'aide). — *Béthanie* Mt 21.17+ ; voir Mc 11.1 et la note. — *Marthe et Marie* Lc 10.38-39+. ***w 11.2*** 12.3 ; Mt 26.6-13 ; Mc 14.3-9 ; voir Lc 7.36-50. ***x 11.3*** 11.36. ***y 11.4*** 9.3 ; voir 1.14 ; 7.39 ; 12.16, 23, 28 ; 13.31, 32 ; 17.1-5. ***z 11.8*** 8.59+ ; voir 5.18 ; 7.1, 19-20, 25 ; 8.37, 40. — *Rabbi* : voir 1.38 et la note. ***a 11.9*** v. 9-10 : dans *la lumière* ou dans *la nuit* 12.35 ; 13.30 ; voir Lc 22.53. — *lumière du monde* Jn 8.12+. ***b 11.10*** Mt 6.23 ; Lc 11.35.

s'est endormi[c], mais je vais aller le réveiller.» 12 Les disciples lui dirent donc: «Seigneur, s'il s'est endormi, il sera sauvé.» 13 En fait, Jésus avait voulu parler de la mort de Lazare, alors qu'ils se figuraient, eux, qu'il parlait de l'assoupissement du sommeil. 14 Jésus leur dit alors ouvertement: «Lazare est mort, 15 et je suis heureux pour vous de n'avoir pas été là, afin que vous croyiez. Mais allons à lui!» 16 Alors Thomas, celui que l'on appelle Didyme, dit aux autres disciples: «Allons, nous aussi, et nous mourrons avec lui[d].»

17 A son arrivée, Jésus trouva Lazare au tombeau; il y était depuis quatre jours déjà. 18 Comme Béthanie est distante de Jérusalem d'environ quinze stades[e], 19 beaucoup de *Juifs étaient venus chez Marthe et Marie pour les consoler au sujet de leur frère. 20 Lorsque Marthe apprit que Jésus arrivait, elle alla au-devant de lui, tandis que Marie était assise dans la maison. 21 Marthe dit à Jésus: «Seigneur, si tu avais été ici, mon frère ne serait pas mort[f]. 22 Mais maintenant encore, je sais que tout ce que tu demanderas à Dieu, Dieu te le donnera.» 23 Jésus lui dit: «Ton frère ressuscitera.» 24 «Je sais, répondit-elle, qu'il ressuscitera lors de la résurrection, au dernier *jour[g].» 25 Jésus lui dit: «Je suis la Résurrection et la *Vie: celui qui croit en moi, même s'il meurt, vivra[h]; 26 et quiconque vit et croit en moi ne mourra jamais[i]. Crois-tu cela?» 27 «Oui, Seigneur, répondit-elle, je crois que tu es le *Christ, le Fils de Dieu, Celui qui vient dans le monde[j].» 28 Là-dessus, elle partit appeler sa sœur Marie et lui dit tout bas: «Le Maître est là et il t'appelle.» 29 A ces mots, Marie se leva immédiatement et alla vers lui. 30 Jésus, en effet, n'était pas encore entré dans le village; il se trouvait toujours à l'endroit où Marthe l'avait rencontré. 31 Les Juifs étaient avec Marie dans la maison et ils cherchaient à la consoler. Ils la virent se lever soudain pour sortir, ils la suivirent: ils se figuraient qu'elle se rendait au tombeau pour s'y lamenter. 32 Lorsque Marie parvint à l'endroit où se trouvait Jésus, dès qu'elle le vit, elle tomba à ses pieds et lui dit: «Seigneur, si tu avais été ici, mon frère ne serait pas mort[k].» 33 Lorsqu'il les vit se lamenter, elle et les Juifs qui l'accompagnaient, Jésus frémit intérieurement et il se troubla. 34 Il dit: «Où l'avez-vous déposé?» Ils répondirent: «Seigneur, viens voir.» 35 Alors Jésus pleura[l]; 36 et les Juifs disaient: «Voyez

c 11.11 Mt 9.24+ ; 1 Co 11.30 ; voir Rm 13.11 ; Ep 5.14. ***d 11.16*** *Thomas* Mt 10.3+ ; Mc 3.18 ; Ac 1.13. – *Didyme* surnom qui signifie *le jumeau*. – *mourir avec Jésus* Mc 14.31 ; Rm 6.8 ; voir Jn 12.25. ***e 11.18*** Un peu moins de 3 km. Voir au glossaire POIDS ET MESURES. – *Béthanie* Mt 21.17+. ***f 11.21*** v. 32. ***g 11.24*** Dn 12.2 ; *2 M* 12.44 ; Jn 5.28-29 ; 6.39-40 ; Ac 24.15. ***h 11.25*** 5.26-29 ; 6.39-40, 44, 54. ***i 11.26*** 8.51. ***j 11.27*** *je crois que tu es...* 6.69 *le Christ, le Fils de Dieu* Mt 16.16, *Celui qui vient dans le monde* Jn 1.9 ; 6.14 ; voir Mt 3.11 + ; Lc 7.19. ***k 11.32*** v. 21. ***l 11.35*** Lc 19.41.

comme il l'aimait[m]!» 37 Mais quelques-uns d'entre eux dirent: «Celui
qui a ouvert les yeux de l'aveugle[n] n'a pas été capable d'empêcher
Lazare de mourir.» 38 Alors, à nouveau, Jésus frémit intérieurement et
il s'en fut au tombeau; c'était une grotte dont une pierre recouvrait
l'entrée[o]. 39 Jésus dit alors: «Enlevez cette pierre.» Marthe, la sœur du
défunt, lui dit: «Seigneur, il doit déjà sentir... Il y a en effet quatre
jours...» 40 Mais Jésus lui répondit: «Ne t'ai-je pas dit que, si tu crois,
tu verras la gloire de Dieu?» 41 On ôta donc la pierre. Alors, Jésus leva
les yeux[p] et dit: «Père, je te rends grâce de ce que tu m'as exaucé.
42 Certes, je savais bien que tu m'exauces toujours, mais j'ai parlé à
cause de cette foule qui m'entoure, afin qu'ils croient que tu m'as
envoyé[q].» 43 Ayant ainsi parlé, il cria d'une voix forte: «Lazare, sors!»
44 Et celui qui avait été mort sortit, les pieds et les mains attachés par
des bandes, et le visage enveloppé d'un linge[r]. Jésus dit aux gens:
«Déliez-le et laissez-le aller!»

(Mt 26.1-5; Mc 14.1-2; Lc 22.1-2)

45 Beaucoup de ces Juifs qui étaient venus auprès de Marie et qui
avaient vu ce que Jésus avait fait, crurent en lui[s]. 46 Mais d'autres s'en
allèrent trouver les *Pharisiens et leur racontèrent ce que Jésus avait
fait. 47 Les *grands prêtres et les Pharisiens réunirent alors un conseil
et dirent: «Que faisons-nous? Cet homme opère beaucoup de *signes.
48 Si nous le laissons continuer ainsi, tous croiront en lui, les Romains
interviendront et ils détruiront et notre saint Lieu[t] et notre nation.»
49 L'un d'entre eux, Caïphe[u], qui était Grand Prêtre en cette année-là,
dit: «Vous n'y comprenez rien 50 et vous ne percevez même pas que
c'est votre avantage qu'un seul homme meure pour le peuple et que la
nation ne périsse pas tout entière[v].» 51 Ce n'est pas de lui-même qu'il
prononça ces paroles, mais, comme il était Grand Prêtre en cette
année-là, il fit cette *prophétie qu'il fallait que Jésus meure pour la
nation 52 et non seulement pour elle, mais pour réunir dans l'unité[w] les
enfants de Dieu qui sont dispersés. 53 C'est ce jour-là donc qu'ils décidèrent de le faire périr[x]. 54 De son côté, Jésus s'abstint désormais

m 11.36 v. 3. ***n 11.37*** 9.6. ***o 11.38*** Dans la Palestine du temps de Jésus les tombes étaient souvent creusées à flanc de coteau dans le rocher et fermées par une grosse pierre ronde et plate ; Mc 15.46 par. ; Lc 24.2 ; Jn 20.1. ***p 11.41*** Mc 6.41 ; Lc 18.13 ; Jn 17.1 ; Ac 7.55. ***q 11.42*** *exaucement* 15.7, 16 ; 16.23-24 ; 1 Jn 3.21-22 ; 5.14-15. — *à cause de cette foule* Jn 12.30. — *qu'ils croient que tu m'as envoyé* 6.29 ; 17.8, 21. ***r 11.44*** *bandes et suaire* 20.6-7. ***s 11.45*** 7.31 + ; voir Lc 16.31. ***t 11.48*** Cette expression peut désigner soit la ville de Jérusalem dans son ensemble soit le temple en particulier ; *2 M* 3.18, 30 ; Ac 6.13-14 ; 7.7. ***u 11.49*** *Caïphe* Lc 3.2+. ***v 11.50*** 18.14. ***w 11.52*** 10.16 ; 17.21-23. ***x 11.53*** Mt 14.5 ; Jn 5.18 ; 7.1, 25 ; 8.37, 40.

d'aller et de venir ouvertement parmi les Juifs : il se retira dans la région proche du désert, dans une ville nommée Ephraïm, où il séjourna avec ses disciples[y].

L'onction de Béthanie

(Mt 26.6-13 ; Mc 14.3-9 ; voir Lc 7.36-38)

55 Cependant la *Pâque des Juifs était proche. A la veille de cette Pâque, beaucoup de gens montèrent de la campagne à Jérusalem pour se *purifier[z]. 56 Ils cherchaient Jésus[a] et, dans le *temple où ils se tenaient, ils se disaient entre eux : « Qu'en pensez-vous ? Jamais il ne viendra à la fête ! » 57 Les *grands prêtres et les *Pharisiens avaient donné des ordres : quiconque saurait où il était devait le dénoncer afin qu'on se saisisse de lui.

12

1 Six jours avant la *Pâque, Jésus arriva à Béthanie[b] où se trouvait Lazare qu'il avait relevé d'entre les morts. 2 On y offrit un dîner en son honneur : Marthe servait[c] tandis que Lazare se trouvait parmi les convives. 3 Marie prit alors une livre d'un parfum de nard pur de grand prix ; elle oignit les pieds de Jésus[d], les essuya avec ses cheveux et la maison fut remplie de ce parfum. 4 Alors Judas Iscariote, l'un de ses disciples, celui-là même qui allait le livrer[e], dit : 5 « Pourquoi n'a-t-on pas vendu ce parfum trois cents deniers, pour les donner aux pauvres[f] ? » 6 Il parla ainsi, non qu'il eût souci des pauvres, mais parce qu'il était voleur et que, chargé de la bourse, il dérobait ce qu'on y déposait. 7 Jésus dit alors : « Laisse-la ! Elle observe cet usage en vue de mon ensevelissement[g]. 8 Des pauvres, vous en avez toujours avec vous[h], mais moi, vous ne m'avez pas pour toujours. » 9 Cependant une grande foule de *Juifs avaient appris que Jésus était là, et ils arrivèrent non seulement à cause de Jésus lui-même, mais aussi pour voir ce Lazare qu'il avait relevé d'entre les morts[i]. 10 Les *grands prêtres dès lors décidèrent de faire mourir aussi Lazare, 11 puisque c'était à cause de lui qu'un grand nombre de Juifs les quittaient et croyaient en Jésus[j].

y 11.54 Jésus évite de se montrer 7.1. — *Ephraïm :* on situe souvent cette localité à une vingtaine de km au nord-est de Jérusalem. — *séjour avec les disciples* 2.12 ; 3.22. ***z 11.55*** *proximité de la Pâque* 2.13 ; 6.4 ; voir 13.1. — *pour se purifier* Ex 19.10-15 ; Nb 9.9-14 ; 2 Ch 30.1-3, 17-20 ; Ac 21.24-26 ; 24.18 ; voir Jn 18.28. ***a 11.56*** 7.11. ***b 12.1*** 11.1, 43-44 ; voir Mc 11.1 et la note. ***c 12.2*** Lc 10.40. ***d 12.3*** Lc 7.37-38. — La *livre* romaine pesait un peu plus de 325 g. Voir au glossaire POIDS ET MESURES. *Nard :* voir Mc 14.4 et la note. *Pur :* le terme grec ainsi traduit est rare et son sens discuté. ***e 12.4*** 6.71 ; voir Mt 10.4+. ***f 12.5*** *vendre... pour donner aux pauvres* Mt 19.21 + par. — *trois cents deniers* Mc 14.5 ; voir Jn 6.7. Voir au glossaire MONNAIES. ***g 12.7*** 19.40. ***h 12.8*** Dt 15.11 ; Mt 26.11 ; Mc 14.7. ***i 12.9*** 11.43-44. ***j 12.11*** 7.30+.

L'arrivée triomphale devant Jérusalem

(Mt 21.1-11; Mc 11.1-11; Lc 19.28-40)

12 Le lendemain, la grande foule venue à la fête[k] apprit que Jésus
arrivait à Jérusalem; 13 ils prirent des branches de palmiers et sortirent
à sa rencontre. Ils criaient: «*Hosanna! Béni soit au nom du Seigneur
celui qui vient,* le roi d'Israël[l].» 14 Trouvant un ânon, Jésus s'assit
dessus selon qu'il est écrit: 15 *Ne crains pas, fille de *Sion: voici ton
roi qui vient, il est monté sur le petit d'une ânesse*[m]. 16 Au premier
moment, ses disciples ne comprirent pas ce qui arrivait, mais lorsque
Jésus eut été glorifié, ils se souvinrent[n] que cela avait été écrit à son
sujet et que c'était cela même qu'on avait fait pour lui. 17 Cependant la
foule de ceux qui étaient avec lui lorsqu'il avait appelé Lazare hors du
tombeau[o] et qu'il l'avait relevé d'entre les morts, lui rendait témoi-
gnage. 18 C'était bien, en effet, parce qu'elle avait appris qu'il avait
opéré ce *signe qu'elle se portait à sa rencontre. 19 Les *Pharisiens se
dirent alors les uns aux autres: «Vous le voyez, vous n'arriverez à
rien: voilà que le monde se met à sa suite[p]!»

La gloire et la croix

20 Il y avait quelques Grecs[q] qui étaient montés pour adorer à l'occa-
sion de la fête. 21 Ils s'adressèrent à Philippe qui était de Bethsaïda de
Galilée et ils lui firent cette demande: «Seigneur, nous voudrions voir
Jésus[r].» 22 Philippe alla le dire à André et ensemble ils le dirent à Jésus.
23 Jésus leur répondit en ces termes: «Elle est venue, l'heure où le *Fils
de l'homme doit être glorifié[s]. 24 En vérité, en vérité, je vous le dis, si
le grain de blé qui tombe en terre ne meurt pas, il reste seul; si au con-
traire il meurt, il porte du fruit en abondance[t]. 25 Celui qui aime sa vie
la perd, et celui qui cesse de s'y attacher en ce *monde la gardera
pour la *vie éternelle[u]. 26 Si quelqu'un veut me servir, qu'il se mette à

k 12.12 Voir 11.55. ***l 12.13*** *des branches de palmiers 1 M* 13.51 ; *2 M* 10.7 ; Ap 7.9. – *Hosanna* est la transcription en grec d'un verbe araméen signifiant : *daigne accorder le salut ;* on l'employait comme une acclamation. Ps 118.25-26 ; voir Mc 11.9 et la note. – *Celui qui vient* Mt 3.11 + ; voir Jn 1.9 ; 6.14 ; 11.27. – *le roi d'Israël* Jn 1.49+ ; voir 6.15 ; 18.33, 37, 39 ; 19.3-21. ***m 12.15*** *Ne crains pas...* Za 9.9. ***n 12.16*** Incompréhension des disciples Mt 16.9 ; Mc 6.52 ; 8.17, 21 ; Lc 18.34 ; Jn 16.12. – *glorification* de Jésus 7.39+. – Les disciples se rappelèrent 2.22+ ; 15.26 ; 16.4, 13-15 ; voir Lc 24.8. ***o 12.17*** 11.43-44. ***p 12.19*** 11.48 ; voir Mc 1.37 ; Jn 12.32. ***q 12.20*** Ces gens qui participent au pèlerinage pascal sans être pour autant de race juive, peuvent être considérés comme des sympathisants du judaïsme ou encore comme des *prosélytes* (païens gagnés à la foi juive). ***r 12.21*** *Philippe* Mt 10.3+ ; *de Bethsaïda* 1.44 ; voir Mt 11.21+. – *voir Jésus* Lc 19.3 ; 23.8. ***s 12.23*** *l'heure* Mc 14.35, 41 ; Jn 2.4 ; 7.6, 8, 30 ; 8.20 ; 13.1 ; 17.1. – *glorification* 7.39+ *du Fils de l'homme* voir 8.28 ; Mt 8.20+. ***t 12.24*** 1 Co 15.36. ***u 12.25*** Mt 10.39+ ; Mc 8.35 ; Lc 9.24.

ma suite, et là où je suis, là aussi sera mon serviteur[v]. Si quelqu'un me sert, le Père l'honorera.

27 Maintenant mon âme est troublée, et que dirai-je? Père, sauve-moi de cette heure[w]? Mais c'est précisément pour cette heure que je suis venu. 28 Père, glorifie ton *nom.» Alors, une voix vint du ciel[x]: «Je l'ai glorifié et je le glorifierai encore.» 29 La foule qui se trouvait là et qui avait entendu disait que c'était le tonnerre; d'autres disaient qu'un *ange lui avait parlé[y]. 30 Jésus reprit la parole: «Ce n'est pas pour moi que cette voix a retenti, mais bien pour vous[z]. 31 C'est maintenant le jugement de ce monde, maintenant le prince de ce monde[a] va être jeté dehors. 32 Pour moi, quand j'aurai été élevé de terre, j'attirerai à moi tous les hommes[b].» 33 — Par ces paroles il indiquait de quelle mort il allait mourir[c]. 34 La foule lui répondit: «Nous avons appris par la *Loi que le *Christ doit rester à jamais[d]. Comment peux-tu dire qu'il faut que le Fils de l'homme soit élevé? Qui est-il, ce Fils de l'homme?» 35 Jésus leur répondit: «La lumière est encore parmi vous pour un peu de temps. Marchez pendant que vous avez la lumière, pour que les ténèbres ne s'emparent pas de vous: car celui qui marche dans les ténèbres ne sait où il va[e]. 36 Pendant que vous avez la lumière croyez en la lumière, pour devenir des fils de lumière[f].» Après leur avoir ainsi parlé, Jésus se retira et se cacha d'eux.

Epilogue. Les conditions de la foi véritable

37 Quoiqu'il eût opéré devant eux tant de *signes, ils ne croyaient pas en lui, 38 de sorte que s'accomplît la parole que le *prophète Esaïe avait dite: *Seigneur, qui a cru ce qu'on nous avait entendu dire? et à qui le bras du Seigneur a-t-il été *révélé*[g]? 39 Le même Esaïe a indiqué la raison pour laquelle ils ne pouvaient croire: 40 *Il a aveuglé leurs yeux et il a endurci leur cœur, pour qu'ils ne voient pas de leurs yeux, que*

***v* 12.26** *suivre* Jésus Mt 4.19+ ; Mc 8.34 ; Lc 14.27. — *là ou je suis... là aussi* Jn 14.3 ; 17.24. ***w* 12.27** *mon âme est troublée* Ps 6.4 ; 42.6, 12 ; Mt 26.38 ; Mc 14.34. — *sauve-moi de cette heure* Mc 14.32-42 par. ***x* 12.28** *glorifie ton nom* Mt 6.9 ; Jn 13.31-32 ; 17.1-11. — *une voix venant du ciel* Mc 1.11 ; 9.7 par. — *glorification du Père* 13.31-32 ; 17.1. ***y* 12.29** Ac 23.9. ***z* 12.30** 11.42. ***a* 12.31** *le jugement de ce monde* 3.19 ; 9.39. — *le prince de ce monde* 14.30 ; 16.11. ***b* 12.32** *Elevé de la terre* est une expression à double sens, comme il arrive souvent chez Jn (voir 3.3 et la note). Elle vise ici à la fois l'élévation de Jésus sur la croix et son élévation à la gloire ; voir v. 33 et 3.14-15 ; 8.28. — *attirés à Jésus* 6.44. ***c* 12.33** 18.32 ; 21.19. ***d* 12.34** Ps 89.5, 37 ; 110.4 ; Es 9.6 ; Dn 7.14. ***e* 12.35** *encore un peu avec vous* 7.33+. — *tant que vous avez la lumière* 9.4. — *lumière* et *ténèbres* 1.5 ; 8.12 ; 12.46. — *dans les ténèbres on ne sait où on va* 11.10 ; 1 Jn 2.11. ***f* 12.36** Ep 5.8 ; 1 Th 5.5. ***g* 12.38** Es 53.1 (Rm 10.16).

leur cœur ne comprenne pas, qu'ils ne se convertissent pas, et je les
aurais guéris[h]! 41 Cela, Esaïe le dit parce qu'il a vu sa gloire[i] et qu'il a
parlé de lui. 42 Cependant, parmi les dirigeants eux-mêmes, beaucoup
avaient cru en lui; mais, à cause des *Pharisiens, ils n'osaient le con-
fesser, de crainte d'être exclus de la *synagogue[j]: 43 c'est qu'ils préfé-
raient la gloire qui vient des hommes[k] à la gloire qui vient de Dieu.
44 Cependant, Jésus proclama: «Qui croit en moi, ce n'est pas en
moi qu'il croit, mais en Celui qui m'a envoyé[l] 45 et celui qui me voit,
voit aussi Celui qui m'a envoyé[m]. 46 Moi, la lumière, je suis venu dans
le *monde, afin que quiconque croit en moi ne demeure pas dans les
ténèbres[n]. 47 Si quelqu'un entend mes paroles et ne les garde pas, ce
n'est pas moi qui le juge: car je ne suis pas venu juger le monde, je suis
venu sauver le monde[o]. 48 Qui me rejette et ne reçoit pas mes paroles a
son juge: la parole que j'ai dite le jugera au dernier *jour. 49 Je n'ai pas
parlé de moi-même, mais le Père qui m'a envoyé m'a prescrit ce que
j'ai à dire et à déclarer[p]. 50 Et je sais que son commandement est *vie
éternelle: ce que je dis, je le dis comme le Père me l'a dit.»

Le dernier repas et le lavement des pieds

13 1 Avant la fête de la *Pâque, Jésus sachant que son heure était
venue, l'heure de passer de ce *monde au Père, lui, qui avait
aimé les siens qui sont dans le monde, les aima jusqu'à l'extrême[q].
2 Au cours d'un repas, alors que déjà le *diable avait jeté au *cœur de
Judas Iscariote[r], fils de Simon, la pensée de le livrer, 3 sachant que le
Père a remis toutes choses entre ses mains, qu'il est sorti de Dieu et
qu'il va vers Dieu[s], 4 Jésus se lève de table, dépose son vêtement et
prend un linge dont il se ceint. 5 Il verse ensuite de l'eau dans un
bassin et commence à laver les pieds[t] des disciples et à les essuyer
avec le linge dont il était ceint.

h 12.40 Es 6.9-10 (Mt 13.15 ; Mc 4.12 ; 8.18 ; Lc 8.10 ; Ac 28.26-27) ; voir Jn 1.9-11 ; 9.39-41. ***i 12.41*** Es 6.1 ; voir Jn 1.14+ ; 8.56. ***j 12.42*** *parmi les dirigeants* 7.48 *beaucoup crurent en lui* 7.31+. — *exclusion de la synagogue* 9.22 ; 16.1-4. ***k 12.43*** 5.44. ***l 12.44*** Mt 10.40 ; Jn 13.20+. ***m 12.45*** 10.38 ; 13.20 ; 14.9+ ; voir 1.18 ; 5.19-30. ***n 12.46*** *lumière venue dans le monde* 3.19+. — *croire en Jésus et être délivré des ténèbres* 12.35. ***o 12.47*** *entendre mais ne pas garder...* Mt 7.26 ; Lc 6.49. — *non pour juger, mais pour sauver* Jn 3.17 ; 8.15 ; voir 5.22, 27 ; 8.16, 26. ***p 12.49*** v. 49-50 : 7.17 ; 8.26, 28 ; 14.10, 24. ***q 13.1*** *la Pâque* 2.13+. — *son heure est venue* Mt 26.45 ; Mc 14.41 ; Jn 12.23, 27 ; 17.1 ; voir 2.4+. — *passer de ce monde au Père* 16.28. — L'amour, sens de la mort de Jésus 13.34 ; 15.9 ; 17.23 ; 1 Jn 3.16 ; voir Rm 5.8 ; 8.35 ; 2 Co 5.14 ; Ga 2.20 ; Ep 3.19 ; 5.1-2. ***r 13.2*** *Judas* Mt 10.4+. — Inspiré par *le diable* Lc 22.3 ; Jn 13.27. ***s 13.3*** *toutes choses entre ses mains* Mt 11.27 ; Lc 10.22 ; Jn 3.35 ; 5.19-20, 36 ; 6.37, 39. — *sorti de Dieu* 8.42 ; 16.27-28 ; 17.8. — *allant à Dieu* 7.33-34 ; 16.28 ; voir 3.13 ; 6.62. ***t 13.5*** Lc 7.44 ; voir Jn 12.3.

6 Il arrive ainsi à Simon-Pierre qui lui dit: «Toi, Seigneur, me laver
les pieds!» 7 Jésus lui répond: «Ce que je fais, tu ne peux le savoir à
présent, mais par la suite tu comprendras.» 8 Pierre lui dit: «Me laver
les pieds à moi! Jamais!» Jésus lui répondit: «Si je ne te lave pas, tu ne
peux pas avoir part avec moi.» 9 Simon-Pierre lui dit: «Alors, Sei-
gneur, non pas seulement les pieds, mais aussi les mains et la tête!»
10 Jésus lui dit: «Celui qui s'est baigné n'a nul besoin d'être lavé, car il
est entièrement *pur[u]: et vous, vous êtes purs, mais non pas tous.»
11 Il savait en effet qui allait le livrer[v]; et c'est pourquoi il dit: «Vous
n'êtes pas tous purs.»

12 Lorsqu'il eut achevé de leur laver les pieds, Jésus prit son vête-
ment, se remit à table et leur dit: «Comprenez-vous ce que j'ai fait
pour vous? 13 Vous m'appelez "le Maître[w] et le Seigneur" et vous dites
bien, car je le suis. 14 Dès lors, si je vous ai lavé les pieds, moi, le Sei-
gneur et le Maître, vous devez vous aussi vous laver les pieds[x] les uns
aux autres; 15 car c'est un exemple[y] que je vous ai donné: ce que j'ai
fait pour vous, faites-le vous aussi. 16 En vérité, en vérité, je vous le
dis, un serviteur n'est pas plus grand que son maître[z], ni un envoyé
plus grand que celui qui l'envoie. 17 Sachant cela, vous serez heureux
si du moins vous le mettez en pratique[a]. 18 Je ne parle pas pour vous
tous; je connais ceux que j'ai choisis. Mais qu'ainsi s'accomplisse
l'Ecriture: *Celui qui mangeait le pain avec moi, contre moi a levé le
talon*[b]. 19 Je vous le dis à présent, avant que l'événement n'arrive, afin
que, lorsqu'il arrivera, vous croyiez que Je Suis[c]. 20 En vérité, en
vérité, je vous le dis, recevoir celui que j'enverrai, c'est me recevoir
moi-même[d], et me recevoir c'est aussi recevoir Celui qui m'a
envoyé.»

La trahison de Judas

(Mt 26.20-25; Mc 14.17-21; Lc 22.21-23)

21 Ayant ainsi parlé, Jésus fut troublé[e] intérieurement et il déclara
solennellement: «En vérité, en vérité, je vous le dis, l'un d'entre vous
va me livrer.» 22 Les disciples se regardaient les uns les autres, se

u 13.10 De nombreux manuscrits offrent un texte plus long : *n'a aucun besoin de se laver, sinon les pieds.* — Le même mot grec signifie à la fois *propre* et *pur;* 15.3. ***v 13.11*** 6.64, 70-71. ***w 13.13*** Mt 23.8, 10. ***x 13.14*** Le Seigneur serviteur Mt 20.28 ; Lc 22.27. — *laver les pieds* 1 Tm 5.10. ***y 13.15*** Ph 2.5 ; 1 P 2.21 ; voir Jn 13.34 ; 15.12. ***z 13.16*** Mt 10.24+ ; voir Lc 22.24-30. ***a 13.17*** Jc 1.22, 25 ; voir Mt 7.24-27 ; Rm 2.13. ***b 13.18*** *choisis* 6.70 ; 15.16. — *celui qui mangeait* Ps 41.10 ; voir Mc 14.18. ***c 13.19*** *avant que l'événement n'arrive* 14.29 ; 16.4. — *croire que Je Suis* 8.24, 28, 58. ***d 13.20*** Mt 10.40 ; 18.5 ; Mc 9.37 ; Lc 9.48 ; 10.16 ; Jn 12.44. ***e 13.21*** 11.33 ; 12.27.

demandant de qui il parlait. 23 Un des disciples, celui-là même que
Jésus aimait, se trouvait à côté de lui[f]. 24 Simon-Pierre lui fit signe:
«Demande de qui il parle.» 25 Se penchant alors vers la poitrine de
Jésus, le disciple lui dit: «Seigneur, qui est-ce?» 26 Jésus répondit:
«C'est celui à qui je donnerai la bouchée que je vais tremper.» Sur ce,
Jésus prit la bouchée qu'il avait trempée et il la donna à Judas Isca-
riote, fils de Simon. 27 C'est à ce moment, alors qu'il lui avait offert
cette bouchée, que *Satan entra en Judas[g]. Jésus lui dit alors: «Ce que
tu as à faire, fais-le vite.» 28 Aucun de ceux qui se trouvaient là ne com-
prit pourquoi il avait dit cela. 29 Comme Judas tenait la bourse[h], quel-
ques-uns pensèrent que Jésus lui avait dit d'acheter ce qui était néces-
saire pour la fête, ou encore de donner quelque chose aux pauvres.
30 Quant à Judas, ayant pris la bouchée, il sortit immédiatement: il fai-
sait nuit[i].

L'entretien suprême

31 Dès que Judas fut sorti, Jésus dit: «Maintenant, le *Fils de
l'homme a été glorifié[j], et Dieu a été glorifié par lui; 32 Dieu le glori-
fiera en lui-même, et c'est bientôt qu'il le glorifiera. 33 Mes petits
enfants, je ne suis plus avec vous que pour peu de temps. Vous me
chercherez et comme j'ai dit aux *Juifs: "Là où je vais, vous ne pouvez
venir[k]", à vous aussi maintenant je le dis.

34 «Je vous donne un commandement nouveau: aimez-vous les uns
les autres. Comme je vous ai aimés, aimez-vous les uns les autres[l]. 35 A
ceci tous vous reconnaîtront pour mes *disciples: à l'amour que vous
aurez les uns pour les autres[m].»

(Mt 26.31-35; Mc 14.27-31; Lc 22.31-34)

36 Simon-Pierre lui dit: «Seigneur, où vas-tu?» Jésus lui répondit:
«Là où je vais, tu ne peux me suivre maintenant, mais tu me suivras
plus tard[n].» 37 «Seigneur, lui répondit Pierre, pourquoi ne puis-je te
suivre tout de suite? Je me dessaisirai de ma vie pour toi!» 38 Jésus
répondit: «Te dessaisir de ta vie pour moi! En vérité, en vérité, je te le
dis, trois fois tu m'auras renié avant qu'un coq ne se mette à chanter.»

***f* 13.23** Le texte grec laisse entendre que les convives étaient allongés autour de la table, appuyés sur le bras gauche, à la manière antique. — *le disciple que Jésus aimait* 19.26 ; 20.2 ; 21.7,20. ***g* 13.27** Lc 22.3 ; Jn 13.2. ***h* 13.29** 12.6. ***i* 13.30** Lc 22.53 ; Jn 9.4 ; 11.10 ; 12.35. ***j* 13.31** *le Fils de l'homme* Mt 8.20+. — *glorification* Jn 7.39+. ***k* 13.33** *avec vous pour peu de temps* 7.33 ; 19. — Impossibilité de rejoindre Jésus 7.34,36 ; 8.21. ***l* 13.34** Le *commandement* d'amour 15.12, 17 ; 1 Jn 3.11, 23. — *commandement nouveau* 1 Jn 2.8 ; 2 Jn 5. ***m* 13.35** 1 Jn 3.14. ***n* 13.36** *Seigneur, où vas-tu ?* 7.35 ; 14.5 ; voir 16.5. — *Pierre... plus tard* 21.18-19.

Jésus, chemin vers le Père

14 [1] «Que votre cœur ne se trouble pas: vous croyez en Dieu, croyez aussi en moi[o]. [2] Dans la maison de mon Père, il y a beaucoup de demeures: sinon vous aurais-je dit que j'allais vous préparer le lieu où vous serez? [3] Lorsque je serai allé vous le préparer, je reviendrai et je vous prendrai avec moi, si bien que là où je suis, vous serez vous aussi[p]. [4] Quant au lieu où je vais, vous en savez le chemin.» [5] Thomas lui dit: «Seigneur, nous ne savons même pas où tu vas, comment en connaîtrions-nous le chemin?» [6] Jésus lui dit: «Je suis le chemin et la vérité et la *vie[q]. Personne ne va au Père si ce n'est par moi. [7] Si vous me connaissiez, vous connaîtriez aussi mon Père[r]. Dès à présent vous le connaissez et vous l'avez vu.» [8] Philippe[s] lui dit: «Seigneur, montre-nous le Père et cela nous suffit.» [9] Jésus lui dit: «Je suis avec vous depuis si longtemps, et cependant, Philippe, tu ne m'as pas reconnu! Celui qui m'a vu a vu le Père[t]. Pourquoi dis-tu: "Montre-nous le Père"? [10] Ne crois-tu pas que je suis dans le Père et que le Père est en moi? Les paroles que je vous dis, je ne les dis pas de moi-même[u]! Au contraire, c'est le Père qui, demeurant en moi, accomplit ses propres œuvres. [11] Croyez-moi, je suis dans le Père et le Père est en moi; et si vous ne croyez pas ma parole, croyez du moins à cause de ces œuvres[v]. [12] En vérité, en vérité, je vous le dis, celui qui croit en moi fera lui aussi les œuvres que je fais; il en fera même de plus grandes, parce que je vais au Père[w]. [13] Tout ce que vous demanderez en mon *nom, je le ferai, de sorte que le Père soit glorifié dans le Fils[x]. [14] Si vous me demandez quelque chose en mon nom, je le ferai.

La promesse de l'Esprit

[15] «Si vous m'aimez, vous vous appliquerez à observer mes commandements[y]; [16] moi, je prierai le Père: il vous donnera un autre Paraclet

o 14.1 *ne vous troublez pas* 14.27 ; voir 16.6, 20. – Foi en Jésus voir 5.38 ; 8.46-47. **p 14.3** *je reviendrai* 1) Mt 16.27 ; 25.31 ; 1 Co 11.26 ; 16.22 ; 1 Th 4.16-17 ; 1 Jn 2.28 ; Ap 22.17, 20 ; 2) Jn 14.18, 23, 28 ; 15.26 ; 16.7, 13, 16-23. – *là où je suis vous serez aussi* 12.26 ; 17.24. **q 14.6** *le chemin,* c'est Jésus He 10.20 ; voir Mc 8.34 par. ; Jn 10.9 ; voir Ac 9.2+. – *la vérité* Jn 1.14, 18 ; 14.9 ; 17.8, 14. – *la vie* 1.4 ; 3.16 ; 6.40, 47, 63 ; 11.25. **r 14.7** 8.19. **s 14.8** *Philippe* Mt 10.3+. **t 14.9** 1.18 ; 6.46 ; 12.45 ; Col 1.15 ; He 1.3. **u 14.10** Communion du Père et du Fils 10.38 ; 14.20 ; 17.21. – Jésus porte-parole du Père 12.49-50+. **v 14.11** 10.37-38. **w 14.12** 7.33 ; 13.1 ; 14,28 ; 16.10,17,28 ; 20.17. **x 14.13** Exaucement 15.16 ; 16.23, 24, 26 ; voir 1 Jn 5.14-15. – *le Père glorifié dans le Fils* Jn 13.31-32 ; 17.1, 5. **y 14.15** *Sg* 6.18 ; Jn 15.10 ; 1 Jn 5.3 ; 2 Jn 6.

qui restera avec vous pour toujours[z]. 17 C'est lui l'Esprit de vérité[a],
celui que le *monde est incapable d'accueillir parce qu'il ne le voit
pas et qu'il ne le connaît pas. Vous, vous le connaissez, car il demeure
auprès de vous et il est en vous. 18 Je ne vous laisserai pas orphelins, je
viens à vous[b]. 19 Encore un peu et le monde ne me verra plus; vous,
vous me verrez vivant et vous vivrez vous aussi[c]. 20 En ce *jour-là,
vous connaîtrez que je suis en mon Père et que vous êtes en moi et
moi en vous[d]. 21 Celui qui a mes commandements et qui les observe,
celui-là m'aime: or celui qui m'aime sera aimé de mon Père et à mon
tour, moi je l'aimerai et je me manifesterai à lui[e].» 22 Jude, non pas
Judas l'Iscariote, lui dit: «Seigneur, comment se fait-il que tu aies à te
manifester à nous et non pas au monde[f]?» 23 Jésus lui répondit: «Si
quelqu'un m'aime, il observera ma parole, et mon Père l'aimera; nous
viendrons à lui et nous établirons chez lui notre demeure[g]. 24 Celui qui
ne m'aime pas n'observe pas mes paroles; or, cette parole que vous
entendez, elle n'est pas de moi mais du Père qui m'a envoyé[h]. 25 Je
vous ai dit ces choses tandis que je demeurais auprès de vous; 26 le
Paraclet, l'Esprit Saint que le Père enverra en mon nom, vous ensei-
gnera toutes choses et vous fera ressouvenir de tout ce que je vous ai
dit[i]. 27 Je vous laisse la paix, je vous donne ma paix. Ce n'est pas à la
manière du monde que je vous la donne. Que votre cœur cesse de se
troubler et de craindre[j]. 28 Vous l'avez entendu, je vous ai dit: "Je m'en
vais et je viens à vous." Si vous m'aimiez, vous vous réjouiriez de ce
que je vais au Père[k], car le Père est plus grand que moi. 29 Je vous ai
parlé dès maintenant, avant l'événement[l], afin que, lorsqu'il arrivera,
vous croyiez. 30 Désormais, je ne m'entretiendrai plus guère avec vous,
car le prince de ce monde vient[m]. Certes, il n'a en moi aucune prise;

z* *14.16 *Paraclet* est la transcription d'un terme grec du vocabulaire juridique, désignant celui qui est appelé auprès d'un accusé pour le défendre : *avocat, assistant, défenseur, consolateur, intercesseur* sont autant de traductions possibles, mais insuffisantes ; 14.26 ; 15.26 ; 16.7 ; voir 1 Jn 2.1. — *avec vous pour toujours* Mt 28.20. ***a 14.17*** 15.26 ; 16.13 ; voir 1 Jn 4.6 ; 5.6. ***b 14.18*** 14.3, 28. ***c 14.19*** *encore un peu* 7.33-34, 36. — *vous me verrez* 16.16 ; 1 Jn 3.1-2. — Jésus *vivant,* ses disciples aussi Jn 6.57. ***d 14.20*** *en ce jour-là* Es 2.17 ; 4.1-2 ; Jr 4.9 ; Za 2.15 ; Jn 16.23. — Communion du Père et du Fils 10.38 ; 14.10-11 et des disciples avec Jésus 17.21-23. ***e 14.21*** Amour et obéissance 14.15+ ; voir 5.24 ; 12.47. — Amour pour Jésus, amour du Père 16.27. ***f 14.22*** *Jude* Lc 6.16 ; Ac 1.3 ; voir Jude 1. — *à nous et non pas au monde* Ac 10.40-41. ***g 14.23*** 1 R 8.27 ; Ez 37.26-27 ; Za 2.14. ***h 14.24*** 12.49-50+. ***i 14.26*** *Paraclet* 14.16+. — *en mon nom* 14.13-14 ; 15.16 ; 16.23-26. — *souvenir* 2.22+. ***j 14.27*** *la paix* Es 9.5 ; Za 9.9-10 ; Jn 16.33 ; 20.19, 21. — *ne vous troublez pas* 14.1. ***k 14.28*** *je m'en vais... je viens* 14.3 ; 16.16-17. — Jésus *va au Père* 14.12+. ***l 14.29*** 13.19 ; 16.4. ***m 14.30*** 12.31+.

31 mais de la sorte le monde saura que j'aime mon Père et que j'agis
conformément à ce que le Père m'a prescrit. Levez-vous[n], partons
d'ici!

Jésus, la vraie vigne

15 1 «Je suis la vraie vigne[o] et mon Père est le vigneron. 2 Tout
sarment qui, en moi, ne porte pas de fruit, il l'enlève, et tout
sarment qui porte du fruit, il l'émonde[p], afin qu'il en porte davantage
encore. 3 Déjà vous êtes émondés[q] par la parole que je vous ai dite.
4 Demeurez en moi comme je demeure en vous! De même que le sar-
ment, s'il ne demeure sur la vigne, ne peut de lui-même porter du
fruit, ainsi vous non plus si vous ne demeurez en moi[r]. 5 Je suis la
vigne, vous êtes les sarments: celui qui demeure en moi et en qui je
demeure, celui-là portera du fruit en abondance car, en dehors de moi,
vous ne pouvez rien faire[s]. 6 Si quelqu'un ne demeure pas en moi, il
est jeté dehors comme le sarment, il se dessèche, puis on les ramasse,
on les jette au feu[t] et ils brûlent. 7 Si vous demeurez en moi et que mes
paroles demeurent en vous, vous demanderez ce que vous voudrez et
cela vous arrivera[u]. 8 Ce qui glorifie mon Père[v], c'est que vous portiez
du fruit en abondance et que vous soyez pour moi des *disciples.
9 Comme le Père m'a aimé, moi aussi je vous ai aimés; demeurez dans
mon amour. 10 Si vous observez mes commandements, vous demeu-
rerez dans mon amour[w], comme, en observant les commandements de
mon Père, je demeure dans son amour.

11 «Je vous ai dit cela pour que ma joie soit en vous et que votre joie
soit parfaite[x]. 12 Voici mon commandement: aimez-vous les uns les
autres comme je vous ai aimés[y]. 13 Nul n'a d'amour plus grand que
celui qui se dessaisit de sa vie[z] pour ceux qu'il aime. 14 Vous êtes mes
amis si vous faites ce que je vous commande. 15 Je ne vous appelle plus
serviteurs, car le serviteur reste dans l'ignorance de ce que fait son

***n* 14.31** *j'agis conformément* 12.49 ; 15.10. — *levez-vous* Mt 26.46 ; Mc 14.42. ***o* 15.1** Es 5.1-7 ; Jr 2.21 ; Ez 15.1-8 ; 19.10-14 ; Mt 21.33-41 par. ***p* 15.2** le même verbe grec signifie à la fois **purifier* et *émonder* (c'est-à-dire enlever les feuilles qui empêchent le mûrissement des grappes). — *tout sarment improductif* Mt 3.10 ; 15.13. ***q* 15.3** 13.10. ***r* 15.4** *le sarment sur la vigne* Rm 11.17-18. — Incapable *par lui-même* 2 Co 3.5. — *demeurer* en Jésus Jn 6.56 ; voir 8.31 ; 15.9-10 ; 1 Jn 2.10 ; 4.13-16. ***s* 15.5** *la vigne* et *ses sarments* voir 1 Co 12.12, 27. — Jésus *demeure* en vous 1 Jn 2.27 ; 3.9, 15 ; 4.12-15. — *porter du fruit en abondance* Jn 15.16. — *hors de moi vous ne pouvez rien...* 2 Co 3.5 ; voir Jn 1.3. ***t* 15.6** Mt 3.10 ; 7.19 ; 13.42. ***u* 15.7** Mc 11.24 ; Jn 14.13 ; 16.23. ***v* 15.8** Mt 5.13. ***w* 15.10** 14.15, 21 ; 1 Jn 2.3-8 ; 3.22-23 ; 5.3. ***x* 15.11** *joie* Es 9.2 ; 35.10 ; 55.12 ; 65.18 ; So 3.14 ; Ps 126.3-5 ; Mt 25.21, 23 ; Lc 1.14 ; 2.10 *parfaite* Jn 16.20-24 ; 17.13 ; 1 Jn 1.4 ; 2 Jn 12. ***y* 15.12** 13.34+ ; 2 Jn 5. ***z* 15.13** *le plus grand amour* 13.1, 34. — *se dessaisir de sa vie pour* 10.11+.

maître ; je vous appelle amis, parce que tout ce que j'ai entendu auprès
de mon Père, je vous l'ai fait connaître. 16 Ce n'est pas vous qui m'avez
choisi, c'est moi qui vous ai choisis et institués pour que vous alliez,
que vous portiez du fruit et que votre fruit demeure : si bien que tout
ce que vous demanderez au Père en mon nom, il vous l'accordera[a].
17 Ce que je vous commande, c'est de vous aimer les uns les autres[b].

La haine du monde

18 « Si le *monde vous hait[c], sachez qu'il m'a haï le premier. 19 Si
vous étiez du monde, le monde aimerait ce qui lui appartiendrait[d] ;
mais vous n'êtes pas du monde : c'est moi qui vous ai mis à part du
monde et voilà pourquoi le monde vous hait. 20 Souvenez-vous de la
parole que je vous ai dite : "Le serviteur n'est pas plus grand que son
maître" ; s'ils m'ont persécuté, ils vous persécuteront vous aussi[e] ; s'ils
ont observé ma parole, ils observeront aussi la vôtre. 21 Tout cela, ils
vous le feront à cause de mon *nom[f], parce qu'ils ne connaissent pas
Celui qui m'a envoyé. 22 Si je n'étais pas venu, si je ne leur avais pas
adressé la parole, ils n'auraient pas de péché[g] ; mais à présent leur
péché est sans excuse. 23 Celui qui me hait, hait aussi mon Père[h]. 24 Si
je n'avais pas fait au milieu d'eux ces œuvres que nul autre n'a faites[i],
ils n'auraient pas de péché ; mais à présent qu'ils les ont vues, ils con-
tinuent à nous haïr et moi et mon Père ; 25 mais c'est pour que s'accom-
plisse la parole qui est écrite dans leur *Loi : *Ils m'ont haï sans raison*[j].
26 « Lorsque viendra le Paraclet que je vous enverrai d'auprès du
Père, l'Esprit de vérité qui procède du Père[k], il rendra lui-même témoi-
gnage de moi ; 27 et à votre tour, vous me rendrez témoignage, parce
que vous êtes avec moi depuis le commencement[l].

16 1 « Je vous ai dit tout cela afin que vous ne succombiez pas à
l'épreuve. 2 On vous exclura des *synagogues[m]. Bien plus,
l'heure vient où celui qui vous fera périr croira présenter un sacrifice à

a 15.16 *c'est moi qui vous ai choisis* 6.70 ; 13.18 ; voir Dt 7.6-8 ; Es 41.8 ; 43.20 ; 44.2 ; 45.4 ; 65.9, 15, 22 ; Am 3.2 ; 7.15 ; Mc 3.13 ; Lc 6.13. — *institués* Mt 10.1 ; Mc 3.14 ; 6.7 ; Lc 9.1 ; Ac 13.47 ; 20.28 ; 1 Co 12.28 ; 2 Tm 1.11. — *porter du fruit* Jn 15.5. — Exaucement 14.13+. **b 15.17** 13.34+ ; 2 Jn 5. **c 15.18** Mt 10.22 ; 24.9 ; Mc 13.13 ; Lc 6.22 ; Jn 17.14 ; 1 Th 2.15-16 ; 1 Jn 3.13. **d 15.19** 7.7 ; 1 Jn 4.5 ; voir Jn 17.14. **e 15.20** *le serviteur* et *son maître* Mt 10.24+. — *persécutés* comme le maître 1 Th 1.6 ; 1 P 4.12-19. **f 15.21** Mt 5.11 ; 10.22 ; Mc 13.13 ; Lc 21.17 ; Ac 5.41 ; Ap 2.3. **g 15.22** *sans péché* 9.41. **h 15.23** Lc 10.16 ; Jn 5.23 ; 1 Jn 2.23. **i 15.24** 14.11. **j 15.25** *la Loi* (= les Ecritures) 8.17 ; 10.34. — *haï sans raison* Ps 35.19 ; 69.5. **k 15.26** *Paraclet* 14.16+ et la note. — *l'Esprit de vérité* 14.17+ *qui procède du Père* 14.16, 26 ; 16.15 ; Tt 3.6 ; 1 Jn 3.24 ; 4.13. **l 15.27** *témoins* de Jésus Ac 1.8 ; 5.32 ; 1 Jn 4.14. — *avec Jésus depuis le commencement* Lc 1.2 ; Ac 1.21-22. **m 16.2** 9.22+.

Dieu. 3 Ils agiront ainsi pour n'avoir connu ni le Père ni moi[n]. 4 Mais je
vous ai dit cela afin que, leur heure venue, vous vous rappeliez[o] que je
vous l'avais dit.

L'œuvre de l'Esprit

«Je ne vous l'ai pas dit dès le début car j'étais avec vous. 5 Mais
maintenant je vais à Celui qui m'a envoyé et aucun d'entre vous ne me
pose la question: "Où vas-tu[p]?" 6 Mais parce que je vous ai dit cela,
l'affliction[q] a rempli votre cœur. 7 Cependant je vous ai dit la vérité:
c'est votre avantage que je m'en aille; en effet, si je ne pars pas, le
Paraclet[r] ne viendra pas à vous; si, au contraire, je pars, je vous
l'enverrai. 8 Et lui, par sa venue, il confondra le *monde en matière de
péché, de justice et de jugement[s]; 9 en matière de péché: ils ne croient
pas en moi[t]; 10 en matière de justice: je vais au Père et vous ne me
verrez plus[u]; 11 en matière de jugement: le prince de ce monde[v] a été
jugé. 12 J'ai encore bien des choses à vous dire mais vous ne pouvez les
porter[w] maintenant; 13 lorsque viendra l'Esprit de vérité, il vous fera
accéder à la vérité tout entière[x]. Car il ne parlera pas de son propre
chef, mais il dira ce qu'il entendra et il vous communiquera tout ce qui
doit venir. 14 Il me glorifiera car il recevra de ce qui est à moi et il vous
le communiquera. 15 Tout ce que possède mon Père est à moi[y]; c'est
pourquoi j'ai dit qu'il vous communiquera ce qu'il reçoit de moi.

De l'affliction à la joie

16 «Encore un peu et vous ne m'aurez plus sous les yeux, et puis
encore un peu et vous me verrez[z].» 17 Certains de ses disciples se
dirent alors entre eux: «Qu'a-t-il voulu nous dire: "Encore un peu et
vous ne m'aurez plus sous les yeux, et puis encore un peu et vous me
verrez"; ou encore: "Je vais au Père"? 18 Que signifie donc ce "un
peu", disaient-ils, nous ne comprenons pas ce qu'il veut dire!»
19 Sachant qu'ils désiraient l'interroger, Jésus leur dit: «Vous cherchez
entre vous le sens de ma parole: "Encore un peu et vous ne m'aurez
plus sous les yeux, et puis encore un peu et vous me verrez." 20 En
vérité, en vérité, je vous le dis, vous allez gémir et vous lamenter

***n* 16.3** 15.21. ***o* 16.4** *l'heure venue* 13.1+. – Les disciples se souviendront 2.22+. ***p* 16.5** *Celui qui m'a envoyé* 7.33. – *où vas-tu ?* 13.36 ; 14.5. ***q* 16.6** *affliction* 16.22. ***r* 16.7** *Paraclet* 14.16+ et la note. ***s* 16.8** Voir Ac 24.25. ***t* 16.9** *péché* 8.21-24 ; 9.41 ; 15.22-24. – *ils ne croient pas en moi* 3.19, 36 ; 5.38 ; 6.36, 64 ; 7.5 ; 10.26 ; 12.37. ***u* 16.10** Jésus *va au Père* 14.12+. – *ne plus voir* Jésus 7.34 ; 13.33 ; 14.19 ; 16.16-19. ***v* 16.11** 12.31+. ***w* 16.12** Ou *les comprendre ;* 1 Co 3.1-2. ***x* 16.13** *l'Esprit de vérité* 14.17+. – *la vérité tout entière* 14.26 ; 1 Jn 2.27. ***y* 16.15** *au Père et à moi* 17.10. ***z* 16.16** 14.19.

tandis que le *monde se réjouira; vous serez affligés mais votre affliction tournera en joie. [21] Lorsque la femme enfante[a], elle est dans l'affliction puisque son heure est venue; mais lorsqu'elle a donné le jour à l'enfant, elle ne se souvient plus de son accablement, elle est toute à la joie d'avoir mis un homme au monde. [22] C'est ainsi que vous êtes maintenant dans l'affliction; mais je vous verrai à nouveau, votre cœur alors se réjouira[b], et cette joie, nul ne vous la ravira. [23] Ainsi, en ce *jour-là, vous ne m'interrogerez plus sur rien. En vérité, en vérité, je vous le dis, si vous demandez quelque chose à mon Père en mon nom, il vous le donnera[c]. [24] Jusqu'ici vous n'avez rien demandé en mon nom: demandez et vous recevrez, pour que votre joie soit parfaite[d].

La victoire sur le monde

[25] «Je vous ai dit tout cela de façon énigmatique[e], mais l'heure vient où je ne vous parlerai plus de cette manière, mais où je vous annoncerai ouvertement ce qui concerne le Père. [26] Ce jour-là, vous demanderez en mon nom et cependant je ne vous dis pas que je prierai le Père pour vous, [27] car le Père lui-même vous aime parce que vous m'avez aimé et que vous avez cru que je suis sorti de Dieu[f]. [28] Je suis sorti du Père et je suis venu dans le monde; tandis qu'à présent je quitte le monde et je vais au Père.» [29] Ses disciples lui dirent: «Voici que maintenant tu parles ouvertement et que tu abandonnes tout langage énigmatique; [30] maintenant nous savons que toi, tu sais toutes choses et que tu n'as nul besoin que quelqu'un t'interroge. C'est bien pourquoi nous croyons que tu es sorti de Dieu.» [31] Jésus leur répondit: «Croyez-vous, à présent? [32] Voici que l'heure vient, et maintenant elle est là, où vous serez dispersés, chacun allant de son côté, et vous me laisserez seul. Mais je ne suis pas seul[g], le Père est avec moi. [33] Je vous ai dit cela pour qu'en moi vous ayez la paix. En ce *monde vous êtes dans la détresse, mais prenez courage, j'ai vaincu le monde[h]!»

a 16.21 Es 13.8 ; 21.3 ; 26.17 ; Mi 4.9 ; Mc 13.8 ; Rm 8.22 ; 1 Th 5.3 ; Ap 12.2. ***b 16.22*** *votre cœur se réjouira* Es 66.14. — *joie* du revoir Mt 28.8 ; Lc 24.41 ; Jn 17.13 ; 20.20 ; voir Jn 15.11+. ***c 16.23*** *en ce jour-là* Mc 13.17, etc. ; 14.25 ; Jn 14.20+ ; Ac 2.17 ; 2 Tm 1.12, 18, etc. — Exaucement Jn 14.13+. ***d 16.24*** *demandez* Mt 7.7-8, 11 ; 18.19 ; Lc 11.9-13. — *joie* à son comble Jn 15.11+. ***e 16.25*** Voir Mt 13.34 ; Mc 4.33-34 ; Lc 8.10 ; Jn 10.6 ; voir aussi 12.16 ; 13.7. ***f 16.27*** L'amour du *Père* pour les disciples 14.21, 23. — Jésus vient de Dieu 3.2 ; 8.42+. ***g 16.32*** Le maître abandonné par les disciples Za 13.7 ; Mt 26.31, 56 ; Mc 14.27, 50. — Jésus ne reste pas seul Jn 8.16, 29 ; voir 10.30. ***h 16.33*** *la paix* 14.27+. — Adversité 1) Mc 13.19, 24 ; Rm 2.9 ; 2) Mc 4.17 ; Ac 11.19 ; 2 Co 1.8 ; 2.4 ; 4.17 ; 6.4, etc. ; 1 Th 1.6 ; 3.3, 7 ; 2 Th 1.4 ; 2 Tm 3.12. — *vainqueur du monde* 1 Jn 4.4 ; 5.4-5 ; Ap 2.7, 11, 17, etc. ; 5.5 ; 6.2.

La prière de Jésus

17 1 Après avoir ainsi parlé, Jésus leva les yeux au ciel et dit:
«Père, l'heure est venue, glorifie ton Fils, afin que ton Fils te
glorifie[i] 2 et que, selon le pouvoir sur toute chair que tu lui as donné, il
donne la *vie éternelle à tous ceux que tu lui as donnés[j]. 3 Or la vie éter-
nelle, c'est qu'ils te connaissent, toi, le seul vrai Dieu[k], et celui que tu as
envoyé, Jésus Christ. 4 Je t'ai glorifié sur la terre, j'ai achevé l'œuvre que
tu m'as donnée à faire[l]. 5 Et maintenant, Père, glorifie-moi auprès de toi
de cette gloire que j'avais auprès de toi avant que le monde fût[m].
6 «J'ai manifesté ton *nom aux hommes que tu as tirés du *monde
pour me les donner. Ils étaient à toi, tu me les as donnés[n] et ils ont
observé ta parole. 7 Ils savent maintenant que tout ce que tu m'as
donné vient de toi, 8 que les paroles que je leur ai données sont celles
que tu m'as données. Ils les ont reçues, ils ont véritablement connu
que je suis sorti de toi, et ils ont cru que tu m'as envoyé[o]. 9 Je prie pour
eux; je ne prie pas pour le monde[p], mais pour ceux que tu m'as
donnés: ils sont à toi, 10 et tout ce qui est à moi est à toi, comme tout
ce qui est à toi est à moi[q], et j'ai été glorifié en eux. 11 Désormais je ne
suis plus dans le monde; eux restent dans le monde, tandis que moi je
vais à toi. Père *saint, garde-les en ton nom que tu m'as donné, pour
qu'ils soient un comme nous sommes un[r]. 12 Lorsque j'étais avec eux,
je les gardais en ton nom que tu m'as donné; je les ai protégés et
aucun d'eux ne s'est perdu, sinon le fils de perdition, en sorte que
l'Ecriture soit accomplie[s]. 13 Maintenant je vais à toi et je dis ces
paroles dans le monde pour qu'ils aient en eux ma joie dans sa pléni-
tude[t]. 14 Je leur ai donné ta parole et le monde les a haïs, parce qu'ils
ne sont pas du monde, comme je ne suis pas du monde[u]. 15 Je ne te

***i* 17.1** *les yeux vers le ciel* Mc 6.41 ; Lc 18.13 ; Jn 11.41. — *l'heure est venue* 13.1+ ; voir 5.25. — *glorification du Fils* et du *Père* 13.31-32. ***j* 17.2** *pouvoir* Mt 28.18 ; Jn 3.35 ; 5.19-30 ; 13.3. ***k* 17.3** *vie éternelle* 4.14, 36 ; 6.27 ; 12.25 ; 1 Jn 5.13, 20. — *connaître Dieu Sg* 15.3. — *le (seul) vrai Dieu* 1 Th 1.9 ; 1 Jn 5.20. ***l* 17.4** le Père *glorifié* par le Fils 13.31-32 ; 14.13. — *l'œuvre* confiée à Jésus 4.34 ; 5.30 ; 6.38 ; 8.29 ; 9.4 ; 10.37-38 ; voir 13.1 ; 19.30. ***m* 17.5** *la gloire* de Jésus 2.11 ; 11.2 ; voir 7.39+. — *avant que le monde fût* 1.1-2 ; 8.58 ; 17.24. ***n* 17.6** *j'ai manifesté ton nom* 1.18 ; 12.28 ; 14.7-11 ; 17.26. — *donnés* 6.37, 39, 44 ; 10.29 ; 17.2, 9, 12, 24. ***o* 17.8** 3.2 ; 16.30 ; voir 8.42+. ***p* 17.9** 1.10 ; 15.19 ; voir 3.16-17. ***q* 17.10** *ce qui est à moi est à toi* Lc 15.31. — *ce qui est à toi est à moi* Jn 16.15. ***r* 17.11** les disciples *restent dans le monde* 13.1. — Jésus *va* au Père 13.1, 3 ; 16.28. — *Père saint* Lv 11.44 ; 19.2 (1 P 1.16). — *un comme nous* Jn 10.30 ; 17.21 ; Ga 3.28. ***s* 17.12** *protégés* 18.8-9. — *perdition* Mt 7.13 ; Jn 3.16 ; 6.39 ; 10.28 ; 12.25 ; Ac 8.20 ; Rm 9.22 ; Ph 3.19. — *le fils de perdition* Jn 6.70 ; voir 1 Th 5.5 et la note ; 2 Th 2.3. — *accomplissement* Jn 13.18 (Ps 41.10). ***t* 17.13** 15.11+. ***u* 17.14** *pas du monde... haïs* 15.18-19. — Jésus ne dépend pas du monde 8.23.

demande pas de les ôter du monde, mais de les garder du Mauvais[v].
16 Ils ne sont pas du monde comme je ne suis pas du monde.
17 Consacre-les[w] par la vérité : ta parole est vérité. 18 Comme tu m'as
envoyé dans le monde, je les envoie[x] dans le monde. 19 Et pour eux je
me consacre[y] moi-même, afin qu'ils soient eux aussi consacrés par la
vérité.

20 « Je ne prie pas seulement pour eux, je prie aussi pour ceux qui,
grâce à leur parole, croiront en moi[z] : 21 que tous soient un comme toi,
Père, tu es en moi et que je suis en toi, qu'ils soient en nous eux aussi[a],
afin que le *monde croie que tu m'as envoyé. 22 Et moi, je leur ai donné
la gloire que tu m'as donnée, pour qu'ils soient un comme nous sommes
un, 23 moi en eux comme toi en moi, pour qu'ils parviennent à l'unité
parfaite et qu'ainsi le monde puisse connaître que c'est toi qui m'as
envoyé et que tu les as aimés comme tu m'as aimé. 24 Père, je veux que là
où je suis, ceux que tu m'as donnés soient eux aussi avec moi, et qu'ils
contemplent la gloire que tu m'as donnée, car tu m'as aimé dès avant la
fondation du monde[b]. 25 Père juste, tandis que le *monde ne t'a pas
connu[c], je t'ai connu et ceux-ci ont reconnu que tu m'as envoyé. 26 Je
leur ai fait connaître ton nom[d] et je le leur ferai connaître encore, afin
que l'amour dont tu m'as aimé soit en eux, et moi en eux. »

L'arrestation de Jésus

(Mt 26.47-56; Mc 14.43-50; Lc 22.47-53)

18 1 Ayant ainsi parlé, Jésus s'en alla, avec ses disciples, au-delà
du torrent du Cédron ; il y avait là un jardin[e] où il entra avec
ses disciples. 2 Or Judas, qui le livrait, connaissait l'endroit, car Jésus
s'y était maintes fois réuni avec ses disciples[f]. 3 Il prit la tête de la
cohorte et des gardes[g] fournis par les *grands prêtres et les *Phari-
siens, il gagna le jardin avec torches, lampes et armes. 4 Jésus, sachant
tout ce qui allait lui arriver[h], s'avança et leur dit : « Qui cherchez-

v 17.15 *pas ôtés du monde* 15.19—16.4. — *les garder du Mauvais* (ou *du mal*) Mt 6.13 ; 2 Th 3.3 ; 1 Jn 5.18. **w 17.17** Jr 1.5 ; *Si* 45.4 ; Jn 10.36. **x 17.18** 20.21. **y 17.19** Jésus *se consacre* lui-même : voir 6.51 ; 10.18 ; 15.13. — *pour eux* Mc 14.24 ; Lc 22.20 ; 1 Co 11.24 ; 15.3 ; He 2.9 ; 5.1 ; 9.7 ; 10.12. **z 17.20** 17.9. **a 17.21** *que tous soient un* Ga 3.28 *comme le Père et le Fils* Jn 10.38 ; 17.11. **b 17.24** *là ou je suis, là aussi...* 12.26 ; 14.3. — *contempler la gloire* de Jésus 1.14 ; voir 2 Co 3.18 ; 4.6. — *avant la création du monde* Jn 17.5. **c 17.25** *le monde n'a pas connu* le Père 1.10 ; 8.55. — Jésus est celui qui connaît le Père 8.55+. — *Père juste* Ps 7.18 ; 9.5 ; 96.13 ; 116.5 ; 129.4 ; 145.17 ; Rm 3.26 ; Ap 16.5. **d 17.26** 17.6. **e 18.1** Mt 26.36 ; Mc 11.1 et la note ; 14.32. **f 18.2** Lc 21.37 ; 22.39. **g 18.3** *la cohorte :* (voir Mc 15.15 et la note) dans la traduction grecque de l'A.T. le même terme désigne aussi des troupes juives. Il peut donc s'agir ici de *la milice du temple* ; Jn 7.32, 45. **h 18.4** 13.1, 3.

vous?» 5 Ils lui répondirent: «Jésus le Nazôréen.» Il leur dit: «C'est
moi[i].» Or, parmi eux, se tenait Judas qui le livrait. 6 Dès que Jésus leur
eut dit "c'est moi", ils eurent un mouvement de recul et tombèrent.
7 A nouveau, Jésus leur demanda: «Qui cherchez-vous?» Ils répondi-
rent: «Jésus le Nazôréen.» 8 Jésus leur répondit: «Je vous l'ai dit, c'est
moi. Si donc c'est moi que vous cherchez, laissez aller ceux-ci.»
9 C'est ainsi que devait s'accomplir la parole que Jésus avait dite: «Je
n'ai perdu aucun de ceux que tu m'as donnés[j].» 10 Alors Simon-Pierre,
qui portait un glaive[k], dégaina et frappa le serviteur du grand prêtre,
auquel il trancha l'oreille droite; le nom de ce serviteur était Malchus.
11 Mais Jésus dit à Pierre: «Remets ton glaive au fourreau! La coupe[l]
que le Père m'a donnée, ne la boirai-je pas?» 12 La cohorte avec son
commandant et les gardes des *Juifs saisirent donc Jésus et ils le ligotè-
rent.

Au palais du Grand Prêtre Hanne

(Mt 26.57-58; Mc 14.53-54; Lc 22.54)

13 Ils le conduisirent tout d'abord chez Hanne. Celui-ci était le beau-
père de Caïphe[m], qui était le Grand Prêtre cette année-là; 14 c'est ce
même Caïphe qui avait suggéré aux Juifs: il est avantageux qu'un seul
homme meure pour le peuple[n].

(Mt 26.69-70; Mc 14.66-68; Lc 22.55-57)

15 Simon-Pierre et un autre disciple[o] avaient suivi Jésus. Comme ce
disciple était connu du Grand Prêtre, il entra avec Jésus dans le palais
du Grand Prêtre. 16 Pierre se tenait à l'extérieur, près de la porte;
l'autre disciple, celui qui était connu du Grand Prêtre, sortit, s'adressa
à la femme qui gardait la porte et fit entrer Pierre[p]. 17 La servante qui
gardait la porte lui dit: «N'es-tu pas, toi aussi, un des disciples de cet
homme?» Pierre répondit: «Je n'en suis pas[q]!» 18 Les serviteurs et les
gardes avaient fait un feu de braise car il faisait froid et ils se chauf-
faient; Pierre se tenait avec eux et se chauffait aussi.

(Mt 26.59-66; Mc 14.55-64; Lc 22.66-71)

19 Le Grand Prêtre se mit à interroger Jésus sur ses *disciples et sur
son enseignement. 20 Jésus lui répondit: «J'ai parlé ouvertement au
*monde, j'ai toujours enseigné dans les *synagogues et dans le

i* *18.5 Voir 8.24+. ***j* *18.9*** 6.39 ; 17.12 ; voir 10.28. ***k* *18.10*** *un glaive* Lc 22.36, 38. ***l* *18.11*** Mc 10.38+ et par. ; 14.36 par. ***m* *18.13*** Voir Lc 3.2+ et la note. ***n* *18.14*** 11.49-51. ***o* *18.15*** 20.3. ***p* *18.16*** Mc 14.54 par. ***q* *18.17*** 18.25.

*temple[r] où tous les *Juifs se rassemblent et je n'ai rien dit en secret.
21 Pourquoi est-ce moi que tu interroges? Ce que j'ai dit, demande-le à
ceux qui m'ont écouté: ils savent bien ce que j'ai dit.» 22 A ces mots,
un des gardes qui se trouvait là gifla[s] Jésus en disant: «C'est ainsi que
tu réponds au Grand Prêtre?» 23 Jésus lui répondit: «Si j'ai mal parlé,
montre en quoi; si j'ai bien parlé, pourquoi me frappes-tu?» 24 Là-
dessus, Hanne[t] envoya Jésus ligoté à Caïphe, le Grand Prêtre.

(Mt 26.71-75; Mc 14.69-72; Lc 22.58-62)

25 Cependant Simon-Pierre était là qui se chauffait. On lui dit:
«N'es-tu pas, toi aussi, l'un de ses disciples?» Pierre nia en disant: «Je
n'en suis pas[u]!» 26 Un des serviteurs du Grand Prêtre, parent de celui
auquel Pierre avait tranché l'oreille, lui dit: «Ne t'ai-je pas vu dans le
jardin avec lui[v]?» 27 A nouveau Pierre le nia, et au même moment un
coq chanta[w].

Jésus devant Pilate

(Mt 27.1-2,11-14; Mc 15.1-5; Lc 23.1-5)

28 Cependant on avait emmené Jésus de chez Caïphe à la résidence
du gouverneur. C'était le point du jour. Ceux qui l'avaient amené
n'entrèrent pas dans la résidence pour ne pas se *souiller et pouvoir
manger la *Pâque[x]. 29 Pilate[y] vint donc les trouver à l'extérieur et dit:
«Quelle accusation portez-vous contre cet homme?» 30 Ils répondi-
rent: «Si cet individu n'avait pas fait le mal, te l'aurions-nous livré?»
31 Pilate leur dit alors: «Prenez-le et jugez-le vous-mêmes suivant votre
*loi[z].» Les *Juifs lui dirent: «Il ne nous est pas permis de mettre quel-
qu'un à mort!» 32 C'est ainsi que devait s'accomplir la parole par
laquelle Jésus avait signifié de quelle mort il devait mourir[a].

33 Pilate rentra donc dans la résidence. Il appela Jésus et lui dit: «Es-
tu le roi des Juifs[b]?» 34 Jésus lui répondit: «Dis-tu cela de toi-même ou
d'autres te l'ont-ils dit de moi?» 35 Pilate lui répondit: «Est-ce que je

***r* 18.20** *Jésus a parlé ouvertement* 7.26 *à la synagogue, ou au temple* Mt 4.23 ; 26.55 ; Jn 6.59 ; 7.14. ***s* 18.22** Mt 26.67 ; Mc 14.65 ; Jn 19.3 ; voir Ac 23.2. ***t* 18.24** Lc 3.2 ; Jn 18.13. ***u* 18.25** 18.17. ***v* 18.26** *le serviteur blessé à l'oreille* Mc 14.47 par. ; Jn 18.10. — *avec lui dans le jardin* 18.1. ***w* 18.27** Mc 14.30 par. ; Jn 18.38. ***x* 18.28** *Manger la Pâque* : expression abrégée pour dire *participer au repas de la Pâque*. Les maisons païennes étaient considérées comme impures (voir Ac 10.28). Voir au glossaire PUR. ***y* 18.29** *Ponce-Pilate* fut gouverneur romain de la Judée entre les années 26 et 36 ap. J.C. ; Mt 27.2, etc. ; Mc 15.1, etc. ; Lc 3.1 ; 13.1 ; 23.1, etc. ; Ac 3.13-14 ; 4.27 ; 13.28 ; 1 Tm 6.13. ***z* 18.31** *prenez-le...* 19.6-7. — *jugez-le selon votre loi* Ac 18.15. ***a* 18.32** Mt 20.19 ; 26.2 ; Jn 3.14 ; 8.28 ; 12. 32-33. ***b* 18.33** *roi* 1.49 ; 6.15 *des Juifs* Mt 27.11 ; Mc 15.2 ; Lc 23.3.

suis Juif, moi? Ta propre nation[c], les *grands prêtres t'ont livré à moi!
Qu'as-tu fait?» 36 Jésus répondit: «Ma royauté n'est pas de ce
*monde. Si ma royauté était de ce monde, les miens auraient com-
battu pour que je ne sois pas livré aux Juifs. Mais ma royauté, mainte-
nant, n'est pas d'ici.» 37 Pilate lui dit alors: «Tu es donc roi?» Jésus lui
répondit: «C'est toi qui dis que je suis roi. Je suis né et je suis venu
dans le monde pour rendre témoignage à la vérité. Quiconque est de la
vérité écoute ma voix[d].» 38 Pilate lui dit: «Qu'est-ce que la vérité?»

(Mt 27.15-31; Mc 15.6-20; Lc 23.13-25)

Sur ce mot, il alla de nouveau trouver les Juifs au-dehors et leur dit:
«Pour ma part, je ne trouve contre lui aucun chef d'accusation. 39 Mais
comme il est d'usage chez vous que je vous relâche quelqu'un au
moment de la Pâque, voulez-vous donc que je vous relâche le roi des
Juifs?» 40 Alors ils se mirent à crier: «Pas celui-là, mais Barabbas!» Or
ce Barabbas était un brigand[e].

19 1 Alors Pilate emmena Jésus et le fit fouetter. 2 Les soldats, qui
avaient tressé une couronne avec des épines, la lui mirent sur
la tête et ils jetèrent sur lui un manteau de pourpre[f]. 3 Ils s'appro-
chaient de lui et disaient: «Salut, le roi des Juifs!» et ils se mirent à lui
donner des coups[g]. 4 Pilate retourna à l'extérieur et dit aux Juifs:
«Voyez, je vais vous l'amener dehors: vous devez savoir que je ne
trouve aucun chef d'accusation contre lui[h].» 5 Jésus vint alors à l'exté-
rieur; il portait la couronne d'épines et le manteau de pourpre. Pilate
leur dit: «Voici l'homme!» 6 Mais dès que les grands prêtres et leurs
gens le virent, ils se mirent à crier: «Crucifie-le! Crucifie-le!» Pilate
leur dit: «Prenez-le vous-mêmes[i] et crucifiez-le; quant à moi, je ne
trouve pas de chef d'accusation contre lui.»
7 Les Juifs lui répliquèrent: «Nous avons une loi, et selon cette loi il
doit mourir parce qu'il s'est fait Fils de Dieu[j]!» 8 Lorsque Pilate
entendit ce propos, il fut de plus en plus effrayé. 9 Il regagna la rési-
dence et dit à Jésus: «D'où es-tu, toi?» Mais Jésus ne lui fit aucune

c 18.35 1.11. ***d 18.37*** le *témoignage* apporté par Jésus 1 Tm 6.13. – *témoignage rendu à la vérité* Jn 3.11, 32-33; 8.46. – *être de la vérité, écouter* ce que dit Jésus Ac 8.47+. ***e 18.40*** Le mot grec traduit ici par *brigand* était souvent appliqué aux *zélotes* (voir Mc 3.18 et la note). – *Barabbas* Mc 15.6-15 par. – *un brigand* préféré à Jésus Ac 3.14. ***f 19.2*** Lc 23.11. ***g 19.3*** *roi des Juifs* Mt 27.27-31; Mc 15.16-20. – *des coups* 18.22. ***h 19.4*** Lc 23.4; Jn 18.38. ***i 19.6*** 18.31. ***j 19.7*** *la loi* qui condamne Jésus Lv 24.16; voir Jn 18.31. – *il s'est fait Fils de Dieu* 5.18; 10.33.

réponse[k]. 10 Pilate lui dit alors: «C'est à moi que tu refuses de parler!
Ne sais-tu pas que j'ai le pouvoir de te relâcher comme j'ai le pouvoir
de te faire crucifier?» 11 Mais Jésus lui répondit: «Tu n'aurais sur moi
aucun pouvoir s'il ne t'avait été donné d'en haut; et c'est bien pour-
quoi celui qui m'a livré à toi porte un plus grand péché[l].» 12 Dès lors,
Pilate cherchait à le relâcher, mais les Juifs se mirent à crier et ils
disaient: «Si tu le relâchais, tu ne te conduirais pas comme l'ami de
César! Car quiconque se fait roi[m], se déclare contre César.»

13 Dès qu'il entendit ces paroles, Pilate fit sortir Jésus et le fit asseoir
sur l'estrade, à la place qu'on appelle Lithostrôtos — en hébreu Gab-
batha[n]. 14 C'était le jour de la Préparation de la *Pâque, vers la sixième
heure[o]. Pilate dit aux Juifs: «Voici votre roi!» 15 Mais ils se mirent à
crier: «A mort! A mort! Crucifie-le!» Pilate reprit: «Me faut-il cruci-
fier votre roi?» Les grands prêtres répondirent: «Nous n'avons pas
d'autre roi que César[p].» 16 C'est alors qu'il le leur livra pour être cru-
cifié.

La crucifixion et la mort de Jésus

(Mt 27.32-44; Mc 15.21-32; Lc 23.26-43)

Ils se saisirent donc de Jésus. 17 Portant lui-même sa croix, Jésus
sortit et gagna le lieu dit du Crâne, qu'en hébreu on nomme Golgo-
tha[q]. 18 C'est là qu'ils le crucifièrent ainsi que deux autres, un de
chaque côté et, au milieu, Jésus. 19 Pilate avait rédigé un écriteau qu'il
fit placer sur la croix: il portait cette inscription: «Jésus le Nazôréen,
le roi des *Juifs.» 20 Cet écriteau, bien des Juifs le lurent, car l'endroit
où Jésus avait été crucifié était proche de la ville et le texte était écrit
en hébreu, en latin et en grec. 21 Les *grands prêtres des Juifs dirent à
Pilate: «N'écris pas "le roi des Juifs", mais bien "cet individu a pré-
tendu qu'il était le roi des Juifs".» 22 Pilate répondit: «Ce que j'ai écrit,
je l'ai écrit.»

k 19.9 L'origine de Jésus 7.27-28 ; 8.14 ; 9.29-30. — Jésus garde le silence Mt 26.62-63 ; 27.12, 14 ; Mc 14.61 ; 15.5 ; Lc 23.9. ***l 19.11*** *pouvoir donné d'en haut* 10.18 ; Rm 13.1. — *celui qui a livré* Jésus Jn 6.64, 71 ; 12.4 ; 13.2, 21 ; 18.30, 35. — *péché* 8.21-24 ; 9.41 ; 15.22-24 ; 16.8-9. ***m 19.12*** *César* : ce nom du premier empereur de Rome était devenu une sorte de titre porté par tous ses successeurs. — *se faire roi* Lc 23.2 ; Jn 18.37 ; Ac 17.7. ***n 19.13*** Ou *il s'assit au tribunal. Gabbatha :* mot araméen désignant un *endroit* surélevé. *Lithostrôtos* : terme grec signifiant *pavement de pierre.* ***o 19.14*** Midi ; voir Mt 20.3 et la note. C'est à partir de cette heure-là qu'on immolait, au temple, les agneaux destinés au repas de la Pâque. ***p 19.15*** Jg 8.23 ; 1 S 8.7. ***q 19.17*** Les condamnés devaient porter eux-mêmes la poutre transversale de la croix jusqu'au lieu de l'exécution où se trouvait plantée la poutre verticale. — *Golgotha* : en araméen : *le crâne.* C'est une petite éminence située à proximité de la ville ; Mt 27.33 ; Mc 15.22.

23 Lorsque les soldats eurent achevé de crucifier Jésus, ils prirent ses vêtements et en firent quatre parts, une pour chacun[r]. Restait la tunique: elle était sans couture, tissée d'une seule pièce depuis le haut. 24 Les soldats se dirent entre eux: «Ne la déchirons pas, tirons plutôt au sort à qui elle ira», en sorte que soit accomplie l'Ecriture: *Ils se sont partagé mes vêtements, et ma tunique, ils l'ont tirée au sort*[s]. Voilà donc ce que firent les soldats.

25 Près de la croix de Jésus se tenaient debout sa mère, la sœur de sa mère, Marie, femme de Clopas et Marie de Magdala[t]. 26 Voyant ainsi sa mère et près d'elle le disciple qu'il aimait[u], Jésus dit à sa mère: «Femme, voici ton fils.» 27 Il dit ensuite au disciple: «Voici ta mère.» Et depuis cette heure-là, le disciple la prit chez lui.

(Mt 27.45-56; Mc 15.33-41; Lc 23.44-49)

28 Après quoi, sachant que dès lors tout était achevé, pour que l'Ecriture soit accomplie jusqu'au bout, Jésus dit: «J'ai soif[v]»; 29 il y avait là une cruche remplie de vinaigre, on fixa une éponge imbibée de ce vinaigre au bout d'une branche d'hysope[w] et on l'approcha de sa bouche. 30 Dès qu'il eut pris le vinaigre, Jésus dit: «Tout est achevé» et, inclinant la tête, il remit l'esprit.

Le sang et l'eau

31 Cependant, comme c'était le jour de la Préparation, les *Juifs, de crainte que les corps ne restent en croix durant le *sabbat — ce sabbat était un jour particulièrement solennel —, demandèrent à Pilate de leur faire briser les jambes[x] et de les faire enlever. 32 Les soldats vinrent donc, ils brisèrent les jambes du premier, puis du second de ceux qui avaient été crucifiés avec lui. 33 Arrivés à Jésus, ils constatèrent qu'il était déjà mort et ils ne lui brisèrent pas les jambes. 34 Mais un des soldats, d'un coup de lance, le frappa au côté, et aussitôt il en sortit du sang et de l'eau[y]. 35 Celui qui a vu a rendu témoignage[z], et son

r 19.23 La loi romaine accordait aux bourreaux le droit de s'approprier les dépouilles des condamnés. ***s 19.24*** Ps 22.19. ***t 19.25*** Mc 15.40-41 par. — *la mère de Jésus* Lc 2.5+. — *Marie de Magdala* Mt 27.56+. ***u 19.26*** Jn 13.23+. ***v 19.28*** *achevé* 4.34 ; 17.4 ; voir 13.1. — *J'ai soif* Ps 22.16. ***w 19.29*** Boisson habituelle des troupes romaines ; Ps 69.22. *L'hysope* est un arbuste dont les branches servaient à des rites de purification ; Ex 12.22 ; Lv 14.4 ; Ps 51.9. ***x 19.31*** *la Préparation* : voir v. 14 et la note sur Mt 27.62. — *que les corps ne restent pas* exposés Dt 21.22-23. — Les crucifiés, pendus par les bras, mouraient par une lente asphyxie. En leur brisant les jambes on les empêchait de prendre appui sur le sol et on hâtait ainsi leur mort. ***y 19.34*** *du sang et de l'eau* 1 Jn 5.6-8. — *eau* Jn 3.5 ; 4.14+ ; 7.38-39. — *sang* 6.53-56. ***z 19.35*** *le témoin* 1.7 ; 3.11 ; 15.26-27 *de ces faits* 21.24.

témoignage est conforme à la vérité, et d'ailleurs celui-là sait qu'il dit
ce qui est vrai afin que vous aussi vous croyiez. [36] En effet, tout cela est
arrivé pour que s'accomplisse l'Ecriture: *Pas un de ses os ne sera
brisé*[a]; [37] il y a aussi un autre passage de l'Ecriture qui dit: *Ils verront
celui qu'ils ont transpercé*[b].

La mise au tombeau

(Mt 27.57-61; Mc 15.42-47; Lc 23.50-56)

[38] Après ces événements, Joseph d'Arimathée, qui était un *disciple
de Jésus mais s'en cachait par crainte des *Juifs[c], demanda à Pilate
l'autorisation d'enlever le corps de Jésus. Pilate acquiesça et Joseph
vint enlever le corps. [39] Nicodème vint aussi, lui qui naguère était allé
trouver Jésus au cours de la nuit. Il apportait un mélange de myrrhe et
d'aloès d'environ cent livres[d]. [40] Ils prirent donc le corps de Jésus et
l'entourèrent de bandelettes, avec des aromates, suivant la manière
d'ensevelir des *Juifs. [41] A l'endroit où Jésus avait éte crucifié il y avait
un jardin, et dans ce jardin un tombeau tout neuf où jamais personne
n'avait été déposé. [42] En raison de la Préparation[e] des Juifs, et comme
ce tombeau était proche, c'est là qu'ils déposèrent Jésus.

Les disciples au tombeau

(Mt 28.1-10; Mc 16.1-8; Lc 24.1-12)

20 [1] Le premier jour de la semaine, à l'aube, alors qu'il faisait
encore sombre, Marie de Magdala[f] se rend au tombeau et voit
que la pierre a été enlevée du tombeau. [2] Elle court, rejoint Simon-
Pierre et l'autre disciple, celui que Jésus aimait, et elle leur dit: «On a
enlevé du tombeau le Seigneur[g], et nous ne savons pas où on l'a mis.»
[3] Alors Pierre sortit, ainsi que l'autre disciple, et ils allèrent au tom-
beau. [4] Ils couraient tous les deux ensemble, mais l'autre disciple
courut plus vite que Pierre et arriva le premier au tombeau. [5] Il se
penche et voit les bandelettes qui étaient posées là. Toutefois il
n'entra pas. [6] Arrive, à son tour, Simon-Pierre qui le suivait; il entre
dans le tombeau et considère les bandelettes posées là [7] et le linge qui
avait recouvert la tête; celui-ci n'avait pas été déposé avec les bande-

a* *19.36 Ex 12.46 ; Nb 9.12 ; Ps 34.21. ***b* *19.37*** *Ils verront* Za 12.10 (Ap 1.7). ***c* *19.38*** Le bourg d'*Arimathée* est situé par certains à 35 km au Nord-Nord-Ouest de Jérusalem. — *par crainte des Juifs* 7.13+. ***d* *19.39*** *Nicodème* 3.1+. — *cent livres* : un peu moins de 33 kg. Voir au glossaire POIDS ET MESURES. La *myrrhe* (Mt 2.11) est une résine utilisée pour embaumer les morts ; l'*aloès* (Ps 45.9 ; Pr 7.17) est utilisé comme parfum. ***e* *19.42*** Voir 19.14, 31 et la note sur Mt 27.62. ***f* *20.1*** *premier jour de la semaine* 20.19 ; Ac 20.7. — *Marie de Magdala* Mt 27.56+. ***g* *20.2*** *le disciple que Jésus aimait* 13.23+. — *ils ont enlevé le Seigneur* 20.13.

lettes, mais il était roulé à part, dans un autre endroit[h]. 8 C'est alors que l'autre disciple, celui qui était arrivé le premier, entra à son tour dans le tombeau; il vit et il crut. 9 En effet, ils n'avaient pas encore compris l'Ecriture selon laquelle Jésus devait se relever d'entre les morts[i]. 10 Après quoi, les disciples s'en retournèrent chez eux.

Marie de Magdala voit le Seigneur

(Mc 16.9-11)

11 Marie était restée dehors, près du tombeau, et elle pleurait. Tout en pleurant elle se penche vers le tombeau 12 et elle voit deux *anges[j] vêtus de blanc, assis à l'endroit même où le corps de Jésus avait été déposé, l'un à la tête et l'autre aux pieds.

13 «Femme, lui dirent-ils, pourquoi pleures-tu?» Elle leur répondit: «On a enlevé mon Seigneur[k], et je ne sais où on l'a mis.» 14 Tout en parlant elle se retourne et elle voit Jésus qui se tenait là, mais elle ne savait pas que c'était lui[l]. 15 Jésus lui dit: «Femme, pourquoi pleures-tu? qui cherches-tu?» Mais elle, croyant qu'elle avait affaire au gardien du jardin, lui dit: «Seigneur, si c'est toi qui l'as enlevé, dis-moi où tu l'as mis et j'irai le prendre.» 16 Jésus lui dit: «Marie.» Elle se retourna et lui dit en hébreu: «Rabbouni», ce qui signifie maître. 17 Jésus lui dit: «Ne me retiens pas! car je ne suis pas encore monté vers mon Père. Pour toi, va trouver mes frères[m] et dis-leur que je monte vers mon Père qui est votre Père, vers mon Dieu qui est votre Dieu.» 18 Marie de Magdala vint donc annoncer aux disciples: «J'ai vu le Seigneur, et voilà ce qu'il m'a dit.»

Les disciples voient le Seigneur

(Mt 28.16-20; Mc 16.14-18; Lc 24.36-49)

19 Le soir de ce même jour qui était le premier de la semaine, alors que, par crainte des *Juifs, les portes de la maison où se trouvaient les disciples étaient verrouillées, Jésus vint[n], il se tint au milieu d'eux et il leur dit: «La paix soit avec vous.» 20 Tout en parlant, il leur montra ses mains et son côté. En voyant le Seigneur, les disciples furent tout à la

***h* 20.7** v. 6-7: *bandelettes* et *linge* 11.44. ***i* 20.9** Ps 16.10; voir Lc 24.26-27, 44-46; Ac 2.27, 31; 1 Co 15.4. ***j* 20.12** Mt 28.2-5; Lc 24.23; voir Mc 16.5. ***k* 20.13** 20.2. ***l* 20.14** Lc 24.16; Jn 21.4. ***m* 20.17** *ne me retiens pas* ou *ne me touche pas*; voir 14.28; 16.5-7. — *mes frères* Mt 28.10; Rm 8.29; voir He 2.11-12. ***n* 20.19** *premier jour de la semaine* 20.1+. — *par crainte des Juifs* 7.13+. — *portes verrouillées* 20.26. — *Jésus vint* 14.3, 18-19; 16.16; voir Mt 18.20; 28.20; Ap 1.7.

joie[o]. 21 Alors, à nouveau, Jésus leur dit: «La paix soit avec vous.
Comme le Père m'a envoyé, à mon tour je vous envoie[p].» 22 Ayant
ainsi parlé, il souffla sur eux[q] et leur dit: «Recevez l'Esprit Saint;
23 ceux à qui vous remettrez les péchés, ils leur seront remis. Ceux à
qui vous les retiendrez, ils leur seront retenus[r].»

Le témoignage des disciples et la foi

24 Cependant Thomas, l'un des Douze, celui qu'on appelle Didyme[s],
n'était pas avec eux lorsque Jésus vint. 25 Les autres disciples lui dirent
donc: «Nous avons vu le Seigneur!» Mais il leur répondit: «Si je ne
vois pas dans ses mains la marque des clous, si je n'enfonce pas mon
doigt à la place des clous et si je n'enfonce pas ma main dans son
côté[t], je ne croirai pas!» 26 Or huit jours plus tard, les disciples étaient
à nouveau réunis dans la maison et Thomas était avec eux. Jésus vint,
toutes portes verrouillées[u], il se tint au milieu d'eux et leur dit: «La
paix soit avec vous.» 27 Ensuite il dit à Thomas: «Avance ton doigt ici
et regarde mes mains; avance ta main et enfonce-la dans mon côté,
cesse d'être incrédule et deviens un homme de foi.» 28 Thomas lui
répondit: «Mon Seigneur et mon Dieu.» 29 Jésus lui dit: «Parce que tu
m'as vu, tu as cru; bienheureux ceux qui, sans avoir vu[v], ont cru.»

Le dessein de l'évangéliste

30 Jésus a opéré sous les yeux de ses disciples bien d'autres *signes[w]
qui ne sont pas rapportés dans ce livre. 31 Ceux-ci l'ont été pour que
vous croyiez que Jésus est le *Christ, le Fils de Dieu, et pour que, en
croyant, vous ayez la *vie en son *nom[x].

Appendice. L'apparition au bord du lac

21 1 Après cela, Jésus se manifesta de nouveau aux disciples sur
les bords de la mer de Tibériade. Voici comment il se mani-
festa. 2 Simon-Pierre, Thomas qu'on appelle Didyme[y], Nathanaël de
Cana de Galilée, les fils de Zébédée et deux autres disciples se trou-
vaient ensemble. 3 Simon-Pierre leur dit: «Je vais pêcher.» Ils lui
dirent: «Nous allons avec toi.» Ils sortirent et montèrent dans la

o 20.20 Voir 19.34 et 20.25, 27 ; voir Lc 24.39 : il s'agit des traces de la crucifixion et du coup de lance. — *joie* des disciples à la vue du Seigneur Mt 28.8 ; Lc 24.41, 52 ; Jn 15.11 ; 16.20, 22 ; 17.13. ***p 20.21*** *envoyés* Mt 28.19 ; Mc 16.15 ; Lc 24.47 ; Ac 1.8 *comme Jésus* Jn 17.18. ***q 20.22*** Gn 2.7 ; Ez 37.9. ***r 20.23*** Mt 16.19+. ***s 20.24*** 11.16+ et la note. ***t 20.25*** 19.34 ; 20.20. ***u 20.26*** 20.19. ***v 20.29*** 1 P 1.8 ; voir Jn 17.20. ***w 20.30*** 21.25. ***x 20.31*** 3.15-16 ; 1 Jn 5.13. ***y 21.2*** 11.16+.

barque, mais cette nuit-là, ils ne prirent rien. 4 C'était déjà le matin;
Jésus se tint là sur le rivage, mais les disciples ne savaient pas que
c'était lui[z]. 5 Il leur dit: «Eh, les enfants, n'avez-vous pas un peu de
poisson[a]?» —«Non», lui répondirent-ils. 6 Il leur dit: «Jetez le filet[b]
du côté droit de la barque et vous trouverez.» Ils le jetèrent et il y eut
tant de poissons qu'ils ne pouvaient plus le ramener. 7 Le disciple que
Jésus aimait[c] dit alors à Pierre: «C'est le Seigneur!» Dès qu'il eut
entendu que c'était le Seigneur, Simon-Pierre ceignit un vêtement, car
il était nu, et il se jeta à la mer. 8 Les autres disciples revinrent avec la
barque, en tirant le filet plein de poissons: ils n'étaient pas bien loin
de la rive, à deux cents coudées[d] environ. 9 Une fois descendus à terre,
ils virent un feu de braise sur lequel on avait disposé du poisson et du
pain. 10 Jésus leur dit: «Apportez donc ces poissons que vous venez de
prendre.» 11 Simon-Pierre remonta donc dans la barque et il tira à terre
le filet que remplissaient cent cinquante-trois gros poissons, et quoi-
qu'il y en eût tant, le filet ne se déchira pas[e]. 12 Jésus leur dit: «Venez
déjeuner.» Aucun des disciples n'osait lui poser la question: «Qui es-
tu?»: ils savaient bien que c'était le Seigneur. 13 Alors Jésus vient; il
prend le pain et le leur donne; il fit de même avec le poisson[f]. 14 Ce fut
la troisième fois que Jésus se manifesta à ses disciples depuis qu'il
s'était relevé d'entre les morts[g].

La tâche pastorale de Pierre

15 Après le repas, Jésus dit à Simon-Pierre: «Simon, fils de Jean,
m'aimes-tu plus que ceux-ci?» Il répondit: «Oui, Seigneur, tu sais que
je t'aime», et Jésus lui dit alors: «Pais mes agneaux[h].» 16 Une seconde
fois, Jésus lui dit: «Simon, fils de Jean, m'aimes-tu?» Il répondit:
«Oui, Seigneur, tu sais que je t'aime.» Jésus dit: «Sois le *berger de
mes brebis[i].» 17 Une troisième fois, il dit: «Simon, fils de Jean,
m'aimes-tu?» Pierre fut attristé de ce que Jésus lui avait dit une troi-
sième fois: «M'aimes-tu?» et il reprit: «Seigneur, toi qui connais
toutes choses[j], tu sais bien que je t'aime.» Et Jésus lui dit: «Pais mes
brebis. 18 En vérité, en vérité, je te le dis, quand tu étais jeune, tu
nouais ta ceinture et tu allais où tu voulais; lorsque tu seras devenu
vieux[k], tu étendras les mains et c'est un autre qui nouera ta ceinture et

z 21.4 Lc 24.16 ; Jn 20.14. ***a 21.5*** Lc 24.41. ***b 21.6*** Lc 5.4-7. ***c 21.7*** 13.23+. ***d 21.8*** Environ une centaine de mètres. Voir au glossaire POIDS ET MESURES. ***e 21.11*** voir Lc 5.6. ***f 21.13*** Mt 14.19 ; 15.36 ; Mc 6.41 ; 8.6 ; Lc 9.16 ; Jn 6.11.
g 21.14 20.19, 26. ***h 21.15*** *plus que ceux-ci* Mt 26.33 ; Mc 14.29 ; Lc 22.33 ; Jn 13.37 ; 18.17, 25-27. — *les brebis* de Jésus 10.1-16. ***i 21.16*** Ac 20.28 ; 1 P 5.2 ; voir Lc 22.32. ***j 21.17*** 16.30. ***k 21.18*** 2 P 1.14.

qui te conduira là où tu ne voudrais pas.» 19 Jésus parla ainsi pour indi-
quer de quelle mort Pierre devait glorifier Dieu[l]; et après cette parole,
il lui dit: «Suis-moi.»

Le disciple bien-aimé et le témoignage qui demeure

20 Pierre s'étant retourné vit derrière lui le disciple que Jésus aimait,
celui qui, au cours du repas, s'était penché vers sa poitrine[m] et qui
avait dit: «Seigneur, qui est celui qui va te livrer?» 21 Quand il le vit,
Pierre dit à Jésus: «Et lui, Seigneur, que lui arrivera-t-il?» 22 Jésus lui
répondit: «Si je veux qu'il demeure jusqu'à ce que je vienne[n], que
t'importe? Toi, suis-moi.» 23 C'est à partir de cette parole qu'on a
répété parmi les frères que ce disciple ne mourrait pas. En réalité,
Jésus ne lui avait pas dit qu'il ne mourrait pas, mais bien: «Si je veux
qu'il demeure jusqu'à ce que je vienne, que t'importe[o]?»

24 C'est ce disciple qui témoigne de ces choses[p] et qui les a écrites,
et nous savons que son témoignage est conforme à la vérité.

25 Jésus a fait encore bien d'autres choses[q]: si on les écrivait une à
une, le monde entier ne pourrait, je pense, contenir les livres qu'on
écrirait.

l 21.19 12.33 ; 18.32 ; voir 13.31, 36. ***m 21.20*** *le disciple que Jésus aimait* 13.23+. – *penché vers sa poitrine* 13.25. ***n 21.22*** Mt 16.28 ; voir 1 Co 11.26 ; Ap 22.7, 12, 17, 20. ***o 21.23*** Les mots *que t'importe ?* ne figurent pas dans certains manuscrits. ***p 21.24*** 19.35. ***q 21.25*** 20.30.

LES ACTES DES APÔTRES

INTRODUCTION

Comme le troisième évangile, les Actes des Apôtres *sont l'œuvre de « Luc, le cher médecin » (Col 4.14), un compagnon de Paul, qui a raconté dans ce livre des événements qu'il connaissait bien ; cette œuvre « apostolique » fait partie de l'Ecriture et est, à ce titre, norme de foi et de vie ; telle était, vers 200, la conviction de l'ensemble de l'Eglise. Dès lors, nombreux ont été au fil des siècles les aspects de la vie de l'Eglise où l'on retrouve, mêlées aux appels de l'Evangile et de Paul, la nostalgie et l'imitation de l'Eglise naissante telle que la présentent les Actes.*

Approches littéraires

Le livre est en effet une œuvre narrative ; de l'Ascension de Jésus à un séjour de Paul à Rome comme prisonnier (28.16-30), il raconte divers épisodes des origines de l'Eglise et de la vie de Paul. En dépit de son unité de langue et de pensée, il comporte deux parties assez différentes au point de vue littéraire. La première (1—12 ou 15), où Jérusalem et la Judée occupent le devant de la scène, se présente comme un ensemble d'éléments plus juxtaposés qu'articulés ; les indications chronologiques sont rares, la langue plus ou moins sémitisante, la pensée ici ou là archaïque. En revanche, la seconde partie (13 ou 16—28), où il n'est plus guère question que de Paul, constitue un ensemble mieux organisé ; la langue est plus purement grecque ; la chronologie, moins vague. A quatre reprises, le récit passe curieusement de la troisième personne à la première personne du pluriel ; « nous... » (16.10-17 ; 20. 5-15 ; 21.1-18 ; 27.1—28.16).

Les unités littéraires d'une certaine étendue qu'on peut distinguer dans les Actes *sont à peu près toutes soit des récits d'évangélisation et de mission, soit des récits de procès devant les tribunaux juifs ou romains. Dans ces ensembles plus ou moins complexes, l'analyse dis-*

cerne des unités littéraires plus petites qui relèvent de deux genres principaux : les récits, avec ou sans dialogue, et les discours. Les épisodes racontés *sont d'une grande variété ; le merveilleux n'y est pas rare. Du genre narratif relèvent également les trois « sommaires » ou tableaux généraux qui évoquent idéalement la vie de l'Eglise de Jérusalem (2.42-47 ; 4. 32-35 ; 5.12-16). Les* discours *eux aussi sont très variés. La plupart sont prononcés par des chrétiens : discours missionnaires ; plaidoyers devant les tribunaux ; adresses à d'autres chrétiens ; à quoi l'on peut ajouter une lettre (15.23-29) et de brèves prières (1.24-25 ; 4.24-30 ; voir aussi 7.59-60). De courtes déclarations ainsi qu'une lettre (23.25-30) sont attribuées à des Juifs ou à des païens.*

Il y a tout lieu de penser que l'auteur des Actes *a utilisé des sources écrites et des traditions orales déjà plus ou moins fixées. Mais il est très difficile de les isoler et de les délimiter avec assurance et précision, même dans le cas de « l'itinéraire » ou « journal de voyage » dont les passages en « nous » suggèrent l'existence. Quant à l'origine de ces sources, on voit assez bien où la situer. Chaque Eglise conservait des souvenirs de sa fondation et de son histoire (voir 1 Th 2.2 ; 3.1-2 ; 2 Co 11.22—12.10 ; etc.). Passant d'une Eglise à l'autre (voir 1 Th 1.8 ; 2.14 ; 1 Co 16.1 ; etc.), ces informations devaient être particulièrement abondantes et disponibles, oralement ou par écrit, dans des centres chrétiens importants comme Jérusalem ou Antioche. L'auteur des* Actes *pouvait également disposer de souvenirs personnels, surtout s'il était l'auteur du « journal de voyage » et donc compagnon de Paul.*

Les Actes et l'histoire

Les données de l'histoire générale et de l'archéologie d'une part, celles que fournit d'autre part le reste du Nouveau Testament et en particulier la correspondance de Paul permettent d'apprécier, par comparaison, la valeur historique de bon nombre de renseignements apportés par les Actes. *Dans l'ensemble, les résultats de cette évaluation sont favorables. L'historien est ainsi invité à accueillir sans méfiance à priori les nombreuses données du livre pour lesquelles, faute de moyens de contrôle extérieur, il en est réduit aux ressources d'une analyse purement interne.*

Cette analyse peut ainsi déceler dans les récits des tensions ou des discordances qui semblent bien correspondre à des insuffisances dans les informations de l'auteur ou à des libertés rédactionnelles. La vraisemblance fournit un autre critère de la véracité des récits, mais il est d'utilisation délicate. Lorsqu'il s'agit par exemple d'admettre, de réduire ou de nier l'historicité des miracles racontés par les Actes, *la critique recourt trop souvent à des considérations qui relèvent plus de la philosophie que de l'histoire. Elle ne doit au demeurant pas oublier ici que les miracles ont joué un rôle certain dans le christianisme primitif (1 Co 12.28 ; 2 Co 12.12 ; Rm 15.18ss ; etc.). Dans ces cas, comme dans celui de la conversion de Paul, les* Actes *ne font que donner un visage concret, fût-il embelli, à des réalités attestées globalement par ailleurs.*

La brièveté de la plupart des discours des Actes *empêche d'y voir des sténographies ou des souvenirs conservés et rapportés* in extenso. *Selon la coutume des historiens anciens, l'auteur a certainement composé plus ou moins librement les discours qu'il place dans la bouche de ses personnages. Mais cela ne signifie pas que ces discours n'ont aucune valeur documentaire. La structure générale et certains éléments des discours missionnaires semblent bien, par exemple, des reflets fidèles de divers types de prédication chrétienne. Quant aux autres discours, ils sont généralement vraisemblables, mais l'appréciation précise de leur historicité dépend du crédit qu'on accorde, dans l'ensemble, aux informations de l'auteur.*

Un dernier aspect des Actes *comme document historique doit être souligné : leurs silences, volontaires ou non. On aurait donc tort de considérer le livre comme une histoire générale des origines chrétiennes ou une biographie complète de Paul. Mais, dans ces deux domaines, il n'en apporte pas moins un ensemble d'informations irremplaçables.*

La théologie des Actes

Les Actes *s'intéressent assurément à la réalité historique des événements qu'ils racontent, mais ils le font dans des perspectives qui sont, finalement, celles de la foi. Qu'il s'agisse de l'histoire du passé ou d'épisodes actuels (2.16-21 ; 4.10-12 ; 11.17ss ; etc.), les discours en énoncent la portée invisible. Cette interprétation croyante se retrouve dans les parties narratives quand Dieu y intervient comme l'un des acteurs du récit : il agit par son Esprit (1.8 ; etc.), par son ange (23.8 ; etc.), par les missionnaires chrétiens (15.4-12 ; 19.11 ; etc.) ; la croissance des Eglises est son œuvre (2.47 ; 11.21-23 ; etc.). L'auteur est historien, mais c'est un historien qui a la foi et ne s'en cache pas. Pour entrer dans son œuvre, il faut donc prendre en compte cette foi et son contenu, c'est-à-dire, si l'on veut, la théologie du livre.*

L'histoire du salut

La prédication missionnaire proclame une histoire dont l'acteur principal est Dieu, le Dieu qui a créé l'univers (17.24 ; etc.) et choisi

Israël (3.25 ; 13.17 ; etc.). « La Loi et les Prophètes » font ainsi partie de « l'Evangile » comme une première étape (13.17-22 ; 7.2-50), temps des préfigurations, des prophéties, de la Promesse, qui révélaient déjà le plan de Dieu.

Le temps de l'accomplissement commence lorsque Dieu « suscite » Jésus (3.22-26 ; 13.23) dont il prend à son compte la vie (1.22 ; 2.22 ; 10.36-38), la Passion et la Mort (2.23 ; 3.18 ; etc.). Quand enfin Dieu ressuscite Jésus, le fait « Seigneur et Christ » (2.36) et lui donne l'Esprit promis (2.33), la Promesse est alors, en un sens, pleinement accomplie (13.22ss). Mais, comme elle est destinée à Israël et à tous les hommes « qui sont au loin » (2.39 ; voir aussi 1.8 ; etc.), cet accomplissement ouvre un espace et un temps où l'histoire du salut se poursuit.

L'aujourd'hui de Dieu

Ce qui se passe depuis la Résurrection continue donc d'accomplir les prophéties (2.16-21 ; 13.40ss ; 15.15-18 ; 28.25-27). De cet « aujourd'hui », Dieu demeure l'acteur principal, mais Jésus ressuscité le rejoint, pour ainsi dire, dans ce rôle majeur : sa mission continue (3.26), il répand l'Esprit (2.33) qui anime la vie de l'Eglise, il annonce « la lumière au Peuple et aux nations païennes » (26.23), en attendant de juger les vivants et les morts (10.42 ; 17.31). Cette importance du présent dans l'histoire du salut apparaît déjà chez Paul. L'auteur des Actes *n'est donc pas le premier à l'avoir perçue, mais il a donné à cet « aujourd'hui » un relief considérable le jour où il a décidé d'écrire les* Actes *comme la suite de son évangile (1.1).*

La Parole de Dieu et son « espace » : le plan des Actes

Cet « aujourd'hui » est d'abord, pour les Actes, *le temps de la Parole de Dieu et de sa proclamation, du témoignage qui proclame Jésus ressuscité Seigneur et Christ. Le livre est visiblement attentif à l'espace à la fois géographique et humain où se répand cette Parole.*

Dans Luc, la manifestation de Jésus, commencée à Nazareth, se terminait à Jérusalem. Dans les Actes, *l'Evangile part de Jérusalem (2—5) pour gagner la Samarie et la Judée (8.1). Puis il atteint la Phénicie, Chypre et la Syrie (11.19-22) avant d'arriver à Rome (28.14-31). La Parole ainsi annoncée est destinée à tous les hommes, Israël d'abord, puis les nations païennes (2.39 ; 13.46). Voulue par Dieu (15.7-11,14) et par Jésus (22.21), cette ouverture de l'Evangile et du salut aux païens est le thème principal du livre. La conversion de Corneille et celle des Grecs à Antioche (10—11), la mission de Barnabas et de Paul (13—14) sont les premières étapes de cette ouverture dont les modalités, un moment remises en question, sont finalement maintenues (15.1-35). Paul peut ainsi entreprendre une grande mission (15.36—20.38) jusqu'à son arrestation et son arrivée à Rome (21.27—28.14). Quoi qu'il en soit des détails, telles sont les grandes lignes du plan des* Actes *dans ces étapes à la fois géographiques et humaines qui marquent la diffusion de la Parole de Dieu.*

Un peuple à son Nom

Cette Parole appelle ses auditeurs à se convertir (2.38 ; 3.19 ; etc.), s'ils veulent être sauvés (voir 4.12 ; 15.11). Se convertir, c'est d'abord croire, écouter la Parole, confesser avec elle que Jésus est ressuscité, Seigneur et Christ (2.36 ; etc.). Le baptême (2.38 ; 8.16 ; 10.48 ; etc.) et l'imposition des mains (8.17 ; 19.6) qui accueillent alors cette foi sont, pour ainsi dire, le versant humain d'un double don divin : le pardon des péchés (2.38 ; 3.19 ; etc.) et l'Esprit Saint (2.38 ; 10.45 ; 11.17 ; etc.). Les nouveaux croyants rejoignent dès lors ceux qui participent déjà à l'Esprit Saint promis, « répandu » par Jésus (2.33).

Ils se trouvent ainsi agrégés à des groupes que les Actes *appellent des Eglises (5.11 ; 11.26 ; etc.). Leurs membres se nomment les frères, les croyants, les disciples, etc. ; à Antioche, on commence à les qualifier de chrétiens (11.26 ; 26.28). Que le mot Eglise désigne ou non à l'occasion l'ensemble des Eglises, il est clair que, pour l'auteur, cet ensemble est, pour Dieu, un peuple « à son Nom », qui lui appartient en propre, où la foi rassemble circoncis et incirconcis (15.14-28) sous la conduite de l'Esprit (1.8 ; 5.3-4,9 ; 9.31 ; 15.28 ; 20.28 ; etc.).*

La vie des Eglises

Tout en décrivant ce qu'était et aurait voulu être la vie de la première Eglise, à Jérusalem, les « sommaires » des Actes *disent ce qu'était et devait être la vie de toutes les communautés.*

Le premier sommaire note avant tout l'assiduité à « l'enseignement des apôtres » (2.42), auquel fera suite celui d'autres responsables d'Eglise (14.22 ; 20.7,18-35). Vient ensuite la « communion » fraternelle (2.42) qui est d'abord spirituelle — n'avoir « qu'un cœur et qu'une âme » (4.32) — mais comporte sinon toujours une mise en commun des biens (2.44), du moins un partage entre les frères d'une Eglise (9.36 ; 20.35 ; 21.24) ou entre les Eglises (11.29). Les Actes *mentionnent enfin « la fraction du pain et les prières » (2.42). La fraction du pain, c'est l'eucharistie (20.7) qui, comme le baptême (voir 22.16) et l'imposition des mains (8.15-17), devait comporter des prières, qui étaient d'autre part un élément de la vie quotidienne (1.14 ; 4.24 ; 9.40 ; 10.9 ; 12.5-12 ; etc.).*

A l'intérieur des Eglises certains groupes de fidèles jouent un rôle propre. Le cas le plus net est celui des « Apôtres » (1.2 ; 6.2,6 ; etc.), les Douze, institués par Jésus (Lc 6.12-16 ; voir aussi Ac 1.15-26), témoins privilégiés de sa Résurrection (1.8 ; 13.31). Leur importance unique, autour de Pierre, explique sans doute le rôle de centre et de régulateur assuré par l'Eglise de Jérusalem (8.14 ; 9.32 ; 11.1,27-30 ; 15.2,36). S'il n'est appelé « apôtre » qu'en passant et comme Barnabas (14.4,14), Paul n'en a pas moins reçu de Jésus ressuscité une mission propre qui est capitale : « aller vers les nations païennes » (22.21). Les Actes *racontent la mise en place par les Douze à Jérusalem d'un groupe de sept hommes responsables du « service des tables » (6.1-6), mais ils restent silencieux sur l'origine d'un groupe d'anciens qui apparaissent dans le récit tantôt seuls, tantôt associés aux apôtres (11.30 ; 15.2,4,6 ; 16.4 ; 21.18). Dans les Eglises pauliniennes, les anciens sont un groupe instauré par Paul — et l'Esprit (20.28) — pour prendre soin, en son absence, de ces Eglises (14.23 ; 20.17-35).*

Une autre catégorie de personnages, les prophètes, ont joué un rôle marquant à Jérusalem (11.27 ; 15.32 ; 21.10) et ailleurs (13.1 ; 19.6 ; 21.9). Les Actes *ne les présentent nulle part comme un groupe « institué ». C'est l'Esprit qui suscite leurs interventions, cet Esprit qui, d'une manière ou d'une autre, anime et guide l'Eglise (9.31 ; 13.2 ; 15.28 ; etc.).*

Le salut, la Loi et la foi

Comment les Actes *voient-ils le passage du judaïsme au christianisme, du salut par la circoncision et la Loi au salut par la foi, la grâce et le baptême ? Cette question capitale doit être traitée à part.*

Les Juifs devenus chrétiens restaient fidèles aux pratiques du judaïsme (2.46 ; 3.1 ; etc.), à la Loi et à la circoncision (15.5 ; 21.20ss). Pierre ne faisait pas exception (10.9,14). Etienne était peut-être moins hostile à la Loi (7.38) que ne le diront ses accusateurs (6.13). Paul lui-même se dit (21.24 ; 25.8) et se montre observateur de la Loi (16.3 ; 21.26 ; 22.17) ; il affirme, non sans paradoxe, que l'Evangile « ne dit rien de plus » que ce qu'avaient dit d'avance les Ecritures (26.22-23). Ici, l'Eglise, tout en étant l'Eglise, ne cesse pas d'être juive.

Mais cet Israël, maintenant bénéficiaire des Promesses, doit s'ouvrir aux nations selon des modalités qui restent à découvrir. C'est Dieu lui-même qui intervient pour que les premiers païens convertis, Corneille et les siens, deviennent chrétiens par la foi et le baptême sans être circoncis (9.1 à 11.18). D'abord réticente (11.3), l'Eglise de Jérusalem finit par rendre gloire à Dieu (11.18) de cet événement si stupéfiant (10.45) que certains des membres de cette Eglise l'interprétèrent, semble-t-il, comme une exception : ils voudront un jour imposer aux Grecs convertis d'Antioche (11.20-21) la circoncision et la Loi comme nécessaires au salut (15.1,5), ce que Paul et Barnabas refusent (15.2). C'est à Jérusalem que ce conflit se dénoue au cours d'échanges où, moyennant un compromis au bénéfice de la « communion » de l'Eglise, l'essentiel est sauvé (14.4-29) : circoncision ou non, c'est par la foi et par la grâce du Seigneur Jésus que les chrétiens, quelle que soit leur origine, sont sauvés (15.9,11).

Quelles raisons majeures pouvaient avoir les chrétiens juifs de rester fidèles à la circoncision et à toutes les observances de la Loi ? Que devint cette fidélité à l'épreuve du temps ? Les Actes *n'en disent rien.*

Pour qui et pour quoi les Actes ?

Pour qui les Actes *ont-ils été écrits ? Seul l'examen du livre peut permettre de répondre à cette question qui n'est pas sans importance pour son intelligence.*

Les Actes *ne peuvent pas avoir été destinés surtout à un public juif : l'auteur aurait alors moins insisté sur l'attitude négative des Juifs en face de Jésus, de l'Evangile et des missionnaires chrétiens. L'hypothèse d'un public païen se présente mieux au premier abord. C'est aux païens que le salut est finalement proposé (28.28).*

L'innocence de Paul, citoyen romain de naissance (16.37), est toujours reconnue par les tribunaux (16.35-39 ; 17.8-9 ; 18.15 ; etc.) et à juste titre, car le christianisme n'est ni un mouvement politique séditieux (17.7) ni une religion nouvelle illégale (18.13). On peut certes penser que l'auteur a écrit sans exclure d'éventuels lecteurs païens.

Mais le contenu même de son livre, la foi qui l'imprègne en toute évidence, les problèmes abordés, tout indique que l'auteur l'écrit avant tout, comme son évangile, pour un public chrétien, en vue de l'instruire et de l'édifier. En insistant sur le rôle de la foi, il s'oppose à des tendances judaïsantes éventuelles. Mais, en ne voilant pas la fidélité au judaïsme des chrétiens circoncis, il veut peut-être désamorcer des critiques possibles de la part de leurs frères incirconcis. Il semble bien être au fond l'homme de l'unité et de la communion, qui appelle l'Eglise à annoncer l'Evangile partout et à tous et à vivre, sous la conduite de l'Esprit, comme la première Eglise qui n'avait qu'un cœur et qu'une âme (4.32).

L'auteur et la date des Actes

« Luc, le cher médecin » est-il, comme on l'a pensé pendant des siècles, l'auteur des Actes *?*

Quel qu'il soit, cet auteur est le même que celui du troisième évangile. Les deux ouvrages sont dédiés à Théophile et le prologue des Actes *fait allusion à l'évangile (Lc 1.3 ; Ac 1.1) ; l'étude de la langue et de la pensée des deux œuvres est très favorable à cette identité d'auteur. La présence des passages « en nous » dans les* Actes *suggèrent que cet auteur pouvait appartenir à l'entourage de Paul, ce que confirmeraient en particulier la place accordée par le livre à l'activité de Paul et des accords marquants avec la pensée paulinienne. Luc serait alors à peu près le seul candidat possible (voir Col 4.14 ; Phm 24). Mais d'autres observations doivent être prises en compte. Sur certains points, comme la notion d'apostolat ou le rôle de la Loi, l'accord entre les* Actes *et Paul est au moins problématique. De même, certaines affirmations ou certains silences — concernant la crise galate par exemple — seraient étonnants de la part d'un compagnon de Paul. La candidature de Luc est-elle ainsi exclue ? C'est au moins une question qui se pose.*

Quant à la date du livre, un point est clair : le prologue indique qu'il a été écrit après le troisième évangile. Comme l'auteur ne dit rien de l'issue du procès de Paul à Rome, on peut être tenté de croire que l'auteur a rédigé son œuvre deux ans (28.30) après l'arrivée de Paul à Rome, soit vers 62-63, avant la fin du procès. Mais on voit mal pourquoi l'auteur n'aurait pas attendu cette fin pour écrire ou achever son livre. D'autre part, situer l'évangile de Luc avant 62-63 et celui de Marc, qui est une de ses sources, à une date encore plus haute est une hypothèse que les spécialistes contemporains, dans leur ensemble, ne pensent pas pouvoir admettre. Si l'ouvrage se termine sur l'annonce de l'Evangile à Rome (28.16-31), c'est peut-être parce qu'alors cet Evangile a atteint, au moins symboliquement, « les extrémités de la terre » (1.8) et la capitale des nations. Dans ce cas, la fin des Actes *ne permet plus de fixer une date pour leur rédaction. L'analyse la situe volontiers aujourd'hui aux environs de 80, à une dizaine d'années près.*

Pour un lecteur chrétien, le livre des Actes *reste très actuel, puisque le temps et l'espace de la Parole et du témoignage, qu'il a déployés, restent ouverts jusqu'à la venue du Seigneur (1.11). Si « les frères » d'aujourd'hui savent lire ce livre ensemble, l'Esprit Saint que le Seigneur Jésus répand encore leur inspirera ces « décisions unanimes » (15.25) qui leur permettront de suivre ensemble « la Voie du Seigneur » et d'en témoigner.*

LES ACTES DES APÔTRES

Prologue

1 1 J'avais consacré mon premier livre, Théophile, à tout ce que
Jésus avait fait et enseigné, depuis le commencement[a] 2 jusqu'au
jour où, après avoir donné, dans l'Esprit Saint, ses instructions aux
*apôtres qu'il avait choisis, il fut enlevé[b]. 3 C'est à eux qu'il s'était pré-
senté vivant après sa Passion : ils en avaient eu plus d'une preuve alors
que, pendant quarante jours, il s'était fait voir d'eux et les avait entre-
tenus du Règne de Dieu[c].
4 Au cours d'un repas avec eux, il leur recommanda de ne pas quitter
Jérusalem, mais d'y attendre la promesse du Père, « celle, dit-il, que
vous avez entendue de ma bouche[d] : 5 Jean a bien donné le baptême
d'eau, mais vous, c'est dans l'Esprit Saint que vous serez baptisés[e]
d'ici quelques jours. »

L'Ascension

6 Ils étaient donc réunis et lui avaient posé cette question : « Sei-
gneur, est-ce maintenant le temps où tu vas rétablir le Royaume pour
Israël ?[f] » 7 Il leur dit : « Vous n'avez pas à connaître les temps et les
moments[g] que le Père a fixés de sa propre autorité ; 8 mais vous allez
recevoir une puissance, celle du Saint Esprit qui viendra sur vous ;

a *1.1* Voir Lc 1.1-4 ; le livre des *Actes* est la suite de l'évangile de Luc. — *depuis le commencement* Lc 3.23 ; Ac 10.37. **b *1.2*** Les mots *dans* (ou *par) l'Esprit Saint* pourraient être aussi rattachés à *choisis* ou à *enlevé*. — instructions... enlèvement de Jésus Mc 16 ; 19 ; Lc 24.49-51. **c *1.3*** *présenté vivant* Lc 24.36-42 ; Jn 20.19-20, 26-27. — *quarante jours* Ex 24.18 ; Nb 13.25 ; Dt 9.18 ; 1 R 19.8 ; Jon 3.4 ; Lc 4.2 par.. — enseignement du Ressuscité Mt 28.18-20 ; Lc 24.46-49 ; Jn 20.21-23. — enseignement sur le Règne de Dieu Lc 4.43 ; 8.11 ; 9.2, 11, 60 ; 16.16 ; Ac 8.12 ; 14.22 ; 19.8 ; 20.25 ; 28.23, 31. **d *1.4*** *la promesse du Père* Lc 24.49 annoncée par Jésus Jn 14.16-17 ; 15.26 ; Ac 2.33. **e *1.5*** *Jean :* il s'agit de Jean le Baptiste. — baptême d'eau, baptême d'Esprit Saint Lc 3.16 par. ; Jn 1.33. Ac 2.38+ ; 8.15-17 ; 9.17-18 ; 10.44-48 ; 19. 5-6. **f *1.6*** Am 9.11-12 ; *Si* 36.1-17 ; Mc 9.12 ; Lc 19.11 ; 24.21. **g *1.7*** *vous n'avez pas à connaître...* Mc 13.32. — *les temps et les moments* Ac 3.20-21 ; 7.17 ; 17.26,30.

vous serez alors mes témoins[h] à Jérusalem, dans toute la Judée et la
*Samarie, et jusqu'aux extrémités de la terre.»
9 A ces mots, sous leurs yeux, il s'éleva et une nuée[i] vint le soustraire
à leurs regards. 10 Comme ils fixaient encore le ciel où Jésus s'en allait,
voici que deux hommes en vêtements blancs[j] se trouvèrent à leur côté
11 et leur dirent: «Gens de Galilée, pourquoi restez-vous là à regarder
vers le *ciel? Ce Jésus qui vous a été enlevé pour le ciel viendra de la
même manière[k] que vous l'avez vu s'en aller vers le ciel.»

Le groupe des apôtres

12 Quittant alors la colline appelée «Mont des Oliviers», ils regagnè-
rent Jérusalem — cette colline n'en est distante que d'un chemin de
sabbat[l]. 13 A leur retour, ils montèrent dans la chambre haute où se
retrouvaient Pierre, Jean, Jacques et André; Philippe et Thomas; Bar-
thélemy et Matthieu; Jacques fils d'Alphée, Simon le zélote et Jude
fils de Jacques[m]. 14 Tous, unanimes, étaient assidus à la prière, avec
quelques femmes dont Marie la mère de Jésus, et avec les frères de
Jésus[n].

L'adjonction de Matthias aux onze apôtres

15 En ces jours-là, Pierre se leva au milieu des frères[o] — il y avait là,
réuni, un groupe d'environ cent vingt personnes — et il déclara:
16 «Frères, il fallait que s'accomplisse ce que l'Esprit Saint avait
annoncé dans l'Ecriture, par la bouche de David, à propos de Judas[p]
devenu le guide de ceux qui ont arrêté Jésus. 17 Il était de notre nombre
et avait reçu sa part de notre service. 18 Or cet homme, avec le salaire
de son iniquité, avait acheté une terre: il est tombé en avant, s'est
ouvert par le milieu, et ses entrailles se sont toutes répandues[q]. 19 Tous
les habitants de Jérusalem l'ont appris: aussi cette terre a-t-elle été

h 1.8 *puissance du Saint Esprit* Ep 3.16. — exemples Ac 4.8, 31 ; 6.10 ; 8.29, 40 ; 10.19, 44-47 ; 16.6-7 ; 19.6 ; 20.22-23. — *témoins* Lc 24.48 ; Jn 15.27 ; Ac 1.22 ; 2.32 ; 3.15 ; 4.33 ; 5.32 ; 8.25 ; 10.39-42 ; 13.31 ; 18.5 ; 20.24 ; 22.15,18, 20 ; 23.11 ; 26.16, 22 ; 28.23. **i 1.9** *il s'éleva* Mc 16.19 ; Jn 6.62. — *nuée* Ex 13.21-22 ; Dn 7.13 ; Mt 17.5+ ; 24.30+ et par. ; Mc 14.62. **j 1.10** Lc 24.4. **k 1.11** Mt 24.30+ ; Lc 21.27 ; Ap 1.7. **l 1.12** du mont des Oliviers à Jérusalem. Lc 24.50, 52 ; voir Mc 11.1 + et la note. — *un chemin de sabbat :* c'est la distance que les Juifs étaient autorisés à parcourir le jour du sabbat, soit un peu moins d'un kilomètre. **m 1.13** *chambre haute :* pièce située sur la terrasse des maisons palestiniennes. Voir Mc 14.15 et les notes sur Mc 2.4 et Lc 12.3. — liste des Onze Mt 10.2+. **n 1.14** *frères de Jésus* Mt 12.46+ ; 1 Co 9.5. **o 1.15** les *frères* (= les chrétiens) 11.1 ; 12.17 ; 14.2 ; 21.17-18. **p 1.16** Ps 41.9. **q 1.18** Mt 27.3-8.

appelée, dans leur langue, Hakeldama, c'est-à-dire Terre de sang. 20 Il est de fait écrit dans le livre des Psaumes:

Que sa résidence devienne déserte
et que personne ne l'habite

et encore:

Qu'un autre prenne sa charge[r].

21 Il y a des hommes qui nous ont accompagnés[s] durant tout le temps où le Seigneur Jésus a marché à notre tête, 22 à commencer par le baptême de Jean jusqu'au jour où il nous a été enlevé: il faut donc que l'un d'entre eux devienne avec nous témoin de sa résurrection[t].»

23 On en présenta deux, Joseph appelé Barsabbas, surnommé Justus, et Matthias. 24 Et l'on fit alors cette prière: «Toi, Seigneur, qui connais les *cœurs de tous, désigne celui des deux que tu as choisi, 25 pour prendre, dans le service de l'apostolat, la place que Judas a délaissée pour aller à la place qui est la sienne.» 26 On les tira au sort et le sort tomba sur Matthias qui fut dès lors adjoint aux onze *apôtres.

La venue du Saint Esprit

2 1 Quand le jour de la *Pentecôte[u] arriva, ils se trouvaient réunis tous ensemble. 2 Tout à coup il y eut un bruit qui venait du ciel comme le souffle d'un violent coup de vent: la maison où ils se tenaient en fut toute remplie; 3 alors leur apparurent comme des langues de feu[v] qui se partageaient et il s'en posa sur chacun d'eux. 4 Ils furent tous remplis d'Esprit Saint et se mirent à parler d'autres langues[w], comme l'Esprit leur donnait de s'exprimer.

5 Or, à Jérusalem, résidaient des Juifs pieux, venus de toutes les nations qui sont sous le ciel. 6 A la rumeur qui se répandait, la foule se rassembla et se trouvait en plein désarroi, car chacun les entendait parler sa propre langue. 7 Déconcertés, émerveillés, ils disaient: «Tous ces gens qui parlent ne sont-ils pas des Galiléens[x]? 8 Comment se fait-il que chacun de nous les entende dans sa langue maternelle? 9 Parthes, Mèdes et Elamites, habitants de la Mésopotamie, de la Judée et de la Cappadoce, du Pont et de l'Asie, 10 de la Phrygie et de la Pamphylie, de l'Egypte et de la Libye cyrénaïque, ceux de Rome en résidence ici, 11 tous, tant *Juifs que prosélytes[y], Crétois et Arabes, nous

r ***1.20*** *Que sa résidence...* Ps 69.26. – *Qu'un autre...* Ps 109.8. *s* ***1.21*** Lc 1.2 ; Jn 15.27. *t* ***1.22*** depuis le baptême (de Jésus) Lc 3.21 par. – jusqu'à l'Ascension Mc 16.19 ; Ac 1.9. – *témoin* 1.8+. *u* ***2.1*** Lv 23.15-21 ; Dt 16.9-11. *v* ***2.3*** Mt 3.11 ; Lc 3.16. *w* ***2.4*** *remplis d'Esprit Saint* 4.31 ; 10.44-45 ; 19.6. – *parler en d'autres langues* Mc 16.17 ; Ac 10.46 ; 19.6 ; 1 Co 12–14 ; voir Nb 11.25-29 ; 1 S 10.5-6 ; 1 R 22.10 ; voir aussi Gn 11.1-9. *x* ***2.7*** 1.11. *y* ***2.11*** Mt 23.15 et la note ; Ac 6.5 ; 13.43.

les entendons annoncer dans nos langues les merveilles de Dieu.» [12] Ils
étaient tous déconcertés, et dans leur perplexité ils se disaient les uns
aux autres: «Qu'est-ce que cela veut dire?» [13] D'autres s'esclaffaient:
«Ils sont pleins de vin doux.»

Discours de Pierre

[14] Alors s'éleva la voix de Pierre, qui était là avec les Onze; il
s'exprima en ces termes[z]:
«Hommes de Judée, et vous tous qui résidez à Jérusalem, comprenez
bien ce qui se passe et prêtez l'oreille à mes paroles. [15] Non, ces gens
n'ont pas bu comme vous le supposez: nous ne sommes en effet qu'à
neuf heures du matin; [16] mais ici se réalise cette parole du *prophète
Joël[a]:

[17] *Alors*, dans les derniers jours, dit Dieu,
je répandrai de mon Esprit sur toute chair,
vos fils et vos filles seront prophètes,
vos jeunes gens auront des visions,
vos vieillards auront des songes;
[18] *oui, sur mes serviteurs et sur mes servantes*
en ces jours-là je répandrai de mon Esprit
et ils seront prophètes.
[19] *Je ferai des prodiges* là-haut *dans le *ciel*
et des *signes ici-bas *sur la terre,*
du sang, du feu et une colonne de fumée.
[20] *Le soleil se changera en ténèbres et la lune en sang*
*avant que vienne le *jour du Seigneur, grand et glorieux.*
[21] *Alors quiconque invoquera le *nom du Seigneur sera sauvé*[b].

[22] «Israélites, écoutez mes paroles: Jésus le Nazôréen, homme que
Dieu avait accrédité auprès de vous en opérant par lui des miracles,
des prodiges et des signes[c] au milieu de vous, comme vous le savez,
[23] cet homme, selon le plan bien arrêté par Dieu dans sa prescience,
vous l'avez livré et supprimé en le faisant crucifier par la main des
impies[d]; [24] mais Dieu l'a ressuscité en le délivrant des douleurs de la

z 2.14 autres exemples de message apostolique adressé 1) aux Juifs 3.13-26 ; 4.10-12 ; 5.30-32 ; 10.36-43 ; 13.17-41 ; 2) aux païens 14.15-17 ; 17. 22-31. ***a 2.16*** Jl 3.1-5. ***b 2.21*** Rm 10.13. ***c 2.22*** *Nazôréen* Mt 26.71 et la note ; Mt 2.23+ ; Lc 18.37+ ; Ac 10.37. — Jésus accrédité par des signes Jn 3.2 ; voir Ac 14.3 ; 2 Co 12.12 ; He 2.4. ***d 2.23*** *le plan de Dieu* 3.18, 21 ; 4.28 ; 5.38-39 ; 20.27 ; 21.14 ; 22.14 ; voir 1.7. — *en le faisant crucifier* Lc 23.33, 46 par. ; Jn 19.18, 30 ; Ac 3.15 ; 4.10 ; 10.39.— *des impies* ou *des hommes sans loi* (c'est-à-dire sans la loi de Dieu) ; cette expression désigne les païens.

mort[e], car il n'était pas possible que la mort le retienne en son pou-
voir. 25 David en effet dit de lui[f]:
Je voyais constamment le Seigneur devant moi,
car il est à ma droite pour que je ne sois pas ébranlé.
26 *Aussi mon cœur était-il dans la joie et ma langue a chanté d'allé-*
gresse.
Bien mieux, ma chair reposera dans l'espérance,
27 *car tu n'abandonneras pas ma vie au séjour des morts*
et tu ne laisseras pas ton saint connaître la décomposition[g].
28 *Tu m'as montré les chemins de la *vie,*
tu me rempliras de joie par ta présence.
29 « Frères, il est permis de vous le dire avec assurance: le patriarche
David est mort, il a été enseveli[h], son tombeau se trouve encore
aujourd'hui chez nous. 30 Mais il était prophète et savait que Dieu *lui*
avait juré par serment *de faire asseoir sur son trône quelqu'un de sa*
descendance, issu de ses reins[i] ; 31 il a donc vu d'avance la résurrec-
tion du *Christ et c'est à son propos qu'il a dit: il n'a pas été *aban-*
donné au séjour des morts et sa chair *n'a pas connu la décomposi-*
tion[j]. 32 Ce Jésus, Dieu l'a ressuscité, nous tous en sommes témoins[k].
33 Exalté par la droite de Dieu, il a donc reçu du Père l'Esprit Saint
promis et il l'a répandu[l], comme vous le voyez et l'entendez. 34 David,
qui n'est certes pas monté au ciel, a pourtant dit[m]:
Le Seigneur a dit à mon Seigneur:
assieds-toi à ma droite
35 *jusqu'à ce que j'aie fait de tes adversaires*
un escabeau sous tes pieds.
36 « Que toute la maison d'Israël le sache donc avec certitude: Dieu
l'a fait et Seigneur et Christ[n], ce Jésus que vous, vous aviez crucifié. »

Les premières conversions

37 Le *cœur bouleversé d'entendre ces paroles, ils demandèrent à
Pierre et aux autres *apôtres: « Que ferons-nous[o], frères? » 38 Pierre
leur répondit: « Convertissez-vous: que chacun de vous reçoive le

e 2.24 *Dieu l'a ressuscité* Lc 24.5-6 par. ; Ac 2.32 ; 3.15 ; 4.10 ; 5.30 ; 10.40 ; 17.31. — *les douleurs de la mort* 2 S 22.6 ; Ps 18.6 ; 116.3. ***f 2.25*** Ps 16.8-11. ***g 2.27*** 13.35. ***h 2.29*** 1 R 2.10 ; Ac 13.36. ***i 2.30*** Ps 132.11 ; voir 2 S 7.12-13. — *reins :* voir He 7.10 et la note. ***j 2.31*** Ps 16.10. ***k 2.32*** *témoins* 1.8+. ***l 2.33*** Comme en 5.31 *la* (main) *droite* de Dieu est celle qui sauve. Voir Ex 15.12 ; Ps 18.36 ; 44.4 ; 118.16, etc. Certains traduisent *à la droite* de Dieu. — Jésus a reçu et répandu l'Esprit Saint promis Jn 14.16-17 ; 15.26 ; Ac 1.4. ***m 2.34*** Ps 110.1 (Mt 22.44+). ***n 2.36*** *Dieu l'a fait* 5.30-31 *Seigneur* 20.21 ; Rm 10.9 ; 1 Co 12.3 ; Ph 2.11 *et Christ* Ac 5.42 ; 9.22 ; 17.3 ; 18.5, 28 ; voir 11.17 ; 28.31. ***o 2.37*** Lc 10.25+.

baptême au *nom de Jésus Christ pour le pardon de ses péchés, et
vous recevrez le don du Saint Esprit[p]. 39 Car c'est à vous qu'est des-
tinée la promesse, et à vos enfants ainsi qu'à tous ceux qui sont au
loin, aussi nombreux que le Seigneur notre Dieu les appellera[q].» 40 Par
bien d'autres paroles Pierre rendait témoignage et les encourageait:
«Sauvez-vous, disait-il, de cette génération dévoyée[r].» 41 Ceux qui
accueillirent sa parole reçurent le baptême et il y eut environ trois
mille personnes ce jour-là qui se joignirent à eux[s].

La première communauté[t]

42 Ils étaient assidus à l'enseignement des apôtres et à la communion
fraternelle, à la fraction du pain[u] et aux prières. 43 La crainte gagnait
tout le monde: beaucoup de prodiges et de *signes[v] s'accomplissaient
par les apôtres. 44 Tous ceux qui étaient devenus croyants étaient unis
et mettaient tout en commun[w]. 45 Ils vendaient leurs propriétés et leurs
biens, pour en partager le prix entre tous, selon les besoins de cha-
cun[x]. 46 Unanimes, ils se rendaient chaque jour assidûment au
*temple; ils rompaient le pain[y] à domicile, prenant leur nourriture
dans l'allégresse et la simplicité de cœur. 47 Ils louaient Dieu et trou-
vaient un accueil favorable auprès du peuple tout entier. Et le Seigneur
adjoignait[z] chaque jour à la communauté ceux qui trouvaient le salut.

La guérison d'un infirme au temple

3 1 Pierre et Jean montaient au *temple pour la prière de trois
heures de l'après-midi[a]. 2 On y portait un homme qui était infirme
depuis sa naissance[b] — chaque jour on l'installait à la porte du temple
dite «La Belle Porte» pour demander l'aumône à ceux qui pénétraient
dans le temple. 3 Quand il vit Pierre et Jean qui allaient entrer dans le
temple, il les sollicita pour obtenir une aumône. 4 Pierre alors, ainsi
que Jean, le fixa et lui dit: «Regarde-nous!» 5 L'homme les observait,

***p* 2.38** appel à la conversion Mt 3.2+. — conversion et pardon des péchés Ac 3.19. — baptême au nom de Jésus 8.16 ; 10.48 ; 19.5 ; voir 22.16. — baptême et don du Saint Esprit 1.5+. ***q* 2.39** *ceux qui sont au loin* Es 57.19 ; voir Ac 22.21. — *aussi nombreux que...* Jl 3.5 ; Rm 10.13. ***r* 2.40** Ps 78.8 ; Mt 12.39+. ***s* 2.41** 2.47 ; 4.4 ; 5.14 ; 6.1-7 ; 9.31 ; 11.21-24 ; 16.5 ; 21.20. ***t* 2.42-47** 4.32-35 ; 5.12-14. ***u* 2.42** 2.46 ; 20.7. ***v* 2.43** *crainte* 5.5, 11 ; 19.17 ; voir Lc 1.12+. — *prodiges et signes* Ac 2.22 ; 4.30 ; 5.12 ; 6.8 ; 14.3 ; 15.12. ***w* 2.44** *croyants* (= chrétiens) 4.32 ; 18.27 ; 19.18 ; 21.20 ; 1 Th 1.7 ; 2.10, etc. — *unis* Ac 2.42, 46 ; 4.24, 32 ; 5.12 ; 15.25. — *tout en commun* 4.32 ; voir 9.36 ; 11.29. ***x* 2.45** 4.34-35. ***y* 2.46** *chaque jour au temple* Lc 24.53 ; Ac 3.1 ; 5.12, 20-21, 42. — *ils rompaient le pain* 2.42+. ***z* 2.47** *accueil favorable de la part du peuple* 4.33 ; 5.13. — *le Seigneur adjoignait* 2.41+. ***a* 3.1** *Pierre et Jean* 1.13 ; 3.11 ; 4.7, 13 ; 8.14. — *la prière de l'après-midi* 10.3, 9, 30. ***b* 3.2** Jn 9.1 ; Ac 14.8.

car il s'attendait à obtenir d'eux quelque chose. 6 Pierre lui dit: «De
l'or ou de l'argent, je n'en ai pas; mais ce que j'ai, je te le donne: au
*nom de Jésus Christ, le Nazôréen[c], marche!» 7 Et, le prenant par la
main droite, il le fit lever. A l'instant même les pieds et les chevilles de
l'homme s'affermirent; 8 d'un bond il fut debout et marchait; il entra
avec eux dans le temple, marchant, bondissant et louant Dieu[d]. 9 Et
tout le peuple le vit marcher et louer Dieu. 10 On le reconnaissait:
c'était bien lui qui se tenait, pour mendier, à la Belle Porte du temple.
Et les gens se trouvèrent complètement stupéfaits et désorientés par
ce qui lui était arrivé[e].

Discours de Pierre

11 L'homme ne lâchait plus Pierre et Jean; tout le peuple accourut
autour d'eux, stupéfait, au portique appelé «Portique de Salomon[f]».
12 A cette vue, Pierre s'adressa au peuple: «Israélites, pourquoi vous
étonner de ce qui arrive? ou pourquoi nous fixer, nous, comme si
c'était par notre puissance ou notre piété personnelles que nous
avions fait marcher cet homme?

13 «Le Dieu d'Abraham, d'Isaac et de Jacob, le Dieu de nos pères, a
glorifié son Serviteur Jésus que vous, vous aviez livré et que vous aviez
refusé en présence de Pilate décidé, quant à lui, à le relâcher[g]. 14 Vous
avez refusé le Saint et le Juste et vous avez réclamé pour vous la grâce
d'un meurtrier[h]. 15 Le Prince de la *vie que vous aviez fait mourir,
Dieu l'a ressuscité des morts — nous en sommes les témoins[i]. 16 Grâce
à la foi au nom de Jésus[j], ce Nom vient d'affermir cet homme que vous
regardez et que vous connaissez; et la foi qui vient de Jésus a rendu à
cet homme toute sa santé, en votre présence à tous.

17 «Cela dit, frères, c'est dans l'ignorance[k], je le sais, que vous avez

c 3.6 *Nazôréen :* voir Mt 26.71 et la note. — Ac 3.16 ; 4.10 ; 16.18. **d 3.8** *debout d'un bond* 14.10. — *louant Dieu* Lc 18.43 ; Ac 2.47 ; 10.46 ; 11.18 ; 13.48 ; 21.20 ; voir 12.23. **e 3.10** *on le reconnaissait* Jn 9.8. — *désorientés par le miracle* Lc 5.26 ; 7.16, etc. ; Ac 2.12 ; 8.13 ; 14.11 ; 28.6. **f 3.11** Ce portique bordait la cour des païens, au temple de Jérusalem ; Jn 10.23 ; Ac 5.12. **g 3.13** le *Dieu d'Abraham...* Ex 3.6 ; Mt 22.32 ; Mc 12.26 ; Ac 7.32 *a glorifié son Serviteur* Es 52.13 ; Jn 13.32 ; voir Ac 3.26 ; 4.27, 30. — *Pilate voulait relâcher Jésus* Lc 23.14-23 ; Jn 18.38-40 ; 19.12-15. **h 3.14** *le Saint* (2.27 ; 13.35) et *le Juste* (7.52 ; 22.14) : deux titres donnés dans l'Eglise primitive (voir Es 53.11). — un meurtrier préféré à Jésus Mt 27.20-21 ; Mc 15.7, 11-12 ; Jn 18.40. **i 3.15** 4.10 ; 5.30. — témoins 1.8+. **j 3.16** Comme souvent dans la Bible le *nom* équivaut à la personne même qui le porte. Cette tournure est fréquente dans les Actes et y désigne souvent la personne de Jésus ressuscité 2.21, 38 ; 3.6 ; 4.7 et la note, 10, 12, 30 ; 5.41 ; 9.14,21 ; 21.13 ; 22.16 ; Ph 2.9-10. — grâce à la foi... Mc 2.5 ; Lc 17.6 ; voir Ac 3.5 ; 1 Co 12.9 ; 13.2. **k 3.17** Lc 23.34 ; Ac 13.27 ; 17.30 ; 2 Co 3.14-16 ; 1 Tm 1.13.

agi, tout comme vos chefs. 18 Dieu, lui, avait d'avance annoncé par la bouche de tous les *prophètes que son *Messie souffrirait et c'est ce qu'il a accompli[l]. 19 Convertissez-vous donc et revenez à Dieu, afin que vos péchés soient effacés[m] : 20 ainsi viendront les moments de fraîcheur[n] accordés par le Seigneur, quand il enverra le Christ qui vous est destiné, Jésus, 21 que le *ciel doit[o] accueillir jusqu'aux temps où sera restauré[p] tout ce dont Dieu a parlé par la bouche de ses *saints prophètes d'autrefois. 22 Moïse d'abord a dit[q] : *Le Seigneur Dieu suscitera* pour vous, *d'entre* vos *frères, un *prophète tel que* moi ; *vous l'écouterez en tout ce qu'il* vous *dira.* 23 *Et toute personne qui n'écoutera pas ce prophète sera donc retranchée du peuple.* 24 Et tous les *prophètes depuis Samuel et ses successeurs ont, à leur tour, parlé pour annoncer les jours que nous vivons. 25 C'est vous qui êtes les fils des prophètes et de *l'alliance que Dieu a conclue avec vos pères, lorsqu'il a dit à Abraham[r] : *En ta descendance, toutes les familles de la terre seront bénies.* 26 C'est pour vous que Dieu a d'abord[s] suscité puis envoyé son Serviteur pour vous bénir en détournant chacun de vous de ses méfaits[t]. »

Pierre et Jean devant le Sanhédrin

4 1 Pierre et Jean parlaient encore au peuple quand les *prêtres, le commandant du *temple et les *Sadducéens[u] les abordèrent. 2 Ils étaient excédés de les voir instruire le peuple et annoncer, dans le cas de Jésus, la résurrection des morts[v]. 3 Ils les firent appréhender et mettre en prison jusqu'au lendemain, car le soir était déjà venu. 4 Parmi les auditeurs de la Parole, beaucoup étaient devenus croyants[w] ; leur nombre s'élevait à environ cinq mille personnes.

5 C'est donc le lendemain que s'assemblèrent les chefs, les *anciens et les *scribes qui se trouvaient à Jérusalem. 6 Il y avait Hanne le grand prêtre, Caïphe, Jean, Alexandre et tous les membres des familles de *grands prêtres. 7 Ils firent amener Pierre et Jean devant eux et procé-

l* *3.18 annonce prophétique des souffrances du Messie Lc 24.27, 44, 46. — accomplissement Ac 1.16 ; 2.16-21, 33 ; 3.20-21 ; 4.25-28 ; 13.23, 27-29, 32-37 ; 15.14-19 ; 1 Co 15.3-4. ***m* *3.19*** appel à la conversion Mt 3.2 + ; Ac 2.38 ; 17.30. — conversion et pardon des péchés 2.38 ; 5.31. ***n* *3.20*** ou *de repos.* ***o* *3.21a*** Lc 2.49 ; 4.43 ; 9.22, etc. ; Ac 1.16, 21 ; 2.23 ; 4.12 ; 5.29 ; 9.16 ; 14.22 ; 19.21 ; 20.35 ; 23.11 ; 27.24. ***p* *3.21b*** Mt 17.11 ; Ac 1.6 ; voir 2 P 3.13 ; Ap 21.1-5. ***q* *3.22*** Dt 18.15, 18-19 (Ac 7.37). — le prophète semblable à Moïse Mt 21.11 +. ***r* *3.25*** Gn 22.18 ; 26.4 (Gn 12.3 ; 18.18 ; Ga 3.8). ***s* *3.26a*** ou *C'est pour vous d'abord que Dieu a suscité...* 2.39 ; 13.46 ; Rm 1.16. ***t* *3.26b*** ou *vous bénir en vous détournant chacun de vos méfaits.* ***u* *4.1*** *les prêtres et le commandant du temple* Lc 22.4, 52 ; Ac 5.24. — *les Sadducéens* et la résurrection des morts Lc 20.27 par. ; Ac 23.8. ***v* *4.2*** 4.33 ; 17.18 ; 26.23. ***w* *4.4*** 2.41 +.

dèrent à leur interrogatoire: «A quelle puissance ou à quel nom[x] avez-
vous eu recours pour faire cela?» 8 Rempli d'Esprit Saint, Pierre leur
dit[y] alors: 9 «Chefs du peuple et anciens, on nous somme aujourd'hui,
pour avoir fait du bien à un infirme, de dire par quel moyen cet
homme se trouve sauvé[z]. 10 Sachez-le donc, vous tous et tout le peuple
d'Israël, c'est par le *nom de Jésus Christ le Nazôréen, crucifié par
vous, ressuscité des morts par Dieu[a], c'est grâce à lui que cet homme
se trouve là, devant vous, guéri. 11 C'est lui, *la pierre que* vous, *les
bâtisseurs, aviez mise au rebut: elle est devenue la pierre angulaire*[b].
12 Il n'y a aucun salut ailleurs qu'en lui; car aucun autre nom sous le
*ciel n'est offert aux hommes, qui soit nécessaire à notre salut[c].» 13 Ils
constataient l'assurance[d] de Pierre et de Jean et, se rendant compte
qu'il s'agissait d'hommes sans instruction et de gens quelconques, ils
en étaient étonnés. Ils reconnaissaient en eux des compagnons de
Jésus, 14 ils regardaient l'homme qui se tenait près d'eux, guéri, et ils
ne trouvaient pas de riposte.

15 Ils donnèrent donc l'ordre de les faire sortir du *Sanhédrin et ils
délibérèrent. 16 «Qu'allons-nous faire de ces gens-là? se disaient-ils[e].
En effet, ils sont bien les auteurs d'un miracle évident: la chose est
manifeste pour toute la population de Jérusalem et nous ne pouvons
pas la nier. 17 Il faut néanmoins en limiter les suites parmi le peuple:
nous allons donc les menacer pour qu'ils ne mentionnent plus ce nom
devant qui que ce soit.» 18 Ils les firent alors rappeler et leur interdirent
formellement de prononcer ou d'enseigner le nom de Jésus[f]. 19 Mais
Pierre et Jean leur répliquèrent: «Qu'est-ce qui est juste aux yeux de
Dieu: vous écouter? ou l'écouter, lui[g]? A vous d'en décider! 20 Nous
ne pouvons certes pas, quant à nous, taire ce que nous avons vu et
entendu[h].» 21 Sur des menaces renouvelées, on les relâcha, faute
d'avoir trouvé moyen de les condamner. C'était à cause du peuple: car
tout le monde rendait gloire à Dieu[i] de ce qui s'était passé. 22 L'homme
qui avait bénéficié de cette guérison miraculeuse avait en effet plus de
quarante ans.

x 4.7 Lc 20.2 par. ; voir Ac 3.16+. Pour éviter d'avoir à prononcer le nom sacré de Dieu les Juifs disaient parfois *le Nom*. Le grand prêtre demande donc aux apôtres à quel genre de dieu ils ont fait appel pour guérir l'infirme. ***y 4.8*** l'Esprit Saint et la défense des disciples Mt 10.19-20 ; Mc 13.11 ; Lc 12.11-12. — *rempli d'Esprit Saint* Ac 6.3, 5 ; 7.55 ; 9.17 ; 11.24 ; 13.9. ***z 4.9*** *sauvé*-guéri Mt 9.22+ ; Lc 8.36+ ; Ac 14.9. ***a 4.10*** *au nom de Jésus le Nazôréen* 3.6 ; voir 3.16+. — *crucifié par vous* 2.36 ; 5.30 ; 10.39. — *ressuscité par Dieu* 2.24+. ***b 4.11*** Ps 118.22 (Lc 20.17 par. ; 1 P 2.4, 7). ***c 4.12*** Jésus Sauveur Mt 1.21 ; Ac 5.31 ; 13.23. — le *salut* 2.21 ; 7.25 ; 11.14 ; 13.26, 47 ; 15.1, 11 ; 16.17, 30-31. ***d 4.13*** 2.29 ; 4.29-31 ; 9.27-28 ; 14.3 ; 28.31. ***e 4.16*** Jn 11.47. ***f 4.18*** ou *d'enseigner au nom de Jésus* 5.28 ; voir 3.16 et la note. ***g 4.19*** 5.29. ***h 4.20*** 1.3, 22 ; 10.39, 41. ***i 4.21*** 3.8+.

La communauté en prière

23 Une fois relâchés, Pierre et Jean rejoignirent leurs compagnons et
leur racontèrent tout ce que les *grands prêtres et les *anciens leur
avaient dit. 24 On les écouta; puis tous, unanimes, s'adressèrent à Dieu
en ces termes: «Maître, c'est toi *qui as créé le ciel, la terre, la mer et
tout ce qui s'y trouve*[j], 25 toi qui as mis par l'Esprit Saint ces paroles
dans la bouche de notre père David, ton serviteur[k]:

Pourquoi donc ces grondements des nations
et ces vaines entreprises des peuples?
26 *Les rois de la terre se sont rapprochés*
et les chefs se sont assemblés
*pour ne faire plus qu'un contre le Seigneur et contre son *Oint.*

27 «Oui, ils se sont vraiment *assemblés* en cette ville, *Hérode et
Ponce Pilate, avec *les nations et les peuples* d'Israël, *contre* Jésus, ton
*saint serviteur, que tu avais *oint*[l]. 28 Ils ont ainsi réalisé tous les des-
seins[m] que ta main et ta volonté avaient établis. 29 Et maintenant, Sei-
gneur, sois attentif à leurs menaces et accorde à tes serviteurs de dire
ta Parole avec une entière assurance[n]. 30 Etends donc la main pour que
se produisent des guérisons, des *signes et des prodiges par le *nom
de Jésus, ton saint serviteur[o].» 31 A la fin de leur prière, le local où ils
se trouvaient réunis fut ébranlé: ils furent tous remplis du Saint
Esprit[p] et disaient avec assurance la parole de Dieu.

Le partage des biens, Barnabas, Ananias et Saphira

32 La multitude de ceux qui étaient devenus croyants n'avait qu'un
cœur et qu'une âme et nul ne considérait comme sa propriété l'un
quelconque de ses biens; au contraire, ils mettaient tout en commun[q].
33 Une grande puissance marquait le témoignage rendu par les *apô-
tres à la résurrection du Seigneur Jésus et une grande grâce était à
l'œuvre chez eux tous[r]. 34 Nul parmi eux n'était indigent: en effet,
ceux qui se trouvaient possesseurs de terrains ou de maisons les ven-
daient, apportaient le prix[s] des biens qu'ils avaient cédés 35 et le dépo-
saient aux pieds des apôtres. Chacun en recevait une part selon ses
besoins[t].

***j* 4.24** Ex 20.11 ; Ps 146.6 ; voir Ac 1.24-25. ***k* 4.25** Ps 2.1-2. ***l* 4.27** *ton serviteur Jésus* 3.13. — *oint* Es 61.1. ***m* 4.28** 2.23. ***n* 4.29** 4.13+ ; Ep 6.19. ***o* 4.30** *signes et prodiges* 2.43+. — *le nom* 3.16+. ***p* 4.31** 2.4+ ; voir 10.46. ***q* 4.32** 2.42-47 ; voir Lc 12.33 ; 18.22. ***r* 4.33** *puissance* (de Dieu) 3.12. — *témoignage rendu à la résurrection de Jésus* 4.2. — *une grande grâce* 6.8 ; 11.23 ; 14.26 ; 15.40. ***s* 4.34** ou *percevaient le prix.* ***t* 4.35** *à chacun selon ses besoins* 2.45.

[36]Ainsi Joseph, surnommé Barnabas[u] par les apôtres — ce qui signifie l'homme du réconfort — possédait un champ. C'était un lévite, originaire de Chypre. [37]Il vendit son champ, en apporta le montant et le déposa aux pieds des apôtres.

5 [1]Un homme du nom d'Ananias vendit une propriété, d'accord avec Saphira sa femme; [2]puis, de connivence avec elle, il retint une partie du prix, apporta le reste et le déposa aux pieds des *apôtres. [3]Mais Pierre dit: «Ananias, pourquoi *Satan a-t-il rempli ton *cœur[v]? Tu as menti à l'Esprit Saint et tu as retenu une partie du prix du terrain. [4]Ne pouvais-tu pas le garder sans le vendre, ou, si tu le vendais, disposer du prix à ton gré? Comment ce projet a-t-il pu te venir au cœur? Ce n'est pas aux hommes que tu as menti, c'est à Dieu.» [5]Quand il entendit ces mots, Ananias tomba et expira. Une grande crainte[w] saisit tous ceux qui l'apprenaient. [6]Les jeunes gens vinrent alors ensevelir le corps et l'emportèrent pour l'enterrer.

[7]Trois heures environ s'écoulèrent; sa femme entra, sans savoir ce qui était arrivé. [8]Pierre l'interpella: «Dis-moi, c'est bien tel prix que vous avez vendu le terrain?» Elle dit: «Oui, c'est bien ce prix-là!» [9]Alors Pierre reprit: «Comment avez-vous pu vous mettre d'accord pour provoquer l'Esprit du Seigneur[x]? Ecoute: les pas de ceux qui viennent d'enterrer ton mari sont à la porte; ils vont t'emporter, toi aussi.» [10]Aussitôt elle tomba aux pieds de Pierre et expira. Quand les jeunes gens rentrèrent, ils la trouvèrent morte et l'emportèrent pour l'enterrer auprès de son mari. [11]Une grande crainte saisit alors toute l'Eglise et tous ceux qui apprenaient cet événement[y].

Miracles des apôtres

[12]Beaucoup de *signes et de prodiges s'accomplissaient dans le peuple par la main des *apôtres. Ils se tenaient tous, unanimes, sous le portique de Salomon[z], [13]mais personne d'autre n'osait s'agréger à eux; le peuple faisait pourtant leur éloge, [14]et des multitudes de plus en plus nombreuses d'hommes et de femmes se ralliaient, par la foi, au Seigneur[a]. [15]On en venait à sortir les malades dans les rues, on les plaçait sur des lits ou des civières, afin que Pierre, au passage, touche au moins l'un ou l'autre de son ombre[b]. [16]La multitude accourait aussi

u 4.36 9.27 ; 11.22, 30 ; 12.25 ; 13.1, 7, 43 ; 14.12, 20 ; 15.2, 12, 22, 35-39 ; 1 Co 9.6 ; Ga 2.1, 9, 13 ; Col 4.10. ***v 5.3*** Jn 13.2. ***w 5.5*** *une grande crainte* 2.43+. ***x 5.9*** 1 Co 10.9. ***y 5.11*** *une grande crainte* 2.43+. — *l'Eglise* 9.31 ; 11.26 ; 18.22 ; 20.28. ***z 5.12*** vie de la première communauté 2.42+. — *signes et prodiges* 2.43+. — *sous le portique de Salomon* 3.11 et la note. ***a 5.14*** ou *se joignaient* (à la communauté) *en croyant au Seigneur.* 2.41+. ***b 5.15-16*** Voir Mc 6.56 ; Ac 19.11-12.

des localités voisines de Jérusalem, portant des malades et des gens
que tourmentaient des esprits *impurs, et tous étaient guéris.

Arrestation et délivrance des apôtres

17 Sur ces entrefaites le *Grand Prêtre et tout son entourage — il
s'agissait du parti des *Sadducéens[c] — furent remplis de fureur; 18 ils
firent appréhender les *apôtres et les jetèrent publiquement en prison[d].
19 Mais, pendant la nuit, l'ange[e] du Seigneur ouvrit les portes de la
prison, les fit sortir et leur dit: 20 « Allez, tenez-vous dans le *temple, et
là, annoncez au peuple toutes ces paroles de *vie! » 21 Ils l'écoutèrent;
dès le point du jour, ils se rendirent au temple; et là ils enseignaient.
Le Grand Prêtre arriva; lui et son entourage convoquèrent le *San-
hédrin, assemblée plénière des Israélites, et ils envoyèrent chercher
les apôtres à la prison. 22 Mais les serviteurs, une fois sur place, ne les
trouvèrent pas dans le cachot. De retour, ils rendirent compte en ces
termes: 23 « Nous avons trouvé la prison soigneusement fermée, et les
gardes en faction devant les portes; mais quand nous avons ouvert,
nous n'avons trouvé personne à l'intérieur. » 24 A l'annonce de ces
nouvelles le commandant du temple et les grands prêtres[f] étaient per-
plexes au sujet des apôtres, se demandant ce qui avait bien pu se
passer. 25 Mais quelqu'un vint leur annoncer: « Voici que les hommes
que vous aviez jetés en prison se tiennent dans le temple et ils instrui-
sent le peuple. » 26 Alors le commandant partit avec les serviteurs pour
ramener les apôtres, sans violence toutefois, car ils redoutaient que le
peuple ne leur jette des pierres[g].

27 Ils les amenèrent donc, les présentèrent au Sanhédrin et le Grand
Prêtre les interrogea: 28 « Nous vous avions formellement interdit, leur
dit-il, d'enseigner ce *nom-là, et voilà que vous avez rempli Jérusalem de
votre doctrine; vous voulez donc faire retomber sur nous le sang de cet
homme[h]! » 29 Mais Pierre et les apôtres répondirent: « Il faut obéir à Dieu
plutôt qu'aux hommes[i]. 30 Le Dieu de nos pères a ressuscité Jésus que
vous aviez exécuté[j] en le pendant au bois. 31 C'est lui que Dieu a exalté
par sa droite comme Prince et Sauveur, pour donner à Israël la conver-
sion et le pardon des péchés[k]. 32 Nous sommes témoins de ces événe-
ments, nous et l'Esprit Saint que Dieu a donné à ceux qui lui obéissent[l]. »

c ***5.17*** 4.1, 6. **d** ***5.18*** ou *dans la prison publique.* **e** ***5.19*** *l'ange du Seigneur* 8.26; 12.7-11, 23; voir 10.3, 7, 22; 11.13; Mt 1.20 et la note. **f** ***5.24*** 4.1+. **g** ***5.26*** Mt 14.5+. **h** ***5.28*** *interdiction d'enseigner le nom de Jésus* 4.18. — *son sang sur nous* Mt 27.24-25 et notes; Ac 18.6. **i** ***5.29*** 4.19.
j ***5.30*** 2.23-24 et les notes. **k** ***5.31*** *exalté par sa droite* 2.33 et note. — *Prince et Sauveur* He 2.10. — Jésus *Sauveur* Ac 4.12+. — *conversion et pardon des péchés* Lc 24.47; Ac 2.38; 3.19. **l** ***5.32*** *témoins* 1.8+. — *l'Esprit Saint témoin* Jn 15.26. — *ceux qui lui obéissent* Rm 1.5+.

33 Exaspérés par cette déclaration[m], ils envisagèrent de les faire mourir. 34 Mais un homme se leva dans le Sanhédrin : c'était un *Pharisien du nom de Gamaliel[n], un *docteur de la Loi estimé de tout le peuple. Il ordonna de faire sortir un instant les prévenus, 35 puis il déclara : « Israélites, prenez bien garde à ce que vous allez faire dans le cas de ces gens. 36 Ces derniers temps, on a vu surgir Theudas : il prétendait être quelqu'un et avait rallié environ quatre cents hommes ; lui-même a été tué, tous ceux qui l'avaient suivi se sont débandés et il n'en est rien resté. 37 On a vu surgir ensuite Judas le Galiléen, à l'époque du recensement : il avait soulevé du monde à sa suite ; lui aussi a péri, et tous ceux qui l'avaient suivi se sont dispersés[o]. 38 Alors, je vous le dis, ne vous occupez donc plus de ces gens et laissez-les aller ! Si c'est des hommes en effet que vient leur résolution ou leur entreprise, elle disparaîtra d'elle-même ; 39 si c'est de Dieu, vous ne pourrez pas les faire disparaître. N'allez pas risquer de vous trouver en guerre avec Dieu[p] ! »

Se rangeant à son avis, 40 ils rappelèrent les apôtres, les firent battre de verges et, après leur avoir enjoint de ne plus prononcer le nom de Jésus[q], ils les relâchèrent. 41 Les apôtres quittèrent donc le Sanhédrin, tout heureux d'avoir été trouvés dignes de subir des outrages pour le Nom[r]. 42 Chaque jour, au temple comme à domicile, ils ne cessaient d'enseigner et d'annoncer la Bonne Nouvelle de Jésus Messie[s].

L'institution des Sept

6 1 En ces jours-là, le nombre des disciples augmentait et les Hellénistes se mirent à récriminer contre les Hébreux parce que leurs veuves étaient oubliées dans le service quotidien[t]. 2 Les Douze convoquèrent alors l'assemblée plénière[u] des disciples et dirent : « Il ne convient pas que nous délaissions la parole de Dieu pour le service des tables. 3 Cherchez plutôt parmi vous, frères, sept hommes de bonne réputation, remplis d'Esprit et de sagesse[v], et nous les chargerons de

m* *5.33 *exaspérés* 7.54. ***n* *5.34*** *Gamaliel* 22.3. ***o* *5.36-37*** tentative de soulèvement 21.38. — révolté Galiléen Lc 13.1-2. ***p* *5.39*** *Sg* 12.13-14. ***q* *5.40*** 4.18. ***r* *5.41*** *heureux d'être outragés à cause de Jésus* Mt 5.10-12 ; 1 P 4.13. — *le nom* Ac 3:16+. ***s* *5.42*** *au temple et à domicile* 2.46. — le Messie, c'est Jésus 9.22 ; 17.3 ; 18.5, 28 ; voir 2.36+. ***t* *6.1*** C'est la première fois que le mot *disciple* dépasse le sens restreint propre aux évangiles et qu'il sert à désigner les chrétiens ; voir 9.1, 26 ; 11.26 ; 16.1 ; 18.23. — accroissement de la communauté 2.41+. — Les *Hellénistes* (9.2) étaient des Juifs qui se distinguaient des *Hébreux* (2 Co 11.22 ; Ph 3.5) par le fait qu'ils parlaient le grec. Cette répartition se retrouve dans la première Eglise de Jérusalem. — le service quotidien Ac 2.45 ; 4.35. ***u* *6.2*** *les Douze* Mt 10.2+. — *l'assemblée plénière* Ac 6.5 ; 15.12, 30. ***v* *6.3*** *de bonne réputation* 10.22 ; 16.2 ; 22.12 ; 1 Tm 3.7 ; 3 Jn 12. — *remplis d'Esprit et de sagesse* Ac 6.10.

cette fonction. 4 Quant à nous, nous continuerons à assurer la prière et le service de la Parole.» 5 Cette proposition fut agréée par toute l'assemblée: on choisit Etienne, un homme plein de foi et d'Esprit Saint, Philippe, Prochore, Nicanor, Timon, Parménas et Nicolas, prosélyte[w] d'Antioche; 6 on les présenta aux *apôtres, on pria et on leur *imposa les mains[x].

7 La parole de Dieu croissait et le nombre des *disciples augmentait considérablement à Jérusalem; une multitude de *prêtres obéissait à la foi[y].

Activité et arrestation d'Etienne

8 Plein de grâce et de puissance, Etienne opérait des prodiges et des *signes[z] remarquables parmi le peuple. 9 Mais, sur ces entrefaites, des gens de la *synagogue dite des Affranchis[a], avec des Cyrénéens et des Alexandrins, des gens de Cilicie et d'Asie, entrèrent en discussion avec Etienne 10 et, comme ils étaient incapables de s'opposer à la sagesse et à l'Esprit[b] qui marquaient ses paroles, 11 ils subornèrent des gens[c] pour dire: «Nous l'avons entendu prononcer des paroles *blasphématoires contre Moïse et contre Dieu.» 12 Ils ameutèrent le peuple, les *anciens et les *scribes, se saisirent d'Etienne à l'improviste et le conduisirent au *Sanhédrin. 13 Là ils produisirent de faux témoins: «L'homme que voici, disaient-ils, tient sans arrêt des propos hostiles au Lieu *saint et à la *Loi[d]; 14 de fait, nous lui avons entendu dire que ce Jésus le Nazôréen[e] détruirait ce Lieu et changerait les règles que Moïse nous a transmises.» 15 Tous ceux qui siégeaient au Sanhédrin avaient les yeux fixés sur lui et ils virent son visage comme le visage d'un *ange.

Le discours d'Etienne

7 1 Le *Grand Prêtre lui demanda: «Cela est-il exact?» 2 Etienne répondit: «Frères et pères, écoutez. Le Dieu de gloire est apparu à notre père Abraham[f] quand il était en Mésopotamie, avant d'habiter

***w* 6.5** Voir 2.11 et la note sur Mt 23.15. ***x* 6.6** prière de consécration 1.24 ; 13.3 ; 14.23. — imposition des mains 1) 8.17 ; 19.6 ; 2) 9.12, 17 ; 28.8 ; 3) 13.3 ; voir Mt 9.18+ ; Mc 5.23+. ***y* 6.7** *La parole de Dieu croissait* 12.24 ; 19.20. — accroissement de la communauté 2.41+. — *multitude de prêtres :* Les membres des diverses classes de prêtres juifs étaient environ 8000 à Jérusalem. ***z* 6.8** *prodiges et signes* 2.43+. ***a* 6.9** *La synagogue des Affranchis* regroupait les descendants d'anciens esclaves emmenés par le général romain Pompée en 63 av. J.C. et libérés par la suite. ***b* 6.10** une *sagesse* irrésistible Lc 21.15. — Saint Esprit et sagesse Ac 6.3. ***c* 6.11** Mt 26.59, 61 ; Mc 14.55-58. ***d* 6.13** *Lieu saint :* voir Jn 11.48 et la note ; il s'agit ici du temple de Jérusalem. — propos contre le temple Jr 26.11 ; 21.28 ; 24.6 ; 25.8. — propos contre la loi de Moïse Ac 6.11, 13+ ; 18.13, 15 ; 21.21, 28 ; 25.8. ***e* 6.14** Voir Mt 26.71 et la note. ***f* 7.2** *Frères et pères, écoutez* 22.1. — *le Dieu de gloire* Ps 29.2. — *Abraham* Gn 11.31—12.5.

à Charan. 3 *Et il lui a dit*[g]*: Quitte ton pays et ta famille et va dans le pays que je te montrerai.* 4 Abraham quitta alors le pays des Chaldéens pour habiter à Charan. De là, après la mort de son père, Dieu le fit passer dans ce pays que vous habitez maintenant. 5 Il ne lui donna aucune propriété dans ce pays, pas même de quoi poser le pied, mais il promit de lui en donner la possession ainsi qu'à sa descendance après lui, bien qu'Abraham n'eût pas d'enfant[h]. 6 Et Dieu parla ainsi[i]: *Sa descendance séjournera en terre étrangère, on la réduira en esclavage et on la maltraitera pendant quatre cents ans.* 7 *Mais la nation dont ils auront été les esclaves, je la jugerai, moi,* dit Dieu, *et après cela ils sortiront et me rendront un culte en ce* lieu. 8 Il lui donna *l'alliance de la *circoncision et c'est ainsi qu'ayant engendré Isaac, Abraham le circoncit le huitième jour[j]. Isaac fit de même pour Jacob et Jacob pour les douze patriarches.

9 «Jaloux de Joseph[k], les patriarches le vendirent pour être mené en Egypte. Mais Dieu était avec lui[l]; 10 il le tira de toutes ses détresses et *lui donna grâce* et sagesse *devant le *Pharaon, le roi d'Egypte, qui l'établit gouverneur*[m] *sur l'Egypte et sur toute sa maison.* 11 *Or il survint une famine dans toute l'Egypte et en Canaan;* la détresse était grande et nos pères n'arrivaient plus à se ravitailler. 12 Ayant appris qu'il y avait des vivres en Egypte, Jacob y envoya nos pères une première fois; 13 la deuxième fois, Joseph se fit reconnaître par ses frères, et son origine fut révélée au Pharaon. 14 Joseph envoya alors chercher Jacob son père et toute sa parenté, en tout soixante-quinze personnes[n]. 15 Jacob descendit donc en Egypte, et il y mourut ainsi que nos pères[o]. 16 On les transporta à Sichem et on les déposa dans le sépulcre qu'Abraham avait acheté à prix d'argent aux fils d'Emmor, père de Sichem[p].

17 «Comme approchait le temps où devait s'accomplir la promesse solennelle que Dieu avait faite à Abraham, le peuple s'accrut et se multiplia en Egypte[q], 18 jusqu'à l'avènement d'un autre roi d'Egypte, qui

g 7.3 Gn 12.1. ***h 7.5*** *aucune propriété* Dt 2.5. – promesse pour sa descendance Gn 12.7 ; 13.15 ; 17.8 ; 24.7 ; 48.4. – Abraham sans enfant Gn 16.1. ***i 7.6-7*** Gn 15.13-14 ; Ex 3.12. ***j 7.8*** alliance de la circoncision Gn 17.10-14. – Isaac circoncis à huit jours Gn 21.4. ***k 7.9-15*** *Joseph :* Gn 37 ; 39-46. ***l 7.9*** Dieu était avec lui Gn 39.2, 3, 21, 23. ***m 7.10*** Ps 105.21. ***n 7.14*** soixante-quinze personnes Gn 46.27 (grec) ; Ex 1.5 (grec). ***o 7.15*** Gn 49.33 ; Ex 1.6. ***p 7.16*** le sépulcre acheté par Abraham Gn 23.2-20. – le champ acheté par Jacob Gn 33.18-19. – Jacob enterré aux côtés d'Abraham Gn 49.29-30 ; 50.7-13. – Joseph enterré à Sichem Jos 24.32. ***q 7.17-22*** le peuple en Egypte, la naissance de Moïse : Ex 1.7–2.10.

n'avait pas connu Joseph. 19 Perfidement, ce roi s'en prit à notre race : sa malveillance envers les pères alla jusqu'à leur faire exposer leurs nouveau-nés pour les empêcher de vivre. 20 C'est en ce temps-là que naquit Moïse ; il était beau[r] aux yeux de Dieu. Pendant trois mois, il fut élevé dans la maison de son père 21 et, lorsqu'il fut exposé, la fille du Pharaon le recueillit et l'éleva comme son propre fils. 22 Moïse fut initié à toute la sagesse des Egyptiens et il était puissant en ses paroles et en ses actions[s].

23 « [t]Quand il eut quarante ans accomplis, l'idée lui vint de se rendre parmi ses frères, les Israélites. 24 Voyant l'un d'eux mis à mal, il en prit la défense et, pour venger ce frère maltraité, il frappa l'Egyptien. 25 Il pensait faire comprendre à ses frères que Dieu, par sa main, leur apportait le salut ; mais ils ne le comprirent pas. 26 Le jour suivant, on le vit intervenir dans une rixe pour essayer de réconcilier les adversaires : "Amis, leur dit-il, vous êtes frères, pourquoi vous malmener ?" 27 Mais celui qui maltraitait son compagnon repoussa Moïse en ces termes : *"Qui t'a établi chef et juge sur nous[u] ?* 28 *Veux-tu me tuer comme tu as tué hier l'Egyptien ?"* 29 A ces mots, Moïse s'enfuit et se réfugia à l'étranger dans le pays de Madiân, où il eut deux fils.

30 « Au bout de quarante ans, *un *ange lui apparut au désert du mont* Sinaï, *dans la flamme d'un buisson en feu[v].* 31 Moïse, étonné par cette vision, voulut s'approcher pour regarder ; la voix du Seigneur se fit entendre[w] : 32 *"Je suis le Dieu de tes pères, le Dieu d'Abraham, d'Isaac et de Jacob."* Tout tremblant, Moïse n'osait plus regarder. 33 Alors le Seigneur lui dit : *"Ote les sandales de tes pieds, car le lieu où tu te tiens est une terre *sainte.* 34 *Oui, j'ai vu la misère de mon peuple en Egypte et j'ai entendu son gémissement ; je suis descendu pour le délivrer.* Et maintenant, va, je veux t'envoyer en Egypte."

35 « Ce Moïse qu'ils avaient rejeté par ces mots : *"Qui t'a établi chef et juge ?"*, c'est lui que Dieu a envoyé comme chef et libérateur, par l'entremise de l'ange qui lui était apparu dans le buisson[x]. 36 C'est lui qui les a fait sortir d'Egypte en opérant des prodiges et des *signes au pays d'Egypte, à la mer Rouge et au désert pendant quarante ans[y]. 37 C'est lui, Moïse, qui a dit aux Israélites : *Dieu vous suscitera d'entre vos frères un *prophète comme moi[z].* 38 C'est lui qui, lors de l'assemblée au désert, se tenait entre nos pères et l'ange qui lui parlait sur le mont Sinaï ; c'est lui qui reçut des paroles de *vie pour nous les don-

***r* 7.20** He 11.23. ***s* 7.22** Lc 24.19. ***t* 7.23-29** Moïse visite ses frères puis doit fuir : Ex 2.11-22 ; voir 18.3-4. ***u* 7.27** Lc 12.14. ***v* 7.30** Ex 3.1-3. ***w* 7.31-34** Ex 3.4-10. ***x* 7.35** *libérateur* Lc 1.68 ; 2.38. — *par l'entremise de l'ange* Ex 3.2. ***y* 7.36** *prodiges et signes* Ex 7.3 ; Ac 2.43+. — *à la mer Rouge* Ex 14.21. — *au désert, pendant quarante ans* Nb 14.33. ***z* 7.37** Dt 18.15 (Ac 3.22).

ner[a]. 39 Mais nos pères ne voulurent pas lui obéir; ils le repoussèrent et
retournèrent par la pensée en Egypte[b]. 40 Ils dirent en effet à Aaron[c]:
*"Fais-nous des dieux qui marchent à notre tête; car ce Moïse qui nous
a fait sortir du pays d'Egypte, nous ne savons pas ce qu'il est devenu."*
41 Ils façonnèrent un veau[d] en ces jours-là, offrirent un *sacrifice à
cette idole et célébrèrent joyeusement l'œuvre de leurs mains. 42 En
retour, Dieu les livra au culte de l'armée du ciel[e], comme il est écrit
dans le livre des *prophètes[f]:

M'avez-vous offert victimes et sacrifices
pendant quarante ans au désert, maison d'Israël?
43 *Vous avez porté la tente de Moloch*
et l'astre de votre dieu Rephân,
ces images que vous avez faites pour les adorer.
Aussi vous déporterai-je au-delà de Babylone.

44 «Nos pères au désert avaient la tente du témoignage[g]: celui qui
parlait à Moïse lui avait prescrit de la faire selon le modèle qu'il avait
vu. 45 Nos pères, l'ayant reçue, l'introduisirent, sous la conduite de
Josué, dans le pays conquis sur les nations que Dieu chassa devant
eux[h]; elle y fut jusqu'aux jours de David. 46 Celui-ci trouva grâce
devant Dieu et demanda la faveur de disposer d'une résidence pour le
Dieu de Jacob[i]. 47 Mais ce fut Salomon qui lui bâtit une maison[j]. 48 Et
pourtant le Très-Haut n'habite pas des demeures construites par la
main des hommes. Comme dit le *prophète[k]:

49 *Le *ciel est mon trône*
et la terre un escabeau sous mes pieds.
Quelle maison allez-vous me bâtir, dit le Seigneur,
et quel sera le lieu de mon repos?
50 *N'est-ce pas ma main qui a créé toutes ces choses?*

51 «Hommes à la nuque raide, *incirconcis de *cœur et d'oreilles[l],
toujours vous résistez à l'Esprit Saint; vous êtes bien comme vos pères.

a 7.38 *lors de l'assemblée* Ex 19.7-15 ; Dt 9.10 ; 10.4. — *devant l'ange au mont Sinaï* Ac 7.53. — *paroles de vie* Lc 10.26-28 ; Ac 5.20. — *il reçut... pour les donner* Ex 19.1-6 ; 20.1-17 ; Dt 5.4-22. **b 7.39** Nb 14.3. **c 7.40** Ex 32.1, 23. **d 7.41** Ex 32.4-6. **e 7.42** *L'armée du ciel* est une expression fréquente dans l'A.T. (Dt 4.19 ; 17.3, etc.) pour désigner *les astres,* que plusieurs religions païennes de l'antiquité avaient divinisés. Voir Jr 7.18 (grec) ; 8.2 ; 19.13. **f 7.42-43** Am 5.25-27 (grec). **g 7.44** Ex 27.21 ; Nb 1.50 ; voir Ex 25.9, 40. **h 7.45** *sous la conduite de Josué* Jos 3.14-17 ; 18.1. — *les nations que Dieu chassa* Jos 23.9 ; 24.18. **i 7.46** Autre texte : *pour la maison de Jacob* (c'est-à-dire la dynastie royale du peuple d'Israël). — projets de David pour la tente 2 S 7.2-16 ; 1 R 8.17-18 ; 1 Ch 17.1-14 ; 2 Ch 6.7-8 ; Ps 132.1-5. **j 7.47** 1 R 6.1, 14 ; 8.19-20 ; 2 Ch 3.1 ; 5.1 ; 6.2,10. **k 7.48** Es 66.1-2 ; voir Ac 17.24, 29. **l 7.51** *hommes à la nuque raide* Ex 32.9 ; 33.3, 5. — *incirconcis de cœur et d'oreilles* Lv 26.41 ; Jr 9.25 ; 6.10.

52 Lequel des *prophètes vos pères n'ont-ils pas persécuté? Ils ont
même tué ceux qui annonçaient d'avance la venue du Juste[m], celui-là
même que maintenant vous avez trahi et assassiné. 53 Vous aviez reçu la
*Loi promulguée par des anges[n], et vous ne l'avez pas observée.»

Lapidation d'Etienne

54 Ces paroles les exaspérèrent et ils grinçaient des dents[o] contre
Etienne. 55 Mais lui, rempli d'Esprit Saint, fixait le ciel: il vit la gloire
de Dieu et Jésus debout à la droite de Dieu[p]. 56 «Voici, dit-il, que je
contemple les cieux ouverts et le *Fils de l'homme debout à la droite
de Dieu[q].» 57 Ils poussèrent alors de grands cris, en se bouchant les
oreilles. Puis, tous ensemble, ils se jetèrent sur lui, 58 l'entraînèrent
hors de la ville et se mirent à le lapider. Les témoins avaient posé leurs
vêtements aux pieds d'un jeune homme appelé Saul[r]. 59 Tandis qu'ils
le lapidaient, Etienne prononça cette invocation: «Seigneur Jésus,
reçois mon esprit[s].» 60 Puis il fléchit les genoux et lança un grand cri:
«Seigneur, ne leur compte pas ce péché[t].» Et sur ces mots il mourut.

8 1 Saul, lui, était de ceux qui approuvaient ce meurtre[u].

La première persécution d'une Eglise

En ce jour-là éclata contre l'Eglise de Jérusalem une violente persé-
cution. Sauf les *apôtres, tous se dispersèrent dans les contrées de la
Judée et de la *Samarie[v]. 2 Des hommes pieux ensevelirent[w] Etienne
et firent sur lui de belles funérailles. 3 Quant à Saul, il ravageait
l'Eglise[x]; il pénétrait dans les maisons, en arrachait hommes et
femmes et les jetait en prison. 4 Ceux donc qui avaient été dispersés[y]
allèrent de lieu en lieu, annonçant la bonne nouvelle de la Parole.

La parole de Dieu en Samarie

5 C'est ainsi que Philippe, qui était descendu dans une ville de
*Samarie, y proclamait le *Christ[z]. 6 Les foules unanimes s'attachaient

m 7.52 *prophètes persécutés* 2 Ch 36.16 et tués Mt 23.31. – *le Juste* Ac 3.14 et la note. ***n 7.53*** 7.38 ; Ga 3.19 et la note ; He 2.2 et la note. ***o 7.54*** auditeurs exaspérés 5.33. – grincements de dents Jb 16.9 ; Ps 35.16 ; 37.12 ; 112.10. ***p 7.55*** *rempli d'Esprit Saint* 4.8+. – *Jésus à la droite de Dieu* Mt 22.44+ ; 1 P 3.22. ***q 7.56*** *les cieux ouverts* Mt 3.16+. – *le Fils de l'homme* Mt 8.20+. – *à la droite de Dieu* Lc 22.69. ***r 7.58*** 22.20 ; 26.10. ***s 7.59*** Ps 31.6 ; Lc 23.46. ***t 7.60*** un grand cri Mt 27.46, 50 ; Mc 15.34, 37 ; Lc 23.46. – *ne leur compte pas ce péché* Lc 23.34. ***u 8.1a*** 7.58 ; 22.20. ***v 8.1b*** *persécution*, dispersion 8.4 ; 11.19. – *l'Eglise* 11.22 ; 13.1. ***w 8.2*** Mt 14.12 ; Mc 6.29. ***x 8.3*** 9.1, 13 ; 22.4 ; 26.9-11. ***y 8.4*** 8.1 ; 11.19. ***z 8.5*** *Philippe* 6.5 ; 8.12, 26-40 ; 21.8. – *le Christ* (Messie) attendu par les Samaritains Jn 4.25. – proclamé Ac 2.36+ en Samarie 1.8.

aux paroles de Philippe, car on entendait parler des miracles qu'il fai-
sait et on les voyait. 7 Beaucoup d'esprits *impurs en effet sortaient[a],
en poussant de grands cris, de ceux qui en étaient possédés et beau-
coup de paralysés et d'infirmes furent guéris. 8 Il y eut une grande
joie[b] dans cette ville.

9 Or il se trouvait déjà dans la ville un homme du nom de Simon qui
faisait profession de magie et tenait dans l'émerveillement la popula-
tion de la Samarie. Il prétendait être quelqu'un d'important 10 et tous
s'attachaient à lui, du plus petit jusqu'au plus grand. «Cet homme,
disait-on, est la Puissance de Dieu, celle qu'on appelle la Grande.»
11 S'ils s'attachaient ainsi à lui, c'est qu'il les maintenait depuis long-
temps dans l'émerveillement par ses sortilèges. 12 Mais, ayant eu foi en
Philippe qui leur annonçait la bonne nouvelle du *Règne de Dieu et du
*nom de Jésus Christ[c], ils recevaient le baptême, hommes et femmes.
13 Simon lui-même devint croyant à son tour, il reçut le baptême et ne
lâchait plus Philippe. A regarder les grands *signes et miracles qui
avaient lieu, c'est lui en effet qui était émerveillé.

14 Apprenant que la Samarie avait accueilli la parole de Dieu, les
*apôtres qui étaient à Jérusalem y envoyèrent Pierre et Jean[d]. 15 Une
fois arrivés, ces derniers prièrent pour les Samaritains afin qu'ils reçoi-
vent l'Esprit Saint. 16 En effet, l'Esprit n'était encore tombé sur aucun
d'eux; ils avaient seulement reçu le baptême au nom du Seigneur
Jésus[e]. 17 Pierre et Jean se mirent donc à leur *imposer les mains et les
Samaritains recevaient l'Esprit Saint[f].

18 Mais Simon, quand il vit que l'Esprit Saint était donné par l'impo-
sition des mains des apôtres, leur proposa de l'argent. 19 «Accordez-
moi, leur dit-il, à moi aussi ce pouvoir, afin que ceux à qui j'imposerai
les mains reçoivent l'Esprit Saint.» 20 Mais Pierre lui répliqua: «Périsse
ton argent, et toi avec lui, pour avoir cru que tu pouvais acheter, avec
de l'argent, le don gratuit de Dieu. 21 Il n'y a pour toi ni part ni héritage
dans ce qui se passe ici, car ton *cœur n'est pas droit devant Dieu[g].
22 Repens-toi donc de ta méchanceté, et prie le Seigneur: la pensée qui
t'est venue au cœur te sera peut-être pardonnée. 23 Je vois en effet que
tu es dans l'amertume du fiel et les liens de l'iniquité[h].» 24 Et Simon
répondit: «Priez vous-mêmes le Seigneur en ma faveur[i], pour qu'il ne
m'arrive rien de ce que vous avez dit.»

a 8.7 Mt 10.1; Mc 6.7 ; 16.17. ***b 8.8*** Lc 1.14 ; Ac 5.41 ; 8.39 ; 11.23 ; 13.48, 52 ; 15.3, 31 ; 16.34. ***c 8.12*** *la bonne nouvelle du Règne de Dieu* Lc 4.43+. — *le nom...* Ac 3.16+. ***d 8.14*** 3.1+. ***e 8.16*** 2.38+. ***f 8.17*** imposition des mains Mt 9.18+ ; Mc 5.33+ ; Ac 6.6+ ; et don du Saint Esprit 19.6. ***g 8.21*** Ps 78.37. ***h 8.23*** *dans l'amertume du fiel* Dt 29.17 ; Lm 3.15 (grec). — *les liens de l'iniquité* Es 58.6. ***i 8.24*** Ex 8.4, 24 ; 9.28 (grec).

25 Pierre et Jean, après avoir rendu témoignage et annoncé la parole
du Seigneur, retournèrent alors à Jérusalem; ils annonçaient la Bonne
Nouvelle à de nombreux villages *samaritains.

Philippe et l'eunuque éthiopien

26 L'ange du Seigneur s'adressa à Philippe: «Tu vas aller vers le
Midi[j], lui dit-il, sur la route qui descend de Jérusalem à Gaza; elle est
déserte.» 27 Et Philippe partit sans tarder. Or un eunuque éthiopien,
haut fonctionnaire de Candace[k], la reine d'Ethiopie, et administrateur
général de son trésor, qui était allé à Jérusalem en pèlerinage,
28 retournait chez lui; assis dans son char, il lisait le *prophète Esaïe.
29 L'Esprit dit à Philippe: «Avance et rejoins ce char.» 30 Philippe y
courut, entendit l'eunuque qui lisait[l] le prophète Esaïe et lui dit:
«Comprends-tu vraiment ce que tu lis?» 31 — «Et comment le pour-
rais-je, répondit-il, si je n'ai pas de guide[m]?» Et il invita Philippe à
monter s'asseoir près de lui. 32 Et voici le passage de l'Ecriture qu'il
lisait[n]:

Comme une brebis que l'on conduit pour l'égorger,
comme un agneau muet devant celui qui le tond,
c'est ainsi qu'il n'ouvre pas la bouche.
33 *Dans son abaissement il a été privé de son droit.*
Sa génération, qui la racontera?
Car elle est enlevée de la terre, sa vie.

34 S'adressant à Philippe, l'eunuque lui dit: «Je t'en prie, de qui le
prophète parle-t-il ainsi? De lui-même ou de quelqu'un d'autre?»
35 Philippe ouvrit alors la bouche[o] et, partant de ce texte, il lui annonça
la Bonne Nouvelle de Jésus. 36 Poursuivant leur chemin, ils tombèrent
sur un point d'eau et l'eunuque dit: «Voici de l'eau. Qu'est-ce qui
empêche que je reçoive le baptême[p]?» [37 [q]] 38 Il donna l'ordre
d'arrêter son char; tous les deux descendirent dans l'eau, Philippe et
l'eunuque, et Philippe le baptisa[r]. 39 Quand ils furent sortis de l'eau,

j 8.26 ou *vers l'heure de midi. — l'ange du Seigneur* Mt 1.20+ ; Ac 5.19 ; 12.10 ; voir 8.29, 39. ***k 8.27*** *eunuque :* utilisé au sens propre en Mt 19.12, ce terme servait aussi depuis longtemps à désigner un *homme de confiance au service d'un souverain. — Candace* n'est pas un nom propre, mais un titre désignant la reine d'Ethiopie, comme *Pharaon* désignait le roi d'Egypte. ***l 8.30*** A haute voix, comme c'était l'habitude chez les anciens. ***m 8.31*** Jn 16.13. ***n 8.32-33*** Es 53.7-8 (grec). ***o 8.35*** Dn 10.16 ; Jb 3.1 ; Mt 5.2 ; Ac 10.34. ***p 8.36*** 10.47. ***q 8.37*** Certains manuscrits anciens ajoutent ici : *Philippe dit : « Si tu crois de tout ton cœur, c'est permis. » L'eunuque répondit : « Je crois que Jésus Christ est le Fils de Dieu. »* On a peut-être ici l'écho d'une très ancienne liturgie de baptême. ***r 8.38*** Mt 28.19+.

l'Esprit du Seigneur emporta Philippe, et l'eunuque ne le vit plus, mais
il poursuivit son chemin dans la joie[s]. 40 Quant à Philippe, il se
retrouva à Azot et il annonçait la Bonne Nouvelle dans toutes les villes
où il passait jusqu'à son arrivée à Césarée[t].

La vocation de Saul[u]

9 1 Saul, ne respirant toujours que menaces et meurtres contre les
disciples[v] du Seigneur, alla 2 demander au *Grand Prêtre des
lettres pour les *synagogues de Damas. S'il trouvait là des adeptes de la
Voie, hommes ou femmes, il les amènerait, enchaînés, à Jérusalem[w].
3 Poursuivant sa route, il approchait de Damas quand, soudain, une
lumière venue du ciel l'enveloppa de son éclat. 4 Tombant à terre il
entendit une voix qui lui disait: «Saoul, Saoul[x], pourquoi me persé-
cuter?» — 5 «Qui es-tu, Seigneur?» demanda-t-il. «Je suis Jésus[y], c'est
moi que tu persécutes. 6 Mais relève-toi, entre dans la ville, et on te
dira ce que tu dois faire.» 7 Ses compagnons de voyage s'étaient
arrêtés, muets de stupeur: ils entendaient la voix, mais ne voyaient
personne[z]. 8 Saul se releva de terre, mais bien qu'il eût les yeux
ouverts, il n'y voyait plus rien[a] et c'est en le conduisant par la main
que ses compagnons le firent entrer dans Damas 9 où il demeura privé
de la vue pendant trois jours, sans rien manger ni boire.
10 Il y avait à Damas un disciple nommé Ananias; le Seigneur
l'appela dans une vision: «Ananias!» — «Me voici, Seigneur!»
répondit-il. 11 Le Seigneur reprit: «Tu vas te rendre dans la rue appelée
"rue Droite" et demander, dans la maison de Judas, un nommé Saul
de Tarse[b]; il est là en prière 12 et vient de voir[c] un homme nommé
Ananias entrer et lui *imposer les mains pour lui rendre la vue[d].»
13 Ananias répondit: «Seigneur, j'ai entendu bien des gens parler de
cet homme et dire tout le mal qu'il a fait à tes saints[e] à Jérusalem. 14 Et

***s* 8.39** *emporté par l'Esprit* 1 R 18.12. — *dans la joie* Ac 8.8+. ***t* 8.40** La ville d'*Azot* est l'ancienne Ashdod des Philistins (1 S 5.1-7). — *Césarée* Ac 21.8. ***u* 9.1-19** 22.4-21 ; 26.9-18. ***v* 9.1** Saul acharné contre les chrétiens 8.3+. — *disciples* (= chrétiens) 6.1+. ***w* 9.2** *la Voie :* terme particulier du livre des Actes, pour désigner la nouvelle manière de marcher vers le salut et donc aussi la ligne de conduite particulière aux chrétiens. 16.17 ; 18.25-26 ; 19.9, 23 ; 22.4 ; 24.14,22 ; voir Es 30.21 ; Ps 27.11 ; Pr 15.10 ; Mt 21.32 ; 22.16. — *enchaînés* Ac 9.14. ***x* 9.4** Le texte reproduit ici la prononciation hébraïque du nom de Saul : Sa-oul. Le premier roi d'Israël (1 S 9.2) portait ce même nom. ***y* 9.5** 1 Co 15.8. — *Je suis* Lc 21.8 ; 22.70 ; 24.39 ; Jn 6.20, 35. ***z* 9.7** *Sg* 18.1 ; Ac 22.9. ***a* 9.8** 13.11 ; 22.11. ***b* 9.11** 9.30 ; 21.39. ***c* 9.12** Certains manuscrits ajoutent : *en vision.* ***d* 9.12** imposition des mains 6.6+ et recouvrement de la vue Mc 8.23-25. ***e* 9.13** acharnement de Saul contre l'Eglise 8.3+. — les *saints* (= chrétiens) 9.32, 41 ; 26.10, 18 ; Rm 1.7+ ; 1 Co 1.2 ; 6.1-2 ; 14.33, etc. ; voir Ac 20.32.

ici il dispose des pleins pouvoirs reçus des grands prêtres pour enchaîner tous ceux qui invoquent ton *nom[f].» 15 Mais le Seigneur lui dit: «Va, car cet homme est un instrument que je me suis choisi pour répondre de mon nom devant les nations *païennes, les rois et les Israélites[g]. 16 Je lui montrerai moi-même en effet tout ce qu'il lui faudra souffrir pour mon nom[h].» 17 Ananias partit, entra dans la maison, lui imposa les mains[i] et dit: «Saoul, mon frère, c'est le Seigneur qui m'envoie — ce Jésus, qui t'est apparu sur la route que tu suivais, — afin que tu retrouves la vue et que tu sois rempli d'Esprit Saint.» 18 Des sortes de membranes lui tombèrent aussitôt des yeux; il retrouva la vue et reçut alors le baptême; 19 puis, quand il se fut alimenté, il reprit des forces.

Prédication de Saul à Damas

Il passa quelques jours avec les disciples[j] de Damas, 20 et, sans attendre, il proclamait dans les *synagogues que Jésus est le Fils de Dieu[k]. 21 Tous ceux qui l'entendaient en restaient stupéfaits et ils disaient: «N'est-ce pas lui qui, à Jérusalem, s'acharnait contre ceux qui invoquent ce *nom[l]? Et n'était-il pas venu tout exprès pour les conduire, enchaînés, aux *grands prêtres?» 22 Mais Saul s'affirmait d'autant plus et il confondait les habitants juifs de Damas en prouvant que Jésus était bien le *Messie[m].

23 Un temps assez long s'était écoulé, quand ces Juifs se concertèrent pour le faire périr. 24 Saul eut alors connaissance de leur complot[n]. Ils allaient jusqu'à garder les portes de la ville, jour et nuit, pour pouvoir le tuer. 25 Mais, une nuit, ses disciples[o] le prirent et le descendirent le long de la muraille dans une corbeille[p].

Saul à Jérusalem

26 Arrivé à Jérusalem, Saul essayait de s'agréger aux disciples; mais tous avaient peur de lui, n'arrivant pas à le croire vraiment disciple. 27 Barnabas le prit alors avec lui, l'introduisit auprès des *apôtres et leur raconta comment, sur la route, il avait vu le Seigneur qui lui avait

f 9.14 faire *enchaîner* 9.1-2, 21 ; 26.10. – *ceux qui invoquent ton nom* Jl 3.5 ; Ac 9.21 ; 22.16 ; 1 Co 1.2 ; 2 Tm 2.22. ***g 9.15*** *mon nom* 3.16+ ; Lc 21.12-19. – *devant les païens,* les rois... Rm 1.5 ; Ac 26.1 ; 27.24. ***h 9.16*** 2 Co 11.23-28. ***i 9.17*** 6.6+. ***j 9.19*** Voir 6.1 et la note. ***k 9.20*** Mt 14.33+ ; Mc 1.1+ ; Ac (8.37) ; 13.33 ; Ga 1.16 ; 1 Th 1.10. ***l 9.21*** acharnement de Saul contre l'Eglise 8.3+. – *le nom* 3.16+. ***m 9.22*** 17.3 ; 18.5, 28 ; voir 5.42. ***n 9.23-24*** 23.12,16. ***o 9.25a*** Quelques manuscrits lisent : *les disciples* 14.20 ; voir 6.1. ***p 9.25b*** 2 Co 11.33.

parlé, et comment, à Damas, il s'était exprimé avec assurance au
*nom de Jésus[q]. 28 Dès lors Saul allait et venait avec eux dans Jéru-
salem, s'exprimant avec assurance au nom du Seigneur. 29 Il s'entrete-
nait avec les Hellénistes[r] et discutait avec eux; mais eux cherchaient à
le faire périr. 30 Les frères, l'ayant appris, le conduisirent à Césarée et
de là le firent partir sur Tarse[s].

31 L'Eglise[t], sur toute l'étendue de la Judée, de la Galilée et de la
*Samarie, vivait donc en paix, elle s'édifiait et marchait dans la
crainte du Seigneur et, grâce à l'appui du Saint Esprit, elle s'accrois-
sait.

La guérison d'Enée à Lydda

32 Or il arriva que Pierre, qui se déplaçait continuellement, descendit
aussi chez les saints[u] qui habitaient Lydda. 33 Il trouva là un homme du
nom d'Enée, allongé sur un grabat depuis huit ans; il était paralysé.
34 Pierre lui dit: «Enée, Jésus Christ te guérit. Lève-toi et fais toi-même
ton lit!» Et il se leva aussitôt. 35 L'ayant vu, toute la population de
Lydda et de la plaine de Saron se tourna vers le Seigneur.

La résurrection de Tabitha à Joppé

36 Il y avait à Joppé une femme qui était *disciple; elle s'appelait
Tabitha, ce qui se traduit par Gazelle. Elle était riche des bonnes
œuvres et des aumônes qu'elle faisait[v]. 37 Or, en ces jours-là, elle
tomba malade et mourut. Après avoir fait sa toilette, on la déposa dans
la chambre haute[w]. 38 Comme Lydda est proche de Joppé[x], les *disci-
ples avaient appris que Pierre était là et ils lui envoyèrent deux
hommes chargés de cette invitation: «Rejoins-nous sans tarder.»
39 Pierre partit aussitôt avec eux. Quand il fut arrivé, on le fit monter
dans la chambre haute, et toutes les veuves se tenaient devant lui en
pleurs, lui montrant les tuniques et les manteaux que faisait Dorcas
quand elle était en leur compagnie. 40 Pierre fit sortir tout le monde et,
se mettant à genoux, il pria; puis, se tournant vers le corps, il dit:
«Tabitha, lève-toi[y].» Elle ouvrit les yeux, et, à la vue de Pierre, elle se
redressa et s'assit. 41 Il lui donna la main, la fit lever et, rappelant les

***q* 9.27** *Barnabas* 4.36+. – Saul introduit auprès des apôtres Ga 1.18-24. – Saul a vu le Seigneur 1 Co 9.1 ; 15.8 et lui a parlé Ac 9.4 ; 22.7 ; 26.14. – Saul a prêché aux Juifs de Damas 9.20. – *assurance* 4.13+. ***r* 9.29** Voir 6.1 et la note. ***s* 9.30** 11.25 ; 22.3 ; voir Ga 1.21. ***t* 9.31** Autre texte : *les Eglises.* Voir 5.11+. – accroissement de l'Eglise 2.41+. ***u* 9.32** Voir 9.13 et la note sur Rm 1.7. ***v* 9.36** *Dorcas* est l'équivalent grec du nom juif *Tabitha* et signifie *gazelle.* – *aumônes* *Tb* 4.7-11 ; Mt 6.1-4 ; Lc 11.41 ; Ac 10.2 ; voir 2.44-45. ***w* 9.37** Voir 1.13 et la note. ***x* 9.38** Il y a environ 20 km de Lydda à Joppé. ***y* 9.40** Mc 5.40-41.

saints[z] et les veuves, il la leur présenta vivante. 42 Tout Joppé fut au
courant, et beaucoup crurent au Seigneur. 43 Pierre demeura assez
longtemps à Joppé, chez un certain Simon qui était corroyeur.

La vision de Corneille à Césarée[a]

10 1 Il y avait à Césarée un homme du nom de Corneille, centu-
rion à la cohorte appelée "l'Italique[b]". 2 Dans sa piété et sa
crainte envers Dieu, que toute sa maison partageait, il comblait de lar-
gesses le peuple juif et invoquait Dieu en tout temps[c]. 3 Un jour, vers
trois heures de l'après-midi, il vit distinctement en vision un *ange de
Dieu entrer chez lui et l'interpeller: «Corneille[d]!» 4 Corneille le fixa
du regard, et, saisi de crainte, il répondit: «Qu'y a-t-il, Seigneur?» —
«Tes prières et tes largesses se sont dressées en mémorial[e] devant
Dieu. 5 Et maintenant, envoie des hommes à Joppé pour en faire venir
un certain Simon qu'on surnomme Pierre[f]. 6 Il est l'hôte d'un autre
Simon, corroyeur, qui habite une maison au bord de la mer.» 7 Dès que
fut disparu l'ange qui venait de lui parler, Corneille appela deux des
gens de sa maison ainsi qu'un soldat d'une grande piété, depuis long-
temps sous ses ordres, 8 il leur donna tous les renseignements voulus et
les envoya à Joppé.

La vision de Pierre à Joppé[g]

9 Le lendemain, tandis que, poursuivant leur route, ils se rappro-
chaient de la ville, Pierre était monté sur la terrasse de la maison pour
prier; il était à peu près midi. 10 Mais la faim le prit et il voulut manger.
On lui préparait un repas quand une extase[h] le surprit. 11 Il contemple
le *ciel ouvert[i]: il en descendait un objet indéfinissable, une sorte de
toile immense, qui, par quatre points, venait se poser sur la terre. 12 Et,
à l'intérieur, il y avait tous les animaux quadrupèdes et ceux qui ram-
pent sur la terre, et ceux qui volent dans le ciel[j]. 13 Une voix s'adressa à

***z* 9.41** 9.13+. ***a* 10.1-8** 10.30-33 ; voir 11.13. ***b* 10.1** *Césarée* 23.23+. — *Centurion :* voir Mc 15.39 et la note. — *Cohorte :* voir Mc 15.16 et note. ***c* 10.2** centurion bienveillant Lc 7.2, 5 ; Ac 27.1, 3. — *piété* 3.12 ; 10.7 ; 1 Tm 3.16 ; 4.7-8 ; 6.3, 5-6, 11 ; 2 Tm 3.5, 12 ; Tt 1.1 ; 2.12 ; 2 P 1.3, 6 ; 2.9 ; 3.11. — *crainte de Dieu* Pr 1.7 ; *Si* 1.11-20 ; Ac 9.31 ; 10.22, 35 ; 13.16, 26 ; voir 13.43 ; 18.7. — *toute sa maison :* expression raccourcie pour désigner tous ceux qui logeaient dans la maison : famille, serviteurs, etc. 11.14 ; 16.15, 31 ; 18.8 ; voir 1 Co 1.16. — *largesses* Ac 9.36 ; 10.4, 31. ***d* 10.3** *trois heures de l'après-midi* 3.1. — *vision* 7.55-56 ; 9.10, 12 ; 10.17, 19 ; 11.5 ; 12.9 ; 16.9-10 ; 18.9 — *l'ange de Dieu* Lc 24.4, 23 ; Ac 5.19 ; 8.26 ; 10.7 ; 22 (voir v. 30) ; 11.13 ; 12.7-10 ; Voir Mt 1.20+. ***e* 10.4** Ex 12.14 ; Lv 2.2 : Jos 4.7 ; Ac 10.31. ***f* 10.5** Mt 4.18+. ***g* 10.9-20** 11.5-12 ; voir 10.28. ***h* 10.10** 11.5 ; 22.17 ; voir Mc 5.42 ; 16.8 ; Lc 5.26 ; Ac 3.10. ***i* 10.11** Mt 3.16+. ***j* 10.12** Gn 1.21, 24 (voir 6.7 ; 7.14) ; Ac 11.6.

lui: «Allez, Pierre! Tue et mange.» — 14 «Jamais, Seigneur, répondit
Pierre. Car de ma vie je n'ai rien mangé d'immonde ni *d'impur[k].»
15 Et de nouveau une voix s'adressa à lui, pour la seconde fois: «Ce que
Dieu a rendu *pur, tu ne vas pas, toi, le déclarer immonde[l]!» 16 Cela se
produisit trois fois et l'objet fut aussitôt enlevé dans le ciel.

17 Pierre essayait en vain de s'expliquer à lui-même ce que pouvait
bien signifier la vision qu'il venait d'avoir, quand justement les
envoyés de Corneille, qui avaient demandé çà et là la maison de
Simon, se présentèrent au portail. 18 Ils se mirent à crier pour s'assurer
que Simon surnommé Pierre[m] était bien l'hôte de cette maison.
19 Pierre était toujours préoccupé de sa vision, mais l'Esprit lui dit[n]:
«Voici deux hommes qui te cherchent. 20 Descends donc tout de suite
et prends la route avec eux sans te faire aucun scrupule: car c'est moi
qui les envoie.» 21 Pierre descendit rejoindre ces gens. «Me voici, leur
dit-il. Je suis celui que vous cherchez. Quelle est la raison de votre
visite?» 22 Ils répondirent: «C'est le centurion Corneille, un homme
juste, qui craint Dieu, et dont la réputation est bonne parmi la popula-
tion juive tout entière. Un *ange *saint lui a révélé qu'il devait te faire
venir dans sa maison pour t'écouter exposer des événements[o].»
23 Pierre les fit alors entrer et leur offrit l'hospitalité.

Le lendemain même, il partit avec eux accompagné par quelques
frères de Joppé. 24 Et le surlendemain, il arrivait à Césarée. Corneille,
de son côté, qui les attendait, avait convoqué sa parenté et ses amis
intimes. 25 Au moment où Pierre arriva, Corneille vint à sa rencontre et
il tomba à ses pieds pour lui rendre hommage. 26 «Lève-toi!» lui dit
Pierre et il l'aida à se relever. «Moi aussi, je ne suis qu'un homme[p].»
27 Et, tout en conversant avec lui, il entra. Découvrant alors une nom-
breuse assistance, 28 il déclara: «Comme vous le savez, c'est un crime
pour un *Juif que d'avoir des relations suivies ou même quelque con-
tact avec un étranger. Mais, à moi, Dieu vient de me faire comprendre
qu'il ne fallait déclarer immonde ou impur aucun homme[q]. 29 Voilà
pourquoi c'est sans aucune réticence que je suis venu quand tu m'as
fait demander. Mais maintenant j'aimerais savoir pour quelle raison
vous m'avez fait venir.» 30 Et Corneille de répondre: «Il y a trois jours
juste en ce moment, à trois heures de l'après-midi, j'étais en prière
dans ma maison. Soudain un personnage aux vêtements splendides se

k 10.14 Les termes d'*immonde* et d'*impur* sont pratiquement synonymes ici Lv 11.1-47; Ez 4.14. ***l 10.15*** Mc 7.15, 19; Ac 10.28, 34. ***m 10.18*** Mt 4.18+. ***n 10.19*** 11.12; 13.2. ***o 10.22*** Ac 10.1-5. ***p 10.26*** un hommage à refuser 14.13-15; Ap 19.10. — *je ne suis qu'un homme* *Sg* 7.1. ***q 10.28*** 10.15; 11.3,9.

présente devant moi[r] 31 et me déclare: "Ta prière a trouvé audience,
Corneille, et de tes largesses la mémoire est présente devant Dieu.
32 Envoie donc quelqu'un à Joppé pour inviter Simon qu'on surnomme
Pierre à venir ici. Il est l'hôte de la maison de Simon le corroyeur, au
bord de la mer[s]." 33 Sur l'heure, je t'ai donc envoyé chercher et tu as
été assez aimable pour nous rejoindre. Maintenant nous voici tous
devant toi pour écouter tout ce que le Seigneur t'a chargé de nous
dire.»

Le discours de Pierre chez Corneille

34 Alors Pierre ouvrit la bouche et dit: «Je me rends compte en vérité
que Dieu est impartial[t], 35 et qu'en toute nation, quiconque le craint et
pratique la justice trouve accueil auprès de lui[u]. 36 Son message, il l'a
envoyé aux Israélites: la bonne nouvelle de la paix par Jésus Christ, lui
qui est le Seigneur de tous les hommes[v].

37 «Vous le savez. L'événement a gagné la Judée entière; il a com-
mencé par la Galilée[w], après le baptême que proclamait Jean; 38 ce
Jésus issu de Nazareth, vous savez comment *Dieu lui a conféré *l'onc-
tion d'Esprit Saint* et de puissance; il est passé partout en bienfaiteur,
il guérissait tous ceux que le *diable tenait asservis, car Dieu était
avec lui[x].

39 «Et nous autres sommes témoins de toute son œuvre sur le terri-
toire des *Juifs comme à Jérusalem. Lui qu'ils ont supprimé en le pen-
dant au bois[y], 40 Dieu l'a ressuscité le troisième jour, et il lui a donné
de manifester sa présence[z], 41 non pas au peuple en général, mais bien
à des témoins nommés d'avance par Dieu, à nous qui avons mangé
avec lui et bu avec lui après sa résurrection d'entre les morts[a]. 42 Enfin,
il nous a prescrit de proclamer au peuple et de porter ce témoignage:

r 10.30 10.1-8. — prière de l'après-midi 3.1. — *un personnage aux vêtements splendides* Lc 24.4 ; Ac 1.10. ***s 10.32*** *Simon Pierre* Mt 4.18+. — *l'hôte de Simon le corroyeur* Ac 9.43 ; 10.6. ***t 10.34*** *ouvrir la bouche* (pour une parole importante) 8.35+. — *Dieu est impartial* Dt 10.17 ; 2 Ch 19.7 ; Rm 2.11 ; Ga 2.6 ; Ep 6.9 ; Col 3.25 ; 1 P 1.17. ***u 10.35*** Jn 9.31 ; Rm 14.18. ***v 10.36*** autres exemples de message apostolique 2.14+. — *Dieu a envoyé son message* Ps 107.20 ; 147.18. — *la bonne nouvelle de la paix* Es 52.7 ; Na 2.1. — *aux Israélites* Ac 13.46. — *Seigneur de tous les hommes* Ap 17.14 ; 19.16. ***w 10.37*** Mt 4.12, 17 ; Mc 1.14. ***x 10.38*** *onction d'Esprit Saint* Es 61.1 ; Lc 3.21-22 ; 4.18-21. — *Dieu était avec lui* Jn 3.2. ***y 10.39*** *témoins* 1.8+. — *supprimé par pendaison* Dt 21.22 ; voir Ac 2.23 ; 3.13-15 ; 13.28 ; Ga 3.13. ***z 10.40*** *Dieu l'a ressuscité* 2.24+. — *le troisième jour* Lc 9.22 ; 13.32 ; 18.33 ; 24.7, 46 ; 1 Co 15.4. — manifesté non à tous mais à nous Jn 14.19, 22. ***a 10.41*** Lc 24.30, 42 ; Jn 21.12-13 ; Ac 1.4.

c'est lui que Dieu a désigné comme juge des vivants et des morts[b];
43 c'est à lui que tous les *prophètes rendent le témoignage que voici:
le pardon des péchés est accordé par son *Nom à quiconque met en
lui sa foi[c].»

La venue de l'Esprit sur les païens

44 Pierre exposait encore ces événements quand l'Esprit Saint tomba
sur tous ceux qui avaient écouté la Parole[d]. 45 Ce fut de la stupeur
parmi les croyants *circoncis qui avaient accompagné Pierre: ainsi,
jusque sur les nations *païennes, le don de l'Esprit Saint était mainte-
nant répandu! 46 Ils entendaient ces gens, en effet, parler en langues[e]
et célébrer la grandeur de Dieu. Pierre reprit alors la parole:
47 «Quelqu'un pourrait-il empêcher de baptiser par l'eau ces gens qui,
tout comme nous, ont reçu l'Esprit Saint[f]?» 48 Il donna l'ordre de les
baptiser au *nom de Jésus Christ et ils lui demandèrent alors de rester
encore quelques jours[g].

Le récit de Pierre à Jérusalem

11 1 Les *apôtres et les frères[h] établis en Judée avaient entendu
dire que les nations *païennes, à leur tour, venaient de rece-
voir la parole de Dieu. 2 Lorsque Pierre remonta à Jérusalem, les cir-
concis[i] eurent des discussions avec lui: 3 «Tu es entré, disaient-ils,
chez des *incirconcis notoires et tu as mangé avec eux[j]!» 4 Alors
Pierre reprit l'affaire depuis le début et la leur exposa point par point:
5 «Comme je me trouvais dans la ville de Joppé en train de prier, j'ai
vu en extase cette vision[k]: du ciel descendait un objet indéfinissable,
une sorte de toile immense qui, par quatre points, venait se poser du
ciel, et qui est arrivée jusqu'à moi. 6 Le regard fixé sur elle, je l'exami-
nais et j'ai vu les quadrupèdes de la terre, les animaux sauvages, ceux
qui rampent et ceux qui volent dans le ciel. 7 Puis j'entends une voix
me dire: "Allez, Pierre! Tue et mange." 8 Je dis alors: "Jamais, Sei-
gneur. Car de ma vie rien d'immonde ou *d'impur n'est entré dans ma

***b* 10.42** 17.31 ; Rm 14.9 ; 2 Tm 4.1 ; 1 P 4.5 ; voir Mt 25.31-46 et Rm 2.16 ; 3.6 ; 1 P 1.17. ***c* 10.43** *le témoignage des prophètes* 3.18+. – *le pardon des péchés* annoncé par les prophètes Es 33.24 ; 53.5-6 ; Jr 31.34 ; Dn 9.24 ; voir Rm 1.17 ; 9.33 ; 10.13. – *son Nom* Ac 3.16+. – *à quiconque croit* 11.17 ; 15.9 ; Rm 1.16. ***d* 10.44** 11.15 ; 15.8. ***e* 10.46** Mc 16.17 ; Ac 2.4, 11, 17 ; 19.6. ***f* 10.47** 8.36. ***g* 10.48** *baptisés au nom de Jésus Christ* 2.38+. – prié de *rester encore quelques jours* Jn 4.40. ***h* 11.1** 1.15+. ***i* 11.2** Il s'agit ici des chrétiens d'origine juive constituant l'Eglise de Jérusalem. ***j* 11.3** 10.28 ; Ga 2.12. ***k* 11.5-12** 10.9-20.

bouche." 9 Une seconde fois la voix reprend depuis le ciel: "Ce que
Dieu a rendu *pur, toi, ne va pas le déclarer immonde!" 10 Cela a
recommencé trois fois, puis le tout a été de nouveau hissé dans le ciel.
11 Et voilà qu'à l'instant même trois hommes se sont présentés à la
maison où nous étions[l]; ils m'étaient envoyés de Césarée. 12 L'Esprit
m'a dit de m'en aller avec eux sans aucun scrupule. Les six frères que
voici m'ont accompagné[m]. Et nous sommes entrés dans la maison de
l'homme en question. 13 Il nous a raconté comment il avait vu *l'ange
se présenter dans sa maison et lui dire: "Envoie quelqu'un à Joppé
pour faire venir Simon qu'on surnomme Pierre[n]. 14 Il exposera devant
toi les événements qui apporteront le salut à toi et à toute ta mai-
son[o]." 15 A peine avais-je pris la parole que l'Esprit Saint est tombé sur
eux comme il l'avait fait sur nous au commencement[p]. 16 Je me suis
souvenu alors de cette déclaration du Seigneur[q]: "Jean, disait-il, a
donné le baptême d'eau, mais vous, vous allez recevoir le baptême
dans l'Esprit Saint." 17 Si Dieu a fait à ces gens le même don gracieux
qu'à nous autres pour avoir cru au Seigneur Jésus Christ, étais-je quel-
qu'un, moi, qui pouvait empêcher Dieu d'agir[r]?» 18 A ces mots les
auditeurs retrouvèrent leur calme et ils rendirent gloire à Dieu: «Voilà
que Dieu a donné aussi aux nations païennes la conversion qui mène à
la *vie[s]!»

La fondation de l'Eglise d'Antioche

19 Cependant ceux qu'avait dispersés la tourmente survenue à
propos d'Etienne étaient passés jusqu'en Phénicie, à Chypre et à
Antioche, sans annoncer la Parole à nul autre qu'aux *Juifs[t].
20 Certains d'entre eux pourtant, originaires de Chypre et de Cyrène,
une fois arrivés à Antioche, adressaient aussi aux Grecs[u] la Bonne
Nouvelle de Jésus Seigneur. 21 Le Seigneur leur prêtait main forte, si
bien que le nombre fut grand[v] de ceux qui se tournèrent vers le Sei-
gneur, en devenant croyants. 22 La nouvelle de cet événement parvint
aux oreilles de l'Eglise qui était à Jérusalem et l'on délégua Barnabas à

l 11.11 Autre texte : la maison *où j'étais.* ***m 11.12*** *sans scrupule :* voir 10.20 ; 15.9. — *les frères accompagnent Pierre* 10.23, 45. ***n 11.13*** 10.3-5, 22, 30-32. ***o 11.14*** *il exposera devant toi* 10.22. — *pour toi et toute ta maison* 16.15, 31-32 ; 18.8. ***p 11.15*** *l'Esprit tomba sur eux* 10.44 *comme sur nous au commencement* 2.4. ***q 11.16*** 1.5. ***r 11.17*** *pour avoir cru* 10.43. — *empêcher...* 10.47. ***s 11.18*** *Dieu a donné,* voir 15.11. — *accès des païens à la vie* 13.48 ; 14.27. ***t 11.19*** dispersion et évangélisation 8.1-4. — *Chypre* 4.36 ; 21.26. — *Antioche :* capitale très populeuse de la province romaine de Syrie 13.1-3 ; 14.26-28 ; 15.35-36 ; 18.22. ***u 11.20*** Jn 7.35. ***v 11.21*** 2.41+.

Antioche[w]. 23 Quand il vit sur place la grâce de Dieu à l'œuvre, il fut dans la joie et il les pressait tous de rester du fond du cœur attachés au Seigneur[x]. 24 C'était en effet un homme droit, rempli d'Esprit Saint et de foi. Une foule considérable se joignit ainsi au Seigneur[y]. 25 Barnabas partit alors chercher Saul à Tarse[z], 26 il l'y trouva et l'amena à Antioche. Ils passèrent une année entière à travailler ensemble dans cette Eglise et à instruire une foule considérable. Et c'est à Antioche que, pour la première fois, le nom de « chrétiens » fut donné aux *disciples[a].

Un geste d'entraide

27 En ces jours-là, des *prophètes[b] descendirent de Jérusalem à Antioche. 28 L'un d'eux, appelé Agabus, fit alors savoir, éclairé par l'Esprit, qu'une grande famine allait régner dans le monde entier — elle eut lieu en effet sous Claude[c]. 29 Les disciples décidèrent alors qu'ils enverraient, selon les ressources de chacun, une contribution au service des frères qui habitaient la Judée. 30 Ce qui fut fait. L'envoi, adressé aux *anciens[d], fut confié aux mains de Barnabas et de Saul.

Exécution de Jacques, arrestation et délivrance de Pierre

12 1 A cette époque-là, le roi Hérode[e] entreprit de mettre à mal certains membres de l'Eglise. 2 Il supprima par le glaive Jacques, le frère de Jean[f]. 3 Et, quand il eut constaté la satisfaction des Juifs, il fit procéder à une nouvelle arrestation, celle de Pierre — c'était les jours des *pains sans levain[g]. 4 L'ayant fait appréhender, il le mit en prison[h] et le confia à la garde de quatre escouades de quatre soldats; il se proposait de le citer devant le peuple après la fête de la *Pâque. 5 Pierre était donc en prison, mais la prière ardente[i] de l'Eglise montait sans relâche vers Dieu à son intention.

6 Hérode allait le faire comparaître. Cette nuit-là, Pierre dormait

w 11.22 *aux oreilles de l'Eglise de Jérusalem* 8.14 ; 11.1. — *délégués* de l'Eglise de Jérusalem 8.14 ; 9.32. — *Barnabas* 4.36+. ***x 11.23*** 13.43 ; 14.22. ***y 11.24*** *rempli d'Esprit Saint et de foi* 6.5. — accroissement de la communauté 2.41+. ***z 11.25*** Voir 9.30. ***a 11.26*** *l'Eglise* 5.11+. — *chrétiens* 26.28 ; 1 P 4.16. — *disciples* Ac 6.1+ (voir 1.15 ; 2.44 ; 9.2, 13). ***b 11.27*** 13.1 ; 15.32 ; 19.6 ; 21.9-10 ; voir 2.18. ***c 11.28*** *Agabus* 21.10. *Claude,* cinquième empereur de Rome, détint le pouvoir entre les années 41 et 54 ap. J.C. Les documents de l'époque permettent de situer une *famine* chronique en divers points de l'empire entre les années 46 et 48 ap. J.C. ***d 11.30*** *les anciens* 1) dans le judaïsme 4.5, 8, 23 ; 23.14 ; 25.15 ; 2) dans les Eglises chrétiennes 14.23 ; 15.2, 4, 6, etc. ; 16.4 ; 20.17. — voyages de Paul à Jérusalem 9.26-30 ; voir 12.25 ; 15.4 ; Ga 1.18 ; 2.1. ***e 12.1*** Il s'agit d'*Hérode Agrippa Ier*, neveu d'Hérode Antipas ; il régna sur toute la Judée à partir de l'an 41. ***f 12.2*** *Jacques* Mt 4.21+. ***g 12.3*** Mt 26.17+. ***h 12.4*** 4.3 ; 5.18. ***i 12.5*** Jc 5.16.

entre deux soldats, maintenu par deux chaînes, et des gardes étaient en faction devant la porte[j]. 7 Mais, tout à coup, l'ange du Seigneur[k] surgit et le local fut inondé de lumière. L'ange réveilla Pierre en lui frappant le côté : « Lève-toi vite ! » lui dit-il. Les chaînes se détachèrent des mains de Pierre. 8 Et l'ange de poursuivre : « Mets ta ceinture et lace tes sandales ! » Ce qu'il fit. L'ange ajouta : « Passe ton manteau et suis-moi ! » 9 Pierre sortit à sa suite ; il ne se rendait pas compte que l'intervention de l'ange était réelle, mais croyait avoir une vision. 10 Ils passèrent ainsi un premier poste de garde, puis un second, et arrivèrent à la porte de fer qui donnait sur la ville : elle s'ouvrit toute seule devant eux[l]. Une fois dehors, ils allèrent au bout de la rue et soudain l'ange quitta Pierre, 11 qui reprit alors ses esprits : « Cette fois, se dit-il, je comprends : c'est vrai que le Seigneur a envoyé son ange et m'a fait échapper aux mains d'Hérode et à toute l'attente du peuple des *Juifs. » 12 Il se repéra et gagna la maison de Marie, la mère de Jean surnommé Marc[m] : il y avait là une assez nombreuse assistance en prière. 13 Quand il frappa au battant du portail, une jeune servante vint répondre, qui s'appelait Rhodè. 14 Elle reconnut la voix de Pierre et, du coup, dans sa joie, elle n'ouvrit pas le portail, mais rentra en courant pour annoncer que Pierre était là, devant le portail. 15 « Tu es folle », lui dit-on. Mais elle n'en démordait pas. « Alors, c'est son ange[n] », dirent-ils 16 Pierre cependant continuait à frapper. Ils ouvrirent enfin : c'était lui ; ils n'en revenaient pas. 17 De la main il leur fit signe de se taire, leur raconta comment le Seigneur l'avait fait sortir de prison et conclut : « Allez l'annoncer à Jacques et aux frères. » Puis il s'en alla et se mit en route pour une autre destination[o].

18 Au lever du jour, il y avait de l'agitation chez les soldats : qu'est-ce que Pierre avait bien pu devenir[p] ? 19 Hérode le fit rechercher sans réussir à le trouver. Il fit donc procéder à l'interrogatoire des gardes et donna l'ordre de les emmener. Puis il descendit de Judée à Césarée, où il passa quelque temps.

La mort du roi Hérode

20 *Hérode avait avec les gens de Tyr et de Sidon un litige irritant[q]. Ceux-ci tombèrent d'accord pour se présenter devant lui. Avec l'appui

j 12.6 5.23. ***k 12.7*** Voir Mt 1.20 et la note. ***l 12.10*** 5.19 ; voir 16.26. ***m 12.12*** 12.25 ; 13.5, 13 ; 15.37-39 ; Col 4.10 ; 2 Tm 4.11 ; Phm 24 ; 1 P 5.13. ***n 12.15*** Voir Mt 18.10 ; He 1.14 ; voir *Tb* 5.4. ***o 12.17*** *il fit signe de la main* 13.16 ; 19.33 ; 21.40. — *Jacques* 15.13+. Voir Ga 1.19. Il s'agit de *Jacques le frère du Seigneur.* — *les frères* Ac 1.15+. — *une autre destination* pour Pierre Ga 2.7 ; 1 Co 9.5 ; 1 P. ***p 12.18*** 5.22-24. ***q 12.20*** *Hérode* Agrippa Ier 12.1. — *Tyr et Sidon* importateurs de denrées palestiniennes 1 R 5.25 ; Ez 27.17.

de Blastus, le chambellan du roi, qu'ils s'étaient acquis, ils sollicitèrent
une solution amiable — le ravitaillement de leur territoire venait en
effet de celui du roi. 21 Au jour convenu, Hérode, portant son vêtement
royal, avait pris place à la tribune et prononçait la harangue officielle,
22 tandis que le peuple l'acclamait: «C'est la voix d'un dieu et non d'un
homme[r]!» 23 Mais soudain, *l'ange du Seigneur frappa Hérode, pour
n'avoir pas rendu à Dieu la gloire et, dévoré par les vers, il expira[s].
24 La parole de Dieu, cependant, croissait et se multipliait[t]. 25 Quant
à Barnabas et Saul, ils repartirent, une fois assuré leur service en
faveur de Jérusalem; ils emmenaient avec eux Jean, surnommé Marc[u].

L'envoi de Barnabas et Saul en mission

13 1 Il y avait à Antioche, dans l'Eglise du lieu, des *prophètes et
des hommes chargés de l'enseignement: Barnabas, Syméon
appelé Niger et Lucius de Cyrène, Manaen compagnon d'enfance
*d'Hérode le tétrarque, et Saul[v]. 2 Un jour qu'ils célébraient le culte du
Seigneur et *jeûnaient, l'Esprit Saint dit: «Réservez-moi donc Bar-
nabas et Saul pour l'œuvre à laquelle je les destine[w].» 3 Alors, après
avoir jeûné et prié, et leur avoir *imposé les mains[x], ils leur donnèrent
congé.

A Chypre, Sergius Paulus et le magicien Elymas

4 Se trouvant ainsi envoyés en mission par le Saint Esprit, Barnabas
et Saul descendirent à Séleucie, d'où ils firent voile vers Chypre[y].
5 Arrivés à Salamine, ils annonçaient la parole de Dieu dans les *syna-
gogues des Juifs. Il y avait également Jean, leur auxiliaire[z]. 6 Après
avoir traversé toute l'île jusqu'à Paphos, ils rencontrèrent là un magi-
cien, soi-disant *prophète: c'était un Juif, du nom de Bar-Jésus, 7 qui
appartenait à l'entourage du proconsul[a] Sergius Paulus, un homme
intelligent. Celui-ci invita Barnabas et Saul et manifesta le désir

r 12.22 Ez 28.2. ***s 12.23*** Voir Dn 5.20. La mort d'Hérode Agrippa survint en l'an 44. L'historien juif de l'époque Flavius Josèphe a noté la soudaineté et l'étrangeté de cette mort. ***t 12.24*** 6.7 ; 19.20. ***u 12.25*** mission de Barnabas (4.36+) et Saul à Jérusalem 11.29-30. — *Jean surnommé Marc* 12.12+. ***v 13.1*** *Antioche :* voir 11.20 et la note. — *l'Eglise* 5.11+. — *prophètes :* Voir Ep 2.20 et la note. — *dans l'Eglise* Ac 11.27+. — *hommes chargés de l'enseignement,* ou *docteurs :* ce sont les membres de l'Eglise chargés d'enseigner ce qui concerne la foi. 1 Co 12.28 ; Ep 4.11 ; He 5.12 ; Jc 3.1. — *Barnabas* Ac 4.36+. — *Hérode* voir Mc 1.14 et la note. ***w 13.2*** *réservez* 9.15 ; Ga 1.15-16. — *pour l'œuvre...* Ac 14.26. ***x 13.3*** 6.6 ; 14.23. ***y 13.4*** *Séleucie* était le port d'Antioche, en face de l'île de Chypre. — *vers Chypre* 15.39. ***z 13.5*** d'abord *aux Juifs* 3.26 ; 13.14, 46 ; 14.1 ; 16.13 ; 17.2, 10, 17 ; 18.4, 19 ; 19.8 ; 28.17, 23. — *Jean* surnommé Marc Ac 12.12+. ***a 13.7*** *Proconsul* était le titre du haut fonctionnaire romain gouvernant une province pacifiée.

d'entendre la parole de Dieu. 8 Mais Elymas, le magicien — car c'est
ainsi que se traduit son nom — s'opposait à eux et cherchait à
détourner de la foi le proconsul[b]. 9 Alors Saul, ou plutôt Paul[c], rempli
d'Esprit Saint, fixa son regard sur lui 10 et lui dit: «Toi qui es pétri de
ruse et de manigances, fils du *diable, ennemi juré de la justice, ne
vas-tu pas cesser de fausser la rectitude des voies du Seigneur[d]?
11 Voici, du reste, que la main du Seigneur est sur toi: tu vas être
aveugle, et, jusqu'à nouvel ordre, tu ne verras même plus le soleil[e].» A
l'instant même, l'obscurité et les ténèbres l'envahirent, et il tournait
en rond à la recherche d'un guide. 12 Quand il eut vu ce qui se passait,
le proconsul devint croyant; car la doctrine du Seigneur l'avait vivement impressionné.

A Antioche de Pisidie, discours de Paul

13 Paul et ses compagnons embarquèrent à Paphos et gagnèrent
Pergé en Pamphylie. Et Jean se sépara d'eux pour retourner à Jérusalem[f]. 14 Quant à eux, quittant Pergé, ils poursuivirent leur route et arrivèrent à Antioche de Pisidie. Le jour du *sabbat, ils entrèrent dans la
*synagogue et s'assirent. 15 Après la lecture de la *Loi et des *Prophètes[g], les chefs de la synagogue leur firent dire: «Frères, si vous avez
quelques mots d'exhortation à adresser au peuple, prenez la parole!»
16 Paul alors se leva, fit signe de la main et dit:
«Israélites, et vous qui craignez Dieu[h], écoutez-moi. 17 Le Dieu de
notre peuple d'Israël a choisi nos pères. Il a fait grandir le peuple pendant son séjour au pays d'Egypte; puis, à la force du bras, il les en a
fait sortir[i]; 18 pendant quarante ans environ, *il les a nourris*[j] au désert;
19 ensuite, après avoir exterminé sept nations au pays de Canaan, il a
distribué leur territoire en héritage[k]: 20 tout cela a duré quatre cent
cinquante ans environ. Après quoi, il leur a donné des juges jusqu'au
*prophète Samuel[l]. 21 Ils ont alors réclamé un roi, et Dieu leur a donné

***b* 13.8** 2 Tm 3.8. ***c* 13.9** *Saul* était le nom juif de l'apôtre (9.4 et la note), *Paul* son nom romain (voir 22.28-30). ***d* 13.10** *Fausser...* Pr 10.9 *la rectitude des voies du Seigneur* Os 14.10. ***e* 13.11** 9.8 ; 22.11. ***f* 13.13** *Pergé* : ville de la côte sud de l'Asie Mineure — Sur *Jean* (surnommé Marc) voir 12.12, 23 et 13.5. ***g* 13.15** lecture (cultuelle) de la loi 15.21 ; voir Rm 3.19 et la note. — homélie suivant la lecture biblique Lc 4.16-22. ***h* 13.16** *Paul fait signe de la main* 12.17+. — autres exemples de message apostolique 2.14+. — *Ceux qui craignent Dieu :* expression désignant des non-Juifs qui avaient adopté la foi juive au Dieu unique et certaines pratiques du judaïsme. Il ne faut pas les confondre avec les prosélytes (voir Mt 23.15 et la note). Voir Ac 10.2+. ***i* 13.17** Ex 6.1, 6 ; 12.51. ***j* 13.18** Autre texte : *il les a supportés. — quarante ans au désert* Ex 16.35 ; Nb 14.34 ; Dt 2.7. ***k* 13.19** *sept nations* Dt 7.1 — *le pays de Canaan distribué en héritage* Jos 14.1. ***l* 13.20** *juges* Jg 2.16. — *le prophète Samuel* 1 S 3.20.

Saül, fils de Kis, membre de la tribu de Benjamin, qui régna quarante
ans[m]. 22 Après l'avoir déposé, Dieu leur a suscité David comme roi.
C'est à lui qu'il a rendu ce témoignage: "*J'ai trouvé David*, fils de
Jessé, *un homme selon mon cœur*, qui accomplira toutes mes volon-
tés[n]." 23 C'est de sa descendance que Dieu, selon sa promesse, a fait
sortir Jésus, le Sauveur d'Israël[o]. 24 Précédant sa venue, Jean[p] avait
déjà proclamé un baptême de conversion pour tout le peuple d'Israël
25 et, alors qu'il terminait sa course, il disait: "Que supposez-vous que
je suis? Je ne le suis pas[q]! Mais voici que vient après moi quelqu'un
dont je ne suis pas digne de délier les sandales."

26 « Frères, que vous soyez des fils de la race d'Abraham ou de ceux,
parmi vous, qui craignent Dieu, c'est à nous[r] que cette parole de salut
a été envoyée. 27 La population de Jérusalem et ses chefs ont méconnu
Jésus[s]; et, en le condamnant, ils ont accompli les paroles des pro-
phètes qu'on lit chaque sabbat. 28 Sans avoir trouvé aucune raison de
le mettre à mort, ils ont demandé à Pilate de le faire périr[t] 29 et, une
fois qu'ils ont eu accompli tout ce qui était écrit à son sujet, ils l'ont
descendu du bois et déposé dans un tombeau[u]. 30 Mais Dieu l'a ressus-
cité des morts[v] 31 et il est apparu pendant plusieurs jours à ceux qui
étaient montés avec lui de la Galilée à Jérusalem, eux qui sont mainte-
nant ses témoins devant le peuple[w].

32 « Nous aussi, nous vous annonçons cette bonne nouvelle: la pro-
messe faite aux pères[x], 33 Dieu l'a pleinement accomplie à l'égard de
nous, leurs enfants, quand il a ressuscité Jésus, comme il est écrit au
psaume second[y]:

Tu es mon fils,
moi, aujourd'hui, je t'ai engendré.

34 « Que Dieu l'ait ressuscité des morts, sans retour possible à la
décomposition, c'est bien ce qu'il avait déclaré[z]:

m 13.21 *ils ont réclamé un roi* 1 S 8.5, 19. — *Saül* 1 S 10.20-21, 24 ; 11.15. — *de la tribu de Benjamin* Rm 11.1 ; Ph 3.5. ***n 13.22*** Saül, roi *déposé* 1 S 13.14. — *David suscité comme roi* 1 S 16.12-13. — *J'ai trouvé David* Ps 89.21. — *un homme selon mon cœur* 1 S 13.14. — *il accomplira mes volontés* Es 44.28. ***o 13.23*** *de la descendance de David* 2 S 7.12 ; Es 11.1 ; Ac 2.25-32, 34. — *Jésus le Sauveur* 4.12+ ; voir Lc 2.11+. ***p 13.24*** Il s'agit de Jean le Baptiste. Mt 3.1-2 ; Mc 1.4-5 ; Lc 3.3 ; 16.16 ; Ac 1.5 ; 10.37 ; 19.3-5. ***q 13.25*** Ou *je ne suis pas, moi, ce que vous supposez.* Lc 3.15 ; Jn 1.20 ; 3.28. — *vient après moi quelqu'un* Mt 3.11 ; Mc 1.7 ; Lc 3.16 ; Jn 1.27. ***r 13.26*** Autre texte : c'est à *vous*. — *vous qui craignez Dieu* 10.2+. ***s 13.27*** ils ont méconnu Jésus 3.17. ***t 13.28*** *mis à mort sans raison.* Mt 26.60 ; Mc 14.55, 56, 59 ; 15.14 ; Lc 23.4, 14-15, 22 ; Jn 18.38 ; 19.4,6. — *ils ont demandé à Pilate...* Lc 23.21, 23 par. ; Jn 19.6, 7, 15. ***u 13.29*** Lc 23.53 par. ; Jn 19.38, 41-42. ***v 13.30*** 2.24+. ***w 13.31*** *il est apparu* 1.3. — *témoins* 1.8+. ***x 13.32*** 13.23. ***y 13.33*** Ps 2.7 (Lc 3.22 ; He 1.5 ; 5.5). ***z 13.34*** Es 55.3 (grec).

Je *vous* donnerai *les saintes,*
les véritables réalités de David.
35 « C'est pourquoi, il dit aussi dans un autre passage[a] :
Tu ne laisseras pas ton Saint connaître la décomposition.
36 « Or David, après avoir servi, en son temps, le dessein de Dieu,
s'est endormi, a été mis auprès de ses pères et il a connu la décompo-
sition[b]. 37 Mais celui que Dieu a ressuscité n'a pas connu la décomposi-
tion. 38 Sachez-le donc, frères, c'est grâce à lui que vous vient
l'annonce du pardon des péchés, et cette justification que vous n'avez
pas pu trouver dans la loi de Moïse[c], 39 c'est en lui qu'elle est pleine-
ment accordée à tout homme qui croit.
40 « Prenez donc garde d'être atteints par cette parole des prophè-
tes[d] :
41 *Regardez, vous les arrogants,*
soyez frappés de stupeur et disparaissez !
Je vais en effet, de votre vivant, accomplir une œuvre,
une œuvre *que vous ne croiriez pas*
si quelqu'un vous la racontait. »
42 A leur sortie, on pria instamment Paul et Barnabas de reparler du
même sujet le sabbat suivant. 43 Quand l'assemblée se fut dispersée, un
bon nombre de *Juifs et de prosélytes adorateurs accompagnèrent
Paul et Barnabas qui, dans leurs entretiens avec eux, les engageaient à
rester attachés à la grâce de Dieu[e].

Paul et Barnabas se tournent vers les païens

44 Le *sabbat venu, presque toute la ville s'était rassemblée pour
écouter la parole du Seigneur. 45 A la vue de cette foule, les Juifs furent
pris de fureur et c'était des injures qu'ils opposaient aux paroles de
Paul[f]. 46 Paul et Barnabas eurent alors la hardiesse de déclarer : « C'est
à vous d'abord que devait être adressée la parole de Dieu ! Puisque
vous la repoussez et que vous vous jugez vous-mêmes indignes de la
*vie éternelle, alors nous nous tournons vers les *païens[g]. 47 Car tel est
bien l'ordre que nous tenons du Seigneur[h] :

a *13.35* Ps 16.10 (grec). **b *13.36*** *David s'est endormi* 1 R 2.10 ; Ac 2.29. — *mis auprès de ses pères* 1 R 2.10. **c *13.38*** *le pardon des péchés* 2.38 ; 5.31 ; 10.43 ; 26.18. — *la loi incapable de procurer la justification* Rm 3.21-31 ; He 9.9. — *Jésus Christ, justification, foi* Rm 4.25 ; 6.7 ; 10.4. **d *13.40-41*** Ha 1.5; voir Es 6.9-10; Ac 28.26-27. **e *13.43*** *prosélytes* Mt 23.15 et la note ; Ac 2.11 +. — *adorateurs* 13.50 ; 16.14 ; 17.4, 17 ; 18.7. — *rester attaché à la grâce de Dieu* 11.23 ; 14.22. **f *13.45*** 14.2 ; 18.6. **g *13.46*** *à vous d'abord* 3.26+. — *puisque vous la repoussez* Lc 7.30. — *vers les païens* Ac 18.6 ; 19.8-9 ; 28.28. **h *13.47*** Es 49.6 (Lc 2.32).

Je t'ai établi lumière des nations,
pour que tu apportes le salut
aux extrémités de la terre.»
48 A ces mots, les païens, tout joyeux[i], glorifiaient la parole du Sei-
gneur et tous ceux qui se trouvaient destinés à la vie éternelle devin-
rent croyants.
49 La parole du Seigneur gagnait toute la contrée. 50 Mais les Juifs
jetèrent l'agitation parmi les femmes de haut rang[j] qui adoraient Dieu
ainsi que parmi les notables de la ville; ils provoquèrent une persécu-
tion contre Paul et Barnabas et les chassèrent de leur territoire.
51 Ceux-ci, ayant secoué contre eux la poussière de leurs pieds[k], gagnè-
rent Iconium; 52 quant aux *disciples, ils restaient remplis de joie et
d'Esprit Saint[l].

Paul et Barnabas à Iconium

14 1 A Iconium il se passa la même chose: Paul et Barnabas se
rendirent à la *synagogue des *Juifs, et parlèrent de telle
sorte que des Juifs et des Grecs[m] en grand nombre devinrent croyants.
2 Mais ceux des Juifs qui ne s'étaient pas laissé convaincre suscitèrent
dans l'esprit des *païens la malveillance à l'égard des frères[n]. 3 Paul et
Barnabas n'en prolongèrent pas moins leur séjour un certain temps;
leur assurance se fondait sur le Seigneur qui rendait témoignage à la
parole de sa grâce en leur donnant d'opérer de leurs mains des *signes
et des prodiges[o]. 4 La population de la ville se divisa: les uns étaient
pour les Juifs, les autres pour les *apôtres[p]. 5 Païens et Juifs, avec leurs
chefs, décidèrent de recourir à la violence et de lapider les apôtres[q];
6 conscients de la situation, ceux-ci cherchèrent refuge[r] dans les villes
de la Lycaonie, Lystre, Derbé et les alentours. 7 Là aussi ils annon-
çaient la Bonne Nouvelle.

La guérison d'un infirme à Lystre; discours de Paul

8 Il se trouvait à Lystre un homme qui ne pouvait pas se tenir sur ses
pieds; étant infirme de naissance[s], il n'avait jamais marché. 9 Un jour

i 13.48 11.18 ; voir 8.8+. ***j 13.50*** 17.4, 12. ***k 13.51*** Voir Mc 6.11 et la note ; Mt 10.14+ et par. ***l 13.52*** *Remplis de joie* 8.8+ *et d'Esprit Saint* Ga 5.22 ; 1 Th 1.6. ***m 14.1*** Grecs (= non-Juifs) 18.4 ; 19.10, 17 ; 20.21 ; voir 11.20 et la note sur Rm 1.14. ***n 14.2*** réactions négatives de certains Juifs 13.45+. — *les frères* 1.15+.

o 14.3 *signes et prodiges* 2.43+ *confirmant la parole* Mc 16.20 ; Ac 19.11 ; He 2.4. ***p 14.4*** *apôtres* 1) envoyés Jn 13.16 ; Ac 13.1-4 ; 2 Co 8.23 ; voir Ac 22.21 ; 2) les Douze 1.2, 26 ; 2.37, 42 ; 4.33, etc. ; 16.4. ***q 14.5*** 14.19 ; 2 Tm 3.11. ***r 14.6*** Mt 10.23. ***s 14.8*** Jn 9.1 ; Ac 3.2.

qu'il écoutait Paul parler, celui-ci fixa son regard sur lui et, voyant qu'il avait la foi pour être sauvé[t], 10 il dit d'une voix forte : « Lève-toi, droit sur tes pieds ! » L'homme bondit : il marchait[u].

11 A la vue de ce que Paul venait de faire, des voix s'élevèrent de la foule, disant en lycaonien : « Les dieux se sont rendus semblables à des hommes et sont descendus vers nous. » 12 Ils appelaient Barnabas « Zeus » et Paul « Hermès[v] », parce que c'était lui le porte-parole. 13 Le *prêtre de Zeus-hors-les-murs fit amener taureaux et couronnes aux portes de la ville[w] ; d'accord avec la foule, il voulait offrir un *sacrifice. 14 A cette nouvelle, les *apôtres Barnabas et Paul déchirèrent leur manteau[x] et se précipitèrent vers la foule en criant : 15 « Oh ! que faites-vous là ? disaient-ils. Nous aussi nous sommes des hommes, au même titre que vous ! La bonne nouvelle que nous vous annonçons, c'est d'abandonner ces sottises pour vous tourner vers le Dieu vivant *qui a créé le ciel, la terre, la mer et tout ce qui s'y trouve*[y]. 16 Dans les générations maintenant révolues, il a laissé toutes les nations suivre leurs voies[z], 17 sans manquer pourtant de leur témoigner sa bienfaisance, puisqu'il vous a envoyé du *ciel pluies et saisons fertiles[a], comblant vos *cœurs de nourriture et de satisfaction. » 18 Ces paroles calmèrent à grand-peine la foule, la détournant ainsi de leur offrir un sacrifice.

19 D'Antioche et d'Iconium survinrent alors des *Juifs qui rallièrent la foule à leurs vues. On lapida Paul, puis on le traîna hors de la ville, le laissant pour mort[b]. 20 Mais, quand les *disciples[c] se furent rassemblés autour de lui, il se releva et rentra dans la ville. Le lendemain, avec Barnabas, il partit pour Derbé.

Retour de mission

21 Après avoir annoncé la Bonne Nouvelle dans cette ville et y avoir fait d'assez nombreux disciples, ils repassèrent par Lystre, Iconium et Antioche. 22 Ils y affermissaient le cœur des disciples et les engageaient à persévérer dans la foi : « Il nous faut, disaient-ils, passer par beaucoup de détresses, pour entrer dans le *Royaume de Dieu[d]. »

t* *14.9 Mt 9.28 ; Ac 3.16. ***u* *14.10*** guérison d'un infirme 3.2-9. ***v* *14.11-12*** 28.6. Dans la religion grecque *Zeus* était le chef des dieux et *Hermès* leur messager. ***w* *14.13*** L'expression *Zeus-hors-les-murs* désigne en abrégé le temple de Zeus édifié devant les portes de la ville. — Les *couronnes* servaient à parer les animaux destinés au sacrifice. ***x* *14.14*** Voir Mc 14.63 et la note. ***y* *14.15*** autres exemples de message apostolique 2.14+. — *nous ne sommes que des hommes* 10.26 ; Jc 5.17. — *le Dieu qui a créé le ciel* Ex 20.11 ; Ps 146.6. ***z* *14.16*** 17.30. ***a* *14.17*** Ps 147.8 ; Jr 5.24. ***b* *14.19*** activistes juifs 17.13. — *Paul lapidé* 2 Co 11.25 ; 2 Tm 3.11. ***c* *14.20*** *les disciples* 6.1+. ***d* *14.22*** *affermissement* 15.32 ; 18.23. — *encouragement à persévérer* 11.23 ; 13.43. — *détresses* en perspective 1 Th 3.3.

23 Dans chaque Eglise ils leur désignèrent des *anciens, firent des
prières accompagnées de *jeûne et les confièrent au Seigneur en qui
ils avaient mis leur foi[e].
24 Traversant alors la Pisidie, ils se rendirent en Pamphylie[f],
25 annoncèrent la Parole à Pergé, puis descendirent à Attalia. 26 De là
ils firent voile vers Antioche, leur point de départ[g], où ils avaient été
remis à la grâce de Dieu pour l'œuvre qu'ils venaient d'accomplir. 27 A
leur arrivée, ils réunirent l'Eglise et racontaient tout ce que Dieu avait
réalisé avec eux et surtout comment il avait ouvert aux *païens la
porte de la foi[h]. 28 Et ils passèrent alors un certain temps avec les *dis-
ciples.

Conflit à Antioche à propos de la circoncision

15 1 Certaines gens descendirent alors de Judée, qui voulaient
endoctriner les frères: «Si vous ne vous faites pas *circoncire
selon la règle de Moïse, disaient-ils, vous ne pouvez pas être sauvés[i].»
2 Un conflit en résulta et des discussions assez graves opposèrent Paul et
Barnabas à ces gens. On décida que Paul, Barnabas et quelques autres
monteraient à Jérusalem[j] trouver les *apôtres et les *anciens à propos
de ce différend. 3 L'Eglise d'Antioche pourvut à leur voyage[k]. Passant
par la Phénicie et la *Samarie, ils y racontaient la conversion des
nations *païennes et procuraient ainsi une grande joie à tous les frères.
4 Arrivés à Jérusalem, ils furent accueillis par l'Eglise, les apôtres et
les anciens, et ils les mirent au courant de tout ce que Dieu avait réa-
lisé avec eux[m].

Dénouement du conflit: l'Assemblée de Jérusalem

5 Des fidèles issus du *pharisaïsme[n] intervinrent alors pour soutenir
qu'il fallait circoncire les *païens et leur prescrire d'observer la *loi de
Moïse. 6 Les *apôtres et les *anciens se réunirent pour examiner cette
affaire.
7 Comme la discussion était devenue vive, Pierre intervint pour
déclarer: «Vous le savez, frères, c'est par un choix de Dieu que, dès

e 14.23 *anciens* 11.30+. — leur *désignation* 20.28 ; Tt 1.5. — *jeûne et prière* Ac 13.3. ***f 14.24*** La *Pisidie :* voir 13.14. — *Pamphylie ;* région de Pergé (13.13 et la note) et Attalie. ***g 14.26*** 13.1-2 ; 15.40. ***h 14.27*** compte rendu de mission 15.4, 12 ; 21.19.— *porte ouverte* 1 Co 16.9 ; 2 Co 2.12 ; Col 4.3 *aux païens* Ac 10.45 ; 11.1, 18 ; 13.47-48. ***i 15.1*** *les frères* 1.15+.—*circoncision et salut* Ga 5.2. — circoncision selon la règle de Moïse Lv 12.3. ***j 15.2*** 9.26-30 ; 11.30 ; 18.22 ; 21.15 ; voir Ga 1.18 ; 2.1. ***k 15.3*** ou *les accompagna* (sur la route). L'Eglise en question est celle d'Antioche de Syrie (voir 11.20 et la note). ***m 15.4*** 14.27 ; 15.12 ; 21.19. ***n 15.5*** Il s'agit de Juifs devenus chrétiens, mais ayant conservé leurs convictions pharisiennes.

les premiers jours et chez vous, les nations païennes ont entendu de
ma bouche la parole de *l'Evangile et sont devenues croyantes. 8 Dieu,
qui connaît les *cœurs, leur a rendu témoignage, quand il leur a
donné, comme à nous, l'Esprit Saint[o]. 9 Sans faire la moindre diffé-
rence entre elles et nous, c'est par la foi qu'il a *purifié leurs cœurs[p].
10 Dès lors, pourquoi provoquer Dieu en imposant à la nuque des *dis-
ciples un *joug que ni nos pères ni nous-mêmes n'avons été capables
de porter[q]? 11 Encore une fois, c'est par la grâce du Seigneur Jésus[r],
nous le croyons, que nous avons été sauvés, exactement comme eux!»
12 Il y eut alors un silence dans toute l'assemblée, puis l'on écouta
Barnabas et Paul raconter tous les *signes et les prodiges que Dieu,
par leur intermédiaire, avait accomplis chez les païens[s].
13 Quand ils eurent achevé, Jacques[t] à son tour prit la parole:
«Frères, écoutez-moi. 14 Syméon vient de nous rappeler comment
Dieu, dès le début, a pris soin de choisir parmi les nations païennes un
peuple à son *nom[u]. 15 Cet événement s'accorde d'ailleurs avec les
paroles des *prophètes puisqu'il est écrit[v]:
16 *Après cela, je viendrai reconstruire la hutte écroulée de David.*
Les ruines qui en restent, je les reconstruirai, et je la remettrai debout.
17 *Dès lors le reste des hommes cherchera le Seigneur,*
avec toutes les nations qui portent mon nom[w].
Voilà ce que dit le Seigneur,
il réalise ainsi ses projets 18 connus depuis toujours[x].
19 «Je suis donc d'avis de ne pas accumuler les obstacles[y] devant
ceux des païens qui se tournent vers Dieu. 20 Ecrivons-leur simplement
de s'abstenir des souillures de l'idolâtrie, de l'immoralité, de la viande
étouffée et du sang[z]. 21 Depuis des générations, en effet, Moïse dispose

o 15.8 2.4 ; 10.44 ; 11.15, 18. ***p 15.9*** *aucune différence* 10.34-35 ; voir 10.20 ; 11.12. – *purifié* 10.28. ***q 15.10*** 15.5, 19 ; Ga 5.1, 3. ***r 15.11*** Ga 2.16 ; Ep 2.5-8. ***s 15.12*** 14.27 ; 15.4 ; 21.19. ***t 15.13*** *Jacques* (le frère du Seigneur) Mt 13.55 ; Mc 6.3 ; Ac 12.17 et la note ; 1 Co 15.7 ; Ga 1.19 ; 2.9, 12 ; Jc 1.1 ; Jude 1. – position de Jacques sur l'observance de la loi juive v. 19 ; 21.21-25 ; Ga 2.12. ***u 15.14*** *Syméon* est une forme hébraïsante de *Simon,* le premier nom de Pierre (Mt 4.18). – l'exposé de Syméon (Pierre) 15.7-9. – le peuple de Dieu Za 2.15 ; Lc 1.68 ; Rm 11.16-17 ; 15.8-12 ; Ep 2.14 ; 1 P 2.10. ***v 15.16-17*** Am 9.11-12 (grec). ***w 15.17*** Ou *sur lesquelles mon nom a été prononcé.* Le texte soulignerait alors que ces nations appartiennent à Dieu. ***x 15.18*** Es 45.21. ***y 15.19*** 15.10. ***z 15.20*** *Les souillures de l'idolâtrie :* cette recommandation vise les viandes qui proviennent des sacrifices païens ; voir v. 29 ; 1 Co 8.1-10 ; Ap 2.14, 20. – L'*impureté :* voir Lv 18.6-18 : il s'agit des unions interdites par la loi juive. – *viandes étouffées et sang :* Voir Lv 17.10-16 ; Gn 9.4 ; Lv 3.17. – ensemble de ces directives Ac 21.25.

de prédicateurs dans chaque ville, puisqu'on le lit tous les *sabbats
dans les *synagogues[a].»

Les décisions et la lettre de l'Assemblée

22 D'accord avec toute l'Eglise, les *apôtres et les *anciens décidè-
rent alors de choisir dans leurs rangs des délégués qu'ils enverraient à
Antioche avec Paul et Barnabas. Ce furent Judas, appelé Barsabbas, et
Silas, des personnages en vue parmi les frères[b]. 23 Cette lettre leur fut
confiée: «Les apôtres, les anciens et les frères saluent les frères d'ori-
gine *païenne qui se trouvent à Antioche, en Syrie et en Cilicie.
24 Nous avons appris que certains des nôtres étaient allés vous troubler
et bouleverser vos esprits par leurs propos[c]; ils n'en étaient pas
chargés. 25 Nous avons décidé unanimement de choisir des délégués
que nous vous enverrions avec nos chers Barnabas et Paul, 26 des
hommes qui ont livré leur vie pour le *nom de notre Seigneur Jésus
Christ. 27 Nous vous envoyons donc Judas et Silas pour vous communi-
quer de vive voix les mêmes directives. 28 L'Esprit Saint et nous-
mêmes, nous avons en effet décidé de ne vous imposer aucune autre
charge[d] que ces exigences inévitables: 29 vous abstenir des viandes de
sacrifices païens, du sang, des animaux étouffés et de l'immoralité[e]. Si
vous évitez tout cela avec soin, vous aurez bien agi. Adieu!»
30 Ayant reçu congé, la délégation descendit donc à Antioche où elle
réunit l'assemblée pour lui communiquer la lettre. 31 Sa lecture fut une
joie par l'encouragement qu'elle apportait. 32 Judas et Silas, de leur côté,
en *prophètes qu'ils étaient, leur apportèrent longuement de vive voix
encouragement et soutien[f]; 33 ils restèrent quelque temps, puis les frères
leur donnèrent congé, en leur souhaitant la paix, pour rejoindre ceux qui
les avaient envoyés. [34[g]] 35 Quant à Paul et Barnabas, ils demeurèrent à
Antioche. En compagnie de beaucoup d'autres encore, ils ensei-
gnaient et ils annonçaient la bonne nouvelle de la parole du Seigneur.

Le départ de Paul en mission avec Silas

36 Après un certain temps, Paul dit à Barnabas: «Retournons donc
visiter les frères[h] dans chacune des villes où nous avons annoncé la
parole du Seigneur. Nous verrons où ils en sont.» 37 Barnabas voulait

a 15.21 Voir Jn 5.46 et la note ; Ac 13.15. ***b 15.22*** *apôtres* 14.4+. — *anciens* 11.30+. — Ce *Judas* est inconnu par ailleurs. — *Silas* 15.27. 32, 34, 40 ; 16.19, 25,29 ; 17.4, 10, 14-15 ; 18.5 ; 2 Co 1.19 ; 1 Th 1.1 ; 1 P 5.12. — *les frères* Ac 1.15+. ***c 15.24*** 15.1. ***d 15.28*** décision du Saint Esprit voir 13.1-4. — charge imposée Mt 23.4. ***e 15.29*** 15.20+(voir la note). ***f 15.32*** *Silas* 15.22+. — *prophètes* dans l'Eglise 11.27+. — *encouragements* 14.22 ; 18.23. ***g 15.34*** Certains manuscrits ajoutent ici : *Silas décida qu'il resterait, et Judas seul s'en alla.* ***h 15.36*** *Barnabas* 4.36+. — départ en mission 13.1-4. — *les frères* 1.15+.

emmener aussi avec eux Jean appelé Marc[i]. 38 Mais Paul n'était pas
d'avis de reprendre comme compagnon un homme qui les avait quittés[j]
en Pamphylie et n'avait donc pas partagé leur travail. 39 Leur désaccord
s'aggrava tellement qu'ils partirent chacun de leur côté. Barnabas prit
Marc avec lui et s'embarqua pour Chypre[k], 40 tandis que Paul s'adjoi-
gnait Silas et s'en allait, remis par les frères à la grâce du Seigneur[l].

Timothée associé à Paul et Silas

41 Parcourant la Syrie et la Cilicie[m], Paul affermissait les Eglises
16 1 et il parvint ainsi à Derbé et à Lystre. Il y avait là un *disciple
nommé Timothée, fils d'une *Juive devenue croyante et d'un
père qui était grec[n]. 2 Sa réputation[o] était bonne parmi les frères de
Lystre et d'Iconium. 3 Paul désirait l'emmener avec lui ; il le prit donc
et le *circoncit[p] à cause des Juifs qui se trouvaient dans ces parages.
Ils savaient tous, en effet, que son père était grec. 4 Dans les villes où
ils passaient, Paul et Silas transmettaient les décisions qu'avaient
prises les *apôtres et les *anciens de Jérusalem et ils demandaient de
s'y conformer[q]. 5 Les Eglises devenaient plus fortes dans la foi et crois-
saient en nombre de jour en jour[r].

Paul appelé en Macédoine

6 Paul et Silas parcoururent la Phrygie et la région galate, car le Saint
Esprit les avait empêchés d'annoncer la Parole en Asie[s]. 7 Arrivés aux
limites de la Mysie, ils tentèrent de gagner la Bithynie, mais l'Esprit de
Jésus[t] les en empêcha. 8 Ils traversèrent alors la Mysie et descendirent
à Troas[u]. 9 Une nuit, Paul eut une vision[v] : un Macédonien lui apparut,
debout, qui lui faisait cette prière : « Passe en Macédoine, viens à notre
secours ! » 10 A la suite de cette vision de Paul, nous[w] avons immédiate-
ment cherché à partir pour la Macédoine, car nous étions convaincus
que Dieu venait de nous appeler à y annoncer la Bonne Nouvelle.

i* *15.37 12.12+. ***j* *15.38*** 13.13 ; mais voir Col 4.10. ***k* *15.39*** 4.36 ; 13.7. ***l* *15.40*** *Silas* 15.22+. — *remis à la grâce du Seigneur* 14.26. ***m* *15.41*** La *Cilicie* est la région de Tarse. ***n* *16.1*** *Derbé* 14.6. — *Lystre* 14.8, 21. — *disciple* 6.1+. — *Timothée* 17.14-15 ; 18.5 ; 19.22 ; 20.4 ; Rm 16.21 ; 1 Co 4.17 ; 16.10 ; 2 Co 1.1, 19 ; Ph 1.1 ; 2.19 ; Col 1,1 ; 1 Th 1.1 ; 3.2, 6 ; 2 Th 1.1 ; 1 Tm 1.2, 18 ; 6.20 ; 2 Tm 1.2 ; Phm 1 ; He 13.23. — la mère de Timothée 2 Tm 1.5. ***o* *16.2*** Ph 2.20, 22. ***p* *16.3*** Voir Ga 2.3-5. ***q* *16.4*** Ces *décisions* sont motivées et résumées dans la lettre citée en 15.23-29. Voir 21.25. ***r* *16.5*** *les Eglises* 5.11+. — leurs progrès 2.41+ ; voir 14.22. ***s* *16.6*** La *Phrygie* et la *Galatie* sont deux régions centrales de l'Asie Mineure. *L'Asie* désignait la province romaine entourant la ville d'Ephèse. — *la région galate* 18.23 ; 1 Co 16.1 ; Ga 1.2 ; 2 Tm 4.10 ; 1 P 1.1. ***t* *16.7*** Ph 1.19. ***u* *16.8*** *Mysie :* région qui borde le détroit du Bosphore. — *Troas* 16.11 ; 20.5-6 ; 2 Co 2.12 ; 2 Tm 4.13. ***v* *16.9*** 18.9. ***w* *16.10*** autres récits à la première personne du pluriel 20.5-15 ; 21.1-18 ; 27.1 — 28.16.

A Philippes, la conversion de Lydie

11 Prenant la mer à Troas, nous avons mis le cap directement sur
Samothrace; puis, le lendemain, sur Néapolis[x] 12 et de là nous sommes
allés à Philippes[y], ville principale du district de Macédoine et colonie
romaine. Nous avons passé quelque temps dans cette ville. 13 Le jour
du *sabbat, nous en avons franchi la porte, pour gagner, le long d'une
rivière, un endroit où, pensions-nous, devait se trouver un lieu de
prière; une fois assis, nous avons parlé aux femmes qui s'y trouvaient
réunies. 14 L'une d'elles, nommée Lydie, était une marchande de
pourpre originaire de la ville de Thyatire qui adorait déjà Dieu[z]. Elle
était tout oreilles; car le Seigneur avait ouvert son *cœur pour la
rendre attentive aux paroles de Paul. 15 Lorsqu'elle eut reçu le bap-
tême, elle et sa maison, elle nous invita en ces termes: « Puisque vous
estimez que je crois au Seigneur, venez loger chez moi. » Et elle nous a
forcés d'accepter[a].

A Philippes, arrestation et délivrance de Paul

16 Un jour que nous nous rendions au lieu de la prière, une jeune ser-
vante qui avait un esprit de divination est venue à notre rencontre —
ses oracles procuraient de gros gains[b] à ses maîtres. 17 Elle nous talon-
nait, Paul et nous, en criant: « Ces hommes sont les serviteurs du Dieu
Très-Haut; ils vous annoncent la voie du salut[c]. » 18 Et elle recom-
mença pendant plusieurs jours. Excédé, Paul finit par se retourner et
dit à l'esprit: « Au *nom de Jésus Christ, je te l'ordonne: Sors de cette
femme[d]! » Et, à l'instant même, l'esprit sortit. 19 Ses maîtres, qui
voyaient s'enfuir l'espoir de leurs gains, mirent alors la main sur Paul
et Silas et les traînèrent jusqu'à la place publique devant les magis-
trats. 20 Ils les présentèrent aux stratèges: « Ces hommes, dirent-ils, jet-
tent le trouble dans notre ville: ils sont *Juifs[e] 21 et prônent des règles
de conduite qu'il ne nous est pas permis, à nous Romains, d'admettre
ni de suivre. » 22 Et la foule se déchaîna contre eux; les stratèges firent
arracher leurs vêtements, donnèrent l'ordre de les battre de verges[f]

x 16.11 Port du nord de la mer Egée, voisin de la ville de Philippes. ***y 16.12*** *Philippes* 20.6 ; Ph 1.1. ***z 16.14*** Sur la *pourpre :* voir Mc 15.17 et la note. — *elle adorait déjà Dieu :* voir Ac 13.16 et la note ; 13.43+. ***a 16.15*** *elle et sa maison* 10.2 ; 16.33 ; 18.8. — hospitalité 10.2, 6, 48. ***b 16.16*** *de gros gains* 19.24. ***c 16.17*** les démons reconnaissent l'envoyé de Dieu Mc 1.24, 34 ; Lc 4.34, 41. — *le Dieu Très-Haut* Lc 1.32+. — *la voie* Ac 9.2+. ***d 16.18*** Mc 16.17 ; Ac 19.13. ***e 16.20*** *stratèges :* titre populaire des deux hauts magistrats romains chargés de la justice. — plainte en justice contre les apôtres 17.6. — accusés de *jeter le trouble* 1 R 18.17. ***f 16.22-23*** mauvais traitements Ph 1.30 ; 1 Th 2.2. — flagellation 2 Co 11.25.

23 et, après les avoir roués de coups, ils les jetèrent en prison, en
ordonnant au geôlier de les surveiller de près; 24 telle étant la consigne
reçue, il les jeta dans le cachot le plus retiré et leur bloqua les pieds
dans les ceps[g].

25 Aux environs de minuit, Paul et Silas, en prière, chantaient les
louanges de Dieu, et les autres prisonniers les écoutaient. 26 Tout d'un
coup, il y eut un tremblement de terre si violent que les fondations du
bâtiment en furent ébranlées. Toutes les portes s'ouvrirent[h] à l'instant
même et les entraves de tous les prisonniers sautèrent. 27 Tiré de son
sommeil, le geôlier vit les portes de la prison ouvertes; pensant que les
prisonniers s'étaient évadés, il saisit son épée et allait se supprimer[i].
28 Mais Paul lui cria d'une voix forte: «Ne fais rien de funeste pour toi;
nous sommes tous là.» 29 Le geôlier demanda de la lumière, se préci-
pita à l'intérieur et, tout tremblant, il se jeta aux pieds de Paul et de
Silas. 30 Puis, les ayant fait sortir, il leur dit: «Messieurs, que dois-je
faire pour être sauvé[j]?» 31 Ils lui répondirent: «Crois au Seigneur Jésus
et tu seras sauvé, toi et ta maison[k].» 32 Ils annoncèrent alors la parole
du Seigneur, à lui et à tous ceux qui vivaient dans sa demeure. 33 A
l'heure même, en pleine nuit, le geôlier les emmena pour laver leurs
plaies; puis, sans plus attendre, il reçut le baptême, lui et tous les
siens. 34 Il fit ensuite monter Paul et Silas chez lui, leur offrit un repas
et se réjouit en famille d'avoir cru en Dieu.

35 Le jour venu, les stratèges envoyèrent les licteurs[l] dire au geôlier:
«Relâche ces hommes!» 36 Le geôlier communiqua cette nouvelle à
Paul: «Les stratèges envoient dire de vous relâcher. Dans ces condi-
tions, sortez donc et partez en paix!» 37 Mais Paul déclara: «Ils nous
ont fait battre en public, sans condamnation, nous qui sommes
citoyens romains[m], ils nous ont jetés en prison. Et maintenant, c'est
clandestinement qu'ils veulent nous jeter dehors? Il n'en est pas ques-
tion. Qu'ils viennent en personne nous libérer!» 38 Les licteurs rappor-
tèrent ces propos aux stratèges qui furent pris de peur en apprenant
leur qualité de citoyens romains 39 et vinrent s'excuser auprès d'eux;
puis ils les libérèrent en leur demandant de quitter la ville[n]. 40 Une fois
sortis de prison, Paul et Silas allèrent trouver Lydie, virent les frères
pour les encourager, puis ils repartirent.

g 16.24 Pièces de bois percées de trous servant à fixer les pieds des prisonniers. ***h 16.26*** 5.19; 12.10. ***i 16.27*** la mort pour le geôlier coupable de négligence 12.18-19; 27.42. ***j 16.30*** Lc 10.25+. ***k 16.31*** foi 10.43 en Jésus le Seigneur 2.36; 8.37; Rm 10.9. – *toi et ta maison* Ac 10.2+. ***l 16.35*** Fonctionnaires romains chargés d'appliquer les décisions de justice. ***m 16.37*** Le droit romain interdisait aux magistrats de soumettre les *citoyens romains* à la flagellation. Voir Mc 10.34 et la note. Sur la citoyenneté romaine de Paul voir Ac 22.25-29; 23.27. ***n 16.39*** Mt 8.34.

Difficultés à Thessalonique[o]

17 1 Passant par Amphipolis et Apollonie, ils arrivèrent à Thessa-
lonique où les Juifs avaient une *synagogue. 2 Comme il en
avait l'habitude, Paul alla les trouver et, trois *sabbats de suite[p], il leur
adressa la parole; à partir des Ecritures, 3 il expliquait et établissait que
le *Messie devait souffrir, ressusciter des morts et «le Messie, disait-il,
c'est ce Jésus que je vous annonce[q]». 4 Certains des *Juifs se laissèrent
convaincre et furent gagnés par Paul et Silas, ainsi qu'une multitude
de Grecs adorateurs de Dieu et bon nombre de femmes de la haute
société[r].

5 Mais les Juifs, furieux, recrutèrent des vauriens qui traînaient dans
les rues, ameutèrent la foule et semèrent le désordre dans la ville; ils
se portèrent alors sur la maison de Jason, à la recherche de Paul et de
Silas qu'ils voulaient traduire devant l'assemblée du peuple; 6 ne les
trouvant pas, ils traînèrent Jason et quelques frères devant les politar-
ques: «Ces gens[s] qui ont soulevé le monde entier, criaient-ils, sont
maintenant ici, 7 et Jason les a accueillis. Tous ces individus agissent à
l'encontre des édits de l'empereur; ils prétendent qu'il y a un autre
roi, Jésus[t].» 8 Ces cris impressionnèrent la foule et les politarques, 9 qui
exigèrent alors une caution de Jason et des autres avant de les relâ-
cher.

Bon accueil à Bérée

10 Les frères firent aussitôt partir, de nuit, Paul et Silas pour Bérée. A
leur arrivée, ils se rendirent à la *synagogue des Juifs. 11 Plus courtois
que ceux de Thessalonique, ils accueillirent la Parole avec une entière
bonne volonté, et chaque jour ils examinaient les Ecritures[u] pour voir
s'il en était bien ainsi. 12 Beaucoup d'entre eux devinrent croyants
ainsi que des femmes grecques de haut rang et des hommes, en
nombre appréciable[v].

13 Mais, dès que les Juifs de Thessalonique eurent appris qu'à Bérée
aussi Paul annonçait la parole de Dieu, ils arrivèrent pour agiter et
troubler, là encore, les foules[w]. 14 Sans plus tarder, les frères firent
alors partir Paul pour gagner la mer, tandis que Silas et Timothée res-

o 17.1-9 1 Th 2.1-2, 14. ***p 17.2*** Lc 4.16 ; Ac 9.20 ; 17.10, 17. ***q 17.3*** *le Messie devait souffrir* Lc 24.26 ; Ac 3.18.– *et ressusciter des morts* Lc 24.46. – *le Messie, c'est Jésus* Ac 5.42+. ***r 17.4*** *adorateurs de Dieu* 13.43+. – *femmes de la haute société* 13.50 ; 17.12. – convertis de Thessalonique 20.4 ; voir Col 4.10. ***s 17.6*** *les politarques :* titre des chefs de la ville. – *ces gens* 16.20. ***t 17.7*** *à l'encontre des édits de l'empereur* Lc 23.2. – *un autre roi, Jésus* Lc 23.2 ; Jn 19.12 ; voir Mt 2.1-3. ***u 17.11*** *examiner les Ecritures* Jn 5.39. ***v 17.12*** *devinrent croyants* 2.44+. – *des femmes de haut rang* 13.50 ; 17.4. ***w 17.13*** activistes juifs 14.19.

taient là[x]. 15 Ceux qui escortaient Paul poussèrent jusqu'à Athènes, puis ils s'en retournèrent, avec l'ordre, pour Silas et Timothée, de venir le rejoindre au plus vite.

Paul et les philosophes d'Athènes

16 Tandis que Paul les attendait à Athènes, il avait l'âme bouleversée[y] de voir cette ville pleine d'idoles. 17 Il adressait donc la parole, dans la *synagogue, aux *Juifs et aux adorateurs de Dieu, et, chaque jour, sur la place publique, à tout venant[z]. 18 Il y avait même des philosophes épicuriens et stoïciens qui s'entretenaient avec lui. Certains disaient: «Que veut donc dire cette jacasse?» Et d'autres: «Ce doit être un prédicateur de divinités étrangères.» — Paul annonçait en effet Jésus et la Résurrection[a]. 19 Ils mirent donc la main sur lui pour le conduire devant l'Aréopage[b]: «Pourrions-nous savoir, disaient-ils, quelle est cette nouvelle doctrine que tu exposes? 20 En effet, tu nous rebats les oreilles de propos étranges et nous voudrions bien savoir ce qu'ils veulent dire.» 21 Il faut dire que tous les habitants d'Athènes et tous les étrangers en résidence passaient le meilleur de leur temps à raconter ou à écouter les dernières nouveautés.

22 Debout au milieu de l'Aréopage[c], Paul prit la parole[d]: «Athéniens, je vous considère à tous égards comme des hommes presque trop religieux. 23 Quand je parcours vos rues, mon regard se porte en effet souvent sur vos monuments sacrés et j'ai découvert entre autres un *autel qui portait cette inscription: "Au dieu inconnu[e]." Ce que vous vénérez ainsi sans le connaître, c'est ce que je viens, moi, vous annoncer. 24 Le Dieu qui a créé l'univers et tout ce qui s'y trouve, lui qui est le Seigneur du ciel et de la terre, n'habite pas des temples construits par la main des hommes[f] 25 et son service non plus ne demande

x ***17.14*** *Silas* 15.22+ *Timothée* 16.1+son retour de Thessalonique 1 Th 3.1-6. *y* ***17.16*** Ou *son esprit était exaspéré.* *z* ***17.17*** *Paul s'adresse aux Juifs* 18.19 ; 17.2+. — *adorateurs de Dieu* 13.43+. — *la place publique* 16.19. *a* ***17.18*** Les *épicuriens* étaient partisans d'une morale visant à éviter la douleur dans un monde qu'ils considéraient comme gouverné par le hasard. — Pour les *stoïciens,* la « sagesse » consistait à connaître les lois qui gouvernent l'univers et à pratiquer une morale fondée sur l'effort. — *cette jacasse :* les moqueurs comparent Paul à un oiseau bavard. — Les auditeurs de Paul prennent le mot *anastasis* (résurrection) pour le nom d'une divinité féminine qui serait associée à Jésus. *b* ***17.19*** Nom d'une colline d'Athènes, l'Aréopage désignait aussi le haut conseil de la ville qui y tenait ses séances. — témoignage devant les autorités 4.8-12 ; 5.27-33 ; 9.15 ; 23.6 ; 24.10-21 ; 26.2-23 ; voir Lc 21.12. *c* ***17.22*** Ou *devant l'Aréopage.* *d* ***17.22-31*** exposés de Paul 13.16-41 ; 20.18-35 ; 22.1-21 ; 24.10-21 ; 26.2-33 ; voir 2.14+ ; 1 Th 1.9-10. *e* ***17.23*** En dédiant un autel *au dieu inconnu* les Athéniens espéraient détourner le mécontentement d'un dieu dont ils auraient pu oublier de tenir compte. *f* ***17.24*** *Dieu créateur de l'univers* Ps 146.6 ; Es 42.5 ; *Sg* 13—14 ; Ac 14.15. — *Seigneur du ciel et de la terre* Mt 11.25. — *n'habite pas...* 1 R 8.27 ; Es 66.1-2 ; Ac 7.48.

pas de mains humaines, comme s'il avait besoin de quelque chose, lui
qui donne à tous la vie et le souffle, et tout le reste[g].
26 « A partir d'un seul homme il a créé tous les peuples pour habiter
toute la surface de la terre, il a défini des temps fixes et tracé les
limites de l'habitat des hommes[h]: 27 c'était pour qu'ils cherchent
Dieu; peut-être pourraient-ils le découvrir en tâtonnant, lui qui, en
réalité, n'est pas loin de chacun de nous[i].
28 « Car c'est en lui que nous avons la vie, le mouvement et l'être,
comme l'ont dit certains de vos poètes:
"Car nous sommes de sa race[j]."
29 « Alors, puisque nous sommes la race de Dieu, nous ne devons pas
penser que la divinité ressemble à de l'or, de l'argent, ou du marbre,
sculpture de l'art et de l'imagination de l'homme[k]. 30 Et voici que Dieu,
sans tenir compte de ces temps d'ignorance[l], annonce maintenant aux
hommes que tous et partout ont à se convertir. 31 Il a en effet fixé un
jour où il doit juger le monde avec justice par l'homme qu'il a dési-
gné[m], comme il en a donné la garantie à tous en le ressuscitant d'entre
les morts. »
32 Au mot de « résurrection des morts », les uns se moquaient,
d'autres déclarèrent: « Nous t'entendrons là-dessus une autre fois. »
33 C'est ainsi que Paul les quitta. 34 Certains pourtant s'étaient attachés
à lui et étaient devenus croyants: parmi eux il y avait Denys l'Aréopa-
gite, une femme nommée Damaris, et d'autres encore[n].

La fondation de l'Eglise de Corinthe

18 1 En quittant Athènes, Paul se rendit ensuite à Corinthe[o]. 2 Il
rencontra là un *Juif nommé Aquilas, originaire du Pont, qui
venait d'arriver d'Italie avec sa femme, Priscille. Claude[p], en effet,

g 17.25 *pas de mains humaines* Ps 50.12 ; Ac 19.26. — *comme s'il avait besoin de quelque chose* Ps 51.18 : Jr 7.22. — *donne à tous la vie et le souffle* Es 42.5. ***h 17.26*** *un seul homme :* Adam (Gn 1.28). — *limites de l'habitat des hommes* Dt 32.8. ***i 17.27*** *chercher Dieu* Es 55.6 ; voir Rm 1.19-20. — *pas loin de chacun de nous* Ps 145.18 ; Jr 23.23. ***j 17.28*** Paul cite librement le poète grec *Epiménide.* — La fin du verset est une citation du poète *Aratos.* — *de sa race* voir Gn 1.26 ; 2 P 1.4 ; 1 Jn 3.2. ***k 17.29*** Es 40.18-20 ; 44.10-17 ; Ac 19.26. ***l 17.30*** 3.17 ; 13.27 ; 14.16 ; 17.23 ; Ep 4.17-19. ***m 17.31*** *Dieu doit juger le monde avec justice* Ps 9.9 ; 96.13 ; 98.9 *par l'homme qu'il a désigné,* autre texte : *un homme, Jésus,* voir Ac 10.42. ***n 17.34*** quelques convertis 17.4. — *Aréopagite,* c'est-à-dire membre de l'Aréopage (voir v. 19 et la note). ***o 18.1*** Chef-lieu de la province d'Achaïe (voir 2 Co 1.1 et la note). Ville très populeuse, tristement célèbre pour sa corruption morale. ***p 18.2*** *Aquilas et Priscille* 18.18, 26 ; Rm 16.3-4 ; 1 Co 16.19 ; 2 Tm 4.19. — Le *Pont :* province du nord de l'Asie Mineure en bordure de la mer Noire. — *Claude :* voir Ac 11.28 et la note. Son décret chassant les Juifs de Rome date de l'an 49 ou 50.

avait décrété que tous les Juifs devaient quitter Rome. Paul entra en
relations avec eux 3 et, comme il avait le même métier — c'était des
fabricants de tentes — il s'installa chez eux et il y travaillait[q]. 4 Chaque
*sabbat, il prenait la parole à la *synagogue et tâchait de convaincre
Juifs et Grecs. 5 Mais, lorsque Silas et Timothée furent arrivés de Macé-
doine, Paul se consacra entièrement à la Parole, attestant devant les
Juifs que le *Messie, c'est Jésus[r]. 6 Devant leur opposition et leurs
injures, Paul secoua ses vêtements et leur déclara: «Que votre sang
vous retombe sur la tête! J'en suis pur, et désormais c'est aux *païens
que j'irai[s].» 7 Quittant ce lieu, il se rendit chez un certain Titius Justus,
adorateur de Dieu[t], dont la maison était contiguë à la synagogue.
8 Crispus, chef de synagogue, crut au Seigneur avec toute sa maison[u]
et beaucoup de Corinthiens, en écoutant Paul, devenaient croyants et
recevaient le baptême. 9 Une nuit, le Seigneur dit à Paul dans une
vision[v]: «Sois sans crainte, continue de parler, ne te tais pas. 10 Je suis
en effet avec toi et personne ne mettra la main sur toi pour te mal-
traiter car, dans cette ville, un peuple nombreux m'est destiné.»
11 Paul y demeura un an et six mois, enseignant la parole de Dieu.

La comparution de Paul devant Gallion

12 Sous le proconsulat de Gallion en Achaïe[w], l'hostilité des *Juifs
devint unanime à l'égard de Paul et ils l'amenèrent au tribunal.
13 «C'est à un culte illégal[x] de Dieu, soutenaient-ils, que cet individu
veut amener les gens.» 14 Paul allait prendre la parole, quand Gallion
répondit aux Juifs: «S'il s'agissait d'un délit ou de quelque méfait
éhonté, je recevrais votre plainte, ô Juifs, comme de raison; 15 mais,
puisque vos querelles concernent une doctrine, des noms et la *loi qui
vous est propre, cela vous regarde! Je ne veux pas, moi, être juge en
pareille matière[y].» 16 Et il les renvoya du tribunal. 17 Tous se saisirent

q 18.3 Paul travaille de ses mains 20.34 ; 1 Co 4.12 ; 9.13-15 ; 1 Th 2.9 ; 2 Th 3.8. ***r 18.5*** *Silas* 15.22+. — *Timothée* 16.1+. — *tous deux arrivent de Macédoine* 17.14-15 ; 1 Th 1.1 ; 3.1-6 ; 2 Th 1.1 — *le Messie, c'est Jésus* Ac 5.42+. ***s 18.6*** opposition juive : Paul ira vers les païens 13.45-46 ; 28.28. — *Paul secoue ses vêtements* Mt 10.14+ par. ; voir Ac 22.23. C'est un geste qui veut marquer la rupture. Voir 13.51 et la note sur Mc 6.11. — *Que votre sang... :* voir 5.28 ; 20.26 et la note sur Mt 27.25. — *j'en suis pur* 20.26. ***t 18.7*** Voir 13.16 et la note ; 13.43+. ***u 18.8*** *Crispus* 1 Co 1.14. — *avec toute sa maison* Ac 10.2+ ; voir 10.2 et la note. ***v 18.9-10*** *une vision* 9.12 ; 10.3 ; 13.31 ; 16.9-10 ; 23.11 ; 26.16,19 ; 27.23. — *sois sans crainte... je suis avec toi* Es 41.10 ; 43.5 ; Jr 1.8 ; Ac 27.24 ; voir 1 Co 2.3. — *un peuple destiné à Dieu* Ac 15.14. ***w 18.12*** *proconsulat :* durée du gouvernement d'un proconsul (voir 13.7 et la note). Des documents de l'époque permettent de dater ce proconsulat des années 51-52 ou 52-53. — *Achaïe :* voir 2 Co 1.1 et la note. ***x 18.13*** 17.7. ***y 18.14-15*** pas de délit mais une querelle religieuse 23.29 ; 25.18-19. — *la Loi qui vous est propre* Jn 18.31. — le cas de Paul ne relève pas de la loi romaine 16.35-39 ; 17.8-9 ; 19.37-38 ; 23.29 ; 24.20-22 ; 26.31-32.

alors de Sosthène, chef de *synagogue; ils le rouaient de coups devant le tribunal; mais Gallion ne s'en souciait absolument pas.

Passage de Paul à Antioche

18 Paul resta encore assez longtemps à Corinthe. Puis il quitta les frères et s'embarqua pour la Syrie, en compagnie de Priscille et d'Aquilas. A la suite d'un vœu, il s'était fait tondre la tête à Cenchrées[z]. 19 Ils gagnèrent Ephèse, où Paul se sépara de ses compagnons. Il se rendit, pour sa part, à la *synagogue et y adressa la parole aux *Juifs[a]. 20 Comme ceux-ci lui demandaient de prolonger son séjour, il refusa, 21 mais les quitta sur ces mots: «Je reviendrai chez vous une autre fois, si Dieu le veut[b].» Il prit la mer à Ephèse, 22 débarqua à Césarée, monta saluer l'Eglise et descendit à Antioche[c], 23 où il resta quelque temps. Puis il repartit et parcourut successivement la région galate et la Phrygie, affermissant tous les *disciples[d].

Apollos à Ephèse et à Corinthe

24 Un Juif nommé Apollos[e], originaire d'Alexandrie, était arrivé à Ephèse. C'était un homme savant, versé dans les Ecritures. 25 Il avait été informé de la Voie du Seigneur et, l'esprit plein de ferveur, il prêchait et enseignait exactement ce qui concernait Jésus, tout en ne connaissant que le baptême de Jean[f]. 26 Il se mit donc à parler en toute assurance dans la *synagogue. Mais, lorsqu'ils l'eurent entendu, Priscille et Aquilas[g] le prirent avec eux et lui présentèrent plus exactement encore la Voie de Dieu. 27 Comme il avait l'intention de se rendre en Achaïe, les frères l'approuvèrent et écrivirent aux *disciples de lui faire bon accueil[h]. Une fois arrivé, il fut, par la grâce de Dieu, d'un grand secours aux fidèles, 28 car la force de ses arguments avait raison des *Juifs en public, quand il prouvait par les Ecritures que le *Messie, c'était Jésus[i].

***z* 18.18** *Priscille et Aquilas* 18.2+. — *un vœu :* pendant toute la durée du *vœu* on s'engageait à ne pas se faire couper les cheveux. Nb 6.9-18 ; Ac 21.23-27. — *Cenchrées :* port oriental de Corinthe. ***a* 18.19** *Ephèse* 19.1+. — *à la synagogue* 17.2+. ***b* 18.21** Rm 1.10 ; 1 Co 4.19. ***c* 18.22** *Césarée* 23.23+. — *l'Eglise :* sans doute l'Eglise de Jérusalem. 5.11+. — *Antioche* 6.5 ; 11.19 ; 13.1 ; 14.26 ; 15.22 ; Ga 2.11. ***d* 18.23** *la région galate* 16.6+. — *disciples* 6.1+. ***e* 18.24** 19.1 ; 1 Co 1.12 ; 3.4-6, 22 ; 4.6 ; 16.12 ; Tt 3.13. ***f* 18.25** *la Voie du Seigneur* 9.2+. — *l'esprit plein de ferveur* Rm 12.11. — *le baptême de Jean,* c'est-à-dire de Jean le Baptiste, voir Ac 19.3. ***g* 18.26** *en toute assurance dans la synagogue* 19.8 ; voir 17.2+. — *Priscille et Aquilas* 18.2+. ***h* 18.27** *Achaïe :* voir 2 Co 1.1 et la note. — les frères Ac 1.15+. — une lettre de recommandation 2 Co 3.1. — *les disciples* Ac 6.1+. ***i* 18.28** *il prouvait par les Ecritures* 9.22 ; 17.3. — *le Messie, c'est Jésus* 5.42+.

L'arrivée de Paul à Ephèse

19 1 Ce fut pendant le séjour d'Apollos à Corinthe que Paul arriva
à Ephèse en passant par le haut-pays[j]. Il y trouva quelques
*disciples 2 et leur demanda: «Avez-vous reçu l'Esprit Saint, quand
vous êtes devenus croyants?» — «Mais, lui répondirent-ils, nous
n'avons même pas entendu parler d'Esprit Saint[k]!» 3 Paul demanda:
«Quel baptême alors avez-vous reçu?» Ils répondirent: «Le baptême
de Jean[l].» 4 Paul reprit: «Jean donnait un baptême de conversion et il
demandait au peuple de croire en celui qui viendrait après lui, c'est-à-
dire en Jésus[m].» 5 Ils l'écoutèrent et reçurent le baptême au *nom du
Seigneur Jésus[n]. 6 Paul leur *imposa les mains et l'Esprit Saint vint sur
eux: ils parlaient en langues et *prophétisaient[o]. 7 Il y avait en tout
environ douze personnes.

La prédication de Paul à Ephèse

8 Paul se rendait à la *synagogue et, durant trois mois, il y prenait la
parole en toute assurance à propos du *Règne de Dieu, s'efforçant de
convaincre ses auditeurs[p]. 9 Comme certains se durcissaient et, loin de
se laisser convaincre, diffamaient la Voie en pleine assemblée, Paul
rompit avec eux[q] et, prenant à part les disciples, il leur adressait
chaque jour la parole dans l'école de Tyrannos. 10 Cette situation se
prolongea pendant deux ans, si bien que toute la population de l'Asie,
*Juifs et Grecs, put entendre la parole du Seigneur[r].

La mésaventure des exorcistes juifs

11 Dieu accomplissait par les mains de Paul des miracles[s] peu banals,
12 à tel point qu'on prenait, pour les appliquer aux malades, des mou-
choirs ou des linges qui avaient touché sa peau. Ces gens étaient alors
débarrassés de leurs maladies et les esprits mauvais s'en allaient[t].
13 Des exorcistes juifs itinérants entreprirent à leur tour de prononcer,
sur ceux qui avaient des esprits mauvais, le *nom du Seigneur Jésus;

j* *19.1 *Apollos à Corinthe* 18.27-28 ; voir 18.24. — *Ephèse* 18.19 ; 20.16-17 ; 21.29 ; 1 Co 15.32 ; 16.8 ; Ep 1.1 ; 1 Tm 1.3 ; 2 Tm 1.18 ; 4.12 ; Ap 1.11 ; 2.1. ***k* *19.2*** *avez-vous reçu l'Esprit Saint quand...* 2.38. — *même pas entendu parler...* Jn 7.39 ; Ac 8.16. ***l* *19.3*** 18.25 et la note ; voir Mt 3.6+. ***m* *19.4*** Mt 3.11 ; Mc 1.4, 7-8. ***n* *19.5*** 2.38+. ***o* *19.6*** imposition des mains et don du Saint Esprit 6.6+. — *parler en langues... prophétiser* 2.4+. ***p* *19.8*** *à la synagogue* 17.2+ *en toute assurance* 18.26. ***q* *19.9*** *la Voie* 9.2 et la note. — *rupture* 13.46 ; 18.6-7 ; voir 2 Co 6.17. ***r* *19.10*** séjour à Ephèse 19.8 ; 20.31. — évangélisation de la province d'Asie Col 1.7 ; 4.13, 15 ; Ap 3.14-22 ; voir Ac 16.6 et la note. ***s* *19.11*** *des miracles* 14.3. ***t* *19.12*** un contact qui guérit 5.15-16+.

ils disaient: «Je vous conjure par ce Jésus que Paul proclame[u]!» 14 Sept fils d'un grand prêtre juif, un certain Scéva, s'essayaient à cette pratique. 15 L'esprit mauvais leur répliqua: «Jésus, je le connais[v] et je sais qui est Paul. Mais vous, qui êtes-vous donc?» 16 Et, leur sautant dessus, l'homme qu'habitait l'esprit mauvais prit l'avantage sur eux tous avec une telle violence qu'ils s'échappèrent de la maison à moitié nus et couverts de plaies. 17 Toute la population d'Ephèse, *Juifs et Grecs, fut au courant de cette aventure; la crainte les envahit tous et l'on célébrait la grandeur du nom du Seigneur Jésus[w].

18 Une foule de fidèles venaient faire à haute voix l'aveu de leurs pratiques[x]. 19 Un bon nombre de ceux qui s'étaient adonnés à la magie firent un tas de leurs livres et les brûlèrent en public. Quand on calcula leur valeur, on constata qu'il y en avait pour cinquante mille pièces d'argent. 20 Ainsi, par la force du Seigneur, la Parole croissait[y] et gagnait en puissance.

L'émeute d'Ephèse et le départ de Paul

21 A la suite de ces événements, Paul prit la décision, dans l'Esprit, de se rendre à Jérusalem en passant par la Macédoine et l'Achaïe. Il déclarait: «Quand j'aurai été là-bas, il faudra encore que je me rende à Rome[z].» 22 Il envoya en Macédoine Timothée[a] et Eraste, deux de ses auxiliaires, tandis que lui-même prolongeait un peu son séjour en Asie.

23 C'est à cette époque que se produisirent des troubles assez graves à propos de la Voie[b]. 24 Un orfèvre en effet, du nom de Démétrius, fabriquait des temples d'Artémis en argent et procurait ainsi aux artisans des gains très appréciables[c]. 25 Il rassembla ces artisans ainsi que les membres des métiers voisins et leur déclara: «Vous le savez, mes amis, notre aisance vient de cette activité. 26 Or, vous le constatez ou vous l'entendez dire: non seulement à Ephèse, mais dans presque toute l'Asie, ce Paul remue une foule considérable en la persuadant, comme il dit, que les dieux qui sortent de nos mains ne sont pas des dieux[d]. 27 Ce n'est pas simplement notre profession qui risque d'être dénigrée, mais c'est aussi le temple de la grande déesse Artémis qui pourrait être laissé pour compte et se trouver bientôt dépouillé de la grandeur de celle qu'adorent l'Asie et le monde entier.»

u 19.13 *exorcistes :* des gens qui faisaient métier de chasser les démons. — tentative de chasser des démons au nom de Jésus Mc 9.38 ; Lc 9.49. ***v 19.15*** 16.17+. ***w 19.17*** *crainte* 5.5, 11. — *le nom de Jésus* 3.16+. ***x 19.18*** Il s'agit de pratiques magiques. ***y 19.20*** 6.7 ; 12.24. ***z 19.21*** projet de voyage à Jérusalem et à Rome 23.11 ; Rm 1.13 ; 15.23 ; voir 2 Co 1.15-16. — voir 2 Co 1.1 et la note. ***a 19.22*** *Timothée* 16.1+. ***b 19.23*** *des troubles assez graves* 2 Co 1.8. — *la Voie* Ac 9.2+. ***c 19.24*** *Artémis* désigne ici la déesse de la fécondité que l'on vénérait en Orient. — *des gains très appréciables* 16.16. ***d 19.26*** 17.29.

28 A ces mots, les auditeurs devinrent furieux et ils n'en finissaient
pas de crier: «Grande est l'Artémis d'Ephèse!» 29 L'agitation gagna
toute la ville et l'on se précipita en masse au théâtre, en s'emparant au
passage des Macédoniens Gaïus et Aristarque[e], compagnons de
voyage de Paul. 30 Paul était décidé à se rendre à l'assemblée, mais les
*disciples ne le laissèrent pas faire. 31 Et certains asiarques[f] de ses amis
lui firent aussi déconseiller de se risquer au théâtre.

32 Chacun bien sûr criait autre chose que son voisin et la confusion
régnait dans l'assemblée où la plupart ignoraient même les motifs de la
réunion. 33 Des gens dans la foule renseignèrent un certain Alexandre
que les *Juifs avaient mis en avant. De la main, Alexandre fit signe[g]
qu'il voulait s'expliquer devant l'assemblée. 34 Mais, quand on apprit
qu'il était juif, tous se mirent à scander d'une seule voix, pendant près
de deux heures: «Grande est l'Artémis d'Ephèse!» 35 Le secrétaire
réussit pourtant à calmer la foule: «Ephésiens, dit-il, existerait-il quel-
qu'un qui ne sache pas que la cité d'Ephèse est la ville sainte de la
grande Artémis et de sa statue tombée du ciel? 36 Puisque la réponse
ne fait pas de doute, il vous faut donc retrouver le calme et éviter les
fausses manœuvres. 37 Vous avez en effet amené ici des hommes qui
n'ont commis ni sacrilège ni *blasphème contre notre déesse. 38 Si
Démétrius et les artisans qui le suivent sont en litige avec quelqu'un, il
se tient des audiences, il existe des proconsuls[h]: que les parties aillent
donc en justice! 39 Et si vous avez encore d'autres requêtes, l'affaire
sera réglée par l'assemblée légale. 40 Nous risquons en fait d'être
accusés de sédition pour notre réunion d'aujourd'hui, car il n'existe
aucun motif que nous puissions avancer pour justifier cet attroupe-
ment.» Et, sur cette déclaration, il renvoya l'assemblée.

D'Ephèse à Troas par la Grèce et la Macédoine

20 1 Quand le tumulte se fut calmé, Paul fit venir les *disciples et
les encouragea. Puis il leur dit adieu et prit la route de la
Macédoine[i]. 2 Après avoir traversé ces régions et y avoir encouragé
longuement les frères[j], il parvint en Grèce, 3 où il passa trois mois. Au
moment de prendre la mer pour la Syrie, comme les *Juifs complo-
taient contre lui, il décida de repasser par la Macédoine. 4 Il avait

e 19.29 20.4 ; 27.2 ; Col 4.10 ; Phm 24. ***f 19.31*** Personnages de haut rang, élus pour présider au culte de l'empereur dans la province d'Asie, les *asiarques* conservaient leur titre après la fin de leur mandat. ***g 19.33*** 12.17 ; 13.16 ; 21.40. ***h 19.38*** Voir 13.7 et la note. ***i 20.1*** *les disciples* 6.1+. – *Macédoine* 16.10 ; 18.5 ; 19.21-22 ; Rm 15.26 ; 1 Co 16.5 ; 2 Co 1.16 ; 2.13 ; 7.5 ; 8.1 ; 9.2 ; 11.9 ; Ph 4.15 ; 1 Th 1.7 ; 1 Tm 1.3. ***j 20.2*** *les frères* 1.15+.

comme compagnons[k]: Sopatros, fils de Pyrrhus, de Bérée; Aristarque
et Secundus, de Thessalonique; Gaïus, de Derbé, et Timothée, ainsi
que Tychique et Trophime, de la province d'Asie[l]. 5 Ce groupe, qui
avait pris les devants, nous[m] a attendus à Troas. 6 Quant à nous, partis
de Philippes après les jours des *pains sans levain, nous nous sommes
embarqués pour les rejoindre, cinq jours plus tard, à Troas, où nous
avons fait halte pendant une semaine[n].

La résurrection d'Eutyque à Troas

7 Le premier jour de la semaine, alors que nous étions réunis pour
rompre le pain, Paul, qui devait partir le lendemain, adressait la parole
aux frères et il avait prolongé l'entretien jusque vers minuit[o]. 8 Les
lampes ne manquaient pas dans la chambre haute[p] où nous étions
réunis. 9 Un jeune homme, nommé Eutyque, qui s'était assis sur le
rebord de la fenêtre, a été pris d'un sommeil profond, tandis que Paul
n'en finissait pas de parler. Sous l'emprise du sommeil, il est tombé du
troisième étage et, quand on a voulu le relever, il était mort. 10 Paul est
alors descendu, s'est précipité vers lui et l'a pris dans ses bras: «Ne
vous agitez pas! Il est vivant[q]!» 11 Une fois remonté, Paul a rompu le
pain et mangé; puis il a prolongé l'entretien jusqu'à l'aube et alors il
s'en est allé. 12 Quant au garçon, on l'a emmené vivant et ç'a été un
immense réconfort.

De Troas à Milet

13 Prenant les devants, nous nous sommes alors embarqués sur un
bateau à destination d'Assos, où nous devions reprendre Paul, qui
devait s'y rendre par la route comme il en avait décidé. 14 Quand il
nous a rejoints à Assos, nous l'avons pris à bord pour gagner Mitylène.
15 De là nous avons fait voile le lendemain, jusqu'à la hauteur de Chio;
le surlendemain, nous avons traversé sur Samos et vingt-quatre heures
plus tard, après une escale à Trogyllion[r], nous sommes arrivés à Milet.

k 20.4 Certains manuscrits ajoutent : *jusqu'en Asie.* ***l 20.4*** *So(si)patros* Rm 16.21. — *Aristarque* Ac 19.29+. — *Timothée* Ac 16.1+. — *Tychique* Ep 6.21 ; Col 4.7 ; 2 Tm 4.12 ; Tt 3.12. — *Trophime* Ac 21.29 ; 2 Tm 4.20. ***m 20.5*** récits à la première personne du pluriel 16.10+. ***n 20.6*** *les jours des pains sans levain* 12.3. — *Troas* 16.8+. ***o 20.7*** *le premier jour de la semaine* Mt 28.1 ; Lc 24.1+ ; voir 1 Co 16.2 ; Ap 16.10. Pour les Juifs le jour commençait au coucher du soleil ; cette réunion s'est donc tenue dans la nuit du samedi au dimanche. — *réunis pour rompre le pain* Lc 24.30 ; Ac 2.42. 46 ; 1 Co 11.17-25 ; voir Ac 27.35. ***p 20.8*** *chambre haute* Lc 22.12 ; Ac 1.13. ***q 20.10*** *s'est précipité* ou *s'est penché vers lui.* — *il est vivant* voir 9.41. ***r 20.15*** *après une escale à Trogyllion :* Cette précision ne figure pas dans tous les manuscrits.

16 Paul était en effet décidé à éviter l'escale d'Ephèse, pour ne pas
perdre de temps en Asie[s]. Il n'avait qu'une hâte : être à Jérusalem, si
possible, pour le jour de la *Pentecôte.

A Milet, adieux de Paul aux anciens d'Ephèse

17 De Milet, Paul fit convoquer les *anciens de l'Eglise d'Ephèse[t].
18 Quand ils l'eurent rejoint, il leur déclara : « Vous savez quelle a tou-
jours été ma conduite à votre égard depuis le jour de mon arrivée en
Asie[u]. 19 J'ai servi le Seigneur en toute humilité, dans les larmes et au
milieu des épreuves que m'ont values les complots des *Juifs[v]. 20 Je
n'ai rien négligé[w] de ce qui pouvait vous être utile ; au contraire, j'ai
prêché, je vous ai instruits, en public comme en privé ; 21 mon témoi-
gnage appelait et les Juifs et les Grecs à se convertir à Dieu et à croire
en notre Seigneur Jésus[x].

22 « Maintenant, prisonnier de l'Esprit, me voici en route pour Jérusa-
lem[y] ; je ne sais pas quel y sera mon sort, 23 mais en tout cas, l'Esprit
Saint me l'atteste de ville en ville, chaînes et détresses m'y attendent[z].
24 Je n'attache d'ailleurs vraiment aucun prix à ma propre vie ; mon
but, c'est de mener à bien ma course[a] et le service que le Seigneur
Jésus m'a confié : rendre témoignage à *l'Evangile de la grâce de Dieu.

25 « Désormais, je le sais bien, voici que vous ne reverrez plus mon
visage, vous tous parmi lesquels j'ai passé en proclamant le Règne[b].
26 Je peux donc l'attester aujourd'hui devant vous : je suis pur du sang
de tous[c]. 27 Je n'ai vraiment rien négligé : au contraire, c'est le plan de
Dieu tout entier que je vous ai annoncé. 28 Prenez soin de vous-mêmes
et de tout le troupeau dont l'Esprit Saint vous a établis les gardiens,
soyez les bergers de l'Eglise de Dieu, qu'il s'est acquise par son propre
*sang[d].

29 « Je sais bien qu'après mon départ s'introduiront parmi vous des
loups féroces[e] qui n'épargneront pas le troupeau ; 30 de vos propres
rangs[f] surgiront des hommes aux paroles perverses qui entraîneront

***s* 20.16** Voir 16.6 et la note. ***t* 20.17** *les anciens* 11.30+. — *l'Eglise d'Ephèse* voir 18.21. ***u* 20.18** 18.19 ; 19.10. ***v* 20.19** *les complots des Juifs* 20.3. ***w* 20.20** 20.27 ***x* 20.21** *conversion* 3.19+ *et foi* 3.16+ ; 10.43+. ***y* 20.22** *prisonnier de l'Esprit* 21.11 ; voir 1.8+. — *en route pour Jérusalem* 19.21. ***z* 20.23** *l'Esprit Saint avertit Paul* 21.4, 11. — détresses en perspective 9.16. ***a* 20.24** *je n'attache aucun prix à ma vie* 21.13. — *mener à bien ma course* Ph 3.13-14 ; 2 Tm 4.7. ***b* 20.25** *Le Règne* (ou Royaume) de Dieu. 1.3+. ***c* 20.26** Voir 5.28 ; 18.6 et la note sur Mt 27.25. ***d* 20.28** image du *troupeau* Lc 12.32+ ; He 13.20 ; 1 P 2.25 ; 5.3-4. — *gardiens* épiscopes Ph 1.1 ; 1 Tm 3.2 ; Tt 1.7 ; voir 1 P 2.25 ; 5.2 — *soyez les bergers...* 1 P 5.2 ; voir Ep 4.11. — *l'Eglise* Ac 5.11+ *de Dieu* 1 Co 1.2 ; 2 Co 1.1, etc. ; 1 Th 2.14 ; 2 Th 1.4 *qu'il s'est acquise* Ps 74.2 ; Ep 1.14. Autre texte : *l'Eglise du Seigneur.* ***e* 20.29** Mt 7.15 ; Jn 10.12. ***f* 20.30** 1 Jn 2.19.

les *disciples à leur suite. 31 Soyez donc vigilants, vous rappelant que,
nuit et jour pendant trois ans, je n'ai pas cessé, dans les larmes, de
reprendre chacun d'entre vous[g]. 32 Et maintenant, je vous remets à
Dieu et à sa parole de grâce, qui a la puissance de bâtir l'édifice et
d'assurer l'héritage à tous les *sanctifiés[h].

33 «Je n'ai convoité l'argent, l'or ou le vêtement de personne[i]. 34 Les
mains que voici, vous le savez vous-mêmes, ont pourvu à mes besoins
et à ceux de mes compagnons[j]. 35 Je vous l'ai toujours montré, c'est en
peinant de la sorte qu'il faut venir en aide aux faibles et se souvenir de
ces mots que le Seigneur Jésus lui-même a prononcés: Il y a plus de
bonheur à donner qu'à recevoir[k].»

36 Après ces paroles, il se mit à genoux avec eux tous et pria. 37 Tout
le monde alors éclata en sanglots et se jetait au cou de Paul pour
l'embrasser[l] — 38 leur tristesse venait surtout de la phrase où il avait
dit qu'ils ne devaient plus revoir son visage[m] —, puis on l'accom-
pagna jusqu'au bateau.

La montée de Paul vers Jérusalem

21 1 Après nous[n] être arrachés à eux et avoir repris la mer, nous
avons mis le cap droit sur Cos; le lendemain, sur Rhodes, et
de là sur Patara. 2 Trouvant un bateau en partance pour la Phénicie,
nous sommes montés à bord et nous avons pris la mer. 3 Arrivés en vue
de Chypre, nous avons laissé l'île à bâbord pour faire route vers la
Syrie et nous avons débarqué à Tyr, où en effet le navire devait
décharger sa cargaison. 4 Nous sommes restés là sept jours, car nous y
avions découvert les *disciples; poussés par l'Esprit ceux-ci disaient à
Paul de ne pas monter à Jérusalem[o]. 5 Le temps de notre séjour une fois
achevé, nous sommes néanmoins repartis et, tandis que nous mar-
chions, tous nous accompagnaient, femmes et enfants compris,
jusqu'à l'extérieur de la ville. Là, à genoux sur la plage, nous avons
prié; 6 puis, les adieux échangés, nous sommes montés sur le bateau et
ils sont retournés chez eux[p]. 7 Quant à nous, au terme de notre tra-
versée depuis Tyr, nous sommes arrivés à Ptolémaïs et, après avoir
salué les frères, nous avons passé une journée avec eux.

8 Repartis le lendemain, nous avons gagné Césarée où nous nous

g *20.31* 19.10 ; 1 Th 2.11-12. **h *20.32*** *bâtir* 1 Co 3.5-17 ; 1 P 2.4-10. – *l'héritage à tous les sanctifiés* Dt 33.3-4 ; *Sg* 5.5 ; Ac 26.18 ; Ep 1.14, 18 ; 5.5 ; Col 3.24 ; He 9.15 ; 1 P 1.4 ; voir Ac 9.13+. ***i 20.33*** 1 S 12.3 ; 1 Co 9.11-12. ***j 20.34*** Paul a travaillé de ses mains 18.3+. — aide occasionnelle reçue par Paul 2 Co 11.9 ; Ph 4.15-19.
k 20.35 Cette parole de Jésus n'a pas été conservée dans les évangiles ; voir Mt 10.8. ***l 20.36-38*** 21.5-6. ***m 20.38*** 20.25. ***n 21.1*** récits à la première personne du pluriel 16.10+. ***o 21.4*** *les disciples* 6.1+. — avertissements et conseils donnés à Paul 20.23. ***p 21.5-6*** 20.36.

sommes rendus à la maison de Philippe *l'Evangéliste, un des Sept, et nous avons séjourné chez lui[q]. 9 Il avait quatre filles vierges qui *prophétisaient[r]. 10 Alors que nous passions là plusieurs jours, il est arrivé un *prophète de Judée, nommé Agabus[s]. 11 Venant nous trouver, il a pris la ceinture de Paul, s'est attaché les pieds et les mains et a déclaré : « Voici ce que dit l'Esprit Saint. L'homme à qui appartient cette ceinture, voilà comment, à Jérusalem, les *Juifs l'attacheront et le livreront aux mains des *païens[t] ! » 12 A ces mots, nous et les frères de la ville, nous avons supplié Paul de ne pas monter à Jérusalem[u]. 13 Alors il nous a répondu : « Qu'avez-vous à pleurer et à me briser le cœur ? Je suis prêt, moi, non seulement à être lié mais à mourir à Jérusalem pour le *nom du Seigneur Jésus[v]. » 14 Comme il ne se laissait pas convaincre, nous n'avons pas insisté. « Que la volonté du Seigneur soit faite[w] ! » disions-nous.

15 A la fin de ces quelques jours, une fois nos préparatifs achevés, nous sommes montés vers Jérusalem ; 16 des *disciples de Césarée[x], qui s'y rendaient aussi en notre compagnie, nous ont emmenés loger chez Mnason de Chypre, un disciple des premiers temps.

La rencontre de Paul et de Jacques à Jérusalem

17 A notre arrivée à Jérusalem, c'est avec plaisir que les frères[y] nous ont accueillis. 18 Le lendemain, Paul s'est rendu avec nous chez Jacques où tous les *anciens se trouvaient aussi[z]. 19 Les ayant salués, il leur racontait[a] en détail tout ce que, par son service, Dieu avait accompli chez les *païens. 20 Les auditeurs de Paul rendaient gloire à Dieu et lui dirent : « Tu peux voir, frère, combien de milliers de fidèles il y a parmi les *Juifs, et tous sont d'ardents partisans de la *Loi[b]. 21 Or ils sont au courant de bruits qui courent à ton sujet : ton enseignement pousserait tous les Juifs qui vivent parmi les païens à abandonner Moïse ; tu leur dirais de ne plus *circoncire leurs enfants et de ne plus suivre les règles[c]. 22 Que faire ? Ils vont sans aucun doute apprendre

q* *21.8 *Césarée :* ville de la côte de Judée, où résidaient les gouverneurs romains. — *Philippe, l'un des Sept* 6.5 ; 8.5+. — *Evangéliste* Ep 4.11 ; 2 Tm 4.5. ***r 21.9*** Jl 3.1 ; Ac 2.17 ; 1 Co 11.5 ; voir 14.33 ; 1 Tm 2.11-12 ; voir Ac 11.27+. ***s 21.10*** *le prophète Agabus* 11.28. ***t 21.11*** 20.23 ; 21.10-12 ; voir Jn 21.18. ***u 21.12*** *les frères* 1.15+. — tentative de détourner Paul de son projet, voir Mt 16.22. ***v 21.13*** *Paul prêt à mourir pour Jésus* 20.24. — *le nom* 3.16+. ***w 21.14*** Lc 22.42 par. ***x 21.16*** *les disciples* 6.1+. — *Césarée* 23.23+. ***y 21.17*** *les frères* 1.15+. ***z 21.18*** visite aux responsables de l'Eglise de Jérusalem 15.2. — *Jacques :* comme en 12.17 et 15.13, il s'agit de *Jacques, le frère du Seigneur.* — *les anciens* 11.30+. ***a 21.19*** Paul raconte... 14.27 ; 15.3-4, 12. ***b 21.20*** *milliers de fidèles parmi les Juifs* 5.14 ; 6.7 ; voir 2.41+. — *ardents partisans de la Loi* 15.1,5. ***c 21.21*** Paul accusé de s'opposer au respect de la loi mosaïque 18.13 ; 21.28 ; 28.17 ; voir 6.11-14 ; 15.1, 5. — Paul et la circoncision Ac 16.3 ; Ga 2.3. — l'enseignement de Paul Rm 2.25-29 ; 3.21-26 ; 10.4 ; Ga 3.22.

que tu es là. 23 Fais donc ce que nous allons te dire. Nous avons
quatre hommes qui sont tenus par un vœu[d]. 24 Prends-les avec toi,
accomplis la *purification en même temps qu'eux et charge-toi de
leurs dépenses. Ils pourront ainsi se faire raser la tête et tout le
monde comprendra que les bruits qui courent à ton sujet ne signifient
rien, mais que tu te conformes, toi aussi, à l'observance de la Loi.
25 Quant aux païens qui sont devenus croyants, nous leur avons écrit
nos décisions: se garder de la viande de sacrifices païens, du sang, de
la viande étouffée, et de l'immoralité[e].» 26 Le jour suivant, Paul prit
donc ces hommes avec lui et, commençant la purification en même
temps qu'eux, il se rendit dans le *temple, pour indiquer la date à
laquelle, la purification achevée, l'offrande serait présentée pour
chacun d'eux[f].

L'arrestation de Paul au temple

27 Les sept jours allaient s'achever quand les *Juifs d'Asie, qui
l'avaient remarqué dans le *temple, soulevèrent toute la foule et mirent
la main sur lui. 28 Ils criaient: «Israélites, au secours! Le voilà,
l'homme qui combat notre peuple et la *Loi et ce Lieu, dans l'ensei-
gnement qu'il porte partout et à tous! Il a même amené des Grecs
dans le temple et il profane ainsi ce *saint Lieu[g].» 29 Ils avaient déjà vu
en effet Trophime d'Ephèse avec lui dans la ville et ils pensaient que
Paul l'avait introduit dans le temple. 30 La ville entière s'ameuta et le
peuple arriva en masse. On se saisit de Paul et on le traîna hors du
temple, dont les portes furent aussitôt fermées. 31 On cherchait à le
tuer quand cette nouvelle parvint au tribun de la cohorte[h]: «Tout Jéru-
salem est sens dessus dessous!» 32 Il rassembla immédiatement soldats
et centurions[i] et fit charger la foule: à la vue du tribun et des soldats,
on cessa de frapper Paul. 33 S'approchant, le tribun se saisit alors de lui
et donna l'ordre de le lier avec deux chaînes[j]; puis il voulut savoir qui
il était et ce qu'il avait fait. 34 Mais, dans la foule, chacun criait autre
chose que son voisin et, comme le tribun, à cause de ce tumulte, ne
pouvait obtenir aucun renseignement certain, il donna l'ordre

d 21.23-24 Nb 6.5, 13-18 ; Ac 18.18 et note. ***e 21.25*** 15.19-20, 28-29 et les notes. ***f 21.26*** Paul se soumet à la loi sur les vœux 1 Co 9.20. — loi sur les vœux 21.23-24+. ***g 21.28*** accusé de s'opposer à la Loi de Moïse 21.21+. — *ce Lieu :* on utilisait parfois cette tournure pour parler du temple de Jérusalem sans avoir à le nommer. Voir Jn 11.48 ; Ac 6.13 et la note. — des Grecs dans le temple Ez 44.7. ***h 21.31*** *tribun :* officier de l'armée romaine commandant une garnison de troupes d'occupation. — *cohorte :* voir Mc 15.16 et la note. ***i 21.32*** *centurion :* voir Mc 15.39 et la note. ***j 21.33*** Paul ligoté : voir 20.23 ; 21.11.

d'emmener Paul dans la forteresse[k]. 35 Quand ce dernier fut sur les
marches de l'escalier, les soldats durent le porter à cause de la vio-
lence de la foule, 36 car le peuple tout entier le suivait en criant: «A
mort[l]!»

Plaidoyer de Paul devant les Juifs

37 Au moment où on allait le faire entrer dans la forteresse, Paul dit
au tribun: «Pourrais-je te dire un mot?» — «Tu sais le grec? lui
répondit-il. 38 Ce n'est donc pas toi l'Egyptien qui, ces derniers temps,
a soulevé et emmené au désert quatre mille sicaires[m]?» — 39 «Moi?
reprit Paul, je suis *Juif, de Tarse en Cilicie[n], citoyen d'une ville qui
n'est pas sans renom. Je t'en prie, autorise-moi à parler au peuple.»
40 L'autorisation accordée, Paul, debout sur les marches, fit signe de la
main au peuple. Un grand silence s'établit et il leur adressa la parole
en langue hébraïque[o]:

22 1 «Frères et pères[p], écoutez donc la défense que j'ai mainte-
nant à vous présenter.» 2 Le calme s'accrut encore quand ils
entendirent que Paul s'adressait à eux en langue hébraïque. 3 «Je suis
Juif, né à Tarse en Cilicie, mais c'est ici, dans cette ville, que j'ai été
élevé et que j'ai reçu aux pieds de Gamaliel une formation strictement
conforme à la *Loi de nos pères. J'étais un partisan farouche de Dieu,
comme vous l'êtes tous aujourd'hui[q], 4 et, persécutant à mort cette
Voie[r], j'ai fait enchaîner et jeter en prison des hommes et des femmes.
5 Le *Grand Prêtre et tout le collège des *anciens peuvent en témoi-
gner: c'est d'eux en effet que j'avais reçu des lettres pour nos frères
lorsque je me suis rendu à Damas avec mission d'enchaîner et
d'amener à Jérusalem, pour les faire punir, ceux qui étaient là-bas.

6 «[s]Je poursuivais donc ma route et j'approchais de Damas quand
soudain, vers midi, une grande lumière venue du ciel m'enveloppe de
son éclat. 7 Je tombe à terre et j'entends une voix me dire: "Saoul,
Saoul[t], pourquoi me persécuter?" 8 Je réponds: "Qui es-tu, Sei-

k* *21.34 *la forteresse* Antonia, qui avait été construite par Hérode le Grand à l'angle nord-ouest de la terrasse du temple, servait de caserne aux troupes romaines. ***l 21.36*** Lc 23.18 ; Jn 19.15 ; Ac 22.22. ***m 21.38*** chef de bande en révolte 5.36-37. — *sicaires* (hommes au poignard) : des extrémistes en révolte contre les Romains. ***n 21.39*** 9.11 ; 22.3. ***o 21.40*** *signe de la main* 12.17 ; 13.16 ; 19.33. — *en langue hébraïque* 26.14. ***p 22.1*** *Frères et pères* 7.2. ***q 22.3*** *Juif, né à Tarse* 21.39. — *aux pieds de :* situation de l'élève assis par terre et recevant l'enseignement du maître. Voir Lc 10.39. *Gamaliel :* célèbre maître juif ; voir Ac 5.34. — *partisan farouche* Rm 10.2. ***r 22.4*** *Paul persécuteur* 8.3 ; 9.1-2, 14 ; 22.19 ; 26.9-11. — *la Voie* 9.2+. ***s 22.6-21*** 9.3-19 ; 26.12-18. ***t 22.7*** Voir 9.4 et la note.

gneur?" La voix reprend: "Je suis Jésus le Nazôréen[u], c'est moi que tu
persécutes." [9] Mes compagnons avaient bien vu la lumière mais ils
n'avaient pas entendu la voix qui me parlait. [10] Je demande: "Que
dois-je faire, Seigneur?" Et le Seigneur me répond: "Relève-toi, va à
Damas, et là on t'indiquera dans le détail la tâche qui t'est assignée."
[11] Mais, comme l'éclat de cette lumière m'avait ôté la vue, c'est con-
duit par la main de mes compagnons que j'arrive à Damas.

[12] «Il y avait là un certain Ananias; c'était un homme pieux, fidèle à
la Loi, dont la réputation était bonne auprès de tous les Juifs qui habi-
taient là. [13] Il vient me trouver et me dit alors: "Saoul, mon frère,
retrouve la vue!" Et, à l'instant même, je la retrouve et je le vois. [14] Il
me dit: "Le Dieu de nos pères t'a destiné à connaître sa volonté, à voir
le Juste[v] et à entendre sa propre voix. [15] Tu dois en effet être témoin[w]
pour lui, devant tous les hommes, de ce que tu auras vu et entendu.
[16] Pourquoi donc hésiterais-tu? Allons! Reçois le baptême et la purifi-
cation de tes péchés en invoquant son *nom[x]."

[17] «De retour à Jérusalem, un jour que j'étais en prière dans le
*temple, il m'est arrivé de tomber en extase; [18] je vois le Seigneur qui
me disait: "Vite, quitte Jérusalem sans tarder, car ils n'accueilleront
pas le témoignage que tu me rendras[y]." [19] Je réponds: "Mais, Sei-
gneur, ils savent bien que c'est moi qui allais dans les *synagogues
pour faire mettre en prison et battre de verges ceux qui croient en toi[z].
[20] Et lorsque le sang d'Etienne, ton témoin, a été répandu, moi aussi
j'étais là[a], j'approuvais ses meurtriers et je gardais leurs vêtements."
[21] Mais il me dit: "Va, c'est au loin, vers les nations *païennes, que je
vais, moi, t'envoyer[b]."»

[22] Les Juifs qui avaient écouté Paul jusqu'à ces mots se mirent alors à
pousser des cris: «Qu'on débarrasse la terre d'un tel individu! Il ne
doit pas rester vivant[c]!» [23] Comme ils vociféraient, jetaient leurs man-
teaux et lançaient en l'air de la poussière, [24] le tribun donna l'ordre de
faire entrer Paul dans la forteresse et de lui appliquer la question par le
fouet, pour découvrir le motif de ces cris qu'on poussait contre lui.
[25] On allait étendre Paul pour le fouetter[d] quand il dit au centurion de

u 22.8 Voir Mt 26.71 et la note. ***v 22.14*** Voir 3.14 et la note. ***w 22.15*** *témoin* 1.8+. ***x 22.16*** *le baptême* 1.5+. — *en invoquant son nom* Jl 3.5 ; Ac 2.21 ; 9.14 ; Rm 10.13 ; voir Ac 3.16+. ***y 22.18*** voir 9.24-30. ***z 22.19*** voir 8.3 ; 22.4-5 ; 26.9-11 ; 1 Co 15.9 ; Ga 1.13, 23 ; Ph 3.6 ; 1 Tm 1.13. ***a 22.20*** *Paul présent au meurtre d'Etienne* 7.58 ; 8.1. — *ton témoin* 1.8+. ***b 22.21*** 9.15 ; 13.46-47 ; 22.15 ; 26.17-18 ; Ga 1.15-16 ; 2.7-9 ; Col 1.25 ; voir Ac 14.4+ ; 1 Co 9.1 ; Ga 1.17. ***c 22.22*** cris hostiles contre Paul 21.36. ***d 22.25*** Ou *on allait l'attacher avec des courroies.* — le privilège des citoyens romains 16.37 ; 23.27.

service: «Un citoyen romain, qui n'a même pas été jugé, avez-vous le
droit de lui appliquer le fouet?» 26 A ces mots, le centurion alla mettre
le tribun au courant: «Qu'allais-tu faire! L'homme est citoyen
romain!» 27 Le tribun revint donc demander à Paul: «Dis-moi, tu es
vraiment citoyen romain?» — «Oui», dit Paul. 28 Le tribun reprit:
«Moi, j'ai dû payer la forte somme pour acquérir ce droit.» — «Et
moi, dit Paul, je le tiens de naissance.» 29 Ceux qui allaient le mettre à
la question le laissèrent donc immédiatement; quant au tribun, il avait
pris peur[e] en découvrant que c'était un citoyen romain qu'il gardait
enchaîné.

Paul devant le Sanhédrin

30 Le lendemain, décidé à savoir avec certitude ce dont les *Juifs
accusaient Paul, il lui fit enlever ses chaînes; puis il ordonna une réu-
nion des *grands prêtres avec tout le *Sanhédrin et fit descendre Paul
pour comparaître devant eux.

23 1 Les yeux fixés sur le Sanhédrin, Paul déclara: «Frères, c'est
avec une conscience sans aucun reproche[f] que je me suis con-
duit envers Dieu jusqu'à ce jour.» 2 Mais le Grand Prêtre Ananias
ordonna à ses assistants de le frapper sur la bouche[g]. 3 Paul lui dit
alors: «C'est toi que Dieu va frapper, muraille blanchie[h]! Tu sièges
pour me juger selon la *Loi et, au mépris de la Loi, tu ordonnes qu'on
me frappe?» 4 Les assistants l'avertirent: «Tu insultes le Grand Prêtre
de Dieu!» — 5 «Je ne savais pas, frères, répondit Paul, que c'était le
Grand Prêtre; il est écrit en effet: *Tu n'insulteras pas le chef de ton
peuple*[i].»

6 Sachant que l'assemblée était en partie *sadducéenne et en partie
*pharisienne, Paul s'écria au milieu du Sanhédrin: «Frères, je suis
Pharisien, fils de Pharisiens; c'est pour notre espérance, la résurrec-
tion des morts, que je suis mis en jugement[j].» 7 Cette déclaration était
à peine achevée qu'un conflit s'éleva entre Pharisiens et Sadducéens
et l'assemblée se divisa. 8 Les Sadducéens soutiennent en effet qu'il
n'y a ni résurrection, ni *ange, ni esprit, tandis que les Pharisiens en
professent la réalité. 9 Ce fut un beau tapage. Certains scribes du
groupe pharisien intervinrent et protestèrent énergiquement: «Nous
ne trouvons rien à reprocher à cet homme[k]. Et si un esprit lui avait

e 22.29 16.38. ***f 23.1*** 24.16. ***g 23.2*** *Ananias* fut Grand Prêtre de l'année 47 à l'année 59. Voir 24.1. — frappé en plein tribunal Jn 18.22-23. ***h 23.3*** *muraille blanchie* Ez 13.10-15. ***i 23.5*** Ex 22.27. ***j 23.6*** les Sadducéens et la résurrection Mt 22.23 ; Ac 4.1-2 ; 23.8. — *Paul Pharisien* 26.5 ; Ph 3.5. — *pour l'espérance de la résurrection* Ac 24.15, 21 ; 26.6-8 ; 28.20. ***k 23.9*** Lc 23.4, 14,22 ; Jn 18.38 ; 19.4-6 ; Ac 25.25.

parlé? ou bien un ange?» [10] Comme le conflit s'aggravait, le tribun, par crainte de les voir mettre Paul en pièces, donna l'ordre à la troupe de descendre le tirer du milieu d'eux et de le ramener dans la forteresse.

[11] La nuit suivante, le Seigneur se présenta à Paul et lui dit: «Courage! Tu viens de rendre témoignage à ma cause à Jérusalem, il faut qu'à Rome aussi tu témoignes de même[l].»

Complot des Juifs contre Paul

[12] Le jour venu, les *Juifs formèrent un complot et s'engagèrent par serment à ne rien manger ni boire avant d'avoir tué Paul. [13] Plus de quarante personnes participaient à cette conjuration. [14] Ils allèrent trouver les *grands prêtres et les *anciens et leur dirent[m]: «Nous nous sommes engagés par un serment solennel à ne rien prendre avant d'avoir tué Paul. [15] Alors, de votre côté, avec l'accord du *Sanhédrin, proposez donc au tribun de vous l'amener, sous prétexte d'examiner son cas de plus près; quant à nous, nos dispositions sont prises pour le supprimer avant son arrivée.» [16] Mais le fils de la sœur de Paul eut vent du guet-apens; il se rendit à la forteresse, y entra et prévint Paul.
[17] Appelant un des centurions, Paul lui dit: «Conduis ce jeune homme au tribun; il a quelque chose à lui communiquer.» [18] Le centurion le prit donc et l'amena au tribun: «Le prisonnier Paul, dit-il, m'a appelé et m'a demandé de t'amener ce jeune homme; il a quelque chose à te dire.» [19] Le tribun le prit par la main, se retira à l'écart, et s'informa: «Qu'as-tu à me communiquer?» — [20] «Les Juifs, répondit le jeune homme, ont convenu de te demander d'amener Paul demain devant le Sanhédrin, sous prétexte d'une enquête plus précise sur son cas.
[21] Surtout, ne te laisse pas prendre: ils vont être plus de quarante à lui tendre une embuscade; ils se sont engagés par serment à ne rien manger ni boire avant de l'avoir supprimé; leurs dispositions sont déjà prises, ils n'attendent que ton accord.» [22] Le tribun congédia le jeune homme: «Ne raconte à personne, lui recommanda-t-il, que tu m'as dévoilé ce complot.»

Transfert de Paul à Césarée

[23] Il appela alors deux des centurions et leur dit: «Tenez prêts à partir pour Césarée[n], dès neuf heures du soir, deux cents soldats,

l ***23.11*** le Seigneur encourage Paul 18.9. — *à Jérusalem*, puis *à Rome* 19.21 ; 27.24 ; 28.16, 23. ***m 23.14-15*** complot contre Paul Ac 25.3. ***n 23.23*** 8.40 ; 9.20 ; 10.1 ; 11.11 ; 12.19 ; 21.8, 16 ; 23.33 ; 25.4.

soixante-dix cavaliers et deux cents auxiliaires. 24 Qu'on prépare aussi
des montures pour conduire Paul sain et sauf au gouverneur Félix[o].»
25 Il écrivit une lettre, dont voici le contenu: 26 «Claudius Lysias, à son
Excellence le gouverneur Félix, salut! 27 Les *Juifs s'étaient emparés
de l'homme que je t'envoie et ils allaient le supprimer, quand je suis
intervenu avec la troupe pour le leur soustraire, car je venais
d'apprendre qu'il était citoyen romain[p]. 28 Comme j'étais décidé à
savoir de quoi ils l'accusaient, je l'ai fait comparaître devant leur *San-
hédrin[q]. 29 J'ai constaté que l'accusation portait sur des discussions
relatives à leur *loi, mais sans aucune charge qui méritât la mort ou les
chaînes[r]. 30 Informé qu'on préparait un attentat contre cet homme, je
te l'envoie tout en signifiant aux accusateurs d'avoir à porter plainte
contre lui devant toi[s].»
31 Exécutant l'ordre qu'ils avaient reçu, les soldats emmenèrent Paul
et le conduisirent de nuit à Antipatris. 32 Le lendemain, laissant les
cavaliers continuer avec lui, ils revinrent à la forteresse[t]. 33 Dès leur
arrivée à Césarée, les cavaliers remirent la lettre au gouverneur et lui
présentèrent aussi Paul. 34 Le gouverneur lut la lettre et demanda de
quelle province Paul était originaire. Informé que c'était de Cilicie[u]:
35 «Je t'entendrai, dit-il, quand tes accusateurs aussi seront là.» Il
donna l'ordre de le garder dans le *prétoire d'Hérode[v].

Le réquisitoire de Tertullus

24 1 Cinq jours plus tard, le *Grand Prêtre Ananias descendit avec
des *anciens et un certain Tertullus, avocat; ils portèrent
plainte contre Paul devant le gouverneur[w]. 2 Ce dernier fut convoqué
et Tertullus commença son réquisitoire en ces termes: «Grâce à toi et
aux réformes que tu as eu soin d'opérer en faveur de ce peuple, nous
jouissons d'une paix complète. 3 Toujours et partout, excellent Félix,
c'est avec une vive reconnaissance que nous accueillons ces bienfaits.
4 Pour ne pas trop t'importuner, l'exposé sera bref, auquel je te prie

o 23.24 *Antonius Felix* fut gouverneur de Judée entre les années 52 et 59 (ou 60) ; voir 24.24. **p 23.27** intervention de l'officier romain 21.30-33. — Paul *citoyen romain* 22.27. **q 23.28** 22.30. **r 23.29** pas de délit mais une querelle religieuse 18.14-15 ; 25.18-19 ; 26.31-32 ; voir 23.6. — *aucune charge qui mérite la mort* 23.9 ; 26.31 ; 28.18. **s 23.30** *je te l'envoie :* certains manuscrits lisent ici : *je te l'ai aussitôt envoyé.* Quelques manuscrits terminent la lettre par la formule traditionnelle : *salut !* — *les accusateurs doivent porter plainte* selon les règles 24.5-8 ; 25.5. **t 23.32** *la forteresse* 21.34. **u 23.34** *Paul originaire de Cilicie* 22.3 **v 23.35** Palais construit à Césarée par Hérode le Grand et choisi comme résidence par les gouverneurs romains. **w 24.1** *Ananias (Grand Prêtre)* 23.2. — *descendit :* on sous-entend *à Césarée* (voir 25.6-7). Jérusalem est en effet situé sur la hauteur et Césarée sur la côte. — *plainte contre Paul* 25.2.

d'accorder l'attention bienveillante que nous te connaissons. [5] Nous
avons découvert que cet homme était une peste, qu'il provoquait des
émeutes parmi tous les *Juifs du monde et que c'était un chef de file
de la secte des Nazôréens[x]. [6] Il a même tenté de profaner le *temple et
nous l'avons alors arrêté[y]. [7] [8] Tu pourras par toi-même, en l'interro-
geant, voir se confirmer tous les griefs que nous formulons contre lui.»
[9] Les Juifs appuyèrent ce réquisitoire, en déclarant qu'il était objectif.

La plaidoirie de Paul

[10] Sur un signe du gouverneur qui l'invitait à parler, Paul répliqua:
«Je sais que tu assures la justice à notre nation depuis de longues
années: c'est donc avec confiance que je vais défendre ma cause. [11] Tu
peux le vérifier: il n'y a pas plus de douze jours que je suis monté à
Jérusalem pour adorer[z]. [12] Et ni dans le *temple, ni dans les *synago-
gues, ni dans la ville personne ne m'a découvert en train de discuter
avec quelqu'un ou d'ameuter la foule. [13] Ces gens sont donc bien inca-
pables de prouver les accusations qu'ils portent actuellement contre
moi. [14] Voici ce que je reconnais: je suis au service du Dieu de nos
pères selon la Voie qu'eux qualifient de secte; je crois tout ce qui est
écrit dans la *Loi et les *Prophètes[a]; [15] j'ai cette espérance en Dieu —
et eux aussi la partagent — qu'il y aura une résurrection des justes et
des injustes[b]. [16] C'est pourquoi je m'efforce, moi aussi, de garder sans
cesse une conscience irréprochable devant Dieu[c] et devant les
hommes. [17] Après de longues années, j'étais revenu apporter des
aumônes à mon peuple ainsi que des offrandes[d]. [18] C'est alors que l'on
m'a découvert dans le temple au terme de ma *purification: il n'y
avait ni attroupement ni tumulte[e]; [19] mais certains *Juifs d'Asie... Ce
sont eux qui auraient dû se présenter devant toi pour m'accuser, si
toutefois ils avaient eu quelque chose à me reprocher! [20] Ou alors

x 24.5 *Paul accusé d'être fauteur de troubles* 17.6. — *secte* 5.17 ; 15.5 ; 24.14 *des Nazôréens* 2.22+. — Le titre de *Nazôréen* est habituellement donné à Jésus ; il sert ici à désigner ses disciples. Voir Mt 26.71 et la note. — Le mot traduit par *secte* signifie aussi *parti* (voir Ac 5.17 ; 15.5). **y 24.6** Certains manuscrits ajoutent ici : *et nous voulions le juger selon notre loi. [7] Etant intervenu, le tribun Lysias l'a enlevé de nos mains avec beaucoup de violence [8] et a ordonné à ses accusateurs de se présenter devant toi. En l'interrogeant...* — prétendue tentative de profaner le temple 21.28. — arrestation de Paul par les autorités juives 21.30. **z 24.11** Paul n'est à Jérusalem que depuis peu 21.17, 27 ; 21.18 ; 22.30 ; 23.12, 32. — *monté à Jérusalem pour adorer* 8.27. **a 24.14** *la Voie :* Voir 9.2 et la note. — *secte :* voir 24.5 et la note. — *la Loi et les Prophètes* Rm 3.21 et la note sur Rm 3.19 ; Ac 26.22 ; voir Mt 7.12+. **b 24.15** Dn 12.2 ; Jn 5.28-29 ; Ac 23.6. **c 24.16** 23.1. **d 24.17** Paul *apportait des aumônes* 11.29-30 ; Rm 15.25-28 ; 1 Co 16.1-4 ; 2 Co 8—9 ; Ga 2.10 ; *et des offrandes* Ac 21.24, 26 **e 24.18** 21.26-27.

qu'ils disent, ceux que voici, quel délit ils ont découvert quand j'ai comparu devant le *Sanhédrin. 21 Serait-ce cette seule phrase que j'ai criée debout au milieu d'eux: "C'est pour la résurrection des morts que je passe aujourd'hui en jugement devant vous[f]"?»

22 Parfaitement au courant de ce qui concernait la Voie[g], Félix les ajourna: «Je jugerai votre affaire, dit-il, quand le tribun Lysias sera descendu ici.» 23 Il donna l'ordre au centurion de garder Paul en prison avec un régime libéral, sans empêcher aucun des siens de s'occuper de lui[h].

Paul en prison

24 Quelques jours plus tard, Félix se trouvait en compagnie de Drusille[i], sa femme, qui était *Juive. Il fit convoquer Paul et l'écouta parler de la foi au Christ Jésus. 25 Mais, comme l'entretien s'orientait vers la justice, la maîtrise des instincts et le jugement à venir[j], Félix fut pris d'inquiétude: «Pour le moment, dit-il, retire-toi. Je te rappellerai à la prochaine occasion.» 26 Il n'en espérait pas moins que Paul lui donnerait de l'argent; aussi le faisait-il venir, et même assez fréquemment, pour le rencontrer. 27 Au bout de deux ans, Félix eut pour successeur Porcius Festus et, comme il voulait être agréable aux Juifs[k], il laissa Paul en prison.

Paul devant Festus: appel à l'empereur

25 1 Or, trois jours après son arrivée dans sa province, Festus monta de Césarée à Jérusalem. 2 Les *grands prêtres et les notables juifs se présentèrent à lui pour porter plainte contre Paul[l]. Avec insistance, 3 ils lui demandèrent insidieusement, comme une faveur, le transfert de Paul à Jérusalem: ils voulaient en réalité tendre une embuscade pour le tuer en chemin[m]. 4 Mais Festus répondit que le lieu de détention de Paul était Césarée et que, de toute façon, lui-même allait repartir incessamment. 5 «Que ceux d'entre vous qui sont qualifiés, ajouta-t-il, se joignent donc à moi pour descendre à Césarée, et, s'il y a quelque chose d'irrégulier dans le cas de cet homme, qu'ils portent plainte contre lui[n]!»

***f* 24.21** 23.6-9 ; 24.15 ; 25.19. ***g* 24.22** *la Voie* 9.2+. ***h* 24.23** 27.3 ; 28.16, 30. ***i* 24.24** Fille cadette du roi Hérode Agrippa (voir 12.1), *Drusille* avait été enlevée par Félix à son premier mari, le roi d'Emèse. ***j* 24.25** *la justice... et le jugement* Jn 16.8. ***k* 24.27** *Porcius Festus* devint gouverneur de Judée vers l'année 59 ou 60. — *pour être agréable aux Juifs* 25.9. ***l* 25.2** 23.30 ; 24.1 ; 25.15. ***m* 25.3** 23.12-22. ***n* 25.5** complot déjoué 23.30. — *descendre à Césarée :* voir 24.1 et la note.

6 Festus ne resta pas chez eux plus de huit ou dix jours. Une fois des-
cendu à Césarée, il prit place dès le lendemain au tribunal et donna
l'ordre d'amener Paul. 7 Quand celui-ci fut là, les *Juifs descendus de
Jérusalem, en cercle autour de lui, l'accablèrent d'accusations nom-
breuses et graves, mais ils étaient incapables de les justifier[o]. 8 Paul
maintenait sa défense: «Je n'ai commis de délit, disait-il, ni contre la
*loi des Juifs, ni contre le *temple, ni contre l'empereur[p].» 9 Dans le
désir d'être agréable aux Juifs[q], Festus fit donc à Paul cette proposi-
tion: «Acceptes-tu de monter à Jérusalem pour que ton affaire y soit
jugée en ma présence?» 10 Mais Paul répliqua: «Je suis devant le tri-
bunal de l'empereur, c'est donc là que je dois être jugé. Les Juifs, je ne
leur ai fait aucun tort, comme tu t'en rends toi-même parfaitement
compte. 11 Si vraiment je suis coupable, si j'ai commis quelque crime
qui mérite la mort, je ne prétends par me soustraire à la mort. Mais, si
les accusations dont ces gens me chargent se réduisent à rien, per-
sonne n'a le droit de me livrer à leur merci. J'en appelle à l'empe-
reur[r].» 12 Festus prit alors l'avis de son conseil et répondit: «Tu en
appelles à l'empereur: tu iras devant l'empereur.»

Paul devant Agrippa et Bérénice

13 Quelques jours s'étaient écoulés quand le roi *Agrippa[s] et Béré-
nice arrivèrent à Césarée et rendirent visite à Festus. 14 Et, comme ils
passaient là un certain temps, Festus informa le roi de l'affaire de
Paul: «Il y a ici, dit-il, un homme que Félix a laissé en prison[t]. 15 Lors
de mon séjour à Jérusalem, les *grands prêtres et les *anciens des
*Juifs sont venus déposer une plainte contre lui[u] et ils réclamaient sa
condamnation. 16 Je leur ai répondu qu'il n'était pas de règle chez les
Romains de livrer un prévenu sans l'avoir d'abord confronté avec ses
accusateurs et lui avoir permis de se défendre contre leurs griefs. 17 Ils
se sont donc retrouvés ici et, sans m'accorder le moindre délai, le len-
demain même, j'ai pris place au tribunal et donné l'ordre d'amener cet
homme[v]. 18 Une fois réunis autour de lui, les accusateurs n'ont avancé
aucune des charges graves que j'aurais pu supposer. 19 Ils avaient seu-
lement avec lui je ne sais quelles querelles relatives à la religion qui

o 25.7 *accusations nombreuses et graves* 24.5-6 *mais injustifiées* 24.13 ; voir Mc 14.55-59 ; Lc 23.14-15. ***p 25.8*** *contre la loi juive* 6.11, 13 ; 18.13, 15 ; 21.21, 28 ; 23.29. — *contre le temple* 6.13+. — contre la loi romaine 16.21 ; 17.7 ; 18.13 ; 24.5. ***q 25.9*** 24.27. ***r 25.11*** C'est-à-dire : je demande à être jugé par l'empereur (à Rome). ***s 25.13*** C'est le roi *Agrippa II,* fils de celui dont il est question en Ac 12. *Drusille* (24.24) et *Bérénice* sont ses sœurs. ***t 25.14*** *laissé en prison* 24.27. ***u 25.15*** 25.1-2. ***v 25.17*** 25.6.

leur est propre et en particulier à un certain Jésus qui est mort, mais
que Paul prétendait toujours en vie[w]. 20 Ne voyant pas quelle suite
donner à l'instruction d'une telle cause, je lui ai alors proposé d'aller à
Jérusalem pour que son affaire y soit jugée[x]. 21 Mais Paul s'est pourvu
en appel pour réserver son cas à la juridiction de Sa Majesté[y] et j'ai
donc donné l'ordre de le garder en prison jusqu'à son transfert devant
l'empereur.» 22 Agrippa dit alors à Festus: «Je voudrais bien entendre
cet homme à mon tour[z].» — «Dès demain, tu l'entendras», lui fut-il
répondu.

23 Le lendemain, Agrippa et Bérénice arrivèrent donc en grande
pompe et firent leur entrée dans la salle d'audience, accompagnés
d'officiers supérieurs et de notables de la ville[a]. Sur un ordre de
Festus, on amena Paul 24 et Festus prit la parole: «Roi Agrippa et vous
tous qui êtes avec nous, vous voyez cet homme. La population juive
tout entière est venue me trouver à son sujet, à Jérusalem et jusqu'ici,
en criant qu'il ne fallait plus lui laisser la vie[b]. 25 Pour ma part, je n'ai
rien relevé dans ses actes qui mérite la mort[c]; mais, puisqu'il en a
appelé à Sa Majesté, j'ai décidé de le lui envoyer. 26 Comme je ne dis-
pose d'aucune donnée sûre pour écrire au souverain sur son compte,
je l'ai fait comparaître devant vous, devant toi surtout, roi Agrippa,
afin d'être en mesure de lui écrire, à la suite de cette audience. 27 Il
serait absurde en effet, me semble-t-il, d'envoyer un prisonnier sans
même spécifier les charges qui pèsent sur lui.»

Discours de Paul devant Agrippa

26 1 *Agrippa dit à Paul: «Il t'est permis de plaider ta cause.»
Paul étendit alors la main[d] et présenta sa défense: 2 «De
toutes les accusations que font peser sur moi les *Juifs, je m'estime
d'autant plus heureux, roi Agrippa, d'avoir aujourd'hui à me justifier
devant toi 3 que tu es au fait de toutes les coutumes des Juifs et de
toutes leurs controverses. Je te prie donc de m'écouter avec bienveil-
lance.

4 «La période de ma vie que, dès ma prime jeunesse[e], j'ai passée au
sein de ma nation, à Jérusalem, tous les Juifs la connaissent. 5 Ils savent
de longue date et peuvent témoigner, si toutefois ils le veulent, que j'ai

w 25.18-19 18.14-15 ; 23.29 ; voir 26.31-32. ***x 25.20*** 25.9. ***y 25.21*** C'est-à-dire l'empereur romain (à l'époque : Néron, 54-68). — appel au jugement de l'empereur 25.11-12. ***z 25.22*** Lc 23.8. ***a 25.23*** Mt 10.18 ; Mc 13.9 ; Lc 21.12. ***b 25.24*** assailli de plaintes contre Paul 25.11-12. — cris de mort contre Paul 22.22. ***c 25.25*** 25.1-12, 14-21 ; 23.29 ; voir Lc 23.4, 14, 22 ; Ac 13.28. ***d 26.1*** 13.16 ; 21.40. ***e 26.4*** 22.3.

vécu selon la tendance la plus stricte de notre religion, en *Pharisien[f]. 6 Et aujourd'hui, si je suis traduit en justice, c'est pour l'espérance en la promesse que Dieu a faite à nos pères[g], 7 et que nos douze tribus, en assurant le culte de Dieu nuit et jour, sans relâche, espèrent voir aboutir; c'est pour cette espérance, ô roi, que je suis mis en accusation par les Juifs. 8 Pourquoi juge-t-on incroyable parmi vous que Dieu ressuscite les morts?

9 «Pour ma part[h], j'avais donc vraiment cru devoir combattre par tous les moyens le *nom de Jésus le Nazôréen[i]. 10 Et c'est ce que j'ai fait à Jérusalem; j'ai en personne incarcéré un grand nombre des *saints en vertu du pouvoir que je tenais des *grands prêtres et j'ai apporté mon suffrage quand on les mettait à mort[j]. 11 Parcourant toutes les *synagogues, je multipliais mes sévices à leur égard, pour les forcer à *blasphémer et, au comble de ma rage, je les poursuivais jusque dans les villes étrangères.

12 «C'est ainsi que je me rendais un jour à Damas avec pleins pouvoirs et mandat spécial des grands prêtres. 13 J'étais en chemin, ô roi, lorsque vers midi je vois venir du ciel, plus resplendissante que le soleil, une lumière qui m'enveloppe de son éclat ainsi que mes compagnons de route. 14 Nous tombons tous à terre et j'entends une voix me dire en langue hébraïque: "Saoul, Saoul[k], pourquoi me persécuter? Il t'est dur de te rebiffer contre l'aiguillon!" 15 Je réponds: "Qui es-tu, Seigneur?" Le Seigneur reprend: "Je suis Jésus, c'est moi que tu persécutes. 16 Mais relève-toi, debout sur tes pieds! Voici pourquoi en effet je te suis apparu: je t'ai destiné à être serviteur et témoin de la vision où tu viens de me voir, ainsi que des visions où je t'apparaîtrai encore[l]. 17 Je te délivre déjà du peuple et des nations *païennes vers qui je t'envoie[m] 18 pour leur ouvrir les yeux, les détourner des ténèbres vers la lumière, de l'empire de *Satan vers Dieu, afin qu'ils reçoivent le pardon des péchés et une part d'héritage avec les *sanctifiés, par la foi en moi[n]."

19 «Dès lors, roi Agrippa, je n'ai pas résisté à cette vision céleste. 20 Bien au contraire, aux gens de Damas d'abord, et de Jérusalem, dans

f 26.5 23.6 ; Ph 3.5-6. ***g 26.6*** *pour l'espérance* 23.6 ; 24.15, 21 ; 28.20. — *promesse faite aux pères* 3.25-26. ***h 26.9-18*** récits de la vocation de Paul 9.1-18 ; 22.3-16, 19+. ***i 26.9*** Le *nom :* voir 3.16 et la note. — *le Nazôréen :* Voir Mt 26.71 et la note. ***j 26.10*** *saints* 9.13+ et la note sur Rm 1.7. — *...quand on les mettait à mort* Ac 8.1. ***k 26.14*** *en langue hébraïque* 21.40. — *Saoul* voir 9.4 et la note. ***l 26.16*** *debout sur tes pieds* Ez 2.1, 3. — *vision* Ac 18.9+. ***m 26.17*** *je te délivre... des nations païennes* 1 Ch 16. 35 *vers qui je t'envoie* Jr 1.5, 7-8, 10 ; Ac 13.47 ; 22.21 ; 28.25-28. ***n 26.18*** *leur ouvrir les yeux* Es 35.5 ; 42.6-7 ; 61.1 (grec). — *les détourner... vers la lumière* Es 42.16. — *de l'empire de Satan* Ep 2.2 ; Col 1.13. — *héritage avec les sanctifiés* Dt 33.3-5 ; *Sg* 5.5 ; Ac 20.32. — *foi en Jésus* 2.44 ; 13.39.

tout le territoire de la Judée, puis aux nations païennes, j'ai annoncé qu'ils avaient à se convertir et à se tourner vers Dieu, en vivant d'une manière qui réponde à cette conversion[o]. 21 C'est la raison pour laquelle des Juifs m'ont appréhendé, alors que je me trouvais dans le *temple, essayant d'en finir avec moi[p]. 22 Fort de la protection de Dieu, jusqu'à ce jour, je continue donc à rendre témoignage devant petits et grands; les prophètes et Moïse ont prédit[q] ce qui devait arriver et je ne dis rien de plus: 23 le *Christ a souffert et lui, le premier à ressusciter d'entre les morts, il doit annoncer la lumière au Peuple et aux nations païennes[r].»

24 Paul en était là de sa défense quand Festus intervint en haussant la voix: «Tu es fou, Paul! Avec tout ton savoir tu tournes à la folie!» 25 Mais Paul reprit: «Je ne suis pas fou, excellent Festus, je fais entendre le langage de la vérité et du bon sens. 26 Le roi, à qui je m'adresse en toute assurance, est assurément au courant de ces choses et j'ai toutes les raisons de le penser, rien ne lui en échappe; car ce n'est pas dans un coin perdu[s] que ces événements se sont passés. 27 Tu crois aux *prophètes, roi Agrippa? Je suis sûr que tu y crois.» 28 Agrippa dit alors à Paul: «Il te faut peu, d'après ton raisonnement, pour faire de moi un chrétien[t]!» — 29 «Affaire de peu, oui, mais grande affaire aussi, reprit Paul, et plaise à Dieu que non seulement toi mais aussi tous ceux qui m'écoutent aujourd'hui, vous deveniez exactement ce que je suis... sans les chaînes que je porte!»

30 Le roi se leva, ainsi que le gouverneur, Bérénice et ceux qui siégeaient avec eux. 31 En se retirant, ils eurent un entretien: «Cet homme, disaient-ils, ne fait rien qui mérite la mort ou les chaînes[u].» 32 Agrippa confia à Festus: «Cet homme aurait pu être relâché s'il n'en avait pas appelé à l'empereur[v].»

Embarquement pour Rome

27 1 Quand notre embarquement pour l'Italie a été décidé, on a remis Paul et d'autres prisonniers à un centurion nommé Julius, de la Cohorte Augusta[w]. 2 Nous sommes alors montés à bord

o 26.20 *aux gens de Damas d'abord* 9.19-20. — *en Judée* Ga 1.22. — *conversion* Ac 3.19+. — *vivre d'une manière qui réponde à la conversion* Mt 3.8 ; Lc 3.8. **p 26.21** 21.30-31. **q 26.22** Lc 24.44 ; Ac 3.18+ ; voir les notes sur Jn 5.46 et Rm 3.19. **r 26.23** Passion, résurrection, évangélisation Lc 24.46-47 ; Ac 3.13-15 ; 4.2. — *premier à ressusciter* 1 Co 15.20 ; Col 1.18. — *lumière pour le Peuple et les païens* Es 42.6 ; 49.6 ; Ac 13.47. **s 26.26** Jn 18.20. **t 26.28** Autre texte : *Tu vas me convaincre de devenir chrétien.* 11.18 ; voir 3.19+. **u 26.31** 23.29. **v 26.32** 25.11. **w 27.1** décision d'embarquement pour l'Italie 25.12. — récits à la première personne du pluriel 16.10+. — *centurion :* Voir Mc 15.39 et la note. — *cohorte :* Mc 15.16 et la note.

d'un bateau d'Adramyttium en partance pour les côtes d'Asie et nous
avons pris la mer. Il y avait avec nous Aristarque[x], un Macédonien de
Thessalonique. 3 Le lendemain, à l'occasion d'une escale à Sidon,
Julius, qui traitait Paul avec humanité, lui a permis d'aller trouver ses
amis et de profiter de leur accueil[y]. 4 De là, reprenant la mer, nous
avons fait route sous Chypre[z], car les vents nous étaient contraires.
5 Ce fut alors la traversée de la mer qui borde la Cilicie et la Pam-
phylie et nous avons débarqué à Myre, en Lycie. 6 Le centurion, trou-
vant là un bateau d'Alexandrie en route vers l'Italie, nous y a fait
embarquer. 7 Durant quelques jours notre navigation a été ralentie et
c'est à grand-peine que nous sommes arrivés à la hauteur de Cnide.
Comme le vent nous contrariait, nous sommes passés sous la Crète[a],
vers le cap Salmonè 8 et, après l'avoir doublé de justesse, nous
sommes arrivés à un endroit appelé «Beaux Ports», près de la ville de
Lasaïa.

9 Mais un certain temps s'était écoulé et il devenait désormais dan-
gereux de naviguer, puisque le Jeûne[b] était déjà passé. Paul a voulu
donner son avis: 10 «Mes amis, leur a-t-il dit, j'estime que la navigation
va entraîner des dommages et des pertes notables non seulement pour
la cargaison et le bateau, mais aussi pour nos personnes[c].» 11 Le centu-
rion néanmoins se fiait davantage au capitaine et au subrécargue[d]
qu'aux avertissements de Paul. 12 Comme le port, en outre, se prêtait
mal à l'hivernage, la majorité a été d'avis de reprendre la mer; on ver-
rait bien si l'on pouvait atteindre Phénix, un port de Crète, ouvert au
sud-ouest et au nord-ouest et y passer l'hiver.

La tempête

13 Une petite brise du sud s'était levée et ils se sont imaginé que ce
projet était réalisable; ayant donc levé l'ancre, ils ont tenté de border
la côte de Crète. 14 Mais presque aussitôt, venant de l'île, un vent
d'ouragan, qu'on appelle euraquilon[e], s'est abattu sur eux; 15 le bateau
fut emporté, incapable de remonter au vent, et, laissant porter, nous
allions à la dérive. 16 Filant sous le couvert d'une petite île appelée

x 27.2 *Adramyttium :* ville de la côte d'Asie Mineure, proche de Troas. — Pour *l' Asie* voir 16.6 et la note. — *Aristarque* 19.29+. ***y 27.3*** *Paul traité avec humanité* 27.43 ; 28.2 ; voir 10.1-2 ; 23.17. — *autorisation d'aller trouver ses amis* 24.23. ***z 27.4*** *sous Chypre,* c'est-à-dire à l'abri de la côte de Chypre. ***a 27.7*** Voir la note précédente. ***b 27.9*** *le Jeûne* Lv 16.29. — Il s'agit de la fête juive des Expiations, qui se célébrait en septembre. La navigation s'interrompait en principe de septembre à février. ***c 27.10*** dommages prévisibles pour le bateau 27.22. — dangers 1 Co 11.26. ***d 27.11*** Terme technique pour désigner le représentant du propriétaire du navire. ***e 27.14*** Vent de nord-est.

Cauda[f], nous avons pourtant réussi, de justesse, à maîtriser le canot.
17 Après l'avoir hissé à bord, on a eu recours aux moyens de fortune:
ceinturer le bateau de cordages et, par crainte d'aller échouer sur la
Syrte, filer l'ancre flottante[g]; et l'on a continué ainsi de dériver. 18 Le
lendemain, comme nous étions toujours violemment secoués par la
tempête, on jetait du fret 19 et, le troisième jour, de leurs propres mains
les matelots ont affalé le gréement. 20 Ni le soleil ni les étoiles ne se
montraient depuis plusieurs jours; la tempête, d'une violence peu
commune, demeurait dangereuse: tout espoir d'être sauvés nous
échappait désormais.

21 On n'avait plus rien mangé depuis longtemps quand Paul, debout
au milieu d'eux, leur a dit: «Vous voyez, mes amis, il aurait fallu suivre
mon conseil, ne pas quitter la Crète et faire ainsi l'économie de ces
dommages et de ces pertes. 22 Mais, à présent, je vous invite à garder
courage: car aucun d'entre vous n'y laissera la vie; seul le bateau sera
perdu[h]. 23 Cette nuit même en effet, un *ange du Dieu auquel j'appar-
tiens et que je sers s'est présenté à moi 24 et m'a dit: "Sois sans
crainte, Paul; il faut que tu comparaisses devant l'empereur et Dieu
t'accorde aussi la vie de tous tes compagnons de traversée[i]!"
25 Courage donc, mes amis! Je fais confiance à Dieu: il en sera comme
il m'a dit. 26 Nous devons échouer sur une île[j].»

Sauvés du naufrage

27 C'était la quatorzième nuit que nous dérivions sur l'Adriatique[k];
vers minuit, les marins ont pressenti l'approche d'une terre. 28 Jetant
alors la sonde, ils ont trouvé vingt brasses[l]; à quelque distance, ils
l'ont jetée encore une fois et en ont trouvé quinze. 29 Dans la crainte
que nous ne soyons peut-être drossés sur des récifs, ils ont alors
mouillé quatre ancres à l'arrière et souhaité vivement l'arrivée du jour.
30 Mais, comme les marins, sous prétexte de s'embosser sur les ancres
de l'avant, cherchaient à s'enfuir du bateau et mettaient le canot à la

f* *27.16 Autre texte : *Clauda.* ***g* *27.17*** On *ceinturait* un navire avec des cordages pour éviter qu'il ne se disloque dans la tempête. — *la Syrte :* grand golfe de la côte d'Afrique du Nord (Libye d'aujourd'hui). — L'*ancre flottante :* lourde pièce de bois remorquée par le bateau, et qui permettait à celui-ci de rester dans l'axe du vent. ***h* *27.22*** 27.10, 31. ***i* *27.24*** *sois sans crainte* 18.9. — *il faut* (le plan de Dieu) 2.23 ; 3.21. — Paul rassuré : il ira jusqu'à Rome 23.11. ***j* *27.26*** Ac 28.1. ***k* *27.27*** *Adriatique :* nom donné par les anciens à la mer qui sépare la Grèce et la Sicile. ***l* *27.28*** Voir au glossaire POIDS ET MESURES.

mer, 31 Paul a dit au centurion et aux soldats: «Si ces hommes ne res-
tent pas à bord, vous, vous ne pourrez pas être sauvés[m].» 32 Les soldats
ont alors coupé les filins du canot et l'ont laissé partir.

33 En attendant le jour, Paul a engagé tout le monde à prendre de la
nourriture: «C'est aujourd'hui le quatorzième jour que vous passez
dans l'expectative sans manger, et vous ne prenez toujours rien. 34 Je
vous engage donc à reprendre de la nourriture, car il y va de votre
salut. Encore une fois, aucun d'entre vous ne perdra un cheveu de sa
tête[n].» 35 Sur ces mots, il a pris du pain[o], a rendu grâce à Dieu en pré-
sence de tous, l'a rompu et s'est mis à manger. 36 Tous alors, reprenant
courage, se sont alimentés à leur tour. 37 Au total, nous étions deux
cent soixante-seize personnes à bord. 38 Une fois rassasiés, on a allégé
le bateau en jetant le blé à la mer.

39 Une fois le jour venu, les marins ne reconnaissaient pas la terre,
mais ils distinguaient une baie avec une plage et ils avaient l'intention,
si c'était possible, d'y échouer le bateau. 40 Ils ont alors filé les ancres
par le bout, les abandonnant à la mer, tandis qu'ils larguaient les avi-
rons de queue; puis, hissant au vent la civadière[p], ils ont mis le cap sur
la plage. 41 Mais ils ont touché un banc de sable et y ont échoué le vais-
seau; la proue, enfoncée, est restée prise, tandis que la poupe se dislo-
quait sous les coups de mer[q]. 42 Les soldats ont eu alors l'idée de tuer
les prisonniers, de peur qu'il ne s'en échappe à la nage. 43 Mais le cen-
turion, décidé à sauver Paul, les a empêchés d'exécuter leur projet; il a
ordonné à ceux qui savaient nager de sauter à l'eau les premiers et de
gagner la terre. 44 Les autres le feraient soit sur des planches soit sur
des épaves du bateau. Et c'est ainsi que tous se sont retrouvés à terre,
sains et saufs[r].

Paul à Malte

28 1 Une fois hors de danger, nous avons appris que l'île s'appe-
lait Malte. 2 Les autochtones nous ont témoigné une humanité
peu ordinaire. Allumant en effet un grand feu, ils nous en ont tous fait
approcher, car la pluie s'était mise à tomber et il faisait froid. 3 Paul
avait ramassé une brassée de bois mort et la jetait dans le feu, lorsque
la chaleur en a fait sortir une vipère qui s'accrocha à sa main. 4 A la
vue de cet animal qui pendait à sa main, les autochtones se disaient les

m* *27.31 27.22. ***n* *27.34*** 1 S 14.45 ; 2 S 14.11 ; Mt 10.30 ; Lc 12.7. ***o* *27.35*** Mt 15.36 ; Mc 8.6 ; Lc 22.19 ; 20.7 ; 1 Co 11.23-24. ***p* *27.40*** Petite voile à l'avant du navire. ***q* *27.41*** le bateau est perdu 27.22. ***r* *27.44*** *tous sains et saufs* 27.22, 24.

uns aux autres: «Cet homme est certainement un assassin; il a bien
échappé à la mer, mais la justice divine ne lui permet pas de vivre.»
5 Paul, en réalité, a secoué la bête dans le feu sans ressentir le
moindre mal[s]. 6 Eux s'attendaient à le voir enfler, ou tomber raide
mort; mais, après une longue attente, ils ont constaté qu'il ne lui arri-
vait rien d'anormal. Changeant alors d'avis, ils répétaient: «C'est un
dieu[t]!»

7 Il y avait, dans les environs, des terres qui appartenaient au pre-
mier magistrat de l'île, nommé Publius. Il nous a accueillis et hébergés
amicalement pendant trois jours. 8 Son père se trouvait alors alité, en
proie aux fièvres et à la dysenterie. Paul s'est rendu à son chevet et,
par la prière et *l'imposition des mains[u], il l'a guéri. 9 Par la suite, tous
les autres habitants de l'île qui étaient malades venaient le trouver[v] et
ils étaient guéris à leur tour. 10 Ils nous ont donné de multiples marques
d'honneur et, quand nous avons pris la mer, ils avaient pourvu à nos
besoins.

Le voyage de Malte à Rome

11 C'est trois mois plus tard que nous avons pris la mer sur un bateau
qui avait hiverné dans l'île; il était d'Alexandrie et portait les Dioscu-
res[w] comme enseigne. 12 Nous avons débarqué à Syracuse pour une
escale de trois jours. 13 De là, bordant la côte, nous avons gagné
Reggio. Le lendemain, le vent du sud s'était levé et nous sommes
arrivés, en deux jours, à Pouzzoles. 14 Nous avons trouvé là des frères
qui nous ont invités à passer une semaine chez eux[x]. Voilà comment
nous sommes allés à Rome. 15 Depuis cette ville les frères, qui avaient
appris notre arrivée, sont venus à notre rencontre jusqu'au Forum
d'Appius et aux Trois-Tavernes; quand il les a vus, Paul a rendu grâce
à Dieu: il avait repris confiance.

Paul à Rome

16 Lors de notre arrivée à Rome, Paul avait obtenu l'autorisation
d'avoir un domicile personnel, avec un soldat pour le garder[y]. 17 Trois
jours plus tard, il invita les notables *juifs à s'y retrouver. Quand ils

s 28.5 Mc 16.18 ; Lc 10.19. ***t 28.6*** Paul pris pour un dieu 14.11. ***u 28.8*** Ac 6.6+ ; voir Mt 9.18+ ; Mc 5.23+. ***v 28.9*** Lc 4.40 ; 5.15 ; 7.21 ; Ac 8.7 ; 19.11-12. ***w 28.11*** ou *Castor et Pollux,* célèbres jumeaux de la mythologie grecque, considérés par les marins de l'époque comme protecteurs des navigateurs. ***x 28.14*** *des frères* 1.15+. — autres communautés chrétiennes d'origine inconnue 9.10 ; 9.31, 41 ; 15.23 ; 18.24-25 ? 18.27 ; 21.7 ; 28.15 ; voir 28.2. ***y 28.16*** 24.23 ; 28.30.

furent réunis, il leur déclara: «Frères, moi qui n'ai rien fait contre
notre peuple ou contre les règles reçues de nos pères[z], je suis prison-
nier depuis qu'à Jérusalem j'ai été livré aux mains des Romains. 18 Au
terme de leur enquête, ces derniers voulaient me relâcher, car il n'y
avait rien dans mon cas qui mérite la mort[a]. 19 Mais l'opposition des
Juifs m'a contraint de faire appel à l'empereur[b], sans avoir pour autant
l'intention de mettre en cause ma nation. 20 C'est la raison pour
laquelle j'ai demandé à vous voir et à m'entretenir avec vous. En réa-
lité, c'est à cause de l'espérance d'Israël[c] que je porte ces chaînes.»
21 Ils lui répondirent: «Nous n'avons reçu, quant à nous, aucune lettre
de Judée à ton sujet et aucun frère, à son arrivée, ne nous a fait part
d'un rapport ou d'un bruit fâcheux sur ton compte. 22 Mais nous
demandons à t'entendre exposer toi-même ce que tu penses: car, pour
ta secte[d], nous savons bien qu'elle rencontre partout de l'opposition.»
23 Ayant convenu d'un jour avec lui, ils vinrent le retrouver en plus
grand nombre à son domicile. Dans sa présentation, Paul rendait
témoignage au *Règne de Dieu et, du matin au soir, il s'efforça de les
convaincre, en parlant de Jésus à partir de la *loi de Moïse et des
*Prophètes[e]. 24 Les uns se laissaient convaincre par ce qu'il disait, les
autres refusaient de croire[f]. 25 Au moment de s'en aller, ils n'étaient
toujours pas d'accord entre eux; Paul n'ajouta qu'un mot: «Comme
elle est juste, cette parole de l'Esprit Saint qui a déclaré à vos pères par
le prophète Esaïe[g]:

26 *Va trouver ce peuple et dis-lui:*
Vous aurez beau entendre, vous ne comprendrez pas;
vous aurez beau regarder, vous ne verrez pas.
27 *Car le cœur de ce peuple s'est épaissi,*
ils sont devenus durs d'oreille,
ils se sont bouché les yeux,
pour ne pas voir de leurs yeux,
ne pas entendre de leurs oreilles,
ne pas comprendre avec leur cœur
et pour ne pas se tourner vers Dieu.
Et je les guérirais ?

z* *28.17 d'abord les Juifs 13.46. — Paul n'a rien fait contre le judaïsme 24.12-13 ; 25.8. ***a 28.18*** 23.29 ; 25.25 ; 26.31-32. ***b 28.19*** *appel à l'empereur* 25.11. ***c 28.20*** 23.6 ; 24.15 ; 26.6-7. ***d 28.22*** Les Juifs de Rome désignaient ainsi l'ensemble des chrétiens. Voir aussi 24.5 et la note. ***e 28.23*** *au Règne de Dieu* 1.3+. — *la loi et les Prophètes* (Mt 7.12+ ; Ac 24.14 ; 26.22 et la note sur Rm 3.19) à l'appui de l'Evangile Ac 17.3. ***f 28.24*** 14.1-2 ; 17.4-5, 12 ; 18.6-8. ***g 28.26-27*** Es 6.9-10 (grec) ; Mt 13.14-15 ; Mc 4.12 ; Lc 8.10 ; Jn 12.40.

[28] Sachez-le donc: c'est aux *païens qu'a été envoyé ce salut de
Dieu; eux, ils écouteront[h].» [[29]] [30] Paul vécut ainsi deux années
entières à ses frais et il recevait tous ceux qui venaient le trouver[i],
[31] proclamant le Règne de Dieu et enseignant ce qui concerne le Seigneur Jésus Christ avec une entière assurance et sans entraves[j].

h 28.28 Plusieurs manuscrits ajoutent ici : [29] *Tandis qu'il leur disait cela les Juifs s'en allèrent en discutant vivement entre eux.* ***i 28.30*** 28.16. ***j 28.31*** *proclamant le Règne de Dieu* 1.3+. — *avec une entière assurance* 4.13+. — *sans entraves* 2 Tm 2.9.

ÉPÎTRE AUX ROMAINS

INTRODUCTION

Cette épître a joué un tel rôle dans l'histoire de l'Eglise, de ses divisions et de ses renouveaux, que les responsables de la TOB ont jugé nécessaire de commencer par elle leur travail de traduction et d'annotation. Ainsi, ils ont rencontré immédiatement les difficultés majeures et les plus grandes promesses attachées à leur œuvre commune : « Le texte de nos divisions devenait le texte de notre rencontre. »

Les circonstances de la rédaction de Rm *sont assez bien connues. Au plus tôt au printemps 56, au plus tard au printemps 59, l'apôtre, arrivé au terme de son activité missionnaire en Orient, va quitter Corinthe pour porter à la communauté de Jérusalem le produit de la collecte organisée en Macédoine et en Achaïe (Rm 15.19-29 ; comparer Ac 20.1-5). Cependant, au moment où il dicte cette lettre à Tertius (16.22), Paul fait part à ses correspondants de projets plus étendus : après Jérusalem, gagner Rome et, de là, l'Espagne (15.22-24). C'est sans doute, d'abord, pour préparer ce séjour dans la capitale de l'Empire, pour permettre aux « bien-aimés de Dieu qui sont à Rome » (1.7) de l'accueillir en connaissance de cause, et de le soutenir dans ses projets, que l'apôtre leur écrit. Contrairement à son habitude, il écrit donc à une communauté qu'il n'a pas fondée et dans laquelle il n'est pas directement engagé, d'où les précautions qu'il prend, surtout sensibles dans les premiers et les derniers chapitres de l'épître. Cependant, les chapitres 12 à 16, par exemple, font penser que Paul est assez au courant de ce qui se passe dans la communauté de Rome, et des objections que son Evangile et sa personne y rencontrent. Les contacts étaient incessants entre Rome et les principales villes de l'Empire.*

Nous ne savons ni par qui, ni quand, ni dans quelles circonstances la communauté chrétienne de Rome a été fondée. Peut-être même est-il prématuré, au moment où l'apôtre lui écrit, de parler de « sa fondation » et d'une « Eglise ». Dans l'adresse et l'introduction de l'épître (1.1-11) ne figure aucune mention d'une Eglise constituée ; la lettre s'adresse, à la deuxième personne du pluriel, à des chrétiens qui semblent avoir quelque peine à trouver leur cohésion (chap. 12 à 15). Toutefois, la communauté n'est pas toute jeune (15.23). Selon Ac 18.2, en 49 ou 50, Paul a rencontré à Corinthe le couple judéo-chrétien d'Aquilas et Priscille, chassé de Rome par l'édit impérial de Claude contre les Juifs en 49, ce qui indiquerait l'existence de nombreux chrétiens, à Rome, dès avant les années 50. Cela est confirmé par la mention de cet édit chez Suétone ; Claude, dit-il, « expulsa de Rome les Juifs qui, sous l'impulsion de Chrestus, ne cessaient d'occasionner des troubles » (Vie de Claude, 25). Il y a tout lieu de penser que ce Chrestus n'est autre que le Christ, dont le nom agitait alors la colonie juive de Rome. Pour que ces troubles aient pris de telles proportions en 49, il fallait que les chrétiens fussent déjà nombreux et entreprenants dans la capitale de l'Empire. Manifestement, les autorités impériales confondaient alors Juifs et chrétiens dans une même réprobation. Au moment où Paul dicte sa lettre, six ou huit ans plus tard, les chrétiens de Rome ont trouvé leur propre voie, mais ils sont encore en discussion serrée avec la foi juive.

Il est d'ailleurs difficile de se prononcer sur la composition de l'Eglise de Rome. *Est-elle, dans sa majorité, composée de judéo- ou de pagano-chrétiens ? D'une part, Paul s'adresse constamment aux destinataires comme à des croyants d'origine païenne (1.5,13 ; 15.15s, etc.). D'autre part, l'épître fait un tel usage de l'Ancien Testament et pousse si loin la réflexion sur la destinée du peuple juif (chap. 9 à 11) et la signification positive et négative de la loi, qu'il est difficile de penser à des destinataires fraîchement familiarisés avec les Ecritures juives. Sans doute l'arrivée de l'Evangile à Rome a-t-elle déjà provoqué une réflexion passionnée parmi les Juifs, puis au sein d'une minorité de Juifs devenus chrétiens, puis enfin chez de nombreux païens, ou « craignant Dieu », passés à la foi au Christ ; et l'apôtre a eu vent de ces discussions. La communauté est probablement de majorité pagano-chrétienne et, du point de vue de Paul, elle appartient au pagano-christianisme dont il a la charge (Ga 2.6ss), et c'est comme telle qu'il lui écrit pour requérir sa confiance et sa collaboration.*

Il est tout à fait dans les grandes habitudes de l'apôtre, pour préparer ou consolider son autorité dans une Eglise, de ne pas s'en tenir à quelques considérations personnelles mais, suivant les circonstances, de déployer aux yeux de ses correspondants toutes les dimensions de son Evangile *(1.1,16 ; 2.16 ; 15.16, etc.). Cependant, il ne l'avait jamais fait et ne le fera jamais plus avec une telle ampleur. Certes, ses récents démêlés avec les chrétiens de Galatie, de Philippe et de Corinthe lui ont-ils permis de préciser le contenu et la « pointe » de cet Evangile. Mais dans Rm, la polémique fait place à un exposé, tourmenté parfois, mais d'une envergure et d'une cohérence incomparables.*

Le sujet *unique et rayonnant de l'épître est donné en 1.16-17 : dans l'Evangile « est révélée la justice de Dieu par la foi et en vue de la foi ». Toute l'épître doit expliquer cette affirmation laconique et quelque peu énigmatique. Sur cette base, on peut imaginer plusieurs plans. Le plus simple est une division en trois parties d'inégale importance : une partie dite doctrinale (1.18 à 11.36), une partie morale ou parénétique (12.1 à 15.13) et une partie conclusive (15.14 à 16.23). La partie doctrinale montre successivement la nécessité de cette justification gratuite de l'homme par Dieu à cause de l'iniquité universelle (1.18 à 3.20), puis l'instauration de cette justice nouvelle, c'est-à-dire de cette relation nouvelle avec Dieu, par la foi en Jésus Christ (3.21 à 4.25), puis son déploiement dans l'existence chrétienne (chap. 5 à 8) et enfin son échec provisoire puis sa victoire finale dans la destinée d'Israël (chap. 9 à 11). Ce qui caractérise cette pensée, ou plutôt cet Evangile paulinien, c'est son enracinement constant dans le fait historique du Christ « mort et ressuscité » ; c'est l'art, emprunté aux techniques de la rhétorique populaire du temps, avec lequel l'apôtre prévient et réfute les objections ; c'est l'intime cohérence entre le caractère personnel d'un salut reçu par la foi, et le caractère universel d'un Evangile promis et maintenant annoncé à toutes les nations de la terre. Si la justification de l'homme est gratuite, remarque-t-on autour de Paul, « demeurons dans le péché pour que la grâce abonde ! » (réponse au chap. 6). Si les œuvres légales ne servent à rien pour être sauvé, la loi de Dieu elle-même serait-elle mauvaise ? (réponse au chapitre 7). Et que va devenir Israël ? (réponse aux chap. 9 à 11). Quant à la partie morale de l'épître, on y admire surtout, aujourd'hui, la longue instruction sur les « forts » et les « faibles » (chap. 14 et 15).*

En ce qui concerne son intégrité, *Rm pose deux problèmes. La prière finale, à la gloire de Dieu, de 16.25-27 figure, dans les manuscrits, à des places variables et son contenu rappellerait plutôt la pensée de certains écrits deutéro-pauliniens comme Col et Ep. On la tient souvent pour une adjonction postérieure. Par ailleurs, depuis la fin du XVIII*[e] *siècle, nombreux sont les exégètes qui doutent que ce chap. 16 ait appartenu d'abord à l'épître. Une si longue liste de saluts personnels convient-elle dans une lettre adressée à une église que Paul n'a ni fondée ni visitée ? La mention d'Aquilas et Priscille (vv. 3-5) conviendrait mieux à une lettre adressée à Ephèse où ils s'étaient installés après leur passage à Corinthe (Ac 18 ; voir 1 Co 16.19 et 2 Tm 4.19).*

Epénète, « prémices de l'Asie pour le Christ » (v. 5), fait référence explicite à la province romaine d'Asie dont Ephèse était la capitale. D'ailleurs, l'épître paraît prendre fin avec la bénédiction de 15.33. On peut supposer, par exemple, que le chap. 16 était adressé aux chrétiens d'Ephèse comme adjonction à une lettre qui devait ensuite être portée à Rome (par Phoebé ? 16.1). D'ailleurs, le plus ancien manuscrit paulinien que nous possédions (Papyrus 46) atteste l'existence de Rm sans le chap. 16. On pourrait également imaginer que Paul, empêché de revoir les chrétiens d'Ephèse en quittant Corinthe pour Jérusalem, leur a envoyé un exemplaire de Rm en y joignant les salutations et les recommandations du chap. 16 au sujet de membres de cette communauté qu'il connaissait bien, puisqu'il venait d'y accomplir un ministère prolongé et mouvementé (de 54 à 57). Quoi qu'il en soit, ces problèmes restent mineurs au regard de l'ensemble de l'épître et de sa si grande richesse.

ÉPÎTRE AUX ROMAINS

Adresse et salutation

1 1 Paul, serviteur de Jésus Christ, appelé à être *apôtre, mis à part[a] pour annoncer *l'Evangile de Dieu. 2 Cet Evangile[b], qu'il avait déjà promis par ses prophètes dans les Ecritures saintes, 3 concerne son Fils, issu selon la chair de la lignée de David[c], 4 établi, selon l'Esprit Saint, Fils de Dieu avec puissance par sa Résurrection[d] d'entre les morts, Jésus Christ notre Seigneur. 5 Par lui nous avons reçu la grâce d'être apôtre pour conduire à l'obéissance de la foi, à la gloire de son *nom, tous les peuples *païens[e], 6 dont vous êtes, vous aussi que Jésus Christ a appelés. 7 A tous les bien-aimés de Dieu qui sont à Rome, aux saints[f] par l'appel de Dieu, à vous, grâce et paix de la part de Dieu notre Père et du Seigneur Jésus Christ.

Paul et les chrétiens de Rome

8 Tout d'abord, je rends grâce à mon Dieu par Jésus Christ pour vous tous: dans le monde entier on proclame que vous croyez. 9 Car Dieu m'en est témoin, lui à qui je rends un culte en mon esprit en annonçant *l'Evangile de son Fils[g]: je fais sans relâche mention de vous, 10 demandant continuellement dans mes prières d'avoir enfin, par sa volonté, l'occasion de me rendre chez vous. 11 J'ai en effet un très vif désir de vous voir, afin de vous communiquer quelque don spirituel pour que vous en soyez affermis, 12 ou plutôt pour être réconforté avec

a** **1.1 *mis à part* Ga 1.15 ; Ac 26.16-18. ***b** **1.2*** *Evangile* Es 52.7 ; 61.1 ; Mc 1.1+. ***c** **1.3*** *selon la chair :* en ce qui concerne son humanité (Rm 9.5). — *Fils de David* Mt 1.1+. ***d** **1.4*** *Fils de Dieu* Ps 2.7 ; 110.1 ; Mt 14.33+ ; Mc 1.1+ ; Ac 13.33. — *puissance* du Ressuscité Ph 2.9 ; 1 P 1.21 ; Ep 1.20-23. ***e** **1.5*** L'apostolat est une *grâce* 12.3 ; 15.15 ; 1 Co 3.10 ; Ga 2.8-9. — *apôtre* des *païens* Ac 9.15 ; Rm 15.15-18. — *la foi* est une *obéissance* 6.15-20 ; 10.16 ; 15.18 ; 16.26 ; 2 Co 10.4-5 ; 2 Th 1.8 ; 1 P 1.22 ; He 5.9 ; 11.8. ***f** **1.7*** *saints,* au sens particulier du N.T. : consacrés à Dieu et chargés par lui d'une mission. Il s'agit donc ici des chrétiens ; Es 19.5-6 ; Rm 12.13 ; 15.25 ; 16.2 ; Col 1.12, 26 ; He 6.10 ; 1 P 1.16 ; 2.9. ***g** **1.9*** L'apostolat est *un culte rendu à Dieu* 15.16.

vous et chez vous par la foi qui nous est commune à vous et à moi. 13 Je
ne veux pas vous laisser ignorer, frères, que j'ai souvent projeté de me
rendre chez vous — jusqu'ici j'en ai été empêché —, afin de recueillir
quelque fruit chez vous, comme chez les autres peuples païens. 14 Je
me dois aux Grecs[h] comme aux barbares, aux gens cultivés comme
aux ignorants; 15 de là, mon désir de vous annoncer l'Evangile, à vous
aussi qui êtes à Rome.

La justice de Dieu

16 Car je n'ai pas honte de *l'Evangile: il est puissance de Dieu pour
le salut de quiconque croit, du *Juif d'abord, puis du Grec[i]. 17 C'est en
lui en effet que la justice de Dieu est *révélée, par la foi et pour la foi,
selon qu'il est écrit: *Celui qui est juste par la foi vivra*[j].

Le péché des païens

18 En effet, la colère de Dieu se *révèle du haut du *ciel contre toute
impiété et toute injustice des hommes, qui retiennent la vérité captive
de l'injustice; 19 car ce que l'on peut connaître de Dieu est pour eux
manifeste[k]: Dieu le leur a manifesté. 20 En effet, depuis la création du
monde, ses perfections invisibles, éternelle puissance et divinité, sont
visibles dans ses œuvres pour l'intelligence; ils sont donc inexcusa-
bles, 21 puisque, connaissant Dieu, ils ne lui ont rendu ni la gloire ni
l'action de grâce qui reviennent à Dieu; au contraire, ils se sont four-
voyés dans leurs vains raisonnements et leur cœur insensé est devenu
la proie des ténèbres: 22 se prétendant sages, ils sont devenus fous;
23 ils ont troqué la gloire du Dieu incorruptible contre des images
représentant l'homme corruptible, des oiseaux, des quadrupèdes, des
reptiles[l].

24 C'est pourquoi Dieu les a livrés, par les convoitises de leurs
*cœurs, à *l'impureté où ils avilissent eux-mêmes leurs propres corps.
25 Ils ont échangé la vérité de Dieu contre le mensonge, adoré et servi
la créature au lieu du Créateur qui est béni éternellement[m]. *Amen.
26 C'est pourquoi Dieu les a livrés à des passions avilissantes: leurs

h 1.14 Par opposition aux *barbares,* les *Grecs* représentent ici tous les peuples civilisés et cultivés. Au v. 16 le même mot désigne les *païens* par opposition aux *Juifs.* ***i 1.16*** *Juif* et *Grec* 2.9-10 ; 3.9 ; 10.12 ; 11.11-14 ; Ac 13.46 ; 18.6. ***j 1.17*** Ha 2.4 (grec). Autre traduction : *le juste vivra par la foi.* — *justice de Dieu* Ps 98.2 ; Es 56.1 ; Rm 3.21-26 ; Ph 3.9 ; Ga 3.11. — Le sens très particulier du terme *justice* est éclairé par Rm 3.24 (justifier) et 4.25 (justification). ***k 1.19*** v. 19-20 : *Sg* 13—15 ; Ac 17.24-28 ; Jb 12.9 ; Ps 19.2 ; Ac 14.15-17 ; He 11.3. ***l 1.23*** Idolâtrie Ex 32 ; Dt 4.16-18 ; Jr 2.11 ; *Sg* 11.15 ; 12.24. ***m 1.25*** Voir 1 Th 1.9 ; il s'agit du vrai Dieu par opposition aux idoles mensongères ; Jr 10.10-14 ; 16.19-21 ; 1 Th 1.9.

femmes ont échangé les rapports naturels pour des rapports contre nature; 27 les hommes de même, abandonnant les rapports naturels avec la femme, se sont enflammés de désir les uns pour les autres, commettant l'infamie d'homme à homme et recevant en leur personne le juste salaire de leur égarement. 28 Et comme ils n'ont pas jugé bon de garder la connaissance de Dieu, Dieu les a livrés à leur intelligence sans jugement: ainsi font-ils ce qu'ils ne devraient pas. 29 Ils sont remplis de toute sorte d'injustice, de perversité, de cupidité, de méchanceté, pleins d'envie, de meurtres, de querelles, de ruse, de dépravation, diffamateurs[n], 30 médisants, ennemis de Dieu, provocateurs, orgueilleux, fanfarons, ingénieux au mal, rebelles à leurs parents, 31 sans intelligence, sans loyauté, sans cœur, sans pitié. 32 Bien qu'ils connaissent le verdict de Dieu déclarant dignes de mort ceux qui commettent de telles actions, ils ne se bornent pas à les accomplir, mais ils approuvent encore ceux qui les commettent.

Le juste jugement de Dieu

2 1 Tu es donc inexcusable, toi, qui que tu sois, qui juges; car, en jugeant autrui[o], tu te condamnes toi-même, puisque tu en fais autant, toi qui juges. 2 Or, nous savons que le jugement de Dieu s'exerce selon la vérité contre ceux qui commettent de telles actions. 3 Penses-tu, toi qui juges ceux qui les commettent et qui agis comme eux, que tu échapperas au jugement de Dieu? 4 Ou bien méprises-tu la richesse de sa bonté, de sa patience[p] et de sa générosité, sans reconnaître que cette bonté te pousse à la conversion? 5 Par ton endurcissement, par ton cœur impénitent[q], tu amasses contre toi un trésor de colère pour le *jour de la colère[r] où se *révélera le juste jugement de Dieu, 6 *qui rendra à chacun selon ses œuvres*[s]: 7 vie éternelle[t] pour ceux qui, par leur persévérance à bien faire, recherchent gloire, honneur et incorruptibilité, 8 mais colère et indignation pour ceux qui, par révolte, se rebellent contre la vérité et se soumettent à l'injustice. 9 Détresse et angoisse pour tout homme qui commet le mal, pour le *Juif d'abord et pour le Grec[u]; 10 gloire, honneur et paix à quiconque fait le bien, au Juif d'abord puis au Grec, 11 car en Dieu il n'y a pas de

n* *1.29 Dérèglements des païens 13.13; 1 Co 5.10-11; 6.9-10; Ga 5.19-21; Ep 5.3-5; 1 Tm 1.9-10; 2 Tm 3.2-4; Tt 3.3; 1 P 4.3; Ap 21.8; 22.15. ***o 2.1*** *juger autrui* Mt 7.2. ***p 2.4*** *patience* de Dieu *Sg* 11.23; 2 P 3.9, 15. ***q 2.5*** Ou *cœur inconverti* (voir v. 4). ***r 2.5*** Expression de l'A.T. pour désigner le jour du jugement de Dieu; So 1.14-18; 2.2-3; Ap 6.17; 11.18. ***s 2.6*** Ps 62.13; Pr 24.12; Jr 17.10; Mt 16.27+. ***t 2.7*** *vie éternelle* 5.21+. ***u 2.9*** *Juif et Grec* 1.16+.

partialité[v]. 12 Tous ceux qui ont péché sans la *loi périront aussi sans la
loi; tous ceux qui ont péché sous le régime de la loi seront jugés par la
loi. 13 Ce ne sont pas en effet ceux qui écoutent la loi qui sont justes
devant Dieu; ceux-là seront justifiés qui la mettent en pratique.
14 Quand des *païens, sans avoir de loi, font naturellement ce
qu'ordonne la loi[w], ils se tiennent lieu de loi à eux-mêmes, eux qui
n'ont pas de loi. 15 Ils montrent que l'œuvre voulue par la loi est ins-
crite dans leur *cœur; leur conscience en témoigne également ainsi
que leurs jugements intérieurs qui tour à tour les accusent et les défen-
dent[x]. 16 C'est ce qui paraîtra au jour où, selon mon *Evangile, Dieu
jugera par Jésus Christ[y] le comportement caché des hommes.

La désobéissance d'Israël

17 Mais, si toi qui portes le nom de *Juif, qui te reposes sur la *loi et
qui mets ton *orgueil en ton Dieu[z], 18 toi qui connais sa volonté, toi
qui, instruit par la loi, discernes l'essentiel, 19 toi qui es convaincu
d'être le guide des aveugles[a], la lumière de ceux qui sont dans les ténè-
bres, 20 l'éducateur des ignorants[b], le maître des simples, parce que tu
possèdes dans la loi l'expression même de la connaissance et de la
vérité... 21 Eh bien! toi qui enseignes autrui, tu ne t'enseignes pas toi-
même! Tu prêches de ne pas voler, et tu voles! 22 Tu interdis l'adul-
tère, et tu commets l'adultère[c]! Tu as horreur des idoles, et tu pilles
leurs temples! 23 Tu mets ton orgueil dans la loi, et tu déshonores Dieu
en transgressant la loi! 24 En effet, comme il est écrit, *le *nom de Dieu*
*est *blasphémé à cause de vous parmi les païens*[d]. 25 Sans doute la
*circoncision est utile si tu pratiques la loi, mais si tu transgresses la
loi, avec ta circoncision tu n'es plus qu'un incirconcis. 26 Si donc
l'incirconcis observe les prescriptions de la loi, son incirconcision ne
lui sera-t-elle pas comptée comme circoncision? 27 Et lui qui, physique-
ment incirconcis, accomplit la loi, te jugera, toi qui, avec la lettre de la
loi et la circoncision, transgresses la loi. 28 En effet, ce n'est pas ce qui
se voit qui fait le Juif, ni la marque visible dans la chair qui fait la cir-
concision, 29 mais c'est ce qui est caché qui fait le Juif, et la circonci-

v 2.11 Lv 19.15 ; Dt 10.17 ; Ac 10.34 ; Ga 2.6 ; Ep 6.9 ; Col 3.25 ; Jc 2.1 ; 1 P 1.17. ***w 2.14*** Ac 10.35. ***x 2.15*** Autre traduction : *ainsi que les jugements intérieurs de blâme ou d'éloge qu'ils portent les uns sur les autres.* ***y 2.16*** 1 Co 4.5. ***z 2.17*** Certains traduisent : *qui te glorifies en Dieu.* — *s'enorgueillir* 3.27 ; 4.2-3 ; 5.2 ; 11.18 ; 1 Co 1.29-31 ; Ep 2.9 ; Ga 6.13-14 ; 2 Co 1.12 ; 7.4, etc. ***a 2.19*** Mt 15.14 ; Jn 9.40-41. ***b 2.20*** Ou *des insensés ;* Ps 14.1 ; Pr 10.23 ; Qo 5.3 ; Lc 12.20 ; 1 Co 15.36. ***c 2.22*** v. 21-22 : *vol et adultère* Ps 50.18. ***d 2.24*** Es 52.5 (grec). — *blasphémé à cause de vous* Ez 36.20-22.

sion est celle du *cœur, celle qui relève de l'Esprit et non de la lettre[e].
Voilà l'homme qui reçoit sa louange non des hommes, mais de Dieu.

L'universalité de la désobéissance

3 1 Quelle est donc la supériorité du *Juif? Quelle est l'utilité de la
*circoncision? 2 Grande à tous égards! Et d'abord, c'est à eux que
les révélations de Dieu ont été confiées[f]. 3 Quoi donc? Si certains
furent infidèles, leur infidélité va-t-elle annuler la fidélité de Dieu?
4 Certes non! Dieu doit être reconnu véridique et tout homme men-
teur, selon qu'il est écrit: *Il faut que tu sois reconnu juste dans tes
paroles, et que tu triomphes lorsqu'on te juge*[g]. 5 Mais si notre injustice
met en relief la justice de Dieu, que dire? Dieu n'est-il pas injuste en
nous frappant de sa colère? Je parle selon la logique humaine. 6 Certes
non! Car alors, comment Dieu jugera-t-il le *monde? 7 Mais si, par
mon mensonge, la vérité de Dieu éclate d'autant plus pour sa gloire,
pourquoi donc, moi, suis-je encore condamné comme *pécheur? 8 Et
alors, pourquoi ne ferions-nous pas le mal afin qu'il en résulte du bien,
comme certains calomniateurs nous le font dire? — Ces gens-là méri-
tent leur condamnation! 9 Mais quoi? avons-nous encore, nous Juifs,
quelque supériorité? Absolument pas! Car nous l'avons déjà établi:
tous, Juifs comme Grecs, sont sous l'empire du péché. 10 Comme il est
écrit:

Il n'y a pas de juste, pas même un seul[h].
11 *Il n'y a pas d'homme sensé, pas un qui cherche Dieu.*
12 *Ils sont tous dévoyés, ensemble pervertis,*
pas un qui fasse le bien, pas même un seul.
13 *Leur gosier est un sépulcre béant;*
de leur langue ils sèment la tromperie;
un venin d'aspic est sous leurs lèvres[i];
14 *leur bouche est pleine de malédictions et d'amertume*[j];
15 *leurs pieds sont prompts à verser le sang*[k];
16 *la ruine et le malheur sont sur leurs chemins;*
17 *et le chemin de la paix, ils ne le connaissent pas.*
18 *Nulle crainte de Dieu devant leurs yeux*[l] !

***e* 2.29** *circoncision du cœur* Jr 4.4 ; 9.23-25 ; Dt 10.16 ; 30.6 ; 1 Co 7.19 ; Ga 5.3-6 ; Col 2.11 (Ac 7.51 ; Ph 3.2-7). — *l'Esprit et la lettre :* comme au v. 27, il s'agit de la *loi* (de Moïse) ; Rm 7.6 ; 8.2 ; 2 Co 3.6. ***f* 3.2** 9.4-5 ; Dt 4.6-8 ; 32.7-11 ; Ps 103.7 ; 147.19-20 ; Jn 4.22. — Autres traductions : *les oracles* ou *les paroles* (recueillis dans l'A.T.). ***g* 3.4** Ps 51.6 (grec). — *Dieu est fidèle (véridique)* Ps 89.31-38 ; 119.89-90 ; Os 1—3 ; 1 Jn 1.9 ; Ap 19.11. — *l'homme menteur* Ps 116.11 ; Jn 3.3. ***h* 3.10** v. 10-12 : Ps 14.1-3 ; Ps 53.2-4. — *pas un seul juste* Qo 7.20 ; 1 Jn 1.8-10. ***i* 3.13** Ps 5.10 ; 140.4. ***j* 3.14** Ps 10.7. ***k* 3.15** v. 15-17 : Es 59.7-8 ; Pr 1.16. ***l* 3.18** Ps 36.1.

19 Or, nous savons que tout ce que dit la *loi[m], elle le dit à ceux qui
sont sous la loi, afin que toute bouche soit fermée et que le monde
entier soit reconnu coupable devant Dieu. 20 Voilà pourquoi *personne
ne sera justifié devant lui* par les œuvres de la loi; la loi, en effet, ne
donne que la connaissance du péché[n].

La justice reçue par la foi

21 Mais maintenant, indépendamment de la *loi, la justice de Dieu a
été manifestée; la loi et les *prophètes lui rendent témoignage.
22 C'est la justice de Dieu par la foi en Jésus Christ pour tous ceux qui
croient, car il n'y a pas de différence: 23 tous ont péché, sont privés de
la gloire de Dieu[o], 24 mais sont gratuitement justifiés par sa grâce, en
vertu de la délivrance accomplie en Jésus Christ. 25 C'est lui que Dieu a
destiné à servir d'expiation[p] par son *sang, par le moyen de la foi,
pour montrer ce qu'était la justice, du fait qu'il avait laissé impunis les
péchés d'autrefois, 26 au temps de sa patience[q]. Il montre donc sa jus-
tice dans le temps présent, afin d'être juste et de justifier celui qui vit
de la foi en Jésus. 27 Y a-t-il donc lieu de *s'enorgueillir? C'est exclu!
Au nom de quoi? Des œuvres? Nullement, mais au nom de la foi[r].
28 Nous estimons en effet que l'homme est justifié par la foi, indépen-
damment des œuvres de la loi. 29 Ou alors, Dieu serait-il seulement le
Dieu des *Juifs? N'est-il pas aussi le Dieu des *païens? Si! il est aussi
le Dieu des païens, 30 puisqu'il n'y a qu'un seul Dieu qui va justifier les
*circoncis par la foi et les incirconcis par la foi. 31 Enlevons-nous par la
foi toute valeur à la loi? Bien au contraire, nous confirmons la loi[s]!

Abraham le croyant

4 1 Que dirons-nous donc d'Abraham, notre ancêtre? Qu'a-t-il
obtenu selon la chair[t]? 2 Si Abraham a été justifié par ses œuvres,
il a de quoi *s'enorgueillir[u], mais non devant Dieu! 3 En effet, que dit

m 3.19 Comme en 1 Co 14.21 *la loi* est l'expression condensée qui désigne tout l'A.T. Au v. 21 même sens de l'expression *la loi et les prophètes.* ***n 3.20*** Ps 143.2. — *connaissance du péché* Rm 7.7. — v. 20-24 : *justifiés par la foi* 1.16-17 ; 5.1 ; 9.30 ; Ph 3.9 ; Ep 2.4-10 *et non par la loi* Ga 2.16. ***o 3.23*** *la gloire de Dieu* Ez 10.18-19 ; 11.22-33 ; 43.1-9 ; Es 60.1-3 donnée au Christ, 1 Co 2.8 ; 2 Co 4.6 et aux croyants, 2 Co 3.18 ; Rm 8.18-21, 30. ***p 3.25*** Ou *que Dieu a établi comme propitiatoire.* Selon Lv 16.2 et suiv. c'est sur le propitiatoire (couvercle de l'arche) qu'on pratiquait l'aspersion du sang au grand jour des *expiations* pour le pardon des péchés de tout le peuple ; Lv 16.12-16 ; He 9.5, 15 ; 1 Jn 2.2 ; 4.10 ; Ep 1.7. ***q 3.26*** Ex 34.6-7 ; Ps 103.8 ; Es 48.9 ; Jr 15.15 ; Rm 2.4+. ***r 3.27*** Certains traduisent : *par la loi des œuvres ? Nullement, mais par la loi de la foi.* — *orgueil* 2.17+. ***s 3.31*** Mt 5.17-19. ***t 4.1*** Autre texte : *Que dirons-nous donc d'Abraham, notre ancêtre selon la chair ?* ***u 4.2*** *s'enorgueillir* 2.17+.

l'Ecriture? *Abraham eut foi en Dieu, et cela lui fut compté comme jus-*
tice[v]. 4 Or, à celui qui accomplit des œuvres, le salaire n'est pas
compté comme une grâce, mais comme un dû[w]. 5 Par contre, à celui
qui n'accomplit pas d'œuvres mais croit en celui qui justifie l'impie, sa
foi est comptée comme justice[x]. 6 C'est ainsi que David célèbre le bon-
heur de l'homme au compte duquel Dieu porte la justice indépendam-
ment des œuvres:

7 *Heureux ceux dont les offenses ont été pardonnées et les péchés*
remis[y],
8 *Heureux l'homme au compte de qui le Seigneur ne porte pas le*
péché.

9 Cette déclaration de bonheur ne concerne-t-elle donc que les
*circoncis, ou également les incirconcis? Nous disons en effet: *la foi*
d'Abraham lui fut comptée comme justice. 10 Mais dans quelles condi-
tions le fut-elle? Avant, ou après sa circoncision? Non pas après,
mais avant! 11 Puis le *signe de la circoncision lui fut donné comme
sceau de la justice reçue par la foi, lorsqu'il était incirconcis; ainsi
devint-il à la fois père de tous les croyants[z] incirconcis, pour que la
justice leur fût comptée, 12 et père des circoncis, de ceux qui non
seulement appartiennent au peuple des circoncis, mais marchent
aussi sur les traces de la foi de notre père Abraham, avant sa circon-
cision.

13 En effet, ce n'est pas en vertu de la *loi, mais en vertu de la justice
de la foi que la promesse de recevoir le monde en héritage fut faite à
Abraham[a] ou à sa descendance. 14 Si les héritiers le sont en vertu de la
loi, la foi n'a plus de sens et la promesse est annulée. 15 Car la loi pro-
duit la colère; là où il n'y a pas loi, il n'y a pas non plus de transgres-
sion[b]. 16 Aussi est-ce par la foi qu'on devient héritier[c], afin que ce soit
par grâce et que la promesse demeure valable pour toute la descen-
dance d'Abraham, non seulement pour ceux qui se réclament de la loi,
mais aussi pour ceux qui se réclament de la foi d'Abraham, notre père
à tous. 17 En effet, il est écrit: *J'ai fait de toi le père d'un grand nombre*
de peuples. Il est notre père devant Celui en qui il a cru, le Dieu qui

***v* 4.3** Gn 15.6 ; (Rm 4.9 ; Ga 3.6-9 ; Jc 2.20-24). — *la foi d'Abraham* Gn 12.1-5. ***w* 4.4** Rm 11.6 ; Mt 20.1-16 ; Lc 17.7-11. ***x* 4.5** La *justice,* la *loi* et la *foi* Ga 2.16. ***y* 4.7** Ou *couverts,* c'est-à-dire *effacés.* — v. 7-8 : Ps 32.1-2. ***z* 4.11** *circoncision d'Abraham* Gn 17.9-14. — *Abraham, père des croyants* Ga 3.7-9.

***a* 4.13** *la justice de la foi :* expression condensée pour *la justice reçue par la foi.* Voir Rm 1.17 et la note. — *la promesse faite à Abraham* Gn 12.2-3 ; 22.15-18 ; Ga 3.15-16. — *la foi d'Abraham* He 11.8-12. ***b* 4.15** Le rôle de la *loi* 3.20 ; 5.13, 20-21 ; 7.7-13 ; 1 Co 15.56 ; Ga 3.10, 19-22. ***c* 4.16** Ga 3.18, 23-29.

fait vivre les morts[d] et appelle à l'existence ce qui n'existe pas.
18 Espérant contre toute espérance, il crut et devint ainsi *le père d'un
grand nombre de peuples,* selon la parole: *Telle sera ta descen-
dance*[e]. 19 Il ne faiblit pas dans la foi en considérant son corps — il
était presque centenaire — et le sein maternel de Sara, l'un et l'autre
atteints par la mort[f]. 20 Devant la promesse divine, il ne succomba pas
au doute, mais il fut fortifié par la foi et rendit gloire à Dieu[g],
21 pleinement convaincu que, ce qu'il a promis, Dieu a aussi la puis-
sance de l'accomplir[h]. 22 Voilà pourquoi *cela lui fut compté comme
justice*[i]. 23 Or, ce n'est pas pour lui seul qu'il est écrit: *Cela lui fut
compté,* 24 mais pour nous aussi, nous à qui la foi sera comptée,
puisque nous croyons en Celui qui a ressuscité d'entre les morts[j]
Jésus notre Seigneur, 25 livré pour nos fautes et ressuscité pour notre
justification[k].

L'homme justifié, réconcilié et sauvé

5 1 Ainsi donc, justifiés par la foi, nous sommes en paix[l] avec Dieu
par notre Seigneur Jésus Christ; 2 par lui nous avons accès, par la
foi[m], à cette grâce en laquelle nous sommes établis et nous mettons
notre *orgueil dans l'espérance de la gloire de Dieu. 3 Bien plus, nous
mettons notre orgueil dans nos détresses[n] mêmes, sachant que la
détresse produit la persévérance, 4 la persévérance la fidélité éprou-
vée[o], la fidélité éprouvée l'espérance; 5 et l'espérance ne trompe pas,
car l'amour de Dieu a été répandu dans nos *cœurs par l'Esprit Saint[p]
qui nous a été donné. 6 Oui, quand nous étions encore sans force,
Christ, au temps fixé, est mort pour des impies. 7 C'est à peine si quel-
qu'un voudrait mourir pour un juste; peut-être pour un homme de
bien accepterait-on de mourir. 8 Mais en ceci Dieu prouve son amour

d* *4.17 Gn 17.5. — *Dieu qui fait vivre les morts* Dt 32.39 ; Ez 37.1-10 ; He 11.19. — *il est notre père :* mots ajoutés pour la bonne compréhension du texte. ***e 4.18*** Gn 15.5. ***f 4.19*** Devenus incapables de s'assurer une descendance. — Abraham *centenaire* Gn 17.1, 15-22. ***g 4.20*** *foi en la promesse* He 6.15 ; 11.32-40. — *rendre gloire à Dieu* Jos 7.19 ; 1 S 6.5, etc. ***h 4.21*** Jr 32.17-24 ; Gn 18.14 ; Lc 1.35-38. ***i 4.22*** Gn 15.6. ***j 4.24*** *écrit pour nous aussi* 15.4. — *ressuscité d'entre les morts* 10.9. ***k 4.25*** *livré pour nos fautes* Es 53.6 (grec) ; Rm 8.32. — *ressuscité pour notre justification* 1 Co 15.17 ; Col 2.11-13. ***l 5.1*** Quelques manuscrits comportent *soyons en paix ;* Es 53.5 ; Ep 2.14-17 ; Col 3.15. ***m 5.2*** Plusieurs manuscrits omettent les mots *par la foi.* ***n 5.3*** *détresses* Ps 37.39 ; 50.15 ; Mt 24.21 ; Ac 11.19 ; 14.22 ; 2 Co 1.4-5 ; Ph 4.14 ; 1 Th 3.3 ; Ap 1.9 ; 7.14. ***o 5.4*** Ou *la mise à l'épreuve* (au sens d'une vérification de la qualité). — Constance dans l'épreuve 8.18 ; 2 Co 4.17 ; Jc 1.2-4 ; 1 P 1.6-7 ; He 6.18-19. ***p 5.5*** Comme en 8.39, il s'agit de *l'amour que Dieu a pour nous.* — *Saint Esprit* 8.9-16 ; Ga 4.6 ; Tt 3.5-7 ; 1 Jn 4.13.

envers nous: Christ est mort pour nous[q] alors que nous étions encore
*pécheurs. 9 Et puisque maintenant nous sommes justifiés par son
*sang, à plus forte raison serons-nous sauvés par lui de la colère. 10 Si
en effet, quand nous étions ennemis de Dieu, nous avons été réconci-
liés[r] avec lui par la mort de son Fils, à plus forte raison, réconciliés,
serons-nous sauvés par sa vie. 11 Bien plus, nous mettons notre orgueil
en Dieu par notre Seigneur Jésus Christ par qui, maintenant, nous
avons reçu la réconciliation.

Adam et Jésus Christ

12 Voilà pourquoi, de même que par un seul homme le péché est
entré dans le *monde et par le péché la mort, et qu'ainsi la mort a
atteint tous les hommes: d'ailleurs[s] tous ont péché... 13 car[t], jusqu'à la
*loi, le péché était dans le monde et, bien que le péché ne puisse
être sanctionné quand il n'y a pas de loi, 14 pourtant, d'Adam à Moïse
la mort a régné, même sur ceux qui n'avaient pas péché par une
transgression identique à celle d'Adam, figure de celui qui devait
venir[u].

15 Mais il n'en va pas du don de grâce comme de la faute; car, si par
la faute d'un seul la multitude a subi la mort, à plus forte raison la
grâce de Dieu, grâce accordée en un seul homme, Jésus Christ, s'est-
elle répandue en abondance sur la multitude. 16 Et il n'en va pas non
plus du don comme des suites du péché d'un seul: en effet, à partir du
péché d'un seul, le jugement aboutit à la condamnation, tandis qu'à
partir de nombreuses fautes, le don de grâce aboutit à la justification.
17 Car si par un seul homme, par la faute d'un seul, la mort a régné, à
plus forte raison, par le seul Jésus Christ, régneront-ils dans la *vie,
ceux qui reçoivent l'abondance de la grâce et du don de la justice.
18 Bref, comme par la faute d'un seul ce fut pour tous les hommes la
condamnation, ainsi par l'œuvre de justice d'un seul, c'est pour tous
les hommes la justification qui donne la vie. 19 De même en effet que,
par la désobéissance d'un seul homme, la multitude a été rendue
*pécheresse, de même aussi, par l'obéissance d'un seul[v], la multitude

***q* 5.8** v. 6-8 *le Christ est mort pour nous* 3.25 ; 4.25 ; 5.6-11 ; 8.32 ; Ga 1.4 ; 2.20 ; Ep 5.2 ; 1 Tm 2.6 ; Tt 2.14 ; 3.4-7 ; 1 P 3.18 ; Jn 3.16-17 ; 15.13 ; 1 Jn 3.16 ; 4.10. ***r* 5.10** 2 Co 5.18-19 ; Ep 2.16 ; Col 1.20-22. ***s* 5.12** Autres traductions : 1) *à cause duquel* (c.-à-d. d'Adam)... 2) *à cause de laquelle...* ou *en vue de laquelle* (c.-à-d. de la mort)... — *la mort,* fruit du *péché* Gn 2.17 ; 3.19 ; *Sg* 2.24 ; Rm 6.23 ; 7.5 ; 8.6, 13 ; 1 Co 15.21-22, 45 ; Ga 6.7-9 ; Jc 1.15. ***t* 5.13** La comparaison amorcée au v. 12 reste en suspens ; elle sera reprise aux vv. 15 et 18. ***u* 5.14** Le Christ. ***v* 5.19** Es 53.11 ; Ph 2.8 ; He 5.8.

sera-t-elle rendue juste. 20 La loi, elle, est intervenue pour que proli-
fère la faute, mais là où le péché a proliféré, la grâce a surabondé,
21 afin que, comme le péché avait régné pour la mort, ainsi, par la jus-
tice, la grâce règne pour la vie éternelle[w] par Jésus Christ, notre Sei-
gneur.

Mort et vie avec Jésus Christ

6 1 Qu'est-ce à dire? Nous faut-il demeurer dans le péché afin que la
grâce abonde[x]? 2 Certes non! Puisque nous sommes morts au
péché, comment vivre encore dans le péché? 3 Ou bien ignorez-vous
que nous tous, baptisés en Jésus Christ[y], c'est en sa mort que nous
avons été baptisés? 4 Par le baptême, en sa mort, nous avons donc été
ensevelis avec lui[z], afin que, comme Christ est ressuscité des morts
par la gloire du Père, nous menions nous aussi une *vie nouvelle. 5 Car
si nous avons été totalement unis, assimilés à sa mort[a], nous le serons
aussi à sa Résurrection. 6 Comprenons bien ceci: notre vieil homme a
été crucifié avec lui pour que soit détruit ce corps de péché[b] et
qu'ainsi nous ne soyons plus esclaves du péché. 7 Car celui qui est
mort est libéré du péché. 8 Mais si nous sommes morts avec Christ,
nous croyons que nous vivrons aussi avec lui. 9 Nous le savons en
effet: ressuscité des morts, Christ ne meurt plus; la mort sur lui n'a
plus d'empire. 10 Car en mourant, c'est au péché qu'il est mort une fois
pour toutes[c]; vivant, c'est pour Dieu qu'il vit. 11 De même vous aussi:
considérez que vous êtes morts au péché et vivants pour Dieu[d] en
Jésus Christ.

12 Que le péché ne règne donc plus dans votre corps mortel pour
vous faire obéir à ses convoitises. 13 Ne mettez plus vos membres au
service du péché comme armes de l'injustice, mais, comme des
vivants revenus d'entre les morts, avec vos membres comme armes de
la justice, mettez-vous au service de Dieu. 14 Car le péché n'aura plus
d'empire sur vous, puisque vous n'êtes plus sous la *loi[e], mais sous la
grâce.

w* *5.21 *vie éternelle* Dn 12.2 ; Mt 19.16 ; Jn 3.15 ; 6.47 ; 17.3 ; Rm 2.7 ; 6.22-23 ; Ga 6.8 ; 1 Tm 6.12 ; Tt 1.2 ; 1 Jn 5.11, 20. ***x* *6.1*** Abus de la *grâce* 3.8. ***y* *6.3*** Ga 3.27. ***z* *6.4*** Col 2.12 ; 2 Tm 2.11. ***a* *6.5*** Comme au v. 8, le *si* est à comprendre au sens de *puisque.* — Autre traduction : *si nous sommes devenus un même être* (avec lui) *par une mort semblable à la sienne.* — Unis à Christ Ph 3. 10-11 ; Ep 2.6. ***b* *6.6*** *le vieil homme* Col 3.9-10 ; Ep 4.22-24. — *crucifiés avec Christ* Ga 5.24 ; 6.14. — Comme en Rm 12.1, le *corps* désigne ici l'être humain tout entier en tant qu'il agit par son corps. ***c* *6.10*** 1 P 3.18 ; He 9.26-28. ***d* *6.11*** 1 P 2.24 (Col 3.3, 5 ; Ga 2.19 ; 2 Co 5.15). ***e* *6.14*** Ga 5.18.

Le service de la justice

15 Quoi donc? Allons-nous pécher parce que nous ne sommes plus
sous la *loi, mais sous la grâce? Certes non! 16 Ne savez-vous pas
qu'en vous mettant au service de quelqu'un comme esclaves pour lui
obéir, vous êtes esclaves de celui à qui vous obéissez, soit du péché
qui conduit à la mort, soit de l'obéissance[f] qui conduit à la justice?
17 Rendons grâce à Dieu: vous étiez esclaves du péché, mais vous avez
obéi de tout votre cœur à l'enseignement commun auquel vous avez
été confiés; 18 libérés[g] du péché, vous êtes devenus esclaves de la jus-
tice. 19 J'emploie des mots tout humains, adaptés à votre faiblesse. De
même que vous avez mis vos membres comme esclaves au service de
*l'impureté et du désordre qui conduisent à la révolte contre Dieu,
mettez-les maintenant comme esclaves au service de la justice[h] qui
conduit à la *sanctification. 20 Lorsque vous étiez esclaves du péché,
vous étiez libres à l'égard de la justice. 21 Quels fruits portiez-vous
donc alors? Aujourd'hui vous en avez honte, car leur aboutissement,
c'est la mort. 22 Mais maintenant, libérés du péché et devenus esclaves
de Dieu, vous portez les fruits qui conduisent à la sanctification, et
leur aboutissement, c'est la *vie éternelle[i]. 23 Car le salaire du péché,
c'est la mort[j]; mais le don gratuit de Dieu, c'est la vie éternelle en
Jésus Christ, notre Seigneur.

Le chrétien libéré de la loi

7 1 Ou bien ignorez-vous, frères — je parle à des gens compétents
en matière de *loi[k] — que la loi n'a autorité sur l'homme qu'aussi
longtemps qu'il vit? 2 Ainsi la femme mariée est liée par une loi à un
homme tant qu'il vit; mais s'il vient à mourir, elle ne relève plus de la
loi conjugale. 3 Donc, si du vivant de son mari elle appartient à un
autre, elle sera appelée adultère; mais, si le mari vient à mourir, elle
est libre à l'égard de la loi, en sorte qu'elle ne sera pas adultère en
appartenant à un autre. 4 Vous de même, mes frères, vous avez été mis
à mort à l'égard de la loi[l], par le corps du Christ, pour appartenir à un
autre, le Ressuscité d'entre les morts, afin que nous portions des fruits

***f* 6.16** *l'obéissance :* tournure condensée pour *Dieu à qui l'on obéit.* — *esclaves* Jn 8.34 ; 2 P 2.19. ***g* 6.18** *libérés* Ga 5.13 ; Jn 8.36. ***h* 6.19** *membres* 7.5, 23. — *au service de la justice* 12.1. ***i* 6.22** *fruits* Jn 15.8, 16 ; Ga 5.22 ; 6.8. — *vie éternelle* Rm 5.21+. ***j* 6.23** 5.12. ***k* 7.1** Autre traduction : *je parle à des hommes connaissant la loi* (de Moïse). ***l* 7.4** *morts à l'égard de la loi,* Ga 2.19 ; 3.13. — *à l'égard du péché,* Rm 6.5-6 ; 2 Co 5.15.

pour Dieu. 5 En effet, quand nous étions dans la chair[m], les passions pécheresses, se servant de la loi, agissaient en nos membres, afin que nous portions des fruits pour la mort. 6 Mais maintenant, morts à ce qui nous tenait captifs, nous avons été affranchis de la loi, de sorte que nous servons sous le régime nouveau de l'Esprit et non plus sous le régime périmé de la lettre[n].

Le rôle de la loi

7 Qu'est-ce à dire? La *loi serait-elle péché? Certes non! Mais je n'ai connu le péché que par la loi. Ainsi je n'aurais pas connu la convoitise si la loi n'avait dit: *Tu ne convoiteras pas*[o]. 8 Saisissant l'occasion, le péché a produit en moi toutes sortes de convoitises par le moyen du commandement. Car, sans loi, le péché est chose morte. 9 Jadis, en l'absence de loi, je vivais. Mais le commandement est venu, le péché a pris vie 10 et moi je suis mort: le commandement qui doit mener à la vie[p] s'est trouvé pour moi mener à la mort. 11 Car le péché, saisissant l'occasion, m'a séduit[q] par le moyen du commandement et, par lui, m'a donné la mort. 12 Ainsi donc, la loi est *sainte et le commandement saint juste et bon.

L'homme sous l'empire du péché

13 Alors, ce qui est bon est-il devenu cause de mort pour moi? Certes non! Mais c'est le péché: en se servant de ce qui est bon, il m'a donné la mort, afin qu'il fût manifesté comme péché et qu'il apparût dans toute sa virulence de péché, par le moyen du commandement. 14 Nous savons, certes, que la *loi est spirituelle; mais moi, je suis charnel[r], vendu comme esclave au péché. 15 Effectivement, je ne comprends rien à ce que je fais: ce que je veux, je ne le fais pas, mais ce que je hais, je le fais. 16 Or, si ce que je ne veux pas, je le fais, je suis d'accord avec la loi et reconnais qu'elle est bonne; 17 ce n'est donc pas moi qui agis ainsi, mais le péché qui habite en moi. 18 Car je sais qu'en moi — je veux dire dans ma chair[s] — le bien n'habite pas: vouloir le bien est à ma portée, mais non pas l'accomplir, 19 puisque le bien que je veux, je ne le fais pas et le mal que je ne veux pas, je le fais. 20 Or, si ce que je ne veux pas, je le fais, ce n'est pas moi qui agis, mais le péché qui habite en moi. 21 Moi qui veux faire le bien, je constate donc cette loi:

m 7.5 Comme aux vv. 18 et 25, le mot *chair* sert à désigner l'homme en tant qu'il est dominé et disqualifié par le péché; Rm 7–8. ***n 7.6*** Voir 2.29+ et la note. ***o 7.7*** *la loi fait connaître le péché* 3.20. — *convoitise* Jc 1.14-15. — 10e commandement Ex 20.17 ; Dt 5.21. — *La loi* fait apparaître le péché Rm 4.15. ***p 7.10*** Lv 18.5 ; Dt 4.1 ; 5.33 ; Ez 20.11. ***q 7.11*** Gn 3.13 ; 2 Co 11.3 ; He 3.13. ***r 7.14*** Ps 51.7 ; Jn 3.6. ***s 7.18*** Voir 7.5 et la note.

c'est le mal qui est à ma portée. [22] Car je prends plaisir à la loi de Dieu, en tant qu'homme intérieur[t], [23] mais, dans mes membres, je découvre une autre loi qui combat contre la loi que ratifie mon intelligence[u]; elle fait de moi le prisonnier de la loi du péché qui est dans mes membres. [24] Malheureux homme que je suis! Qui me délivrera de ce corps qui appartient à la mort[v]? [25] Grâce soit rendue à Dieu par Jésus Christ, notre Seigneur[w]!

Me voilà donc à la fois assujetti par l'intelligence à la loi de Dieu et par la chair à la loi du péché.

La libération par l'Esprit

8 [1] Il n'y a donc, maintenant, plus aucune condamnation pour ceux qui sont en Jésus Christ. [2] Car la *loi de l'Esprit qui donne la *vie en Jésus Christ m'a libéré[x] de la loi du péché et de la mort. [3] Ce qui était impossible à la loi, car la chair la vouait à l'impuissance, Dieu l'a fait: à cause du péché, en envoyant son propre Fils dans la condition de notre chair de péché[y], il a condamné le péché dans la chair, [4] afin que la justice exigée par la loi[z] soit accomplie en nous, qui ne marchons pas sous l'empire de la chair, mais de l'Esprit. [5] En effet, sous l'empire de la chair, on tend à ce qui est charnel, mais sous l'empire de l'Esprit[a], on tend à ce qui est spirituel: [6] la chair tend à la mort, mais l'Esprit tend à la vie[b] et à la paix. [7] Car le mouvement de la chair est révolte contre Dieu; elle ne se soumet pas à la loi de Dieu; elle ne le peut même pas. [8] Sous l'empire de la chair on ne peut plaire à Dieu. [9] Or vous, vous n'êtes pas sous l'empire de la chair, mais de l'Esprit, puisque l'Esprit de Dieu habite en vous[c]. Si quelqu'un n'a pas l'Esprit du Christ, il ne lui appartient pas. [10] Si Christ est en vous, votre corps[d], il est vrai, est voué à la mort à cause du péché, mais l'Esprit est votre vie à cause de la justice. [11] Et si l'Esprit de Celui qui a ressuscité Jésus d'entre les morts habite en vous, Celui qui a ressuscité Jésus Christ d'entre les morts donnera aussi la vie à vos corps mortels, par son Esprit qui habite en vous[e].

***t* 7.22** Expression empruntée au vocabulaire de la philosophie grecque. D'après le v. 23 elle désigne la partie rationnelle de l'homme ; Ep 3.16. ***u* 7.23** Lutte entre la chair et l'Esprit Ga 5.16-23, 25. ***v* 7.24** Prière dans la détresse Ps 22.1-12 ; 107.6, 13, 19, 28. ***w* 7.25** Action de grâce 5.21 ; 6.23 ; 1 Co 15.57. ***x* 8.2** Autres textes : *t'a libéré ;* ou *nous a libérés. — l'Esprit* libérateur 2 Co 3.17 ; Ga 5.18. — *la loi de l'Esprit* Jr 31.33 ; Ez 36.27 ; 37.14. ***y* 8.3** *à cause du péché :* ou *au sujet du péché ;* ou *en vue du péché* (à expier). — *le Fils prend sur lui notre condition* Ga 3.13 ; 2 Co 5.21 ; He 2. 14-18 ; 4.15. ***z* 8.4** Comme en 5.18, le terme *justice* exprime ici ce qui est conforme à la volonté de Dieu. ***a* 8.5** *la chair* et *l'Esprit* 7.23+. ***b* 8.6** *la mort* et *la vie* 6.21-22 ; 7.5 ; 8.13. ***c* 8.9** Autre traduction : *si vraiment l'Esprit de Dieu...* Voir 6.5 et la note. — *l'Esprit de Dieu en vous* 1 Co 3.16. ***d* 8.10** Voir 6.6 et la note. ***e* 8.11** 1 Co 6.14 ; 2 Co 4.14.

12 Ainsi donc, frères, nous avons une dette, mais non envers la chair
pour devoir vivre de façon charnelle. 13 Car si vous vivez de façon char-
nelle, vous mourrez; mais si, par l'Esprit, vous faites mourir votre com-
portement charnel, vous vivrez. 14 En effet, ceux-là sont fils de Dieu qui
sont conduits par l'Esprit de Dieu: 15 vous n'avez pas reçu un esprit qui
vous rende esclaves et vous ramène à la peur, mais un Esprit qui fait de
vous des fils adoptifs et par lequel nous crions: Abba[f], Père. 16 Cet Esprit
lui-même atteste à notre esprit que nous sommes enfants de Dieu.
17 Enfants, et donc héritiers: héritiers de Dieu, cohéritiers de Christ,
puisque, ayant part à ses souffrances, nous aurons part aussi à sa gloire[g].

La gloire à venir

18 J'estime en effet que les souffrances du temps présent sont sans
proportion avec la gloire qui doit être *révélée[h] en nous. 19 Car la créa-
tion attend avec impatience la révélation des fils de Dieu: 20 livrée au
pouvoir du néant — non de son propre gré, mais par l'autorité de celui
qui l'a livrée —, elle garde l'espérance, 21 car elle aussi sera libérée de
l'esclavage de la corruption, pour avoir part à la liberté et à la gloire
des enfants de Dieu[i].

22 Nous le savons en effet: la création tout entière gémit maintenant
encore dans les douleurs de l'enfantement[j]. 23 Elle n'est pas la seule:
nous aussi, qui possédons les *prémices de l'Esprit, nous gémissons
intérieurement, attendant l'adoption, la délivrance pour notre corps[k].
24 Car nous avons été sauvés, mais c'est en espérance. Or, voir ce
qu'on espère n'est plus espérer: ce que l'on voit, comment l'espérer
encore? 25 Mais espérer ce que nous ne voyons pas, c'est l'attendre
avec persévérance. 26 De même, l'Esprit aussi vient en aide à notre fai-
blesse, car nous ne savons pas prier comme il faut, mais l'Esprit lui-
même intercède pour nous[l] en gémissements inexprimables, 27 et celui
qui scrute les *cœurs sait quelle est l'intention de l'Esprit: c'est selon
Dieu en effet que l'Esprit intercède pour les *saints.

28 Nous savons d'autre part que tout concourt au bien de ceux qui
aiment Dieu[m], qui sont appelés selon son dessein. 29 Ceux que

***f* 8.15** *esclaves, fils* Ga 4.7. — Esprit d'adoption filiale Ga 4.6 ; 2 Tm 1.7. — *Abba :* en araméen = papa ; expression particulière à Jésus quand il priait son père (Mc 14.36 ; voir Ga 4.6). ***g* 8.17** Autre traduction : *si vraiment nous avons part...* Voir v. 9 et la note. — *souffrance* et *gloire* Lc 24.26 ; 2 Co 4.17 ; 1 P 4.13. ***h* 8.18** 3.23+. ***i* 8.21** *la création libérée de la corruption* 2 P 3.12-13 ; Ap 21.1. — *participation à la gloire à venir* Es 55.13 ; 65.17 ; Rm 8.23 ; Col 1.18-20. ***j* 8.22** Jr 13.21 ; Es 66.6-8 ; Jn 16.21-22. ***k* 8.23** *prémices* 1 Co 15.20 ; Rm 11.16 *de l'Esprit* 2 Co 1.22. — *l'espérance pour notre corps* 1 Co 15.53-54 ; 2 Co 5.2-5 ; Ph 3.20-21. ***l* 8.26** *intercession* et œuvre de *l'Esprit* Jc 4.5 ; 1 Co 2.10-13 (Rm 8.15). ***m* 8.28** Autre texte : *Dieu collabore en tout pour le bien avec ceux qui l'aiment.*

d'avance il a connus, il les a aussi prédestinés à être conformes à
l'image de son Fils[n], afin que celui-ci soit le premier-né d'une multi-
tude de frères; 30 ceux qu'il a prédestinés, il les a aussi appelés; ceux
qu'il a appelés, il les a aussi justifiés; et ceux qu'il a justifiés, il les a
aussi glorifiés[o].

Hymne à l'amour de Dieu

31 Que dire de plus? Si Dieu est pour nous, qui sera contre nous?
32 Lui qui n'a pas épargné son propre Fils, mais l'a livré pour nous
tous[p], comment, avec son Fils, ne nous donnerait-il pas tout? 33 Qui
accusera les élus de Dieu[q]? Dieu justifie! 34 Qui condamnera? Jésus
Christ est mort, bien plus il est ressuscité, lui qui est à la droite de Dieu
et qui intercède pour nous[r]! 35 Qui nous séparera de l'amour du
Christ? La détresse, l'angoisse, la persécution, la faim, le dénuement,
le danger, le glaive? 36 selon qu'il est écrit: *A cause de toi nous
sommes mis à mort tout le long du jour, nous avons été considérés
comme des bêtes de boucherie*[s]. 37 Mais en tout cela, nous sommes
plus que vainqueurs par Celui qui nous a aimés. 38 Oui, j'en ai l'assu-
rance: ni la mort ni la vie, ni les *anges ni les dominations, ni le pré-
sent ni l'avenir, ni les puissances, 39 ni les forces des hauteurs ni celles
des profondeurs, ni aucune autre créature, rien ne pourra nous séparer
de l'amour de Dieu manifesté en Jésus Christ, notre Seigneur.

Election et péché d'Israël

9 1 En Christ je dis la vérité, je ne mens pas, par l'Esprit Saint ma
conscience m'en rend témoignage: 2 j'ai au cœur une grande tris-
tesse et une douleur incessante. 3 Oui, je souhaiterais être anathème[t],
être moi-même séparé du Christ pour mes frères, ceux de ma race
selon la chair, 4 eux qui sont les Israélites, à qui appartiennent l'adop-
tion, la gloire, les *alliances, la *loi, le culte, les promesses[u] 5 et les
pères, eux enfin de qui, selon la chair, est issu le *Christ qui est au-
dessus de tout, Dieu béni éternellement[v]. *Amen.
6 Non que la parole de Dieu ait été mise en échec: en effet, tous

n* *8.29 Col 1.15 ; Rm 8.16-17 ; 2 Co 3.18 ; 1 Co 15.49. ***o* *8.30*** 2 Th 2.13-14 ; Ep 1.11-13. ***p* *8.32*** *Dieu n'a pas épargné son Fils* voir Gn 22.16. — *mais il l'a livré pour nous* Rm 5.6-8 ; Es 53.6 (grec). ***q* *8.33*** Voir 16.13 et Col 3.12 ; ici le terme est sensiblement équivalent à *saints* (voir Rm 1.7 et note). ***r* *8.34*** He 7.25 ; 1 Jn 2.1. ***s* *8.36*** Ps 44.23. — *constamment mis à mort* 1 Co 4.9 ; 2 Co 4.11. ***t* *9.3*** Terme emprunté à l'A.T. ; il signifie ici *exclu de la communauté et maudit...* Dt 7.26 ; Ga 1.8 ; 1 Co 16.22 et la note. ***u* *9.4*** Privilèges d'Israël Gn 12.2-3 ; Ex 4.22 ; 19.5-6 ; Dt 7.6 ; Os 11.1 ; Ac 13.17 ; Rm 3.2 ; Ep 2.12. ***v* *9.5*** Origine humaine du Christ 1.3 ; Ga 4.4 ; Mt 1.2-16 ; Lc 3.23-34. — *Il est au-dessus de tout, Dieu* Jn 1.1 ; 1 Jn 5.20 ; Tt 2.13.

ceux qui sont de la postérité d'Israël ne sont pas Israël[w] 7 et, pour être
la descendance d'Abraham, tous ne sont pas ses enfants. Non: *C'est la
postérité d'Isaac qui sera appelée ta descendance*[x]. 8 Ce qui signifie: ce
ne sont pas les enfants de la chair qui sont enfants de Dieu; comme
descendance, seuls les enfants de la promesse entrent en ligne de
compte[y]. 9 Car c'était une promessse que cette parole: *A pareille
époque je reviendrai et Sara aura un fils*[z]. 10 Et ce n'est pas tout; il y a
aussi Rébecca[a]. C'est du seul Isaac, notre père, qu'elle avait conçu;
11 et pourtant, ses enfants n'étaient pas encore nés et n'avaient donc
fait ni bien ni mal que déjà — pour que se perpétue le dessein de Dieu,
dessein qui procède par libre choix 12 et ne dépend pas des œuvres,
mais de Celui qui appelle — il lui fut dit: *L'aîné sera soumis au plus
jeune*[b], 13 selon qu'il est écrit: *J'ai aimé Jacob et j'ai haï Esaü*[c].
14 Qu'est-ce à dire? Y aurait-il de l'injustice en Dieu[d]? Certes non!
15 Il dit en effet à Moïse: *Je ferai miséricorde à qui je veux faire miséri-
corde et je prendrai pitié de qui je veux prendre pitié*[e]. 16 Cela ne
dépend donc pas de la volonté ni des efforts de l'homme, mais de la
miséricorde de Dieu[f]. 17 C'est ainsi que l'Ecriture dit au *Pharaon: *Je
t'ai suscité précisément pour montrer en toi ma puissance et pour que
mon *nom soit proclamé par toute la terre*[g]. 18 Ainsi donc il fait miséri-
corde à qui il veut et il endurcit qui il veut.

Souveraine liberté de Dieu

19 Mais alors, diras-tu, de quoi se plaint-il encore? Car enfin, qui
résisterait à sa volonté? 20 — Qui es-tu donc, homme, pour entrer en
contestation avec Dieu[h]? *L'ouvrage va-t-il dire à l'ouvrier*: Pourquoi
m'as-tu fait ainsi? 21 Le potier[i] n'est-il pas maître de son argile pour
faire, de la même pâte, tel vase d'usage noble, tel autre d'usage vul-
gaire? 22 Si donc Dieu, voulant montrer sa colère et faire connaître sa
puissance, a supporté avec beaucoup de patience des vases de colère[j]

w 9.6 *la parole de Dieu n'a pas échoué* Nb 23.19 ; Es 55.10-11 ; He 4.12. — Dans ce même verset *Israël* désigne successivement Jacob (Gn 32.29) et le vrai peuple de Dieu (voir Ga 6.16). ***x 9.7*** Gn 21.12. ***y 9.8*** La vraie descendance d'Abraham 2.28-29 ; Ga 3.7, 29 ; 4.21-31 ; Mt 3.9 ; Jn 8.31-44. ***z 9.9*** Gn 18.10, 14. ***a 9.10*** *Rébecca* Gn 24.67. ***b 9.12*** Gn 25.23. — *appelé* par grâce Rm 11. 5-6 ; 1 Th 1.4 ; 2 P 1.10. ***c 9.13*** Tournure sémitique qu'on rencontre aussi en Lc 14.26 ; elle équivaut à *j'ai choisi Jacob plutôt qu'Esaü ;* Ml 1.2-3. ***d 9.14*** Dt 32.4 ; Ps 36.7 ; Ps 89.15 ; 130.7. ***e 9.15*** Ex 33.19. ***f 9.16*** 11.31 ; 15.9 ; Ep 2.4 ; Tt 3.5. ***g 9.17*** Ex 9.16 (Ex 7—15). ***h 9.20*** Es 29.16 ; 45.9. — *contester avec Dieu Sg* 12.12 ; Jb 11.7 ; 38.2. ***i 9.21*** *le potier* Gn 2.7 ; Es 29.16 ; 41.25 ; 45.9 ; 64.7 ; Jr 18.6 ; *Si* 33.13 ; *Sg* 15.7. ***j 9.22*** Comme en hébreu, le terme *vase* s'entend aussi au sens large d' *instrument* ou d' *objet* (cf. Ac 9.15 ; un « vase d'élection »). — *patience* de Dieu Rm 2.4 ; 3.25-26.

tout prêts pour la perdition, 23 et ceci afin de faire connaître la richesse
de sa gloire envers des vases de miséricorde que, d'avance, il a pré-
parés pour la gloire[k], 24 nous qu'il a appelés non seulement d'entre les
*Juifs mais encore d'entre les *païens... 25 C'est bien ce qu'il dit dans
Osée: *Celui qui n'était pas mon peuple, je l'appellerai Mon Peuple et
celle qui n'était pas la bien-aimée, je l'appellerai Bien-Aimée[l]; 26 et là
même où il leur avait été dit: « Vous n'êtes pas mon peuple », ils seront
appelés fils du Dieu vivant[m].* 27 Esaïe, de son coté, s'écrie au sujet
d'Israël: *Quand bien même le nombre des fils d'Israël serait comme le
sable de la mer, c'est le reste qui sera sauvé[n]; 28 car le Seigneur accom-
plira pleinement et promptement sa parole sur la terre.* 29 C'est encore
ce qu'avait prédit Esaïe: *Si le Seigneur des armées ne nous avait laissé
une descendance, nous serions devenus comme Sodome, semblables
à Gomorrhe[o].*

30 Qu'est-ce à dire? Ceci: des païens qui ne recherchaient pas la jus-
tice l'ont reçue — j'entends la justice qui vient de la foi[p] —, 31 tandis
qu'Israël, qui recherchait une *loi pouvant procurer la justice, est
passé à côté de la loi. 32 Pourquoi? Parce que cette justice, ils ne
l'attendaient pas de la foi, mais pensaient l'obtenir des œuvres. Ils ont
buté contre la pierre d'achoppement, 33 selon qu'il est écrit: *Voici que
je pose en *Sion une pierre d'achoppement[q], un roc qui fait tomber;
mais celui qui croit en lui ne sera pas confondu.*

Juifs et païens ont le même Seigneur

10 1 Frères, le vœu de mon *cœur et ma prière à Dieu pour eux[r],
c'est qu'ils parviennent au salut. 2 Car, j'en suis témoin, ils ont
du zèle pour Dieu, mais c'est un zèle que n'éclaire pas la connais-
sance[s]: 3 en méconnaissant la justice qui vient de Dieu et en cherchant
à établir la leur propre[t], ils ne se sont pas soumis à la justice de Dieu.
4 Car la fin de la *loi, c'est Christ, pour que soit donnée la justice à tout
homme qui croit[u].

5 Moïse lui-même écrit de la justice qui vient de la loi: *L'homme qui
l'accomplira vivra par elle[v].* 6 Mais la justice qui vient de la foi parle

k 9.23 8.29-30 ; Ep 1.3-12 ; Ph 4.19. ***l 9.25*** Os 2.25 (1 P 2.10). ***m 9.26*** Os 2.1. ***n 9.27*** v. 27-28 : Es 10.22-23. — *le reste* Am 3.12 ; 5.15 ; Es 4.3 ; 6.13 ; 10.20 ; Mi 4.6-7 ; So 3.12-13 ; Jr 23.3 ; Ag 1.12 ; Za 8.6-11 ; 13.8-9. ***o 9.29*** Es 1.9. ***p 9.30*** *la justice* vient de Dieu 10.2-9 ; 11.7 ; Lc 18.9-14. ***q 9.33*** Es 28.16 ; 8.14 (Rm 10.11 ; 1 P 2.6). — *pierre d'achoppement* Lc 2.34 ; Mt 21.42. ***r 10.1*** Les Israélites (voir 9.31-32). ***s 10.2*** *zèle pour Dieu* Ac 22.3. — *zèle non éclairé* 2 Co 3.14 ; 1 Tm 1.13. ***t 10.3*** 9.31-32 ; Ph 3.9 ; Lc 16.15 ; 18.9-14. ***u 10.4*** *la fin :* le terme grec exprime à la fois le *but,* le *terme* et l'*accomplissement ;* Ga 3.24 ; He 8.13 ; voir Mt 5.17. — *la justice donnée à tout homme qui croit* Ac 13.39 ; Rm 3.21 ; Jn 3.18. ***v 10.5*** Lv 18.5 (Ga 3.12).

ainsi: *Ne dis pas dans ton cœur: Qui montera au *ciel?* Ce serait en
faire descendre Christ; 7 ni: *Qui descendra dans l'abîme ?* Ce serait
faire remonter Christ d'entre les morts. 8 Que dit-elle donc? *Tout
près de toi est la parole, dans ta bouche et dans ton cœur*[w]. Cette
parole, c'est la parole de la foi que nous proclamons. 9 Si, de ta
bouche, tu confesses que Jésus est Seigneur et si, dans ton cœur, tu
crois que Dieu l'a ressuscité des morts, tu seras sauvé[x]. 10 En effet,
croire dans son cœur conduit à la justice et confesser de sa bouche
conduit au salut[y]. 11 Car l'Ecriture dit: *Quiconque croit en lui ne sera
pas confondu*[z]. 12 Ainsi, il n'y a pas de différence entre *Juif et
Grec: tous ont le même Seigneur, riche envers tous[a] ceux qui l'invo-
quent. 13 En effet, *quiconque invoquera le *nom du Seigneur sera
sauvé*[b].

14 Or, comment l'invoqueraient-ils, sans avoir cru en lui? Et com-
ment croiraient-ils en lui[c], sans l'avoir entendu? Et comment l'enten-
draient-ils, si personne ne le proclame? 15 Et comment le proclamer,
sans être envoyé? Aussi est-il écrit: *Qu'ils sont beaux les pieds de
ceux qui annoncent de bonnes nouvelles*[d]*!* 16 Mais tous n'ont pas obéi
à *l'Evangile. Esaïe dit en effet: *Seigneur, qui a cru à notre prédica-
tion*[e]*?* 17 Ainsi la foi vient de la prédication[f] et la prédication, c'est
l'annonce de la parole du Christ. 18 Je demande alors: N'auraient-ils
pas entendu[g]? Mais si! *Par toute la terre a retenti leur voix et jusqu'aux
extrémités du monde leurs paroles*[h]. 19 Je demande alors: Israël
n'aurait-il pas compris? Déjà Moïse dit: *Je vous rendrai jaloux*[i] *de ce
qui n'est pas une nation; contre une nation inintelligente j'exciterai
votre dépit.* 20 Esaïe, lui, va jusqu'à dire: *J'ai été trouvé par ceux qui ne
me cherchaient pas, je me suis révélé à ceux qui ne me demandaient
rien*[j]. 21 Mais au sujet d'Israël, il dit: *Tout le jour j'ai tendu les mains
vers un peuple indocile et rebelle.*

w 10.8 v. 7-8 : Dt 9.4 ; 30.12-14. ***x 10.9*** *Jésus Seigneur* Ac 2.36 ; 1 Co 12.3 ; Ph 2.11. — Ce que la foi croit Rm 4.24 ; 1 Co 15.1-11 ; 1 P 1.3, 21. — *foi* et *salut* Rm 1.16 ; 1 Co 15.1-2 ; Ep 1.13 ; Ph 1.27. — *foi confessée* 1 Co 12.3. ***y 10.10*** *foi* et *justification* 1.17 ; 3.21-28 ; 4. 2-5 ; 5.17 ; 10.6 ; Ph 3.9. ***z 10.11*** Es 28.16 (Rm 9.33). ***a 10.12*** *Juif et Grec* 1.16+. — *pas de différence* 3.22, 29 ; Ga 3.28 ; Ac 10.34 ; 15.9-11. — *riche pour tous* Rm 11.33. ***b 10.13*** Jl 2.32 (gr. 3.5) (Ps 86.5 ; Ac 2.21). ***c 10.14*** *croire en lui* He 11.6 ; Ac 8.37. ***d 10.15*** Es 52.7. — *Bonne nouvelle* 1.1 ; Na 1.15. ***e 10.16*** Es 53.1 (Jn 12.38). — *obéir à l'Evangile* 2 Th 1.8 ; Rm 1.5 ; 6.17 ; 15.18 ; 16.26 ; 2 Co 10. 4-5 ; Ac 6.7. — *tous n'ont pas obéi* He 4.2 ; Jn 10.26. ***f 10.17*** Ou *de ce que l'on entend ;* jeu de mots voulu, en grec, entre *akoè* (ce qu'on entend) et *hypakoè* (v. 16, obéissance). ***g 10.18*** Il s'agit des Israélites. ***h 10.18*** Ps 19.5. — la *voix* des messagers de Dieu. ***i 10.19*** Dt 32.21. — *jaloux* 11.11-14. ***j 10.20*** v. 20-21 : Es 65.1-2. — *ceux qui ne cherchaient pas* Rm 9.30.

Dieu n'a pas rejeté Israël

11 [1] Je demande donc: Dieu aurait-il rejeté son peuple? Certes
non! Car je suis moi-même Israélite[k], de la descendance
d'Abraham, de la tribu de Benjamin. [2] *Dieu n'a pas rejeté son peuple*[l],
que d'avance il a connu. Ou bien ne savez-vous pas ce que dit l'Ecri-
ture, dans le passage où Elie se plaint d'Israël à Dieu: [3] Seigneur, *ils
ont tué tes *prophètes, démoli tes *autels; moi seul je suis resté et ils
en veulent à ma vie*[m]! [4] Mais que lui répond Dieu? *Je me suis réservé
sept mille hommes, ceux qui n'ont pas fléchi le genou devant Baal*[n].
[5] De même, dans le temps présent, il y a aussi un reste, selon le libre
choix de la grâce. [6] Mais si c'est par grâce, ce n'est donc pas en raison
des œuvres, autrement la grâce n'est plus grâce[o]. [7] Qu'est-ce à dire?
Ce qu'Israël recherche, il ne l'a pas atteint; mais les élus l'ont atteint.
Quant aux autres, ils ont été endurcis, [8] selon qu'il est écrit: *Dieu leur
a donné un esprit de torpeur, des yeux pour ne pas voir, des oreilles
pour ne pas entendre, jusqu'à ce jour*[p]. [9] David dit aussi: *Que leur
table leur soit un piège,* un filet, *une cause de chute et un juste châti-
ment!* [10] Que leurs yeux s'enténèbrent jusqu'à perdre la vue; fais-leur
sans cesse courber le dos[q].

[11] Je demande donc: est-ce pour une chute définitive qu'ils ont tré-
buché? Certes non! Mais grâce à leur faute, les *païens ont accédé au
salut, pour exciter la jalousie d'Israël. [12] Or, si leur faute a fait la
richesse du *monde, et leur déchéance la richesse des païens, que ne
fera pas leur totale participation au salut[r]?

[13] Je vous le dis donc, à vous les païens: dans la mesure même où je
suis, moi, *apôtre des païens, je manifeste la gloire de mon *minis-
tère, [14] dans l'espoir d'exciter la jalousie de ceux de mon sang et d'en
sauver quelques-uns. [15] Si, en effet, leur mise à l'écart a été la réconci-
liation du monde[s], que sera leur réintégration, sinon le passage de la
mort à la *vie?

[16] Or si les *prémices sont *saintes, toute la pâte[t] l'est aussi: et si la
racine est sainte, les branches le sont aussi. [17] Mais si quelques-unes

k 11.1 Paul, *Israélite* 2 Co 11.21 ; Ph 3.5-7. ***l 11.2*** Ps 94.14 ; 1 S 12.22. – *Dieu ne rejette pas son peuple* Jr 31.37. ***m 11.3*** 1 R 19.10, 14. ***n 11.4*** 1 R 19.18. – *Baal :* divinité cananéenne de la fertilité, à laquelle les anciens Israélites ont été souvent tentés de rendre un culte. ***o 11.6*** Certains manuscrits ajoutent : *et si c'est par les œuvres, ce n'est plus une grâce, autrement l'œuvre n'est plus une œuvre.* ***p 11.8*** Dt 29.3. – *des oreilles pour ne pas entendre* Es 6.10. ***q 11.10*** Ps 69.23-24. ***r 11.12*** *déchéance* d'Israël Mt 8.11-12 ; 21.43. ***s 11.15*** 2 Co 5.17-21. ***t 11.16*** *pâte* Nb 15.19-21.

des branches ont été coupées, tandis que toi, olivier sauvage, tu as été
greffé parmi les branches restantes de l'olivier pour avoir part avec
elles à la richesse de la racine, 18 ne va pas faire le fier aux dépens des
branches. Tu peux bien faire le fier[u]! Ce n'est pas toi qui portes la
racine, mais c'est la racine qui te porte. 19 Tu diras sans doute: des
branches ont été coupées pour que moi je sois greffé. 20 Fort bien. Elles
ont été coupées à cause de leur infidélité, et toi, c'est par la foi que tu
tiens[v]. Ne t'enorgueillis pas, crains plutôt. 21 Car, si Dieu n'a pas
épargné les branches naturelles, il ne t'épargnera pas non plus[w].
22 Considère donc la bonté et la sévérité de Dieu: sévérité envers ceux
qui sont tombés, bonté envers toi, pourvu que tu demeures en cette
bonté, autrement tu seras retranché toi aussi. 23 Quant à eux, s'il ne
demeurent pas dans l'infidélité, ils seront greffés, eux aussi; car Dieu a
le pouvoir de les greffer de nouveau. 24 Si toi, en effet, retranché de
l'olivier sauvage auquel tu appartenais par nature, tu as été, contraire-
ment à la nature, greffé sur l'olivier franc, combien plus ceux-ci
seront-ils greffés sur leur propre olivier auquel ils appartiennent par
nature!

Le salut d'Israël

25 Car je ne veux pas, frères, que vous ignoriez ce *mystère, de peur
que vous ne vous preniez pour des sages: l'endurcissement d'une
partie d'Israël durera jusqu'à ce que soit entré l'ensemble des *païens.
26 Et ainsi tout Israël sera sauvé, comme il est écrit: *De *Sion viendra
le libérateur, il écartera de Jacob les impiétés.* 27 *Et voilà quelle sera
mon *alliance avec eux, quand j'enlèverai leurs péchés*[x]. 28 Par rapport
à *l'Evangile, les voilà ennemis, et c'est en votre faveur; mais du point
de vue de l'élection, ils sont aimés[y], et c'est à cause des pères. 29 Car
les dons et l'appel de Dieu sont irrévocables[z]. 30 Jadis, en effet, vous
avez désobéi à Dieu et maintenant, par suite de leur désobéissance, il
vous a été fait miséricorde; 31 de même eux aussi ont désobéi mainte-
nant, par suite de la miséricorde exercée envers vous, afin qu'ils soient
maintenant eux aussi objet de la miséricorde. 32 Car Dieu a enfermé
tous les hommes dans la désobéissance[a] pour faire à tous miséricorde.
33 O profondeur de la richesse, de la sagesse et de la science de
Dieu! Que ses jugements sont insondables[b] et ses voies impénétra-

u 11.18 Autre texte : *si tu t'enorgueillis...* ***v 11.20*** *tenir par la foi* Es 7.9. ***w 11.21*** Autre texte : *prends garde qu'il ne t'épargne pas non plus.* ***x 11.27*** v. 26-27 : Es 59. 20-21 (Es 27.9 ; Jr 31.33-34). ***y 11.28*** Choisis par amour Dt 4.37. ***z 11.29*** Dieu fidèle à sa parole Nb 23.19. ***a 11.32*** Ga 3.22. ***b 11.33*** Ps 139.6, 17-18 ; *Sg* 17.1.

bles! 34 *Qui en effet a connu la pensée du Seigneur? Ou bien qui a été*
son conseiller[c]*?* 35 *Ou encore qui lui a donné le premier, pour devoir*
être payé en retour[d]*?* 36 Car tout est de lui, et par lui, et pour lui[e]. A lui
la gloire éternellement! *Amen.

Le culte spirituel: la vie nouvelle

12 1 Je vous exhorte donc, frères, au nom de la miséricorde de
Dieu, à vous offrir vous-mêmes en *sacrifice vivant, *saint et
agréable à Dieu: ce sera là votre culte spirituel[f]. 2 Ne vous conformez
pas au monde présent, mais soyez transformés par le renouvellement
de votre intelligence, pour discerner quelle est la volonté de Dieu: ce
qui est bien, ce qui lui est agréable[g], ce qui est parfait.

3 Au nom de la grâce qui m'a été donnée, je dis à chacun d'entre
vous: n'ayez pas de prétentions au-delà de ce qui est raisonnable,
soyez assez raisonnables pour n'être pas prétentieux, chacun selon la
mesure de foi que Dieu lui a donnée en partage[h]. 4 En effet, comme
nous avons plusieurs membres en un seul corps et que ces membres
n'ont pas tous la même fonction, 5 ainsi, à plusieurs, nous sommes un
seul corps en Christ, étant tous membres les uns des autres, chacun
pour sa part[i]. 6 Et nous avons des dons qui diffèrent selon la grâce qui
nous a été accordée[j]. Est-ce le don de *prophétie? Qu'on l'exerce en
accord avec la foi. 7 L'un a-t-il le don du service? Qu'il serve. L'autre
celui d'enseigner? Qu'il enseigne. 8 Tel autre celui d'exhorter? Qu'il
exhorte. Que celui qui donne le fasse sans calcul, celui qui préside[k],
avec zèle, celui qui exerce la miséricorde, avec joie. 9 Que l'amour soit
sincère. Fuyez le mal avec horreur, attachez-vous au bien[l]. 10 Que
l'amour fraternel vous lie d'une mutuelle affection; rivalisez d'estime
réciproque[m]. 11 D'un zèle sans nonchalance, d'un esprit fervent,

c 11.34 Es 40.13. — *Qui connaît sa pensée ?* Jr 23.18 ; Jb 15.8 ; 1 Co 2.1. ***d 11.35*** Jb 41.3. ***e 11.36*** 1 Co 8.6 ; Col 1.16-17 ; He 2.10. ***f 12.1*** *la miséricorde de Dieu* 9—11 ; 11.32. — *vous-mêmes* ou *vos corps* 6.6 et la note ; 1 Co 6.13-20. — *en sacrifice vivant* Rm 6.11, 13. — *saint* 6.19. — *agréable à Dieu* 15.16 ; 1 P 2.5. — *spirituel* ou *logique,* ou *raisonnable.* L'adjectif utilisé ici a souvent servi, chez des auteurs juifs ou grecs, à désigner le culte véritable, engageant l'homme tout entier, par opposition à un culte extérieur et formel (pour l'idée voir Os 6.6 ; pour le terme lui-même 1 P 2.2). ***g 12.2*** non-conformisme 1 P 1.14. — *le monde présent* Ga 4.1. — *renouvellement de l'intelligence* Ep 4.23 ; 2 Co 5.17. — *discernement* Ph 1.10. — *ce qui est agréable* au Seigneur Ep 5.10, 17. ***h 12.3*** Le grec offre ici un quadruple jeu de mots sur des termes de même racine ; nous les avons rendus par *prétention, raisonnable : raisonnables, pas prétentieux.* — *pas de prétention au delà...* 2 Co 10.13 ; Ph 2.3. — *chacun selon la mesure de foi* 1 Co 12.11 ; Ep 4.7. ***i 12.5*** 1 Co 10.17 ; 12.12-27 ; Ep 1.23 ; 4.4, 25 ; 5.30. ***j 12.6*** v.6-8 : divers dons, divers ministères 1 Co 12.4-11 ; 1 P 4.10-11. ***k 12.8*** *sans calcul* ou *sans arrière-pensée.* Le terme grec employé ici désigne ce qui est sans mélange, pur ; voir Mt 6.22. — *celui qui préside* 1 Th 5.12. ***l 12.9*** Am 5.15. ***m 12.10*** Ph 2.3.

servez le Seigneur. 12 Soyez joyeux dans l'espérance, patients dans la
détresse, persévérants dans la prière[n]. 13 Soyez solidaires des *saints
dans le besoin, exercez l'hospitalité[o] avec empressement. 14 Bénissez
ceux qui vous persécutent; bénissez et ne maudissez pas[p].
15 Réjouissez-vous avec ceux qui sont dans la joie, pleurez avec ceux
qui pleurent[q]. 16 Soyez bien d'accord entre vous: n'ayez pas le goût
des grandeurs, mais laissez-vous attirer par ce qui est humble. *Ne vous
prenez pas pour des sages*[r]. 17 Ne rendez à personne le mal pour le
mal; *ayez à cœur de faire le bien devant* tous *les hommes*[s]. 18 S'il est
possible, pour autant que cela dépend de vous, vivez en paix avec tous
les hommes[t]. 19 Ne vous vengez pas vous-mêmes, mes bien-aimés,
mais laissez agir la colère de Dieu, car il est écrit: *A moi la vengeance,
c'est moi qui rétribuerai*, dit le Seigneur[u]. 20 Mais *si ton ennemi a faim,
donne-lui à manger, s'il a soif, donne-lui à boire, car, ce faisant, tu
amasseras des charbons ardents sur sa tête*[v]. 21 Ne te laisse pas vaincre
par le mal, mais sois vainqueur du mal par le bien.

Instruction sur les autorités

13 1 Que tout homme soit soumis aux autorités qui exercent le
pouvoir, car il n'y a d'autorité que par Dieu et celles qui exis-
tent sont établies par lui[w]. 2 Ainsi, celui qui s'oppose à l'autorité se
rebelle contre l'ordre voulu par Dieu, et les rebelles attireront la con-
damnation sur eux-mêmes. 3 En effet, les magistrats ne sont pas à
craindre quand on fait le bien, mais quand on fait le mal. Veux-tu ne
pas avoir à craindre l'autorité? Fais le bien et tu recevras ses éloges,
4 car elle est au service de Dieu pour t'inciter au bien. Mais si tu fais le
mal, alors crains. Car ce n'est pas en vain qu'elle porte le glaive: en
punissant, elle est au service de Dieu pour manifester sa colère envers
le malfaiteur. 5 C'est pourquoi il est nécessaire de se soumettre, non
seulement par crainte de la colère, mais encore par motif de cons-
cience. 6 C'est encore la raison pour laquelle vous payez des impôts:
ceux qui les perçoivent sont chargés par Dieu de s'appliquer à cet
office. 7 Rendez à chacun ce qui lui est dû: l'impôt, les taxes, la
crainte, le respect, à chacun ce que vous lui devez.

n 12.12 Ac 1.14 ; Col 4.2 ; 1 Th 5.17. ***o 12.13*** Les *saints :* voir 1.7 et la note. — *hospitalité* He 13.2 ; 1 P 4.9. ***p 12.14*** Mt 5.38-48. ***q 12.15*** Partage 1 Co 12.26 ; *Si* 7.34. ***r 12.16*** Pr 3.7. — *se prendre pour des sages* Es 5.21. ***s 12.17*** Pr 3.4 (grec). — Renoncer à *rendre le mal pour le mal* 1 Th 5.15 ; 1 P 3.9. — *faire le bien devant les hommes* 2 Co 8.21. ***t 12.18*** Mc 9.50 ; He 12.14. ***u 12.19*** Dt 32. 35 (He 10.30). — *ne vous vengez pas* Mt 5.39, 44 ; Lv 19.18. ***v 12.20*** Pr 25.21-22. ***w 13.1*** *l'autorité* Mt 22.16-21 ; 1 Tm 2.1-2 ; Tt 3.1 ; 1 P 2.13-17 ; Pr 8.15 ; Jn 19.11.

Amour mutuel et vigilance chrétienne

8 N'ayez aucune dette envers qui que ce soit, sinon celle de vous aimer les uns les autres; car celui qui aime son prochain a pleinement accompli la *loi[x]. 9 En effet, les commandements: *Tu ne commettras pas d'adultère, tu ne tueras pas, tu ne voleras pas, tu ne convoiteras pas*, ainsi que tous les autres, se résument dans cette parole: *Tu aimeras ton prochain comme toi-même*[y]. 10 L'amour ne fait aucun tort au prochain; l'amour est donc le plein accomplissement de la loi.

11 D'autant que vous savez en quel temps nous sommes: voici l'heure de sortir de votre sommeil[z]; aujourd'hui, en effet, le salut est plus près de nous qu'au moment où nous avons cru. 12 La nuit est avancée, le *jour est tout proche. Rejetons donc les œuvres des ténèbres et revêtons les armes de la lumière[a]. 13 Conduisons-nous honnêtement, comme en plein jour, sans ripailles ni beuveries, sans coucheries ni débauches, sans querelles ni jalousies. 14 Mais revêtez le Seigneur Jésus Christ[b] et ne vous abandonnez pas aux préoccupations de la chair pour en satisfaire les convoitises.

Les forts et les faibles

14 1 Accueillez celui qui est faible dans la foi, sans critiquer ses scrupules[c]. 2 La foi de l'un lui permet de manger de tout[d], tandis que l'autre, par faiblesse, ne mange que des légumes. 3 Que celui qui mange[e] ne méprise pas celui qui ne mange pas et que celui qui ne mange pas ne juge pas celui qui mange, car Dieu l'a accueilli. 4 Qui es-tu pour juger un serviteur qui ne t'appartient pas[f]? Qu'il tienne bon ou qu'il tombe, cela regarde son propre maître. Et il tiendra bon, car le Seigneur a le pouvoir de le faire tenir. 5 Pour l'un, il y a des différences entre les jours[g]; pour l'autre, ils se valent tous. Que chacun, en son jugement personnel, soit animé d'une pleine conviction. 6 Celui qui tient compte des jours le fait pour le Seigneur; celui qui mange de tout le fait pour le Seigneur, en effet, il rend grâce à

x 13.8 *l'amour du prochain* Jn 13.34 ; Col 3.14 ; 1 Jn 4.11 *et la loi* Mt 22.37-40 ; Ga 5.14. ***y 13.9*** Ex 20.13-17 ; Dt 5.17-21 ; Lv 19.18 (Mt 19.18-19 ; Ga 5.14). ***z 13.11*** Autre texte : *notre sommeil.* – *en quel temps nous sommes* 1 Co 7.26, 29. ***a 13.12*** Une vie de *lumière* Jn 8.12 ; 1 Jn 2.8 ; Ep 5.8-16 ; 1 Th 5.4-8. – *les armes de la lumière* Ep 6.11, 13-17. ***b 13.14*** Ga 3.27 ; Ep 4.24. ***c 14.1*** *faibles dans la foi* 1 Co 8.7-13. – Autres traductions possibles : *sans discuter les opinions ;* ou *sans vouloir juger des opinions ;* 1 Co 10.23-33 ; Rm 15.7. ***d 14.2*** Liberté donnée à la foi Col 2.16-23 ; 1 Tm 4.3-5 ; Tt 1.15. ***e 14.3*** Sous-entendu : *de tout.* ***f 14.4*** Ou *le serviteur d'un autre* (c'est-à-dire de Dieu) ; v. 7-10 ; Mt 7.1 ; 1 Co 4.5 ; Jc 4.12. ***g 14.5*** Paul fait allusion à des pratiques judaïsantes ; Ga 4.10 ; Col 2.16.

Dieu. Et celui qui ne mange pas de tout le fait pour le Seigneur, et il
rend grâce à Dieu[h]. 7 En effet, aucun de nous ne vit pour soi-même et
personne ne meurt pour soi-même. 8 Car, si nous vivons, nous vivons
pour le Seigneur[i]; si nous mourons, nous mourons pour le Seigneur:
soit que nous vivions, soit que nous mourions, nous sommes au Sei-
gneur. 9 Car c'est pour être Seigneur des morts et des vivants[j] que
Christ est mort et qu'il a repris vie. 10 Mais toi, pourquoi juges-tu ton
frère? Et toi, pourquoi méprises-tu ton frère? Tous, en effet, nous com-
paraîtrons devant le tribunal de Dieu[k]. 11 Car il est écrit: *Aussi vrai que
je vis, dit le Seigneur, tout genou fléchira devant moi et toute langue
rendra gloire à Dieu*[l]. 12 Ainsi, chacun de nous rendra compte à Dieu[m]
pour soi-même.

13 Cessons donc de nous juger les uns les autres. Jugez plutôt qu'il ne
faut pas être pour un frère cause de chute ou de scandale[n]. 14 Je le sais,
j'en suis convaincu par le Seigneur Jésus: rien n'est *impur[o] en soi.
Mais une chose est impure pour celui qui la considère comme telle.
15 Si, en prenant telle nourriture, tu attristes ton frère, tu ne marches
plus selon l'amour. Garde-toi, pour une question de nourriture, de
faire périr celui pour lequel Christ est mort[p]. 16 Que votre privilège[q] ne
puisse être discrédité. 17 Car le *Règne de Dieu n'est pas affaire de
nourriture ou de boisson; il est justice, paix et joie dans l'Esprit Saint[r].
18 C'est en servant le Christ de cette manière qu'on est agréable à Dieu
et estimé des hommes[s]. 19 Recherchons donc ce qui convient à la paix
et à l'édification[t] mutuelle. 20 Pour une question de nourriture, ne
détruis pas l'œuvre de Dieu. Tout est *pur, certes, mais il est mal de
manger quelque chose lorsqu'on est ainsi cause de chute. 21 Ce qui est
bien, c'est de ne pas manger de viande, de ne pas boire de vin, rien
qui puisse faire tomber ton frère[u]. 22 Garde pour toi, devant Dieu, la
conviction que la foi te donne. Heureux celui qui ne se condamne pas
lui-même en exerçant son discernement[v]. 23 Mais celui qui mange,
alors qu'il a des doutes, est condamné, parce que son comportement

h 14.6 1 Co 10.30 ; 1 Tm 4.4. ***i 14.8*** 6.11 ; 1 Co 3.23 ; 2 Co 5.15 ; Ga 2.20 ; 1 Th 5.10. ***j 14.9*** Lc 20.38 ; Ac 10.42 ; Ph 2.10-11. ***k 14.10*** Ac 17.31 ; Rm 2.16 ; 12.19 ; 2 Co 5.10 ; Mt 25.31-46. ***l 14.11*** Es 49.18 ; 45.23 (Ph 2.10-11). ***m 14.12*** 2.5-6, 16 ; He 4.13. ***n 14.13*** Mt 5.29 ; 18.6 ; 1 Co 8.13 ; 1 Jn 2.10. ***o 14.14*** Ac 10.15 ; Mt 5.11 ; 1 Co 10.23 ; 1 Tm 4.4 ; Tt 1.15. ***p 14.15*** Aimer, c'est respecter 1 Co 8.9-13. ***q 14.16*** Ou *que votre bien...* (autre texte *notre* privilège, ou *notre* bien...). ***r 14.17*** Inutilité des prescriptions alimentaires 1 Co 8.8. — *paix et joie dans l'Esprit Saint* Ga 5.22 ; 1 Th 1.6. ***s 14.18*** 12.17-18 ; 1 Tm 2.2 ; 6.1 ; Tt 2.9-10. ***t 14.19*** *paix* 12.17-18 ; 1 Co 7.15. — *édification* Rm 15.2 ; 1 Co 3.9 ; 14.5, 12, 26 ; 2 Co 13.10 ; Ep 2.21 ; 4.12, 16, 29. ***u 14.21*** 1 Co 8.13. ***v 14.22*** *la conviction que la foi te donne* 1 Co 10.25-27. — *exercer son discernement* 1 Co 11.31.

ne procède pas d'une conviction de foi. Or, tout ce qui ne procède pas
d'une conviction de foi est péché[w].
15 1 Mais c'est un devoir pour nous, les forts, de porter l'infirmité
des faibles et de ne pas rechercher ce qui nous plaît. 2 Que
chacun de nous cherche à plaire à son prochain en vue du bien, pour
édifier. 3 Le Christ, en effet, n'a pas recherché ce qui lui plaisait mais,
comme il est écrit, *les insultes de tes insulteurs sont tombées sur moi*[x].
4 Or, tout ce qui a été écrit jadis l'a été pour notre instruction, afin que,
par la persévérance et la consolation apportées par les Ecritures[y], nous
possédions l'espérance. 5 Que le Dieu de la persévérance et de la con-
solation vous donne d'être bien d'accord entre vous, comme le veut
Jésus Christ[z], 6 afin que, d'un même cœur et d'une seule voix, vous
rendiez gloire à Dieu, le Père de notre Seigneur Jésus Christ.

L'accueil fraternel

7 Accueillez-vous donc les uns les autres, comme le Christ vous a
accueillis, pour la gloire de Dieu. 8 Je l'affirme en effet, c'est au nom de
la fidélité de Dieu que Christ s'est fait serviteur des *circoncis, pour
accomplir les promesses faites aux pères; 9 quant aux *païens, ils glo-
rifient Dieu pour sa miséricorde, selon qu'il est écrit: *C'est pourquoi je
te célébrerai parmi les nations païennes, et je chanterai en l'honneur
de ton *nom*[a]. 10 Il est dit encore: *Nations, réjouissez-vous avec son
peuple*[b]. 11 Et encore: *Nations, louez toutes le Seigneur, et que tous les
peuples l'acclament*[c]. 12 Esaïe dit encore: *Il paraîtra, le rejeton de
Jessé, celui qui se lève*[d] pour commander aux nations. En lui les
nations mettront leur espérance. 13 Que le Dieu de l'espérance vous
comble de joie et de paix dans la foi, afin que vous débordiez d'espé-
rance par la puissance de l'Esprit Saint.

Le ministère de Paul

14 En ce qui vous concerne, mes frères, je suis personnellement con-
vaincu que vous êtes vous-mêmes pleins de bonnes dispositions, com-
blés d'une parfaite connaissance et capables de vous avertir mutuelle-
ment. 15 Cependant, pour raviver vos souvenirs, je vous ai écrit par

w 14.23 Une conduite en désaccord avec la foi 1 Co 8.7 ; Jc 4.17. ***x 15.3*** Ps 69.10. ***y 15.4*** *l'Ecriture instruit* 1 Co 10.6, 11 ; 2 Tm 3.16. — elle réconforte *1 M* 12.9 ; *2 M* 15.9. ***z 15.5*** *Dieu de consolation* Es 40.1. — Dispositions selon le Christ Ph 2.2. ***a 15.9*** 2 S 22.50 ; Ps 18.50. ***b 15.10*** Dt 32.43. ***c 15.11*** Ps 117.1. ***d 15.12*** Es 11.10. — Selon Rt 4.17 ; 1 S 16.1, 11-13 *le rejeton de Jessé* est David. Dans la prophétie d'Es 11.10 citée ici, il s'agit du nouveau David, c'est-à-dire du Messie attendu. — *se lève :* le verbe grec peut signifier aussi *ressusciter.*

endroits avec une certaine hardiesse, en vertu de la grâce que Dieu
m'a donnée 16 d'être un officiant de Jésus Christ auprès des *païens,
consacré au ministère de *l'Evangile de Dieu, afin que les païens
deviennent une offrande qui, *sanctifiée par l'Esprit Saint, soit agréable
à Dieu[e]. 17 J'ai donc lieu de *m'enorgueillir en Jésus Christ, au sujet de
l'œuvre de Dieu. 18 Car je n'oserais rien mentionner, sinon ce que
Christ a fait par moi pour conduire les païens à l'obéissance[f], par la
parole et par l'action, 19 par la puissance des *signes et des prodiges,
par la puissance de l'Esprit. Ainsi, depuis Jérusalem, en rayonnant
jusqu'à l'Illyrie[g], j'ai pleinement assuré l'annonce de l'Evangile du
Christ. 20 Mais je me suis fait un point d'honneur de n'annoncer
l'Evangile que là où le *nom de Christ n'avait pas encore été pro-
noncé, pour ne pas bâtir sur les fondations qu'un autre avait posées.
21 Ainsi je me conforme à ce qui est écrit: *Ils verront, ceux à qui on ne
l'avait pas annoncé, et ceux qui n'en avaient pas entendu parler com-
prendront*[h].

Projets de Paul

22 Et c'est bien ce qui, à maintes reprises, m'a empêché d'aller chez
vous. 23 Mais maintenant, comme je n'ai plus de champ d'action dans
ces contrées et que, depuis bien des années, j'ai un vif désir d'aller
chez vous, 24 quand j'irai en Espagne...[i] J'espère en effet vous voir lors
de mon passage et recevoir votre aide pour m'y rendre après avoir été
d'abord comblé, ne fût-ce qu'un peu, par votre présence. 25 Mais main-
tenant je vais à Jérusalem pour le service des *saints[j]: 26 car la Macé-
doine et l'Achaïe ont décidé de manifester leur solidarité[k] à l'égard des
saints de Jérusalem, qui sont dans la pauvreté. 27 Oui, elles l'ont décidé
et elles le leur devaient. Car si les *païens ont participé à leurs biens
spirituels, ils doivent subvenir également à leurs besoins matériels[l].
28 Quand donc j'aurai terminé cette affaire et leur aurai remis officielle-
ment le produit de cette collecte, j'irai en Espagne en passant chez
vous. 29 Et je sais qu'en allant chez vous, c'est avec la pleine bénédic-
tion de Christ que je viendrai.

e 15.16 Ou *soit agréé* (par Dieu). — La vie chrétienne est *une offrande* 12.1 ; Ph 2.17. — L'apostolat est un culte Rm 1.9.
f 15.18 Voir 1.5+ et la note ; 16.26.
g 15.19 Province romaine correspondant à peu près à l'actuelle Yougoslavie.
h 15.21 Es 52.15 (cité librement).
i 15.24 La phrase reste inachevée.
j 15.25 Voir 1.7 et la note. Comme en 1 Co 16.1 et 2 Co 8.4 ; 9.12, le terme est appliqué plus particulièrement aux membres de l'Eglise de Jérusalem. — Projets de Paul 1 Co 16.6 ; Ac 19.21.
k 15.26 *Macédoine :* voir 2 Co 1.16 et la note. — *Achaïe :* voir 2 Co 1.1 et la note. — *solidarité* 1 Co 16.1-4 ; 2 Co 8—9 ; Ga 2.10.
l 15.27 1 Co 9.11 ; Ga 6.6.

30 Mais je vous exhorte, frères, par notre Seigneur Jésus Christ et par
l'amour de l'Esprit, à combattre avec moi[m] par les prières que vous
adressez à Dieu pour moi, 31 afin que j'échappe aux incrédules de
Judée[n] et que le secours que j'apporte à Jérusalem soit bien accueilli
par les saints. 32 Ainsi pourrai-je arriver chez vous dans la joie et, par la
volonté de Dieu, prendre avec vous quelque repos. 33 Que le Dieu de la
paix soit avec vous tous! Amen.

Salutations personnelles

16 1 Je vous recommande Phoebé, notre sœur, ministre de l'Eglise
de Cenchrées[o]. 2 Accueillez-la dans le Seigneur d'une manière
digne des saints[p], aidez-la en toute affaire où elle aurait besoin de
vous. Car elle a été une protectrice pour bien des gens et pour moi-
même.

3 Saluez Prisca et Aquilas[q], mes collaborateurs en Jésus Christ: 4 pour
me sauver la vie ils ont risqué leur tête; je ne suis pas seul à leur être
reconnaissant, toutes les Eglises du monde *païen le sont aussi.
5 Saluez également l'Eglise qui se réunit chez eux. Saluez mon cher
Epénète, *prémices de l'Asie[r] pour le Christ. 6 Saluez Marie qui s'est
donné beaucoup de peine pour vous. 7 Saluez Andronicus et Junias,
mes parents et mes compagnons de captivité. Ce sont des *apôtres[s]
éminents et ils ont même appartenu au Christ avant moi. 8 Saluez
Ampliatus, qui m'est cher dans le Seigneur. 9 Saluez Urbain, notre col-
laborateur en Christ, et mon cher Stachys. 10 Saluez Apelles, qui a fait
ses preuves en Christ. Saluez ceux de la maison d'Aristobule. 11 Saluez
Hérodion, mon parent. Saluez ceux de la maison de Narcisse qui sont
dans le Seigneur. 12 Saluez Tryphène et Tryphose, qui se sont donné de
la peine dans le Seigneur. Saluez ma chère Persis, qui s'est donné
beaucoup de peine dans le Seigneur. 13 Saluez Rufus[t], l'élu dans le Sei-
gneur et sa mère, qui est aussi la mienne. 14 Saluez Asyncrite, Phlégon,
Hermès, Patrobas, Hermas et les frères qui sont avec eux. 15 Saluez Phi-
lologue et Julie, Nérée et sa sœur, Olympas et tous les *saints qui sont

m 15.30 L'apostolat est un *combat* Col 2.1 ; 4.12. ***n 15.31*** Dangers pour Paul Ac 20.3 ; 21.10-11, 17-36. ***o 16.1*** *ministre* ou *au service de l'Eglise de Cenchrées. — Cenchrées :* voir Ac 18.18 et la note. ***p 16.2*** Voir la note sur 15.25. ***q 16.3*** Les noms de ces chrétiens salués par l'apôtre révèlent une extrême diversité d'origines (grecs, romains, juifs) ou de conditions sociales (personnages de haut rang, esclaves ou anciens esclaves). — *Prisca et Aquilas* Ac 18.2-3,18,26 ; 2 Tm 4.19 ; 1 Co 16.19. ***r 16.5*** *l'Eglise qui se réunit chez eux* 1 Co 16.19 ; Col 4.15 ; Phm 2. — *prémices* 1 Co 16.15. — *Asie :* voir 2 Co 1.8 et la note. ***s 16.7*** *parents :* le même terme signifie aussi famille, tribu, peuple, race. On peut donc comprendre ici cette parenté au sens large. Voir 9.3 ; 16.11, 21. — *apôtres* 2 Co 8.23. ***t 16.13*** *Rufus* Mc 15.21.

avec eux. 16 Saluez-vous les uns les autres d'un saint baiser[u]. Toutes les
Eglises du Christ vous saluent.
17 Je vous exhorte, frères, à vous garder de ceux qui suscitent divi-
sions et scandales en s'écartant de l'enseignement que vous avez
reçu; éloignez-vous d'eux[v]. 18 Car ces gens-là ne servent pas le Christ,
notre Seigneur, mais leur ventre, et, par leurs belles paroles et leurs
discours flatteurs, séduisent les *cœurs simples[w]. 19 Votre obéissance,
en effet, est bien connue de tous. Je me réjouis donc à votre sujet, mais
je veux que vous soyez avisés pour le bien et sans compromission avec
le mal[x]. 20 Le Dieu de la paix écrasera bientôt *Satan[y] sous vos pieds.
Que la grâce de notre Seigneur Jésus soit avec vous!
21 Timothée, mon collaborateur, vous salue, ainsi que Lucius, Jason
et Sosipatros[z], mes parents. 22 Je vous salue, moi Tertius, qui ai écrit
cette lettre[a], dans le Seigneur. 23 Gaïus, mon hôte et celui de toute
l'Eglise, vous salue. Eraste, le trésorier de la ville, vous salue, ainsi que
Quartus notre frère. [24 [b]]

Doxologie

25 A Celui qui a le pouvoir de vous affermir selon *l'Evangile que
j'annonce en prêchant Jésus Christ, selon la *révélation d'un *mystère
gardé dans le silence durant des temps éternels[c], 26 mais maintenant
manifesté et porté à la connaissance de tous les peuples *païens par
des écrits prophétiques, selon l'ordre du Dieu éternel, pour les con-
duire à l'obéissance de la foi[d], 27 à Dieu, seul sage, gloire[e], par Jésus
Christ, aux *siècles des siècles! *Amen.

u 16.16 *baiser* de salutation 1 Co 16.20 ; 2 Co 13.12 ; 1 Th 5.26 ; 1 P 5.14 ; Ac 20.37 ; Lc 7.45 ; Mt 26.48-49 par. ***v 16.17*** Mise en garde Mt 7.15-20 ; Tt 3.10. — *l'enseignement reçu* Rm 6.17. — Distances à prendre 2 Jn 7-10. ***w 16.18*** *ils servent leur ventre* Ph 3.19. — *séduction par des discours flatteurs* Col 2.4 ; Tt 1.10-14 ; 2 P 2.3. ***x 16.19*** *votre obéissance bien connue* 1.8. — *avisés pour le bien et sans compromission avec le mal* 1 Co 14.20 ; Jr 4.22 ; Mt 10.16. ***y 16.20*** *le Dieu de paix* 15.33 ; Ph 4.9. — *Satan bientôt écrasé* Gn 3.15. ***z 16.21*** *Timothée* Ac 16.1-3+. — *Lucius* Ac 13.1. — *Jason* Ac 17.5. — *Sosipatros* Ac 20.4. ***a 16.22*** *Tertius :* le secrétaire chrétien auquel Paul a dicté sa lettre. — Salutation autographe 1 Co 16.21 ; Ga 6.11 ; Col 4.18 ; 2 Th 3.17. ***b 16.23-24*** *Gaïus* 1 Co 1.14 ; Ac 19.29. — *Eraste* Ac 19.22 ; 2 Tm 4.20. — Quelques manuscrits seulement ajoutent ici : *Que la grâce de notre Seigneur Jésus Christ soit avec vous tous ! Amen.* ***c 16.25*** *Celui qui a le pouvoir...* Ep 3.20 ; Jude 24-25. — *un mystère caché* 1 Co 2.7 ; Col 1.26 ; 2.2-3. ***d 16.26*** *mais maintenant manifesté* Ep 1.9 ; 3. 5-9 *et porté à la connaissance de tous les païens* Ap 10.7 *pour les conduire à l'obéissance* 2 Co 10.5 ; Rm 1.5 et la note. ***e 16.27*** *sagesse de Dieu* 11.33-36 ; 1 Co 1.24-25 ; Ap 7.12. — *à Dieu seul la gloire* Ga 1.5 ; Ep 3.21 ; Ph 4.20 ; 1 Tm 1.17 ; 2 Tm 4.18 ; Jude 26 ; Ap 1.6.

PREMIÈRE ÉPÎTRE AUX CORINTHIENS

INTRODUCTION

La communauté de Corinthe

Paul a passé au moins dix-huit mois à Corinthe pour y annoncer l'Evangile (Ac 18.1-8), de 50 à 52. D'après certaines évaluations, toujours sujettes à caution, Corinthe comptait à l'époque plus d'un demi-million d'habitants, dont les deux tiers étaient esclaves. Détruite en 146 avant Jésus Christ, reconstruite cent ans plus tard par César, c'était une ville neuve qui devait sa prospérité extraordinaire à sa situation géographique et à ses deux ports, l'un Cenchrées, sur la mer Egée (golfe Saronique), l'autre Léchée, sur l'Adriatique (golfe de Corinthe). Elle possédait les caractéristiques qui marquent à toutes les époques la vie des grands ports : population très mêlée où toutes les races, toutes les religions se côtoient ; vie facile de luxe et de débauche ; richesse scandaleuse d'une minorité et misère du plus grand nombre. Ajoutons enfin que cette cité cosmopolite était un centre intellectuel où toutes les familles d'esprit étaient représentées et un centre religieux où les cultes orientaux exerçaient une indiscutable séduction.

Par sa composition, la communauté chrétienne rassemblée par la prédication de Paul était le reflet fidèle de la cité. Il y avait des riches et des pauvres (11.21-22), mais les premiers étaient une faible minorité (1.26) ; l'ensemble était composé de petites gens, d'esclaves (7.21), bref, de personnes méprisées (1.28).

Ces chrétiens formaient une communauté vivante et fervente, mais qui restait très exposée aux dangers de la corruption de la vie ambiante : morale sexuelle dissolue (6.12-20), querelles, disputes et luttes intestines (1.11-12 ; 6.1-11), séduction de la sagesse philosophique d'origine païenne qui s'introduisait dans l'Eglise revêtue d'un vernis chrétien superficiel (1.19—2.10) et qui pervertissait les certitudes fondamentales de la foi nouvelle (ch. 15), attrait aussi des religions à mystères dont les manifestations désordonnées risquaient de se reproduire dans les assemblées chrétiennes (14.26-38). La plante chrétienne était saine et vigoureuse, mais ses racines plongeaient dans une terre qui, par nature, ne lui était pas favorable.

C'est ce qui fait l'intérêt de cette lettre. Elle nous montre, pris en quelque sorte sur le vif, les problèmes posés par l'insertion de la foi chrétienne dans une culture païenne et les moyens utilisés par Paul pour résoudre ces problèmes.

Les circonstances qui ont motivé l'envoi de la lettre

Après son départ, Paul était resté en contact avec la communauté qu'il avait fondée. Nous savons par 5.9-13 que 1 Co avait été précédée par une autre lettre. Par ailleurs nous savons, grâce au récit des Actes (18.24-28), que la communauté de Corinthe avait accueilli un prédicateur chrétien de valeur en la personne d'Apollos, Juif alexandrin, rallié à la foi nouvelle, qui, à Ephèse, avait été définitivement converti au Christ par Aquilas et Priscille et muni par eux de lettres de recommandation lorsqu'il partit pour Corinthe. Les Actes précisent qu'Apollos était éloquent, versé dans les Ecritures, et qu'à Corinthe, il fut d'un grand secours pour la communauté, en particulier dans les controverses avec les Juifs.

Divers partis se réclamaient de tel ou tel apôtre, et ces divisions n'étaient pas sans rapport avec l'attrait qu'exerçait à Corinthe une certaine sagesse ésotérique philosophico-mystique, ce qui explique que Paul, dans sa lettre, unisse les deux thèmes : les divisions et la fausse sagesse, à laquelle il oppose la sagesse du Christ, la sagesse de la Croix (1.10—3.4).

Cet état alarmant de la communauté avait dû parvenir à la connaissance de Paul lors de son séjour à Ephèse au cours de son troisième voyage (Ac 19), d'abord par Apollos, ensuite par les gens de Chloé (1.11). D'autres nouvelles inquiétantes lui arrivaient, sans doute par le même canal. D'autre part, l'intervention de Paul était sollicitée par les Corinthiens eux-mêmes, qui lui avaient écrit à propos de certains problèmes. On peut l'affirmer au sujet de la virginité et du mariage (voir 7.1) ; on peut légitimement le supposer au sujet des viandes immolées aux idoles : pouvait-on en manger, oui ou non (voir 8.1) ? ou des manifestations extraordinaires de l'Esprit (voir 12.1). Ces éléments constituent les différentes questions abordées par Paul dans sa lettre. L'apôtre veut remédier aux abus, faire régner la paix, l'harmonie dans la communauté, répondre aux nombreux problèmes que la vie chrétienne quotidienne pose aux chrétiens de Corinthe. On peut dater l'épître du printemps de l'an 56 (voir l'allusion à la Pâque en 5.7-8).

L'attitude de l'apôtre

Les questions particulières traitées par Paul dans cette épître dérivent d'un problème fondamental qui s'est posé à toutes les époques de l'histoire de l'Eglise, en particulier dans son activité missionnaire, et qui se pose aujourd'hui plus que jamais : celui de la « distance culturelle », celui de l'enracinement du message chrétien dans une culture différente de celle dans laquelle il avait été vécu précédemment. Ici, il s'agit du passage de la culture du monde judéo-palestinien à celle du monde hellénistique, animée et structurée par des dynamismes très différents et qui risquent non seulement d'altérer le message mais, plus profondément, de l'assimiler (au sens de l'assimilation biologique) : la culture hellénistique, foncièrement païenne, ne retenant du message évangélique que ce qui est en harmonie avec elle et rejetant le reste. Ce phénomène s'est souvent produit, en particulier dans les nombreux courants gnostiques chrétiens du IIe siècle et, au cours des âges, dans des pays hâtivement évangélisés où le résultat a été la survivance du paganisme antérieur, superficiellement agrémenté d'éléments empruntés à la foi chrétienne. Devant ce problème, l'attitude de Paul est à la fois ferme et nuancée : il insiste vigoureusement sur l'aspect de rupture, *en condamnant impitoyablement les comportements et les doctrines qui sont inconciliables avec le message qu'il annonce. Mais quand cette incompatibilité n'existe pas, il est accueillant. Le chapitre 15, par exemple, nous présente de la façon la plus nette le heurt du message chrétien et de la mentalité ambiante : alors que la résurrection des morts s'accordait au judaïsme, habitué à saisir l'homme dans son unité, elle n'avait guère d'enracinement possible dans une culture influencée par des philosophies dualistes. Paul aurait pu capituler devant le « croyable disponible » de ses lecteurs, comme l'avaient fait, dans des circonstances analogues, l'auteur du livre de la Sagesse et Philon : ils avaient insisté le moins possible sur ce point difficilement acceptable, mettant surtout l'accent sur la vie immortelle des âmes. Paul, au contraire, affirme fortement le point contesté de la résurrection des morts. Il ne cherche pas à prouver philosophiquement sa possibilité, mais il montre que « si les morts ne ressuscitent pas, Christ non plus n'est pas ressuscité » (15.13,16) et que dès lors la foi des Corinthiens est vide (15.14).*

On le voit par ce dernier point touchant un problème qui se pose aujourd'hui en des termes voisins, la Première Epître aux Corinthiens *est peut-être la plus actuelle de toutes les lettres de Paul. Sans doute les solutions proposées sont marquées parfois par un conditionnement culturel différent du nôtre (voir, par exemple, 11.2-16) ; mais la situation à laquelle l'apôtre est affronté est la nôtre, et les principes qui commandent ses réponses n'ont rien perdu de leur valeur.*

PREMIÈRE ÉPÎTRE AUX CORINTHIENS

Salutation et action de grâce

1 1 Paul, appelé à être *apôtre du Christ Jésus par la volonté de
Dieu, et Sosthène le frère[a], 2 à l'Eglise de Dieu qui est à Corinthe,
à ceux qui ont été *sanctifiés dans le Christ Jésus, appelés à être
*saints avec tous ceux qui invoquent en tout lieu le *nom de notre
Seigneur Jésus Christ[b], leur Seigneur et le nôtre; 3 à vous grâce et paix
de la part de Dieu notre Père et du Seigneur Jésus Christ[c].

4 Je rends grâce à Dieu[d] sans cesse à votre sujet, pour la grâce de
Dieu qui vous a été donnée dans le Christ Jésus. 5 Car vous avez été, en
lui, comblés de toutes les richesses, toutes celles de la parole et toutes
celles de la connaissance. 6 C'est que le témoignage rendu au Christ
s'est affermi en vous, 7 si bien qu'il ne vous manque aucun don de la
grâce, à vous qui attendez la *révélation de notre Seigneur Jésus
Christ[e]. 8 C'est lui aussi qui vous affermira jusqu'à la fin, pour que vous
soyez irréprochables au *Jour de notre Seigneur Jésus Christ[f]. 9 Il est
fidèle, le Dieu qui vous a appelés à la communion avec son Fils[g] Jésus
Christ, notre Seigneur.

Divisions dans l'Eglise

10 Mais je vous exhorte, frères, au nom de notre Seigneur Jésus
Christ: soyez tous d'accord, et qu'il n'y ait pas de divisions parmi
vous; soyez bien unis dans un même esprit[h] et dans une même
pensée. 11 En effet, mes frères, les gens de Chloé m'ont appris qu'il y a
des discordes parmi vous. 12 Je m'explique; chacun de vous parle

a ***1.1*** *Paul, apôtre* Rm 1.1 ; 2 Co 1.1 ; Ga 1.1, etc. — *Sosthène* voir Ac 18.17. **b** ***1.2*** *Corinthe :* voir Ac 18.1 et la note. — *l'Eglise de Dieu* voir Dt 23.2-9. — *sanctifiés* 1 Co 6.11. — *tous ceux qui invoquent...* Ac 9.14+ ; voir Ac 2.21 ; Rm 10.13. **c** ***1.3*** *grâce et paix* Rm 1.7. **d** ***1.4*** Autre texte : *à mon Dieu.* **e** ***1.7*** Lc 17.30 ; 2 Th 1.7 ; Tt 2.13. **f** ***1.8*** Ph 1.6 ; 1 Th 3.13 ; 5.23 ; voir Am 5.18 ; 1 Co 3.13 ; 5.5. **g** ***1.9*** *Dieu fidèle* Dt 7.9 ; 1 Co 10.13 ; 1 Th 5.24. — *communion avec son Fils* 1 Jn 1.3. **h** ***1.10*** Ph 2.2.

ainsi: «Moi j'appartiens à Paul. — Moi à Apollos. — Moi à Céphas[i].
— Moi à Christ.» 13 Le Christ est-il divisé? Est-ce Paul qui a été cru-
cifié pour vous? Est-ce au *nom de Paul que vous avez été baptisés?
14 Dieu merci, je n'ai baptisé aucun de vous, excepté Crispus et Gaïus[j];
15 ainsi nul ne peut dire que vous avez été baptisés en mon nom. 16 Ah
si! J'ai encore baptisé la famille de Stéphanas[k]. Pour le reste, je n'ai
baptisé personne d'autre, que je sache. 17 Car Christ ne m'a pas
envoyé baptiser, mais annoncer *l'Evangile, et sans recourir à la
sagesse du discours[l], pour ne pas réduire à néant la croix du Christ.

Sagesse et folie

18 Le langage de la croix[m], en effet, est folie pour ceux qui se per-
dent, mais pour ceux qui sont en train d'être sauvés, pour nous, il est
puissance de Dieu[n]. 19 Car il est écrit: *Je détruirai la sagesse des sages
et j'anéantirai l'intelligence des intelligents*[o]. 20 Où est le sage? Où est
le *docteur de la loi? Où est le raisonneur de ce siècle? Dieu n'a-t-il
pas rendue folle la sagesse du *monde[p]? 21 En effet, puisque le monde,
par le moyen de la sagesse, n'a pas connu Dieu[q] dans la sagesse de
Dieu, c'est par la folie de la prédication que Dieu a jugé bon de sauver
ceux qui croient. 22 Les *Juifs demandent des signes et les Grecs
recherchent la sagesse[r]; 23 mais nous, nous prêchons un *Messie cru-
cifié, scandale pour les Juifs, folie pour les *païens[s], 24 mais pour ceux
qui sont appelés, tant Juifs que Grecs, il est Christ, puissance de Dieu
et sagesse de Dieu[t]. 25 Car ce qui est folie de Dieu est plus sage que les
hommes, et ce qui est faiblesse de Dieu[u] est plus fort que les hommes.

Sagesse et folie dans la fondation de l'Eglise

26 Considérez, frères, qui vous êtes, vous qui avez reçu l'appel de
Dieu: il n'y a parmi vous ni beaucoup de sages aux yeux des hommes,
ni beaucoup de puissants[v], ni beaucoup de gens de bonne famille.

i* *1.12 *moi à Paul... moi à Apollos.* 3.4. — *Apollos* Ac 18.24+. — *Céphas* (nom araméen de Pierre) Jn 1.42 ; 1 Co 3.22 ; 9.5 ; 15.5 ; Ga 1.18 ; 2.9-14 ; voir Mt 4.18+. ***j* *1.14*** *Crispus* Ac 18.8. — *Gaïus* voir Ac 19.29 ; Rm 16.23. ***k* *1.16*** 16.15, 17. ***l* *1.17*** *annoncer l'Evangile... baptiser* Mt 28.19 ; Jn 4.2. — L'Evangile sans enrobage 1 Co 2.1-5. ***m* *1.18*** Expression raccourcie pour « le langage de ceux qui prêchent la mort du Christ sur la croix ». ***n* *1.18*** *ceux qui se perdent* 2 Co 4.3. — *puissance de Dieu* Rm 1.16. ***o* *1.19*** Es 29.14. ***p* *1.20*** *Où est le sage ?* Es 19.12. — *Où est le docteur de la loi ?* voir Es 33.18. — *la sagesse du monde rendue folle* Es 44.25. ***q* *1.21*** Mt 11.25 ; Rm 1.19-21. ***r* *1.22*** *les Juifs demandent des signes :* voir Mc 8.11 par. Il faut sous-entendre *pour prouver que Jésus est bien le Messie.* Mt 12.38 ; Jn 4.48. — *les Grecs recherchent la sagesse* Ac 17.18, 32. ***s* *1.23*** *scandale pour les Juifs* Rm 9.32. — *folie pour les païens* 1 Co 2.14. ***t* *1.24*** Col 2.3. ***u* *1.25*** 2 Co 13.4. ***v* *1.26*** Mt 11.25 ; Jn 7.48 ; Jc 2.1-5.

27 Mais ce qui est folie dans le monde, Dieu l'a choisi pour confondre
les sages; ce qui est faible dans le monde, Dieu l'a choisi pour con-
fondre ce qui est fort; 28 ce qui dans le monde est vil[w] et méprisé, ce
qui n'est pas, Dieu l'a choisi pour réduire à rien ce qui est, 29 afin
qu'aucune créature ne puisse *s'enorgueillir devant Dieu[x]. 30 C'est par
Lui que vous êtes dans le Christ Jésus, qui est devenu pour nous
sagesse venant de Dieu, justice, *sanctification et délivrance[y], 31 afin,
comme dit l'Ecriture, que *celui qui s'enorgueillit, s'enorgueillisse dans
le Seigneur*[z].

Sagesse et folie dans la prédication de Paul à Corinthe

2 1 Moi-même, quand je suis venu chez vous, frères, ce n'est pas
avec le prestige de la parole ou de la sagesse que je suis venu vous
annoncer[a] le *mystère de Dieu. 2 Car j'ai décidé de ne rien savoir
parmi vous, sinon Jésus Christ, et Jésus Christ crucifié[b]. 3 Aussi ai-je
été devant vous faible, craintif et tout tremblant[c]: 4 ma parole et ma
prédication n'avaient rien des discours persuasifs de la sagesse, mais
elles étaient une démonstration[d] faite par la puissance de l'Esprit,
5 afin que votre foi ne soit pas fondée sur la sagesse des hommes, mais
sur la puissance de Dieu.

La sagesse de Dieu

6 Pourtant, c'est bien une sagesse que nous enseignons aux chrétiens
adultes, sagesse qui n'est pas de ce monde ni des princes de ce
monde[e], voués à la destruction. 7 Nous enseignons la sagesse de Dieu,
*mystérieuse et demeurée cachée[f], que Dieu, avant les *siècles, avait
d'avance destinée à notre gloire. 8 Aucun des princes de ce monde ne
l'a connue, car s'ils l'avaient connue, ils n'auraient pas crucifié le Sei-
gneur de gloire[g]. 9 Mais, comme il est écrit, c'est *ce que l'œil n'a pas
vu, ce que l'oreille n'a pas entendu, et ce qui n'est pas monté au cœur
de l'homme, tout ce que Dieu a préparé pour ceux qui l'aiment*[h]. 10 En
effet, c'est à nous que Dieu l'a *révélé[i] par l'Esprit. Car l'Esprit sonde
tout, même les profondeurs de Dieu. 11 Qui donc parmi les hommes
connaît ce qui est dans l'homme, sinon l'esprit de l'homme qui est en

w 1.28 Ou *sans titre de noblesse.* ***x 1.29*** Rm 3.27 ; Ep 2.9. ***y 1.30*** *sagesse, justice* Jr 23.5-6. — *sanctification* Jn 17.19. — *délivrance* 2 Co 5.21. ***z 1.31*** Jr 9.22-23 (2 Co 10.17). ***a 2.1*** *annoncer* 1.17. ***b 2.2*** Ga 6.14. ***c 2.3*** Ac 18.9 ; 2 Co 10.1. ***d 2.4*** 1 Th 1.5 ; voir 1 Co 14.25. ***e 2.6*** *chrétiens adultes* Ep 4.13 ; Ph 3.15 ; voir 1 Co 3.1 ; 14.20. — *les princes de ce monde* voir Col 1.16+. ***f 2.7*** Rm 16.25-27 ; Col 1.26 ; voir Mt 13.11+. ***g 2.8*** *s'ils l'avaient connue...* Lc 23.34. — *le Seigneur de gloire* Jc 2.1. ***h 2.9*** *ce que l'œil...* Es 64.3 ; 52.15 ; Jr 3.16. — *pour ceux qui l'aiment* Si 1.10. ***i 2.10*** Mt 13.11.

lui[j]? De même, ce qui est en Dieu, personne ne le connaît, sinon l'Esprit de Dieu. 12 Pour nous, nous n'avons pas reçu l'esprit du *monde, mais l'Esprit qui vient de Dieu, afin que nous connaissions les dons de la grâce de Dieu[k]. 13 Et nous n'en parlons pas dans le langage qu'enseigne la sagesse humaine, mais dans celui qu'enseigne l'Esprit, exprimant ce qui est spirituel en termes spirituels[l]. 14 L'homme laissé à sa seule nature n'accepte pas ce qui vient de l'Esprit de Dieu. C'est une folie pour lui, il ne peut le connaître, car c'est spirituellement qu'on en juge[m]. 15 L'homme spirituel, au contraire, juge de tout[n] et n'est lui-même jugé par personne. 16 Car *qui a connu la pensée du Seigneur pour l'instruire*[o]*?* Or nous, nous avons la pensée du Christ.

Le rôle des prédicateurs de l'Evangile

3 1 Pour moi, frères, je n'ai pu vous parler comme à des hommes spirituels, mais seulement comme à des hommes charnels, comme à des petits enfants en Christ[p]. 2 C'est du lait que je vous ai fait boire, non de la nourriture solide[q]: vous ne l'auriez pas supportée. Mais vous ne la supporteriez pas davantage aujourd'hui, 3 car vous êtes encore charnels. Puisqu'il y a parmi vous jalousie et querelles[r], n'êtes-vous pas charnels et ne vous conduisez-vous pas de façon tout humaine? 4 Quand l'un déclare: «Moi, j'appartiens à Paul», l'autre: «Moi à Apollos[s]», n'agissez-vous pas de manière tout humaine?

5 Qu'est-ce donc qu'Apollos[t]? Qu'est-ce que Paul? Des serviteurs par qui vous avez été amenés à la foi; chacun d'eux a agi selon les dons que le Seigneur lui a accordés. 6 Moi, j'ai planté, Apollos a arrosé[u], mais c'est Dieu qui faisait croître. 7 Ainsi celui qui plante n'est rien, celui qui arrose n'est rien: Dieu seul compte, lui qui fait croître. 8 Celui qui plante et celui qui arrose, c'est tout un, et chacun recevra son salaire à la mesure de son propre travail. 9 Car nous travaillons ensemble à l'œuvre de Dieu, et vous êtes le champ de Dieu, la construction de Dieu[v]. 10 Selon la grâce que Dieu m'a donnée[w], comme un

j 2.11 Pr 20.27. ***k 2.12*** Jn 16.13-14. ***l 2.13*** Ou *nous expliquons les choses de l'Esprit à ceux qui sont animés par l'Esprit.* — le *langage* choisi par Paul 2.4. ***m 2.14*** *l'homme laissé à sa nature* Jn 8.47 ; 14.17. — *folie* 1 Co 1.23. ***n 2.15*** 1 Jn 2.20. ***o 2.16*** Es 40.13 (Rm 11.34). ***p 3.1*** comme à *des chrétiens enfants* Jn 16.12. — *des hommes charnels,* c'est-à-dire des hommes qui restent dominés par le péché. Voir aussi les notes sur Rm 1.3 ; 7.5 et 1 Co 2.14 ; 3.3. ***q 3.2*** He 5.12-13 ; voir 1 P 2.2. ***r 3.3*** 1.10-11 ; 11.18. ***s 3.4*** 1.12. ***t 3.5*** Ac 18.24+. ***u 3.6*** *Paul a planté* Ac 18.4, 11 ; *Apollos a arrosé* Ac 18.24-28. ***v 3.9*** *travailler ensemble à l'œuvre de Dieu* voir 1 Th 3.2 ; Mc 16.20 ; voir Jn 6.28. — *le champ de Dieu* Mt 13.3-9. — *la construction de Dieu* Ep 2.20. ***w 3.10*** 15.10 ; 2 P 3.15.

bon architecte, j'ai posé le fondement, un autre bâtit dessus. Mais que
chacun prenne garde à la manière dont il bâtit. 11 Quant au fondement,
nul ne peut en poser un autre[x] que celui qui est en place : Jésus Christ.
12 Que l'on bâtisse sur ce fondement avec de l'or, de l'argent, des
pierres précieuses, du bois, du foin ou de la paille, 13 l'œuvre de
chacun sera mise en évidence. Le *jour du jugement la fera connaître,
car il se manifeste par le feu, et le feu éprouvera ce que vaut l'œuvre
de chacun[y]. 14 Celui dont l'œuvre subsistera recevra un salaire. 15 Celui
dont l'œuvre sera consumée en sera privé ; lui-même sera sauvé, mais
comme on l'est à travers le feu.

16 Ne savez-vous pas que vous êtes le *temple de Dieu[z] et que
l'Esprit de Dieu habite en vous ? 17 Si quelqu'un détruit le temple de
Dieu, Dieu le détruira. Car le temple de Dieu est *saint et ce temple,
c'est vous.

18 Que personne ne s'abuse : si quelqu'un parmi vous se croit sage à
la manière de ce monde, qu'il devienne fou pour être sage ; 19 car la
sagesse de ce *monde est folie devant Dieu. Il est écrit en effet : *Il
prend les sages à leur propre ruse*[a], 20 et encore : *Le Seigneur connaît
les pensées*[b] *des sages. Il sait qu'elles sont vaines.* 21 Ainsi, que per-
sonne ne fonde son *orgueil sur des hommes, car tout est à vous :
22 Paul, Apollos, ou Céphas[c], le monde, la vie ou la mort, le présent ou
l'avenir, tout est à vous, 23 mais vous êtes à Christ, et Christ est à Dieu.

Les relations de Paul avec les Corinthiens

4 1 Qu'on nous considère donc comme des serviteurs du Christ et
des intendants des *mystères de Dieu[d]. 2 Or, ce qu'on demande
en fin de compte à des intendants, c'est de se montrer fidèles[e]. 3 Pour
moi, il m'importe fort peu d'être jugé par vous ou par un tribunal
humain. Je ne me juge pas non plus moi-même. 4 Ma conscience,
certes, ne me reproche rien, mais ce n'est pas cela qui me justifie ;
celui qui me juge, c'est le Seigneur[f]. 5 Par conséquent, ne jugez pas
avant le temps, avant que vienne le Seigneur. C'est lui qui éclairera ce
qui est caché dans les ténèbres et mettra en évidence les desseins des
cœurs. Alors chacun recevra de Dieu la louange qui lui revient[g].

6 C'est à cause de vous, frères, que j'ai présenté cela sous une autre
forme, en l'appliquant à Apollos et à moi-même, afin qu'à notre

x 3.11 Es 28.16 ; 1 P 2.4-6. ***y 3.13*** *le jour...* 1.8. – *le* (feu du) *jugement* 4.5 ; 2 Th 1.7-10 ; voir Es 1.25 ; Jr 6.29-30 ; Ml 3.2-3. ***z 3.16*** 6.19 ; 2 Co 6.16. ***a 3.19*** Jb 5.13. ***b 3.20*** Ps 94.11 (grec). ***c 3.22*** *Apollos* Ac 18.24+. – *Céphas* 1 Co 1.12+. ***d 4.1*** Rm 11.25 ; 1 Co 15.51 ; Ep 3.3+. ***e 4.2*** *intendants fidèles* Lc 12.42+. ***f 4.4*** voir Rm 14.10 ; Jc 4.12. ***g 4.5*** 3.8.

exemple vous appreniez[h] à ne pas vous enfler d'orgueil[i] en prenant le
parti de l'un contre l'autre. 7 Qui te distingue en effet? Qu'as-tu que tu
n'aies reçu[j]? Et si tu l'as reçu, pourquoi *t'enorgueillir comme si tu ne
l'avais pas reçu? 8 Déjà vous êtes rassasiés! Déjà vous êtes riches! Sans
nous vous êtes rois! Ah! Que ne l'êtes-vous pour que, nous aussi, nous
puissions régner avec vous[k]! 9 Car je pense que Dieu nous a exposés,
nous les *apôtres, à la dernière place, comme des condamnés à mort[l]:
nous avons été donnés en spectacle au *monde, aux *anges et aux
hommes. 10 Nous sommes fous à cause du Christ[m], mais vous, vous
êtes sages en Christ; nous sommes faibles, vous êtes forts; vous êtes à
l'honneur, nous sommes méprisés. 11 A cette heure encore, nous avons
faim, nous avons soif, nous sommes nus, maltraités, vagabonds[n], 12 et
nous peinons en travaillant de nos mains. On nous insulte, nous bénis-
sons[o]; on nous persécute, nous endurons; 13 on nous calomnie, nous
consolons. Nous sommes jusqu'à présent, pour ainsi dire, les ordures
du monde[p], le déchet de l'univers.

Le souci paternel de Paul

14 Je ne vous écris pas cela pour vous faire honte, mais pour vous
avertir, comme mes enfants bien-aimés. 15 En effet, quand vous auriez
dix mille pédagogues en Christ, vous n'avez pas plusieurs pères. C'est
moi qui, par *l'Evangile, vous ai engendrés en Jésus Christ[q]. 16 Je vous
exhorte donc: soyez mes imitateurs[r]. 17 C'est bien pour cela que je
vous ai envoyé Timothée, mon enfant bien-aimé et fidèle dans le Sei-
gneur; il vous rappellera mes principes de vie en Christ, tels que je les
enseigne partout, dans toutes les Eglises[s]. 18 Or, se figurant que je ne
reviendrai pas chez vous, certains se sont enflés d'orgueil. 19 Mais je
viendrai bientôt chez vous, si le Seigneur le veut, et je prendrai con-

***h* 4.6** La traduction laisse ici de côté plusieurs mots qui trouvent difficilement leur place dans la phrase en cours. On peut considérer ceux-ci comme une remarque portant sur une particularité graphique d'un manuscrit *le « ne pas » est écrit au-dessus du « à ».* Cette remarque, d'abord notée en marge par un copiste, aurait été ensuite incorporée au texte lors de la copie suivante. — D'autres pensent que l'apôtre citerait un genre de proverbe connu de ses lecteurs. ***i* 4.6** *ne pas s'enfler d'orgueil* Rm 12.3. ***j* 4.7** Rm 12.6. ***k* 4.8** *déjà rassasiés, riches...* Ap 3.17. — *régner avec vous* Ap 3.21. ***l* 4.9** *exposés* He 10.33 *comme des condamnés à mort* Rm 8.36. ***m* 4.10** 3.18. ***n* 4.11** détresses apostoliques 2 Co 7.5+. ***o* 4.12** Paul travaille manuellement Ac 18.3 ; 20.34 ; 1 Th 2.9 ; 2 Th 3.8 ; voir 1 Co 9.14-15. — *insultés, nous bénissons* Ps 109.28 ; Mt 5.44 ; Lc 6.28 ; Ac 7.60 ; Rm 12.14. ***p* 4.13** Lm 3.45. ***q* 4.15** *pédagogues :* voir Ga 3.24 et la note ; le même terme y est traduit par *surveillant.* — Paul, père spirituel Ga 4.19. ***r* 4.16** 11.1 ; Ph 3.17 ; 1 Th 1.6. ***s* 4.17** *Timothée* Ac 16.1+. — missions confiées à Timothée Ac 19.21-22 ; Ph 2.19-22.

naissance, non des paroles de ces orgueilleux, mais de leur action[t].
20 Car le *Royaume de Dieu ne consiste pas en paroles, mais en
action[u]. 21 Que préférez-vous? Que je vienne à vous avec des verges
ou avec amour et dans un esprit de douceur?

Un cas d'inconduite

5 1 On entend dire partout qu'il y a chez vous un cas d'inconduite,
et d'inconduite telle qu'on ne la trouve même pas chez les
*païens: l'un de vous vit avec la femme de son père[v]. 2 Et vous êtes
enflés d'orgueil! Et vous n'avez pas plutôt pris le deuil afin que
l'auteur de cette action soit ôté du milieu de vous? 3 Pour moi, absent
de corps, mais présent d'esprit[w], j'ai déjà jugé comme si j'étais présent
celui qui a commis une telle action: 4 au *nom du Seigneur Jésus, et
avec son pouvoir[x], lors d'une assemblée où je serai spirituellement
parmi vous, 5 qu'un tel homme soit livré à *Satan[y] pour la destruction
de sa chair, afin que l'esprit soit sauvé au *jour du Seigneur.

6 Il n'est pas beau, votre sujet *d'orgueil! Ne savez-vous pas qu'un
peu de *levain fait lever toute la pâte[z]? 7 *Purifiez-vous du vieux
levain pour être une pâte nouvelle, puisque vous êtes sans levain. Car
le Christ, notre *Pâque, a été immolé[a]. 8 Célébrons donc la fête, non
pas avec du vieux levain, ni du levain de méchanceté et de perversité,
mais avec des *pains sans levain[b]: dans la pureté et dans la vérité.

9 Je vous ai écrit dans ma lettre de ne pas avoir de relations avec les
débauchés[c]. 10 Je ne visais pas de façon générale les débauchés de ce
*monde, ou les rapaces et les filous ou les idolâtres, car il vous faudrait
alors sortir du monde. 11 Non, je vous ai écrit de ne pas avoir de rela-
tions avec un homme qui porte le nom de frère[d], s'il est débauché, ou
rapace ou idolâtre ou calomniateur ou ivrogne ou filou, et même de ne
pas manger avec un tel homme. 12 Est-ce à moi, en effet, de juger ceux
du dehors[e]? N'est-ce pas ceux du dedans que vous avez à juger?
13 Ceux du dehors, Dieu les jugera. *Otez le méchant du milieu de vous*[f].

t 4.19 Certains traduisent : *de leur puissance ;* de même à la fin du v. 20. — *si le Seigneur le veut* Ac 18.21 ; Jc 4.15. ***u 4.20*** 2.4. ***v 5.1*** Sans doute la seconde femme de son père. Une telle union était interdite par la loi juive ainsi que par le droit romain ; voir Lv 18.7-8 ; Dt 23.1 ; 27.20. ***w 5.3*** Col 2.5. ***x 5.4*** Mt 16.19 ; 18.18 ; 2 Co 13.10. ***y 5.5*** Même tournure en 1 Tm 1.20. Cette expression très forte désigne sans doute l'exclusion au moins momentanée du coupable hors de la communauté. — *que l'esprit soit sauvé* 1 P 4.6. ***z 5.6*** Ga 5.9. ***a 5.7*** *purifiés du vieux levain* Ex 13.7 ; voir Mt 16.6 par. — *immolé* voir Ex 12.21 ; Es 53.7 ; 1 P 1.19. ***b 5.8*** Ex 12.3-20 ; Dt 16.3. ***c 5.9*** Le terme grec correspondant inclut toutes les sortes de désordres sexuels. — *pas de relations avec...* voir Mt 18.17 ; 2 Th 3.14. ***d 5.11*** *frère* Ac 1.15+. — *distance à tenir* 2 Th 3.6 ; Tt 3.10 ; 2 Jn 10. ***e 5.12*** *ceux du dehors* Mc 4.11+. ***f 5.13*** Dt 17.7 ; 19.19 ; 22.21 ; 24.7.

Des procès entre frères

6 [1] Lorsque vous avez un différend entre vous, comment osez-vous
le faire juger par les païens et non par les *saints[g]? [2] Ne savez-
vous donc pas que les saints jugeront le *monde[h]? Et si c'est par vous
que le monde sera jugé, seriez-vous indignes de rendre des jugements
de minime importance? [3] Ne savez-vous pas que nous jugerons les
*anges? A plus forte raison les affaires de cette vie! [4] Quand donc vous
avez des procès de cet ordre, vous établissez pour juges des gens que
l'Eglise méprise? [5] Je le dis à votre honte. Ainsi, il ne se trouve parmi
vous aucun homme assez sage pour pouvoir juger entre ses frères?
[6] Mais un frère est en procès avec un frère, et cela devant des non-
croyants! [7] De toute façon, c'est déjà pour vous une déchéance d'avoir
des procès entre vous. Pourquoi ne préférez-vous pas subir une injus-
tice[i]? Pourquoi ne vous laissez-vous pas plutôt dépouiller? [8] Mais c'est
vous qui commettez l'injustice et qui dépouillez les autres; et ce sont
vos frères! [9] Ne savez-vous donc pas que les injustes n'hériteront pas
du *Royaume de Dieu? Ne vous y trompez pas! Ni les débauchés, ni
les idolâtres, ni les adultères, ni les efféminés, ni les pédérastes, [10] ni
les voleurs, ni les accapareurs, ni les ivrognes, ni les calomniateurs, ni
les filous[j] n'hériteront du Royaume de Dieu. [11] Voilà ce que vous étiez,
du moins quelques-uns. Mais vous avez été lavés, mais vous avez été
*sanctifiés, mais vous avez été justifiés[k] au *nom du Seigneur Jésus
Christ et par l'Esprit de notre Dieu.

«Tout m'est permis»

[12] «Tout m'est permis»[l], mais tout ne convient pas. «Tout m'est
permis», mais moi je ne me laisserai asservir par rien. [13] Les aliments
sont pour le ventre et le ventre pour les aliments, et Dieu détruira
ceux-ci et celui-là. Mais le corps n'est pas pour la débauche, il est pour
le Seigneur, et le Seigneur est pour le corps[m]. [14] Or, Dieu, qui a ressus-
cité le Seigneur, nous ressuscitera aussi[n] par sa puissance. [15] Ne savez-
vous pas que vos corps sont les membres du Christ[o]? Prendrai-je les
membres du Christ pour en faire des membres de prostituée? Certes

g* *6.1 *les saints* Ac 9.13+ ; Rm 1.7+. ***h* *6.2*** Dn 7.22 ; *Sg* 3.8 ; Ap 3.21. ***i* *6.7*** Mt 5.39 ; 1 Th 5.15 ; 1 P 3.9. ***j* *6.10*** dérèglements Rm 1.29+. ***k* *6.11*** Tt 3.3-7. ***l* *6.12*** Sans doute une phrase de Paul dont les Corinthiens faussaient le sens. — permis, mais pas forcément profitable *Si* 37.28 ; 1 Co 10.23. ***m* *6.13*** *le corps* Rm 6.12 ; 8.10-13, 23 ; 12.1 ; 1 Co 7.4 ; 15.35 ; 2 Co 4.10 ; Ph 1.20 ; 3.21, etc. — le Seigneur, maître et sauveur du corps 1 Th 4.3-5. ***n* *6.14*** Rm 8.11 ; 1 Co 15.15, 20 ; 2 Co 4.14. ***o* *6.15*** Rm 12.5 ; 1 Co 12.27.

non! 16 Ne savez-vous pas que celui qui s'unit à la prostituée fait avec elle un seul corps? Car il est dit: *Les deux ne seront qu'une seule chair*[p]. 17 Mais celui qui s'unit au Seigneur est avec lui un seul esprit[q]. 18 Fuyez la débauche. Tout autre péché commis par l'homme est extérieur à son corps. Mais le débauché pèche contre son propre corps. 19 Ou bien ne savez-vous pas que votre corps est le *temple du Saint Esprit[r] qui est en vous et qui vous vient de Dieu, et que vous ne vous appartenez pas? 20 Quelqu'un a payé le prix de votre rachat[s]. Glorifiez donc Dieu par votre corps.

Réponses à des questions sur le mariage

7 1 Venons-en à ce que vous m'avez écrit. Il est bon pour l'homme de s'abstenir de la femme[t]. 2 Toutefois, pour éviter tout dérèglement, que chaque homme ait sa femme et chaque femme son mari. 3 Que le mari remplisse ses devoirs envers sa femme, et que la femme fasse de même envers son mari. 4 Ce n'est pas la femme qui dispose de son corps, c'est son mari. De même ce n'est pas le mari qui dispose de son corps, c'est sa femme[u]. 5 Ne vous refusez pas l'un à l'autre, sauf d'un commun accord et temporairement, afin de vous consacrer à la prière; puis retournez ensemble, de peur que votre incapacité à vous maîtriser ne donne à *Satan l'occasion de vous *tenter. 6 En parlant ainsi, je vous fais une concession, je ne vous donne pas d'ordre. 7 Je voudrais bien que tous les hommes soient comme moi; mais chacun reçoit de Dieu un don particulier, l'un celui-ci, l'autre celui-là[v].

8 Je dis donc aux célibataires et aux veuves qu'il est bon de rester ainsi, comme moi. 9 Mais s'ils ne peuvent vivre dans la continence, qu'ils se marient[w]; car il vaut mieux se marier que brûler. 10 A ceux qui sont mariés j'ordonne, non pas moi, mais le Seigneur: que la femme ne se sépare pas de son mari 11 — si elle en est séparée, qu'elle ne se remarie pas ou qu'elle se réconcilie avec son mari —, et que le mari ne répudie pas sa femme[x]. 12 Aux autres je dis, c'est moi qui parle et non le Seigneur: si un frère a une femme non croyante et qu'elle consente à vivre avec lui, qu'il ne la répudie pas. 13 Et si une femme a un mari non croyant et qu'il consente à vivre avec elle, qu'elle ne le répudie pas. 14 Car le mari non croyant est *sanctifié par sa femme, et la femme non croyante est sanctifiée par son mari. S'il en était autre-

p 6.16 Gn 2.24 (Mt 19.5). ***q 6.17*** Jn 17.21-23 ; Rm 8.9-11 ; Ga 2.20. ***r 6.19*** 3.16 ; 2 Co 6.16. ***s 6.20*** 7.23 ; 1 P 1.18-19 ; voir Rm 3.24. ***t 7.1*** Comparer Gn 2.18. ***u 7.4*** rapports conjugaux et don de soi : voir Ep 5.25. ***v 7.7*** mariage et célibat Mt 19.11-12. ***w 7.9*** décision de mariage ou de remariage 1 Tm 5.14. ***x 7.11*** répudiation Mt 5.32 ; 19.9 ; Mc 10.9-12 ; Lc 16.18.

ment, vos enfants seraient *impurs, alors qu'ils sont saints[y]. [15] Si le non-croyant veut se séparer, qu'il le fasse! Le frère ou la sœur ne sont pas liés dans ce cas: c'est pour vivre en paix[z] que Dieu vous a appelés. [16] En effet, sais-tu, femme, si tu sauveras ton mari[a]? Sais-tu, mari, si tu sauveras ta femme?

Ne pas chercher à changer de condition

[17] Par ailleurs, que chacun vive selon la condition que le Seigneur lui a donnée en partage, et dans laquelle il se trouvait quand Dieu l'a appelé[b]. C'est ce que je prescris dans toutes les Eglises. [18] L'un était-il *circoncis lorsqu'il a été appelé? Qu'il ne dissimule pas sa circoncision[c]. L'autre était-il incirconcis? Qu'il ne se fasse pas circoncire. [19] La circoncision n'est rien[d] et l'incirconcision n'est rien: le tout c'est d'observer les commandements de Dieu. [20] Que chacun demeure dans la condition où il se trouvait quand il a été appelé. [21] Etais-tu esclave quand tu as été appelé? Ne t'en soucie pas; au contraire, alors même que tu pourrais te libérer, mets plutôt à profit ta condition d'esclave[e]. [22] Car l'esclave qui a été appelé dans le Seigneur est un affranchi du Seigneur. De même, celui qui a été appelé étant libre est un esclave du Christ[f]. [23] Quelqu'un a payé le prix de votre rachat: ne devenez pas esclaves des hommes. [24] Que chacun, frères, demeure devant Dieu dans la condition où il se trouvait quand il a été appelé.

Le cas des gens non mariés, des fiancés et des veuves

[25] Au sujet des vierges, je n'ai pas d'ordre du Seigneur: c'est un avis que je donne, celui d'un homme qui, par la miséricorde du Seigneur, est digne de confiance[g]. [26] Je pense que c'est un avantage, à cause des angoisses présentes, oui, on a avantage à rester ainsi. [27] Es-tu lié à une femme? Ne cherche pas à rompre. N'es-tu pas lié à une femme? Ne cherche pas de femme. [28] Si cependant tu te maries, tu ne pèches pas; et si une vierge se marie, elle ne pèche pas. Mais les gens mariés auront de lourdes épreuves à supporter[h] et moi, je voudrais vous les épargner.

y 7.14 *sanctifié, saint* Rm 1.7+ ; 11.16 ; voir Gn 2.24 ; 1 Co 6.16. ***z 7.15*** *Le frère ou la sœur :* le conjoint chrétien, mari ou femme. — *appelés à vivre en paix* Rm 14.19. ***a 7.16*** 1 P 3.1. ***b 7.17*** conserver la même condition 7.20, 24. ***c 7.18*** *1 M* 1.15. ***d 7.19*** Rm 2.25 ; Ga 5.6 ; 6.15. ***e 7.21*** Certains traduisent : *profite plutôt (de l'occasion pour te libérer).* ***f 7.22*** *l'esclave chrétien* Phm 16. — *esclave du Christ* Ep 6.6 ; 1 P 2.16. ***g 7.25*** *vierges :* le mot grec englobe les deux sexes. — *digne de confiance, par la miséricorde du Seigneur* 1 Tm 1.12-13. ***h 7.28*** Lc 12.51-53 par. ; 21.23.

29 Voici ce que je dis, frères : le temps est écourté[i]. Désormais, que
ceux qui ont une femme soient comme s'ils n'en avaient pas, 30 ceux
qui pleurent comme s'ils ne pleuraient pas, ceux qui se réjouissent
comme s'ils ne se réjouissaient pas, ceux qui achètent comme s'ils ne
possédaient pas, 31 ceux qui tirent profit de ce *monde comme s'ils
n'en profitaient pas vraiment. Car la figure de ce monde passe[j]. 32 Je
voudrais que vous soyez exempts de soucis. Celui qui n'est pas marié a
souci des affaires du Seigneur : il cherche comment plaire au Seigneur.
33 Mais celui qui est marié a souci des affaires du monde : il cherche
comment plaire à sa femme, 34 et il est partagé. De même, la femme
sans mari et la jeune fille ont souci des affaires du Seigneur, afin d'être
*saintes de corps et d'esprit. Mais la femme mariée a souci des affaires
du monde : elle cherche comment plaire à son mari. 35 Je vous dis cela
dans votre propre intérêt, non pour vous tendre un piège, mais pour
que vous fassiez ce qui convient le mieux et que vous soyez attachés
au Seigneur, sans partage.

36 Si quelqu'un, débordant d'ardeur, pense qu'il ne pourra pas res-
pecter sa fiancée et que les choses doivent suivre leur cours, qu'il fasse
selon son idée. Il ne pèche pas : qu'ils se marient. 37 Mais celui qui a
pris dans son cœur une ferme résolution, hors de toute contrainte et
qui, en pleine possession de sa volonté, a pris en son for intérieur la
décision de respecter sa fiancée, celui-là fera bien. 38 Ainsi celui qui
épouse sa fiancée fait bien, et celui qui ne l'épouse pas fera encore
mieux[k].

39 La femme est liée à son mari aussi longtemps qu'il vit[l]. Si le mari
meurt, elle est libre d'épouser qui elle veut, mais un chrétien seule-
ment. 40 Cependant elle sera plus heureuse, à mon avis, si elle reste
comme elle est : et je crois, moi aussi, avoir l'Esprit de Dieu.

Les viandes sacrifiées aux idoles

8 1 Pour ce qui est des viandes sacrifiées aux idoles[m], tous, c'est
entendu, nous possédons la connaissance. La connaissance enfle,
mais l'amour édifie. 2 Si quelqu'un s'imagine[n] connaître quelque

i 7.29 Rm 13.11. ***j 7.31*** 1 Jn 2.17. ***k 7.38*** Certains estiment que les v. 36-38 concernent un père et sa fille ; d'où cette autre traduction : *Si cependant quelqu'un estime manquer aux convenances envers sa jeune fille, si elle a passé l'âge et qu'il est de son devoir d'agir ainsi, qu'il fasse ce qu'il veut, il ne pèche pas : qu'on se marie. Mais celui qui a pris en son cœur une ferme résolution hors de toute contrainte, et qui, en pleine possession de sa volonté, a pris en son cœur la décision de garder sa jeune fille, celui-là fera bien. Ainsi celui qui marie sa jeune fille fait bien, et celui qui ne la marie pas fera mieux encore.* ***l 7.39*** Rm 7.2-3. ***m 8.1*** Il s'agit de viandes qui provenaient des sacrifices païens. Voir les notes sur Ac 15.20 et 29 ; voir aussi 1 Co 10.23-31 ; 14–15. ***n 8.2*** Ga 6.3.

chose, il ne connaît pas encore comme il faudrait connaître. 3 Mais si
quelqu'un aime Dieu, il est connu de lui[o].

4 Donc, peut-on manger des viandes sacrifiées aux idoles? Nous
savons qu'il n'y a aucune idole dans le monde et qu'il n'y a d'autre
dieu que le Dieu unique[p]. 5 Car, bien qu'il y ait de prétendus dieux au
ciel ou sur la terre — et il y a de fait plusieurs dieux et plusieurs
seigneurs[q] —, 6 il n'y a pour nous qu'un seul Dieu, le Père, de qui tout
vient et vers qui nous allons, et un seul Seigneur, Jésus Christ, par qui
tout existe et par qui nous sommes[r].

7 Mais tous n'ont pas la connaissance. Quelques-uns, marqués par
leur fréquentation encore récente des idoles[s], mangent la viande des
sacrifices comme si elle était réellement offerte aux idoles, et leur
conscience, qui est faible, en est souillée. 8 Ce n'est pas un aliment qui
nous rapprochera de Dieu[t]: si nous n'en mangeons pas, nous ne pren-
drons pas de retard; si nous en mangeons, nous ne serons pas plus
avancés. 9 Mais prenez garde que cette liberté même, qui est la vôtre,
ne devienne une occasion de chute pour les faibles[u]. 10 Car si l'on te
voit, toi qui as la connaissance, attablé dans un temple d'idole, ce
spectacle édifiant ne poussera-t-il pas celui dont la conscience est
faible à manger des viandes sacrifiées? 11 Et, grâce à ta connaissance,
le faible périt, ce frère pour lequel Christ est mort[v]. 12 En péchant ainsi
contre vos frères et en blessant leur conscience qui est faible, c'est
contre Christ que vous péchez. 13 Voilà pourquoi, si un aliment doit
faire tomber mon frère, je renoncerai à tout jamais à manger de la
viande plutôt que de faire tomber mon frère.

Paul a renoncé à ses droits

9 1 Ne suis-je pas libre? Ne suis-je pas *apôtre? N'ai-je pas vu Jésus,
notre Seigneur[w]? N'êtes-vous pas mon œuvre dans le Seigneur?
2 Si pour d'autres, je ne suis pas apôtre, pour vous au moins je le suis;
car le sceau de mon apostolat, c'est vous qui l'êtes[x], dans le Seigneur.
3 Ma défense contre mes accusateurs, la voici: 4 N'aurions-nous pas le

o* *8.3 *être connu de Dieu* Ga 4.9. ***p 8.4*** l'idole n'existe pas 10.19. — pas d'autre dieu Dt 4.35, 39 ; 6.4. ***q 8.5*** Paul fait allusion ici aux divinités de la religion grecque. D'après 10.20-21, il les considère en réalité comme des démons. ***r 8.6*** *un seul Dieu* Ml 2.10 ; 1 Co 12.6 ; Ep 4.6. — *un seul Seigneur, par qui...* Jn 1.3 ; 1 Co 12.5 ; Ep 4.5 ; Col 1.16. ***s 8.7*** Autre texte : *Certains, qui ont la conviction de participer encore maintenant à l'idolâtrie...* ***t 8.8.*** Rm 14.17. ***u 8.9*** Rm 14.13, 21 ; Ga 5.13. ***v 8.11*** quand ta liberté devient fatale au frère Rm 14.15, 20. ***w 9.1*** liberté de l'apôtre 9.19. — Paul a *vu le Seigneur* Ac 22.17-18 ; 26.16 ; 1 Co 15.8. ***x 9.2*** *le sceau* (voir Ap 7.2 et la note) *de mon apostolat :* voir 2 Co 3.2-3.

droit de manger et de boire[y]? 5 N'aurions-nous pas le droit d'emmener avec nous une femme chrétienne comme les autres apôtres, les frères du Seigneur[z] et Céphas? 6 Moi seul et Barnabas[a] n'aurions-nous pas le droit d'être dispensés de travailler? 7 Qui a jamais servi dans l'armée à ses propres frais? Qui plante une vigne sans en manger le fruit? Ou qui fait paître un troupeau sans se nourrir du lait de ce troupeau? 8 Cela n'est-il qu'un usage humain, ou la *loi ne dit-elle pas la même chose? 9 En effet, il est écrit dans la loi de Moïse: *Tu ne muselleras pas le bœuf qui foule le grain*[b]. Dieu s'inquiète-t-il des bœufs? 10 N'est-ce pas pour nous seuls qu'il parle? Oui, c'est pour nous que cela a été écrit; car il faut de l'espoir chez celui qui laboure, et celui qui foule le grain doit avoir l'espoir d'en recevoir sa part[c]. 11 Si nous avons semé pour vous les biens spirituels, serait-il excessif de récolter vos biens matériels[d]? 12 Si d'autres exercent ce droit sur vous, pourquoi pas nous à plus forte raison? Cependant, nous n'avons pas usé de ce droit. Nous supportons tout[e], au contraire, pour ne créer aucun obstacle à *l'Evangile du Christ.

13 Ne savez-vous pas que ceux qui assurent le service du culte sont nourris par le *temple, que ceux qui servent à *l'autel ont part à ce qui est offert sur l'autel[f]? 14 De même, le Seigneur a ordonné à ceux qui annoncent l'Evangile de vivre de l'Evangile[g]. 15 Mais moi, je n'ai usé d'aucun de ces droits[h] et je n'écris pas ces lignes pour les réclamer. Plutôt mourir!... Personne ne me ravira ce motif *d'orgueil! 16 Car annoncer l'Evangile n'est pas un motif d'orgueil pour moi, c'est une nécessité[i] qui s'impose à moi: malheur à moi si je n'annonce pas l'Evangile! 17 Si je le faisais de moi-même, j'aurais droit à un salaire; mais si j'y suis contraint, c'est une charge qui m'est confiée[j]. 18 Quel est donc mon salaire? C'est d'offrir gratuitement l'Evangile que j'annonce, sans user des droits que cet Evangile me confère.

19 Oui, libre à l'égard de tous, je me suis fait l'esclave de tous[k], pour en gagner le plus grand nombre. 20 J'ai été avec les *Juifs comme un Juif[l], pour gagner les Juifs, avec ceux qui sont assujettis à la *loi,

***y* 9.4** Sous-entendu *à vos frais.* — le droit des apôtres Lc 10.8 ; 1 Co 9.13-14. ***z* 9.5** Sous-entendu : *et de vous demander d'assurer notre entretien à tous deux.* — *les frères du Seigneur :* Mt 12.46+. ***a* 9.6** *Céphas* (v. 5) 1.12+. — *Barnabas* Ac 4.36+. ***b* 9.9** Dt 25.4 (1 Tm 5.18). ***c* 9.10** 2 Tm 2.6. ***d* 9.11** Rm 15.27. ***e* 9.12** un droit dont Paul n'a pas usé Ac 20.34-35 ; 2 Co 11.9. — *nous supportons tout* 1 Co 13.7. ***f* 9.13** Lv 6.9, 19 ; Nb 18.8, 31 ; Dt 18.1-3. ***g* 9.14** *le Seigneur a ordonné...* 7.10-11 ; 11.23-25. — *vivre de l'Evangile* Mt 10.10 ; Lc 10.7 ; Ga 6.6. ***h* 9.15** Ac 18.3 ; voir 1 Co 9.12+. ***i* 9.16** Jr 20.9. ***j* 9.17** 4.1. ***k* 9.19** Mt 20.26-27. ***l* 9.20** Ac 16.3 ; 21.20-26.

comme si je l'étais — alors que moi-même je ne le suis pas —, pour
gagner ceux qui sont assujettis à la loi; 21 avec ceux qui sont sans loi[m],
comme si j'étais sans loi — alors que je ne suis pas sans loi de Dieu,
puisque Christ est ma loi —, pour gagner ceux qui sont sans loi. 22 J'ai
partagé la faiblesse des faibles, pour gagner les faibles. Je me suis fait
tout à tous pour en sauver sûrement quelques-uns[n]. 23 Et tout cela, je le
fais à cause de *l'Evangile afin d'y avoir part.

La discipline des athlètes

24 Ne savez-vous pas que les coureurs, dans le stade, courent tous,
mais qu'un seul gagne le prix? Courez donc de manière à le remporter[o].
25 Tous les athlètes s'imposent une ascèse rigoureuse; eux, c'est
pour une couronne périssable, nous, pour une couronne impérissable[p].
26 Moi donc, je cours ainsi: je ne vais pas à l'aveuglette; et je
boxe ainsi: je ne frappe pas dans le vide. 27 Mais je traite durement
mon corps[q] et le tiens assujetti, de peur qu'après avoir proclamé le
message aux autres, je ne sois moi-même éliminé.

L'exemple d'Israël au désert

10 1 Je ne veux pas vous le laisser ignorer, frères: nos pères
étaient tous sous la nuée, tous ils passèrent à travers la mer[r]
2 et tous furent baptisés en Moïse dans la nuée et dans la mer. 3 Tous
mangèrent la même nourriture spirituelle[s], 4 et tous burent le même
breuvage spirituel; car ils buvaient à un rocher spirituel qui les suivait[t]:
ce rocher, c'était le Christ. 5 Cependant, la plupart d'entre eux
ne furent pas agréables à Dieu, puisque *leurs cadavres jonchèrent le
désert*[u]. 6 Ces événements sont arrivés pour nous servir d'exemples,
afin que nous ne convoitions pas le mal comme eux le convoitèrent[v].
7 Ne devenez pas idolâtres comme certains d'entre eux, ainsi qu'il est
écrit: *Le peuple s'assit pour manger et pour boire, puis ils se levèrent
pour se divertir*[w]. 8 Ne nous livrons pas non plus à la débauche, comme

m 9.21 *avec ceux qui sont sans loi* Ga 2.3. ***n 9.22*** *faible avec les faibles* 2 Co 11.29 ; voir Rm 14.1—15.3. — *pour en sauver quelques-uns* Rm 11.14. ***o 9.24*** *courez pour remporter le prix* voir Ga 2.2 ; 5.7 ; Ph 2.16 ; 3.14 ; 2 Tm 4.7 ; He 12.1 ; voir aussi 2 Tm 2.5. ***p 9.25*** la discipline des athlètes 2 Tm 2.4-5. — *pour une couronne* (voir Ph 4.1 et la note) *impérissable* Ph 3.14 ; 2 Tm 4.8 ; Jc 1.12 ; 1 P 5.4 ; Ap 2.10. ***q 9.27*** Rm 8.13 ; 13.14. ***r 10.1*** *la nuée* Ex 13.21-22. — *à travers la mer* Ex 14.22-29. ***s 10.3*** Ex 16.4-35 ; Dt 8.3 ; Ps 78.24-29. ***t 10.4*** Paul semble reprendre ici un enseignement des rabbins, selon lequel le rocher dont il est question en Nb 20.8 accompagnait Israël dans ses déplacements au désert. — l'eau sortant du rocher Ex 17.5-6 ; Nb 20.7-11 ; Ps 78.15. ***u 10.5*** Nb 14.16, 23, 29-30 ; Ps 78.31 ; He 3.17 ; Jude 5. ***v 10.6*** *pour nous servir d'exemples* 10.11. — *ceux qui convoitèrent* Nb 11.4, 34 ; Ps 106.14. ***w 10.7*** Ex 32.6.

le firent certains d'entre eux: en un seul jour il en tomba vingt-trois
mille[x]. 9 Ne *tentons pas non plus le Seigneur, comme le firent certains
d'entre eux: des serpents les firent périr[y]. 10 Enfin, ne murmurez pas
comme murmurèrent certains d'entre eux: l'exterminateur les fit périr[z].
11 Ces événements leur arrivaient pour servir d'exemple et furent mis
par écrit pour nous instruire, nous qui touchons à la fin des temps[a].

12 Ainsi donc, que celui qui pense être debout prenne garde de
tomber. 13 Les *tentations auxquelles vous avez été exposés ont été à
la mesure de l'homme, Dieu est fidèle[b]; il ne permettra pas que vous
soyez tentés au-delà de vos forces. Avec la tentation, il vous donnera
le moyen d'en sortir et la force de la supporter.

Pas de communion avec les démons

14 C'est pourquoi, mes bien-aimés, fuyez l'idolâtrie[c]. 15 Je vous parle
comme à des personnes raisonnables; jugez vous-mêmes de ce que je
dis. 16 La coupe de bénédiction que nous bénissons n'est-elle pas une
communion au *sang du Christ? Le pain que nous rompons n'est-il
pas une communion au corps du Christ[d]? 17 Puisqu'il y a un seul pain,
nous sommes tous un seul corps[e]: car tous nous participons à cet unique
pain. 18 Voyez les fils d'Israël: ceux qui mangent les victimes *sacrifiées
ne sont-ils pas en communion avec *l'autel[f]? 19 Que veux-je dire? Que
la viande sacrifiée aux idoles ou que l'idole aient en elles-mêmes
quelque valeur[g]? 20 Non! Mais comme leurs *sacrifices sont offerts aux
*démons[h] et non pas à Dieu, je ne veux pas que vous entriez en communion avec les démons. 21 Vous ne pouvez boire à la fois à la coupe du Seigneur et à la coupe des démons; vous ne pouvez participer à la fois à la
table du Seigneur et à celle des démons[i]. 22 Ou bien voulons-nous
exciter la jalousie du Seigneur[j]? Sommes-nous plus forts que lui?

Tout pour la gloire de Dieu

23 «Tout est permis», mais tout ne convient pas[k]; «tout est permis»,
mais tout n'édifie pas. 24 Que nul ne cherche son propre intérêt, mais

x 10.8 Nb 25.1, 9. ***y 10.9*** Nb 21.5-6. ***z 10.10*** *murmures...* et extermination Nb 14.2, 36 ; 17.6-15 ; Ps 106.25-27 ; He 3.11, 17. — *l'exterminateur* Ex 12.23. ***a 10.11*** *pour servir d'exemple* 10.6. — *nous touchons à la fin des temps* 1 P 4.7. ***b 10.13*** 1.9+. ***c 10.14*** 1 Jn 5.21. ***d 10.16*** la coupe et le pain de la Cène Mt 26.26-28 ; Mc 14.22-24 ; Lc 22.19-20. — *rompre le pain* Ac 2.42. ***e 10.17*** Rm 12.5 ; 1 Co 12.27 ; Ep 4.16 ; Col 3.15. ***f 10.18*** Expression raccourcie pour « en communion avec Dieu à qui l'autel est consacré ». — *les Israélites* voir Rm 9.4. — *manger les victimes sacrifiées* Lv 7.15-16. ***g 10.19*** l'idole n'existe pas 8.4. ***h 10.20*** Dt 32.17 ; Ps 106.37 ; *Ba* 4.7 ; Ap 9.20. ***i 10.21*** incompatibilité Ml 1.7, 12 ; 2 Co 6.15-16. ***j 10.22*** provoquer le Seigneur Dt 32.16, 21. ***k 10.23*** Voir 6.12 et la note.

celui d'autrui[l]. 25 Tout ce qu'on vend au marché, mangez-le sans
poser de question par motif de conscience; 26 *car la terre et tout ce
qu'elle contient sont au Seigneur*[m]. 27 Si un non-croyant vous invite et
que vous acceptiez d'y aller, mangez de tout ce qui vous est offert[n],
sans poser de question par motif de conscience[o]. 28 Mais si quelqu'un
vous dit: «C'est de la viande sacrifiée», n'en mangez pas, à cause de
celui qui vous a avertis et par motif de conscience; 29 je parle ici, non
de votre conscience, mais de la sienne. Car pourquoi ma liberté
serait-elle jugée par une autre conscience? 30 Si je prends de la nourri-
ture en rendant grâce[p], pourquoi serais-je blâmé pour ce dont je
rends grâce? 31 Soit donc que vous mangiez, soit que vous buviez,
quoi que vous fassiez, faites tout pour la gloire de Dieu[q]. 32 Ne soyez
pour personne une occasion de chute[r], ni pour les *Juifs, ni pour les
Grecs, ni pour l'Eglise de Dieu. 33 C'est ainsi que moi-même je
m'efforce de plaire à tous en toutes choses[s], en ne cherchant pas
mon avantage personnel, mais celui du plus grand nombre, afin qu'ils
soient sauvés.

11 1 Soyez mes imitateurs[t], comme je le suis moi-même de
Christ.

L'homme et la femme devant le Seigneur

2 Je vous félicite de vous souvenir de moi en toute occasion, et de
conserver les traditions telles que je vous les ai transmises. 3 Je veux
pourtant que vous sachiez ceci: le chef de tout homme, c'est le Christ;
le chef de la femme, c'est l'homme, le chef du Christ, c'est Dieu[u].
4 Tout homme qui prie ou *prophétise la tête couverte fait affront à
son chef[v]. 5 Mais toute femme qui prie ou prophétise tête nue fait
affront à son chef; car c'est exactement comme si elle était rasée. 6 Si
la femme ne porte pas de voile, qu'elle se fasse tondre! Mais si c'est
une honte pour une femme d'être tondue ou rasée, qu'elle porte un
voile! 7 L'homme, lui, ne doit pas se voiler la tête: il est l'image et la
gloire de Dieu[w]; mais la femme est la gloire de l'homme. 8 Car ce
n'est pas l'homme qui a été tiré de la femme, mais la femme de
l'homme[x]. 9 Et l'homme n'a pas été créé pour la femme, mais la femme

l* *10.24 Rm 15.2. ***m* *10.26*** Ps 24.1 ; 50.12 ; 89.12. ***n* *10.27*** Lc 10.8. ***o* *10.28*** 8.7. ***p* *10.30*** 1 Tm 4.4. ***q* *10.31*** Col 3.17. ***r* *10.32*** Rm 14.13. ***s* *10.33*** 9.20-22. ***t* *11.1*** 4.16+. ***u* *11.3*** *le Christ, chef de tout homme* Ep 5.23. – *l'homme, chef de la femme* Gn 3.16 ; Ep 5.23. – *Dieu, chef du Christ* 1 Co 3.23. ***v* *11.4*** En grec le même mot désigne la *tête* et le *chef.* Dans tout ce passage Paul joue sur le double sens de ce mot grec. ***w* *11.7*** Gn 1.27 ; 5.1 ; 9.6 ; *Sg* 2.23 ; Jc 3.9. ***x* *11.8*** Gn 2.21-23 ; 1 Tm 2.13.

pour l'homme[y]. 10 Voilà pourquoi la femme doit porter sur la tête une
marque d'autorité[z], à cause des *anges.
11 Pourtant, la femme est inséparable de l'homme et l'homme de la
femme, devant le Seigneur. 12 Car si la femme a été tirée de l'homme,
l'homme naît de la femme et tout vient de Dieu. 13 Jugez par vous-
mêmes: est-il convenable qu'une femme prie Dieu sans être voilée?
14 La nature elle-même ne vous enseigne-t-elle pas qu'il est déshono-
rant pour l'homme de porter les cheveux longs? 15 Tandis que c'est
une gloire pour la femme, car la chevelure lui a été donnée en guise de
voile. 16 Et si quelqu'un se plaît à contester, nous n'avons pas cette
habitude et les Eglises de Dieu non plus.

Le repas du Seigneur

17 Ceci réglé, je n'ai pas à vous féliciter: vos réunions, loin de vous
faire progresser, vous font du mal. 18 Tout d'abord, lorsque vous vous
réunissez en assemblée, il y a parmi vous des divisions[a], me dit-on, et
je crois que c'est en partie vrai: 19 il faut même qu'il y ait des scissions
parmi vous afin qu'on voie ceux d'entre vous qui résistent à cette
épreuve[b]. 20 Mais quand vous vous réunissez en commun, ce n'est pas
le repas du Seigneur que vous prenez. 21 Car, au moment de manger,
chacun se hâte de prendre son propre repas, en sorte que l'un a faim,
tandis que l'autre est ivre. 22 N'avez-vous donc pas de maisons pour
manger et pour boire? Ou bien méprisez-vous l'Eglise de Dieu et
voulez-vous faire affront à ceux qui n'ont rien[c]? Que vous dire? Faut-il
vous louer? Non, sur ce point je ne vous loue pas.
23 En effet, voici ce que moi j'ai reçu du Seigneur, et ce que je vous ai
transmis[d]: le Seigneur Jésus, dans la nuit où il fut livré, prit du pain,
24 et après avoir rendu grâce, il le rompit et dit: «Ceci est mon corps,
qui est pour vous, faites cela en mémoire de moi.» 25 Il fit de même
pour la coupe, après le repas, en disant: «Cette coupe est la nouvelle
*Alliance en mon *sang[e]; faites cela, toutes les fois que vous en
boirez, en mémoire de moi.» 26 Car toutes les fois que vous mangez ce
pain et que vous buvez cette coupe, vous annoncez la mort du Sei-
gneur, jusqu'à ce qu'il vienne[f]. 27 C'est pourquoi celui qui mangera le

y 11.9 Gn 2.18. ***z 11.10*** Il faut comprendre *de l'autorité qu'elle exerce.* L'apôtre réclame que la tenue des femmes soit digne des activités qu'elles exercent dans la communauté chrétienne (prière, prophétie). ***a 11.18*** 1.10-12 ; 3.3. ***b 11.19*** Dt 13.4 ; 1 Jn 2.19. ***c 11.22*** Jc 2.5-6. ***d 11.23*** V.23-25 : Mt 26.26-28 ; Mc 14.22-24 ; Lc 22.19-20. ***e 11.25*** *nouvelle Alliance* Ex 24.8 ; Jr 31.31 ; 32.40 ; 2 Co 3.6 : He 8.8-13. — *Alliance scellée par le sang* Ex 24.6-8 ; Za 9.11. ***f 11.26*** Mt 26.29.

pain ou boira la coupe du Seigneur indignement se rendra coupable envers le corps et le sang du Seigneur[g]. 28 Que chacun s'éprouve soi-même[h] avant de manger ce pain et de boire cette coupe; 29 car celui qui mange et boit sans discerner le corps mange et boit sa propre condamnation. 30 Voilà pourquoi il y a parmi vous tant de malades et d'infirmes et qu'un certain nombre sont morts[i]. 31 Si nous nous examinions nous-mêmes, nous ne serions pas jugés; 32 mais le Seigneur nous juge pour nous corriger[j], pour que nous ne soyons pas condamnés avec le *monde. 33 Ainsi donc, mes frères, quand vous vous réunissez pour manger, attendez-vous les uns les autres. 34 Si l'on a faim, qu'on mange chez soi, afin que vous ne vous réunissiez pas pour votre condamnation. Pour le reste, je le réglerai quand je viendrai.

Les dons de l'Esprit

12 1 Au sujet des phénomènes spirituels[k], je ne veux pas, frères, que vous soyez dans l'ignorance. 2 Vous savez que, lorsque vous étiez *païens, vous étiez entraînés, comme au hasard, vers les idoles muettes[l]. 3 C'est pourquoi je vous le déclare: personne, parlant sous l'inspiration de l'Esprit de Dieu, ne dit: «Maudit[m] soit Jésus», et nul ne peut dire: «Jésus est Seigneur», si ce n'est par l'Esprit Saint.

4 Il y a diversité de dons de la grâce, mais c'est le même Esprit[n]; 5 diversité de ministères[o], mais c'est le même Seigneur; 6 diversité de modes d'action, mais c'est le même Dieu qui, en tous, met tout en œuvre. 7 A chacun est donnée la manifestation de l'Esprit en vue du bien de tous[p]. 8 A l'un, par l'Esprit, est donné un message de sagesse[q], à l'autre, un message de connaissance, selon le même Esprit; 9 à l'un, dans le même Esprit, c'est la foi[r]; à un autre, dans l'unique Esprit, ce sont des dons de guérison; 10 à tel autre, d'opérer des miracles, à tel autre, de prophétiser, à tel autre, de discerner les esprits, à tel autre encore, de parler en langues[s]; enfin à tel autre, de les interpréter. 11 Mais tout cela, c'est l'unique et même Esprit qui le

g 11.27 He 10.29. ***h 11.28*** Mt 26.22 ; 2 Co 13.5. ***i 11.30*** *morts (endormis)* Ep 5.14 ; 1 Th 5.6 ; Mt 9.24+. ***j 11.32*** He 12.5-6. ***k 12.1*** 14.1, 37. ***l 12.2*** Ha 2.18-19. ***m 12.3*** *Esprit de Dieu* et confession de la foi Mc 9.39 ; 1 Jn 4.2-3. – *maudit* (anathème) 1 Co 16.22. ***n 12.4*** *diversité de dons* Rm 12.6. – *le même Esprit* Ep 4.4. ***o 12.5*** Ep 4.11. ***p 12.7*** 14.26 ; Ep 4.12. ***q 12.8*** *sagesse* 2.6. ***r 12.9*** *la foi* 13.2. ***s 12.10*** *discernement des esprits* 14.29 ; 1 Th 5.21 ; 1 Jn 4.1-3. – *le don de parler en langues* 1 Co 14.5 ; voir Ac 2.4, 8, 11.

met en œuvre, accordant à chacun des dons personnels divers, comme
il veut[t].

Diversité des membres et unité du corps

12 En effet, prenons une comparaison: le corps est un, et pourtant il
a plusieurs membres: mais tous les membres du corps, malgré leur
nombre, ne forment qu'un seul corps[u]: il en est de même du Christ.
13 Car nous avons tous été baptisés dans un seul Esprit en un seul
corps, *Juifs ou Grecs, esclaves ou hommes libres[v], et nous avons
tous été abreuvés d'un seul Esprit. 14 Le corps, en effet, ne se com-
pose pas d'un seul membre, mais de plusieurs. 15 Si le pied disait:
«Comme je ne suis pas une main, je ne fais pas partie du corps», ces-
serait-il pour autant d'appartenir au corps? 16 Si l'oreille disait:
«Comme je ne suis pas un œil, je ne fais pas partie du corps», cesse-
rait-elle pour autant d'appartenir au corps? 17 Si le corps entier était
œil, où serait l'ouïe? Si tout était oreille, où serait l'odorat? 18 Mais
Dieu a disposé dans le corps chacun des membres, selon sa volonté.
19 Si l'ensemble était un seul membre, où serait le corps? 20 Il y a donc
plusieurs membres, mais un seul corps. 21 L'œil ne peut pas dire à la
main: «Je n'ai pas besoin de toi», ni la tête dire aux pieds: «Je n'ai
pas besoin de vous.» 22 Bien plus, même les membres du corps qui
paraissent les plus faibles sont nécessaires, 23 et ceux que nous tenons
pour les moins honorables, c'est à eux que nous faisons le plus d'hon-
neur. Moins ils sont décents, plus décemment nous les traitons:
24 ceux qui sont décents n'ont pas besoin de ces égards. Mais Dieu a
composé le corps en donnant plus d'honneur à ce qui en manque,
25 afin qu'il n'y ait pas de division dans le corps, mais que les mem-
bres aient un commun souci les uns des autres. 26 Si un membre
souffre, tous les membres partagent sa souffrance; si un membre est
glorifié, tous les membres partagent sa joie. 27 Or vous êtes le corps
de Christ et vous êtes ses membres, chacun pour sa part[w]. 28 Et ceux
que Dieu a disposés dans l'Eglise sont, premièrement des *apôtres,
deuxièmement des *prophètes, troisièmement des hommes chargés
de l'enseignement[x]; vient ensuite le don des miracles, puis de gué-
rison, d'assistance, de direction, et le don de parler en langues.
29 Tous sont-ils apôtres? Tous prophètes? Tous enseignent-ils? Tous

t 12.11 Rm 12.3 ; 1 Co 7.7 ; Ep 4.7. ***u 12.12*** Rm 12.4-5 ; 1 Co 10.17. ***v 12.13*** Ga 3.28. ***w 12.27*** Ep 5.30. ***x 12.28*** Sur les *prophètes,* voir Ep 2.20 et la note. — Les *hommes chargés de l'enseignement :* voir Ac 13.1 et la note. — *apôtres, prophètes, responsables de l'enseignement* Ep 4.11-12 ; voir 1 Co 14.1.

font-ils des miracles? 30 Tous ont-ils le don de guérison? Tous parlent-
ils en langues? Tous interprètent-ils? 31 Ayez pour ambition les dons
les meilleurs[y]. Et de plus, je vais vous indiquer une voie infiniment
supérieure.

L'amour fraternel

13 1 Quand je parlerais en langues,
celle des hommes et celle des *anges,
s'il me manque l'amour,
je suis un métal qui résonne, une cymbale retentissante.
2 Quand j'aurais le don de *prophétie,
la science de tous les *mystères et de toute la connaissance,
quand j'aurais la foi la plus totale,
celle qui transporte les montagnes[z],
s'il me manque l'amour,
je ne suis rien.
3 Quand je distribuerais tous mes biens aux affamés,
quand je livrerais mon corps aux flammes[a],
s'il me manque l'amour,
je n'y gagne rien.
4 L'amour prend patience, l'amour rend service,
il ne jalouse pas, il ne plastronne pas, il ne s'enfle pas d'orgueil,
5 il ne fait rien de laid, il ne cherche pas son intérêt,
il ne s'irrite pas, il n'entretient pas de rancune[b],
6 il ne se réjouit pas de l'injustice,
mais il trouve sa joie dans la vérité.
7 Il excuse tout, il croit tout, il espère tout, il endure tout[c].
8 L'amour ne disparaît jamais.
Les prophéties? Elles seront abolies.
Les langues? Elles prendront fin.
La connaissance? Elle sera abolie.
9 Car notre connaissance est limitée et limitée notre prophétie.
10 Mais quand viendra la perfection, ce qui est limité sera aboli.
11 Lorsque j'étais enfant, je parlais comme un enfant,
je pensais comme un enfant, je raisonnais comme un enfant.
Devenu homme, j'ai mis fin à ce qui était propre à l'enfant.

y 12.31 14.1. ***z 13.2*** Mt 17.20 ; 21.21 ; Mc 11.23. ***a 13.3*** *distribuer ses biens aux affamés* Mt 6.2. — *aux flammes :* autre texte : quand je livrerais mon corps *pour en tirer orgueil.* ***b 13.5*** *amour et intérêt* Ph 2.4. — *amour et rancune* voir Za 8.17. ***c 13.7*** *l'amour excuse tout* Pr 10.12 ; Rm 15.1 ; Jc 5.20 ; 1 P 4.8. — *il endure tout* 1 Co 6.7 ; 9.12.

12 A présent, nous voyons dans un miroir èt de façon confuse[d],
mais alors, ce sera face à face.
A présent, ma connaissance est limitée,
alors, je connaîtrai comme je suis connu.
13 Maintenant donc ces trois-là demeurent,
la foi, l'espérance et l'amour,
mais l'amour est le plus grand[e].

Prophétiser et parler en langues

14 1 Recherchez l'amour; ayez pour ambition les phénomènes
spirituels, surtout la prophétie[f]. 2 Car celui qui parle en lan-
gues[g] ne parle pas aux hommes, mais à Dieu. Personne ne le com-
prend: sous l'inspiration, il énonce des choses mystérieuses. 3 Mais
celui qui *prophétise parle aux hommes: il édifie, il exhorte, il encou-
rage. 4 Celui qui parle en langues s'édifie lui-même, mais celui qui pro-
phétise édifie l'assemblée. 5 Je souhaite que vous parliez tous en lan-
gues, mais je préfère que vous prophétisiez[h]. Celui qui prophétise est
supérieur à celui qui parle en langues, à moins que ce dernier n'en
donne l'interprétation pour que l'assemblée soit édifiée. 6 Supposez
maintenant, frères, que je vienne vous voir et vous parle en langues:
en quoi vous serai-je utile, si ma parole ne vous apporte ni *révéla-
tion, ni connaissance, ni prophétie, ni enseignement? 7 Il en est ainsi
des instruments de musique, comme la flûte ou la cithare: s'ils ne
rendent pas des sons distincts, comment reconnaître ce que jouent la
flûte ou la cithare? 8 Et si la trompette ne rend pas un son clair, qui se
préparera au combat? 9 Vous de même: si votre langue n'exprime pas
des paroles intelligibles, comment comprendra-t-on ce que vous
dites? Vous parlerez en l'air. 10 Il y a je ne sais combien d'espèces de
mots dans le monde, et aucun n'est sans signification. 11 Or, si
j'ignore la valeur du mot, je serai un barbare[i] pour celui qui parle, et
celui qui parle sera pour moi un barbare. 12 Vous de même: cherchez
à être inspirés, et le plus possible, puisque cela vous attire; mais que
ce soit pour l'édification de l'assemblée. 13 C'est pourquoi celui qui
parle en langues doit prier pour avoir le don d'interprétation. 14 Si je

d 13.12 Les *miroirs* de l'antiquité étaient faits de métal poli ; d'où leur relative imperfection. — *dans un miroir* Jc 1.23 *de façon confuse* 2 Co 5.7. ***e 13.13*** *foi, espérance et amour* Rm 5.1-5 ; Col 1.4-5 ; 1 Th 1.3 ; 5.8. — *l'amour est au-dessus* voir 1 Jn 4.16. ***f 14.1*** *ayez pour ambition...* 12.31 ; 14.39. — *la prophétie* 11.4-5 ; 13.2 ; 14.3, 25 ; voir aussi Ep 2.20 et la note. ***g 14.2*** 12.10. ***h 14.5*** Nb 11.29. ***i 14.11*** C'est ainsi qu'on désignait ceux qui ne comprenaient pas le grec. Voir Rm 1.14 et la note.

prie en langues[j], je suis inspiré, mais mon intelligence ne produit rien.

15 Que faire donc? Je prierai inspiré par l'Esprit, mais je prierai aussi de façon intelligible; je chanterai inspiré par l'Esprit[k], mais je chanterai aussi de façon intelligible. 16 Car si l'inspiration est seule à l'œuvre quand tu prononces une bénédiction, comment celui qui fait partie des simples auditeurs[l] pourra-t-il dire « *Amen» à ton action de grâce, puisqu'il ne sait pas ce que tu dis? 17 Sans doute ton action de grâce est remarquable, mais l'autre n'est pas édifié. 18 Grâce à Dieu, je parle en langues plus que vous tous, 19 mais dans une assemblée, je préfère dire cinq paroles intelligibles pour instruire aussi les autres, plutôt que dix mille en langues.

20 Frères, pour le jugement, ne soyez pas des enfants; pour le mal, oui, soyez de petits enfants, mais pour le jugement, soyez des adultes[m]. 21 Il est écrit dans la *Loi: *Je parlerai à ce peuple par des hommes d'une autre langue et par des lèvres étrangères, et même* ainsi *ils ne m'écouteront pas,* dit le Seigneur[n].

22 Par conséquent, les langues sont un *signe non pour les croyants, mais pour les incrédules; la prophétie, elle, est un signe, non pour les incrédules, mais pour les croyants. 23 Si, par exemple, l'Eglise est tout entière rassemblée et que tous parlent en langues, les simples auditeurs ou les non-croyants qui entreront ne vous croiront-ils pas fous[o]? 24 Si, au contraire, tous prophétisent, le non-croyant ou le simple auditeur qui entre se voit repris par tous, jugé par tous[p]; 25 le secret de son cœur est dévoilé; il se jettera la face contre terre, il adorera Dieu et il proclamera que Dieu est réellement au milieu de vous[q].

L'ordre dans le culte et dans l'Eglise

26 Que faire alors, frères? Quand vous êtes réunis, chacun de vous peut chanter un cantique, apporter un enseignement ou une *révélation, parler en langues ou bien interpréter: que tout se fasse pour l'édification commune[r]. 27 Parle-t-on en langues? Que deux le fassent, trois au plus, et l'un après l'autre; et que quelqu'un interprète. 28 S'il n'y a pas d'interprète, que le frère se taise dans l'assemblée, qu'il se parle à lui-même et à Dieu. 29 Quant aux *prophéties, que deux ou trois pren-

j 14.14 voir 12.10 ; 14.2. ***k 14.15*** Ep 5.19. ***l 14.16*** 14.23-24. ***m 14.20*** *ne soyez pas des enfants* Ep 4.14 ; voir Mt 18.3-4 ; Mc 10.14 par. ; Lc 9.47. — *soyez des adultes* Ph 3.15. ***n 14.21*** Es 28.11-12 ; voir Dt 28.49. ***o 14.23*** Ac 2.13. ***p 14.24*** *jugés par tous* Jn 16.8. ***q 14.25*** Es 45.14 ; Dn 2.47 ; Za 8.23 ; voir Jn 4.19. ***r 14.26*** *quand vous êtes réunis* 11.28. — *tout pour l'édification commune* 12.8-10 ; voir Ep 4.12.

nent la parole et que les autres jugent[s]. 30 Si un assistant reçoit une
révélation, celui qui parle doit se taire. 31 Vous pouvez tous prophé-
tiser, mais chacun à son tour, pour que tout le monde soit instruit et
encouragé. 32 Le prophète est maître de l'esprit prophétique qui
l'anime. 33 Car Dieu n'est pas un Dieu de désordre, mais un Dieu de
paix.

Comme cela se fait dans toutes les Eglises des saints[t], 34 que les
femmes se taisent dans les assemblées: elles n'ont pas la permission
de parler; elles doivent rester soumises, comme dit aussi la *Loi[u]. 35 Si
elles désirent s'instruire sur quelque détail, qu'elles interrogent leur
mari à la maison. Il n'est pas convenable qu'une femme parle dans les
assemblées. 36 La parole de Dieu a-t-elle chez vous son point de
départ? Etes-vous les seuls à l'avoir reçue? 37 Si quelqu'un croit être
prophète ou inspiré, qu'il reconnaisse dans ce que je vous écris un
commandement du Seigneur[v]. 38 Si quelqu'un ne le reconnaît pas,
c'est que Dieu ne le connaît pas[w].

39 Ainsi, mes frères, ayez pour ambition d'être prophètes et n'empê-
chez pas qu'on parle en langues, 40 mais que tout se fasse convenable-
ment et avec ordre[x].

La Résurrection du Christ

15 1 Je vous rappelle, frères, *l'Evangile que je vous ai annoncé,
que vous avez reçu, auquel vous restez attachés, 2 et par
lequel vous serez sauvés si vous le retenez tel que je vous l'ai annoncé;
autrement, vous auriez cru en vain. 3 Je vous ai transmis en premier
lieu ce que j'avais reçu moi-même: Christ est mort pour nos péchés,
selon les Ecritures[y]. 4 Il a été enseveli, il est ressuscité le troisième jour,
selon les Ecritures[z]. 5 Il est apparu à Céphas, puis aux Douze[a].

6 Ensuite, il est apparu à plus de cinq cents frères à la fois; la plupart
sont encore vivants et quelques-uns sont morts. 7 Ensuite, il est apparu
à Jacques, puis à tous les *apôtres[b]. 8 En tout dernier lieu, il m'est aussi
apparu, à moi[c] l'avorton. 9 Car je suis le plus petit des apôtres, moi qui

s 14.29 Ac 17.11 ; 1 Co 12.10 ; 1 Th 5.21. **t 14.33** Rm 1.7 ; 15.25 et les notes. **u 14.34** Gn 3.16 ; 1 Co 11.3 ; Ep 5.22 ; 1 Tm 2.12 ; Tt 2.5. **v 14.37** *reconnaître un commandement du Seigneur* 1 Jn 4.6. — l'apôtre parle au nom du Seigneur Lc 10.16. **w 14.38** Autres textes : Si quelqu'un ne le reconnaît pas, *qu'il l'ignore !* (ou *qu'on l'ignore !).* **x 14.40** 14.33 ; Col 2.5. **y 15.3** Es 53.8-9. **z 15.4** *ressuscité selon les Ecritures* Ps 16.10 ; Ac 2.24-32 *le troisième jour* Os 6.2 ; Jon 2.1 ; Mt 12.40. **a 15.5** *Céphas* 1.12+ a vu le Ressuscité Lc 24.34. — *apparu aux Douze* Mt 28.16-17 ; Mc 16.14 ; Lc 24.36 ; Jn 20.19. **b 15.7** Lc 24.50. **c 15.8** Ac 9.3-6 ; 1 Co 9.1.

ne suis pas digne d'être appelé apôtre parce que j'ai persécuté l'Eglise de Dieu[d]. 10 Mais ce que je suis, je le dois à la grâce de Dieu et sa grâce à mon égard n'a pas été vaine. Au contraire, j'ai travaillé plus qu'eux tous[e]: non pas moi, mais la grâce de Dieu qui est avec moi. 11 Bref, que ce soit moi, que ce soit eux, voilà ce que nous proclamons et voilà ce que vous avez cru.

La résurrection des morts

12 Si l'on proclame que Christ est ressuscité des morts, comment certains d'entre vous disent-ils qu'il n'y a pas de résurrection des morts? 13 S'il n'y a pas de résurrection des morts, Christ non plus n'est pas ressuscité, 14 et si Christ n'est pas ressuscité, notre prédication est vide et vide aussi votre foi. 15 Il se trouve même que nous sommes de faux témoins de Dieu, car nous avons porté un contre-témoignage en affirmant que Dieu a ressuscité le Christ[f] alors qu'il ne l'a pas ressuscité, s'il est vrai que les morts ne ressuscitent pas. 16 Si les morts ne ressuscitent pas, Christ non plus n'est pas ressuscité.
17 Et si Christ n'est pas ressuscité, votre foi est illusoire, vous êtes encore dans vos péchés. 18 Dès lors, même ceux qui sont morts en Christ sont perdus. 19 Si nous avons mis notre espérance en Christ pour cette vie seulement, nous sommes les plus à plaindre de tous les hommes.

20 Mais non; Christ est ressuscité des morts, *prémices de ceux qui sont morts[g]. 21 En effet, puisque la mort est venue par un homme[h], c'est par un homme aussi que vient la résurrection des morts:
22 comme tous meurent en Adam, en Christ[i] tous recevront la *vie;
23 mais chacun à son rang[j]: d'abord les prémices, Christ, puis ceux qui appartiennent au Christ, lors de sa venue; 24 ensuite viendra la fin, quand il remettra la royauté à Dieu le Père, après avoir détruit toute domination, toute autorité, toute puissance[k]. 25 Car il faut qu'il règne, *jusqu'à ce qu'il ait mis tous ses ennemis sous ses pieds*[l]. 26 Le dernier ennemi qui sera détruit, c'est la mort[m], 27 car *il a tout mis sous ses pieds.*

d 15.9 Paul, *le plus petit des apôtres* Ep 3.8 ; 1 Tm 1.15 ; voir Mt 5.19. – *persécuteur de l'Eglise* Ac 8.3+. ***e 15.10*** *la grâce de Dieu n'a pas été vaine* 2 Co 6.1. – *Paul a travaillé plus que tous* 2 Co 11.5, 23. ***f 15.15*** Ac 1.32 ; 4.33 ; 5.32. ***g 15.20*** *prémices* Rm 8.23 ; 11.16. – le Christ, premier ressuscité Col 1.18. ***h 15.21*** Gn 3.17-19 ; Rm 5.12, 18. ***i 15.22*** *Adam et le Christ* Rm 5.12-21. ***j 15.23*** l'ordre de la résurrection 1 Th 4.16 ; Ap 20.5 ; voir Dn 12.2 ; Jn 5.29 ; Ac 24.15. ***k 15.24*** *après avoir détruit...* Dn 2.44. – *dominations, autorités, puissances* Col 1.16+ ; 2.15 ; voir 1 Co 2.6, 8. ***l 15.25*** Ps 110.1 (Mt 22.44+). ***m 15.26*** Ap 20.14 ; 21.4.

Mais quand il dira: «Tout est soumis[n]», c'est évidemment à l'exclu-
sion de Celui qui lui a tout soumis. 28 Et quand toutes choses lui auront
été soumises, alors le Fils lui-même sera soumis à Celui qui lui a tout
soumis, pour que Dieu soit tout en tous.

29 S'il en était autrement, que chercheraient ceux qui se font baptiser
pour les morts[o]? Si, en tout cas, les morts ne ressuscitent pas, pour-
quoi se font-ils baptiser pour eux? 30 Et nous-mêmes, pourquoi à tout
moment sommes-nous en danger[p]? 31 Tous les jours, je meurs[q], aussi
vrai, frères, que vous êtes mon *orgueil en Jésus Christ notre Seigneur.
32 A quoi m'aurait servi de combattre contre les bêtes à Ephèse si je
m'en tenais à des vues humaines? Si les morts ne ressuscitent pas,
mangeons et buvons, car demain nous mourrons[r]. 33 Ne vous y
trompez pas: les mauvaises compagnies corrompent les bonnes
mœurs[s]. 34 Revenez sérieusement à la raison et ne péchez pas! Car
quelques uns n'ont pas la connaissance de Dieu, je le dis à votre
honte[t].

Le corps des ressuscités

35 Mais, dira-t-on, comment les morts ressuscitent-ils? Avec quel
corps reviennent-ils? 36 Insensé! Toi, ce que tu sèmes ne prend vie
qu'à condition de mourir[u].

37 Et ce que tu sèmes n'est pas la plante qui doit naître, mais un grain
nu, de blé ou d'autre chose. 38 Puis Dieu lui donne corps, comme il le
veut et à chaque semence de façon particulière[v]. 39 Aucune chair n'est
identique à une autre: il y a une différence entre celle des hommes,
des bêtes, des oiseaux, des poissons. 40 Il y a des corps célestes et des
corps terrestres et ils n'ont pas le même éclat; 41 autre est l'éclat du
soleil, autre celui de la lune, autre celui des étoiles; une étoile même
diffère en éclat d'une autre étoile.

42 Il en est ainsi pour la résurrection des morts: semé corruptible, on
ressuscite incorruptible; 43 semé méprisable, on ressuscite dans la
gloire; semé dans la faiblesse, on ressuscite plein de force[w]; 44 semé
corps animal, on ressuscite corps spirituel. S'il y a un corps animal, il y
a aussi un corps spirituel. 45 C'est ainsi qu'il est écrit: le premier

n 15.27 Ou *Quand l'Ecriture dit que tout lui a été soumis... — tout mis sous ses pieds* Ps 8.7. ***o 15.29*** On ignore la nature exacte et le but de cette pratique. ***p 15.30*** Rm 8.36. ***q 15.31*** les apôtres exposés à la mort 2 Co 7.5+. ***r 15.32*** Es 22.13 ; 56.12 ; Lc 12.19-20. ***s 15.33*** Le v. 33 cite un vers du poète grec Ménandre. ***t 15.34*** *revenir à la raison* Rm 13.11 ; Ep 5.14. — *je le dis à votre honte* 1 Co 6.5. ***u 15.36*** Jn 12.24. ***v 15.38*** Gn 1.11. ***w 15.43*** transformation Ph 3.20-21.

homme Adam *fut un être animal doué de vie*, le dernier Adam est un
être spirituel donnant la *vie[x]. 46 Mais ce qui est premier, c'est l'être
animal, ce n'est pas l'être spirituel; il vient ensuite. 47 Le premier
homme tiré de la terre est terrestre[y]. Le second homme, lui, vient du
ciel. 48 Tel a été l'homme terrestre, tels sont aussi les terrestres et tel
est l'homme céleste, tels seront les célestes.

49 Et de même que nous avons été à l'image de l'homme terrestre[z],
nous serons aussi à l'image de l'homme céleste. 50 Voici ce que
j'affirme, frères: la chair et le sang ne peuvent hériter du *Royaume de
Dieu[a], ni la corruption hériter de l'incorruptibilité.

51 Je vais vous faire connaître un *mystère[b]. Nous ne mourrons pas
tous, mais tous, nous serons transformés, 52 en un instant, en un clin
d'œil, au son de la trompette finale[c]. Car la trompette sonnera, les
morts ressusciteront incorruptibles et nous, nous serons transformés.
53 Il faut en effet que cet être corruptible revête l'incorruptibilité, et
que cet être mortel revête[d] l'immortalité.

54 Quand donc cet être corruptible aura revêtu l'incorruptibilité et
que cet être mortel aura revêtu l'immortalité, alors se réalisera la
parole de l'Ecriture: *la mort a été engloutie dans la victoire*[e]. 55 *Mort,
où est ta victoire? Mort, où est ton aiguillon*[f] ? 56 L'aiguillon de la mort,
c'est le péché et la puissance du péché, c'est la *loi[g].

57 Rendons grâce à Dieu, qui nous donne la victoire par notre Sei-
gneur Jésus Christ. 58 Ainsi, mes frères bien-aimés, soyez fermes, iné-
branlables, faites sans cesse des progrès dans l'œuvre du Seigneur,
sachant que votre peine n'est pas vaine dans le Seigneur[h].

La collecte pour l'Eglise de Jérusalem

16 1 Pour la collecte en faveur des *saints[i], vous suivrez, vous
aussi, les règles que j'ai données aux Eglises de Galatie. 2 Le
premier jour de chaque semaine[j], chacun mettra de côté chez lui ce
qu'il aura réussi à épargner, afin qu'on n'attende pas mon arrivée pour

x 15.45 *être animal doué de vie* Gn 2.7 ; voir Gn 1.20. — *être spirituel donnant la vie* Jn 6.63 ; 2 Co 3.6, 17. ***y 15.47*** Gn 2.7. ***z 15.49*** Gn 5.3. ***a 15.50*** *la chair et la sang :* voir Mt 16.17 et la note. — incompatible avec le Royaume de Dieu 1 Co 6.10. ***b 15.51*** Rm 11.25 ; 1 Co 4.1 ; Ep 3.3+. ***c 15.52*** Mt 24.31 ; 1 Th 4.15-17 ; voir Ap 8.6—11.19. ***d 15.53*** *revêtir* 2 Co 5.4. ***e 15.54*** Es 25.8. ***f 15.55*** Os 13.14. ***g 15.56*** le *péché* et la *mort* Rm 7.13, 25. — le *péché* et la *loi* Rm 6.14. ***h 15.58*** *soyez fermes* 2 Ch 15.7. — *votre peine n'est pas vaine* voir Ap 14.13. ***i 16.1*** *la collecte* Rm 15.26+ ; voir Ac 11.29. — *les saints* Rm 1.7 ; 15.25 et les notes ; voir aussi Ac 9.13+. ***j 16.2*** C'est-à-dire le dimanche ; voir Ac 20.7+.

recueillir les dons. 3 Quand je serai là, j'enverrai, munis de lettres, ceux
que vous aurez choisis, porter vos dons à Jérusalem; 4 s'il convient que
j'y aille moi-même, ils feront le voyage avec moi.

Projets de voyage

5 Je viendrai chez vous en passant par la Macédoine[k]; je la traver-
serai, en effet, 6 et il est possible que je séjourne ou même que je passe
l'hiver chez vous, pour que vous me donniez les moyens de poursuivre
ma route[l]. 7 Je ne veux pas, cette fois, vous voir seulement en passant,
et j'espère rester quelque temps avec vous, si le Seigneur le permet[m].
8 Mais je resterai à Ephèse[n] jusqu'à la *Pentecôte, 9 car une porte s'y
est ouverte[o] toute grande à mon activité, et les adversaires sont nom-
breux. 10 Si Timothée vient, veillez à ce qu'il soit sans crainte au milieu
de vous, car il travaille à l'œuvre du Seigneur[p], comme moi. 11 Que
personne donc ne le méprise. Fournissez-lui les moyens[q] de revenir en
paix auprès de moi, car je l'attends avec les frères. 12 Quant à notre
frère Apollos[r], je l'ai vivement engagé à aller chez vous avec les frères;
mais il ne veut absolument pas venir maintenant; il ira quand il aura le
temps.

Dernières recommandations et salutations

13 Veillez, soyez fermes dans la foi, soyez des hommes, soyez forts[s],
14 faites tout avec amour. 15 Encore une recommandation, frères: vous
savez que Stéphanas et sa famille sont les *prémices de l'Achaïe; ils se
sont dévoués au service des saints[t]. 16 Obéissez donc à des personnes
de cette valeur et à quiconque partage leurs travaux et leur peine.

17 Je suis heureux de la présence de Stéphanas, de Fortunatus et
d'Achaïcus; ils ont suppléé à votre absence; 18 car ils ont tranquillisé
mon esprit et le vôtre. Sachez donc apprécier des hommes de cette
valeur[u].

19 Les Eglises d'Asie vous saluent. Aquilas et Prisca vous envoient
bien des salutations dans le Seigneur, ainsi que l'Eglise qui se réunit

k 16.5 Ac 19.21 ; voir Ac 20.1+. ***l 16.6*** *passer l'hiver* Tt 3.12. — *moyens de poursuivre ma route* Rm 15.24. ***m 16.7*** Ac 18.21. ***n 16.8*** *à Ephèse* Ac 19.1, 10. ***o 16.9*** 2 Co 2.12+ ; voir Ac 19.8-10. ***p 16.10*** *Timothée* Ac 16.1+. — son arrivée à Corinthe 1 Co 4.17. — *travailler à l'œuvre du Seigneur* Ph 2.20. ***q 16.11*** *que personne ne le méprise* 1 Tm 4.12. — *fournir les moyens* 1 Co 16.6. ***r 16.12*** *Apollos* Ac 18.24+. ***s 16.13*** Ps 31.25 ; Ep 6.10. ***t 16.15*** *Stéphanas et sa famille* 1.16. — *prémices* Rm 16.5. — *l'Achaïe :* voir 2 Co 1.1 et la note. — les *saints :* voir les notes sur Rm 1.7 et 15.25. ***u 16.18*** Ph 2.29 ; 1 Th 5.12 ; voir 1 Tm 5.17.

chez eux[v]. 20 Tous les frères vous saluent. Saluez-vous les uns les autres
d'un *saint baiser[w].
21 La salutation est de ma main[x], à moi, Paul. 22 Si quelqu'un n'aime
pas le Seigneur, qu'il soit anathème. Marana tha[y].
23 La grâce du Seigneur Jésus soit avec vous.
24 Je vous aime tous en Jésus Christ.

v 16.19 *Les Eglises d'Asie* : voir Ac 16.6 et la note. – *Aquilas et Prisca* Ac 18.2+. – *l'Eglise qui se réunit chez eux* Rm 16.5+. ***w 16.20*** *baiser de salutation* Rm 16.16+. ***x 16.21*** Ga 6.11+. ***y 16.22*** Dans l'A.T. (Dt 7.2, etc.), l'*anathème* était une extermination des personnes et des biens. Ce terme est employé ici au sens figuré, comme en Dt 7.26 par exemple, et signifie à peu près : *considéré comme immonde et abominable ;* voir Ga 1.8,9. – *Marana tha :* expression araméenne conservée dans le langage liturgique, et signifiant : *Notre Seigneur, viens !* voir Ap 22.20. Certains lisent *Maran atha :* le Seigneur vient.

DEUXIÈME ÉPÎTRE AUX CORINTHIENS

INTRODUCTION

Parmi les épîtres pauliniennes, la Deuxième épître aux Corinthiens *est un écrit de combat et de persuasion. Usant d'un style vif et passionné pour défendre son apostolat dans la dépendance exclusive du Christ, l'apôtre mêle amour et admonestation, colère et tendresse. Il veut maintenir l'unité de l'Eglise de Corinthe.*

Un texte bien établi et souvent commenté

Le texte de cette épître est solidement établi. Dès le IIe siècle, on en trouve des citations et cette lettre a dû figurer dès l'origine dans le corpus des écrits pauliniens. Elle a été souvent commentée.

Le meilleur exemple du style paulinien

2 Corinthiens *révèle la vigueur de la formulation de l'apôtre : oppositions de mots et de pensée (1.5,17-22,24—2.1,16 ; 3.3,6,9,13, etc.), formules devenues célèbres (3.6 et 8.9). Ainsi 2 Co 8 et 9 sont deux petits chefs-d'œuvre littéraires où se mêlent humour et vivacité. Par la diversité des moyens d'expression utilisés,* 2 Corinthiens *surpasse souvent toutes les autres lettres (par ex. 2 Co 4.7-10,16-17 ; 6.3-10).*

Les destinataires

Ce sont les mêmes que ceux de la première épître. Par contre les circonstances ont évolué. Par la deuxième épître, le caractère et l'état d'esprit des destinataires se trouvent ainsi précisés : Entre eux et Paul, une crise profonde s'est produite. Les deux billets consacrés à la collecte en faveur des « saints » (2 Co 8 et 9) montrent que leur générosité est plus verbale que réelle.

Les adversaires de l'apôtre

Qui sont les adversaires de Paul ? Font-ils partie de l'Eglise ? ou bien les Corinthiens ont-ils seulement été influencés par eux ? Forment-ils un groupe ? ou plusieurs ? Sont-ils les mêmes qu'en 1 Corinthiens ?

A ces questions, 2 Corinthiens *fournit quelques réponses : Un des membres de la communauté de Corinthe a fait une grave injure à l'apôtre (2 Co 2.5). Peut-être était-ce un des « gnostiques ». Pour un tel homme, le salut consiste avant tout dans la connaissance et n'engage pas la totalité de l'existence humaine. Est-ce le même que l'incestueux de 1 Co 5.1-13 ? C'est possible (voir 2 Co 12.21). Ces gnostiques se prêchent eux-mêmes (4.5) et se croient dès maintenant en possession du salut futur (5.10-13).*

La lecture de 2 Co 10—13 fait apparaître un autre groupe d'adversaires, caractérisé par son inspiration juive, soit des judéo-chrétiens, soit des Juifs. En 11.21-23 Paul se met sur le même plan qu'eux ; ils semblent donc appartenir à l'Eglise. Cependant ce ne sont que faux apôtres camouflés en apôtres du Christ (11.13) ; ils montrent une confiance excessive en eux-mêmes. Ils semblent vouloir imposer la totalité des pratiques juives à ceux qui sont d'une autre origine. Ce ne sont pas des envoyés de Pierre, ni des émissaires de Jacques venus de Jérusalem, mais plutôt des Juifs de tendance zélote (Ac 21.20-36) qui ont adopté la foi chrétienne. Paul leur démontre la supériorité de la nouvelle Alliance sur l'ancienne (2 Co 3.1-18).

Circonstances et dates

En 1 Co 5.9 et en 2 Co 2.3 et 7.8 sont mentionnées des lettres perdues : faut-il chercher à les retrouver en découpant les lettres canoniques ? Ainsi 2 Co 10—13 serait la lettre sévère mentionnée en 2 Co 4.4-9 et 7.8-12.

Seul point sûr : Paul a envoyé au moins quatre lettres à l'Eglise de Corinthe. Appelons-les : A, B, C, D. A, première épître, est perdue (voir 1 Co 5.9). B, seconde épître, est notre première épître canonique. C, troisième épître, est elle aussi perdue à moins que ce ne soit 2 Co 10—13. D, la quatrième, est composée soit de 2 Co 1—13, soit de 2 Co 1—9 (selon l'option prise en C).

Comment préciser quelques dates *? L'ensemble des échanges de correspondance entre l'apôtre et l'Eglise de Corinthe a eu lieu avant la date de rédaction de l'épître aux Romains (soit en 57, soit en 58 lors d'un bref séjour à Corinthe). Il faut placer l'envoi de D quatre ou cinq mois auparavant, soit à Troas, soit en Macédoine, donc fin 56 ou fin 57.*

Par ailleurs, l'apôtre Paul a quitté Corinthe dans le courant de l'été 52 ; il est venu à Ephèse un an plus tard, en 53 ; les nouvelles alarmantes relatives à la situation corinthienne ont dû lui parvenir en 54. C'est donc entre 54 au plus tôt et fin 56 (57) au plus tard que se situe l'ensemble de ces échanges de correspondance : L'apôtre écrit d'Ephèse la première lettre A (précanonique, perdue, 1 Co 5.9). Elle produit peut d'effet et Paul envoie alors Timothée (1 Co 4.17). Puis il répond point par point à des questions posées par écrit (1 Co 7) : c'est la lettre B, 1 Corinthiens, courant de l'année 55.

Tite quitte Ephèse pour Corinthe afin de préparer la réalisation de la collecte projetée en 1 Co 16.1-4. Devant le peu de résultats obtenus, Paul décide de se rendre en personne à Corinthe au cours d'un voyage éclair : c'est son second voyage (le premier était le voyage de fondation 2 Co 12.14 ; 13.1). Sa décision a été prise très vite. Un heurt très violent se produit et Paul repart pour Ephèse. De retour à Ephèse il rédige « la lettre dans les larmes » (C) (2 Co 2.3-4).

Paul charge Tite, fin négociateur, d'aller renouer avec les Corinthiens. Il attend avec impatience leurs réactions. Mais il doit quitter Ephèse ; il se rend à Troas puis en Macédoine et c'est là que Tite arrive enfin, porteur d'heureuses nouvelles (2 Co 7.13).

Paul réconforté rédige une paisible apologie de son apostolat et y ajoute un appel en faveur de la collecte (ch. 8 et 9). C'est notre Deuxième épître aux Corinthiens *(D). Tite repart pour Corinthe et prépare la venue de Paul qui le rejoint bientôt. L'année 56 (57) touche à sa fin. Paul va alors rédiger l'épître aux Romains.*

Structure

Trois grandes parties se dessinent dans cette épître.

1. Paul et ses relations avec la communauté de Corinthe : 1.1—7.16.

L'apôtre a été en danger de mort en Asie (1.8) et par désir de pardon (1.11—2.13) il a ajourné le voyage promis. De 2.14 à 7.4, Paul évoque la grandeur du ministère apostolique, souligne la supériorité du ministère de la nouvelle Alliance (2.14—4.6), ses détresses et son espérance : ambassade pour Christ et réconciliation avec le monde (4.7—5.21). Les difficultés poussent l'apôtre à ouvrir son cœur aux Corinthiens (6.1—7.4). De 7.4 à 7.16 Paul rappelle l'arrivée de Tite et l'heureux dénouement de la crise.

2. Les deux instructions relatives à la collecte *en faveur de l'Eglise de Jérusalem : ch. 8 et 9.*

3. Les chapitres 10 à 13, *au style passionné, où Paul défend l'authenticité de son ministère (en particulier 11.22-31 et 12.1-10).*

Apôtre de Jésus Christ

L'intérêt profond de 2 Corinthiens *est de mêler étroitement événements humains et présence active du Seigneur. L'action du Christ et celle de l'Esprit sont souvent associées (1.21 ; 3.18). Parfois s'y ajoute l'action de Dieu (1.21-22). Ainsi Christ, l'Esprit, Dieu sont-ils mis dans un rapport très étroit (3.3 et 13.13) d'une manière qui esquisse ce que l'on appellera dans les siècles suivants la Trinité.*

L'abondance des notations « en Christ » souligne la relation de communion actuelle, et la formule « avec Christ » affirme une communion future plus étroite après le passage par la mort et la résurrection. Mort et vie du Christ sont toujours mises en relation avec leurs effets actuels sur l'apôtre, la communauté ou les chrétiens.

2 Corinthiens *est par excellence l'épître de l'*apostolat. *L'apôtre participe à la destinée du Christ portant dans son corps la mise à mort de Jésus, afin que la vie de Jésus y soit aussi manifestée (2.14-17). Paul décrit la grandeur et la fragilité du ministère — « porter un trésor dans des vases d'argile » (4.7) — et rappelle tout ce qu'il a subi dans sa vie passée au service du Christ (11.22-31). Pourtant le Seigneur lui a dit : « Ma grâce te suffit ; ma puissance s'accomplit dans la faiblesse » (12.9). En ambassade pour Christ (5.20), il s'est vu confier le ministère de la réconciliation (5.18) et de la nouvelle Alliance (3.6).*

L'Ancien Testament

En affirmant que les Corinthiens sont devenus une lettre vivante du Christ confiée à son ministère (3.2), l'apôtre considère que la nouvelle Alliance annoncée par le prophète Jérémie (31.31-33) est réalisée. Il brosse une comparaison saisissante entre l'alliance conclue autrefois avec Moïse et la nouvelle Alliance. Pour la première fois l'alliance de Moïse est appelée ancienne Alliance et les livres saints du judaïsme désignés comme Ancien Testament *(3.14). L'ère de l'Esprit est commencée et l'Alliance nouvelle ne peut plus se figer en une lettre (3.6) car l'Esprit vivifie (3.6).*

Une seule Eglise

Vers l'an 55, Paul pense que les temps messianiques sont commencés (voir Esaïe 60—62) et propose une collecte destinée à mettre en valeur le lien « œcuménique » entre toutes les Eglises nées de la mission et les saints de Jérusalem éprouvés par la famine. Cette entraide devient le signe d'une communion profonde : une Eglise de Dieu *qui est à Corinthe comme elle est aussi en d'autres lieux.*

Actualité

Notre époque aime les renseignements précis et les données biographiques : 2 Corinthiens *répond à cette attente et fournit nombre de détails sur la vie de l'apôtre. Cette lettre peut intéresser le psychologue, voire le psychanalyste, l'exégète, le théologien, l'historien ou tout simplement le lecteur qui découvre sur le vif un homme, un pasteur, un apôtre affronté à des problèmes neufs et difficiles. De plus* 2 Corinthiens *peut fournir des indications aux Eglises qui cherchent de nouvelles formes de fidélité dans un environnement changeant.*

DEUXIÈME ÉPÎTRE AUX CORINTHIENS

Adresse et salutation

1 1 Paul, *apôtre du Christ Jésus par la volonté de Dieu, et le frère
Timothée[a], à l'Eglise de Dieu qui est à Corinthe, ainsi qu'à tous
les *saints qui se trouvent dans l'Achaïe[b] entière. 2 A vous, grâce et
paix de la part de Dieu notre Père et du Seigneur Jésus Christ[c].

Le partage des souffrances et des consolations

3 Béni soit Dieu, le Père de notre Seigneur Jésus Christ, le Père des
miséricordes et le Dieu de toute consolation[d]; 4 il nous console dans
toutes nos détresses[e], pour nous rendre capables de consoler tous
ceux qui sont en détresse, par la consolation que nous-mêmes rece-
vons de Dieu. 5 De même, en effet, que les souffrances du Christ abon-
dent pour nous, de même, par le Christ, abonde aussi notre consola-
tion. 6 Sommes-nous en difficulté? C'est pour votre consolation et
votre salut. Sommes-nous consolés? C'est pour votre consolation qui
vous fait supporter les mêmes souffrances que nous endurons nous
aussi[f]. 7 Et notre espérance à votre égard est ferme; nous savons que,
partageant nos souffrances, vous partagez aussi notre consolation.
8 Car nous ne voulons pas, frères, vous le laisser ignorer: le péril que
nous avons couru en Asie[g] nous a accablés à l'extrême, au-delà de nos
forces, au point que nous désespérions même de la vie.

9 Oui, nous avions reçu en nous-mêmes notre arrêt de mort. Ainsi
notre confiance ne pouvait plus se fonder sur nous-mêmes, mais sur

a ***1.1*** *Paul apôtre* Rm 1.1 ; 1 Co 1.1. — *Timothée* Ac 16.1+. **b** ***1.1*** *Corinthe :* voir Ac 18.1 et la note. Sur le premier séjour de l'apôtre à Corinthe, voir Ac 18.1-18. — *les saints :* voir Ac 9.13+ ; Rm 1.7+. — *Achaïe:* province romaine correspondant à la moitié sud de la Grèce actuelle. **c** ***1.2*** *grâce et paix* Rm 1.7 ; 1 Co 1.3. — *Jésus (Christ) Seigneur* Ac 2.36 ; 1 Co 12.3 ; 2 Co 4.5 ; Ph 2.11. **d** ***1.3*** Es 40.1 ; Ps 34.19 ; 94.19 ; Rm 15.5. **e** ***1.4*** Mt 13.21 ; Jn 16.33 ; Ac 14.22 ; 1 Co 7.28 ; 2 Co 1.8 ; 4.1 ; 8.2 ; Ph 1.20 ; Col 1.24. **f** ***1.6*** échange entre le Christ et les fidèles 5.21 ; 8.9 ; entre l'apôtre et les fidèles 11.1 ; 12.26. **g** ***1.8*** Province romaine dont Ephèse (en Turquie actuelle) était la capitale. L'apôtre fait allusion à des périls que nous ignorons.

Dieu qui ressuscite les morts. 10 C'est lui qui nous a arrachés à une telle
mort et nous en arrachera[h]; en lui nous avons mis notre espérance: il
nous en arrachera encore. 11 Vous y coopérez vous aussi par votre
prière pour nous; ainsi cette grâce, que nous aurons obtenue par
l'intercession d'un grand nombre de personnes, deviendra pour beau-
coup action de grâce[i] en notre faveur.

L'ajournement de la visite de Paul

12 Car notre sujet de fierté, c'est ce témoignage de notre conscience:
nous nous sommes conduits dans le monde, et plus particulièrement
envers vous, avec la simplicité et la pureté de Dieu, non avec une
sagesse humaine[j], mais par la grâce de Dieu. 13 Nous ne vous écrivons
rien d'autre[k] en effet que ce que vous lisez et comprenez. Mais
j'espère que vous nous comprendrez complètement, 14 puisque
vous nous avez compris en partie: nous sommes votre sujet de fierté,
comme vous êtes le nôtre au *Jour du Seigneur Jésus. 15 Et dans cette
assurance, je voulais passer tout d'abord chez vous pour vous obtenir
une deuxième grâce[l], 16 puis, de chez vous, me rendre en Macédoine,
et enfin revenir de Macédoine chez vous[m], pour que vous fassiez tout
le nécessaire pour mon voyage en Judée. 17 En prenant cette résolu-
tion, aurais-je fait preuve de légèreté? Ou bien mes projets ne sont-ils
que des projets humains, en sorte qu'il y ait en moi à la fois le Oui et le
Non? 18 Dieu m'en est garant: Notre parole pour vous n'est pas Oui et
Non[n]. 19 Car le Fils de Dieu, le Christ Jésus que nous avons proclamé
chez vous, moi, Silvain et Timothée[o], n'a pas été «Oui» et «Non»,
mais il n'a jamais été que «Oui»! 20 Et toutes les promesses de Dieu
ont trouvé leur OUI dans sa personne. Aussi est-ce par lui que nous
disons *AMEN[p] à Dieu pour sa gloire. 21 Celui qui nous affermit avec
vous en Christ et qui nous donne *l'onction[q], c'est Dieu, 22 lui qui
nous a marqués de son sceau et a mis dans nos cœurs les arrhes de
l'Esprit[r]. 23 Pour moi, je prends Dieu à témoin sur ma vie: c'est pour

h 1.10 Dieu porte secours Ph 2.27 ; 2 Tm 4.18. ***i 1.11*** 4.15 ; 9.11-12. ***j 1.12*** *avec la simplicité :* autre texte : *avec la sainteté.* — *sagesse humaine* 1 Co 1.17 ; 2.1. ***k 1.13*** un seul Evangile 11.4 ; Ga 1.6-9 ; 2.2, 6. ***l 1.15*** Autre texte : *pour vous procurer une double joie.* ***m 1.16*** *Macédoine :* province romaine (capitale Thessalonique) correspondant à la moitié nord de la Grèce actuelle. — projets de voyage à Corinthe Ac 19.21 ; 1 Co 16.5-6 modifiés 2 Co 1.23 ; 2.1. ***n 1.18*** Mt 5.37 ; Jc 5.12. ***o 1.19*** *Silvain :* le même que *Silas* (Ac 15.22+). — *Timothée* v. 1 ; Ac 16.1+. ***p 1.20*** Rm 16.27 ; 1 Co 14.16 ; Ap 5.14. ***q 1.21*** *l'onction* 1 Jn 2.20, 27. ***r 1.22*** *marqués de son sceau* Ep 1.13 ; 4.30. — *les arrhes de l'Esprit* 2 Co 5.5 ; Rm 8.23 ; Ep 1.14.

vous ménager que je ne suis pas revenu à Corinthe. 24 Ce n'est pas que
nous régentions votre foi[s], mais nous coopérons à votre joie car, pour
la foi, vous tenez bon.
2 1 Pour moi, j'ai décidé ceci : je ne retournerai pas chez vous dans
la tristesse. 2 Si en effet je vous cause de la tristesse, qui me don-
nera de la joie, sinon celui que j'aurai attristé ? 3 C'était le but de ma
lettre[t] d'éviter qu'en arrivant, je n'éprouve de la tristesse de la part de
ceux qui auraient dû me donner de la joie. Je suis convaincu, en ce qui
vous concerne, que ma joie est aussi la vôtre à tous ; 4 aussi est-ce en
pleine difficulté et le cœur serré que je vous ai écrit parmi bien des
larmes, non pour vous attrister, mais pour que vous sachiez l'amour
débordant que je vous porte.

Pardon de Paul envers l'auteur d'une grave offense

5 Si quelqu'un[u] a fait de la peine, ce n'est pas à moi, mais dans une
certaine mesure, n'exagérons rien, à vous tous. 6 Pour un tel homme, il
suffit du blâme infligé par la communauté[v] ; 7 c'est pourquoi, bien au
contraire, faites-lui plutôt grâce et consolez-le, de peur qu'il ne
sombre dans une tristesse excessive.

8 Aussi, je vous engage à faire preuve d'amour envers lui, 9 car en
vous écrivant, mon but était de voir à l'épreuve si votre obéissance[w]
était totale. 10 A qui vous faites grâce, je fais grâce ! Si moi, j'ai fait
grâce — dans la mesure où j'ai eu à le faire —, c'était pour vous, sous
le regard du Christ, 11 afin que nous ne soyons pas dupes de *Satan[x].
Car nous n'ignorons pas ses intentions.

Inquiétude puis soulagement de Paul

12 J'arrivai alors à Troas pour y prêcher *l'Evangile du Christ et, bien
que le Seigneur m'ouvrît grande la porte[y], 13 je n'eus pas l'esprit en
repos, car je ne trouvai pas Tite[z], mon frère. J'ai donc pris congé d'eux
et je suis parti pour la Macédoine. 14 Grâce soit rendue à Dieu qui, par
le Christ, nous emmène en tout temps dans son triomphe et qui, par
nous, répand en tout lieu le parfum de sa connaissance. 15 De fait, nous
sommes pour Dieu la bonne odeur du Christ, pour ceux qui se sauvent

s 1.24 1 P 5.2-3. ***t 2.3*** Celle-ci est perdue (à moins qu'on en retrouve des éléments aux chapitres 10—13). ***u 2.5*** L'offenseur évoqué au v. 2. Voir aussi 7.12. ***v 2.6*** mesures disciplinaires Mt 18.15-17 ; 1 Co 5.1-13 ; 11.30-32 ; 3 Jn 10. ***w 2.9*** obéissance aux apôtres 7.15 ; 10.6. ***x 2.11*** Satan comme séducteur Mt 4.1-11 ; Lc 22.31 ; Rm 16.17-20 ; 2 Co 6.14-16 ; 11.3-15. ***y 2.12*** *Troas* Ac 16.8-11 ; 20.5-12 ; 2 Tm 4.13. — *porte ouverte à la prédication* Ac 14.27 ; 1 Co 16.9 ; Col 4.3 ; Ap 3.8. ***z 2.13*** 7.6, 13-15 ; 8.6, 16, 23 ; 12.18 ; Ga 2.1-3 ; 2 Tm 4.10 ; Tt 1.4.

et pour ceux qui se perdent; 16 pour les uns, odeur de mort qui conduit
à la mort, pour les autres, odeur de vie qui conduit à la *vie. Et qui est
à la hauteur d'une telle mission?

17 Nous ne sommes pas en effet comme tant d'autres qui trafiquent
de la parole de Dieu[a]; c'est avec sincérité, c'est de la part de Dieu, à la
face de Dieu, dans le Christ, que nous parlons.

Le ministère de la nouvelle Alliance

3 1 Allons-nous de nouveau nous recommander nous-mêmes? Ou
bien avons-nous besoin, comme certains, de lettres de recom-
mandation[b] pour vous, ou de votre part? 2 Notre lettre, c'est vous,
lettre écrite dans nos cœurs, connue et lue par tous les hommes. 3 De
toute évidence, vous êtes une lettre du Christ confiée à notre *minis-
tère, écrite non avec de l'encre, mais avec l'Esprit du Dieu vivant, non
sur des tables de pierre, mais sur des tables de chair, sur vos cœurs[c].
4 Telle est l'assurance que nous avons grâce au Christ, devant Dieu.
5 Ce n'est pas à cause d'une capacité personnelle[d] que nous pourrions
mettre à notre compte, c'est de Dieu que vient notre capacité.

6 C'est lui qui nous a rendus capables d'être ministres d'une
*Alliance nouvelle, non de la lettre, mais de l'Esprit; car la lettre tue,
mais l'Esprit donne la *vie[e]. 7 Or si le ministère de mort gravé en let-
tres sur la pierre a été d'une gloire telle que les Israélites ne pouvaient
fixer le visage de Moïse à cause de la gloire[f] — pourtant passagère —
de ce visage, 8 combien le ministère de l'Esprit n'en aura-t-il pas plus
encore? 9 Si en effet le ministère de condamnation[g] fut glorieux, com-
bien le ministère de la justice ne le sera-t-il pas plus encore? 10 Non,
même ce qui alors a été touché par la gloire ne l'est plus, face à cette
gloire incomparable. 11 Car, si ce qui était passager a été marqué de
gloire, combien plus ce qui demeure le sera-t-il? 12 Forts d'une pareille
espérance, nous sommes pleins d'assurance; 13 nous ne faisons pas
comme Moïse qui se mettait un voile sur le visage[h] pour éviter que les
Israélites ne voient la fin d'un éclat passager. 14 Mais leur intelligence
s'est obscurcie[i]! Jusqu'à ce jour, lorsqu'on lit l'Ancien *Testament, ce

a 2.17 4.2 ; 11.13. **b 3.1** *se recommander soi-même* 5.12 ; 10.12 *est inutile* Rm 1.17 ; 8.3 ; 1 Co 1.30 ; Ga 3.13 ; Ph 3.9. — *lettre de recommandation* Ac 18.27 ; Rm 16.1 ; Col 4.10 ; 3 Jn 9-12. **c 3.3** *tables de pierre* Ex 24.12 ; 31.18 ; 34.1, 28-29 ; Dt 9.10-11. — *cœurs, tables de chair* Pr 3.3 ; 7.3 ; Jr 31.33 ; Ez 11.19 ; 36.26. **d 3.5** Jn 15.5 ; 2 Co 2.16b. **e 3.6** *Alliance nouvelle* Jr 31.31 ; Lc 22.20 ; 1 Co 11.25 ; 2 Co 3.14 ; He 8.8 ; 9.15 ; 12.24. — *la lettre :* voir Rm 2.29 et la note. — *l'Esprit donne la vie* Jn 6.63 ; Rm 7.6. **f 3.7** Moïse et les tables de pierre Ex 32.15-16 ; 34.1-4 ; son visage rayonnant Ex 34.29. **g 3.9** Dt 27.26 (Ga 3.10). **h 3.13** Ex 34.29-35. **i 3.14** Mc 4.12 ; Ac 28.27 ; Rm 11.7-8, 25 ; 2 Th 2.11.

même voile demeure. Il n'est pas levé, car c'est en Christ qu'il dispa-
raît. 15 Oui, jusqu'à ce jour, chaque fois qu'ils lisent Moïse[j], un voile est
sur leur cœur. 16 C'est seulement par la conversion au Seigneur que le
voile tombe[k]. 17 Car le Seigneur est l'Esprit, et là où est l'Esprit du Sei-
gneur, là est la liberté[l]. 18 Et nous tous qui, le visage dévoilé, reflétons
la gloire du Seigneur, nous sommes transfigurés en cette même image,
avec une gloire toujours plus grande par le Seigneur, qui est Esprit.

Présence du Christ dans le ministère apostolique

4 1 Aussi puisque, par miséricorde, nous détenons ce *ministère,
nous ne perdons pas courage. 2 Nous avons dit non aux procédés
secrets et honteux, nous nous conduisons sans fourberie, et nous ne
falsifions pas la parole de Dieu, bien au contraire, c'est en manifestant
la vérité que nous cherchons à gagner la confiance de tous les hommes
en présence de Dieu. 3 Si cependant notre *Evangile demeure voilé, il
est voilé pour ceux qui se perdent, 4 pour les incrédules, dont le dieu
de ce monde[m] a aveuglé l'intelligence, afin qu'ils ne perçoivent pas
l'illumination de l'Evangile de la gloire du Christ, lui qui est l'image de
Dieu[n]. 5 Non, ce n'est pas nous-mêmes, mais Jésus Christ Seigneur que
nous proclamons. Quant à nous-mêmes, nous nous proclamons vos
serviteurs à cause de Jésus. 6 Car le Dieu qui a dit: *que la lumière brille
au milieu des ténèbres*[o], c'est lui-même qui a brillé dans nos cœurs
pour faire resplendir la connaissance de sa gloire qui rayonne sur le
visage du Christ. 7 Mais ce trésor, nous le portons dans des vases
d'argile[p], pour que cette incomparable puissance soit de Dieu et non
de nous. 8 Pressés de toute part, nous ne sommes pas écrasés; dans des
impasses, mais nous arrivons à passer; 9 pourchassés, mais non
rejoints; terrassés, mais non achevés; 10 sans cesse nous portons dans
notre corps l'agonie de Jésus afin que la *vie de Jésus soit elle aussi
manifestée dans notre corps. 11 Toujours, en effet, nous les vivants,
nous sommes livrés à la mort à cause de Jésus, afin que la vie de Jésus
soit elle aussi manifestée dans notre existence mortelle[q]. 12 Ainsi la
mort est à l'œuvre en nous, mais la vie en vous. 13 Pourtant, forts de ce

***j* 3.15** Voir Mt 19.7 ; Lc 24.27, etc. ; Moïse était considéré comme l'auteur des cinq premiers livres de la Bible, qu'on désignait globalement par l'expression *la Loi.* ***k* 3.16** *conversion* espérée d'Israël Rm 11.23-26. ***l* 3.17** *le Seigneur est l'Esprit* Jn 4.24 ; 1 Co 6.17. — *Esprit et liberté* Rm 8.2+. ***m* 4.4** Comparer 1 Co 2.6 ; Jn 12.31 ; notre texte est le seul où Satan reçoive le titre de *dieu.* ***n* 4.4** Col 1.15 ; He 1.3. ***o* 4.6** Gn 1.3 ; Es 9.1. ***p* 4.7** *vase d'argile* (idée de fragilité) 12.7-10 ; Ga 4.14 ; (idée de corps) Gn 2.7 ; Rm 9.21-23 ; 1 Co 15.47 ; 1 Th 4.4. ***q* 4.11** épreuves toujours surmontées. Rm 8.36-37 ; 1 Co 15.31 ; 2 Co 1.4+, 8-11 ; 6.4-5 ; 7.5 ; 11.23-33 ; Ph 3.10.

même esprit de foi dont il est écrit: *J'ai cru, c'est pourquoi j'ai parlé*[r],
nous croyons, nous aussi, et c'est pourquoi nous parlons. 14 Car nous le
savons, celui qui a ressuscité le Seigneur Jésus nous ressuscitera nous
aussi avec Jésus[s] et il nous placera avec vous près de lui. 15 Et tout ce
que nous vivons, c'est pour vous, afin qu'en s'accroissant la grâce
fasse surabonder, par une communauté accrue, l'action de grâce à la
gloire de Dieu.

L'assurance de la résurrection devant la crainte de la mort

16 C'est pourquoi nous ne perdons pas courage et même si, en nous,
l'homme extérieur va vers sa ruine, l'homme intérieur[t] se renouvelle
de jour en jour. 17 Car nos détresses d'un moment sont légères par rap-
port au poids extraordinaire de gloire éternelle qu'elles nous prépa-
rent[u]. 18 Notre objectif n'est pas ce qui se voit, mais ce qui ne se voit
pas[v]; ce qui se voit est provisoire, mais ce qui ne se voit pas est
éternel.

5 1 Car nous le savons, si notre demeure terrestre, qui n'est qu'une
tente[w], se détruit, nous avons un édifice, œuvre de Dieu, une
demeure éternelle dans les *cieux, qui n'est pas faite de main
d'homme. 2 Et nous gémissons[x], dans le désir ardent de revêtir, par-
dessus l'autre, notre habitation céleste, 3 pourvu que nous soyons
trouvés vêtus et non pas nus[y]. 4 Car nous qui sommes dans cette tente,
nous gémissons, accablés; c'est un fait: nous ne voulons pas nous
dévêtir, mais revêtir un vêtement sur l'autre afin que ce qui est mortel
soit englouti par la *vie[z]. 5 Celui qui nous a formés pour cet avenir,
c'est Dieu qui nous a donné les arrhes de l'Esprit[a]. 6 Ainsi donc, nous
sommes toujours pleins de confiance, tout en sachant que, tant que
nous habitons dans ce corps, nous sommes hors de notre demeure,
loin du Seigneur, 7 car nous cheminons par la foi[b], non par la vue...
8 Oui, nous sommes pleins de confiance et nous préférons quitter la
demeure de ce corps pour aller demeurer auprès du Seigneur[c]. 9 Aussi
notre ambition — que nous conservions notre demeure ou que nous la
quittions — est-elle de lui plaire. 10 Car il nous faudra tous compa-
raître à découvert devant le tribunal du Christ[d] afin que chacun

r* *4.13 Ps 116.10. ***s* *4.14*** Rm 8.11 ; 1 Co 6.14 ; 15.15, 20. ***t* *4.16*** Emploi différent de la même expression en Rm 7.22. ***u* *4.17*** de la souffrance à la gloire Rm 8.17-18 ; 1 P 1.6-7. ***v* *4.18*** Col 1.16 ; 2 Co 5.7 ; He 11.1, 3. ***w* *5.1*** Au v.1 Paul ouvre une parenthèse qu'il prolonge jusqu'à 5.7. — *le corps, une tente* Jb 4.19 ; *Sg* 9.15 ; Es 38.12 ; 2 P 1.13. ***x* *5.2*** Rm 8.23. ***y* *5.3*** Voir 1 Co 15.53-55. *Vêtus* (sous-entendu : de notre corps) et non pas dépouillés de celui-ci (c'est-à-dire déjà morts). ***z* *5.4*** la résurrection attendue 1 Co 15.53-54 ; 1 Th 4.14-17. ***a* *5.5*** 1.22+. ***b* *5.7*** les yeux de la foi 1 Co 13.12 ; He 11.13. ***c* *5.8*** Ph 1.21-23. ***d* *5.10*** Rm 14.11 ; 1 Co 3.11-15.

recueille le prix de ce qu'il aura fait durant sa vie corporelle, soit en
bien, soit en mal.

Le ministère de la réconciliation

11 Connaissant donc[e] la crainte du Seigneur, nous cherchons à con-
vaincre les hommes et, devant Dieu, nous sommes pleinement à
découvert. J'espère être aussi pleinement à découvert dans vos cons-
ciences. 12 Nous ne nous recommandons pas à nouveau auprès de
vous[f], mais nous voulons vous fournir une occasion d'être fiers de
nous afin que vous ayez de quoi répondre à ceux dont les motifs de
fierté sont tout de façade et non de fond. 13 Si nous avons été hors de
sens, c'était pour Dieu; si nous sommes sensés, c'est pour vous.
14 L'amour du Christ nous étreint, à cette pensée qu'un seul est mort
pour tous et donc que tous sont morts[g]. 15 Et il est mort pour tous afin
que les vivants ne vivent plus pour eux-mêmes, mais pour celui qui est
mort et ressuscité pour eux[h]. 16 Aussi, désormais, ne connaissons-nous
plus personne à la manière humaine. Si nous avons connu le Christ à
la manière humaine, maintenant nous ne le connaissons plus ainsi.
17 Aussi, si quelqu'un est en Christ, il est une nouvelle créature[i]. Le
monde ancien est passé, voici qu'une réalité nouvelle est là. 18 Tout
vient de Dieu, qui nous a réconciliés avec lui par le Christ et nous a
confié le *ministère de la réconciliation. 19 Car de toute façon, c'était
Dieu qui en Christ réconciliait le *monde avec lui-même, ne mettant
pas leurs fautes au compte des hommes, et mettant en nous la parole
de réconciliation[j]. 20 C'est au nom du Christ que nous sommes en
ambassade[k], et par nous, c'est Dieu lui-même qui, en fait, vous
adresse un appel. Au nom du Christ, nous vous en supplions, laissez-
vous réconcilier avec Dieu. 21 Celui qui n'avait pas connu le péché, il
l'a, pour nous, identifié au péché, afin que, par lui, nous devenions
justice de Dieu[l].

6 1 Puisque nous sommes à l'œuvre avec lui, nous vous exhortons à
ne pas laisser sans effet la grâce reçue de Dieu. 2 Car il dit:

Au moment favorable, je t'exauce,
*et au *jour du salut, je viens à ton secours.*

e 5.11 Le thème amorcé en 3.1 reprend ici. **f 5.12** 3.1+. **g 5.14** *un pour tous* Jn 11.50 ; Rm 5.18. — *tous morts* Rm 6.11. **h 5.15** *mort pour tous* Rm 5.6+. — *vivre pour le Christ* Rm 14.7-8. **i 5.17** *en Christ* Rm 8.1 ; 1 Co 1.30 ; Ga 3.28 ; Ph 2.5 ; 1 Th 4.16. — *une nouvelle créature* Ga 6.15 ; Ap 21.5. — Une autre ponctuation permettrait cette autre traduction, parfois adoptée : *Si quelqu'un en Christ est une nouvelle création, l'ancien est passé, tout est neuf.* **j 5.19** *réconciliation* Rm 5.10+. **k 5.20** Es 52.7 ; Ep 6.20. **l 5.21** le Christ sans péché Jn 8.46 ; He 4.15 ; 1 P 2.22. — *identifié au péché* Rm 8.3 ; Ga 3.13. — *justice de Dieu* Rm 1.17 ; 1 Co 1.30 ; Ph 3.9.

Voici maintenant le moment tout à fait favorable.
Voici maintenant le jour du salut[m].

3 Nous ne voulons d'aucune façon scandaliser personne, pour que
notre *ministère soit sans reproche. 4 Au contraire, nous nous recom-
mandons nous-mêmes en tout comme ministres de Dieu

par une grande persévérance
dans les détresses,
les contraintes,
les angoisses,
5 les coups,
les prisons,
les émeutes,
les fatigues,
les veilles,
les *jeûnes[n],
6 par la *pureté,
la science,
la patience,
la bonté,
par l'Esprit Saint,
l'amour sans feinte,
7 la parole de vérité,
la puissance de Dieu,
par les armes offensives
et défensives de la justice[o],
8 dans la gloire et le mépris,
dans la mauvaise et la bonne réputation;
tenus pour imposteurs et pourtant véridiques,
9 inconnus et pourtant bien connus,
moribonds et pourtant nous vivons,
châtiés sans être exécutés,
10 attristés mais toujours joyeux,
pauvres, et faisant bien des riches[p],
n'ayant rien, nous qui pourtant possédons tout!

11 Nous nous sommes librement adressés à vous. Corinthiens, notre
cœur s'est grand ouvert. 12 Vous n'êtes pas à l'étroit chez nous. C'est

m* *6.2 *Au moment favorable...* Es 49.8. — le temps de la conversion des païens et des Juifs Lc 21.24 ; Rm 11.25-32 ; Ep 2.12-18. ***n 6.5*** 11.23-27. ***o 6.7*** armes des chrétiens *Sg* 5.17-21 ; Rm 13.12 ; 2 Co 10.4 ; Ep 6.16-17. ***p 6.10*** pauvreté enrichissante 8.9.

en vous-mêmes que vous êtes à l'étroit. 13 Payez-nous de retour; je
vous parle comme à mes enfants[q], ouvrez tout grand votre cœur, vous
aussi!

Le choix nécessaire

14 Ne formez pas d'attelage disparate avec les incrédules; quelle
association peut-il y avoir entre la justice et l'impiété? Quelle union
entre la lumière et les ténèbres? 15 Quel accord entre Christ et Béliar[r]?
Quelle relation entre le croyant et l'incrédule?

16 Qu'y a-t-il de commun entre le temple de Dieu et les idoles? Car
nous sommes, nous, le *temple du Dieu vivant comme Dieu l'a dit:

Au milieu d'eux, j'habiterai et je marcherai,
je serai leur Dieu et ils seront mon peuple[s].
17 *Sortez* donc *d'entre ces gens-là, et mettez-vous à l'écart,*
*dit le Seigneur; ne touchez à rien *d'impur.*
Et moi je vous accueillerai[t].
18 *Je serai pour vous un père et vous serez pour moi des fils et des fil-*
les[u], dit le Seigneur tout-puissant.

7 1 Puisque nous détenons de telles promesses, mes bien-aimés,
purifions-nous nous-mêmes de toute souillure de la chair et de
l'esprit; achevons de nous sanctifier dans la crainte de Dieu.

Joie de Paul devant le repentir des Corinthiens

2 Faites-nous une place dans vos cœurs[v]; nous n'avons fait de tort à
personne; nous n'avons ruiné personne; nous n'avons exploité per-
sonne. 3 Ce n'est pas pour vous condamner que je dis cela, car je l'ai
déjà dit: vous êtes dans nos cœurs à la mort et à la vie.

4 Grande est ma confiance en vous, grande est la fierté[w] que j'ai de
vous, je suis tout rempli de consolation, je déborde de joie dans toutes
nos détresses. 5 En fait, à notre arrivée en Macédoine, nous n'avons
pas connu de détente, mais toutes sortes de détresses[x]. Combats au-
dehors, craintes au-dedans. 6 Mais Dieu, qui console[y] les humbles,
nous a consolé par l'arrivée de Tite, 7 non seulement par son arrivée,
mais par le réconfort qu'il a reçu de vous; il nous a fait part de votre vif

q 6.13 1 Co 4.14 ; Ga 4.19 ; 1 Th 2.11 ; Phm 10. ***r 6.15*** Ou *Bélial* (vaurien, néant) : expression atténuée pour désigner une idole, ou Satan. ***s 6.16*** Lv 26.12 ; Ez 37.27 ; Jr 32.28. — *le temple de Dieu* 2 Co 3.16 ; 6.19. ***t 6.17*** *sortez donc...* Es 52.11 ; Ez 20.34, 41 ; Jr 51.45 (Ap 18.4). ***u 6.18*** Os 2.1 ; 2 S 7.14 ; Es 43.6 ; Jr 31.9. ***v 7.2*** Reprise du développement interrompu en 6.13. ***w 7.4*** 7.14 ; 8.24 ; Ph 2.16 ; 1 Th 2.19-20 ; 2 Th 1.4. ***x 7.5*** *arrivée en Macédoine :* voir Ac 20.1-2 ; 2 Co 1.16 ; 2.12-13. — détresses apostoliques 1 Co 4.11-12 ; 2 Co 1.4 ; 4.8-12 ; 6.4-5 ; 11.23-27. ***y 7.6*** Es 49.13 ; Ac 28.15 ; 2 Co 1.3-4. — *Tite* 2 Co 2.13+.

désir, de vos larmes, de votre zèle pour moi, au point que j'en ai eu
une joie plus vive encore.
8 Oui, si je vous ai attristés par ma lettre[z], je ne le regrette pas... Et si
je l'ai regretté — cette lettre, je le constate, vous a attristés, ne fût-ce
qu'un moment —, 9 je me réjouis maintenant, non de votre tristesse,
mais du repentir qu'elle a produit. Car votre tristesse a été selon Dieu;
ainsi, de notre part, vous n'avez subi aucun dommage. 10 Car la tris-
tesse selon Dieu produit un repentir qui conduit au salut et ne laisse
pas place au regret... La tristesse selon ce *monde produit la mort[a].
11 Voyez plutôt ce qu'a produit chez vous la tristesse selon Dieu,

Mais oui! quel empressement!
quelles excuses!
quelle indignation!
quelle crainte!
quel désir!
quel zèle!
quelle punition!

De toute façon vous avez vous-mêmes prouvé que vous étiez nets
dans cette affaire. 12 Bref, si je vous ai écrit, ce n'était ni à cause de
l'offenseur[b], ni à cause de l'offensé, mais pour faire voir devant vous,
en présence de Dieu, le zèle que vous avez pour nous.
13 Voilà ce qui nous a consolé. Outre cette consolation personnelle,
nous nous sommes réjoui plus encore de la joie de Tite dont l'esprit a
reçu de vous tous un plein apaisement. 14 Car si j'ai, devant lui, montré
quelque fierté de vous, je n'ai pas eu à en rougir, mais, comme nous
vous avons toujours dit la vérité, ainsi la fierté que nous avons montrée
de vous devant Tite s'est trouvée justifiée. 15 Sa tendresse pour vous
n'en est que plus grande, lorsqu'il se rappelle votre obéissance à tous,
avec quelle crainte et quel tremblement[c] vous l'avez accueilli. 16 Je me
réjouis de pouvoir en tout compter sur vous.

Encouragements à réaliser le projet de collecte

8 1 Nous voulons vous faire connaître, frères, la grâce que Dieu a
accordée aux Eglises de Macédoine[d]. 2 Au milieu des multiples
détresses qui les ont éprouvées, leur joie surabondante et leur pau-
vreté extrême ont débordé en trésors de libéralité[e]. 3 Selon leurs
moyens et, j'en suis témoin, au-delà de leurs moyens, en toute sponta-
néité, 4 avec une vive insistance, ils nous ont réclamé la grâce de parti-

z 7.8 Voir 2.3 et la note. **a 7.10** effets de la tristesse *Si* 20.23 ; 38.18. **b 7.12** Voir 2.2. **c 7.15** *votre obéissance* 2.9+. — *crainte et tremblement* Es 19.16 ; Ps 2.11 ; 55.6 ; 1 Co 2.3 ; Ep 6.5 ; Ph 2.12. **d 8.1** la collecte Rm 15.26 ; 1 Co 16.1-4 ; 2 Co 8—9 ; Ga 2.10. — *Macédoine* Rm 15.26 ; 1 Co 16.5. **e 8.2** 9.1-5 ; 11.8-9 ; Ph 4.10-18.

ciper à ce service au profit des *saints[f]. 5 Au-delà même de nos espé-
rances, ils se sont donnés eux-mêmes, d'abord au Seigneur, puis à
nous, par la volonté de Dieu, 6 Aussi avons-nous insisté auprès de Tite
pour qu'il mène à bonne fin chez vous cette œuvre de générosité,
comme il l'avait commencée. 7 Mais puisque vous avez de tout en
abondance[g], foi, éloquence, science et toute sorte de zèle et d'amour
que vous avez reçus de nous, ayez aussi en abondance de la générosité
en cette occasion. 8 Je ne le dis pas comme un ordre; mais, en vous
citant le zèle des autres, je vous permets de prouver l'authenticité de
votre charité. 9 Vous connaissez en effet la générosité de notre Sei-
gneur Jésus Christ qui, pour vous, de riche qu'il était, s'est fait pau-
vre[h], pour vous enrichir de sa pauvreté.

10 C'est un avis que je donne à ce sujet: c'est ce qui vous convient à
vous, puisque vous avez été les premiers, non seulement à réaliser,
mais aussi à décider cette œuvre dès l'an dernier. 11 Maintenant donc,
achevez de la réaliser; ainsi à vos beaux projets correspondra aussi la
réalisation selon vos moyens. 12 Quand l'intention est vraiment bonne,
on est bien reçu avec ce que l'on a[i], peu importe ce que l'on n'a pas!
13 Il ne s'agit pas de vous mettre dans la gêne en soulageant les autres,
mais d'établir l'égalité. 14 En cette occasion, ce que vous avez en trop
compensera ce qu'ils ont en moins, pour qu'un jour ce qu'ils auront en
trop compense ce que vous aurez en moins: cela fera l'égalité
15 comme il est écrit: *Qui avait beaucoup recueilli n'a rien eu de trop,*
qui avait peu recueilli n'a manqué de rien[j]. 16 Grâce soit rendue à Dieu
qui a mis au cœur de Tite le même zèle pour vous. 17 Il a accepté notre
invitation et, plus empressé encore, c'est spontanément qu'il est parti
vers vous. 18 Nous avons envoyé avec lui le frère dont toutes les Eglises
chantent la louange au sujet de *l'Evangile. 19 Mieux encore, il a été
désigné par les Eglises pour être notre compagnon de voyage dans
cette œuvre de générosité, service que nous entreprenons pour la
gloire du Seigneur lui-même et pour la réalisation de nos bonnes inten-
tions. 20 Nous prenons bien garde d'éviter toute critique dans la ges-
tion de ces fortes sommes dont nous avons la charge. 21 Nous nous
préoccupons du bien non seulement aux yeux de Dieu, mais aussi à
ceux des hommes. 22 Avec les délégués nous avons envoyé notre
frère[k], celui dont nous avons souvent, dans bien des cas, éprouvé le
zèle et qui maintenant en montre bien plus encore, car il vous fait plei-

f* *8.4 Ac 11.29 ; Rm 15.25 et la note ; 2 Co 9.1 ; Ga 2.10. ***g* *8.7*** 1 Co 1.5 ; Col 2.10. ***h* *8.9*** Mt 8.20 ; 2 Co 6.10 ; Ph 2.6-8. ***i* *8.12*** *ce que l'on a* Mc 12.44. ***j* *8.15*** Ex 16.18. ***k* *8.22*** Sans doute un autre que l'anonyme du v. 18. Voir v. 23.

nement confiance. 23 Tite, c'est mon compagnon et mon collaborateur
auprès de vous; nos frères, ce sont les délégués des Eglises, la gloire
du Christ. 24 Donnez-leur donc, à la face des Eglises, la preuve de votre
amour et de la fierté que nous avons de vous auprès d'eux.

**Intentions généreuses de l'Achaïe
et retards apportés à leur réalisation**

9 1 Au sujet de l'assistance en faveur des *saints[l], il est inutile que je
vous écrive. 2 Je sais vos bonnes intentions, et j'en tire fierté pour
vous auprès des Macédoniens: l'Achaïe[m], leur disais-je, est prête
depuis l'an dernier, et votre ardeur a stimulé la plupart des Eglises. 3 Je
vous envoie les frères afin que la fierté[n] que j'ai de vous ne soit pas
vaine sur ce point et que, comme je le disais, vous soyez réellement
prêts. 4 Je craindrais, si des Macédoniens viennent avec moi et ne vous
trouvent pas prêts, que cette belle assurance ne tourne à notre confu-
sion, pour ne pas dire la vôtre. 5 J'ai donc cru devoir inviter les frères à
nous devancer chez vous et à préparer vos dons; vos largesses déjà
promises, une fois recueillies, seraient une vraie largesse et non une
ladrerie.

6 Sachez-le:
Qui sème chichement,
chichement aussi moissonnera
et qui sème largement,
largement aussi moissonnera[o]!

7 Que chacun donne selon la décision de son *cœur, sans chagrin ni
contrainte, car *Dieu* aime celui *qui donne avec joie.* 8 Dieu a le pou-
voir de vous combler de toutes sortes de grâces, pour que, disposant
toujours et en tout du nécessaire, vous ayez encore du superflu pour
toute œuvre bonne. 9 Comme il est écrit:
Il a distribué, il a donné aux pauvres,
sa justice demeure à jamais[p].

10 Celui qui *fournit la semence au semeur* et le pain pour la nourri-
ture, vous fournira aussi la semence, la multipliera, et fera croître les
fruits de votre justice. 11 Vous serez enrichis de toutes manières par
toutes sortes de libéralités qui feront monter par notre intermédiaire
l'action de grâce vers Dieu. 12 Car le service de cette collecte ne doit

l* *9.1 la collecte 8.1+. — service au profit des saints 8.4+. ***m* *9.2*** *des Macédoniens :* c'est-à-dire les membres des Eglises de Philippes, Thessalonique, Bérée... Voir 1.16 et la note. — *l'Achaïe :* voir 1.1 et la note. ***n* *9.3*** 7.4+. ***o* *9.6*** Pr 22.8 (citation libre du grec) ; 11.24. ***p* *9.9*** Ps 112.9.

pas seulement combler les besoins des *saints, mais faire abonder les
actions de grâce[q] envers Dieu. 13 Appréciant ce service à sa valeur, ils
glorifieront Dieu pour l'obéissance que vous professez envers *l'Evan-
gile du Christ et pour votre libéralité dans la mise en commun avec
eux et avec tous. 14 Et par leur prière pour vous, ils vous manifesteront
leur tendresse, à cause de la grâce surabondante que Dieu vous a
accordée. 15 Grâce soit rendue à Dieu pour son don ineffable!

Réponse de Paul aux accusations contre son ministère

10 1 Moi, Paul, en personne, je vous le demande par la douceur et
la bonté du Christ, moi si humble[r] quand je suis parmi vous
face à face, mais si hardi envers vous quand je suis loin; 2 je vous en
prie, que je n'aie pas, une fois présent, à user de cette hardiesse dont
je compte faire preuve, avec audace, contre ces gens qui prétendent
que notre conduite a des motifs humains. 3 Tout homme que nous
sommes, nous ne combattons pas de façon purement humaine. 4 Non,
les armes de notre combat ne sont pas d'origine humaine, mais leur
puissance vient de Dieu pour la destruction des forteresses[s]. Nous
détruisons les raisonnements prétentieux, 5 et toute puissance hau-
taine[t] qui se dresse contre la connaissance de Dieu. Nous faisons cap-
tive toute pensée pour l'amener à obéir au Christ 6 et nous nous tenons
prêts à punir toute désobéissance dès que votre obéissance[u] sera
totale. 7 Regardez les choses en face. Si quelqu'un est persuadé
d'appartenir au Christ, qu'il s'en rende compte une bonne fois: s'il est
au Christ, nous aussi! 8 Et même si je suis un peu trop fier du pouvoir
que le Seigneur nous a donné pour votre édification, et non pour votre
ruine[v], je n'en rougirai pas. 9 Je ne veux pas avoir l'air de vous effrayer
par mes lettres, 10 — car ses lettres, dit-on, ont du poids et de la force;
mais, une fois présent, il est faible et sa parole est nulle. 11 Qu'il s'en
rende bien compte, cet individu[w]: tel nous sommes en parole, de loin,
dans nos lettres, tel nous serons, présent, dans nos actes. 12 Car nous
n'avons pas l'audace de nous égaler ou de nous comparer à certaines
gens qui se recommandent eux-mêmes[x]; en se prenant eux-mêmes
comme unité de mesure et de comparaison, ils perdent la tête! 13 Pour
nous, nous ne passerons pas la mesure dans la fierté que nous mon-

***q* 9.12** 1.11+. ***r* 10.1** *humble* Mt 11.29 ; 1 Co 2.3. ***s* 10.4** *les armes de notre combat* 6.7+. — *forteresses :* image inspirée d'Es 2.13-15 pour décrire l'orgueil de l'homme sûr de lui-même et fermé à Dieu. ***t* 10.5** *puissance hautaine* Es 2.11-18. ***u* 10.6** 2.9+. ***v* 10.8** Paul aurait de quoi se vanter 11.16, 18 ; 12.6 ; Ga 6.13 ; Ph 3.4. — édifier et non détruire Jr 1.10 ; 2 Co 13.10. ***w* 10.11** Voir 2.5 et la note. ***x* 10.12** 3.1+.

trons, mais nous nous servirons comme mesure de la règle même que
Dieu nous a attribuée, en nous faisant parvenir jusqu'à vous. 14 Car
nous ne dépassons pas notre limite, comme si nous n'étions pas venu
chez vous. Nous sommes vraiment arrivé le premier jusqu'à vous avec
*l'Evangile du Christ. 15 Nous n'avons pas une fierté démesurée,
fondée sur les travaux d'autrui, mais nous avons l'espoir, avec les pro-
grès de votre foi, de grandir de plus en plus en vous selon notre règle[y],
16 en portant l'Evangile au-delà de chez vous, sans tirer fierté de tra-
vaux tout faits sur le terrain des autres. 17 *Que celui qui s'enorgueillit
mette son *orgueil dans le Seigneur*[z]. 18 Ce n'est pas celui qui se
recommande lui-même qui a fait ses preuves, mais celui que le Sei-
gneur recommande.

Authenticité du ministère de Paul en face de ses adversaires

11 1 Ah! si vous pouviez supporter de moi un peu de folie; eh
bien oui! Supportez-moi! 2 J'éprouve à votre égard autant de
jalousie que Dieu. Je vous ai fiancés à un époux unique[a], pour vous
présenter au Christ, comme une vierge *pure, 3 mais j'ai peur que —
comme le serpent séduisit Eve par sa ruse — vos pensées ne se cor-
rompent loin de la simplicité[b] due au Christ. 4 En effet, si le premier
venu vous prêche un autre Jésus que celui que nous avons prêché, ou
bien si vous accueillez un esprit différent de celui que vous avez reçu
ou un autre *évangile[c] que celui que vous avez accueilli — vous le
supportez fort bien. 5 J'estime pourtant n'avoir rien de moins que ces
super-*apôtres. 6 Nul pour l'éloquence, soit! pour la science, c'est
autre chose. En tout et de toutes manières, nous vous l'avons montré.
7 Etait-ce une faute de m'abaisser moi-même pour vous élever, en vous
annonçant gratuitement l'Evangile[d] de Dieu? 8 J'ai dépouillé d'autres
Eglises, acceptant d'elles de quoi vivre pour vous servir[e]. 9 Et lorsque
j'ai été dans le besoin pendant mon séjour chez vous, je n'ai exploité
personne, car les frères venus de Macédoine ont pourvu à mes
besoins; et en tout, je me suis bien gardé de vous être à charge et je
m'en garderai bien. 10 Par la vérité du Christ en moi[f], je l'atteste: on ne
me fera pas cacher cette fierté dans les pays d'Achaïe. 11 Et pourquoi?

y 10.15 la règle suivie par Paul Rm 15.17-21, 28-29. ***z 10.17*** Jr 9.22-23 (1 Co 1.31). ***a 11.2*** *jalousie divine* Ex 20.5 ; Dt 4.24 ; 1 Co 10.22. — *fiancés à un époux unique* Ep 5.25-26 ; Ap 19.7 ; 21.2-9. ***b 11.3*** Eve séduite Gn 3.4-13 ; 1 Tm 2.14. — *de la simplicité :* certains manuscrits ajoutent *et de la pureté.* ***c 11.4*** *un autre évangile* Ga 1.6-9. ***d 11.7*** Ac 18.3 ; 20.33-35 ; 1 Co 4.12 ; 9.12, 18 ; 2 Co 12.13 ; Ph 4.15-18. ***e 11.8*** *d'autres Eglises :* les Eglises de Macédoine ; voir 8.1-4 et la note sur 8.2. ***f 11.10*** *Christ en moi* Ga 2.20 ; Ph 1.21.

Parce que je ne vous aime pas? Dieu le sait! 12 Ce que je fais, je le ferai
encore afin d'ôter tout prétexte à ceux qui en voudraient un pour se
vanter des mêmes titres que nous! 13 Ces gens-là sont de faux apôtres,
des faussaires[g] camouflés en apôtres du Christ; 14 rien d'étonnant à
cela: *Satan[h] lui-même se camoufle en *ange de lumière. 15 C'est
donc peu de chose pour ses serviteurs de se camoufler en serviteurs de
la justice. Leur fin sera conforme à leurs œuvres.

Souffrances endurées par l'apôtre

16 Je le répète, que l'on ne pense pas que je suis fou — ou bien alors
acceptez que je sois fou, que je puisse moi aussi me vanter un peu[i].
17 Ce que je vais dire, je ne le dis pas selon le Seigneur, mais comme en
pleine folie, dans mon assurance d'avoir de quoi me vanter. 18 Puisque
beaucoup se vantent de leurs avantages humains, moi aussi je me van-
terai. 19 Volontiers, vous supportez les gens qui perdent la raison, vous
si raisonnables. 20 Vous supportez qu'on vous asservisse, qu'on vous
dévore, qu'on vous dépouille, qu'on le prenne de haut, qu'on vous
frappe au visage; 21 je le dis à notre honte, comme si nous avions été
faibles. Ce qu'on ose dire — je parle comme un fou — je l'ose moi
aussi. 22 Ils sont Hébreux? moi aussi! Israélites? moi aussi! de la des-
cendance d'Abraham? moi aussi[j]! 23 *Ministres du Christ? — je vais
dire une folie — moi bien plus!

Dans les fatigues — bien davantage,
dans les prisons[k] — bien davantage,
sous les coups — infiniment plus,
dans les dangers de mort — bien des fois!
24 Des *Juifs, j'ai reçu cinq fois les trente-neuf coups[l], 25 trois fois, j'ai
été flagellé,
une fois, lapidé[m],
trois fois, j'ai fait naufrage,
j'ai passé un jour et une nuit sur l'abîme. 26 Voyages à pied, sou-
vent,
dangers des fleuves,

g 11.13 Mt 7.15 ; 2 Co 2.17 ; Ph 3.2 ; 2 P 2.1 ; Ap 19.20. **h 11.14** 2.11+. **i 11.16** Paul aurait de quoi se vanter 10.8+. **j 11.22** titres juifs de Paul Ac 21.39 ; 22.3 ; 23.6 ; 26.5 ; Rm 11.1 ; Ga 2.15 ; Ph 3.2-6. **k 11.23** *ministre du Christ* 1 Co 15.10. – emprisonnements (connus) de l'apôtre Ac 16.23 ; 1 Co 15.32 ; Ph 1.7, 13 ; Ep 3.1 ; 4.1 ; Col 4.18 ; Phm 1,9. **l 11.24** Mot à mot : *quarante moins un.* On voulait ne pas risquer de dépasser le maximum de quarante coups prescrit par Dt 25.3. **m 11.25** *flagellation* Ac 16.22. – *lapidation* Ac 14.19.

dangers des brigands,
dangers de mes frères de race[n],
dangers des *païens,
dangers dans la ville,
dangers dans le désert,
dangers sur mer,
dangers des faux frères!
27 Fatigues et peine, veilles souvent; faim et soif, *jeûne souvent;
froid et dénuement[o]; 28 sans compter tout le reste, ma préoccupation
quotidienne, le souci de toutes les Eglises. 29 Qui est faible, que je ne
sois faible? Qui tombe, que cela ne me brûle[p]? 30 S'il faut s'enor-
gueillir, je mettrai mon *orgueil dans ma faiblesse[q]. 31 Dieu, le Père du
Seigneur Jésus, qui est béni pour l'éternité, sait que je ne mens pas.
32 A Damas, l'ethnarque du roi Arétas[r] faisait garder la ville pour
m'arrêter. 33 Mais par une fenêtre, on me fit descendre dans une cor-
beille le long de la muraille et j'échappai à ses mains[s].

Visions et révélations, privilèges de l'apôtre Paul

12 1 Il faut *s'enorgueillir! C'est bien inutile! Pourtant j'en vien-
drai aux visions et *révélations du Seigneur[t]. 2 Je connais un
homme en Christ[u] qui, voici quatorze ans[v] — était-ce dans mon
corps? je ne sais, était-ce hors de mon corps? je ne sais, Dieu le sait —
cet homme-là fut enlevé jusqu'au troisième *ciel[w].
3 Et je sais que cet homme — était-ce dans son corps? était-ce sans
son corps? je ne sais, Dieu le sait —, 4 cet homme fut enlevé jusqu'au
paradis[x] et entendit des paroles inexprimables qu'il n'est pas permis à
l'homme de redire. 5 Pour cet homme-là, je m'enorgueillirai, mais pour
moi, je ne mettrai mon *orgueil que dans mes faiblesses. 6 Ah! si je
voulais m'enorgueillir, je ne serais pas fou, je ne dirais que la vérité[y];
mais je m'abstiens, pour qu'on n'ait pas sur mon compte une opinion

n 11.26 Ac 9.23 ; 13.50 ; 20.3. ***o 11.27*** épreuves de l'apôtre 7.5+. ***p 11.29*** Paul tout à tous Rm 9.1-3 ; 1 Co 9.22. ***q 11.30*** *fier de sa faiblesse* 12.9+. ***r 11.32*** *Arétas IV,* roi nabatéen (9 av. J.C. — 39 ap. J.C.). — *ethnarque* est un titre sensiblement équivalent à *gouverneur.* ***s 11.33*** Paul s'échappe de Damas Ac 9.24-25. ***t 12.1*** *visions et révélations* Ac 16.9 ; 22.18 ; 23.11 ; 27.23-26 ; 2 Co 12.7 ; Ga 2.2. — apparition du ressuscité à Paul Ac 9.5 ; 22.8 ; 26.15, 19 ; 1 Co 9.1 ; 15.8. ***u 12.2*** L'apôtre parle de lui-même. ***v 12.2*** C'est-à-dire vers l'an 42 ou 43, pendant le séjour de Paul en Cilicie (Ac 9.30 ; 11.25 ; Ga 1.21), ou à Antioche, avant son premier voyage missionnaire. ***w 12.2*** Dans les anciennes conceptions juives le paradis était souvent situé au *troisième ciel.* ***x 12.4*** *enlevé :* voir Ez 3.12. Expression traditionnelle pour désigner les extases prophétiques. — *paradis* Lc 23.43 ; Ap 2.7. ***y 12.6*** 10.8+.

supérieure à ce qu'on voit de moi, ou à ce qu'on m'entend dire. 7 Et
parce que ces révélations étaient extraordinaires, pour m'éviter tout
orgueil, il a été mis une écharde dans ma chair[z], un *ange de *Satan
chargé de me frapper, pour m'éviter tout orgueil. 8 A ce sujet, par trois
fois, j'ai prié[a] le Seigneur de l'écarter de moi. 9 Mais il m'a déclaré:
« Ma grâce te suffit; ma puissance donne toute sa mesure dans la fai-
blesse. » Aussi mettrai-je mon orgueil bien plutôt dans mes faiblesses,
afin que repose sur moi la puissance du Christ.

10 Donc je me complais
dans les faiblesses,
les insultes,
les contraintes,
les persécutions, et les angoisses pour Christ!
Car lorsque je suis faible, c'est alors que je suis fort[b].

La loyauté de Paul envers l'Eglise de Corinthe et ses inquiétudes

11 Me voilà devenu fou! Vous m'y avez contraint. C'est vous qui
auriez dû me recommander. Car je n'ai rien eu de moins que ces
super-*apôtres, bien que je ne sois rien. 12 Les signes distinctifs de
l'apôtre[c] se sont produits parmi vous: patience à toute épreuve,
*signes miraculeux, prodiges, actes de puissance. 13 Qu'avez-vous eu
de moins que les autres Eglises, sinon que, pour moi, je ne vous ai pas
exploités? Pardonnez-moi cette injustice!

14 Voici que je suis prêt à venir chez vous pour la troisième fois[d] et je
ne vous exploiterai pas: car je ne recherche pas vos biens, mais vous-
mêmes. Ce n'est pas aux enfants à mettre de côté pour les parents,
mais aux parents pour les enfants. 15 Pour moi, bien volontiers je
dépenserai et me dépenserai moi-même tout entier pour vous[e]. Si je
vous aime davantage, en serai-je moins aimé? 16 Soit, je ne vous ai pas
été à charge! Mais, fourbe que je suis, je vous ai eus par ruse. 17 Prenez
qui vous voulez de ceux que je vous ai envoyés: vous ai-je exploités
par l'un d'eux? 18 J'ai insisté auprès de Tite et envoyé avec lui le frère
[dont j'ai parlé][f]. Tite vous a-t-il exploités? N'avons-nous pas marché

z 12.7 Souffrance particulière à l'apôtre, qu'il n'est pas possible de préciser. Voir cependant Ga 4.13-15. ***a 12.8*** *par trois fois* Mt 26.39-44. ***b 12.10*** faiblesse de l'apôtre et puissance du Christ 4.7+ ; 11.30 ; 12.5 ; 13.4, 9 ; Ph 4.13. ***c 12.12*** Rm 15.19 ; 1 Co 2.4 ; 1 Th 1.5. ***d 12.14*** séjours de Paul à Corinthe 1) Ac 18 ; 2) 2 Co 13.2 ; 3) (projet) 2 Co 1.23 ; 2.1 ; 13.1 ; voir 1 Co 16.5. ***e 12.15*** Ph 2.17. ***f 12.18*** *le frère* 8.18, 22. Les mots *dont j'ai parlé* sont sous-entendus dans le texte original.

dans le même esprit? Et sur les mêmes traces? 19 Depuis longtemps vous pensez que nous nous justifions devant vous? Non, c'est devant Dieu, en Christ, que nous parlons. Et tout cela, bien-aimés, pour votre édification. 20 Je crains en effet de ne pas vous trouver à mon arrivée tels que je veux, et que vous ne me trouviez pas tel que vous voulez; qu'il n'y ait chez vous de la discorde, de la jalousie, des emportements, des rivalités, des médisances, des commérages, de l'insolence, des remous. 21 Je crains qu'à mon prochain passage, mon Dieu ne m'humilie devant vous et que je n'aie à pleurer sur beaucoup de ceux qui ont péché antérieurement et ne se seront pas convertis de leur impureté, de leur inconduite et de leur débauche[g]!

Derniers avertissements avant le retour de l'apôtre

13 1 C'est la troisième fois que je vais chez vous. *Toute affaire sera décidée sur la parole de deux ou trois témoins*[h]. 2 Je l'ai déjà dit et, comme lors de ma deuxième visite, je le redis aujourd'hui que je suis absent, à ceux qui ont péché antérieurement et à tous les autres: Si je reviens, j'agirai sans ménagement, 3 puisque vous voulez la preuve que le Christ parle en moi. Il n'est pas faible à votre égard, mais montre sa puissance en vous[i]. 4 Certes, il a été crucifié dans sa faiblesse, mais il est vivant par la puissance de Dieu. Et nous aussi sommes faibles en lui, mais nous serons vivants avec lui[j] par la puissance de Dieu envers vous. 5 Faites vous-mêmes votre propre critique[k], voyez si vous êtes dans la foi, éprouvez-vous; ou bien ne reconnaissez-vous pas que Jésus Christ est en vous? A moins que l'épreuve ne tourne contre vous. 6 Vous reconnaîtrez, je l'espère, que nous avons fait nos preuves. 7 Nous prions Dieu que vous ne fassiez aucun mal; nous ne désirons pas donner nos preuves, mais vous voir faire le bien, et que l'épreuve paraisse tourner contre nous. 8 Car nous sommes sans pouvoir contre la vérité, nous n'en avons que pour la vérité. 9 Nous sommes dans la joie chaque fois que nous sommes faibles[l] et que vous êtes forts. Voilà le but de nos prières: votre perfectionnement. 10 C'est pourquoi, étant encore loin, je vous écris ceci pour ne pas avoir, une fois présent, à trancher dans le vif selon le pouvoir que le Seigneur m'a donné pour édifier et non pour détruire[m]. 11 Au demeurant, frères, soyez dans la joie, travaillez à votre perfectionnement, encouragez-

g ***12.21*** avertissement 2.1 ; 10.11 ; 13.2. ***h*** ***13.1*** Dt 17.6 ; 19.15 (Mt 18.16 ; 1 Tm 5.19 ; He 10.28). — troisième voyage à Corinthe 12.14+. ***i*** ***13.3*** *Christ parle en moi* 3.5-6. — *en vous:* ou *parmi vous.* ***j*** ***13.4*** Rm 6.8-11 ; 2 Co 12.9-10+. ***k*** ***13.5*** 1 Co 11.28 ; Ga 6.4. ***l*** ***13.9*** 12.9-10+. ***m*** ***13.10*** Jr 1.10 ; 2 Co 10.8.

vous, soyez bien d'accord, vivez en paix, et le Dieu d'amour et de
paix[n] sera avec vous. 12 Saluez-vous mutuellement par un saint baiser[o].
Tous les *saints vous saluent. 13 La grâce du Seigneur Jésus Christ,
l'amour de Dieu, et la communion du Saint Esprit[p] soient avec vous
tous.

n* *13.11 *joie* Ph 3.1 ; 4.4. – *bien d'accord* Rm 15.5 ; 1 Co 1.10 ; Ep 4.2-3 ; Ph 2.2. – *le Dieu de paix* Rm 15.33. ***o* *13.12*** Rm 16.16 ; 1 Co 16.20 ; 1 Th 5.26 ; 1 P 5.14. ***p* *13.13*** *grâce, amour et communion* Ph 2.1. – *Jésus Christ, Dieu, Esprit Saint* Mt 28.19 ; Jn 14.16 ; Rm 1.4 ; 15.16, 30 ; 2 Co 1.21-22 ; Ga 4.6 ; Ep 1. 3-14 ; 2.18 ; 1 P 1.2 ; 1 Jn 4.2 ; Ap 22.1.

ÉPÎTRE AUX GALATES

INTRODUCTION

Cette épître a été écrite à l'occasion d'une crise. Les Galates subissaient une influence extérieure et se trouvaient placés devant un choix. Paul en saisit tout l'enjeu ; il perçoit qu'il ne s'agit pas d'une affaire marginale, mais bien de l'Evangile lui-même, de sa vérité.

Qui sont ces Galates ? Quel danger courent-ils ? Quels sont les responsables de la crise ?

Au XIXe siècle on a proposé de voir dans les Galates les habitants de la Galatie du Sud. Les anciens pensaient au contraire aux habitants de la Galatie du Nord et leur opinion semble la mieux fondée. Si on l'admet, on est conduit à dater l'épître de l'hiver 56-57, peu avant l'épître aux Romains. Elle se situe en effet après le second passage de l'apôtre chez les Galates (Ga 4.13), mentionné par les Actes (18.23).

Quant au danger couru par les Galates, c'est celui d'un retour à l'asservissement dont le Christ Jésus les avait délivrés.

Cet asservissement peut prendre deux formes qui correspondent peut-être à deux influences différentes, toutes deux combattues par l'apôtre. Les principaux responsables de la crise sont assurément les « judaïsants », chrétiens d'origine juive qui veulent imposer le joug de la loi mosaïque aux païens convertis. Luc résume ainsi leur thèse : « Si vous ne vous faites pas circoncire selon la coutume de Moïse, vous ne pouvez pas être sauvés » (Ac 15.1). Thèse que Pierre, d'après les Actes, n'a pas faite sienne (Ac 11.17 ; 15.7-11). Contre ces adversaires de la « vérité de l'Evangile », Paul maintient cette vérité et reproche à Pierre de ne pas se conformer à elle dans son comportement pratique (Ga 2.11-16). « L'homme, proclame l'apôtre, n'est pas justifié par les œuvres de la Loi, mais seulement par la foi au Christ. »

Reste l'autre asservissement qui menace aussi les Galates : celui de la « chair ». Il résulterait d'une fausse idée de la liberté, confondue avec la licence morale (Ga 5.13). Faut-il chercher des responsables de cette confusion, autres que les Galates eux-mêmes, chez qui les païens convertis, sans doute nombreux, avaient pu mal interpréter l'enseignement de l'apôtre ? Ce n'est peut-être pas nécessaire.

Le sens de la crise

Tels sont les faits. Pour l'apôtre, le salut de ceux qu'il appelle ses enfants est en cause. Aussi met-il en relief le danger grave qu'ils courent. Du même coup, il conduit l'Eglise naissante à prendre conscience de la nouveauté de l'Evangile et à faire en conséquence un choix décisif.

Ce qui est en cause, c'est l'unique Evangile, la liberté dont il est la proclamation, la croix du Christ qui est la source de cette liberté, et la vie nouvelle des enfants de Dieu que cette liberté caractérise.

L'Evangile est l'annonce d'un salut gratuit et universel qui instaure un monde nouveau. Les judaïsants vivent toujours dans le monde ancien et veulent y ramener les Galates ; ils ruinent ainsi l'Evangile, en se réclamant de l'Ancien Testament. Paul montre au contraire que l'Ancien Testament ne trouve son véritable sens que lorsque le Christ en accomplit les promesses. Son argumentation, dont la marche est parfois difficile à suivre pour nous, met en lumière l'opposition du monde ancien et du monde nouveau à trois points de vue.

Le premier point de vue est celui de la source du salut. Il faut choisir entre la chair et l'Esprit. Dans le monde ancien, l'homme prétend se suffire et se sauver par ses œuvres ; c'est cette attitude que Paul appelle « chair ». Entrer dans le monde nouveau, c'est attendre le salut de l'Esprit, l'accueillir comme une grâce que le Père accorde par le Christ.

Le deuxième point de vue est celui de l'histoire du salut. Il faut choisir entre la loi et la foi. La loi est une étape qui prépare la venue du Sauveur ; elle sépare le peuple qui l'a reçue, dans un but pédagogique, pour qu'il soit le témoin du salut promis par Dieu à tous les croyants. C'est la foi qui donne accès au monde nouveau, en ouvrant l'homme au salut accompli par Jésus et offert gratuitement à tous les hommes.

Enfin, troisième point de vue, dans le monde ancien, les hommes sont asservis au péché dont la source est la chair ; dans le monde nouveau, ils sont libérés par l'Esprit qui leur donne d'accomplir avec amour la volonté du Père. Ils sont libres parce qu'ils sont enfants de Dieu et vivent de la vie du Fils de Dieu. Cette liberté, fruit de l'unique Evangile, serait ruinée par les judaïsants.

Le mouvement de l'épître

Pour rappeler la vérité de l'Evangile aux Galates et à tous ceux qui, dans l'Eglise, n'ont pas encore pris conscience de la nouveauté de cet

Evangile et de ses exigences, Paul écrit une lettre qui n'est pas une thèse, mais la proclamation d'un événement. Celui-ci constitue un mystère et un scandale : c'est l'événement de Jésus crucifié par qui Dieu intervient pour sauver les pécheurs. Aussi Paul n'hésite-t-il pas devant des formules qui nous paraissent des excès de langage, mais qui expriment les intuitions dont l'origine est l'Esprit ; grâce à ces intuitions, Paul peut connaître et annoncer le mystère du Christ.

L'épître est animée par un mouvement qui fait son unité. Elle comporte deux étapes. Dans la première (ch. 1 et 2), l'apôtre rappelle que Jésus Christ est à l'origine de sa mission (1.11—2.10) et au centre de son message (2.11-21). Dans la deuxième étape, Paul montre que Jésus Christ, en accomplissant le salut, donne son sens à l'histoire. Par lui et en lui les hommes régénérés trouvent leur unité (ch. 3 à 6). Pour cela, il met en lumière comment, dans l'histoire du salut, le régime de la loi prépare celui de la foi (3.1—4.7) ; puis il rappelle que l'Evangile est la source de la vraie liberté (4.8—6.10).

L'ensemble est ouvert par une introduction où l'apôtre condense tout son Evangile et dénonce la perversion dont celui-ci est l'objet, Evangile pourtant unique, puisque c'est celui du Christ (1.1-10).

A cette introduction répond une conclusion où se dresse la croix du Christ ; *le Christ crucifié a mis fin au monde mauvais évoqué dans l'introduction, et il a inauguré* la nouvelle création, *celle où l'homme vit de l'Esprit (6.11-18).*

Actualité permanente de l'épître

L'épître aux Galates interpelle les chrétiens de tous les temps ; elle interpelle aussi l'Eglise.

Le chrétien est-il un vrai croyant, un homme que sa foi libère de toute peur ? L'Eglise n'est-elle pas encore dans la situation historique des Galates ?

Certes, il n'y a plus de judaïsants, et les chrétiens n'ont plus peur de partager la vie et la table des païens. Mais les institutions de l'Eglise n'enferment-elles pas trop souvent les chrétiens dans des frontières où ils se sentent sûrs de leur salut, où ils sont fiers de pratiquer la loi du Christ, réduite à un moyen d'être en règle avec Dieu ?

L'Eglise qui a commencé à la Pentecôte par l'Esprit ne peut pas prétendre trouver sa perfection grâce à des œuvres et à des structures humaines, « charnelles » ; autrement, elle asservirait les hommes, au lieu d'être l'éducatrice de leur foi et de leur liberté de fils de Dieu.

L'Eglise est donc invitée à se demander si ses institutions ont pour but la formation d'une communauté dont l'unité s'enracine dans l'unique Evangile, d'une communauté que l'Esprit ouvre à tous et met au service de tous, d'une communauté de frères universels.

Question toujours actuelle. Appel à une réforme toujours renouvelée par la puissance de l'Evangile, sans cesse redécouvert. Appel à une réforme qui est la condition de la véritable universalité de l'Eglise.

ÉPÎTRE AUX GALATES

Adresse. Source et contenu de l'Evangile de Paul

1 1 Paul, *apôtre[a], non de la part des hommes, ni par un homme,
mais par Jésus Christ et Dieu le Père qui l'a ressuscité d'entre les
morts, 2 et tous les frères qui sont avec moi, aux Eglises de Galatie[b]: 3 à
vous grâce et paix de la part de Dieu notre Père et du Seigneur Jésus
Christ, 4 qui s'est livré pour nos péchés, afin de nous arracher à ce
monde du mal[c], conformément à la volonté de Dieu, qui est notre
Père. 5 A lui soit la gloire pour les *siècles des siècles. *Amen.

La situation : on détourne les Galates de l'unique Evangile

6 J'admire avec quelle rapidité vous vous détournez de celui qui vous
a appelés par la grâce du Christ, pour passer à un autre *évangile[d].
7 Non pas qu'il y en ait un autre ; il y a seulement des gens qui jettent le
trouble parmi vous et qui veulent renverser l'Evangile du Christ. 8 Mais
si quelqu'un, même nous ou un *ange du *ciel, vous annonçait un
évangile différent de celui que nous vous avons annoncé, qu'il soit
anathème[e] ! 9 Nous l'avons déjà dit, et je le redis maintenant : si quel-
qu'un vous annonce un évangile différent de celui que vous avez reçu,
qu'il soit anathème ! 10 Car, maintenant, est-ce que je cherche la faveur
des hommes ou celle de Dieu ? Est-ce que je cherche à plaire aux
hommes ? Si j'en étais encore à plaire aux hommes, je ne serais plus
serviteur de Christ.

a 1.1 *Paul apôtre* Rm 1.1 ; Ga 1.11-12, 17 ; Ac 20.24. ***b 1.2*** Généralement considérée comme la région d'Ankara, en Turquie actuelle ; Ac 16.6 ; 18.23 ; 1 Co 16.1 ; 2 Tm 4.10 ; 1 P 1.1. ***c 1.4*** *le Christ livré* 2.20 ; 1 Tm 2.6 ; Tt 2.14. — *nous arracher à ce monde du mal* Ac 2.40 ; 1 Jn 5.19. ***d 1.6*** *appelés* Rm 1.6 ; Ga 1.15 ; 5.8. — *un autre évangile :* voir 2.3-5, 12-14 ; selon les propagateurs de cet autre évangile, l'accès au salut exigeait, outre la foi en Jésus Christ, qu'on se soumît aux prescriptions de la loi juive, notamment la circoncision et la séparation d'avec les non-Juifs. ***e 1.8*** *un évangile différent* 2 Co 11.4. — *anathème* Rm 9.3+ ; voir 1 Co 16.22 et la note.

La révélation du Fils de Dieu et la mission de Paul

11 Car, je vous le déclare, frères: cet *Evangile que je vous ai
annoncé n'est pas de l'homme[f]; 12 et d'ailleurs, ce n'est pas par un
homme qu'il m'a été transmis ni enseigné, mais par une *révélation
de Jésus Christ[g].

13 Car vous avez entendu parler de mon comportement naguère dans
le *judaïsme: avec quelle frénésie je persécutais l'Eglise[h] de Dieu et je
cherchais à la détruire; 14 je faisais des progrès dans le judaïsme, sur-
passant la plupart de ceux de mon âge et de ma race par mon zèle
débordant pour les traditions de mes pères[i]. 15 Mais, lorsque Celui qui
m'a mis à part depuis le sein de ma mère et m'a appelé par sa grâce[j] a
jugé bon 16 de révéler en moi son Fils afin que je l'annonce parmi les
*païens[k], aussitôt, loin de recourir à aucun conseil humain, 17 ou de
monter à Jérusalem auprès de ceux qui étaient *apôtres avant moi, je
suis parti pour l'Arabie, puis je suis revenu à Damas. 18 Ensuite, trois
ans après, je suis monté à Jérusalem pour faire la connaissance de
Céphas[l] et je suis resté quinze jours auprès de lui, 19 sans voir cepen-
dant aucun autre apôtre, mais seulement Jacques[m], le frère du Sei-
gneur. 20 Ce que je vous écris, je le dis devant Dieu, ce n'est pas un
mensonge. 21 Ensuite, je me suis rendu dans les régions de Syrie et de
Cilicie[n]. 22 Mais mon visage était inconnu aux Eglises du Christ en
Judée; 23 simplement, elles avaient entendu dire: «celui qui nous per-
sécutait naguère annonce maintenant la foi qu'il détruisait alors» 24 et
elles glorifiaient Dieu à mon sujet.

L'accord de Jérusalem: unité de l'Eglise et liberté chrétienne

2 1 Ensuite, au bout de quatorze ans, je suis monté de nouveau à
Jérusalem avec Barnabas; j'emmenai aussi Tite[o] avec moi. 2 Or,
j'y montai à la suite d'une *révélation et je leur exposai *l'Evangile
que je prêche parmi les *païens; je l'exposai aussi dans un entretien
particulier aux personnes les plus considérées, de peur de courir ou

f ***1.11*** *Evangile* — parole de Dieu 1 Th 2.13. ***g 1.12*** 1.1, 15-16; Mt 16.17. ***h 1.13*** Ac 8.3; 22.4-5; 26.9-11; 1 Co 15.9; Ph 3.6. ***i 1.14*** Paul, Juif fervent Ac 22.3; Ph 3.5-6. — *les traditions de mes pères:* les doctrines du judaïsme. ***j 1.15*** *mis à part* avant sa naissance Es 49.1; Jr 1.5 (Rm 1.1). — *appelé par grâce* Ga 1.6; 1 Co 15.10. ***k 1.16*** Le Fils révélé à Paul 1.12+; Ac 9.3-6; 22.6-10; 26.13-18; 1 Co 9.1 (aux chrétiens 2 Co 4.6). — A l'intention des païens Ac 22.21; Ga 2.7. ***l 1.18*** Paul à Jérusalem Ac 9.26-30. — *Céphas:* Pierre (Jn 1.42). ***m 1.19*** *Le frère du Seigneur;* un des principaux dirigeants de l'Eglise de Jérusalem Ac 15.13+; Ga 2.9. ***n 1.21*** Paul en Syrie et en Cilicie Ac 9.30. ***o 2.1*** *monté à Jérusalem:* il s'agit sans doute de la rencontre rapportée en Ac 15. — *Barnabas* Ac 4.36+. — *Tite* 2 Co 2.13+.

d'avoir couru en vain. 3 Mais on ne contraignit même pas Tite, mon
compagnon, un Grec[p], à la *circoncision; 4 ç'aurait été à cause des
faux frères[q], intrus qui, s'étant insinués, épiaient notre liberté, celle
qui nous vient de Jésus Christ, afin de nous réduire en servitude. 5 A
ces gens-là nous ne nous sommes pas soumis, même pour une conces-
sion momentanée, afin que la vérité de l'Evangile[r] fût maintenue pour
vous. 6 Mais, en ce qui concerne les personnalités — ce qu'ils étaient
alors, peu m'importe: Dieu ne regarde pas à la situation des hommes[s]
— ces personnages ne m'ont rien imposé de plus. 7 Au contraire, ils
virent que l'évangélisation des incirconcis m'avait été confiée[t],
comme à Pierre celle des circoncis, 8 — car celui qui avait agi en
Pierre pour l'apostolat des circoncis avait aussi agi en moi en faveur
des païens — 9 et, reconnaissant la grâce qui m'a été donnée, Jacques,
Céphas et Jean[u], considérés comme des colonnes, nous donnèrent la
main, à moi et à Barnabas, en signe de communion, afin que nous
allions, nous vers les païens, eux vers les circoncis. 10 Simplement,
nous aurions à nous souvenir des pauvres[v], ce que j'ai eu bien soin de
faire.

Le conflit d'Antioche: la vérité de l'Evangile et la grâce de la foi

11 Mais, lorsque Céphas vint à Antioche[w], je me suis opposé à lui
ouvertement, car il s'était mis dans son tort. 12 En effet, avant que
soient venus des gens envoyés par Jacques, il prenait ses repas avec les
*païens[x]; mais, après leur arrivée, il se mit à se dérober et se tint à
l'écart, par crainte des *circoncis; 13 et les autres *Juifs entrèrent dans
son jeu, de sorte que Barnabas lui-même fut entraîné dans ce double
jeu. 14 Mais, quand je vis qu'ils ne marchaient pas droit selon la vérité
de *l'Evangile[y], je dis à Céphas devant tout le monde: «Si toi qui es
Juif, tu vis à la manière des païens et non à la juive, comment peux-tu
contraindre les païens à se comporter en Juifs?» 15 Nous sommes,
nous, des Juifs de naissance et non pas des païens, ces *pécheurs.
16 Nous savons cependant que l'homme n'est pas justifié par les

p* *2.3 Voir 3.18 où *Grecs* désigne les non-Juifs. ***q 2.4*** *ç'aurait été :* ces mots sont sous-entendus dans le texte original : si l'on avait circoncis Tite, *ç'aurait été* sous la pression des adversaires mentionnés en 1.7. — *faux frères* Ac 15.1, 24 ; Ga 1.7. ***r 2.5*** 2.14 ; 5.7 ; Ep 1.13. ***s 2.6*** Dieu n'est pas partial Lv 19.15 ; Dt 10.17 ; Ac 10.34 ; Rm 2.11 ; Ep 6.9 ; Col 3.25 ; Jc 2.1 ; 1 P 1.17. ***t 2.7*** Paul apôtre des païens Ac 9.15 ; 22.21 ; Ga 1.16 ; Rm 1.5-6 ; 15.15-19. ***u 2.9*** l'apôtre. ***v 2.10*** Le souci *des pauvres* (les membres de l'Eglise de Jérusalem) Ac 11.29-30 ; 2 Co 8—9. ***w 2.11*** *Antioche* de Syrie (Ac 11.19-26). ***x 2.12*** La fréquentation des païens Ac 10.28 ; 11.3. ***y 2.14*** 2.5+.

œuvres de la *loi, mais seulement par la foi de Jésus Christ; nous
avons cru, nous aussi, en Jésus Christ, afin d'être justifiés par la foi du
Christ et non par les œuvres de la loi, parce que, par les œuvres de la
loi, *personne ne sera justifié*[z]. 17 Mais si, en cherchant à être justifiés
en Christ, nous avons été trouvés pécheurs nous aussi, Christ serait-il
ministre du péché? Certes non. 18 En effet, si je rebâtis ce que j'ai
détruit, c'est moi qui me constitue transgresseur. 19 Car moi, c'est par
la loi que je suis mort à la loi afin de vivre pour Dieu. Avec le Christ, je
suis un crucifié[a]; 20 je vis, mais ce n'est plus moi, c'est Christ qui vit en
moi. Car ma vie présente dans la chair, je la vis dans la foi au Fils de
Dieu qui m'a aimé et s'est livré[b] pour moi. 21 Je ne rends pas inutile la
grâce de Dieu; car si, par la loi, on atteint la justice, c'est donc pour
rien que Christ est mort.

La source du don de l'Esprit

3 1 O Galates stupides, qui vous a envoûtés alors que sous vos yeux,
a été exposé Jésus Christ crucifié[c]? 2 Eclairez-moi simplement sur
ce point: Est-ce en raison de la pratique de la *loi que vous avez reçu
l'Esprit ou parce que vous avez écouté le message de la foi[d]? 3 Etes-
vous stupides à ce point? Vous qui d'abord avez commencé par
l'Esprit, est-ce la chair maintenant qui vous mène à la perfection?
4 Avoir fait tant d'expériences[e] en vain! Et encore, si c'était en vain!
5 Celui qui vous dispense l'Esprit et opère parmi vous des miracles le
fait-il donc en raison de la pratique de la loi ou parce que vous avez
écouté le message de la foi?

La promesse à Abraham, le croyant, et la justification des païens sans la loi

6 Puisque *Abraham eut foi en Dieu et que cela lui fut compté comme
justice*[f], 7 comprenez-le donc: ce sont les croyants qui sont fils

z 2.16 *la foi de Jésus Christ* ou *la foi en Jésus Christ* et *la foi du Christ* ou *la foi au Christ.* Même expression en 2.20 et 3.22. — *personne ne sera justifié...* Ps 143.2. — La vraie justification Ac 15.10-11 ; Rm 3.20, 28 ; 4.5 ; 9.30 ; 11.6 ; Ga 3.11 ; Ep 2.8. ***a 2.19*** *mort à la loi* Rm 7.4-6. — *vivre pour Dieu* Rm 6.10-11 ; 14.8. — *crucifié avec le Christ* Ga 6.14. ***b 2.20*** *Christ vit en moi* Rm 8.10 ; Ph 1.21. — *la vie du croyant* 2 Co 10.3 ; 5.14-15. — *la foi au Fils de Dieu* ou *la foi du Fils de Dieu :* voir Ga 2.16 et la note ; Rm 3.22, 26 ; Ph 3.9. — *l'amour du Christ* Jn 13.1 ; 17.23 ; 1 Jn 3.16. — *qui s'est livré* Ga 1.4 ; 1 Tm 2.6 ; Tt 2.14. ***c 3.1*** *Jésus Christ crucifié,* centre de la prédication 1 Co 1.18, 23-24 ; 2.2 ; Ga 6.14. ***d 3.2*** *la loi et la foi* 2.16+. — *l'Esprit reçu* Ac 11.17 ; Rm 8 ; Ga 4.6. ***e 3.4*** *expériences* de l'action de l'Esprit 1 Co 2.12 ; 12.4-11 ; 2 Co 12.12. ***f 3.6*** Gn 15.6 (Rm 4.3).

d'Abraham. 8 D'ailleurs l'Ecriture, prévoyant que Dieu justifierait les
*païens par la foi, a annoncé d'avance à Abraham cette bonne nou-
velle: *Toutes les nations seront bénies en toi*[g]. 9 Ainsi donc, ceux qui
sont croyants sont bénis avec Abraham, le croyant[h]. 10 Car les prati-
quants de la loi sont tous sous le coup de la malédiction, puisqu'il est
écrit: *Maudit soit quiconque ne persévère pas dans l'accomplissement
de tout ce qui est écrit dans le livre de la loi*[i]. 11 Il est d'ailleurs évident
que, par la loi, nul n'est justifié devant Dieu, puisque *celui qui est juste
par la foi *vivra*[j]. 12 Or le régime de la loi ne procède pas de la foi; pour
elle, *celui qui accomplira les prescriptions de cette loi en vivra*[k].
13 Christ a payé pour nous libérer de la malédiction de la loi, en deve-
nant lui-même malédiction pour nous, puisqu'il est écrit: *Maudit qui-
conque est pendu au bois*[l]. 14 Cela pour que la bénédiction d'Abraham
parvienne aux païens en Jésus Christ et qu'ainsi nous recevions, par la
foi, l'Esprit, objet de la promesse[m].

La descendance d'Abraham: le Christ et les croyants

15 Frères, partons des usages humains: un simple *testament
humain, s'il est en règle, personne ne l'annule ni ne le complète. 16 Eh
bien, c'est à Abraham que les promesses ont été faites, et à sa descen-
dance. Il n'est pas dit «et aux descendances», comme s'il s'agissait de
plusieurs, mais c'est d'une seule qu'il s'agit: *et à ta descendance*,
c'est-à-dire Christ[n]. 17 Voici donc ma pensée: un testament en règle a
d'abord été établi par Dieu. La *loi, venue quatre cent trente ans[o] plus
tard, ne l'abroge pas, ce qui rendrait vaine la promesse. 18 Car, si c'est
par la loi que s'obtient l'héritage, ce n'est plus par la promesse. Or,
c'est au moyen d'une promesse que Dieu a accordé sa grâce à
Abraham. 19 Dès lors, que vient faire la loi? Elle vient s'ajouter pour
que se manifestent les transgressions, en attendant la venue de la des-
cendance à laquelle était destinée la promesse: elle a été promulguée
par les *anges[p] par la main d'un médiateur. 20 Or, ce médiateur n'est

***g* 3.8** Gn 12.3 (18.18 ; *Si* 44.21 ; Ac 3.25). ***h* 3.9** Descendants d'Abraham le croyant Rm 4.16 ; He 2.16. ***i* 3.10** Dt 27.26. ***j* 3.11** *celui qui est juste...* Ha 2.4 (Rm 1.17 ; He 10.38): — la loi ne rend pas juste Ga 2.16+. ***k* 3.12** Lv 18.5 (Rm 10.5). ***l* 3.13** *Maudit quiconque...* Dt 21.23. — *Christ a payé* Rm 5.8+ ; Ga 4.5 ; Ep 2.4-5. — *devenant malédiction pour nous* Rm 8.3 ; 2 Co 5.21. ***m* 3.14** L'Esprit promis donné Rm 5.5+. ***n* 3.16** La promesse faite à Abraham Rm 4.13+. — Le Christ, seule descendance d'Abraham Mt 1.1 ; Ga 3.28-29. ***o* 3.17** Selon la traduction grecque de l'A.T. (Ex 12.40-41). ***p* 3.19** Le rôle de la loi Rm 4.15+. — *s'ajouter* ou *prendre place à côté.* La nuance du verbe grec indique que la loi reste en marge du dessein de salut. — *la loi promulguée par des anges* Ac 7.38, 53 ; He 2.2 ; comme Etienne, Paul se réfère ici à une tradition juive. Le *médiateur* est Moïse.

pas médiateur d'un seul. Et *Dieu est unique*[q]. 21 La loi va-t-elle donc à
l'encontre des promesses de Dieu? Certes non. Si en effet une loi avait
été donnée, qui ait le pouvoir de faire *vivre, alors c'est de la loi
qu'effectivement viendrait la justice[r]. 22 Mais l'Ecriture a tout soumis
au péché dans une commune captivité afin que, par la foi en Jésus
Christ[s], la promesse fût accomplie pour les croyants.

23 Avant la venue de la foi, nous étions gardés en captivité sous la loi,
en vue de la foi qui devait être *révélée. 24 Ainsi donc, la loi a été notre
surveillant, en attendant le Christ[t], afin que nous soyons justifiés par la
foi. 25 Mais, après la venue de la foi, nous ne sommes plus soumis à ce
surveillant. 26 Car tous, vous êtes, par la foi, fils de Dieu[u], en Jésus
Christ. 27 Oui, vous tous qui avez été baptisés en Christ, vous avez
revêtu Christ[v]. 28 Il n'y a plus ni *Juif, ni Grec[w]; il n'y a plus ni esclave,
ni homme libre; il n'y a plus l'homme et la femme; car tous, vous
n'êtes qu'un en Jésus Christ. 29 Et si vous appartenez au Christ, c'est
donc que vous êtes la descendance d'Abraham; selon la promesse,
vous êtes héritiers.

De l'esclavage de la loi à la liberté des enfants de Dieu

4 1 Telle est donc ma pensée: aussi longtemps que l'héritier est un
enfant, il ne diffère en rien d'un esclave, lui qui est maître de
tout; 2 mais il est soumis à des tuteurs et à des régisseurs jusqu'à la
date fixée par son père[x]. 3 Et nous, de même, quand nous étions des
enfants soumis aux éléments du monde[y], nous étions esclaves. 4 Mais,
quand est venu l'accomplissement du temps, Dieu a envoyé son Fils[z],
né d'une femme et assujetti à la *loi, 5 pour payer la libération de ceux
qui sont assujettis à la *loi, pour qu'il nous soit donné d'être fils adop-
tifs[a]. 6 Fils, vous l'êtes bien: Dieu a envoyé dans nos cœurs l'Esprit de
son Fils, qui crie: Abba[b] — Père! 7 Tu n'es donc plus esclave, mais
fils; et, comme fils, tu es aussi héritier: c'est l'œuvre de Dieu.

q 3.20 Dt 6.4 (Rm 3.30). ***r 3.21*** l'impuissance de la loi à sauver Ac 13.38-39 ; Rm 8.3. ***s 3.22*** ou *la foi de Jésus Christ.* Voir 2.16 et la note. ***t 3.24*** *notre surveillant :* le mot grec utilisé ici désignait non pas un éducateur mais l'esclave chargé de maintenir l'enfant dans la discipline 4.2. — en vue du Christ Rm 10.4. ***u 3.26*** 4.5 ; Jn 1.12 ; Rm 8.15-16. ***v 3.27*** *revêtir Christ* Rm 13.14 ; Ep 4.24 ; Col 3.10. — *baptisés en Christ* Rm 6.3-4. ***w 3.28*** Rm 10.12 ; 1 Co 12.13 ; Col 3.11. ***x 4.2*** Selon le droit hellénistique, c'est le père qui fixait l'âge de la majorité pour son fils. ***y 4.3*** Expression empruntée au paganisme hellénistique. Voir aussi 4.9 et Col 2.8, 20, où elle désigne des puissances auxquelles l'homme est asservi. ***z 4.4*** *l'accomplissement du temps* Mc 1.15 ; Ep 1.10. — *Dieu a envoyé son Fils* Jn 1.14 ; Rm 1.3. ***a 4.5*** *la libération payée* 3.13+. — *fils adoptifs* 3.26+. ***b 4.6*** Rm 8.15 et la note.

Angoisse de Paul: les Galates sont menacés de retour à l'esclavage

8 Jadis, quand vous ne connaissiez pas Dieu, vous étiez asservis à des
dieux qui, de leur nature, ne le sont pas[c], 9 mais maintenant que vous
connaissez Dieu, ou plutôt que vous êtes connus de lui[d], comment
pouvez-vous retourner encore à des éléments faibles et pauvres, dans
la volonté de vous y asservir de nouveau? 10 Vous observez religieuse-
ment les jours, les mois, les saisons, les années[e]! 11 Vous me faites
craindre d'avoir travaillé pour vous en pure perte!

12 Comportez-vous comme moi[f], puisque je suis devenu comme
vous, frères, je vous en prie. Vous ne m'avez fait aucun tort. 13 Vous le
savez bien, ce fut à l'occasion d'une maladie que je vous ai, pour la
première fois, annoncé la bonne nouvelle; 14 et, si éprouvant pour
vous que fût mon corps, vous n'avez montré ni dédain, ni dégoût. Au
contraire, vous m'avez accueilli[g] comme un *ange de Dieu, comme le
Christ Jésus. 15 Où donc est votre joie d'alors? Car je vous rends ce
témoignage: si vous l'aviez pu, vous vous seriez arraché les yeux pour
me les donner. 16 Et maintenant, suis-je devenu votre ennemi parce
que je vous dis la vérité?

17 L'empressement qu'on vous témoigne n'est pas de bon aloi; ils
veulent seulement vous détacher de moi pour devenir eux-mêmes
l'objet de votre empressement. 18 Ce qui est bon c'est de se voir témoi-
gner un empressement bien intentionné, en tout temps, et pas seule-
ment quand j'étais présent parmi vous, 19 mes petits enfants que, dans
la douleur, j'enfante à nouveau, jusqu'à ce que Christ soit formé en
vous[h]. 20 Oh! je voudrais être auprès de vous en ce moment pour
trouver le ton qui convient, car je ne sais comment m'y prendre avec
vous.

Les deux alliances: la loi asservissante et la grâce libératrice

21 Dites-moi, vous qui voulez être soumis à la *loi, n'entendez-vous
pas ce que dit cette loi? 22 Il est écrit, en effet, qu'Abraham eut deux
fils[i], un de la servante, un de la femme libre; 23 mais le fils de la ser-

c* *4.8 Des dieux qui n'en sont pas 2 Ch 13.9 ; Es 37.19 ; Jr 2.11 ; 1 Co 8.4-6. ***d* *4.9*** 1 Co 8.3. ***e* *4.10*** *observance des jours* Es 1.13 ; Rm 14.5 ; Col 2.16-23 ; *les jours... les années :* fêtes juives ou rites d'origine syncrétiste en relation avec le culte des astres. ***f* *4.12*** Imiter Paul 1 Co 4.16 ; 9.20-22. ***g* *4.14*** *accueillir* l'envoyé du Seigneur Mt 10.40 ; Jn 13.20 ; 1 Co 2.3-5 ; 2 Co 4.10-12. ***h* *4.19*** Enfantés à la vie du Christ 1 Co 4.15. – *dans la douleur* 2 Co 4.10-12 ; Col 1.24. – *le Christ formé en vous* Rm 8.9-10. ***i* *4.22*** Gn 16.15 ; 21.2.

vante était né selon la chair, tandis que le fils de la femme libre l'était
par l'effet de la promesse[j]. 24 Il y a là une allégorie : ces femmes sont,
en effet, les deux *alliances. L'une, celle qui vient du mont Sinaï,
engendre pour la servitude : c'est Agar 25 — car le mont Sinaï est en
Arabie. Et Agar correspond à la Jérusalem actuelle puisqu'elle est
esclave[k] avec ses enfants. 26 Mais la Jérusalem d'en haut[l] est libre, et
c'est elle notre mère : 27 car il est écrit :

Réjouis-toi[m], stérile, toi qui n'enfantais pas ;
éclate en cris de joie, toi qui n'as pas connu les douleurs ;
car plus nombreux sont les enfants de la délaissée
que les enfants de celle qui a un époux.

28 Et vous, frères, comme Isaac vous êtes enfants de la promesse.
29 Mais, de même que celui qui était né selon la chair persécutait alors
celui qui était né selon l'Esprit, ainsi en est-il encore maintenant. 30 Eh
bien ! que dit l'Ecriture ? *Chasse la servante et son fils, car il ne faut pas
que le fils de la servante hérite avec le fils*[n] de la femme libre. 31 Ainsi
donc, frères, nous ne sommes pas les enfants d'une esclave, mais ceux
de la femme libre.

Persévérez dans la foi à l'unique libérateur

5 1 C'est pour que nous soyons vraiment libres que Christ nous a
libérés[o]. Tenez donc ferme et ne vous laissez pas remettre sous le
*joug de l'esclavage. 2 Moi, Paul, je vous le dis : si vous vous faites
*circoncire, Christ ne vous servira plus de rien. 3 Et j'atteste encore
une fois à tout homme qui se fait circoncire, qu'il est tenu de pratiquer
la *loi intégralement[p]. 4 Vous avez rompu avec Christ, si vous placez
votre justice dans la loi ; vous êtes déchus de la grâce. 5 Quant à nous,
c'est par l'Esprit, en vertu de la foi, que nous attendons fermement
que se réalise ce que la justification nous fait espérer[q]. 6 Car, pour
celui qui est en Jésus Christ, ni la circoncision, ni l'incirconcision ne
sont efficaces, mais la foi agissant par l'amour[r].

7 Vous couriez bien ; qui, en vous barrant la route, empêche la
vérité[s] de vous entraîner ? 8 Une telle influence ne vient pas de celui

***j* 4.23** *promesse* au sujet de Sara Gn 17.16 ; Rm 9.7-9. ***k* 4.25** La Jérusalem actuelle esclave Jn 8.33-35. — Voir Mt 23.37 et Lc 13.34 où *Jérusalem* personnifie aussi le judaïsme. ***l* 4.26** He 12.22 ; Ap 3.12 ; 21.2, 10. ***m* 4.27** Es 54.1. ***n* 4.30** Gn 21.10 (Jn 8.35). ***o* 5.1** Libération, liberté Jn 8.36 ; Rm 8.2+ ; Ga 2.4 ; 5.13. ***p* 5.3** L'exigence de la loi 3.10 ; Rm 2.25 ; Jc 2.10. ***q* 5.5** L'Esprit et l'espérance Rm 5.1-5 ; 8.23-25 ; 1 Co 13.13 ; 2 Co 1.22 ; 5.1-5 ; 1 Th 1.3. ***r* 5.6** *circoncision et incirconcision* 1 Co 7.18-19 ; Ga 6.15. — *la foi agissante* Jc 2.2. — *par l'amour* 1 Tm 1.5. ***s* 5.7** *vérité* et liberté Jn 8.32 ; Ga 2.14.

qui vous appelle. 9 Un peu de *levain[t], et toute la pâte lève! 10 Pour
moi, j'ai confiance dans le Seigneur pour vous: vous ne prendrez
pas une autre orientation. Mais celui qui jette le trouble parmi vous
en subira la sanction, quel qu'il soit. 11 Quant à moi, frères, si je
prêche encore la circoncision, pourquoi suis-je alors persécuté?
Dans ce cas, le scandale de la croix[u] est aboli! 12 Qu'ils aillent donc
jusqu'à se mutiler tout à fait[v], ceux qui sèment le désordre parmi
vous!

La chair et l'Esprit

13 Vous, frères, c'est à la liberté[w] que vous avez été appelés. Seule-
ment, que cette liberté ne donne aucune prise à la chair! Mais, par
l'amour, mettez-vous au service les uns des autres. 14 Car la *loi tout
entière trouve son accomplissement en cette unique parole: *Tu aime-
ras*[x] *ton prochain comme toi-même.* 15 Mais, si vous vous mordez et
vous dévorez les uns les autres, prenez garde: vous allez vous détruire
les uns les autres. 16 Ecoutez-moi: marchez sous l'impulsion de
l'Esprit[y] et vous n'accomplirez plus ce que la chair désire. 17 Car la
chair, en ses désirs, s'oppose à l'Esprit et l'Esprit à la chair; entre eux,
c'est l'antagonisme[z]; aussi ne faites-vous pas ce que vous voulez.
18 Mais si vous êtes conduits par l'Esprit, vous n'êtes plus soumis à la
loi[a].

19 On les connaît, les œuvres de la chair[b]: libertinage, impureté,
débauche, 20 idolâtrie, magie, haines, discorde, jalousie, emporte-
ments, rivalités, dissensions, factions, 21 envie, beuveries, ripailles et
autres choses semblables; leurs auteurs, je vous en préviens, comme je
l'ai déjà dit, n'hériteront pas du *Royaume de Dieu.

22 Mais voici le fruit de l'Esprit[c]: amour, joie, paix, patience, bonté,
bienveillance, foi, 23 douceur, maîtrise de soi; contre de telles choses,
il n'y a pas de loi[d]. 24 Ceux qui sont au Christ ont crucifié[e] la chair avec
ses passions et ses désirs. 25 Si nous vivons par l'Esprit, marchons aussi
sous l'impulsion de l'Esprit[f].

t 5.9 1 Co 5.6. ***u 5.11*** 1 Co 1.23. ***v 5.12*** Allusion probable à un rite pratiqué en Galatie dans le culte de Cybèle. ***w 5.13*** 5.1+. ***x 5.14*** Lv 19.18 (Mt 5.43 ; 19.19 ; 22.39 ; Mc 12.31 ; Lc 10.27 ; Rm 13.8-10 ; Jc 2.8). ***y 5.16*** Rm 8.4-5 ; Ga 5.25. ***z 5.17*** *antagonisme chair-Esprit* Rm 7.14-23 ; 1 P 2.11. ***a 5.18*** *conduits par l'Esprit* Rm 8.14. – délivrés de la loi Rm 6.14 ; 7.4 ; Ga 2.19 ; 4.5. ***b 5.19*** v. 19-21 : *les œuvres de la chair* Rm 1.28-31 ; 1 Co 6.9-10 ; Ep 5.5 ; Ap 22.15. ***c 5.22*** 2 Co 6.6 ; Ep 5.9 ; 1 Tm 6.11 ; Ga 5.6. ***d 5.23*** *la loi* est faite pour les pécheurs 1 Tm 1.9. ***e 5.24*** crucifiés avec le Christ Rm 6.6 ; 8.13 ; Ga 2.19 ; Col 3.5 ; 1 P 2.11. ***f 5.25*** 5.16+.

La loi du Christ

26 Ne soyons pas vaniteux: entre nous, pas de provocations, entre
nous, pas d'envie.

6 1 Frères, s'il arrive à quelqu'un d'être pris en faute, c'est à vous, les
spirituels, de le redresser dans un esprit de douceur; prends garde
à toi[g]: ne peux-tu pas être *tenté, toi aussi? 2 Portez les fardeaux les
uns des autres; accomplissez ainsi la loi du Christ[h]. 3 Car, si quelqu'un
se prend pour un personnage[i], lui qui n'est rien, il est sa propre dupe.
4 Mais que chacun examine son œuvre à lui; alors, s'il y trouve un
motif de fierté[j], ce sera par rapport à lui-même et non par compa-
raison à un autre. 5 Car c'est sa propre charge que chacun portera.
6 Que celui qui reçoit l'enseignement de la Parole fasse une part dans
tous ses biens en faveur de celui qui l'instruit[k]. 7 Ne vous faites pas
d'illusions: Dieu ne se laisse pas narguer; car ce que l'homme sème, il
le récoltera[l]. 8 Celui qui sème pour sa propre chair récoltera ce que
produit la chair: la corruption. Celui qui sème pour l'Esprit récoltera
ce que produit l'Esprit[m]: la *vie éternelle. 9 Faisons le bien sans défail-
lance; car, au temps voulu, nous récolterons si nous ne nous relâchons
pas. 10 Donc, tant que nous disposons de temps, travaillons pour le
bien de tous, surtout celui de nos proches dans la foi.

La croix du Christ et la nouvelle création

11 Voyez ces grosses lettres: je vous écris de ma propre main[n]! 12 Des
gens désireux de se faire remarquer dans l'ordre de la chair, voilà les
gens qui vous imposent la *circoncision. Leur seul but est de ne pas
être persécutés à cause de la croix du Christ[o]; 13 car, ceux-là mêmes qui
se font circoncire n'observent pas la *loi; ils veulent néanmoins que
vous soyez circoncis, pour avoir, en votre chair, un titre de gloire.
14 Pour moi, non, jamais d'autre titre de gloire que la croix de notre
Seigneur Jésus Christ; par elle, le monde est crucifié[p] pour moi,

g 6.1 *redressement fraternel* Mt 18.15 ; 2 Th 3.14-15 ; Jc 5.19-20. — Se méfier de soi-même 1 Co 10.12. ***h 6.2*** Soutien fraternel Rm 15.1. — *la loi du Christ* Jn 13.34 ; Rm 8.2 ; 1 Co 9.21 ; Ph 2.5-8. ***i 6.3*** 1 Co 3.18 ; 4.7. ***j 6.4*** *s'examiner* 1 Co 11.28 ; 2 Co 13.5. — Seule fierté légitime Ga 6.14, 15+. ***k 6.6*** Devoirs du disciple Rm 15.27 ; 1 Co 9.11-14 ; Lc 10.7. ***l 6.7*** Jb 4.8 ; Pr 22.8 ; Os 8.7. ***m 6.8*** La chair et l'Esprit Jn 3.6 ; 6.63 ; Rm 8.13 ; Ga 5.16-17+. ***n 6.11*** Salutation autographe Rm 16.22 ; 1 Co 16.21 ; Col 4.18 ; 1 Th 3.17 ; voir Phm 19. ***o 6.12*** La circoncision mettait le Juif en sécurité dans le monde romain, puisque celui-ci avait reconnu les institutions juives. Non-circoncis, les chrétiens ne bénéficiaient pas de cette protection. ***p 6.14*** *la croix,* seul titre de gloire Rm 3.27 ; 5. 3-5 ; 1 Co 1.23-31 ; 2.2 ; Ph 3.3. — Le chrétien crucifié Ga 2.19 ; 5.24.

comme moi pour le *monde. [15] Car, ce qui importe, ce n'est ni la cir-
concision, ni l'incirconcision, mais la nouvelle création[q]. [16] Sur ceux
qui se conduisent selon cette règle, paix et miséricorde, ainsi que sur
l'Israël de Dieu[r].

[17] Dès lors, que personne ne me cause de tourments; car moi, je
porte en mon corps les marques de Jésus[s]. [18] Que la grâce de notre Sei-
gneur Jésus Christ soit avec votre esprit, frères[t]. Amen.

q 6.15 *circoncision et incirconcision* 5.6+. – *nouvelle création* 2 Co 5.17 ; Ap 21.5. ***r 6.16*** Rm 11.1-5. ***s 6.17*** les marques des souffrances endurées au service de Jésus ; 2 Co 4.10 ; 6.4-5 ; 11.23-28 ; Col 1.24. ***t 6.18*** bénédiction Ph 4.23 ; 2 Tm 4.22 ; Phm 25.

ÉPÎTRE AUX ÉPHÉSIENS

INTRODUCTION

Thème et contenu de l'épître

*Le thème central de l'*Epître aux Ephésiens *est celui du dessein de Dieu (le mystère), prévu de toute éternité, voilé durant les siècles, accompli en Jésus Christ, révélé à l'apôtre, déployé dans l'Eglise. Celle-ci est célébrée comme la création nouvelle de Dieu, réalité universelle, à la fois terrestre et céleste. Son expansion, à partir de la tête, Christ, constitue la vaste perspective développée par l'épître. Ce dynamisme issu de la résurrection et de l'exaltation du Christ s'exprime dans les images entrecroisées de la croissance du Corps et de l'édification de la maison de Dieu. Intégrés par leur baptême dans cet ensemble où sont réunis Israël et les nations païennes jadis séparés, les chrétiens deviennent eux-mêmes l'homme nouveau. A travers la louange, la connaissance et l'obéissance, ils constituent le noyau de la réunification du monde que le Christ a réconcilié dans sa mort.*

L'épître peut être partagée en deux parties *égales :*

1. Chap. 1 à 3. *Une bénédiction (1.3-14), caractéristique du culte juif, célèbre la grâce sans limite de Dieu ; elle se poursuit par l'exaltation du Christ, que Dieu a établi chef de l'univers et tête de l'Eglise (1.15-23). Le chap. 2 en évoque les répercussions ; en Christ s'est opéré le grand tournant : ce qui était mort est vivant par la grâce de Dieu (1-10), ce qui était divisé et aliéné se trouve réconcilié (11-22) ; les barrières sont tombées, qui séparaient les hommes entre eux et le ciel de la terre. Le porte-parole de cette réconciliation c'est l'apôtre : le chap. 3 révèle la place de Paul dans le dessein divin (2-13) et achève la première partie par une prière d'adoration qui chante l'amour incommensurable du Christ et se termine en prière célébrant la gloire de Dieu (14-21).*

2. Chap. 4 à 6. *La seconde partie peut s'intituler :* exhortation aux baptisés. *L'épître appelle l'Eglise à vivre dans l'unité, unité qui s'accomplit à travers l'édification et la croissance du Corps du Christ, grâce aux ministres qui lui sont donnés (4.1-16). Les instructions qui suivent reprennent des thèmes traditionnels de la catéchèse baptismale : invitation à quitter l'ancienne manière de vivre pour entrer dans la nouvelle, en revêtant le Christ (4.17-31), en imitant Dieu (4.32—5.2), en passant des ténèbres à la lumière (5.3-20). Le tableau des relations mutuelles instaurées en Christ concerne, comme dans d'autres épîtres, enfants et parents, esclaves et maîtres, mais débute par un développement original sur le mari et la femme, qui donne l'occasion d'évoquer l'union conjugale du Christ et de l'Eglise (5.21—6.9). Vient enfin l'appel à revêtir l'armure de Dieu pour soutenir le combat contre les puissances célestes (6.10-17).* Ephésiens *s'achève par une dernière exhortation, de brefs messages et la salutation finale (6.18-24).*

Circonstances et caractère

1. Ephésiens *fait partie avec Ph, Phm et Col des lettres dites de la captivité. Le cadre historique est celui de Col et de Phm : Paul se trouve prisonnier (3.1 ; 4.1 ; 6.20, voir aussi Phm 9.10,13,27 ; Col 4.3,10,18) ; il est entouré des mêmes compagnons, il charge Tychique d'une même mission (Col 4.7,8 ; Ep 6.21,22).*

2. Ces rapprochements sont tels qu'ils posent une question ; depuis toujours, on a remarqué que tous les détails ayant trait aux circonstances sont presque littéralement empruntés à Col. De plus, Paul ne connaît pas personnellement les destinataires (1.15). Il ne peut donc s'agir de l'Eglise d'Ephèse elle-même, où Paul a fait un séjour prolongé (Ac 19 ; 20.17-38 ; voir aussi 1 Co 15.32 ; 16.8, etc.).

3. Une confirmation nous vient des textes : les meilleurs manuscrits omettent l'indication d'Ephèse dans la salutation (voir 1.1 et la note). Dès l'antiquité, certains ont donc supposé que l'épître dite « aux Ephésiens » représentait en fait la lettre adressée à Laodicée, ville proche de Colosses, qui reçut une lettre de l'apôtre (Col 4.16), dont on n'a jamais retrouvé trace.

4. L'origine d'Ephésiens, *ses relations étroites avec Colossiens restent une énigme qui n'a pas encore reçu de solution satisfaisante. D'ailleurs, plutôt que de songer à une communauté particulière dont l'épître ne nous dit rien de précis (il suffit par ex. de comparer avec 1 Co), beaucoup estiment que nous sommes en présence d'une sorte de lettre-circulaire de portée plus générale, rassemblant et résumant les dernières instructions de l'apôtre Paul aux Eglises d'Asie.*

5. On peut faire un pas de plus et considérer ce texte comme une sorte d'exposé de la foi, aux traits liturgiques et catéchétiques, comme la Didachè des douze apôtres *en offre un exemple, auquel la forme épistolaire aurait été donnée pour l'insérer dans la collection des épîtres pauliniennes. Les plus hardis en font une homélie pour la célébration de la Pentecôte. Dans ces cas, on estime en général que la rédaction est plus tardive, non seulement à cause du message et de la relation entre Juifs et païens (voir § III), mais aussi à cause des sensibles différences de style et de composition qui existent entre ce texte et les épîtres pauliniennes antérieures. Certains traits renforcent ce qui s'amorçait en Col, en particulier l'influence de la sagesse (voir les termes de connaissance, mystère, etc.), mais aussi les tournures participiales, les surcharges et enchaînements de compléments. Cependant, sous d'autres aspects, Ep se rapproche de thèmes communs aux divers courants du christianisme primitif ; les citations de l'A.T. redeviennent fréquentes ; il y a davantage de sémitismes et l'on sent des affinités avec Qumrân et avec la littérature targumique. 1 P se situe à un carrefour des tendances, Ep constitue une sorte de point d'aboutissement.*

Message de l'épître : l'enracinement paulinien et l'horizon nouveau

Au compte de l'empreinte profondément paulinienne on inscrira :

— le grand œuvre de Dieu accompli en Jésus Christ est fixé au cœur du message et, pour chacun, le baptême signifie de façon décisive sa participation à la mort et à la résurrection du Christ ;

— la célébration et l'annonce de la grâce de Dieu donnent au texte sa note dominante et dans la bénédiction (1.3,14) et dans l'instruction (2.1-10) ;

— la réconciliation du monde est liée au renversement de la barrière qui isolait Israël des autres nations : les païens sont citoyens à part entière du Royaume de Dieu (2.11-22) ;

— l'Eglise est reconnue à la fois comme peuple de Dieu et corps du Christ. Pas de spéculation cosmologique : la révélation est accordée non à travers un système, mais dans et par la communauté des croyants, explicitation du « mystère » ;

— à l'encontre d'un dualisme qui va se développer dans la gnose ultérieure, dont Ep utilise parfois déjà le vocabulaire (éons, plérôme), c'est Dieu qui est l'unique sujet tant de la création que de la rédemption ;

— l'Esprit Saint (non évoqué en Col) est désigné comme les arrhes de notre héritage.

Cet ensemble impressionnant ne doit pas nous cacher la profonde réinterprétation du message paulinien qu'Ep nous apporte en même temps :

Toute attente *de l'avènement glorieux du Christ n'a pas disparu. Cependant à la tension présent-futur en succède une autre qui se joue dans l'espace. La rédemption accomplie en Christ et dans l'Eglise doit s'épanouir dans l'univers, jusque dans les sphères célestes (1.22 ; 4.8-10). Lié à la résurrection finale selon Rm ou 1-2 Co, le salut est ici en voie d'achèvement. Bien plus le croyant est* déjà sauvé *(Ep 2.8 ; comparer Rm 8.24), les baptisés sont ressuscités et élevés avec le Christ dans la gloire (Ep 2.6; comparer Rm 6.1-11 et l'emploi du futur).*

De même, l'annonce de la grâce *cesse d'être liée au grand procès entre Dieu et son peuple : les catégories juridiques, le thème de la justification ont disparu. Il en va encore ainsi de la relation entre* Israël et les nations. *Selon Rm, la réunion se fait par l'addition de la totalité d'Israël et de celle des païens qui demeurent distinctes ; selon Ep, elle est une réalité accomplie : il n'y a désormais plus de différence et l'on a même pu se demander si le moment n'était pas déjà venu où il fallait défendre la place des Juifs au sein de l'Eglise. Selon Rm 9—11, la conversion dernière d'Israël demeure le but de la mission parmi les nations, l'espérance finale. En Ep 2.11-21, tout semble joué. L'*Eglise *même apparaît désormais non plus d'abord sous les traits de la paroisse locale, mais dans sa dimension universelle, voire éternelle. Le thème du corps reçoit sa dernière formulation : il ne signifie plus d'abord la conjonction des membres entre eux, mais, par l'apparition de l'image du Christ-tête, la relation de souveraineté et d'amour qui l'unit à « son » corps.*

*Qu'il s'agisse de Paul au terme de sa vie ou d'un de ses héritiers qui, placé à un moment difficile, ose réactualiser le message de son maître, l'auteur d'*Ephésiens *a esquissé à côté de Matthieu, de Luc ou de Jean, l'une des grandes réponses apportées par les chrétiens d'alors à la question de l'avenir de l'Evangile. Il veut amener les croyants à prendre pleinement conscience de ce qu'il y a de radicalement changé dans le monde à la suite de la mort et de l'élévation du Christ. Il évalue et célèbre le don de Dieu qu'il voit inscrit désormais dans la constitution de l'Eglise s'élargissant aux dimensions de l'univers. En elle il saisit le gage d'une situation de non-retour : une création neuve de Dieu au cœur de l'histoire et l'attestation qu'en Christ, vraiment, tout a été « récapitulé ».*

ÉPÎTRE AUX ÉPHÉSIENS

Adresse et salutation

1 [1] Paul, *apôtre de Jésus Christ par la volonté de Dieu, aux saints et
fidèles[a] en Jésus Christ: [2] à vous grâce et paix de la part de Dieu
notre Père et du Seigneur Jésus Christ.

Une grâce sans limite

3 Béni soit Dieu[b], le Père de notre Seigneur Jésus Christ:
Il nous a bénis de toute bénédiction spirituelle
dans les *cieux en Christ.
4 Il nous a choisis en lui avant la fondation du monde
pour que nous soyons *saints et irréprochables
sous son regard, dans l'amour[c].
5 Il nous a prédestinés à être pour lui des fils adoptifs[d] par Jésus Christ;
ainsi l'a voulu sa bienveillance
6 à la louange de sa gloire,
et de la grâce dont il nous a comblés en son Bien-aimé[e]:
7 en lui, par son *sang, nous sommes délivrés,
en lui, nos fautes sont pardonnées, selon la richesse de sa grâce[f].
8 Dieu nous l'a prodiguée,
nous ouvrant à toute sagesse[g] et intelligence.
9 Il nous a fait connaître le *mystère de sa volonté[h],
le dessein bienveillant qu'il a d'avance arrêté en lui-même

a 1.1 mot à mot : *aux saints qui sont* (à Ephèse), *aux fidèles.* Les mots *à Ephèse* manquent dans les meilleurs manuscrits. Pour le séjour de Paul à Ephèse, voir Ac 18.19-21 ; 19.1-40. — salutation 1 Co 1.1 ; Col 1.1. ***b 1.3*** 2 Co 1.3 ; 1 P 1.3. ***c 1.4*** Les mots *dans l'amour* peuvent aussi être rattachés à *il nous a prédestinés* (v.5). — prédestination Rm 8.28-30. — *choisis* Jn 15.16. — *avant la fondation du monde* Jn 17.24 ; 2 Th 2.13. — *irréprochables* Ep 5.27 ; Col 1.22. ***d 1.5*** Rm 8.15-16 ; Ga 4.4 ; Jn 1.12 ; 1 Jn 3.1. ***e 1.6*** *le Bien-aimé* Col 1.13 ; Mt 3.17 ; Dt 33.12. L'expression désigne Jésus. ***f 1.7*** l'œuvre du Christ Col 1.13-14. — *délivrance* Rm 3.24-25. — *par son sang* Ep 2.13+. — *la richesse de sa grâce* 2.7. ***g 1.8*** *sagesse* Col 1.9 ; 4.5. ***h 1.9*** 3.3+.

10 pour mener les temps à leur accomplissement:
réunir l'univers entier sous un seul chef, le Christ[i],
ce qui est dans les cieux et ce qui est sur la terre.
11 En lui aussi, nous avons reçu notre part:
suivant le projet de celui qui mène tout au gré de sa volonté[j]:
nous avons été prédestinés
12 pour être à la louange de sa gloire
ceux qui ont d'avance espéré dans le Christ[k].
13 En lui, encore, vous avez entendu la parole de vérité, *l'Evangile qui vous sauve.
En lui, encore, vous avez cru et vous avez été marqués du sceau de l'Esprit promis[l],
l'Esprit Saint, 14 acompte de notre héritage[m]
jusqu'à la délivrance finale où nous en prendrons possession,
à la louange de sa gloire.

Prière d'illumination

15 Voilà pourquoi, moi aussi, depuis que j'ai appris votre foi dans le
Seigneur Jésus et votre amour pour tous les *saints, 16 je ne cesse de
rendre grâce à votre sujet, lorsque je fais mention de vous dans mes
prières[n]. 17 Que le Dieu de notre Seigneur Jésus Christ, le Père à qui
appartient la gloire, vous donne un esprit de sagesse qui vous le révèle
et vous le fasse vraiment connaître[o]; 18 qu'il ouvre votre cœur à sa
lumière, pour que vous sachiez quelle espérance vous donne son
appel, quelle est la richesse de sa gloire, de l'héritage qu'il vous fait
partager avec les saints[p], 19 quelle immense puissance il a déployée en
notre faveur[q] à nous les croyants; son énergie, sa force toute-puis-
sante, 20 il les a mises en œuvre dans le Christ, lorsqu'il l'a ressuscité

i* *1.10 *réunir l'univers... le Christ :* Autre traduction *récapituler toutes choses en Christ.* Le verbe grec employé ici exprime simultanément l'idée de résumer, réunir, et celle de souveraineté. — *l'accomplissement des temps* Mc 1.15 ; Ga 4.4. — *sous un seul chef, Christ* Col 1.16-17. ***j* *1.11*** Analogie avec le partage de la terre promise, où chacun reçut son lot (Jos 13—19). On peut comprendre aussi : *en lui nous avons été choisis comme son lot* (c'est-à-dire comme l'héritage de Dieu ; voir Ex 34.9). — *notre part* v. 14 ; Col 1.12+ ; Nb 18.20 ; Ps 16.5. — *le projet de Dieu* Rm 8.28-29 ; Ep 3.11. ***k* *1.12*** *espérance* 1.18+. ***l* *1.13*** *le sceau de l'Esprit* 4.30 ; 2 Co 1.22. — *l'Esprit promis* Ga 3.14. ***m* *1.14*** l'Esprit donné comme *acompte* 2 Co 5.5 ; Rm 8.14-17, 23.— *héritiers* Rm 8.17 ; Ga 3.29 ; 4.7 ; Col 1.12+. ***n* *1.16*** merci pour la foi et l'amour des autres Col 1.4, 9 ; Rm 1.8-9 ; 1 Th 1.2 ; Phm 4-5. — prière pour les fidèles Col 1.9+. ***o* *1.17*** *un esprit de sagesse* Es 11.2 ; *Sg* 7.7. — *qui révèle* 1 Co 2.10. ***p* *1.18*** La révélation du dessein de Dieu 3.9. — *espérance* 1.12 ; 2.12 ; 4.4 ; Rm 8.24-25. — *héritage* Col 1.12+. — *les saints :* voir Rm 1.7 et la note. ***q* *1.19*** Rm 8.11 ; 1 Co 6.14 ; Ep 3.20 ; Ph 3.10.

des morts et *fait asseoir à sa droite* dans les *cieux[r], 21 bien au-dessus
de toute Autorité, Pouvoir, Puissance, Souveraineté et de tout autre
nom qui puisse être nommé, non seulement dans ce monde, mais
encore dans le monde à venir[s]. 22 Oui, *il a tout mis sous ses pieds* et il
l'a donné, au sommet de tout, pour tête à l'Eglise[t] 23 qui est son corps,
la plénitude de Celui que Dieu remplit lui-même totalement[u].

De la mort à la vie[v]

2 1 Et vous, qui étiez morts à cause de vos fautes et des péchés[w]
2 où vous étiez autrefois engagés, quand vous suiviez le dieu de ce
*monde, le prince qui s'interpose entre ciel et terre, l'esprit qui agit
maintenant parmi les rebelles[x]... 3 Nous étions de ce nombre, nous
tous aussi, qui nous abandonnions jadis aux désirs de notre chair:
nous faisions ses volontés, suivions ses impulsions, et nous étions par
nature, tout comme les autres, voués à la colère[y]. 4 Mais Dieu est riche
en miséricorde; à cause du grand amour dont il nous a aimés[z], 5 alors
que nous étions morts à cause de nos fautes, il nous a donné la *vie
avec le Christ — c'est par grâce que vous êtes sauvés[a] —, 6 avec lui, il
nous a ressuscités[b] et fait asseoir dans les *cieux, en Jésus Christ.
7 Ainsi, par sa bonté pour nous en Jésus Christ, il a voulu montrer dans
les siècles à venir l'incomparable richesse de sa grâce. 8 C'est par la
grâce, en effet, que vous êtes sauvés, par le moyen de la foi; vous n'y
êtes pour rien, c'est le don de Dieu[c]. 9 Cela ne vient pas des œuvres,
afin que nul n'en tire *orgueil[d]. 10 Car c'est lui qui nous a faits; nous
avons été créés en Jésus Christ pour les œuvres bonnes que Dieu a pré-
parées d'avance afin que nous nous y engagions[e].

r 1.20 *la puissance de Dieu mise en œuvre dans le Christ* Rm 1.4 ; 2 Co 13.4 ; Col 2.12. — *fait asseoir...* Ps 110.1 (Col 3.1 +) ; voir He 1.3 et la note. — *dans les cieux* Ep 1.3+. ***s 1.21*** *le Christ au-dessus de tout* Col 1.15-20 ; 2.10 ; Mt 28.18 ; 1 Co 15.24-25 ; Ph 2.9 ; He 1. 3-4. — *Puissances* Col 1.16+. ***t 1.22*** *il a tout mis* Ps 8.7 (1 Co 15.27). — *le Christ, tête de l'Eglise* Ep 4.15. ***u 1.23*** Autre traduction possible : *la plénitude de celui qui remplit tout en tous...* Voir Col 1.19 et la note ; Ep 4.10 ; Col 2.9 ; Jn 1.16. — L'Eglise corps du Christ Col 1.18+. ***v 2.1-10*** Tt 3.3-7. ***w 2.1*** 2.5 ; Col 2.13 ; Lc 15.24, 32 ; Rm 6.13. ***x 2.2*** *ce que vous étiez autrefois* 2.11 ; 5.8 ; Col 3.7 ; Tt 3.3. — *prince* (de ce monde) Ep 6.12 ; 2 Co 4.4 ; Jn 12.31. ***y 2.3*** Comme en Rm 1.18 il s'agit de la colère de Dieu. — Juifs et païens sous le jugement de Dieu Rm 1.18 ; 2.3 ; 3.9, 20, 23. ***z 2.4*** *miséricorde* de Dieu 1 P 1.3. — *amour* de Dieu Jn 3.16-17. ***a 2.5*** *morts* v. 1 +. — *et revenus à la vie* Lc 15.24, 32 ; Rm 6.13. — salut déjà acquis Ep 2.8 ; Col 2.12 ; Ac 15.11. — salut encore à venir Rm 6.3-11 ; 8.11, 17-18. ***b 2.6*** *ressuscités* Col 3.1-4. ***c 2.8*** *sauvés par grâce* Ac 15.11 ; Rm 3.24 ; 9.16 ; Ga 2.16 ; Ep 2.5. — *le don de Dieu* Jn 4.10 ; He 6.4. ***d 2.9*** les œuvres sont incapables de justifier Rm 3.28 ; 2 Tm 1.9 ; Tt 3.5. — *que nul n'en tire orgueil* 1 Co 1.29 ; Ga 6.14. ***e 2.10*** ou *que Dieu a préparées d'avance afin que nous les pratiquions.* — *créés en Jésus Christ* 2 Co 5.17 ; Ga 6.15. — *pour les œuvres bonnes* Tt 2.14.

Tous réunis en Christ

[11] Souvenez-vous donc qu'autrefois, vous qui portiez le signe du
*paganisme dans votre chair, vous que traitaient d'« incirconcis » ceux
qui se prétendent les *« circoncis », à la suite d'une opération prati-
quée dans la chair[f], [12] souvenez-vous qu'en ce temps-là, vous étiez
sans Messie, privés du droit de cité en Israël, étrangers aux *alliances
de la promesse, sans espérance et sans Dieu dans le monde[g]. [13] Mais
maintenant, en Jésus Christ, vous qui jadis étiez *loin*, vous avez été
rendus *proches* par le *sang du Christ[h]. [14] C'est lui, en effet, qui est
notre *paix* : de ce qui était divisé, il a fait une unité. Dans sa chair, il a
détruit le mur de séparation : la haine[i]. [15] Il a aboli la *loi et ses com-
mandements avec leurs observances. Il a voulu ainsi, à partir du Juif et
du païen, créer en lui un seul homme nouveau, en établissant la paix[j],
[16] et les réconcilier avec Dieu tous les deux[k] en un seul corps, au
moyen de la croix : là, il a tué la haine. [17] Il est venu *annoncer la paix* à
vous *qui étiez loin, et la paix à ceux qui étaient proches*[l].

[18] Et c'est grâce à lui que les uns et les autres, dans un seul Esprit,
nous avons l'accès auprès du Père[m]. [19] Ainsi, vous n'êtes plus des
étrangers, ni des émigrés ; vous êtes concitoyens des *saints, vous êtes
de la famille de Dieu[n]. [20] Vous avez été intégrés dans la construction
qui a pour fondation les *apôtres et les *prophètes, et Jésus Christ lui-
même comme pierre maîtresse[o]. [21] C'est en lui que toute construction
s'ajuste et s'élève pour former un *temple *saint dans le Seigneur[p].
[22] C'est en lui que, vous aussi, vous êtes ensemble intégrés à la cons-
truction pour devenir une demeure de Dieu[q] par l'Esprit.

f* *2.11 votre passé 2.2+. — païens Rm 11.17. — circoncision Col 2.11. ***g 2.12*** *Messie* est la forme hébraïque du titre **Oint*, dont *Christ* est la forme grecque. — *étrangers* Col 1.21 ; Ep 4.18. — les *alliances*, privilège des Israélites Rm 9.4-5. — *sans espérance* 1 Th 4.13. — *sans (le vrai) Dieu* Ac 17.22-23. ***h 2.13*** *loin... proches* Es 57.19 (Ep 2.17). — *loin* Ac 2.39. — *le sang du Christ* Ep 1.7 ; Col 1.20 ; He 9.14+ ; Rm 3.25 ; 5.9. ***i 2.14*** *unité* Ez 37.17 ; 1 Co 12.13 ; Ga 3.28. — *paix* Es 9.6 ; Mt 5.9 ; Col 1.20. ***j 2.15*** Jésus Christ a aboli les effets de la loi Col 2.14. — *l'homme nouveau* Col 3.10+. ***k 2.16*** Comme au v.11 il s'agit des Juifs et des païens. — le Christ réconciliateur Rm 5.10-11 ; 11.15 ; 2 Co 5.18-20 ; Col 1.20-22. ***l 2.17*** *qui étiez loin...* Es 52.7 ; 57.19 ; Za 9.10. — la bonne nouvelle de la *paix* Ep 6.15. ***m 2.18*** 3.12 ; Rm 5.2 ; 8.15 ; He 4.16 ; 7.25 ; 10.19-20 ; 1 P 3.18. ***n 2.19*** les païens sont aussi *de la famille de Dieu* 3.6. — citoyenneté des chrétiens Ga 4.26 ; Ph 3.20 ; He 12.22-23. ***o 2.20*** Pour *les prophètes* de l'Eglise primitive, voir Ac 11.27 ; 13.1 ; 15.32 ; 21.10 ; Ep 3.5. — le fondement de l'Eglise 1 Co 3.9-11 ; Mt 16.18 ; Ap 21.14. — *la pierre maîtresse* Es 28.16 (Rm 9.33 ; 10.11 ; 1 Co 3.11 ; 1 P 2.4-8). ***p 2.21*** *toute construction :* autre : texte *toute la construction.* — édification de l'Eglise 4.11-16 ; Col 2.19. — le temple de Dieu 1 Co 3.16 ; 2 Co 6.16 ; Jn 2.12. ***q 2.22*** 1 P 2.5.

Paul, l'homme du mystère du Christ

3 1 C'est pourquoi moi, Paul, le prisonnier de Jésus Christ pour vous, les païens[r]... 2 si du moins vous avez appris la grâce que Dieu, pour réaliser son plan, m'a accordée à votre intention[s], 3 comment, par *révélation, j'ai eu connaissance du *mystère[t], tel que je l'ai esquissé rapidement. 4 Vous pouvez constater, en me lisant, quelle intelligence j'ai du mystère du Christ[u]. 5 Ce mystère, Dieu ne l'a pas fait connaître aux hommes des générations passées comme il vient de le révéler maintenant par l'Esprit à ses saints *apôtres et *prophètes[v]: 6 les *païens[w] sont admis au même héritage, membres du même corps, associés à la même promesse, en Jésus Christ, par le moyen de *l'Evangile.

7 J'en ai été fait *ministre[x] par le don de la grâce que Dieu m'a accordée en déployant sa puissance. 8 Moi, qui suis le dernier des derniers de tous les *saints, j'ai reçu cette grâce d'annoncer aux païens l'impénétrable richesse du Christ[y] 9 et de mettre en lumière comment Dieu réalise le mystère tenu caché depuis toujours en lui, le créateur de l'univers; 10 ainsi désormais les Autorités et Pouvoirs, dans les cieux, connaissent, grâce à l'Eglise, la sagesse multiple de Dieu[z], 11 selon le projet éternel[a] qu'il a exécuté en Jésus Christ notre Seigneur. 12 En Christ nous avons donc, par la foi en lui, la liberté de nous approcher en toute confiance[b]. 13 Aussi, je vous le demande, ne vous laissez pas abattre par les détresses[c] que j'endure pour vous; elles sont votre gloire.

Connaître l'amour du Christ

14 C'est pourquoi je fléchis les genoux devant le Père[d], 15 de qui toute famille tient son nom, au ciel et sur la terre; 16 qu'il daigne, selon la

r 3.1 *Paul prisonnier* 4.1 ; Ph 1.7, 13 ; Col 4.18 ; Phm 1,9. — *les païens :* expression raccourcie pour *chrétiens d'origine païenne,* par rapport aux chrétiens d'origine juive. La phrase reste en suspens jusqu'au v. 14. **s 3.2** *l'apostolat est une grâce* Rm 12.3 ; 15.15 ; 1 Co 3.10 ; Ga 2.9. — la mission de Paul Col 1.24-29. **t 3.3** la révélation reçue par Paul Ga 1.12, 16. — *le mystère* dévoilé à Paul (v. 3-10) ; voir Ep 1.9-10 où l'apôtre désigne ainsi le plan éternel de Dieu ; Col 1.26-27 ; 2.2 ; Rm 16.25-26 ; 1 Co 2.7-9 ; Tt 1.2-3. **u 3.4** Rm 9—11. **v 3.5** *apôtres et prophètes* 2.20 et la note. **w 3.6** *les païens* 2.11-13, 18-19. **x 3.7** Col 1.23-25. **y 3.8** *Paul dernier* des apôtres 1 Co 15.9-10 ; 1 Tm 1.15. — apôtre des païens Ac 9.15 ; 22.21 ; 26.17-18 ; Ga 1.16 ; 2.8. **z 3.10** *Autorités et Pouvoirs* Col 1.16+ ; 1 P 1.12. — ressources de *la sagesse de Dieu Sg* 7.27 ; Rm 11.33-36. **a 3.11** *projet éternel* de Dieu 1.4, 11. **b 3.12** *liberté d'accès à Dieu* 2.18+. **c 3.13** Col 1.24. **d 3.14-15** *le Père* 1.17-18 ; Mt 11.25-27.

richesse de sa gloire, vous armer de puissance, par son Esprit, pour
que se fortifie en vous l'homme intérieur, 17 qu'il fasse habiter le Christ
en vos cœurs par la foi; enracinés et fondés dans l'amour[e], 18 vous
aurez ainsi la force de comprendre, avec tous les *saints, ce qu'est la
largeur, la longueur, la hauteur, la profondeur[f]... 19 et de connaître
l'amour du Christ qui surpasse toute connaissance, afin que vous
soyez comblés jusqu'à recevoir toute la plénitude de Dieu[g].

20 A Celui qui peut, par sa puissance qui agit en nous, faire au-delà,
infiniment au-delà de ce que nous pouvons demander et imaginer, 21 à
lui la gloire dans l'Eglise et en Jésus Christ, pour toutes les généra-
tions, aux siècles des siècles. *Amen[h].

Aux baptisés: bâtir le corps du Christ dans l'unité

4 1 Je vous y exhorte donc dans le Seigneur, moi qui suis prisonnier:
accordez votre vie à l'appel que vous avez reçu[i]; 2 en toute humi-
lité et douceur, avec patience, supportez-vous les uns les autres dans
l'amour[j]; 3 appliquez-vous à garder l'unité de l'esprit par le lien de la
paix[k].

4 Il y a un seul corps et un seul Esprit, de même que votre vocation
vous a appelés à une seule espérance; 5 un seul Seigneur, une seule
foi, un seul baptême; 6 un seul Dieu et Père de tous, qui règne sur tous,
agit par tous, et demeure en tous[l].

7 A chacun de nous cependant la grâce a été donnée[m] selon la
mesure du don du Christ. 8 D'où cette parole:

Monté dans les hauteurs[n], il a capturé des prisonniers;
il a fait des dons aux hommes.

9 *Il est monté !* Qu'est-ce à dire, sinon qu'il est aussi descendu jus-
qu'en bas sur la terre[o]? 10 Celui qui est descendu, est aussi celui qui est
monté plus haut que tous les *cieux, afin de remplir l'univers. 11 Et *les*

e* *3.17 *que le Christ habite en vos cœurs* Jn 14.23 ; Rm 8.11 ; voir *Sg* 1.4 — *enracinés et fondés* Col 1.23 ; 2.7 ; voir Ps 89.3. ***f* *3.18*** Phrase inachevée ; mais il s'agit sans doute encore du *mystère* (voir v. 3-11 et la note sur 3.3), ou déjà de l'amour du Christ (v.19). ***g* *3.19*** *connaître* Ga 4.9 ; Col 2.2-3. — *l'amour du Christ* 1 Co 13. — *plénitude de Dieu* Ep 1.23+. ***h* *3.20-21*** *doxologie* Rm 16.25-27 ; Jude 24-25. — *la puissance de Dieu agissant en nous* Col 1.29. ***i* *4.1*** Paul *prisonnier* 3.1 +. — une conduite *qui s'accorde à l'appel reçu* Ph 2.1-4 ; Col 1.10 ; 3.12-15 ; 1 Th 2.12 ; 2 Th 1.11. ***j* *4.2*** *support mutuel* Ga 6.2. ***k* *4.3*** *unité de l'esprit* Ph 1.27. — *le lien de la paix* Ep 1.10 ; 2.13-16 ; Col 1.20. ***l* *4.4-6*** *un seul Dieu* 1 Co 8.6 ; 12.4-6 ; Mt 23.8-10 ; Dt 6.4-5 ; Mc 12.29. — *un seul corps* Ep 2.16 ; Rm 12.5 ; 1 Co 10.17 ; 12.12. — *un seul Esprit* Ep 2.18 ; 1 Co 12.13. — *espérance* Ep 1.18 ; Col 1.5. — *un seul Seigneur* Jn 10.16 ; 1 Co 1.13 ; 8.6. — *tous* Rm 11.36 ; 1 Co 12.6. ***m* *4.7*** *la grâce donnée* Rm 5.15 ; 12.3, 6 *à chacun* 1 Co 12.11. ***n* *4.8*** Ps 68.19 ; Col 2.15. ***o* *4.9*** Jn 3.13 ; Rm 10.6-7 ; Ph 2.6-11.

dons qu'il a faits, ce sont des *apôtres, des *prophètes, des *évangé-
listes, des pasteurs et catéchètes[p], 12 afin de mettre les *saints en état
d'accomplir le *ministère pour bâtir le corps du Christ[q], 13 jusqu'à ce
que nous parvenions tous ensemble à l'unité dans la foi et dans la con-
naissance du Fils de Dieu, à l'état d'adultes, à la taille du Christ dans sa
plénitude[r].

14 Ainsi, nous ne serons plus des enfants, ballottés, menés à la dérive
à tout vent de doctrine, joués par les hommes et leur astuce à four-
voyer dans l'erreur[s]. 15 Mais, confessant la vérité dans l'amour, nous
grandirons à tous égards vers celui qui est la tête, Christ[t]. 16 Et c'est de
lui que le corps tout entier, coordonné et bien uni grâce à toutes les
articulations qui le desservent, selon une activité répartie à la mesure
de chacun, réalise sa propre croissance pour se construire lui-même
dans l'amour[u].

Autrefois et maintenant

17 Voici donc ce que je dis et atteste dans le Seigneur: ne vivez plus
comme vivent les *païens que leur intelligence conduit au néant[v].
18 Leur pensée est la proie des ténèbres et ils sont étrangers à la *vie de
Dieu, à cause de l'ignorance qu'entraîne chez eux l'endurcissement de
leur cœur[w]. 19 Dans leur inconscience, ils se sont livrés à la débauche,
au point de s'adonner à une *impureté effrénée. 20 Pour vous, ce n'est
pas ainsi que vous avez appris[x] le Christ, 21 si du moins c'est bien de
lui que vous avez entendu parler, si c'est lui qui vous a été enseigné,
conformément à la vérité qui est en Jésus: 22 il vous faut, renonçant à
votre existence passée, vous dépouiller[y] du vieil homme qui se cor-
rompt sous l'effet des convoitises trompeuses; 23 il vous faut être
renouvelés par la transformation spirituelle de votre intelligence[z] 24 et
revêtir l'homme nouveau, créé selon Dieu dans la justice et la sainteté
qui viennent de la vérité.

25 Vous voilà donc débarrassés du mensonge: *que chacun dise la
vérité à son prochain*, car nous sommes membres les uns des autres[a].

p 4.11 Rm 12.4-11 ; 1 Co 12.4-11, 28. ***q 4.12*** *(les saints mis) en état d'accomplir leur service* 2 Tm 3.17. — *bâtir le corps du Christ* 1 Co 14.26 ; 1 P 2.5. ***r 4.13*** *(l'état d') adultes* Col 1.28. — *à la taille du Christ* Ga 4.19. ***s 4.14*** *dépasser le stade infantile* Rm 16.19 ; 1 Co 3.1-3 ; 14.20 ; He 5.11-14. — *des doctrines qui égarent* 2 Tm 4.3-4 ; He 13.9. ***t 4.15*** 1.22 ; 5.23 ; Col 1.18. ***u 4.16*** *le corps (du Christ)* Rm 12.4-5 ; 1 Co 12.12-30 *sa croissance* Col 2.19. — *construction de l'Eglise* Ep 2.20-22. ***v 4.17*** Rm 1.18-32 ; 1.19+ ; Col 3.5. ***w 4.18*** *étrangers à la vie de Dieu* 2.12+. — *endurcissement du cœur* Mc 3.5. ***x 4.20*** Col 2.6-7 ; 3.1-10. ***y 4.22-24*** *se dépouiller... revêtir* Col 3.8-10+. ***z 4.23*** Rm 12.2. ***a 4.25*** *que chacun dise...* Za 8.16. — *membres les uns des autres* Rm 12.5 ; 1 Co 12.12.

26 *Etes-vous en colère*[b] *? ne péchez pas* ; que le soleil ne se couche pas
sur votre ressentiment. 27 Ne donnez aucune prise au *diable. 28 Celui
qui volait, qu'il cesse de voler; qu'il prenne plutôt la peine de tra-
vailler honnêtement de ses mains, afin d'avoir de quoi partager avec
celui qui est dans le besoin[c]. 29 Aucune parole pernicieuse ne doit
sortir de vos lèvres, mais, s'il en est besoin, quelque parole bonne,
capable d'édifier et d'apporter une grâce à ceux qui l'entendent[d].
30 N'attristez pas le Saint Esprit, dont Dieu vous a marqués comme
d'un sceau pour le *jour de la délivrance[e]. 31 Amertume, irritation,
colère, éclats de voix, injures, tout cela doit disparaître de chez vous,
comme toute espèce de méchanceté. 32 Soyez bons les uns pour les
autres, ayez du cœur; pardonnez-vous mutuellement, comme Dieu
vous[f] a pardonné en Christ.

5 1 Imitez Dieu[g], puisque vous êtes des enfants qu'il aime; 2 vivez
dans l'amour, comme le Christ nous a aimés et s'est livré lui-
même à Dieu pour nous, en *offrande et victime*, comme un *parfum
d'agréable odeur*[h]. 3 De débauche, *d'impureté, quelle qu'elle soit, de
cupidité, il ne doit même pas être question parmi vous[i]; cela va de soi
pour des *saints. 4 Pas de propos grossiers, stupides ou scabreux: c'est
inconvenant; adonnez-vous plutôt à l'action de grâce[j]. 5 Car, sachez-le
bien, le débauché, l'impur, l'accapareur — cet idolâtre — sont exclus
de l'héritage dans le *Royaume du Christ et de Dieu. 6 Que personne
ne vous dupe[k] par de spécieuses raisons: c'est bien tout cela qui attire
la colère de Dieu sur les rebelles. 7 Ne soyez donc pas leurs complices.
8 Autrefois, vous étiez ténèbres; maintenant vous êtes lumière dans le
Seigneur. Vivez en enfants de lumière[l]. 9 Et le fruit[m] de la lumière
s'appelle: bonté, justice, vérité. 10 Discernez[n] ce qui plaît au Seigneur.
11 Ne vous associez pas aux œuvres stériles des ténèbres[o]; démasquez-

b* *4.26 *Etes-vous en colère...* Ps 4.5 (grec). — colère (de l'homme) Jc 1.19-20. ***c 4.28*** Ac 20.34-35 ; 1 Co 4.12 ; Ga 6.10 ; 1 Th 4.11. ***d 4.29*** 5.4 ; Col 3.8, 16 ; 4.6 ; Mt 15.11 ; Jc 3.10-12. ***e 4.30*** *n'attristez pas le Saint Esprit* Es 63.10 ; 1 Th 5.19. — *le sceau de l'Esprit* Ep 1.13-14. ***f 4.32*** Autre texte : *nous* a pardonné. — nouveaux rapports avec autrui Col 3.8, 12-13. — *pardon mutuel* Mt 6.14 ; 18.22-35. ***g 5.1*** *imitation* 1 Co 11.1 ; 1 Th 1.6-7 *de Dieu* Lv 19.2 (1 P 1.16) ; Mt 5.48. ***h 5.2*** *nous a aimés,* autre texte : *vous* a aimés. — *offrande et victime... parfum...* Ex 29.18 ; Ps 40.7. — amour fraternel imité du Christ Jn 13.34 ; 15.12 ; Rm 14.15 ; 1 Jn 3.16 *qui s'est livré pour nous* 2 Co 5.14 ; Ga 2.20 ; Ep 5.25. — offrande et parfum agréable à Dieu Ez 20.41 ; Ph 4.18 ; He 10.10. ***i 5.3-5*** une conduite qui n'a plus cours 1 Co 6.9-10 ; Ep 2.1-2 ; 4.19-31 ; Col 3.5, 8. ***j 5.4*** *action de grâce* Col 3.15+. ***k 5.6*** 4.14 ; Col 2.4, 8. ***l 5.8*** *autrefois... maintenant* 2.11, 13. — *ténèbres et lumière* Jn 8.12 ; Col 1.13 ; 1 Th 5.4-8 ; Jc 1.17-18 ; 1 P 2.9 ; 1 Jn 1.5-7. — *enfants de lumière* Lc 16.8 ; Jn 12.36 ; 1 Th 5.5. Expression sémitique désignant *ceux qui appartiennent à* la lumière *et qui dépendent d'elle.* ***m 5.9*** *fruit* Mt 3.8+. ***n 5.10*** *discernement* v. 17 ; Rm 12.2. ***o 5.11-13*** Es 60.1 ; Jn 1.5 ; 3.20-21.

les plutôt. 12 Ce que ces gens font en secret, on a honte même d'en
parler; 13 mais tout ce qui est démasqué, est manifesté par la lumière,
14 car tout ce qui est manifesté est lumière. C'est pourquoi l'on dit:

Eveille-toi, toi qui dors,
lève-toi d'entre les morts,
et sur toi le Christ resplendira[p].

15 Soyez vraiment attentifs à votre manière de vivre: ne vous mon-
trez pas insensés, mais soyez des hommes sensés[q], 16 qui mettent à
profit le temps présent, car les jours sont mauvais[r]. 17 Ne soyez donc
pas inintelligents, mais comprenez bien quelle est la volonté du Sei-
gneur. 18 *Ne vous enivrez pas de vin*, il mène à la perdition, mais soyez
remplis de l'Esprit. 19 Dites ensemble des psaumes, des hymnes et des
chants inspirés; chantez et célébrez le Seigneur de tout votre cœur.
20 En tout temps, à tout sujet, rendez grâce à Dieu le Père au *nom de
notre Seigneur Jésus Christ[s].

Les relations nouvelles[t]

21 Vous qui craignez le Christ, soumettez-vous les uns aux autres[u];
22 femmes, soyez soumises à vos maris comme au Seigneur. 23 Car le
mari est le chef de la femme, tout comme le Christ est le chef de
l'Eglise, lui le Sauveur de son corps[v]. 24 Mais, comme l'Eglise est sou-
mise au Christ, que les femmes soient soumises en tout à leurs maris.
25 Maris, aimez vos femmes comme le Christ a aimé l'Eglise et s'est
livré lui-même pour elle[w]; 26 il a voulu ainsi la rendre *sainte en la
*purifiant avec l'eau qui lave, et cela par la Parole[x]; 27 il a voulu se la
présenter à lui-même splendide, sans tache ni ride, ni aucun défaut; il
a voulu son Eglise sainte et irréprochable[y]. 28 C'est ainsi que le mari
doit aimer sa femme, comme son propre corps[z]. Celui qui aime sa
femme, s'aime lui-même. 29 Jamais personne n'a pris sa propre chair
en aversion; au contraire, on la nourrit, on l'entoure d'attention
comme le Christ fait pour son Eglise; 30 ne sommes-nous pas les mem-
bres de son corps[a]? 31 *C'est pourquoi l'homme quittera son père et sa*

p 5.14 Citation d'un texte inconnu, peut-être un hymne chrétien. — réveil Es 26.19 ; 51.17 ; 52.1 ; Jn 5.25 ; Rm 13.11 ; 2 Co 3.18. — la lumière du Christ He 6.4 ; 10.32 ; 1 P 2.9. ***q 5.15*** Ep 1.8+. ***r 5.16*** 2 Co 7.26, 31. ***s 5.19-20*** Ps 33.2-3 ; Col 1.3+. ***t 5.21-33*** Col 3.18-19+. ***u 5.21*** soumission mutuelle 1 P 5.5. ***v 5.23*** l'Eglise, corps du Christ 4.15-16+. ***w 5.25*** le Christ, époux de l'Eglise 2 Co 11.2 ; Ap 19.7 ; voir Os 1—3. — le Christ *s'est livré* Ep 5.2+. ***x 5.26*** le Christ, auteur de la sanctification Jn 17.19 ; 1 Co 6.11 ; 7.14 ; He 10.10, 14 ; 13.12. — *purification par l'eau* Ez 36.25 ; Tt 3.5 ; He 10.23 *et la parole* Jn 15.3. ***y 5.27*** *l'Eglise présentée au Christ* 2 Co 11.2. — *irréprochable* Ep 1.4. ***z 5.28*** 1 Co 7.14. ***a 5.30*** Rm 12.5 ; 1 Co 6.15 ; 12.27.

mère, il s'attachera à sa femme, et tous deux ne seront qu'une seule
chair[b]. 32 Ce *mystère est grand: moi, je déclare qu'il concerne le
Christ et l'Eglise[c].

33 En tout cas, chacun de vous, pour sa part, doit aimer sa femme
comme lui-même, et la femme, respecter son mari.

6 1 Enfants, obéissez à vos parents[d], dans le Seigneur, voilà qui est
juste. 2 *Honore ton père et ta mère,* c'est le premier commande-
ment accompagné d'une promesse: 3 *afin que tu aies bonheur et*
longue vie sur terre[e]. 4 Vous, parents, ne révoltez pas vos enfants, mais
élevez-les en leur donnant une éducation et des avertissements ins-
pirés par le Seigneur[f].

5 Esclaves, obéissez à vos maîtres d'ici-bas avec crainte et tremble-
ment[g], d'un cœur simple, comme au Christ, 6 non parce que l'on vous
surveille, comme si vous cherchiez à plaire aux hommes, mais comme
des esclaves du Christ qui s'empressent de faire la volonté de Dieu.
7 Servez de bon gré, comme si vous serviez le Seigneur, et non des
hommes. 8 Vous le savez: ce qu'il aura fait de bien, chacun le retrou-
vera auprès du Seigneur[h], qu'il soit esclave ou qu'il soit libre. 9 Et vous,
maîtres, faites de même à leur égard. Laissez de côté la menace: vous
savez que, pour eux comme pour vous, le Maître est dans les *cieux et
qu'il ne fait aucune différence entre les hommes[i].

Le combat de la foi

10 Pour finir, armez-vous de force dans le Seigneur, de sa force toute-
puissante. 11 Revêtez l'armure de Dieu[j] pour être en état de tenir face
aux manœuvres du *diable. 12 Ce n'est pas à l'homme que nous
sommes affrontés, mais aux Autorités, aux Pouvoirs, aux Dominateurs
de ce *monde de ténèbres, aux esprits du mal qui sont dans les cieux[k].
13 Saisissez donc l'armure de Dieu, afin qu'au jour mauvais, vous puis-
siez résister et demeurer debout, ayant tout mis en œuvre. 14 Debout
donc! *A la taille, la vérité pour ceinturon,* avec *la justice pour cui-*
rasse[l] 15 et, comme chaussures aux *pieds, l'élan pour annoncer*

b 5.31 Gn 2.24 (Mt 19.5 ; Mc 10.7-8 ; 1 Co 6.16). ***c 5.32*** *mystère* 3.3+. — *le Christ et l'Eglise* 5.23, 25+. ***d 6.1-4*** enfants et parents Col 3.20-21. ***e 6.2-3*** Ex 20.12 ; Dt 5.16 (Mt 15.4 ; Mc 7.10 ; Lc 18.20). ***f 6.4*** éducation Dt 6.7, 20-25 ; Pr 3.11 ; 19.18. — le Seigneur, seul véritable éducateur He 12.5-13. ***g 6.5*** *esclaves et maîtres* Col 3.22—4.1. — *crainte et tremblement* 1 Co 2.3 ; 2 Co 7.15 ; Ph 2.12. ***h 6.8*** 2 Co 5.10 ; Ap 14.13. ***i 6.9*** Rm 2.11+. ***j 6.11*** Rm 13.12 ; 2 Co 6.7 ; 10.4 ; 1 Th 5.8. ***k 6.12*** *la chair et le sang* Mt 16.17 ; 1 Co 15.50 ; Ga 1.16 ; He 2.14 — *puissances* Col 1.16+. ***l 6.14*** *A la taille...* Es 11.5. — *la justice...* Es 59.17 ; *Sg* 5.18 (Ep 6.17 ; 1 Th 5.8).

l'Evangile de la paix[m]. [16] Prenez surtout le bouclier de la foi, il vous permettra d'éteindre tous les projectiles enflammés du Malin[n].
[17] Recevez enfin *le casque du salut* et le glaive de l'Esprit, c'est-à-dire la *parole de Dieu*[o]. [18] Que l'Esprit suscite votre prière sous toutes ses formes, vos requêtes, en toutes circonstances; employez vos veilles à une infatigable intercession pour tous les *saints[p], [19] pour moi aussi: que la parole soit placée dans ma bouche pour annoncer hardiment le *mystère de l'Evangile[q] [20] dont je suis l'ambassadeur enchaîné[r]. Priez donc afin que je trouve dans cet Evangile la hardiesse nécessaire pour en parler comme je le dois.

Message personnel

[21] Je veux que vous sachiez, vous aussi, quelle est ma situation, ce que je fais; Tychique[s], le frère que j'aime, ministre fidèle dans le Seigneur, vous donnera toutes les nouvelles. [22] Je vous l'envoie tout exprès pour vous dire où nous en sommes et vous réconforter.

[23] Paix aux frères, amour et foi de la part de Dieu le Père et du Seigneur Jésus Christ. [24] Que la grâce soit avec tous ceux qui aiment notre Seigneur Jésus Christ d'un amour inaltérable[t].

m* *6.15 *l'élan pour annoncer...* Es 52.7 (Ac 10.36 ; Rm 10.15 ; 2 Co 5.20 ; Ep 2.17) ; Na 2.1. — *l'Evangile de la paix* Ep 2.17. ***n* *6.16*** *le Malin :* voir Mt 6.13 ; Jn 17.15, etc. : personnification du mal. ***o* *6.17*** *casque du salut* Es 59.17 (Ep 6.14+). — *glaive de la Parole de Dieu* Es 11.4 ; 49.2 ; Os 6.5 ; He 4.12 ; Ap 1.16. ***p* *6.18*** appel à l'intercession Col 4.2-4. — *prière en toutes circonstances* Lc 18.1 ; 1 Th 5.17. ***q* *6.19*** prière pour le messager de l'Evangile Col 4.3+. — porte-parole de Dieu Lc 21.15 ; Ac 4.29. — *hardiment* ou *avec franc-parler.* Ac 28.31 ; Ep.3.12 ; 6.20 ; Ph 1.20. — *le mystère de l'Evangile* Ep 3.3+. ***r* *6.20*** *ambassadeur* (de l'Evangile) 2 Co 5.20+. — Paul *enchaîné* Col 4.18 ; Ph 1.13. ***s* *6.21*** *Tychique* Col 4.7+. ***t* *6.24*** 1 P 1.8.

ÉPÎTRE AUX PHILIPPIENS

INTRODUCTION

C'est à Philippes que Paul, venant de Troas, en 49 ou 50, prêcha pour la première fois l'Evangile en « Europe ». La ville était ancienne, rebâtie par Philippe II de Macédoine qui lui avait donné son nom, et dotée par Auguste d'une importante colonie romaine. Paul prêcha d'abord parmi les Juifs et en baptisa plusieurs. A la suite d'incidents mouvementés, il dut s'éloigner brusquement (Ac 16.11-40). Avec la communauté, peu nombreuse et composée surtout d'anciens païens, il resta toujours (par la suite) en rapports fréquents et affectueux. C'est la seule Eglise fondée par lui dont il ait accepté, « à plus d'une reprise » (4.15-16), des secours matériels, soit au départ de la Macédoine, soit plus tard dans sa captivité (2 Co 11.8-9 ; voir aussi 1 Th 2.9 ; 2 Th 3.7-9 ; 1 Co 4.12 ; 9.15). La lettre aux Philippiens est occasionnée par le retour à Philippes d'Epaphrodite, qui avait apporté les dons, et à qui Paul confie ce message chargé de remerciements, de recommandations et d'encouragements.

Au moment où Paul écrit cette lettre, il est en prison, incertain du sort qui l'attend. Cette lettre est donc rangée parmi les « lettres de la captivité », avec Ep, Col, Phm. Outre la brève incarcération à Philippes (Ac 16), les Actes ne mentionnent que la captivité à Césarée, prolongée à Rome, et, comme l'épître fait allusion au prétoire (1.13) puis à la « maison de César » (4.22), il est tentant de la voir composée à Rome par un Paul assez âgé (Ac 28.16,30-31).

De nos jours cependant nombre d'exégètes pensent qu'elle a pu être envoyée d'Ephèse, vers le même temps que 1-2 Co. Les Actes racontent peu de chose des deux années passées par Paul en cette ville (Ac 19, surtout 8-10). Or il a été déjà plusieurs fois en prison (2 Co 11.23) et a couru de graves dangers à Ephèse (1 Co 15.32 ; 2 Co 1.8 ; voir aussi 4.8-10 ; 6.9). Les allées et venues rapportées en Ph s'expliquent mieux sur la distance plus courte d'Ephèse à Philippes. De plus les projets esquissés par Paul en Ph rejoignent ceux d'1 Co (4.17-19 ; 16. 5-10) et d'Ac (19.21 ; 20.1-2). Enfin les allusions « romaines » s'entendent aussi bien d'une ville colonisée, avec fonctionnaires, militaires et affranchis, telle qu'était Philippes.

Si nous avions le moindre indice d'une captivité de Paul à Ephèse, l'hypothèse de la composition de Ph en cette ville deviendrait presque une évidence. Du même coup la lettre serait assez ancienne, datant de 56-57 et non de 61-63. Le contenu de Ph montre aussi plus d'affinités avec 1—2 Th et les grandes épîtres qu'avec Ep-Col. Néanmoins, dans l'état présent de nos informations il est impossible de rien affirmer.

L'authenticité paulinienne de Ph n'est sérieusement contestée par personne. Mais son unité est mise en doute par ceux qui y retrouvent plusieurs billets d'abord indépendants, au moins deux (1.1—3.1+4.10-23 et 3.2—4.9), peut-être davantage. Mais la transition abrupte entre 3.1 et 3.2 peut s'expliquer par une reprise de dictée ou même de pensée. Il n'est nullement déraisonnable de lire la lettre comme une unité et de commenter ses passages l'un par l'autre.

Le mouvement de la pensée y est libre et naturel. Dès le début Paul touche le thème de la communion, qui sera, comme sa conséquence la joie, présent d'un bout à l'autre. Il sait que sa captivité, quelle qu'en soit l'issue, servira l'Evangile, et il invite ses amis à poursuivre le combat. Qu'ils gardent l'unité dans l'humilité, à l'exemple du Christ qui s'est anéanti avant d'être exalté par le Père. Qu'ils soient aussi en garde contre les agitateurs judaïsants, qui ont causé tant de dommages en d'autres Eglises. Pour lui, pharisien sans reproche, il a renoncé à toute supériorité pour se laisser saisir par le Christ. Que tous tiennent bon dans la même voie vers le même terme. Ayant de nouveau recommandé à ses amis la concorde, la paix, la joie, Paul les remercie de leur aide qu'il apprécie et les rassure sur son sort. Et ainsi prend fin cette lettre, qu'aucune autre n'égale en cordialité familière.

ÉPÎTRE AUX PHILIPPIENS

Adresse

1 1 Paul et Timothée, serviteurs de Jésus Christ, à tous les *saints en
Jésus Christ qui sont à Philippes, avec leurs épiscopes et leurs dia-
cres[a]: 2 à vous grâce et paix de la part de Dieu notre Père et du Sei-
gneur Jésus Christ.

Action de grâce et prière

3 Je rends grâce à mon Dieu chaque fois que j'évoque votre souvenir:
4 toujours, en chaque prière pour vous tous, c'est avec joie que je
prie[b], 5 à cause de la part que vous prenez avec nous à *l'Evangile
depuis le premier jour[c] jusqu'à maintenant. 6 Telle est ma conviction:
Celui qui a commencé en vous une œuvre excellente en poursuivra
l'achèvement jusqu'au *jour de Jésus Christ[d]. 7 Il est bien juste pour
moi d'être ainsi disposé envers vous tous, puisque je vous porte dans
mon cœur, vous qui, dans ma captivité comme dans la défense et
l'affermissement de l'Evangile, prenez tous part à la grâce qui m'est
faite[e]. 8 Oui, Dieu m'est témoin que je vous chéris tous dans la ten-
dresse de Jésus Christ.
9 Et voici ma prière[f]: que votre amour abonde encore, et de plus en
plus, en clairvoyance et pleine intelligence, 10 pour discerner ce qui

a 1.1 *Timothée* Ac 16.1+. – *serviteurs (esclaves) de Jésus Christ* Rm 1.1 ; Ga 1.10 ; Ep 6.6 ; Jc 1.1 ; 2 P 1.1. – *Philippes,* à l'époque de Paul, était une importante colonie romaine de la Macédoine (4.15). Selon Ac 16.12 Paul s'y arrêta lors de son deuxième voyage missionnaire. Voir 1 Th 2.2. – *Episcopes, diacres :* voir 1 Tm 3.1, 8 et notes. ***b 1.3-4*** *action de grâce* 1 Co 1.4 ; 1 Th 1.2 ; 2.13 accompagnant la requête Rm 1.8-10 ; Ep 1.16-17 ; Ph 1.9 ; 4.6 ; Col 4.2. – *avec joie* Ph 1.18, 25 ; 2.2, 17-18, 28-29 ; 3.1 ; 4.1, 4, 10. ***c 1.5*** Ac 16.13-15 ; Ph 1.27-30 ; 4.3, 14, 15-18 ; voir Rm 15.26-27. ***d 1.6*** l'œuvre du Seigneur 1.11, 28 ; 2.1, 13, 30 ; 3.10 ; 4.13, 19 ; voir Jn 4.34 ; 6.28-29 ; Rm 14.20. – *jour de Jésus Christ* 1 Co 1.8 ; Ph 1.10 ; 2.16 ; 1 Th 4.15 ; voir Am 5.18. ***e 1.7*** *ma captivité :* voir 1.13 ; on ignore où l'apôtre était emprisonné. – la grâce qui m'est faite Rm 1.5 ; Ep 3.1-2 ; voir Ph 1.29-30. ***f 1.9*** *ma prière* Col 1.9-10.

convient le mieux. Ainsi serez-vous purs et irréprochables pour le jour du Christ[g], 11 comblés du fruit de justice qui nous vient par Jésus Christ, à la gloire et à la louange de Dieu[h].

La captivité de Paul et le progrès de l'Evangile

12 Je veux que vous le sachiez, frères: ce qui m'est arrivé a plutôt contribué au progrès de *l'Evangile. 13 Dans tout le *prétoire, en effet, et partout ailleurs, il est maintenant bien connu que je suis en captivité pour Christ[i], 14 et la plupart des frères, encouragés dans le Seigneur par ma captivité, redoublent d'audace pour annoncer sans peur la Parole[j]. 15 Certains, il est vrai, le font par envie et par rivalité, mais d'autres proclament le Christ dans une intention bonne. 16 Ceux-ci agissent par amour. Ils savent que je suis ici pour la défense de l'Evangile. 17 Ceux-là, c'est par esprit de rivalité qu'ils annoncent le Christ. Leurs motifs ne sont pas purs; ils pensent rendre ma captivité encore plus pénible. 18 Mais qu'importe? Il reste que de toute manière, avec des arrière-pensées ou dans la vérité, Christ est annoncé. Et je m'en réjouis; et même je continuerai à m'en réjouir. 19 Car je sais que *cela aboutira à mon salut*[k] grâce à votre prière et à l'assistance de l'Esprit de Jésus Christ; 20 suivant ma vive attente et mon espérance, je n'aurai pas à rougir de honte, mais mon assurance restant totale[l], maintenant comme toujours, Christ sera exalté dans mon corps[m], soit par ma vie soit par ma mort. 21 Car pour moi, *vivre, c'est Christ, et mourir m'est un gain[n]. 22 Mais si vivre ici-bas doit me permettre un travail fécond, je ne sais que choisir. 23 Je suis pris dans ce dilemme: j'ai le désir de m'en aller et d'être avec Christ[o], et c'est de beaucoup préférable, 24 mais demeurer ici-bas est plus nécessaire à cause de vous. 25 Aussi, je suis convaincu, je sais que je resterai, que je demeurerai près de vous tous, pour votre progrès[p] et la joie de votre foi, 26 afin que grandisse grâce à moi, par mon retour auprès de vous, la gloire que vous avez en Jésus Christ.

g 1.10 *discernement* Rm 2.18 ; 12.2 ; 1 Th 5.21 ; He 5.14. — *purs et irréprochables* Ep 1.4 ; 1 Th 3.13 ; 5.23. ***h 1.11*** *fruit* 4.17+ *de justice* (voir Rm 1.17 et la note) He 12.11 ; Jc 3.18. — *gloire et louange* Ph 2.11 ; Ep 1.6, 12, 14 *à Dieu* 1 Co 15.28, 57. ***i 1.13*** Ep 3.1 ; 4.1 ; Ph 1.7. ***j 1.14*** Certains manuscrits ajoutent ici *de Dieu* ou *du Seigneur*. ***k 1.19*** Jb 13.16 (grec). ***l 1.20a*** ou *mais au vu et au su de tout le monde...* ***m 1.20b*** 1 Co 6.12-20. ***n 1.21*** Rm 8.10-11 ; Ga 2.20 ; Col 3.3-4. ***o 1.23*** *m'en aller :* sous-entendu *de cette vie*, ou *de cette terre.* Voir 2 Tm 4.6. — *être avec Christ* 2 Co 5.6-9 ; 1 Th 4.17 ; 5.10 ; 2 Th 2.1 ; voir Rm 14.8. ***p 1.25*** 1.9-10 ; 2 Th 1.3 ; 1 Tm 4.15.

Constance dans la lutte

27 Seulement, menez une vie digne de *l'Evangile du Christ[q], afin
que, si je viens vous voir, ou si, absent, j'entends parler de vous,
j'apprenne que vous tenez ferme dans un même esprit, luttant
ensemble d'un même cœur selon la foi de l'Evangile, 28 sans vous
laisser intimider en rien par les adversaires, ce qui est pour eux le
signe manifeste de leur ruine et de votre salut: et cela vient de Dieu[r].
29 Car il vous a fait la grâce, à l'égard de Christ, non seulement de
croire en lui mais encore de souffrir pour lui[s], 30 en livrant le même
combat que vous m'avez vu mener et que, vous le savez, je mène
encore[t].

Concorde et humilité

2 1 S'il y a donc un appel en Christ, un encouragement dans l'amour,
une communion dans l'Esprit, un élan d'affection et de compas-
sion, 2 alors comblez ma joie en vivant en plein accord[u]. Ayez un
même amour, un même cœur; recherchez l'unité; 3 ne faites rien par
rivalité, rien par gloriole[v], mais, avec humilité, considérez les autres
comme supérieurs à vous. 4 Que chacun ne regarde pas à soi seule-
ment, mais aussi aux autres[w].

5 Comportez-vous ainsi entre vous, comme on le fait en Jésus
Christ[x]:

6 lui qui est de condition divine
n'a pas considéré comme une proie à saisir d'être l'égal de Dieu[y].
7 Mais il s'est dépouillé,
prenant la condition de serviteur,
devenant semblable aux hommes,
et, reconnu à son aspect comme un homme[z],

q 1.27a ou *que votre vie de citoyens soit en accord avec l'Evangile du Christ.* — *citoyens* Ep 2.19 ; Ph 3.20. — une vie *qui s'accorde à l'Evangile* Ep 4.1-3+. ***r 1.27-28*** *vous tenez ferme* Ga 5.1 ; Ph 4.1 ; 1 Th 3.8 ; 2 Th 2.15. — *un même esprit* Ep 4.3-4. — combat pour l'Evangile Ph 1.30+ ; voir 2 Th 1.5-10. ***s 1.29*** 3.10 ; Mt 5.10-12 ; Ac 5.41 ; 1 P 1.6-7. ***t 1.30*** le combat de Paul Ac 16.19-40 ; 1 Th 2.2 ; 2 Co 11.24—12.10 ; Col 1.29 ; 2.1 ; 4.12. — vous livrez le même combat Ph 1.7, 27 ; 4.3. ***u 2.2*** 4.2 ; Rm 15.5 ; 1 Co 1.10-16.

v 2.3 *rivalité* 1.17. — *gloriole* Ga 5.26. ***w 2.4*** 1 Co 10.24, 33 ; 13.5 ; voir Ph 2.21. ***x 2.5*** *Comportez-vous...* ou *ayez entre vous ces dispositions-là comme...* Les v. 6-11 citent sans doute un hymne chrétien très ancien. — *comme on le fait en Jésus Christ* Jn 13.15 ; 1 Jn 2.6. ***y 2.6*** *de condition divine* Jn 1.1-2 ; 17.5 ; Col 1.15 ; 1 Jn 1.1-2. — *l'égal de Dieu* Gn 3.5, 22 ; Rm 5.14. ***z 2.7*** *il s'est dépouillé* 2 Co 8.9. — *la condition d'un serviteur* Es 52.13—53.12 ; Mt 20.28. — *comme un homme* Jn 1.14 ; Rm 8.3 ; 1 Tm 2.5 ; He 2.14, 17.

8 il s'est abaissé,
devenant obéissant jusqu'à la mort,
à la mort sur une croix[a].
9 C'est pourquoi Dieu l'a souverainement élevé
et lui a conféré le *Nom qui est au-dessus de tout nom[b],
10 afin qu'au nom de Jésus *tout genou fléchisse*,
dans les cieux, sur la terre et sous la terre[c],
11 et que *toute langue confesse* que le Seigneur, c'est Jésus Christ,
à la gloire de Dieu le Père[d].

La tâche des chrétiens

12 Ainsi, mes bien-aimés, vous qui avez toujours été obéissants,
soyez-le non seulement en ma présence, mais bien plus maintenant,
en mon absence; avec crainte et tremblement[e] mettez en œuvre
votre salut, 13 car c'est Dieu qui fait en vous[f] et le vouloir et le faire
selon son dessein bienveillant. 14 Agissez en tout sans murmures[g] ni
réticences, 15 afin d'être sans reproche et sans compromission,
enfants de Dieu *sans tache* au milieu d'une *génération dévoyée et*
pervertie, où vous apparaissez comme des sources de lumière dans le
*monde[h], 16 vous qui portez la parole de *vie: c'est ma gloire pour le
*jour de Christ, puisque je n'aurai pas couru pour rien ni peiné pour
rien[i]. 17 Et même si mon sang doit être versé en libation dans le sacri-
fice et le service de votre foi, j'en suis joyeux et m'en réjouis avec
vous tous[j]; 18 de même, vous aussi, soyez joyeux et réjouissez-vous
avec moi.

***a* 2.8** *abaissé* He 2.9. — *obéissant* Mt 26.39 ; Jn 4.34 ; 6.38 ; He 5.8 ; 12.2. — *croix* Ac 2.23 ; 1 Co 1.17-18 ; 2.2 ; voir Jn 10.17. ***b* 2.9** *élevé* Es 53.10-12 ; Jn 12.32 ; Ac 2.24, 32-33 ; Rm 1.4 ; 1 Th 1.10 ; He 1.3. — *le Nom* (Seigneur) Ac 2.21,36. — *au-dessus de tout nom* Ep 1.20-21 ; He 1.4. ***c* 2.10** *tout genou...* Es 45.23 (Rm 14.11) ; voir Ep 3.14. — prééminence du Ressuscité Ep 4.10 ; Col 1.18-20. — *sous la terre :* comme en Ap 5.3, 13, l'expression vise le séjour des morts. Voir au glossaire HADÈS. ***d* 2.11** *Jésus Christ Seigneur* Ac 2.36 ; Rm 10.9 ; 1 Co 12.3 ; Ap 19.16. — *à la gloire de Dieu* Ph 1.11 ; Rm 11.36 ; 1 Co 15.24-28. ***e* 2.12** *crainte et tremblement* 2 Co 7.15+. ***f* 2.13** Jn 15.5 ; 1 Co 12.6 ; 15.10 ; 2 Co 3.5 ; Ep 2.10 ; 1 Th 2.13 ; He 13.21. ***g* 2.14** Nb 14.2, 27 ; 1 Co 10.10 ; 1 P 4.9. ***h* 2.15** *sans tache* 1.10 ; 1 Th 3.13 ; 5.23. — *une génération dévoyée* Dt 32.5 (grec) ; Mt 12.39 ; Ac 2.40 ; voir Mt 10.16. — *lumières dans le monde* Jn 8.12 ; 12.35-36 ; Mt 5.14 ; Ep 5.8-11 ; 1 Th 5.5. ***i* 2.16** *le jour du Christ* 1.6+. — l'apôtre comparé à un athlète Ac 20.24 ; 1 Co 9.24-27 ; 2 Tm 4.7. — *pour rien* Es 49.4 ; 65.23 ; Ga 2.2 ; 1 Th 2.1. ***j* 2.17** *ou si mon sang est versé en libation sur le sacrifice et l'offrande de votre foi...* — Sur la *libation,* voir Ex 29.40-41 ; Nb 15.1-16 ; 29.6 ; 2 Tm 4.6. — le culte offert à Dieu Rm 12.1 ; 15.16 ; Ph 3.3 ; 4.18. — *joyeux* 1.4+.

Missions de Timothée et d'Epaphrodite

19 J'espère, dans le Seigneur Jésus, vous envoyer bientôt Timothée[k],
pour être réconforté moi aussi par les nouvelles que j'aurai de vous.
20 Je n'ai personne d'autre qui partage mes sentiments, qui prenne
réellement souci de ce qui vous concerne: 21 tous ont en vue leurs inté-
rêts personnels, non ceux de Jésus Christ. 22 Mais lui, vous savez qu'il a
fait ses preuves: comme un fils auprès de son père, il s'est mis avec
moi au service de *l'Evangile[l]. 23 C'est donc lui que j'espère vous
envoyer dès que j'aurai vu clair sur mon sort. 24 J'ai d'ailleurs la convic-
tion dans le Seigneur que moi aussi je viendrai bientôt.

25 Cependant j'ai cru nécessaire de vous envoyer Epaphrodite[m], mon
frère, mon compagnon de travail et de combat, envoyé par vous pour
se mettre à mon service alors que j'étais dans le besoin, 26 car il avait
un grand désir de vous revoir tous et se tourmentait parce que vous
aviez appris sa maladie. 27 De fait, il a été malade, bien près de la
mort; mais Dieu a eu pitié de lui, et pas seulement de lui, mais encore
de moi, pour que je n'aie pas tristesse sur tristesse. 28 Je m'empresse
donc de vous le renvoyer, afin qu'en le voyant vous vous réjouissiez
encore et que moi je sois moins triste. 29 Réservez-lui donc dans le Sei-
gneur un accueil vraiment joyeux, et ayez de l'estime pour des
hommes tels que lui, 30 puisque pour l'œuvre de Christ il a failli
mourir; il a risqué sa vie, afin de suppléer à ce que vous ne pouviez
faire vous-mêmes pour mon service.

La vraie justice et l'élan vers le Christ

3 1 Au reste, mes frères, réjouissez-vous[n] dans le Seigneur. Il ne
m'en coûte pas de vous écrire les mêmes choses, et pour vous
c'est un affermissement. 2 Prenez garde aux chiens! prenez garde aux
mauvais ouvriers! prenez garde aux faux *circoncis![o] 3 Car les cir-
concis, c'est nous, qui rendons notre culte par l'Esprit de Dieu[p], qui
plaçons notre gloire en Jésus Christ, qui ne nous confions pas en nous-
mêmes.

4 Pourtant, j'ai des raisons d'avoir aussi confiance en moi-même[q]. Si
un autre croit pouvoir se confier en lui-même, je le peux davantage,

k 2.19 le projet de Paul Ac 19.21-22. — *Timothée* Ac 16.1+. ***l 2.22*** *au service de l'Evangile* 1.1, 5. ***m 2.25*** Délégué de l'Eglise de Philippes auprès de Paul (voir 4.18). ***n 3.1*** 1.4+ ; 2 Co 13.11 ; 1 Th 5.16. ***o 3.2*** Comme en Mt 7.6 et Ap 22.15, *chiens* est une appellation péjorative visant ceux que l'on considère comme des adversaires (ici les partisans de la circoncision). — *mauvais ouvriers* 2 Co 11.13. — *faux circoncis* Ga 5.12. ***p 3.3*** *les (vrais) circoncis* Dt 10.16 ; Rm 2.29 ; Col 2.11. — *notre culte par l'Esprit de Dieu* Rm 1.9 ; 12.1 ; voir Ph 2.17. ***q 3.4*** Paul et son passé juif Ac 22.3-5 ; 23.6 ; 26.4-7 ; Rm 11.4 ; 2 Co 11.22 ; Ga 1.13-14.

moi, 5 circoncis le huitième jour, de la race d'Israël, de la tribu de Ben-
jamin[r], Hébreu fils d'Hébreux; pour la loi, *Pharisien; 6 pour le zèle,
persécuteur de l'Eglise[s]; pour la justice qu'on trouve dans la loi,
devenu irréprochable.
7 Or toutes ces choses qui étaient pour moi des gains, je les ai consi-
dérées comme une perte à cause du Christ. 8 Mais oui, je considère
que tout est perte en regard de ce bien suprême qu'est la connais-
sance[t] de Jésus Christ mon Seigneur. A cause de lui j'ai tout perdu et je
considère tout cela comme ordures afin de gagner Christ, 9 et d'être
trouvé en lui, non plus avec une justice à moi, qui vient de la loi, mais
avec celle qui vient par la foi au Christ[u], la justice qui vient de Dieu et
s'appuie sur la foi. 10 Il s'agit de le connaître, lui, et la puissance de sa
résurrection, et la communion à ses souffrances, de devenir semblable
à lui dans sa mort[v], 11 afin de parvenir, s'il est possible, à la résurrec-
tion d'entre les morts. 12 Non que j'aie déjà obtenu tout cela ou que je
sois déjà devenu parfait; mais je m'élance pour tâcher de le saisir,
parce que j'ai été saisi moi-même par Jésus Christ[w]. 13 Frères, je
n'estime pas l'avoir déjà saisi. Mon seul souci: oubliant le chemin par-
couru et tout tendu en avant, 14 je m'élance vers le but, en vue du prix
attaché à l'appel d'en haut que Dieu nous adresse en Jésus Christ.
15 Nous tous, les «parfaits», comportons-nous donc ainsi, et si en
quelque point vous vous comportez autrement, là-dessus aussi Dieu
vous éclairera. 16 En attendant, au point où nous sommes arrivés, mar-
chons dans la même direction.
17 Tous ensemble imitez-moi[x], frères, et fixez votre regard sur ceux
qui se conduisent suivant l'exemple que vous avez en nous.
18 Beaucoup, en effet, je vous le disais souvent et le redis maintenant
en pleurant, se conduisent en ennemis de la croix du Christ[y]. 19 Leur
fin sera la perdition; leur dieu, c'est leur ventre, et leur gloire, ils la
mettent dans leur honte, eux qui n'ont à cœur que les choses de la

***r* 3.5** *circoncis le 8e jour* Gn 17.12 ; Lv 12.3 ; Lc 1.59 ; 2.21. — *tribu de Benjamin* : tribu vénérée entre toutes, restée fidèle à la dynastie de David (voir 1 R 12.21). ***s* 3.6** Ac 8.3 ; 9.1-2, 13-14 ; 22.4 ; 26.9-11 ; 1 Co 15.9 ; Ga 1.13,23 ; 1 Tm 1.13-14. ***t* 3.8** *connaître* Os 2.22 ; Jn 10.14 ; 17.3 ; 2 Co 13.12 *Jésus Christ* Ep 3.19 ; 4.13. ***u* 3.9** ou *la foi du Christ.* Voir Ga 2.16 et la note. — *les deux « justices »* Mt 5.20 ; Rm 3.21-22 ; 10.3 ; Ga 2.16 ; 3.21-22. ***v* 3.10** conformé au Christ Rm 6.4-9 ; 8.17 ; 1 Co 6.14 ; 2 Co 4.10-14 ; Ga 6.17. — *connaître la puissance de sa résurrection* Jn 11.24-26. ***w* 3.12** *parfait* 1 Co 14.20 ; Col 1.28 ; voir Mt 5.48 ; 1 Co 2.6. — *Paul saisi par Jésus Christ* Ac 9.5-6 ; Ga 1.15-16. — *le saisir parce que j'ai été saisi* 1 Co 8.3 ; Ga 4.9 ; 1 Tm 6.12 ; 1 Jn 4.10-19. — la course de l'apôtre Ph 2.16+. ***x* 3.17** *imitez-moi* 1 Co 4.16 ; 11.1 ; 1 Th 1.6 ; voir Ep 5.1+ ; 1 Th 1.7 ; 2.14 ; 1 P 5.3. ***y* 3.18** 1 Co 1.17-18, 23 ; Ga 5.11 ; 6.12.

terre[z]. 20 Car notre cité, à nous, est dans les *cieux, d'où nous atten-
dons, comme sauveur, le Seigneur Jésus Christ[a], 21 qui transfigurera
notre corps humilié pour le rendre semblable à son corps de gloire,
avec la force qui le rend capable aussi de tout soumettre à son pou-
voir[b].

4 1 Ainsi donc, frères bien-aimés que je désire tant revoir, vous, ma
joie et ma couronne, tenez ferme[c] de cette façon dans le Sei-
gneur, mes bien-aimés.

Concorde, joie, paix

2 J'exhorte Evodie et j'exhorte Syntyche à vivre en plein accord[d]
dans le Seigneur. 3 Et toi, Compagnon véritable, je te le demande,
viens-leur en aide, car elles ont lutté avec moi pour *l'Evangile, en
même temps que Clément et tous mes autres collaborateurs, dont les
noms figurent au livre de *vie[e].
4 Réjouissez-vous[f] dans le Seigneur en tout temps; je le répète,
réjouissez-vous. 5 Que votre bonté soit reconnue par tous les hommes.
Le Seigneur est proche[g]. 6 Ne soyez inquiets de rien, mais, en toute
occasion, par la prière et la supplication accompagnées d'action de
grâce, faites connaître vos demandes à Dieu[h]. 7 Et la paix[i] de Dieu, qui
surpasse toute intelligence, gardera vos cœurs et vos pensées en Jésus
Christ.
8 Au reste, frères, tout ce qu'il y a de vrai, tout ce qui est noble, juste,
pur, digne d'être aimé, d'être honoré, ce qui s'appelle vertu, ce qui
mérite l'éloge, tout cela, portez-le à votre actif[j]. 9 Ce que vous avez
appris, reçu, entendu de moi, observé en moi, tout cela, mettez-le en
pratique. Et le Dieu de la paix sera avec vous[k].

***z* 3.19** *leur ventre :* sans doute comme en Rm 16.18 ; Col. 2.16, 20-21. Paul vise ici les interdictions alimentaires prescrites par les tenants de la loi juive. Voir au glossaire PUR. — *leur honte :* voir Ga 6.13, 15 : allusion probable à la circoncision. — *les choses de la terre* Mt 6.19 ; Jn 3.12 ; Rm 8.5-6 ; Col 3.2. ***a* 3.20** *notre cité dans les cieux* Ep 2.6, 19 ; He 11.10 ; 12.22 ; 13.14. — *attente* Rm 8.19, 23 ; 1 Co 1.7 ; Tt 2.13. ***b* 3.21** conformé à son corps de gloire Rm 8.29 ; 1 Co 15.42-49, 53. — *avec la force* Ep 1.19 ; 3.7 ; voir 1 Co 1.25. — assujettissement à Jésus Christ 1 Co 15.27-28 ; He 2.8. ***c* 4.1** La *couronne* est la récompense des vainqueurs dans les jeux du stade ou au retour de la guerre. — *tenez ferme* 1.27+. ***d* 4.2** *bien d'accord* 2.2+. ***e* 4.3** *Compagnon :* en grec *Syzygos,* qui pourrait être un nom propre. — *lutter pour l'Evangile* 1.30+. — *collaborateurs de l'apôtre* Rm 16.3, 9, 21 ; 2 Co 8.23 ; Ph 2.25 ; Col 4.11 ; Phm 1, 24 (1 Th 3.2). — *le livre de vie* Ap 3.5+. ***f* 4.4** *Réjouissez-vous* 1.4+. ***g* 4.5** *le Seigneur est proche* 3.20 ; He 10.37 ; Jc 5.8-9 ; 1 P 4.7 ; Ap 3.11 ; 22.20. ***h* 4.6** sans inquiétude Mt 6.25-34 ; 1 P 5.7. — prière et action de grâce Ph 1.3-4+. ***i* 4.7** Es 26.3 ; Jn 14.27 ; Col 3.15. ***j* 4.8** Rm 12.2. ***k* 4.9** *ce que vous avez appris de moi* 1 Th 4.1 ; 2 Th 2.15 ; 3.6. — *le Dieu de paix* Rm 15.33 ; 16.20 ; 1 Co 14.33 ; 1 Th 5.23.

Reconnaissance pour les dons reçus

10 Je me suis beaucoup réjoui dans le Seigneur de ce que votre intérêt
pour moi ait enfin pu refleurir[l]: oui, l'intérêt vous l'aviez, mais l'occa-
sion vous manquait. 11 Ce n'est pas le besoin qui me fait parler, car j'ai
appris en toute situation à me suffire. 12 Je sais vivre dans la gêne, je
sais vivre dans l'abondance. J'ai appris, en toute circonstance et de
toutes les manières, à être rassasié comme à avoir faim, à vivre dans
l'abondance comme dans le besoin. 13 Je peux tout en Celui qui me
rend fort[m]. 14 Pourtant, vous avez bien fait de prendre votre part de ma
détresse. 15 Vous le savez, vous, Philippiens, dans les débuts de
*l'Evangile, quand j'ai quitté la Macédoine, aucune Eglise ne m'a fait
une part dans un compte de doit et avoir[n], si ce n'est vous seuls,
16 vous qui, à Thessalonique[o] déjà, à plus d'une reprise, m'avez envoyé
ce dont j'avais besoin.

17 Ce n'est pas que je sois à la recherche de cadeaux; ce que je
recherche, c'est le fruit[p] qui s'accroît à votre actif. 18 J'ai d'ailleurs en
mains tout ce qu'il faut, et même au-delà. Je suis comblé, maintenant
que j'ai reçu ce qu'Epaphrodite m'a remis de votre part, *parfum de
bonne odeur*, *sacrifice agréé et qui plaît à Dieu[q]. 19 Et mon Dieu com-
blera tous vos besoins, suivant sa richesse, magnifiquement, en Jésus
Christ. 20 A Dieu notre Père soit la gloire[r] pour les *siècles des siècles.
*Amen.

Salutations finales

21 Saluez chacun des *saints en Jésus Christ. Les frères qui sont avec
moi vous saluent. 22 Tous les saints vous saluent, surtout ceux de la
maison de César[s].

23 Que la grâce du Seigneur Jésus Christ soit avec votre esprit.

***l* 4.10** 2.25-30 ; 4.18. ***m* 4.13** *Celui qui me rend fort* 2 Co 12.9-10 ; Ph 3.10,21 ; Col 1.11 ; 2 Tm 4.17. ***n* 4.15** *débuts de l'Evangile à Philippes* Ac 16.12-40. — Paul soutenu par les seules Eglises de *Macédoine* 2 Co 11.8-9. — Départ de Paul pour la Macédoine : Ac 20.1. — Sur cet échange de biens spirituels et matériels, voir 1 Co 9.11. Paul recourt ici au vocabulaire des transactions commerciales. ***o* 4.16** Voir 1 Th 1.1 et la note ; Ac 17.1. ***p* 4.17** *le fruit* Mt 3.8+. ***q* 4.18** *parfum de bonne odeur* Gn 8.21 ; Ex 29.18 ; Ez 20.41 ; Ep 5.2. — *sacrifice qui plaît à Dieu* Rm 12.1-2 ; voir Ph 2.17, 30. ***r* 4.20** Rm 16.27 ; Ep 3.20-21 ; Ph 1.11 ; 2.11. ***s* 4.22** Voir 1.13 (prétoire) : l'expression *la maison de César* englobe tout le personnel au service de l'empereur (César) ; elle peut correspondre à toute ville où siégeait un gouverneur romain.

ÉPÎTRE AUX COLOSSIENS

INTRODUCTION

Thème et contenu de l'épître

*Brève par ses dimensions (4 chapitres), vaste par ses développements théologiques, l'*Epître aux Colossiens *fait traditionnellement partie des épîtres dites « de la captivité ».*

Comme de coutume, la lettre commence par une liturgie *épistolaire (1.1-20) : salutation, action de grâce pour le progrès de l'Evangile (3,8), prière pour les croyants (9,12) sont ici suivies d'un* hymne *qui chante le Christ comme tête de l'univers et donne le ton à toute l'épître (13,20). Les versets 21-23 interpellent les destinataires et, de l'interpellation, on passe à l'évocation du* ministère apostolique *qui a pour mission de réaliser ce que l'hymne a célébré : Paul doit porter la parole et les détresses du Christ à leur achèvement pour manifester la gloire de Dieu parmi les nations (1.24—2.5).*

De 2.6 à 3.4 on trouve la mise en garde qui a motivé l'envoi de la lettre : l'Eglise est alertée devant le danger que font peser sur elle les doctrines et les observances préconisées par les docteurs « hérétiques » survenus à Colosses. Au centre de cette partie polémique s'élève une nouvelle célébration de la victoire du Christ sur les puissances célestes, victoire à laquelle les croyants sont associés par leur baptême (2.6-15) et qui fonde la liberté chrétienne face à toute tentative d'asservissement (2.16—3.4).

*L'*exhortation *prend ensuite un tour plus général (3.5—4.6). Elle s'appuie de nouveau sur le baptême : dépouillés du vieil homme, les croyants ont revêtu l'homme nouveau dont la vie se réalise dans la communauté chrétienne, par le comportement et par le culte (3.5-17).*

Viennent alors des recommandations touchant les relations avec autrui : ce sont les tableaux traditionnels qui traitent de la vie familiale et sociale, intégrée « dans le Seigneur » et trouvant par là un sens nouveau (3.18—4.1). L'épître s'achève sur un appel à la vigilance et à la prière (4.2-4), une indication sur les rapports avec les non-chrétiens (4.5-6) et une longue liste de salutations et de messages personnels (4.7-17) qui se terminent par la salutation finale de l'apôtre (4.18).

La crise de Colosses

1. Les données de l'épître. *Paul, prisonnier (4.3,10,18), adresse cette lettre aux chrétiens de Colosses (1.2). Il n'est jamais venu dans cette localité (1.4 ; 2.1) située en Phrygie (Asie Mineure) à 200 km à l'est d'Ephèse. Pendant le long séjour que l'apôtre a fait dans cette dernière ville (Ac 19), son disciple Epaphras, colossien d'origine (4.12), a fondé cette communauté (1.7) en même temps que celles de Hiérapolis et de Laodicée (4.13), deux cités voisines situées elles aussi dans la vallée du Lycus. Laodicée figure parmi les « sept Eglises » d'Asie nommées par l'Apocalypse (1.11 ; 3.14). Selon l'épître, Paul, informé de la situation critique de Colosses par Epaphras qui est venu le rejoindre dans sa prison (4.7), envoie Tychique porteur peut-être de notre lettre (4.7-8 ; comparer Ep 6.21), et Onésime (4.9). Ils seront ses porte-parole dans l'épreuve que traversent ces Eglises, que l'apôtre n'a pas fondées et où sa captivité l'empêche d'intervenir directement.*

2. Un combat pour l'Evangile. *A la différence de ce qui s'est passé à Corinthe ou en Galatie, il semble bien que les questions de personnes (rivalités ou contestation de l'apostolat de Paul) n'aient pas joué ici un rôle déterminant. La teneur des idées propagées à Colosses est difficile à préciser. Notre information vient de l'épître dont les propos sont souvent allusifs : on a du mal, parfois, à discerner si telle indication est à porter au compte des nouveaux docteurs ou si elle exprime un jugement de l'apôtre (ainsi pour la « dévotion » et le « culte des anges » en 2.18). La tendance fondamentale de ce mouvement consistait à chercher une sorte de* dépassement *de l'Evangile apostolique. Des spéculations sur le monde des puissances angéliques, des pratiques ascétiques, un certain recours à des observances légalistes devaient compléter la foi au Christ et communiquer aux croyants une connaissance supérieure des mystères et une vie religieuse plus conforme à leurs aspirations. On retrouve là certains traits de cet « évangile judaïsant » que Paul avait déjà combattu en Galatie, mais un évangile judaïsant qui aurait évolué et serait davantage marqué d'ésotérisme ; on y discerne des tendances qui aboutiront aux systèmes élaborés de la Gnose au IIe siècle (ex. le terme* plénitude, *litt.* plérôme *1.19 ; 2.9 qui prend en Col, comme du reste en Ep, une importance considérable en attendant de devenir une notion-clé dans la Gnose).*

Caractères et message de l'épître

Marquée par cet affrontement, l'Epître aux Colossiens *manifeste une originalité littéraire et théologique par rapport aux lettres antérieures de Paul.*

a) *Un changement de* style *s'opère qu'*Ephésiens *ne fera encore que renforcer : accumulation de synonymes, cascades de compléments, développements liturgiques (1.3-8,9-20), phrases parfois obscures et grammaticalement incorrectes (2.18-19,20-23) multipliant les incises, les tournures participiales ou relatives...*

b) *Au point de vue du* vocabulaire, *on constate également une évolution. Des mots, déjà employés dans les épîtres précédentes de Paul, opèrent autour d'eux une cristallisation inédite de la pensée : tête, corps ; autorités et pouvoirs, éléments du monde ; mystère, économie, plénitude ; sagesse, richesses, connaissance, etc. (on peut noter une forte influence de la littérature sapientiale). Le terme de « saints », également très employé dans les textes de Qumrân, prédomine pour désigner les baptisés.*

c) *La* pensée *elle-même subit une mutation, parfois presque imperceptible, mais qui s'inscrit dans une nouvelle perspective. On relèvera surtout les accentuations et les modifications suivantes :*

— le rôle des puissances s'est accru (Col 1.20 ; 2.16 ; comparer 1 Co 15.24-28) ; forces invisibles, angéliques ou astrales, elles étaient censées gouverner le monde physique, social ou religieux ; certains en faisaient même les gardiens de la loi mosaïque (Ga 3.19) et de son régime (Col 2.15). Face à ces spéculations, l'épître oppose l'affirmation apostolique de la victoire décisive du Ressuscité ;

— l'élévation du Christ prend du coup toute une dimension cosmique : il est célébré comme tête de l'univers et des puissances, et comme tête de l'Eglise. L'hymne au Christ Seigneur et Sauveur (1.15-20) énonce ces affirmations à partir de l'événement historique de la croix ;

— la conception de l'Eglise se modifie également. Dans Rm 12 et 1 Co 12, le corps désigne la communauté des fidèles (la tête représentant seulement un des membres du corps, 1 Co 12.21). Dans Col (et Ep), le thème du corps qui exprimait l'unité dans la diversité, reçoit une amplitude universelle : l'Eglise est le corps du Christ, mais ne se confond pas avec celui-ci qui est désigné comme la tête souveraine et vivifiante (Col 1.18 ; 2.9) ;

— la théologie du baptême est accentuée. En Rm 6, Paul exprime au passé notre union à la mort du Christ et au futur notre participation à sa résurrection ; Colossiens *affirme du baptisé qu'il est mort et déjà*

ressuscité avec le Christ (voir 2.12 ; 3.1). De plus, s'agissant de maintenir les croyants dans la liberté reçue face aux sollicitations nouvelles, ou de leur rappeler les exigences concrètes de la vie chrétienne, l'épître fait du baptême le point constant de référence (2.20—3.17) : à la place du « vieil homme », voici «l' homme nouveau » qui représente l'humanité inaugurée au-delà des vieilles distinctions de race, de religion, de culture, de classe sociale (3.9-11) ;

— les thèmes de sagesse et d'illumination, la notion de plérôme se substituent aux notions juridiques associées dans les lettres antérieures de Paul à l'action de l'Esprit. Nous sommes dans une sphère nouvelle où la connaissance approfondie de la sagesse de Dieu est devenue une préoccupation dominante. L'épître utilise avec prédilection ce vocabulaire (1.9-10 ; 2.2-3...), d'autant plus que la lutte engagée a pour enjeu la connaissance. Mais cette sagesse est toujours rivée à l'action historique de Dieu en Jésus Christ, même si les perspectives cosmiques (en haut, en bas) tendent à supplanter les notions temporelles et eschatologiques : le Royaume apparaît comme la réalité qui nous domine (1.13 ; 3.1-4) plutôt que comme celle qui vient (comparer Mc 1.15). Ces traits réapparaissent en Ep, et la parenté des deux épîtres est frappante.

Date de l'épître. Son actualité

L'analyse historique éprouve quelque peine à situer *l'épître aux Colossiens. L'opinion traditionnelle l'associe étroitement à Philémon et Ephésiens et la place à la fin du ministère de Paul, lors de sa première captivité romaine (de 61 à 63). A l'autre extrémité de l'éventail des opinions, certains considèrent* Colossiens *comme un écrit représentatif de la génération post-apostolique : il serait l'œuvre d'un disciple de Paul qui, pour faire face à de nouveaux dangers, s'appuierait sur l'enseignement de son maître et chercherait à l'actualiser en fonction de la situation. La date serait alors 80. La plupart s'accordent en tout cas à considérer l'épître aux Colossiens comme antérieure à celle aux Ephésiens avec laquelle elle a les affinités qu'on a vues. Cette discussion ne modifie en rien la force du message de l'épître ni son actualité, qui est grande.*

Si les opinions se partagent en effet au sujet de l'attribution et de la date de la lettre, elles se retrouvent pour reconnaître que l'Epître aux Colossiens rejoint fondamentalement le message que Paul a formulé en d'autres circonstances : nous sommes pleinement comblés en Christ. *Il est tout pour notre justice (Galates et Romains), tout pour notre destin, notre mort et notre vie (Colossiens). Attention à ne pas remettre le doigt dans le moindre engrenage de la loi, car c'est revenir à l'esclavage antérieur (Ga) ! Que l'on prenne garde à ne pas adjoindre, à côté, au-dessus, au-dessous de la souveraineté du Christ, quelque culte des puissances : c'est retourner à la servitude (Col) ! Le même chant de la liberté chrétienne s'élève. Le même recours au baptême s'impose comme à l'événement irréversible qui nous a arrachés à toute autre justice (Ga, Rm) et à tout autre pouvoir que ceux du Christ (Col). Liée à la vie du Christ mort et ressuscité, notre vie est campée victorieusement « dans les lieux célestes » où s'agitent les puissances qui pourraient en menacer la libération. Ce n'est pas nous inciter à l'évasion mais, la fin de l'épître le montre, nous conduire à une existence authentique.*

A première vue, rien de plus éloigné de nous que ces allusions à des puissances qui peupleraient le monde supra-terrestre, anges et forces ayant la main sur le cours des planètes et des destinées. Rien de plus étrange que les prescritions alimentaires ou les pratiques rituelles auxquelles les chrétiens de Colosses sont tentés de s'associer. Pourtant les Colossiens restent nos frères, même si les puissances ont changé de nom et si nos tentatives pour nous les concilier ou pour nous échapper ont changé de nom. L'homme du XXe s., le chrétien même, éprouve une difficulté analogue à se savoir responsable, il se sent le jouet de forces qui entraînent la planète dans une évolution incontrôlable. Le salut ne peut plus consister seulement dans une obéissance personnelle à une loi ou une morale souvent récusées, mais dans le fait d'échapper à l'étreinte d'une aliénation menaçante. Pour nous aussi se pose la question déterminante de la relation entre le Christ et l'univers : quel lien peut-il exister entre ce que nous entrevoyons du cosmos et l'Evangile prêché et reçu ?

ÉPÎTRE AUX COLOSSIENS

Adresse et salutation

1 1 Paul, *apôtre de Jésus Christ par la volonté de Dieu, et Timo-
thée, le frère[a], 2 aux *saints de Colosses[b], frères fidèles en Christ;
à vous grâce et paix de la part de Dieu, notre Père[c].

Action de grâce pour l'Evangile

3 Nous rendons grâce à Dieu[d], Père de notre Seigneur Jésus Christ,
dans la prière que nous ne cessons de lui adresser pour vous; 4 nous
avons entendu parler de votre foi en Jésus Christ et de votre amour[e]
pour tous les *saints, 5 dans l'espérance qui vous attend[f] aux *cieux;
cette espérance vous a été annoncée par la parole de vérité, *l'Evan-
gile 6 qui est parvenu jusqu'à vous; tout comme il porte du fruit et pro-
gresse dans le monde entier[g], de même fait-il parmi vous depuis le jour
où vous avez reçu et connu dans sa vérité la grâce de Dieu, 7 selon
l'enseignement que vous a donné Epaphras; notre ami et compagnon
de service, qui nous supplée fidèlement comme *ministre du Christ[h],
8 nous a décrit de quel amour l'Esprit vous anime.

Prière pour l'Eglise

9 Voilà pourquoi, de notre côté, du jour où nous l'avons appris, nous
ne cessons pas de prier pour vous[i]. Nous demandons à Dieu que vous
ayez pleine connaissance de sa volonté en toute sagesse et pénétration
spirituelle, 10 pour que vous meniez une vie digne du Seigneur[j],
recherchant sa totale approbation. Par tout ce que vous ferez de

a ***1.1*** *Paul apôtre* Ep 1.1-2 ; 1 Co 1.1-2. — *Timothée* Ac 16.1+. **b** ***1.2*** Petite ville de Phrygie, située à 200 km à l'est d'Ephèse, en Turquie actuelle. **c** ***1.2*** De nombreux manuscrits ajoutent : *et du Seigneur Jésus Christ.* **d** ***1.3*** Rm 1.8-9 ; Ep 5.4, 20 ; Col 1.12 ; 2.7 ; 3.15-17 ; 4.2 ; 1 Th 1.2. **e** ***1.4*** Merci pour la foi et l'amour des autres Ep 1.15-16+. **f** ***1.5*** *la foi, l'amour* (v. 4) *et l'espérance* 1 Co 13.13+ *qui vous attend* Ep 1.18 ; He 6.19 ; 1 P 1.3-4. **g** ***1.6*** l'Evangile en marche Mt 28.19-20 ; Mc 4.8 ; 13.10 ; 16.15 ; 1 Tm 3.16. **h** ***1.7*** Autre texte : *qui est un fidèle ministre du Christ à votre égard.* — *Epaphras* 4.12 ; Phm 23. **i** ***1.9*** 2.2-3 ; Ep 1.17-18 ; 3.14-19 ; Ph 1.9. **j** ***1.10*** Ep 4.1 ; 1 Th 2.12 ; Ph 1.27.

biens, vous porterez du fruit et progresserez dans la vraie connais-
sance de Dieu; 11 vous serez fortifiés à tous égards par la vigueur de sa
gloire et ainsi amenés à une persévérance et une patience à toute
épreuve.

Cantique au Christ, chef de l'univers[k]

Avec joie, 12 rendez grâce au Père qui vous a rendus capables d'avoir
part à l'héritage des *saints[l] dans la lumière.
13 Il nous a arrachés au pouvoir des ténèbres et nous a transférés
dans le *royaume du Fils de son amour[m]; 14 en lui nous sommes déli-
vrés[n], nos péchés sont pardonnés.

15 Il est l'image du Dieu invisible,
Premier-né de toute créature[o],
16 car en lui tout a été créé,
dans les *cieux et sur la terre,
les êtres visibles comme les invisibles,
Trônes et Souverainetés, Autorités et Pouvoirs[p].
Tout est créé par lui et pour lui,
17 et il est, lui, par devant tout[q];
tout est maintenu en lui,
18 et il est, lui, la tête du corps, qui est l'Eglise.
Il est le commencement,
Premier-né d'entre les morts[r],
afin de tenir en tout, lui, le premier rang.
19 Car il a plu à Dieu
de faire habiter en lui toute la plénitude[s]

k 1.11 autres hymnes au Christ Ph 2.6-11 ; 1 Tm 3.16. ***l 1.12*** *avoir part à l'héritage* Ep 1.14, 18 ; Dt 33.3-4 ; Jos 14.1-5 ; *Sg* 5.5 ; Ac 20.32 ; 26.18 ; 1 P 1.4. — *les saints* Rm 1.7+. ***m 1.13*** *arrachés* Ex 14.30 *aux ténèbres* Ac 26.17-18. — ténèbres et lumière Ep 5.8+. — *le Fils bien-aimé* Ep 1.6+. ***n 1.14*** Ep 1.7 ; Rm 3.24. ***o 1.15*** *image de Dieu* Gn 1.26 ; *Sg* 7.26 ; 2 Co 4.4+ ; Ph 2.6 ; He 1.1-4. — *Premier-né de toute créature* Pr 8.22-36 ; *Si* 1.4-9 ; Jn 1.1-18 ; Rm 8.29 ; He 1.6. ***p 1.16*** le Christ et la création He 1.2+. — puissances invisibles Rm 8.38-39 ; 1 Co 2.8 ; 15.24 ; Ep 1.21 ; 3.10 ; 6.12 ; Col 2.8, 10, 15. — Le v. énumère un certain nombre de puissances spirituelles que l'antiquité considérait comme participant au gouvernement de l'univers physique et du monde religieux. Voir aussi Ga 4.3 et la note. ***q 1.17*** Jn 3.31 ; 8.58. ***r 1.18*** *le corps* (communauté des fidèles) Rm 12.4-5 ; 1 Co 12.12-27. — le Christ, *tête* de l'Eglise Ep 1.22-23 ; 4.15-16 ; 5.23. — *le commencement* Ap 3.14. — *Premier-né d'entre les morts* Ac 26.23 ; Rm 8.29 ; 1 Co 15.20 ; He 1.6 ; Ap 1.5. ***s 1.19*** *la plénitude* Ep 1.23+. — D'après Col 2.9 il s'agit de la *plénitude* de la divinité. Autre traduction *Car il a plu à toute la plénitude de demeurer en lui.*

20 et de tout réconcilier par lui et pour lui,
et sur la terre et dans les cieux,
ayant établi la paix par le *sang de sa croix[t].

21 Et vous qui autrefois étiez étrangers, vous dont les œuvres mau-
vaises manifestaient l'hostilité profonde[u], 22 voilà que maintenant Dieu
vous a réconciliés grâce au corps périssable de son Fils, par sa mort,
pour vous faire paraître devant lui *saints, irréprochables[v], inattaqua-
bles. 23 Mais il faut que, par la foi, vous teniez, solides et fermes, sans
vous laisser déporter hors de l'espérance de *l'Evangile que vous avez
entendu, qui a été proclamé[w] à toute créature sous le ciel, et dont moi,
Paul, je suis devenu le *ministre.

Le combat de l'apôtre

24 Je trouve maintenant ma joie dans les souffrances que j'endure
pour vous, et ce qui manque aux détresses du Christ, je l'achève dans
ma chair[x] en faveur de son corps qui est l'Eglise; 25 j'en suis devenu le
*ministre en vertu de la charge que Dieu m'a confiée à votre égard:
achever l'annonce de la parole de Dieu[y], 26 le *mystère tenu caché
tout au long des âges et que Dieu a manifesté maintenant à ses
*saints[z]. 27 Il a voulu leur faire connaître quelles sont les richesses et la
gloire de ce mystère parmi les *païens: Christ au milieu de vous,
l'espérance de la gloire[a]! 28 C'est lui que nous annonçons, avertissant
chacun, instruisant chacun en toute sagesse, afin de rendre chacun
parfait[b] en Christ. 29 C'est le but de mon labeur, du combat mené avec
sa force qui agit puissamment en moi[c].

2 1 Je veux en effet que vous sachiez quel rude combat je mène pour
vous, pour ceux de Laodicée[d], et pour tant d'autres qui ne m'ont
jamais vu personnellement; 2 je veux qu'ainsi leurs cœurs soient

t 1.20 tout réconcilier Ep 1.10 ; 2.16 ; Col 1.16-17 ; Rm 5.10 ; 2 Co 5.18-20. — *la paix* Ep 2.14-17 ; Rm 5.1. — *le sang du Christ* Ep 2.13+. ***u 1.21*** Ep 2.12 ; 4.18 ; Rm 5.10. ***v 1.22*** *Dieu vous a réconciliés :* autre texte *vous avez été réconciliés.* — *le corps périssable du Fils* Ep 2.14-16 ; Rm 7.4 ; 8.3 ; Jn 1.14. — *paraître devant le Seigneur* Col 1.28 ; Ep 5.27 ; 2 Co 11.2. — *irréprochables* Ep 1.4+. ***w 1.23*** *fermes* Ep 3.17 ; 1 Co 15.58 ; He 3.14. — *espérance* Col 1.5+. — *l'Evangile proclamé* 1.5-6+. ***x 1.24*** ou *j'achève ce qui manque aux détresses du Christ en ma propre chair.* Comme en Mt 24.9 ; Ap 7.14, etc., le terme grec rendu ici par *détresses* désigne les épreuves liées à la prédication de l'Evangile et particulières à la fin des temps. — le sens des souffrances de l'apôtre Ep 3.1, 13 ; Ac 9.16 ; 2 Co 4.10-12 ; 11.23 ; 2 Tm 2.10. ***y 1.25*** *la charge confiée par Dieu* Ep 3.2 ; Es 42.1-4 ; Rm 15.16-21. — *achever l'annonce de la Parole* Mc 13.9-10 ; Ac 20.24 ; 2 Tm 4.17. ***z 1.26*** *le mystère* Ep 3.3+. — *les saints* Rm 1.7+. ***a 1.27*** la gloire de Dieu manifestée parmi les nations Ac 13.47 ; Rm 15.7-13. — la gloire espérée Col 3.4 ; Ep 1.18 ; Rm 5.2 ; 8.19-21. ***b 1.28*** ou *parvenu au but, adulte ;* voir Ep 4.13. ***c 1.29*** Ep 3.7, 20 ; Ph 4.13. ***d 2.1*** 4.13-16 ; Ap 1.11 ; 3.14.

encouragés et qu'étroitement unis dans l'amour, ils accèdent, en toute
sa richesse, à la plénitude de l'intelligence, à la connaissance du *mys-
tère[e] de Dieu : Christ, 3 en qui sont *cachés* tous *les trésors de la sagesse*
et de la connaissance. 4 Je dis cela pour que personne ne vous abuse[f]
par de beaux discours. 5 Sans doute, je suis absent de corps, mais
d'esprit je suis avec vous, heureux de vous voir tenir votre poste et
rester solides dans votre foi au Christ[g].

Tout pleinement en Christ

6 Poursuivez donc votre route dans le Christ, Jésus le Seigneur, tel
que vous l'avez reçu[h]; 7 soyez enracinés et fondés en lui[i], affermis
ainsi dans la foi telle qu'on vous l'a enseignée, et débordants de recon-
naissance. 8 Veillez à ce que nul ne vous prenne au piège de la philoso-
phie[j], cette creuse duperie à l'enseigne de la tradition des hommes,
des forces qui régissent l'univers[k] et non plus du Christ. 9 Car en lui
habite toute la plénitude[l] de la divinité, corporellement, 10 et vous
vous trouvez pleinement comblés[m] en celui qui est le chef de toute
Autorité et de tout Pouvoir.

11 En lui vous avez été *circoncis d'une circoncision où la main de
l'homme n'est pour rien et qui vous a dépouillés[n] du corps charnel :
telle est la circoncision du Christ. 12 Ensevelis avec lui dans le bap-
tême, avec lui encore vous avez été ressuscités[o] puisque vous avez cru
en la force de Dieu qui l'a ressuscité des morts. 13 Et vous, qui étiez
morts[p] à cause de vos fautes et de l'*incirconcision de votre chair,
Dieu vous a donné la *vie avec lui :

il nous a pardonné toutes nos fautes,
14 il a annulé le document accusateur[q]
que les commandements retournaient contre nous,
il l'a fait disparaître,
il l'a cloué à la croix,
15 il a dépouillé les Autorités et les Pouvoirs[r],

e 2.2 Ep 3.3+. ***f 2.4*** 2.8 ; Ep 5.6 ; Rm 16.18. ***g 2.5*** 1.23, 29 ; 1 P 5.9. ***h 2.6*** 1 Co 11.23 ; 15.1-3 ; Ep 4.20-21. ***i 2.7*** *enracinés* Ep 3.17 et *fondés en Christ* Ep 2.20-22 ; Jd 20. ***j 2.8*** Au sens restreint de spéculation religieuse. Ici seulement dans le N.T. – *un piège* 2.4+ ; 2 Co 8.4-5 ; 2 Tm 4.3. ***k 2.8*** Voir la note sur Ga 4.3. – *tradition des hommes* Mt 15.6 ; Col 2.22. ***l 2.9*** Ep 1.23+. ***m 2.10*** Ep 1.21-23 ; 3.19 ; Jn 1.16. ***n 2.11*** *circoncision* Ep 2.11 ; Rm 2.29+. – *dépouillés* Col 3.9 ; 1 P 3.21. Voir les notes sur Rm 6.6 et 7.5. ***o 2.12*** *ensevelis avec le Christ* Rm 6.4-11. – *ressuscités avec lui* Col 3.1 ; Ep 2.5-6 ; Rm 8.11 ; Ph 3.10-11. ***p 2.13*** Ep 2.1+. ***q 2.14*** C'est-à-dire un billet qui porte une reconnaissance de dette et qui devient donc une accusation contre des signataires insolvables. Les effets de la loi abolis par le Christ Ep 2.14-15. ***r 2.15*** *Autorités et Pouvoirs :* voir 1.16 et la note ; 1 Co 15.24 ; 1 P 3.22 ; Ap 12.7-8.

il les a publiquement livrés en spectacle,
il les a traînés dans le cortège triomphal de la croix.
16 Dès lors, que nul ne vous condamne pour des questions de nourri-
ture ou de boisson, à propos d'une fête, d'une nouvelle lune[s] ou de
*sabbats. 17 Tout cela n'est que l'ombre de ce qui devait venir[t], mais la
réalité relève du Christ. 18 Ne vous laissez pas frustrer de la victoire par
des gens qui se complaisent dans une «dévotion»[u], dans un «culte des
*anges»; ils se plongent dans leurs visions, et leur intelligence char-
nelle les gonfle de chimères; 19 ils ne tiennent pas à la tête, de qui le
corps tout entier, pourvu et bien uni[v] grâce aux articulations et liga-
ments, tire la croissance que Dieu lui donne.

La liberté des baptisés

20 Du moment que vous êtes morts avec Christ, et donc soustraits
aux éléments du monde[w], pourquoi vous plier à des règles, comme si
votre vie dépendait encore du monde: 21 ne prends pas, ne goûte pas,
ne touche pas[x]; 22 tout cela pour des choses qui se décomposent à
l'usage[y]: voilà bien *les commandements et les doctrines des hom-
mes*[z]! 23 Ils ont beau faire figure de sagesse: «religion personnelle,
dévotion, ascèse», ils sont dénués de toute valeur et ne servent qu'à
contenter la chair[a].

3 1 Du moment que vous êtes ressuscités avec le Christ, recherchez
ce qui est en haut, là où se trouve le Christ, *assis à la droite de
Dieu*[b]; 2 c'est en haut qu'est votre but, non sur la terre. 3 Vous êtes
morts, en effet, et votre *vie est cachée avec le Christ en Dieu.
4 Quand le Christ, votre vie, paraîtra, alors vous aussi, vous paraîtrez
avec lui[c] en pleine gloire.

Du vieil homme à l'homme nouveau

5 Faites donc mourir[d] ce qui en vous appartient à la terre: débauche,
*impureté, passion, désir mauvais et cette cupidité, qui est une idolâ-
trie. 6 Voilà ce qui attire la colère de Dieu, 7 voilà quelle était votre con-

***s* 2.16** Observance religieuse inspirée du judaïsme. — observances périmées Rm 14 ; 1 Co 8 ; 10.14-33 ; Ga 4.10. ***t* 2.17** He 8.5 ; 10.1. ***u* 2.18** ou *dans une fausse humilité.* ***v* 2.19** Ep 2.21 ; 4.15-16. ***w* 2.20** Voir Ga 4.3 et la note. ***x* 2.21** interdictions 1 Co 8.6 ; 1 Tm 4.3. ***y* 2.22** ou *l'usage de toutes ces choses mène à la perdition.* Dans ce cas la phrase continuerait à citer les maximes des faux docteurs. ***z* 2.22** Es 29.13 (Mt 15.9) ; Col 2.8. ***a* 2.23** satisfaire la chair Rm 13.14. ***b* 3.1** *ressuscités avec le Christ* 2.12+. — *recherchez ce qui est en haut* Mt 6.20-23 ; Ph 3.20-21 ; Jn 3.3. — *à la droite de Dieu* Ps 110.1 (Mt 22.44+ ; voir He 1.3+). ***c* 3.4** *Christ, votre vie* Ga 2.20 ; Ph 1.21. — *vous paraîtrez avec lui* Rm 8.19 ; 1 Th 4.17 ; 1 P 1.6-8 ; 1 Jn 3.2. ***d* 3.5** Rm 6.6-11 ; 8.13 ; Ga 5.24 ; Mc 9.43-47.

duite autrefois, ce qui faisait votre vie[e]. 8 Maintenant donc, vous aussi,
débarrassez-vous de tout cela: colère, irritation, méchanceté, injures,
grossièreté sortie de vos lèvres[f]. 9 Plus de mensonge entre vous, car
vous vous êtes dépouillés du vieil homme[g], avec ses pratiques, 10 et
vous avez revêtu l'homme nouveau, celui qui, pour accéder à la con-
naissance, ne cesse d'être renouvelé *à l'image* de son créateur[h]; 11 là,
il n'y a plus Grec et *Juif, *circoncis et incirconcis, barbare, Scythe,
esclave, homme libre[i], mais Christ: il est tout et en tous.

12 Puisque vous êtes élus, *sanctifiés, aimés par Dieu, revêtez donc
des sentiments de compassion, de bienveillance, d'humilité, de dou-
ceur, de patience[j]. 13 Supportez-vous les uns les autres, et si l'un a un
grief contre l'autre, pardonnez-vous mutuellement; comme le Sei-
gneur vous a pardonné, faites de même, vous aussi[k]. 14 Et par-dessus
tout, revêtez l'amour[l]: c'est le lien parfait. 15 Que règne en vos cœurs
la paix du Christ, à laquelle vous avez été appelés tous en un seul
corps. Vivez dans la reconnaissance[m].

16 Que la Parole du Christ habite parmi vous dans toute sa richesse:
instruisez-vous et avertissez-vous les uns les autres avec pleine
sagesse; chantez à Dieu, dans vos cœurs, votre reconnaissance, par
des psaumes, des hymnes et des chants inspirés par l'Esprit[n]. 17 Tout
ce que vous pouvez dire ou faire, faites-le au *nom du Seigneur Jésus,
en rendant grâce par lui à Dieu le Père[o].

Les relations nouvelles

18 Epouses, soyez soumises à vos maris, comme il se doit dans le Sei-
gneur. 19 Maris, aimez vos femmes et ne vous aigrissez pas contre
elles[p].

20 Enfants, obéissez en tout à vos parents, voilà ce que le Seigneur

e 3.7 une conduite qui n'a plus cours Ep 5.3-5+. ***f 3.8*** *dépouillement* Rm 13.12 ; Jc 1.21 ; 1 P 2.1 ; He 12.1. – *propos déplacés* Ep 4.29+. ***g 3.9*** dépouillés du vieil homme pour revêtir le nouveau Ep 4.22-25. ***h 3.10*** *revêtir* Rm 13.14 ; Ga 3.27. – *l'homme nouveau* Ep 2.15 ; 1 Co 15.45 ; 2 Co 5.17 ; Ez 36.26-27 ; Ps 51.12. – *renouvellement* Rm 12.2 ; 2 Co 4.16. – *l'image du créateur* Col 1.15+. ***i 3.11*** Les *Scythes* habitaient les rivages Nord de la mer Noire et passaient pour les plus arriérés des hommes. – *barbare :* voir 1 Co 14.11 et la note ; les séparations abolies Rm 10.12 ; 1 Co 12.13 ; Ga 3.27-28. ***j 3.12*** comportement vis-à-vis des autres Ep 4.1-3 ; Ph 2.1-4. ***k 3.13*** *pardonnez* Mt 6.14 ; 18.21-35 ; 2 Co 2.5-11 ; Ep 4.32. – *comme le Seigneur* Ep 5.2 ; Jn 15.12 ; Rm 15.7. ***l 3.14*** Rm 13.8-10 ; 1 Co 13. ***m 3.15*** *paix* 1.20+ ; Ph 4.7. – *un seul corps* Ep 4.4 ; Col. 1.18+. – *reconnaissance* 1.3+. ***n 3.16*** le bon usage de la parole Ep 4.29+. – exhortation mutuelle Col 1.28 ; Rm 15.14 ; 1 Th 5.11. – *hymnes* Ep 5.19-20 ; 1 Co 14.15, 26. ***o 3.17*** *au nom du Seigneur* Rm 14.7 ; 1 Co 10.31. – *action de grâce* Col 1.3+. ***p 3.19*** maris et femmes Ep 5.22-23 ; 1 Co 7 ; 11.3 ; 1 P 3.1-7 ; Tt 2.4-5.

attend de vous. 21 Parents, n'exaspérez pas vos enfants, de peur qu'ils
ne se découragent[q].

22 Esclaves, obéissez en tout à vos maîtres d'ici-bas. Servez-les, non
parce qu'on vous surveille, comme si vous cherchiez à plaire aux
hommes, mais avec la simplicité de cœur de ceux qui craignent le Sei-
gneur[r]. 23 Quel que soit votre travail, faites-le de bon cœur, comme
pour le Seigneur, et non pour les hommes, 24 sachant que vous rece-
vrez du Seigneur l'héritage en récompense[s]. Le Maître, c'est le Christ;
vous êtes à son service[t]. 25 Qui se montre injuste sera payé de son
injustice, et il n'y a d'exception pour personne[u].

4 1 Maîtres, traitez vos esclaves avec justice et équité, sachant que
vous aussi, vous avez un Maître dans le *ciel[v].

Préoccupations missionnaires et messages personnels

2 Tenez-vous à la prière; qu'elle vous garde sur le qui-vive[w] dans
l'action de grâce. 3 En même temps, priez aussi pour nous: que Dieu
ouvre une porte à notre prédication[x] afin que j'annonce le *mystère
du Christ, pour lequel je suis en prison; 4 que je le publie comme je
suis tenu d'en parler.

5 Trouvez la juste attitude à l'égard des non-chrétiens; saisissez
l'occasion[y]. 6 Que vos propos soient toujours bienveillants, relevés de
sel, avec l'art de répondre à chacun comme il faut[z].

7 En ce qui concerne ma situation, vous aurez toutes les nouvelles
par Tychique[a], le frère que j'aime, le ministre fidèle, mon compagnon
de service dans le Seigneur. 8 Je vous l'envoie tout exprès pour vous
donner de nos nouvelles et vous réconforter. 9 Onésime[b], ce frère
fidèle et très cher, l'accompagne; il est des vôtres. Ils vous mettront au
courant de tout ce qui se passe ici.

10 Vous avez les salutations d'Aristarque qui est en prison avec moi,
ainsi que de Marc, le cousin de Barnabas[c] — vous avez reçu des ins-

q 3.21 enfants et parents Ep 6.1-4 ; He 12.4-11 ; 1 P 5.5. ***r 3.22*** ou *le Maître.* ***s 3.24*** Voir Ga 4.1-2. Dans la société antique l'esclave ne pouvait pas hériter. ***t 3.24*** Rm 12.11. ***u 3.25*** Rm 2.11+. ***v 4.1*** esclaves et maîtres Ep 6.5-9 ; Lv 25.43 ; 1 Co 7.21-23 ; 1 Tm 6.1-2 ; Tt 2.9-10 ; Phm ; 1 P 2.18-20. ***w 4.2*** v.2-4 : appel à la prière Ep 6.18-20. — prière persévérante Rm 12.12 ; Ph 4.6 ; 1 Th 5.17-18. — *sur le qui-vive* Mt 26.41 ; 1 Th 5.6. ***x 4.3*** prière pour le messager de l'Evangile Rm 15.30 ; Ep 6.19 ; 1 Th 5.25 ; 2 Th 3.1. — un passage frayé à l'Evangile 2 Co 2.12+. ***y 4.5*** *attitude à l'égard des non-chrétiens* 1 Co 5.12 ; 1 Th 4.12 ; Rm 12.17 ; 1 P 2.12. — *saisissez l'occasion* Ep 5.15-16. ***z 4.6*** *vos propos* Ep 4.29. — *l'art de répondre à chacun* 1 P 3.15. ***a 4.7*** Ac 20.4 ; Ep 6.21-22 ; 2 Tm 4.12 ; Tt 3.12. ***b 4.9*** Phm 10-12. ***c 4.10*** *Aristarque* Ac 19.29+. — *Marc* Ac 12.12+ ; 2 Tm 4.11+. — *Barnabas* Ac 4.36+.

tructions à son sujet : s'il vient chez vous, faites-lui bon accueil. 11 Vous
avez également les salutations de Jésus, celui qu'on appelle Justus.
Seuls parmi les Juifs à travailler avec moi pour le *Royaume de Dieu,
ils ont été pour moi une consolation. 12 Vous avez les salutations
d'Epaphras qui est de chez vous ; ce serviteur de Jésus Christ ne cesse
de mener pour vous le combat de la prière[d], afin que vous demeuriez
fermes, parfaits, donnant plein consentement à toute volonté de Dieu.
13 Je lui rends ce témoignage qu'il se donne beaucoup de peine, pour
vous, pour ceux de Laodicée et de Hiérapolis[e]. 14 Vous avez les saluta-
tions de Luc, notre ami le médecin, et de Démas[f].

15 Saluez les frères de Laodicée, ainsi que Nympha et l'Eglise qui se
réunit dans sa maison[g]. 16 Quand vous aurez lu ma lettre, faites en
sorte qu'on la lise aussi dans l'Eglise de Laodicée. Lisez, de votre coté,
celle qui viendra de Laodicée[h].

17 Enfin, dites à Archippe[i] : Veille au *ministère que tu as reçu dans
le Seigneur, et tâche de bien l'accomplir.

18 La salutation de ma main, à moi Paul, la voici : Souvenez-vous de
mes chaînes[j]. La grâce soit avec vous !

d 4.12 *Epaphras* 1.7 +. – *combat* 2.1 *de la prière* Rm 15.30 ; Gn 18.17-18 ; 32.29 ; Ex 32.11-14. ***e 4.13*** *Hiérapolis* et *Laodicée :* deux villes voisines de Colosses, également situées dans la vallée du Lycus ; voir 2.1 +. ***f 4.14*** *Luc* Phm 24 ; 2 Tm 4.11. – *Démas* Phm 24 ; 2 Tm 4.10. ***g 4.15*** Rm 16.5 ; Phm 2. ***h 4.16*** Lettre perdue, à moins que ce ne soit notre actuelle épître « aux Ephésiens » (voir Ep 1.1. et la note). ***i 4.17*** Phm 2. ***j 4.18*** salutation autographe Ga 6.11 +. – *chaînes* Ep 3.1 ; 4.1 ; 6.20 ; Phm 1,9, 10,13 ; Ph 1.7, 13 ; 2 Tm 1.8 ; 2.9.

ÉPÎTRES AUX THESSALONICIENS

INTRODUCTION

Thessalonique

Thessalonique, capitale de la province romaine de Macédoine, avait été fondée au IVe siècle avant J.C. Lieu de transit et débouché naturel de l'arrière-pays, dotée d'un port sûr, la ville possédait depuis l'année 42 avant J.C. le statut de cité libre. L'administration romaine y était représentée par un proconsul. Lorsque Paul y arriva, en l'an 50 après J.C., elle était une cité commerciale florissante, où vivaient de nombreux étrangers et notamment une importante colonie juive.

Le séjour de Paul à Thessalonique fut sans doute moins bref que ce qu'on pourrait déduire de Ac 17.2. L'apôtre eut en effet le temps d'y exercer un métier (1 Th 2.9), de recevoir plusieurs secours des Philippiens qu'il venait de quitter (Ph 4.16) et de rallier à l'Evangile des Juifs, des prosélytes et des païens. Mais une vive réaction de la colonie juive le contraignit à un départ hâtif (Ac 17.5-9) qui explique son inquiétude au sujet de cette toute jeune communauté, de même que le ton violent sur lequel il parle des Juifs à ses correspondants (1 Th 2.15-16).

La première lettre aux Thessaloniciens

Paul y manifeste avant tout l'intensité des sentiments qui le lient à cette communauté qu'il vient de fonder. Il est dans la joie des bonnes nouvelles qu'il a enfin reçues. Les frères de Thessalonique ont résisté à l'épreuve et sont dans la bonne voie. Paul ne peut que manifester sa reconnaissance envers Dieu et recommander aux frères de persévérer. Certes, il est impatient de revenir les voir pour compléter son enseignement, mais il n'est plus inquiet. Malgré tous les obstacles, l'Evangile poursuit son œuvre ; c'est la Parole de Dieu lui-même qui est intervenue et la foi des croyants en manifeste l'efficacité. La puissance de Dieu, qui a opéré la résurrection de Jésus, agit désormais dans la prédi-

cation missionnaire. Paul fait l'expérience de la mort et de la résurrection du Christ : ce ne sont pas seulement des événements du passé. Les communautés chrétiennes et lui-même sont affrontés à l'épreuve qui fut celle de Jésus (1.6 ; 2.14) et dans cette histoire où la mort est à l'œuvre, il a vu jaillir la vie et la gloire du Ressuscité.

Cette joie, cette confiance, cette ferveur revivent dans cette épître qui est le plus ancien écrit du Nouveau Testament. L'apôtre l'a sans doute envoyée au début de l'an 51, peu après son arrivée à Corinthe. A cette date, les traditions évangéliques ont déjà pris corps et d'autres textes peuvent nous rapporter des traditions plus anciennes, mais 1 Thessaloniciens est le plus ancien document littéraire chrétien connu.

La deuxième lettre aux Thessaloniciens

Il est assez souvent admis que 2 Thessaloniciens est une lettre adressée par l'apôtre peu de temps après la première. Les deux lettres en effet portent la même suscription et ont été toutes deux reçues par l'Eglise ancienne comme lettres de Paul.

Pourtant, une comparaison attentive des deux lettres conduit à deux observations majeures :

1. Les ressemblances littéraires *entre les deux écrits sont caractéristiques. Des expressions ou des versets entiers de 2 Thessaloniciens semblent repris de la première lettre et cela dans les trois chapitres de la seconde épître (en exceptant toutefois l'instruction particulière de 2 Th 2.1-2). On a tenté de rendre compte de ce parallélisme en affirmant que les deux lettres auraient été dictées dans un délai très bref. Mais il faudrait alors supposer une brusque évolution de la situation à Thessalonique. D'autre part, le ton solennel et le style laborieux de la deuxième épître tranchent avec ceux de la première au point qu'on peut hésiter à les attribuer au même auteur.*

2. L'enseignement donné sur les événements de la fin des temps *en 2 Thessaloniciens (voir paragraphe suivant) ne se réfère aucunement à ce qui a été écrit en 1 Th 5.1-6 sur la venue soudaine du Jour du Seigneur. 1 Thessaloniciens enseigne qu'on passera sans transition d'une paix apparente à la ruine, alors que 2 Thessaloniciens décrit la succession des étapes de l'histoire avant la révélation glorieuse du Christ. Or, il est clair que la seconde lettre est essentiellement écrite pour exposer ce déroulement apocalyptique. Qu'un écrivain chrétien, un responsable d'une communauté, pénétré de l'enseignement de Paul, ait cru devoir, en se mettant sous le patronage de l'apôtre, corriger une fausse et dangereuse interprétation de l'attente du retour du Christ est assez vraisemblable et expliquerait bien pourquoi nous cons-*

tatons à la fois des ressemblances littéraires, une tonalité différente et une difficile cohérence entre les deux enseignements sur la fin des temps. Ce procédé a été fréquemment utilisé dans la littérature juive ou chrétienne, non pas dans l'intention de faire un faux, mais pour préciser ou approfondir un enseignement traditionnel.

Quoi qu'il en soit, 2 Thessaloniciens a joué un rôle important dans l'histoire de l'Eglise en prévenant toute évasion loin des réalités du combat que les chrétiens doivent mener dans le monde : leur espérance doit être inséparable de leur vigilance quotidienne.

L'enseignement eschatologique

A. Première lettre : *L'espérance du retour du Christ est la certitude qui ponctue toute l'épître. Mais elle est particulièrement affirmée dans l'instruction de 4.13—5.3 : le Jour du Seigneur, annoncé par l'Ancien Testament, est compris par Paul comme le Jour du Christ, celui où il viendra dans sa gloire de Fils de Dieu pour le salut des fidèles et la perdition des méchants. Ce jour est attendu dans un délai assez court (4.15), la première génération chrétienne — et Paul avec elle — croyant à un retour proche de son Seigneur. L'apôtre dissipe les craintes de ses correspondants : le Ressuscité n'oubliera aucun des siens, morts ou vivants. Paul donne cet enseignement en faisant référence à une* parole du Seigneur *(4.15) et en employant les images de l'apocalyptique juive (4.16). Plutôt que de préciser les temps et les moments, il insiste surtout sur la soudaineté de l'événement, incitant ainsi ses correspondants à veiller pour être prêts en tout temps à accueillir leur Maître.*

B. Deuxième lettre : *On y trouve une tout autre préoccupation. Certains chrétiens, persuadés de l'imminence du retour du Christ et s'autorisant même d'un enseignement apostolique mal compris (2.1-2), se conduisent comme si le Jour du Seigneur était déjà arrivé et abolissent les contraintes de la vie quotidienne, à commencer par celles du travail. Les précisions du chapitre 2 visent à prévenir toute anticipation fallacieuse. En effet, un certain nombre d'événements doivent survenir* avant *le retour du Christ :*

1. Satan est déjà à l'œuvre dans ce monde : impiété, mensonge et injustice iront d'abord croissant.

2. Puis viendra le temps de l'apostasie, lorsque se révélera l'Impie, véritable Antichrist incarnant toutes les puissances du mal. Cependant, quelqu'un *et* quelque chose *le retiennent encore d'exercer son pouvoir (2.6-7). Un délai indéterminé sépare donc le temps où écrit l'auteur de celui où l'Impie se manifestera.*

3. Après la venue de l'Impie, le Seigneur se révélera à son tour et anéantira son adversaire.

Puisque tel est l'avenir attendu, les destinataires de 2 Thessaloniciens sont donc dans l'erreur en voulant tourner le dos aux troubles et aux luttes nécessaires. Avant de partager la gloire (2.14), il faut passer par la persécution et la souffrance, qu'on traverse en progressant dans l'amour, la foi, la persévérance et non en bouleversant l'ordre établi dans la communauté et la société. On voit que la proximité de la fin est clairement relativisée par rapport à 1 Thessaloniciens. Seul le dernier acte du drame transformera les situations ; or, on n'en est pas encore à l'avant-dernier acte : pas d'euphorie anticipée !

Les Epîtres aux Thessaloniciens sont l'une et l'autre des témoignages capitaux sur l'Eglise ancienne et son espérance. L'absence de longs développements dogmatiques n'en fait pas pour autant des écrits mineurs. Car, dans leur relative simplicité, elles mentionnent tout ce qui est la foi commune des premiers chrétiens et l'expérience des premiers missionnaires : l'amour de Dieu qui appelle, la Seigneurie du Christ dont on attend ardemment la manifestation glorieuse, l'action débordante de l'Esprit dans la parole de proclamation et dans la vie des communautés, la certitude de la résurrection, la persévérance dans la persécution, l'amour fraternel qui rend les chrétiens et les communautés solidaires... Comment le chrétien ne reviendrait-il pas constamment à cette source ? Comment n'y trouverait-il pas toujours un appel à vivre, dans son temps, de la même espérance avec la même ardeur ?

PREMIÈRE ÉPÎTRE AUX THESSALONICIENS

Adresse et salutation

1 [1] Paul, Silvain et Timothée à l'Eglise des Thessaloniciens[a] qui est
en Dieu le Père et dans le Seigneur Jésus Christ. A vous grâce et
paix.

La foi des Thessaloniciens en l'Evangile

[2] Nous rendons continuellement grâce à Dieu pour vous tous quand
nous faisons mention de vous dans nos prières[b]; sans cesse, [3] nous gar-
dons le souvenir de votre foi active, de votre amour qui se met en
peine, et de votre persévérante espérance[c], qui nous viennent de
notre Seigneur Jésus Christ, devant Dieu notre Père, [4] sachant bien,
frères aimés de Dieu, qu'il vous a choisis[d]. [5] En effet, notre annonce de
*l'Evangile chez vous n'a pas été seulement discours, mais puis-
sance[e], action de l'Esprit Saint, et merveilleux accomplissement. Et
c'est bien ainsi, vous le savez, que cela nous est arrivé chez vous, en
votre faveur. [6] Et vous, vous nous avez imités, nous et le Seigneur,
accueillant la Parole en pleine détresse, avec la joie de l'Esprit Saint[f]:
[7] ainsi, vous êtes devenus un modèle pour tous les croyants de Macé-
doine et d'Achaïe[g]. [8] De chez vous, en effet, la parole du Seigneur a
retenti non seulement en Macédoine et en Achaïe, mais la nouvelle de
votre foi en Dieu s'est si bien répandue partout que nous n'avons pas

a ***1.1*** *Silvain*-Silas Ac 15.22+. — *Timothée* Ac 16.1+. — *l'Eglise* (comme communauté locale) Ac 13.1 ; 14.23 ; Rm 16.1,5 ; 1 Co 1.2 ; 2 Co 1.1 ; 8.1 ; Ga 1.2 ; Col 4.16 ; 1 Th 2.14. — *Thessalonique* (voir 2 Co 1.16 et la note) : la ville porte aujourd'hui le nom de Salonique ; elle est située au Nord de la Grèce. Sur le premier séjour qu'y fit Paul, voir Ac 17.1-9 et 1 Th 2.1-2. **b** ***1.2*** Ph 1.3-4 ; Col 1.3 ; 2 Th 1.11. **c** ***1.3*** *foi, amour, espérance* 1 Co 13.13+. **d** ***1.4*** Es 65.9, 22 ; Lc 18.7 ; Rm 8.33 ; 11.7,28 ; 1 P 1.2 ; 2 P 1.10. **e** ***1.5*** Rm 1.16 ; 1 Co 2.1-5 ; 4.20. **f** ***1.6*** Imitation du Christ et des apôtres Mt 10.18 par.; Jn 15.20 ; 1 Co 4.16 ; Ph 3.17 ; 1 Th 2.14-15 ; 2 Th 3.9. — *la Parole* Mc 3.13,23,33 par.; Ac 6.4 ; Ga 6.6 ; Ph 1.14 ; Col 4.3 ; 2 Tm 4.2 de Dieu (ou du Seigneur) 1 Th 1.8 ; 2.13 ; 4.15 ; 2 Th 3.1. — *en pleine détresse* Ac 17.5-9. — *avec joie* Lc 8.13. **g** ***1.7*** *un modèle* 1 P 5.3. — *Macédoine :* voir 2 Co 1.16 et la note. — *Achaïe :* voir 2 Co 1.1 et la note.

besoin d'en parler[h]. 9 Car chacun raconte, en parlant de nous, quel accueil vous nous avez fait, et comment vous vous êtes tournés vers Dieu en vous détournant des idoles, pour servir le Dieu vivant et véritable[i] 10 et pour attendre des *cieux son Fils qu'il a ressuscité des morts, Jésus, qui nous arrache à la colère qui vient[j].

L'activité missionnaire de Paul

2 1 Vous-mêmes le savez bien, frères, ce n'est pas en vain[k] que vous nous avez accueillis. 2 Mais, alors que nous venions de souffrir et d'être insultés à Philippes, comme vous le savez, nous avons trouvé en notre Dieu l'assurance qu'il fallait pour vous prêcher son *Evangile à travers bien des luttes[l]. 3 C'est que notre prédication ne repose pas sur l'erreur, elle ne s'inspire pas de motifs *impurs, elle n'a pas recours à la ruse. 4 Mais Dieu nous ayant éprouvés pour nous confier l'Evangile, nous prêchons en conséquence; nous ne cherchons pas à plaire aux hommes, mais à Dieu qui éprouve nos cœurs[m]. 5 C'est ainsi que jamais nous n'avons eu de paroles flatteuses, vous le savez, jamais d'arrière-pensée de profit, Dieu en est témoin[n], 6 et jamais nous n'avons recherché d'honneurs[o] auprès des hommes, ni chez vous, ni chez d'autres, 7 alors que nous aurions pu nous imposer, en qualité *d'apôtres du Christ. Au contraire, nous avons été au milieu de vous pleins de douceur, comme une mère réchauffe sur son sein les enfants qu'elle nourrit[p]. 8 Nous avions pour vous une telle affection que nous étions prêts à vous donner non seulement l'Evangile de Dieu, mais même notre propre vie[q], tant vous nous étiez devenus chers. 9 Vous vous rappelez, frères, nos peines et nos fatigues: c'est en travaillant nuit et jour, pour n'être à la charge d'aucun de vous[r], que nous vous avons annoncé l'Evangile de Dieu. 10 Vous êtes témoins, et Dieu aussi, que nous nous sommes conduits envers vous, les croyants, de manière sainte, juste, irréprochable. 11 Et vous le savez: traitant chacun de vous comme un père ses enfants[s], 12 nous vous avons exhortés, encouragés

h 1.8 Rm 1.8. ***i 1.9*** *tournés vers Dieu en vous détournant des idoles* Ac 14.15 ; 15.19-20 ; 26.18 ; 1 Co 10.7, 14 ; Ga 4.9. — *le Dieu vivant et véritable* Jr 10.10 ; Jn 17.3 ; Ac 14.15. ***j 1.10*** *attendre son Fils* 1 Co 1.7 ; Tt 2.13. — *la colère qui vient* Rm 1.18 ; 2.5 ; 5.9 ; 1 Th 2.16. — Jésus *nous y arrache* 5.9. ***k 2.1*** 1.5, 9. ***l 2.2*** *souffrances et insultes à Philippes* Ac 16.19-24 ; voir Ph 1.1 et la note. — *luttes à Thessalonique* Ac 17.1-5. ***m 2.4*** *pour nous confier l'Evangile* 1 Tm 1.11. — *plaire non aux hommes mais à Dieu* Ga 1.10 ; 2 Co 5.9. — *Dieu qui éprouve nos cœurs* Jr 11.20. ***n 2.5*** *paroles flatteuses* 2 P 2.3. — *arrière-pensée de profit* Ac 20.33. — *Dieu témoin* 1 Th 2.10. ***o 2.6*** Jn 5.41, 44. ***p 2.7*** *comme une mère* Ga 4.19. ***q 2.8*** Jn 15.13. ***r 2.9*** travail manuel Ac 18.3 ; 20.33-35 ; 1 Co 4.12 ; 1 Th 4.11 ; 2 Th 3.7-12. — *n'être à la charge de personne* 2 Co 11.7-10 ; 12.13-18. ***s 2.11*** *comme un père* 1 Co 4.15.

et adjurés de vous conduire d'une manière digne de Dieu qui vous
appelle à son *Royaume et à sa gloire[t].

Nouvel éloge de la foi des Thessaloniciens

13 Voici pourquoi, de notre côté, nous rendons sans cesse grâce à
Dieu: quand vous avez reçu la parole de Dieu que nous vous faisions
entendre, vous l'avez accueillie, non comme une parole d'homme,
mais comme ce qu'elle est réellement, la parole de Dieu, qui est aussi
à l'œuvre en vous, les croyants[u]. 14 En effet, frères, vous avez imité les
Eglises de Dieu qui sont en Judée, dans le Christ Jésus, puisque vous
aussi avez souffert, de vos propres compatriotes, ce qu'elles ont souf-
fert de la part des *Juifs[v]; 15 eux qui ont tué le Seigneur Jésus et les
*prophètes, ils nous ont aussi persécutés[w], ils ne plaisent pas à Dieu
et sont ennemis de tous les hommes, 16 ils nous empêchent de prêcher
aux *païens pour les sauver, et mettent ainsi, en tout temps, le comble
à leur péché. Mais la colère est tombée sur eux, à la fin[x].

Paul voudrait retourner à Thessalonique: mission de Timothée

17 Pour nous, frères, séparés de vous pour un temps, loin des yeux
mais non du cœur, nous avons redoublé d'efforts pour aller vous voir,
car nous en avions un vif désir. 18 C'est pourquoi nous avons voulu
nous rendre chez vous — moi-même, Paul, à plusieurs reprises — et
*Satan nous en a empêchés. 19 En effet quelle est notre espérance,
notre joie, *l'orgueil qui sera notre couronne en présence de notre
Seigneur Jésus, lors de sa venue sinon vous[y]? 20 Oui, c'est vous qui êtes
notre gloire et notre joie[z].

3 1 Aussi, n'y tenant plus, nous avons pensé que le mieux était de
rester seuls à Athènes[a], 2 et nous vous avons envoyé Timothée,
notre frère, le collaborateur de Dieu[b] dans la prédication de *l'Evan-
gile du Christ, pour vous affermir et vous encourager dans votre foi,

t 2.12 *vous conduire d'une manière digne de Dieu* Ep 4.1-3+ ; Ph 1.27 ; 2 Th 1.5. — *appelés à sa gloire* 1 P 5.10. **u 2.13** *action de grâce incessante* 1.2 ; 2 Th 1.3 ; 2.13. — *recevoir la parole* Mc 4.16 ; Ac 11.1 *comme parole de Dieu* Ga 1.11-12. — *à l'œuvre en vous* Ph 2.13. **v 2.14** *imitation des Eglises de Dieu* 1.6+. — mêmes souffrances que les Eglises de Judée Ac 17.5, 13. **w 2.15** *ils ont tué Jésus et les prophètes* Mc 10.34 ; Ac 2.23 ; 7.52. — *ils nous ont aussi persécutés* Ac 9.23, 29 ; 13.45, 50 ; 14.2, 5, 19 ; 17.5, 13 ; 18.12. **x 2.16** le péché à son comble Gn 15.16 ; Mt 23.32-33. — la colère *de Dieu,* ainsi que le précisent quelques manuscrits ; voir 1 Th 1.10+. **y 2.19** *couronne :* voir Ap 2.11 et la note. — *la venue du Seigneur Jésus* Mt 24.3 ; 1 Co 15.23 ; 1 Th 3.13 ; 5.23 ; 2 Th 1.7. **z 2.20** Ph 2.16 ; 4.1 ; 2 Th 1.4. **a 3.1** Voir Ac 17.15-16. **b 3.2** *Timothée* Ac 16.1+. — *collaborateur de Dieu :* autres textes : *serviteur de Dieu,* ou *notre collaborateur ;* voir 1 Co 3.9.

3 afin que personne ne soit ébranlé au milieu des épreuves présentes,
car vous savez bien que nous y sommes destinés[c]. 4 Quand nous étions
chez vous, nous vous prévenions qu'il faudrait subir des épreuves[d], et
c'est ce qui est arrivé, vous le savez. 5 C'est pour cela que, n'y tenant
plus, j'ai envoyé prendre des nouvelles de votre foi, dans la crainte
que le *Tentateur ne vous ait tentés et que notre peine ne soit per-
due[e].

6 Maintenant, Timothée vient de nous arriver de chez vous et de
nous apporter la bonne nouvelle de votre foi et de votre amour[f]; il dit
que vous gardez toujours un bon souvenir de nous, et que vous désirez
nous revoir autant que nous désirons vous revoir. 7 Ainsi, frères, nous
avons trouvé en vous un réconfort, grâce à votre foi, au milieu de
toutes nos angoisses et de nos épreuves, 8 et maintenant nous revi-
vons, puisque vous tenez bon[g] dans le Seigneur. 9 Quelle action de
grâce pourrions-nous rendre à Dieu à votre sujet, pour toute la joie que
nous éprouvons à cause de vous devant notre Dieu, 10 lorsque nous
prions, nuit et jour, avec insistance, pour qu'il nous soit donné de vous
revoir et de compléter ce qui manque à votre foi[h]?

11 Que Dieu lui-même, notre Père, et que notre Seigneur Jésus diri-
gent notre route vers vous. 12 Que le Seigneur fasse croître et abonder
l'amour que vous avez les uns pour les autres et pour tous[i], à l'image
de notre amour pour vous. 13 Qu'il affermisse ainsi vos cœurs dans une
*sainteté irréprochable devant Dieu notre Père, lors de la venue de
notre Seigneur Jésus avec tous ses *saints[j].

La vie qui plaît à Dieu: pureté, amour fraternel

4 1 Au demeurant, frères, voici nos demandes et nos exhortations
dans le Seigneur Jésus: vous avez appris de nous comment vous
devez vous conduire[k] pour plaire à Dieu, et c'est ainsi que vous vous
conduisez; faites encore de nouveaux progrès.

2 Vous savez, en effet, quelles instructions nous vous avons données
de la part du Seigneur Jésus[l]. 3 La volonté de Dieu, c'est votre sanctifi-
cation, que vous vous absteniez de la débauche[m], 4 que chacun d'entre

c 3.3 *les épreuves présentes* Mc 13 par. ; Ac 14.22 ; Ap 2.9-10 ; 7.14. — inébranlables dans les épreuves Ep 3.13. — *nous y sommes destinés* 2 Tm 3.12. **d 3.4** épreuves prévues Ac 14.22. **e 3.5** *peine perdue* Ph 2.16. **f 3.6** *chez vous :* voir Ac 18.5 ; Paul écrit de Corinthe. — *foi et amour* 2 Th 1.3. **g 3.7-8** 2 Th 1.4; 2.15. **h 3.10** 2 Co 15.15 ; Ph 1.25 ; 2 Th 1.3. **i 3.12** *un amour grandissant* Ph 1.9 ; 1 Th 4.10. — *pour tous* 5.15. **j 3.13** *sainteté irréprochable* Ph 1.10. — *la venue de notre Seigneur* 1 Co 1.8 ; 1 Th 5.23. — *avec tous les saints* Dt 33.3 ; Za 14.5 ; Dn 7.25, 27 ; Mt 25.31 ; 1 Th 4.16 ; 2 Th 1.7 ; Ap 14.10. **k 4.1** 2 Th 3.6. **l 4.2** 4.15. **m 4.3** *sanctification* Lv 19.2 ; Rm 6.19 ; Ep 1.4 ; 1 Th 5.23 ; He 10.10 ; 1 P 1.16. — *débauche* 1 Co 6.12-20.

vous sache prendre femme dans la sainteté et l'honneur[n], 5 sans se laisser emporter par le désir comme font *les *païens qui ne connaissent pas Dieu*[o], 6 que nul n'agisse au détriment de son frère et ne lui cause du tort en cette affaire, car le Seigneur *tire vengeance*[p] de tout cela, comme nous vous l'avons déjà dit et attesté. 7 En effet, Dieu ne nous a pas appelés pour que nous demeurions dans *l'impureté, mais il nous a appelés à la sainteté[q]. 8 Ainsi donc, celui qui rejette ces instructions, ce n'est pas un homme qu'il rejette, c'est Dieu, lui qui vous donne son Esprit Saint[r].

9 Sur l'amour fraternel, vous n'avez pas besoin qu'on vous écrive, car vous avez appris vous-mêmes de Dieu à vous aimer les uns les autres[s], 10 et vous le faites d'ailleurs à l'égard de tous les frères, dans la Macédoine entière; nous vous exhortons, frères, à faire encore de nouveaux progrès[t]: 11 ayez à cœur de vivre dans le calme, de vous occuper de vos propres affaires, et de travailler de vos mains, comme nous vous l'avons ordonné[u], 12 pour que votre conduite soit honorable au regard des gens du dehors[v], et que vous n'ayez besoin de personne.

La résurrection des morts et l'attente du Jour du Seigneur

13 Nous ne voulons pas, frères, vous laisser dans l'ignorance au sujet des morts, afin que vous ne soyez pas dans la tristesse comme les autres, qui n'ont pas d'espérance[w]. 14 Si en effet nous croyons que Jésus est mort et qu'il est ressuscité[x], de même aussi ceux qui sont morts, Dieu, à cause de ce Jésus, à Jésus les réunira. 15 Voici ce que nous vous disons, d'après une parole du Seigneur: nous, les vivants, qui serons restés jusqu'à la venue du Seigneur, nous ne devancerons pas du tout ceux qui sont morts[y]. 16 Car lui-même, le Seigneur, au signal donné, à la voix de *l'archange et au son de la trompette de Dieu, descendra du *ciel: alors les morts en Christ ressusciteront d'abord; 17 ensuite nous, les vivants, qui serons restés, nous serons

n 4.4 Autre traduction : *sache tenir son corps pour vivre dans la sainteté et l'honneur.* — *savoir prendre femme* 1 Co 7.2. — *sainteté* du mariage He 10.4 ; voir 1 Co 6.13, 15. ***o 4.5*** Ps 79.6 ; Jr 10.25. ***p 4.6*** Dt 32.35 ; Ps 94.1 ; *Si* 5.3. ***q 4.7*** 2 Th 2.13-14 ; 1 P 1.15-16. ***r 4.8*** *celui qui rejette ces instructions* Lc 10.16. — *Dieu vous donne son Esprit Saint* Ez 36.27 ; 37.14 ; Rm 5.5 ; 2 Co 1.22 ; Ga 4.6 ; 1 Jn 3.24. ***s 4.9*** *amour fraternel et réciproque* Jn 13.34 ; 15.12-14. — *appris de Dieu* Jr 31.33-34. ***t 4.10*** *vous le faites* 2 Th 3.4. — *Macédoine :* voir 2 Co 1.16 et la note. — *nouveaux progrès* 1 Th 3.12. ***u 4.11*** 2.9+ ; Ep 4.28+. ***v 4.12*** 1 Co 5.12-13 ; Col 4.5 ; voir Mc 4.11. ***w 4.13*** *les morts :* ou *ceux qui dorment.* Tant chez les Juifs que chez les Grecs le sommeil était une image fréquente de la mort. — *sans espérance* Ep 2.12. ***x 4.14*** Mc 9.31 ; Ac 2.24 ; Rm 14.9 ; 1 Co 15.3, 4, 12. ***y 4.15*** d'après une parole du Seigneur Mt 16.27 ; 24.30 ; 1 Co 7.10-25 ; 1 Th 4.2. — *restés vivants jusqu'à la venue du Seigneur* 1 Co 15.51.

enlevés avec eux sur les nuées, à la rencontre du Seigneur, dans les
airs, et ainsi nous serons toujours avec le Seigneur[z]. 18 Réconfortez-
vous donc les uns les autres par cet enseignement[a].

5 1 Quant aux temps et aux moments[b], frères, vous n'avez pas
besoin qu'on vous en écrive. 2 Vous-mêmes le savez parfaitement:
le *Jour du Seigneur vient comme un voleur dans la nuit[c]. 3 Quand les
gens diront: « Quelle paix, quelle sécurité! », c'est alors que soudain la
ruine fondra sur eux comme les douleurs sur la femme enceinte, et ils
ne pourront y échapper[d]. 4 Mais vous, frères, vous n'êtes pas dans les
ténèbres[e], pour que ce jour vous surprenne comme un voleur. 5 Tous,
en effet, vous êtes fils de la lumière, fils du jour[f]: nous ne sommes ni
de la nuit, ni des ténèbres. 6 Donc ne dormons pas comme les autres,
mais soyons vigilants[g] et sobres. 7 Ceux qui dorment, c'est la nuit
qu'ils dorment, et ceux qui s'enivrent, c'est la nuit qu'ils s'enivrent;
8 mais nous qui sommes du jour, soyons sobres, revêtus de la cuirasse
de la foi et de l'amour, avec le casque de l'espérance du salut[h].

9 Car Dieu ne nous a pas destinés à subir sa colère, mais à posséder
le salut par notre Seigneur Jésus Christ[i], 10 mort pour nous afin que,
veillant ou dormant, nous vivions alors unis à lui[j]. 11 C'est pourquoi,
réconfortez-vous mutuellement[k] et édifiez-vous l'un l'autre, comme
vous le faites déjà.

Exhortations finales et salutations

12 Nous vous demandons, frères, d'avoir des égards pour ceux qui
parmi vous se donnent de la peine, veillent sur vous dans le Seigneur
et vous reprennent; 13 ayez pour eux la plus haute estime, avec amour,
en raison de leur travail. Vivez en paix entre vous[l].

14 Nous vous y exhortons, frères: reprenez ceux qui vivent de
manière désordonnée, donnez du courage à ceux qui en ont peu; sou-

z 4.16-17 avènement glorieux du Seigneur 1.10 ; 2 Th 1.7. — *trompette* 1 Co 15.52. — *avec le Seigneur* Jn 12.26 ; 17.24 ; Ph 1.23+. ***a 4.18*** 5.11. ***b 5.1*** Mt 24.36 ; Ac 1.7. ***c 5.2*** *le Jour du Seigneur* 1 Co 1.8 ; 5.5 ; 2 Co 1.14 ; 2 Th 2.2 ; 2 P 3.10 ; voir Ph 1.6, 10 ; 2.16. — *comme un voleur* Ap 3.3+. ***d 5.3*** *paix et sécurité* Jr 6.14 ; 8.11 ; Ez 13.10. — *soudain la ruine* Mt 24.38-39 ; Lc 21.34-35. — *comme une femme enceinte* Jr 4.31 ; Mt 24.8. ***e 5.4*** *dans les ténèbres* Jn 12.46. ***f 5.5*** *fils de...* ou *enfant de...* est une tournure sémitique très fréquente dans la Bible pour exprimer en particulier l'appartenance ou la dépendance. Voir Mt 8.12 (fils du Royaume). En 2 Th 2.3 la même tournure (fils de perdition) exprime la destinée. Voir Lc 20.36. — *lumière et ténèbres* Jn 8.12 ; Rm 13.12 ; Ep 5.8-13+. ***g 5.6*** Mt 24.42-44 ; 25.1-12 ; Mc 13.33-37 ; Lc 21.36 ; 1 P 5.8. ***h 5.8*** *foi, amour, espérance* 1 Co 13.13+. — armure du chrétien Es 59.17 ; *Sg* 5.18 ; Ep 6.11+. ***i 5.9*** *colère* et *salut* 1.10 ; 2 Th 2.14. ***j 5.10*** Rm 14.8-9 ; 1 Th 4.13-14 et la note. ***k 5.11*** Ep 5.19 ; Col 3.16 ; 1 Th 4.18. ***l 5.12-13*** 1 Co 16.18 ; 1 Tm 5.17 ; He 13.7.

tenez les faibles, soyez patients envers tous[m]. 15 Prenez garde que per-
sonne ne rende le mal pour le mal[n], mais recherchez toujours le bien
entre vous et à l'égard de tous.
16 Soyez toujours dans la joie[o], 17 priez sans cesse[p], 18 rendez grâce
en toute circonstance[q], car c'est la volonté de Dieu à votre égard dans
le Christ Jésus.
19 N'éteignez pas l'Esprit[r], 20 ne méprisez pas les paroles des *pro-
phètes[s]; 21 examinez tout avec discernement[t]: retenez ce qui est bon;
22 tenez-vous à l'écart de toute espèce de mal[u].
23 Que le Dieu de paix[v] lui-même vous *sanctifie totalement, et que
votre esprit, votre âme et votre corps[w] soient parfaitement gardés
pour être irréprochables lors de la venue de notre Seigneur Jésus
Christ. 24 Celui qui vous appelle est fidèle[x]: c'est lui encore qui agira.
25 Frères, priez aussi pour nous[y]. 26 Saluez tous les frères[z] d'un
*saint baiser.
27 Je vous en conjure par le Seigneur: que cette lettre soit lue à tous
les frères.
28 Que la grâce de notre Seigneur Jésus Christ soit avec vous.

m 5.14 répréhension fraternelle Mt 18.15. — vie désordonnée 2 Th 3.6-7, 11, 15. — encouragement 1 Th 2.12. — soutenir les faibles Rm 14.1. — patience envers tous 1 Co 13.4. ***n 5.15*** Pr 20.22 ; Rm 12.17 ; 1 P 3.9. ***o 5.16*** Ph 1.4+; 3.1+. ***p 5.17*** Lc 18.1 ; Rm 12.12 ; Col 4.2. ***q 5.18*** Ep 5.20. ***r 5.19*** Ep 4.30. ***s 5.20*** 1 Co 12.10, 29 ; 13.2 ; 14.1, 3, 39. ***t 5.21*** 1 Jn 4.1. ***u 5.22*** Jb 1.1, 8 ; 2.3. ***v 5.23*** Rm 15.33 ; 2 Th 3.16. ***w 5.23*** ou *que toute votre personne, corps et âme...* ***x 5.24*** 1 Co 1.9 ; 2 Th 3.3. ***y 5.25*** Col 4.3+. ***z 5.26*** Rm 16.16 ; 1 Co 16.20.

DEUXIÈME ÉPÎTRE AUX THESSALONICIENS

Adresse et salutation

1 ¹ Paul, Silvain et Timothée à l'Eglise des Thessaloniciens[a] qui est
en Dieu notre Père et dans le Seigneur Jésus Christ. ² A vous grâce
et paix[b] de la part de Dieu le Père et du Seigneur Jésus Christ.

La foi au milieu des persécutions : le jugement

³ Nous devons rendre continuellement grâce à Dieu pour vous,
frères, et c'est bien juste, car votre foi fait de grands progrès et l'amour
que vous avez les uns pour les autres s'accroît en chacun de vous
tous[c], ⁴ au point que vous êtes notre *orgueil parmi les Eglises de
Dieu, à cause de votre persévérance et de votre foi dans toutes les per-
sécutions et épreuves que vous supportez[d]. ⁵ Elles sont le signe du
juste jugement de Dieu; leur but est de vous rendre dignes du
*Royaume de Dieu pour lequel vous souffrez[e].

⁶ Il est juste, en effet, que Dieu rende détresse pour détresse à vos
oppresseurs[f], ⁷ et qu'il vous donne, à vous les opprimés, le repos avec
nous, lors de la *révélation du Seigneur Jésus, qui viendra du *ciel
avec les *anges de sa puissance[g], ⁸ *dans un feu flamboyant, pour tirer
vengeance de ceux qui ne connaissent pas Dieu* et qui n'obéissent pas
à *l'Evangile, de notre Seigneur Jésus[h]. ⁹ Leur châtiment sera la ruine
éternelle, *loin de la face du Seigneur et de l'éclat de sa majesté*[i],
¹⁰ lorsqu'il viendra, en ce *jour-là, pour être glorifié en la personne de

a *1.1* *Silvain* Ac 15.22+. – *Timothée* Ac 16.1+. – *l'Eglise des Thessaloniciens* 1 Th 1.1+. **b *1.2*** *grâce et paix* Rm 1.7. **c *1.3*** action de grâce continuelle 1 Th 2.13+. – foi et amour en progrès Ph 1.25+ ; 1 Th 3.6, 12. **d *1.4*** *notre orgueil* 2 Co 7.4 ; 1 Th 2.19-20. – *foi, amour, persévérance* 1 Tm 6.11 ; Tt 2.2. – *épreuves et persécutions* Ap 1.9. **e *1.5.*** *signe de jugement* Ph 1.28. – dignes du *Royaume de Dieu* Lc 20.35 ; 1 Th 2.12. – souffrances pour le Royaume Mt 5.10 ; 1 Th 2.14 ; 3.4. **f *1.6*** Dieu rétribue Rm 12.19 ; Ap 18.6-7. – *détresse* 1 Th 3.3. – perdition des oppresseurs Ph 1.28. **g *1.7*** Comme en 1 Co 1.7 Paul use ici du mot *révélation* pour désigner la venue finale de Jésus Christ. Voir au glossaire RÉVÉLATION. – l'avènement du Seigneur Jésus 1 Th 3.13+ ; 4.16. **h *1.8*** *feu flamboyant* Ex 3.2 ; Es 66.15 ; Dn 7.9-11. – *qui ne connaissent pas Dieu* Ps 79.6 ; Jr 10.25 (1 Th 4.5). – *obéir à l'Evangile* Rm 10.16+ ; voir Rm 2.8 ; 1 P 4.17. **i *1.9*** Es 2.10, 19, 21.

ses *saints et pour être admiré en la personne de tous ceux qui auront
cru[j]: or vous, vous avez cru à notre témoignage. 11 Voilà pourquoi
nous prions continuellement pour vous, afin que notre Dieu vous
trouve dignes de l'appel qu'il vous a adressé; que, par sa puissance, il
vous donne d'accomplir tout le bien désiré et rende active votre foi[k].
12 Ainsi le *nom de notre Seigneur Jésus sera glorifié[l] en vous et vous
en lui, selon la grâce de notre Dieu et du Seigneur Jésus Christ.

Ce qui précédera la venue du Seigneur

2 1 Au sujet de la venue de notre Seigneur Jésus Christ et de notre
rassemblement auprès de lui[m], nous vous le demandons, frères:
2 n'allez pas trop vite perdre la tête ni vous effrayer à cause d'une
*révélation *prophétique, d'un propos ou d'une lettre présentés
comme venant de nous, et qui vous feraient croire que le *jour du Sei-
gneur est arrivé[n]. 3 Que personne ne vous séduise d'aucune manière. Il
faut que vienne d'abord l'apostasie[o] et que se *révèle l'Homme de
l'impiété, le Fils de la perdition, 4 celui qui se dresse *et s'élève contre
tout* ce qu'on appelle *dieu ou qu'on adore, au point* de *s'asseoir* en
personne *dans le* *temple *de Dieu* et de proclamer qu'il est Dieu[p].

5 Ne vous rappelez-vous pas que je vous parlais de cela quand j'étais
encore près de vous? 6 Et maintenant, vous savez ce qui le retient[q],
pour qu'il ne soit révélé qu'en son temps. 7 Car le *mystère de
l'impiété est déjà à l'œuvre; il suffit que soit écarté celui qui le retient[r]
à présent. 8 Alors se révélera l'*Impie*, que le Seigneur Jésus *détruira du
souffle de sa bouche*[s] et anéantira par l'éclat de sa venue. 9 Quant à la
venue de l'Impie, marquée par l'activité de *Satan, elle se manifestera
par toutes sortes d'œuvres puissantes, de miracles, de prodiges trom-
peurs[t] 10 et par toutes les séductions de l'injustice pour ceux qui se per-
dent, faute d'avoir accueilli l'amour de la vérité qui les aurait sauvés[u].
11 C'est pourquoi Dieu leur envoie une puissance d'égarement qui les

j 1.10 *glorifié en la personne des saints* 1 Th 2.12 ; 3.13+ ; voir Ps 89.8 (grec) ; Es 43.9 ; Col 3.4. — *admiré* Ps 68.35 (grec). ***k 1.11*** *intercession incessante* Col 1.9+. — *une foi active* 1 Th 1.3. ***l 1.12*** Es 24.15 ; 66.5 ; Ml 1.11 ; Jn 17.22, 24. ***m 2.1*** *l'avènement de Jésus Christ* 1 Co 15.23 ; 1 Th 4.15-17. — *notre rassemblement auprès de lui* Mt 24.31. ***n 2.2*** pas de frayeur Mc 13.7 par. — *jour du Seigneur* 1 Th 5.2+. — proximité de ce jour 1 Th 2.19 ; 3.13 ; 4.15-17 ; 5.4. ***o 2.3*** C'est-à-dire l'abandon de la foi 1 Tm 4.1. — Sur l'emploi de l'expression *fils de* voir 1 Th 5.5 et la note. ***p 2.4*** *qui s'élève contre...dieu* Dn 11.36. — *s'asseoir... de Dieu* Ez 28.2. ***q 2.6*** Ou *vous savez ce qui le retient maintenant* Ap 20.7-10. ***r 2.7*** Il est difficile de reconnaître à quoi et à qui Paul fait allusion en parlant de ce *quelque chose* (v. 6) et de ce *quelqu'un* qui retardent l'apparition de l'Antichrist. Mt 24.14; Mc 13.10. ***s 2.8*** Es 11.4 ; Jb 4.9 ; Ap 19.15. ***t 2.9*** Mt 24.24 ; Ap 13.11-13. ***u 2.10*** *ceux qui se perdent* 1 Co 1.18. — *la vérité qui sauve* Jn 8.34-44.

fait croire au mensonge[v], 12 afin que soient jugés[w] tous ceux qui n'ont
pas cru à la vérité mais ont pris plaisir à l'injustice.

La fermeté dans la foi

13 Quant à nous, nous devons continuellement rendre grâce à Dieu
pour vous, frères aimés du Seigneur, car Dieu vous a choisis dès le
commencement[x], pour être sauvés par l'Esprit qui sanctifie et par la
foi en la vérité. 14 C'est à cela qu'il vous a appelés par notre *Evangile,
à posséder la gloire de notre Seigneur Jésus Christ[y]. 15 Ainsi donc,
frères, tenez bon et gardez fermement les traditions[z] que nous vous
avons enseignées, de vive voix ou par lettre. 16 Que notre Seigneur
Jésus Christ lui-même et Dieu notre Père, qui nous a aimés et nous a
donné, par grâce, une consolation éternelle et une bonne espérance,
17 vous consolent et vous affermissent dans tout ce que vous faites et
tout ce que vous dites pour le bien.

Exhortation à la prière et au travail

3 1 Au demeurant, frères, priez pour nous[a], afin que la parole du Sei-
gneur poursuive sa course, qu'elle soit glorifiée comme elle l'est
chez vous, 2 et que nous échappions aux hommes méchants et mau-
vais: car tous n'ont pas la foi. 3 Le Seigneur est fidèle: il vous affermira
et vous gardera du Mauvais[b]. 4 Pour vous, nous en sommes persuadés
dans le Seigneur: ce que nous vous ordonnons, vous le faites, et vous
continuerez à le faire[c]. 5 Que le Seigneur conduise vos cœurs à l'amour
de Dieu et à la persévérance du Christ.

6 Nous vous ordonnons, frères, au *nom du Seigneur Jésus Christ, de
vous tenir à distance de tout frère qui mène une vie désordonnée et
contraire à la tradition que vous avez reçue de nous[d]. 7 Vous, vous
savez bien comment il faut nous imiter[e]: nous n'avons pas vécu parmi
vous d'une manière désordonnée; 8 nous n'avons demandé à personne
de nous donner le pain que nous avons mangé, mais, dans la peine et
la fatigue, de nuit et de jour, nous avons travaillé pour n'être à la
charge d'aucun de vous[f].

9 Bien sûr, nous en avions le droit[g], mais nous avons voulu être pour

v 2.11 Jn 3.19 ; 2 Tm 4.4. ***w 2.12*** jugement Jn 9.39. ***x 2.13*** action de grâce continuelle 1 Th 2.13+. – *Dieu vous a choisis* 1 Th 1.4 ; Jn 15.16 *dès le commencement* Ep 1.4. ***y 2.14*** *appelés* 1 Th 4.7 à *posséder la gloire* 1 Th 2.12 ; 5.9 ; 2 Th 1.10. ***z 2.15*** *les traditions* 1 Co 11.2 ; 2 Th 3.6. ***a 3.1*** Col 4.3+. ***b 3.3*** *le Seigneur est fidèle* 1 Th 5.24+. – *du Mauvais* ou *du Mal.* Voir au glossaire SATAN ; Mt 6.13 ; 1 Th 5.22. ***c 3.4*** confiance en vous 2 Co 7.16 ; Ga 5.10. – obéissance aux directives apostoliques 2 Co 7.15 ; 1 Th 4.1, 10. ***d 3.6*** *se tenir à distance* Mt 18.17 ; Rm 16.17 ; 1 Co 5.9, 11 ; 2 Th 3.14. – *la tradition reçue de nous* 2.15. ***e 3.7*** *nous imiter* 1 Th 1.6+. ***f 3.8*** 1 Th 2.9+. ***g 3.9*** Mt 10.10 ; 1 Co 9.6-12.

vous un exemple à imiter. 10 En effet, lorsque nous étions près de vous,
nous vous donnions cet ordre: si quelqu'un ne veut pas travailler, qu'il
ne mange pas non plus[h]! 11 Or, nous entendons dire qu'il y en a parmi
vous qui mènent une vie désordonnée, affairés sans rien faire. 12 A ces
gens-là, nous adressons, dans le Seigneur Jésus Christ, cet ordre et
cette exhortation: qu'ils travaillent dans le calme et qu'ils mangent le
pain qu'ils auront eux-mêmes gagné[i].

13 Quant à vous, frères, ne vous lassez pas de faire le bien[j]. 14 Si quel-
qu'un n'obéit pas à ce que nous disons dans cette lettre, notez-le et
n'ayez aucun rapport avec lui, pour qu'il en ait honte[k]; 15 ne le consi-
dérez pourtant pas comme un ennemi, mais reprenez-le comme un
frère[l].

Bénédiction et salutation

16 Que le Seigneur de la paix[m] vous donne lui-même la paix, toujours
et de toute manière. Que le Seigneur soit avec vous tous.

17 La salutation est de ma main, à moi Paul. Je signe ainsi chaque
lettre: c'est mon écriture[n]. 18 Que la grâce de notre Seigneur Jésus
Christ soit avec vous tous.

h 3.10 travailler pour manger 1 Th 4.11+. ***i 3.12*** gagner son pain Gn 3.19. ***j 3.13*** Ga 6.9. ***k 3.14*** 3.6+. ***l 3.15*** Mt 18.15-18 ; 1 Th 5.14. ***m 3.16*** 1 Th 5.23+. ***n 3.17*** Ga 6.11+.

ÉPÎTRES À TIMOTHÉE ET À TITE

INTRODUCTION

Parmi les écrits pauliniens, les deux Epîtres à Timothée *et l'*Epître à Tite *forment un groupe homogène, tant sur le plan littéraire que sur le plan doctrinal. Si l'on excepte le court billet à Philémon, ce sont par ailleurs les seules lettres adressées à des personnes désignées nommément. Dès le début du XVIII*[e] *siècle, on les a dénommées* « Epîtres pastorales » *et cette appellation est devenue traditionnelle. En effet, elle souligne bien le caractère particulier de ces écrits, qui contiennent principalement des directives adressées aux « pasteurs »* des Eglises.

Destinataires

Timothée : *Nous possédons sur Timothée des renseignements de première main, tant par Luc, dans les Actes, que par Paul lui-même.*

Paul le rencontra pour la première fois à Lystres, ville de Lycaonie, colonie romaine fondée par Auguste vers 6 avant J.C. Timothée appartenait à la bonne bourgeoisie de la cité. Son père était « grec », comme on disait (Ac 16.1), par opposition aux autochtones qui parlaient le dialecte lycaonien. On pense aussi qu'il était païen, puisque Timothée ne fut pas circoncis le huitième jour selon la loi juive. Sa mère Eunice, juive devenue chrétienne (Ac 16.1), et sa grand-mère Loïs (2 Tm 1.5) l'instruisirent dès son plus jeune âge dans les Saintes Ecritures (2 Tm 3.15).

Lorsqu'il commença à travailler avec Paul, Timothée était relativement jeune (1 Tm 4.12). D'allure plutôt timide et réservée (1 Co 16.10 ; 2 Tm 1.7-8), de santé délicate, il était sujet à de fréquentes faiblesses (1 Tm 5.23). Pour ne pas avoir d'histoires avec les judaïsants, Paul le circoncit (Ac 16.3). A une date qui nous est inconnue, Timothée reçut du collège des anciens l'imposition des mains (1 Tm 4.14 ; 2 Tm 1.6).

L'activité apostolique du disciple fut profondément marquée par celle de son maître, dont il fut un proche collaborateur (1 Th 3.2).

Souvent Paul le prenait avec lui dans ses déplacements missionnaires (voir Ac 17.14-15 ; 18.5 ; 20.4 ; 2 Co 1.19). Nous trouvons Timothée aux côtés de Paul lorsque ce dernier écrit plusieurs de ses lettres (1 Th 1.1 ; 2 Th 1.1 ; 2 Co 1.1 ; Rm 16.21 ; Ph 1.1 ; Col 1.1 ; Phm 1). Paul le chargea aussi de missions particulières en Macédoine (voir Ac 19.22), spécialement auprès des Thessaloniciens (1 Th 3.2,6), ainsi qu'ailleurs auprès des Corinthiens (1 Co 4.17 ; voir aussi 16.10). L'amitié de Paul pour Timothée fut sans faille. Avant sa mort, il désirera revoir une dernière fois (2 Tm 4.9,21) celui qu'il appelle « mon véritable enfant dans la foi » (1 Tm 1.2).

Tite : *Nous n'avons que peu de renseignements sur Tite, car Luc ne le mentionne jamais dans le livre des Actes. Il naquit d'une famille « grecque », c'est-à-dire païenne (Ga 2.3), fut converti sans doute par Paul lui-même (voir Tt 1.4), qui l'emmena à l'Assemblée de Jérusalem (Ga 2.1-3). Il ne fut pas obligé de se faire circoncire (Ga 2.3), comme ce fut le cas pour Timothée. Son action fut décisive dans le règlement de l'affaire de Corinthe. Il renversa la situation en faveur de Paul (voir 2 Co 7.7) et sut se faire aimer des Corinthiens. Ecrivant à ces derniers, Paul en donne un magnifique témoignage (2 Co 7.7,13,15). L'apôtre apprécia son talent et sa charité, puisqu'il le chargea de parachever l'organisation des communautés chrétiennes en Crète (Tt 1.5). Selon 2 Tm 4.10, il se trouva probablement avec Paul à Rome pour un temps, lors de la seconde captivité, et partit ensuite en Dalmatie.*

Date et lieu. Authenticité

Nous commençons par la Deuxième épître à Timothée, *qui semble offrir la meilleure prise. Elle paraît être la dernière en date des* Epîtres pastorales. *Paul y écrit en effet: « J'ai achevé ma course » (4.7). Elle se placerait donc juste avant la mort de l'apôtre.*

L'épître se présente comme rédigée à Rome (1.17), au cours d'une captivité particulièrement sévère : Paul est « enchaîné comme un malfaiteur » (2.9). L'apôtre sait que le temps de son départ est proche (4.6) et il se sent terriblement isolé (4.10,16). Luc seul demeure auprès de lui (4.11). Il presse Timothée de le rejoindre au plus vite (4.9). — Il est question d'une captivité de Paul à Rome, en Ac 28.30, qu'on peut appeler la première captivité et qui se place vers 61 à 63. Mais les circonstances de cette première captivité ne cadrent nullement avec celles de 2 Tm : Paul demeure alors dans un logis qu'il a loué et peut recevoir librement ceux qui viennent le trouver. Il faut donc, ou bien admettre une seconde captivité pendant laquelle il aurait rédigé sa lettre, captivité dont ne parlent pas les Actes, ou bien récuser les données historiques de la lettre et contester son authenticité intégrale. C'est ainsi que deux solutions ont été soutenues :

1. La première admet l'authenticité des Pastorales *et suppose, en conséquence, un second emprisonnement de Paul (deuxième captivité). Arrêté durant la persécution de Néron (entre 64 et juin 68), l'apôtre serait mort martyr à cette époque, peut-être en l'an 67. C'est donc à cette date que remonterait la rédaction de la seconde épître à Timothée.*

2. La seconde solution ne reconnaît pas l'authenticité intégrale des Pastorales, *et place leur rédaction à une époque nettement plus tardive, vers la fin du Ier ou dans la première moitié du IIe siècle.*

La Première épître à Timothée *et l'*Epître à Tite *utilisent le même vocabulaire et traitent des mêmes sujets que la seconde lettre à Timothée. Elles doivent dont être sensiblement de la même époque. Les données qui pourraient amener plus de précision chronologique sont fragiles. On peut simplement avancer que ces deux lettres ne furent rédigées ni avant, ni pendant le troisième voyage missionnaire de Paul, ni après la seconde à Timothée.*

Selon 1 Tm 1.3, Paul part pour la Macédoine et laisse Timothée à Ephèse pour y diriger la communauté. Il est improbable que ce séjour de Timothée à Ephèse se situe durant le troisième voyage missionnaire, puisque Timothée demeure tout ce temps dans l'entourage immédiat de Paul. D'autre part, les erreurs qui se sont introduites dans la communauté et que l'apôtre avait prédites dans son discours d'adieu aux anciens (Ac 20.29) laissent supposer que l'Eglise éphésienne était fondée depuis un certain temps déjà. On se trouve donc amené à poser à nouveau l'alternative précédente : ou bien l'on récuse l'historicité de ces données, ou bien l'on suppose que Paul, après sa première captivité romaine, qui s'est terminé vers 63, a repris son ministère apostolique et qu'il a rédigé l'épître après 63, et avant la seconde à Timothée.

*La même hypothèse peut être envisagée pour l'*Epître à Tite. *Selon Tt 1.5, Paul a laissé Tite en Crète pour parachever l'organisation de l'Eglise qu'il y avait fondée. Il lui écrit au cours d'un voyage (Tt 3.12), et lui demande de venir le rejoindre à Nicopolis, pour y passer l'hiver. Si ces données sont exactes, cette activité missionnaire doit se situer dans les années qui suivirent la libération de Paul, vers 63-67.*

Contenu

Dans les Pastorales, *on trouve l'écho de bon nombre des grands thèmes pauliniens : la miséricorde divine s'est manifestée en Jésus-Christ, qui est venu pour sauver les pécheurs (1 Tm 1.12-17) ;*

l'homme est sauvé par grâce (Tt 3.7) et au moyen de la foi (1 Tm 1.16 ; 2 Tm 3.15) ; la justification par les œuvres est exclue (Tt 3.5 ; 2 Tm 1.9) ; le baptême est mis en relation étroite avec le salut (Tt 3.5) ; le salut des hommes s'effectue conformément au plan éternel de Dieu (1 Tm 3.16). A quoi l'on peut encore ajouter les exhortations adressées aux esclaves (1 Tm 6.1-2) et celles concernant la position à adopter face aux autorités (1 Tm 2.1 ; Tt 3.1). Cependant, si l'on retrouve dans les Pastorales *bon nombre des grandes affirmations pauliniennes concernant le salut, elles sont souvent exprimées au moyen d'un autre vocabulaire. Au lieu d'être envisagée avant tout comme le lien qui attache le croyant au Christ, la foi est plutôt conçue comme l'adhésion à la doctrine fixée (1 Tm 4.1 ; 6.21), à la « saine doctrine » (1 Tm 1.10 ; 2 Tm 4.3) ou au « dépôt » transmis à des hommes comme Timothée (1 Tm 6.20 ; voir aussi 2 Tm 2.2). On remarque aussi l'insistance mise sur la pratique des « bonnes œuvres » (1 Tm 2.10 ; 5.10,25 ; etc.), et une conception de la morale que l'on a qualifiée de « bourgeoise » par opposition aux exigences plus radicales des grandes épîtres pauliniennes. L'amour tend à devenir une vertu parmi d'autres, au lieu d'être celle qui commande toutes les autres (1 Tm 4.12). Le Saint Esprit est mentionné accessoirement et l'on constate que la grâce est envisagée dans une perspective assez limitée (Tt 2.11-12). On souligne enfin un affaiblissement de l'attente de la fin, l'accent étant mis sur la nécessité d'une vie pieuse dans le temps présent (Tt 2.11-14). Tous ces traits attestent que l'on est parvenu à une époque plus tardive, où il s'agit non plus de poser les fondements de la foi, mais d'affermir l'Eglise et de l'organiser face aux hérésies qui la menacent.*

Organisation : *Au moment où la plupart des apôtres ont disparu, l'accent est mis sur la responsabilité des dirigeants des Eglises, épiscopes et anciens. Il ne s'agit cependant pas ici, comme plus tard, de la constitution d'un épiscopat monarchique, car épiscopes et anciens sont pratiquement chargés des mêmes fonctions. Les uns et les autres ont la responsabilité de veiller à communiquer fidèlement l'enseignement qu'ils ont reçu, en ajoutant à leur prédication l'exemple d'une vie sainte (1 Tm 3.1-7 ; Tt 1.6-9). Ils doivent affermir les fidèles dans la foi face aux entreprises des faux docteurs. Quant aux diacres, qui doivent également mener une vie exemplaire (1 Tm 3.8-13), ils sont chargés de services plus particuliers auprès des malades et des pauvres. De leur côté, les ministères prophétiques ou charismatiques sont mis au deuxième plan, peut-être en raison de désordres tels que ceux qu'avait connus la communauté de Corinthe. Dans l'ensemble, les ministères ne sont pas encore nettement délimités : il s'agit du début d'un mouvement d'organisation que la tradition précisera par la suite.*

Hérésies : *Les hérésies, contre lesquelles les* Pastorales *réagissent constamment en appelant à la fermeté doctrinale, sont définies de façon générale. Les faux docteurs, qui semblent agir à l'intérieur même de l'Eglise, sont influencés principalement par des doctrines judaïsantes : ce sont surtout des Juifs (Tt 1.10) qui veulent être docteurs de la loi (1 Tm 1.7), qui engagent des controverses au sujet de la loi (Tt 3.9) et recourent à des mythes juifs (Tt 1.14), à des légendes et à des généalogies (1 Tm 1.4). Leur enseignement implique aussi l'interdiction du mariage et certains tabous alimentaires (1 Tm 4.3), ainsi que l'affirmation que la résurrection a déjà eu lieu (2 Tm 2.18). Ces hérésies allaient de pair avec le relâchement moral (voir les nombreux catalogues de vices des* Epîtres pastorales).

Mais il ne faut pas se contenter de relever dans les Pastorales *les questions d'organisation et les problèmes posés par les hérésies. Il faut encore savoir entendre en elles certains échos du culte de* louange *de l'Eglise ancienne. Cette louange est particulièrement apparente dans les fragments d'hymnes primitives reproduits dans les* Pastorales *(1 Tm 2.5-6 ; etc.), mais aussi dans plusieurs passages qui exaltent la grandeur du Christ et de son œuvre (1 Tm 1.12-17). L'appel à la vigilance, qui retentit sans cesse dans ces épîtres, và de pair avec l'adoration de Celui en qui doit s'enraciner la fidélité de l'Eglise.*

PREMIÈRE ÉPÎTRE À TIMOTHÉE

Adresse et salutation

1 1 Paul, *apôtre du Christ Jésus, selon l'ordre de Dieu notre Sau-
veur et du Christ Jésus notre espérance[a], 2 à Timothée, mon véri-
table enfant dans la foi: grâce, miséricorde, paix[b] de la part de Dieu le
Père et du Christ Jésus notre Seigneur.

Les faux docteurs portent atteinte à la charité

3 Selon ce que je t'ai recommandé à mon départ pour la Macédoine,
demeure à Ephèse[c] pour enjoindre à certains de ne pas enseigner une
autre doctrine, 4 et de ne pas s'attacher à des légendes et à des généa-
logies sans fin[d]; cela favorise les discussions plutôt que le dessein de
Dieu, qui se réalise dans la foi. 5 Le but de cette injonction, c'est
l'amour[e] qui vient d'un cœur *pur, d'une bonne conscience et d'une
foi sincère. 6 Pour s'être écartés de cette ligne, certains se sont égarés
en un bavardage creux[f]; 7 ils prétendent être *docteurs de la loi, alors
qu'ils ne savent ni ce qu'ils disent, ni ce qu'ils affirment si fortement.

Le vrai rôle de la loi

8 La loi, nous le savons en effet, est bonne[g], dans la mesure où on la
prend comme loi. 9 En effet, comprenons bien ceci: la loi n'est pas là
pour le juste, mais pour les gens insoumis et rebelles, impies et
*pécheurs, sacrilèges et profanateurs, parricides et matricides, meur-

a* *1.1* *Paul, apôtre 1 Co 1.1 +. — *Dieu Sauveur* Lc 1.47 ; 1 Tm 2.3 ; 4.10 ; 2 Tm 1.9 ; Tt 1.3 ; 2.10 ; 3.4 ; Jude 25. — *le Christ notre espérance* Col 1.27 ***b* *1.2*** *Timothée* Ac 16.1 +. — *enfant dans la foi* Tt 1.4. — *grâce, miséricorde et paix* 2 Tm 1.2 ; 2 Jn 3 ; voir Rm 1.7 ; 1 Co 1.3 ; 2 Co 1.2. ***c* *1.3*** *départ de Paul pour la Macédoine* Ac 20.1 + ; voir 2 Co 1.16 et la note. — *Ephèse :* voir 2 Co 1.8 et la note. Le voyage auquel Paul fait allusion ici est postérieur de plusieurs années à celui que rapporte Ac 20.1. ***d* *1.4*** *des légendes* 4.7 ; Tt 1.14. — *des généalogies :* il s'agit sans doute de théories sur la descendance des patriarches et des héros de l'A.T., théories fondées sur des passages comme Gn 4—5 ; 9—11, etc. ***e* *1.5*** *l'amour* Rm 13.10. ***f* *1.6*** *creux bavardage* 6.4, 20 ; Tt 1.10. ***g* *1.8*** *la loi est bonne* Rm 7.12, 16. Il s'agit de la loi de Moïse.

triers, 10 débauchés, pédérastes, marchands d'esclaves, menteurs, par-
jures, et pour tout ce qui s'oppose à la saine doctrine[h]. 11 Voilà ce qui
est conforme à *l'Evangile de gloire du Dieu bienheureux, qui m'a été
confié[i].

Louange à la miséricorde du Christ

12 Je suis plein de reconnaissance envers celui qui m'a donné la
force, Christ Jésus notre Seigneur: c'est lui qui m'a jugé digne de con-
fiance[j] en me prenant à son service, 13 moi qui étais auparavant *blas-
phémateur, persécuteur et violent. Mais il m'a été fait miséricorde[k],
parce que j'ai agi par ignorance, n'ayant pas la foi. 14 Oui, elle a sura-
bondé pour moi, la grâce de notre Seigneur, ainsi que la foi et l'amour
qui est dans le Christ Jésus.

15 Elle est digne de confiance, cette parole, et mérite d'être pleine-
ment accueillie par tous: Christ Jésus est venu dans le monde pour
sauver les *pécheurs[l] dont je suis, moi, le premier. 16 Mais s'il m'a été
fait miséricorde, c'est afin qu'en moi, le premier, Christ Jésus démon-
trât toute sa générosité, comme exemple pour ceux qui allaient croire
en lui, en vue d'une *vie éternelle.

17 Au roi des *siècles,
au Dieu immortel, invisible et unique,
honneur et gloire
pour les siècles des siècles. *Amen[m].

Combattre le beau combat

18 Voilà l'instruction que je te confie, Timothée, mon enfant, confor-
mément aux *prophéties prononcées jadis sur toi, afin que, fortifié par
elles, tu combattes le beau combat[n], 19 avec foi et bonne conscience.
Quelques-uns l'ont rejetée et leur foi a fait naufrage. 20 Parmi eux se
trouvent Hyménée et Alexandre; je les ai livrés à *Satan[o], afin qu'ils
apprennent à ne plus *blasphémer.

h 1.9-10 Rm 1.29+. — *saine doctrine* 2 Tm 4.3 ; Tt 1.9 ; 2.1 ; voir 1 Tm 4.6 ; 6.3 ; 2 Tm 1.13 ; Tt 1.13 ; 2.8. ***i 1.11*** 2.7 ; 2 Tm 1.11 ; 4.17 ; Tt 1.3. ***j 1.12*** Ac 9.15 ; Ga 1.15-16. ***k 1.13*** Paul jadis *persécuteur* Ac 8.3 ; 9.1-2 ; 1 Co 15.9 ; Ga 1.13 ; Ph 3.6. — *il m'a été fait miséricorde :* sur ce genre de tournure impersonnelle voir Mt 7.1 et la note. ***l 1.15*** *parole digne de confiance* 3.1 ; 4.9 ; 2 Tm 2.11 ; Tt 3.8. — *Jésus venu pour sauver* Lc 15.2 ; 19.10. ***m 1.17*** *Dieu unique* Rm 16.27 ; voir 1 Tm 2.5. — autres exemples de formules liturgiques 2.5-6 ; 5.21 ; 6.15-16 ; 2 Tm 1.9-10 ; 2.8 ; 4.1. ***n 1.18*** prophéties prononcées sur Timothée 4.14 ; voir Ac 13.1-3. — *combattre le beau combat* 1 Tm 6.12 ; 2 Tm 4.7 ; voir Jude 3. ***o 1.20*** Voir 1 Co 5.5 et la note. — *Hyménée :* voir 2 Tm 2.17. — *Alexandre :* voir 2 Tm 4.14.

La prière liturgique

2 1 Je recommande donc, avant tout, que l'on fasse des demandes,
des prières, des supplications, des actions de grâce[p], pour tous les
hommes, 2 pour les rois et tous ceux qui détiennent l'autorité, afin que
nous menions une vie calme et paisible en toute piété[q] et dignité.
3 Voilà ce qui est beau et agréable aux yeux de Dieu notre Sauveur[r],
4 qui veut que tous les hommes soient sauvés et parviennent à la con-
naissance de la vérité[s]. 5 Car

il n'y a qu'un seul Dieu,
un seul médiateur aussi entre Dieu et les hommes,
un homme: Christ Jésus[t],
6 qui s'est donné en rançon pour tous.

Tel est le témoignage qui fut rendu aux temps fixés[u] 7 et pour lequel
j'ai été, moi, établi héraut et *apôtre[v], — je dis vrai, je ne mens
pas —, docteur des nations dans la foi et la vérité.

Hommes et femmes dans l'assemblée cultuelle

8 Je veux donc que les hommes prient en tout lieu, levant vers le ciel
des mains *saintes[w], sans colère ni dispute.

9 Quant aux femmes, qu'elles aient une tenue décente, qu'elles se
parent avec pudeur et modestie: ni tresses ni bijoux d'or ou perles ou
toilettes somptueuses[x], 10 mais qu'elles se parent au contraire de
bonnes œuvres[y], comme il convient à des femmes qui font profession
de piété.

11 Pendant l'instruction la femme doit garder le silence, en toute sou-
mission. 12 Je ne permets pas à la femme d'enseigner ni de dominer
l'homme. Qu'elle se tienne donc en silence[z]. 13 C'est Adam, en effet,
qui fut formé le premier. Eve ensuite[a]. 14 Et ce n'est pas Adam qui fut
séduit, mais c'est la femme qui, séduite[b], tomba dans la transgression.
15 Cependant elle sera sauvée par sa maternité[c], à condition de persé-
vérer dans la foi, l'amour et la sainteté, avec modestie.

p 2.1 Ep 6.18 ; Ph 4.6. ***q 2.2*** piété 4.7. ***r 2.3*** *Dieu Sauveur* 1.1 +. ***s 2.4*** *que tous les hommes soient sauvés* Ez 18.23 ; 2 P 3.9. — *connaissance de la vérité* 2 Tm 2.25 ; 3.7 ; Tt 1.1. ***t 2.5*** *un seul Dieu* Rm 3.29-30 ; 10.12. — *Jésus médiateur* He 12.24. ***u 2.6*** *Jésus s'est donné* Ga 1.4 ; 2.20 ; Tt 2.14 *en rançon* Mt 20.28. — *Jésus témoin* 1 Tm 6.13 ; Ap 1.5 ; 3.14. — *aux temps fixés* 1 Tm 6.15 ; Tt 1.3 ; voir Ac 1.7 ; Rm 5.6-8 ; Ga 4.4. ***v 2.7*** Ac 9.15 ; Ga 2.7-8 ; 1 Tm 1.11. ***w 2.8*** Voir Ex 9.29 ; 1 R 8.22 ; Lm 2.19 : *lever les mains vers le ciel* était un des gestes de la prière dans l'ancien Israël. ***x 2.9*** 1 P 3.3-5. ***y 2.10*** 5.10. ***z 2.11-12*** réserve recommandée aux femmes chrétiennes 1 Co 14.34. — *en silence* voir 1 Tm 5.13. ***a 2.13*** Gn 1.27 ; 2.7, 22 ; 1 Co 11.8-9. ***b 2.14*** Gn 3.6, 13 ; 2 Co 11.3. ***c 2.15*** voir 4.3 ; Tt 2.3-5.

Les épiscopes[d]

3 1 Elle est digne de confiance, cette parole : si quelqu'un aspire à
l'épiscopat, c'est une belle tâche qu'il désire[e]. 2 Aussi faut-il que
l'épiscope soit irréprochable, mari d'une seule femme[f], sobre, pon-
déré, de bonne tenue, hospitalier, capable d'enseigner, 3 ni buveur, ni
batailleur, mais doux ; qu'il ne soit ni querelleur, ni cupide. 4 Qu'il
sache bien gouverner sa propre maison et tenir ses enfants dans la sou-
mission, en toute dignité : 5 quelqu'un, en effet, qui ne saurait gou-
verner sa propre maison, comment prendrait-il soin d'une Eglise de
Dieu ? 6 Que ce ne soit pas un nouveau converti, de peur qu'il ne
tombe, aveuglé par l'orgueil, sous la condamnation portée contre le
*diable. 7 Il faut de plus que ceux du dehors lui rendent un beau témoi-
gnage[g], afin qu'il ne tombe pas dans l'opprobre en même temps que
dans les filets du diable.

Les diacres

8 Les diacres[h], pareillement, doivent être dignes, n'avoir qu'une
parole, ne pas s'adonner au vin ni rechercher des gains honteux.
9 Qu'ils gardent le *mystère de la foi dans une conscience *pure.
10 Qu'eux aussi soient d'abord mis à l'épreuve ; ensuite, si on n'a rien à
leur reprocher, ils exerceront le ministère du diaconat.

11 Les femmes, pareillement, doivent être dignes, point médisantes,
sobres, fidèles en toutes choses[i].

12 Que les diacres soient maris d'une seule femme[j], qu'ils gouver-
nent bien leurs enfants et leur propre maison. 13 Car ceux qui exercent
bien le ministère de diacre s'acquièrent un beau rang[k] ainsi qu'une
grande assurance fondée sur la foi qui est dans le Christ Jésus.

Le mystère de la piété

14 Je t'écris cela, tout en espérant te rejoindre bientôt.

15 Toutefois, si je tardais, tu sauras ainsi comment te conduire dans
la maison de Dieu[l], qui est l'Eglise du Dieu vivant, colonne et soutien
de la vérité.

d* *3.1-7 Tt 1.6-9 ; voir 2 Tm 2.24-26. ***e* *3.1*** *parole digne de confiance* 1.15+. — *épiscopat :* terme technique dans l'Eglise ancienne pour désigner la charge des *épiscopes* (surveillants), c'est-à-dire de ceux qui étaient responsables des communautés. Ailleurs les mêmes responsables sont appelés *anciens* (Tt 1.5-7 ; Ac 20.17, 28). ***f* *3.2*** voir Mc 10.1-11 ; 1 Tm 5.9. ***g* *3.7*** *ceux du dehors* Mc 4.11+. — *le témoignage des hommes* 2 Co 8.21. ***h* *3.8*** Autre terme technique de l'Eglise ancienne, désignant ceux qui sont chargés de venir en aide aux pauvres et aux malades. *Diacres* pourrait être traduit par *serviteurs* ou *assistants*. Leur service est appelé *diaconat* au v. 10. Voir Ph 1.1. ***i* *3.11*** *les femmes* (des diacres) : voir Rm 16.1. — *non médisantes* Tt 2.3. ***j* *3.12*** 3.2+. ***k* *3.13*** Mc 10.43-44. ***l* *3.15*** Ep 2.19-22 ; voir 1 Co 6.19+.

16 Assurément il est grand le *mystère de la piété.
Il a été manifesté dans la chair,
justifié par l'Esprit,
contemplé par les *anges,
proclamé chez les *païens,
cru dans le monde,
exalté dans la gloire[m].

Tout ce que Dieu a créé est bon

4 1 L'Esprit le dit expressément: dans les derniers temps, certains
renieront la foi, s'attacheront à des esprits séducteurs et à des
doctrines inspirées par les *démons, 2 égarés qu'ils seront par l'hypo-
crisie des menteurs marqués au fer rouge[n] dans leur conscience: 3 ils
interdiront le mariage; ils proscriront l'usage de certains aliments,
alors que Dieu les a créés pour que les fidèles, eux qui connaissent
pleinement la vérité, les prennent avec action de grâce[o]. 4 Car tout ce
que Dieu a créé est bon[p], et rien n'est à rejeter si on le prend avec
action de grâce. 5 En effet, la parole de Dieu et la prière le sanctifient.
6 Expose tout cela aux frères: tu seras ainsi un bon diacre[q] du Christ
Jésus, nourri des paroles de la foi et de la belle doctrine que tu as suivie
avec empressement. 7 Quant aux fables impies, commérages[r] de vieille
femme, rejette-les.

Utilité de la piété

Exerce-toi plutôt à la piété. 8 L'exercice corporel, en effet, est utile à
peu de choses, tandis que la piété, elle, est utile à tout[s]. Ne possède-
t-elle pas la promesse de la *vie, de la vie présente comme de la vie
future?
9 Elle est digne de confiance, cette parole[t], et mérite d'être pleine-
ment accueillie par tous. 10 Car si nous peinons et si nous combattons,
c'est que nous avons mis notre espérance dans le Dieu vivant, qui est

m 3.16 *le mystère* Ep 3.3+. – *piété* 1 Tm 4.7+. – *manifesté dans la chair* Jn 1.14. D'autres traduisent : *il est apparu comme un être humain.* – *justifié par l'Esprit* Rm 1.4. – *exalté dans la gloire* Mc 16.19 ; Ac 1.9 ; voir Ph 2.9-11. ***n 4.2*** *dans les derniers temps* (v. 1) 2 Tm 3.1 ; 2 P 3.3 ; 1 Jn 2.18 ; Jude 18. – La *marque au fer rouge* (v. 2) était réservée aux criminels et aux esclaves fugitifs. ***o 4.3*** tabous alimentaires voir Rm 14 ; Col 2.20-23 ; Tt 1.13-15. – les aliments autorisés par Dieu Gn 9.3. – *les prendre avec action de grâce* Rm 14.6 ; 1 Co 10.30-31. ***p 4.4*** Gn 1.31 ; Ac 10.15. ***q 4.6*** Le mot *diacre* est pris ici au sens général de *serviteur.* ***r 4.7*** 1.4 ; 6.20 ; 2 Tm 2.16, 23 ; 4.4. ; Tt 1.14. ***s 4.8*** *piété* Ac 3.12 ; 1 Tm 2.2 ; 3.16 ; 4.8 ; 6.3, 5-6, 11 ; 2 Tm 3.5 ; Tt 1.1 ; 2 P 1.3, 6-7. – *exercice corporel* 1 Co 9.24-27+. – *la piété utile à tout* 1 Tm 6.6. ***t 4.9*** 1.15+.

le Sauveur de tous les hommes[u], surtout des croyants. 11 Voilà ce que tu dois prescrire et enseigner.

Modèle pour les fidèles

12 Que personne ne méprise ton jeune âge[v]. Tout au contraire, sois pour les fidèles un modèle en parole, en conduite, en amour, en foi, en *pureté. 13 En attendant ma venue, consacre-toi à la lecture de l'Ecriture[w], à l'exhortation, à l'enseignement. 14 Ne néglige pas le don de la grâce qui est en toi, qui te fut conféré par une intervention *prophétique, accompagnée de *l'imposition des mains par le collège des *anciens[x]. 15 Voilà ce que tu dois prendre à cœur. Voilà en quoi il te faut persévérer. Ainsi tes progrès seront manifestes aux yeux de tous.

16 Veille sur toi-même et sur ton enseignement. Mets-y de la persévérance. C'est bien en agissant ainsi que tu sauveras et toi-même et ceux qui t'écoutent.

Les diverses catégories de fidèles

5 1 Ne reprends pas avec dureté un vieillard, mais exhorte-le comme un père[y]. Traite les jeunes gens comme des frères, 2 les femmes âgées comme des mères, les jeunes filles comme des sœurs, en toute *pureté.

Les veuves

3 Honore les veuves, celles qui le sont réellement[z]. 4 Si, en effet, une veuve a des enfants ou des petits-enfants, c'est à eux en premier d'apprendre à pratiquer la piété envers leur propre famille et à payer de retour leurs parents. Voilà, certes, qui est agréable aux yeux de Dieu. 5 Quant à celle qui est réellement veuve, qui est demeurée tout à fait seule, elle a mis son espérance en Dieu[a] et persévère nuit et jour dans les supplications et les prières. 6 Par contre, celle qui ne pense qu'au plaisir est morte, quoique vivante. 7 Voilà aussi ce que tu dois prescrire, afin qu'elles soient irréprochables. 8 Si quelqu'un ne prend pas soin des siens, surtout de ceux qui vivent dans sa maison, il a renié la foi, il est pire qu'un incroyant.

9 Une femme ne sera inscrite au groupe des veuves[b] que si elle est

u 4.10 *Dieu Sauveur* 1.1+. ***v 4.12*** Tt 2.15. ***w 4.13*** Il s'agit d'une lecture publique, comme celle qu'on pratiquait dans les synagogues (Lc 4.16-21 ; Ac 13.14-16). ***x 4.14*** *don... imposition des mains* 2 Tm 1.6. — *imposition des mains* Ac 6.6+ ; 1 Tm 5.22. — *anciens* 5.17. ***y 5.1*** Lv 19.32. ***z 5.3*** C'est-à-dire celles qui sont privées de tout appui familial. ***a 5.5*** Lc 2.37 ; 18.7. ***b 5.9*** Il s'agit des *veuves* que l'Eglise doit assister (voir v. 16).

âgée d'au moins soixante ans et n'a eu qu'un mari. 10 Il faut qu'elle soit connue pour ses belles œuvres: qu'elle ait élevé des enfants, exercé l'hospitalité, lavé les pieds des saints[c], assisté les affligés, qu'elle se soit appliquée à toute œuvre bonne. 11 Quant aux jeunes veuves, tu les écarteras. Car, lorsque leurs désirs les détournent du Christ, elles veulent se remarier, 12 encourant ainsi le jugement pour avoir rompu leur premier engagement. 13 De plus, comme elles sont désœuvrées, elles apprennent à courir les maisons; non seulement elles sont désœuvrées, mais encore bavardes et indiscrètes, elles parlent à tort et à travers[d]. 14 Je veux donc que les jeunes veuves se remarient[e], qu'elles aient des enfants, dirigent leur maison et ne donnent aucune prise aux médisances de l'adversaire. 15 Car il en est déjà quelques-unes qui se sont égarées en suivant *Satan. 16 Si une croyante a des veuves dans sa parenté, qu'elle les assiste; il ne faut pas que l'Eglise en ait la charge, afin qu'elle puisse assister celles qui sont réellement veuves.

Les anciens

17 Les *anciens qui exercent bien la présidence méritent double honneur[f], surtout ceux qui peinent au ministère de la parole et à l'enseignement. 18 L'Ecriture dit en effet[g]:

Tu ne museleras pas le bœuf qui foule le grain,

et encore[h]:

L'ouvrier mérite son salaire.

19 N'accepte d'accusation contre un ancien que *sur déposition de deux ou trois témoins*[i].

20 Ceux qui pèchent, reprends-les en présence de tous[j], afin que les autres aussi éprouvent de la crainte. 21 Je t'adjure en présence de Dieu et du Christ Jésus, ainsi que des *anges élus[k], observe ces règles avec impartialité, sans rien faire par favoritisme.

22 *N'impose hâtivement les mains à personne[l], ne participe pas aux péchés d'autrui. Toi-même, garde-toi *pur.

23 Cesse de ne boire que de l'eau. Prends un peu de vin à cause de ton estomac et de tes fréquentes faiblesses.

c 5.10 *exercer l'hospitalité* He 13.2. — *laver les pieds* Lc 7.44 ; Jn 13.4-15 *des saints* Rm 1.7+. **d 5.13** *désœuvrées, bavardes* 2 Th 3.11. **e 5.14** *remariage* 1 Co 7.9. **f 5.17** *anciens* Tt 1.5-9 ; 1 P 5.1. — *double honneur :* ou *des honoraires doubles* (voir v. 18) ; 1 Co 16.18 ; Ph 2.29 ; voir 1 Th 5.12. **g 5.18a** Dt 25.4 (1 Co 9.9). **h 5.18b** Mt 10.10 ; Lc 10.7 ; voir 1 Co 9.14. **i 5.19** Dt 17.6 ; 19.15 ; Mt 18.16 ; 2 Co 13.1 ; He 10.28. **j 5.20** Ga 2.14 ; voir Ep 5.11. **k 5.21** Ces *anges* sont ici désignés comme *élus*, peut-être par opposition aux anges *déchus* (voir 2 P 2.4 ; Jude 6). **l 5.22** Mc 5.23+ ; Ac 6.6+ ; 1 Tm 4.14 ; 2 Tm 1.6.

[24] Il est des hommes dont les péchés sont manifestes avant même qu'on les juge; chez d'autres au contraire, ils ne le deviennent qu'après. [25] Les belles œuvres, pareillement, sont manifestes; même celles qui ne le sont pas ne peuvent rester cachées.

Les esclaves[m]

6 [1] Tous ceux qui sont sous le joug de l'esclavage doivent considérer leurs maîtres comme dignes d'un entier respect, afin que le *nom de Dieu et la doctrine ne soient pas *blasphémés. [2] Ceux qui ont des maîtres croyants, qu'ils ne leur manquent pas de considération sous prétexte qu'ils sont frères. Au contraire, qu'ils les servent encore mieux[n], puisque ce sont des croyants et frères bien-aimés qui bénéficient de leurs bons offices.

La véritable piété

Voilà ce que tu dois enseigner et recommander. [3] Si quelqu'un enseigne une autre doctrine, s'il ne s'attache pas aux saines paroles de notre Seigneur Jésus Christ et à la doctrine conforme à la piété[o], [4] c'est qu'il se trouve aveuglé par l'orgueil. C'est un ignorant, un malade en quête de controverses et de querelles de mots. De là viennent envie, disputes, *blasphèmes, malveillants soupçons, [5] altercations sans fin entre gens à l'esprit corrompu, privés de la vérité[p], qui pensent que la piété est source de profit. [6] Oui, elle est d'un grand profit, la piété, pour qui se contente de ce qu'il a[q]. [7] En effet, nous n'avons rien apporté[r] dans le monde; de même, nous n'en pouvons rien emporter. [8] Si donc nous avons nourriture et vêtement, nous nous en contenterons[s]. [9] Quant à ceux qui veulent s'enrichir[t], ils tombent dans le piège de la *tentation, dans de multiples désirs insensés et pernicieux, qui plongent les hommes dans la ruine et la perdition. [10] La racine de tous les maux, en effet, c'est l'amour de l'argent. Pour s'y être livrés, certains se sont égarés loin de la foi et se sont transpercé l'âme de tourments multiples.

La belle profession de foi

[11] Pour toi, homme de Dieu, fuis ces choses. Recherche la justice, la

m 6.1-2 Ep 6.5-9 ; Col 3.22-25 ; Tt 2.9-10 ; voir 1 Co 7.21-24 ; Ga 3.28 ; Phm 10-17 ; 1 P 2.18-20. – *sous le joug* (v. 1) : voir Mt 11.29-30 et la note. Le mot *joug* est employé ici au sens figuré. ***n 6.2*** Phm 16. ***o 6.3*** *une autre doctrine* Ga 1.6-9 – *saines paroles* 2 Tm 1.13 ; voir 1 Tm 1.10. – *piété* 4.7+. ***p 6.5*** *gens à l'esprit corrompu* 2 Tm 3.8. – *privés de la vérité* 2 Tm 4.4. ; Tt 1.14. ***q 6.6*** utilité de la piété 4.8. – *se contenter de ce qu'on a* Ph 4.11-12 ; He 13.5. ***r 6.7*** Jb 1.21 ; Qo 5.15. ***s 6.8*** Pr 30.8. ***t 6.9*** Pr 23.4 ; 28.22.

la foi, l'amour, la persévérance[u], la douceur. 12 Combats le beau
combat[v] de la foi, conquiers la *vie éternelle à laquelle tu as été
appelé, comme tu l'as reconnu dans une belle profession de foi en pré-
sence de nombreux témoins. 13 Je t'ordonne en présence de Dieu qui
donne vie à toutes choses, et en présence du Christ Jésus qui a rendu
témoignage devant Ponce Pilate dans une belle profession de foi[w]:
14 garde le commandement en demeurant sans tache et sans reproche,
jusqu'à la manifestation de notre Seigneur Jésus Christ[x], 15 que fera
paraître aux temps fixés

le bienheureux et unique Souverain,
le Roi des rois et Seigneur des seigneurs[y],
16 le seul qui possède l'immortalité,
qui habite une lumière inaccessible,
que nul homme n'a vu ni ne peut voir[z].
A lui gloire et puissance éternelle.
*Amen.

Conseils aux riches

17 Aux riches de ce monde-ci, ordonne de ne pas s'enorgueillir et de
ne pas mettre leur espoir dans une richesse incertaine[a], mais en Dieu,
lui qui nous dispense tous les biens en abondance, pour que nous en
jouissions. 18 Qu'ils fassent le bien, s'enrichissent de belles œuvres,
donnent avec largesse, partagent avec les autres[b]. 19 Ainsi amasseront-
ils pour eux-mêmes un bel et solide trésor pour l'avenir, afin d'obte-
nir[c] la *vie véritable.

Salutation finale

20 O Timothée, garde le dépôt, évite les bavardages impies et les
objections d'une pseudo-science[d]. 21 Pour l'avoir professée, certains se
sont écartés de la foi[e].

La grâce soit avec vous!

u 6.11 *fuir... rechercher* 2 Tm 2.22. – *foi, amour, persévérance* 2 Th 1.3-4 ; Tt 2.2. ***v 6.12*** 1.18+ ; voir 1 Co 9.25-26. ***w 6.13*** Jn 18.36-37 ; 19.11. ***x 6.14*** 2 Tm 4.1, 8 ; Tt 2.13. ***y 6.15*** *aux temps fixés* 2.6+. – *Roi des rois 2 M* 13.4 ; *Seigneur des seigneurs* Dt 10.17 ; Ps 136.3. ***z 6.16*** *lumière* Ps 104.2. – *que nul homme n'a vu* Ex 33.20 ; voir 1 Tm 1.17. ***a 6.17*** *ne pas s'enorgueillir* Ps 62.10 *ni mettre son espoir dans la richesse* Lc 12.20. ***b 6.18*** Ac 2.42, 44 ; Rm 12.13. ***c 6.19*** Mt 6.20. ***d 6.20*** *garde le dépôt* 2 Tm 1.14. – *évite les bavardages* 1 Tm 4.7+. ***e 6.21*** 1.6 ; 2 Tm 2.18.

DEUXIÈME ÉPÎTRE À TIMOTHÉE

Adresse et salutation

1 1 Paul, *apôtre[a] du Christ Jésus par la volonté de Dieu, selon la
promesse de la *vie qui est dans le Christ Jésus, 2 à Timothée[b],
mon enfant bien-aimé : grâce, miséricorde, paix de la part de Dieu le
Père et du Christ Jésus notre Seigneur.

Action de grâce

3 Je suis plein de reconnaissance envers Dieu, que je sers à la suite de
mes ancêtres avec une conscience *pure[c], lorsque sans cesse, nuit et
jour, je fais mention de toi dans mes prières. 4 En me rappelant tes lar-
mes[d], j'ai un très vif désir de te revoir, afin d'être rempli de joie.
5 J'évoque le souvenir de la foi sincère qui est en toi, foi qui habita
d'abord en Loïs ta grand-mère et en Eunice ta mère[e], et qui, j'en suis
convaincu, réside aussi en toi.

Exhortation à lutter fidèlement pour l'Evangile

6 C'est pourquoi je te rappelle d'avoir à raviver le don de Dieu qui est
en toi depuis que je t'ai *imposé les mains[f]. 7 Car ce n'est pas un esprit
de peur[g] que Dieu nous a donné, mais un esprit de force, d'amour et
de maîtrise de soi. 8 N'aie donc pas honte de rendre témoignage à
notre Seigneur et n'aie pas honte de moi, prisonnier pour lui. Mais
souffre avec moi pour *l'Evangile, comptant sur la puissance de
Dieu[h], 9 qui nous a sauvés et appelés par un saint appel, non en vertu
de nos œuvres, mais en vertu de son propre dessein et de sa grâce[i].
Cette grâce, qui nous avait été donnée avant les temps éternels dans le

a 1.1 *Paul apôtre* 1 Co 1.1 +. **b 1.2** *Timothée* Ac 16.1 +. **c 1.3** Voir Ph 3.4-5 : les *ancêtres* de Paul étaient des Juifs pratiquants. — *avec une conscience pure* Ac 23.1 ; 24.16. **d 1.4** Voir 1 Tm 1.3. Paul fait allusion à la tristesse exprimée par Timothée lorsque l'apôtre dut le laisser à Ephèse. **e 1.5** Ac 16.1. **f 1.6** *le don de Dieu qui est en toi* 1 Tm 4.14. — *imposition des mains* Mt 9.18 + ; Mc 5.23 + ; Ac 6.6 + ; 1 Tm 4.14 ; 5.22. **g 1.7** Rm 8.15. **h 1.8** *prisonnier :* selon 1.17 Paul est en prison à Rome. — Evangile et puissance de Dieu Rm 1.16. **i 1.9** Dieu Sauveur 1 Tm 1.1 +. — sauvés par grâce Ep 2.8-9 ; Tt 3.5.

Christ Jésus, [10] a été manifestée maintenant par l'apparition de notre
Sauveur le Christ Jésus. C'est lui qui a détruit la mort[j] et fait briller la
*vie et l'immortalité par l'Evangile [11] pour lequel j'ai été, moi, établi
héraut, *apôtre[k] et docteur. [12] Voilà pourquoi j'endure ces souffrances.
Mais je n'en ai pas honte, car je sais en qui j'ai mis ma foi et j'ai la certitude qu'il a le pouvoir de garder le dépôt qui m'est confié jusqu'à ce *Jour-là[l].

[13] Prends pour norme les saines paroles que tu as entendues de moi,
dans la foi et l'amour qui sont dans le Christ Jésus. [14] Garde le bon
dépôt par l'Esprit Saint qui habite en nous.

Témoignage de fidèle amitié

[15] Tu le sais, tous ceux d'Asie m'ont abandonné[m], entre autres Phygèle et Hermogène. [16] Que le Seigneur répande sa miséricorde sur la
famille d'Onésiphore[n], car il m'a souvent réconforté et n'a pas eu
honte de mes chaînes. [17] Au contraire, dès son arrivée à Rome, il m'a
cherché avec zèle et m'a trouvé. [18] Que le Seigneur lui donne de
trouver miséricorde auprès du Seigneur[o] en ce *Jour-là. Et tous les services qu'il m'a rendus à Ephèse, tu les connais mieux que personne.

Prends ta part de souffrance

2 [1] Toi donc, mon enfant, fortifie-toi dans la grâce qui est dans le
Christ Jésus. [2] Ce que tu as appris de moi en présence de nombreux témoins[p], confie-le à des hommes fidèles qui seront eux-mêmes
capables de l'enseigner encore à d'autres. [3] Prends ta part de souffrance[q] en bon soldat du Christ Jésus. [4] Personne, en s'engageant dans
l'armée, ne s'embarrasse des affaires de la vie civile s'il veut donner
satisfaction à celui qui l'a enrôlé. [5] Et de même, dans la lutte sportive,
l'athlète ne reçoit la couronne[r] que s'il a lutté selon les règles. [6] C'est
au cultivateur qui peine que doit revenir d'abord sa part de fruits[s].
[7] Comprends ce que je dis. Du reste, le Seigneur te fera comprendre
tout cela.

Souviens-toi de Jésus ressuscité

[8] Souviens-toi de Jésus Christ

j ***1.10*** *notre Sauveur, le Christ* Lc 2.11+ ; Ac 4.12+ *a détruit la mort* 1 Co 15.15, 57 ; He 2.14. ***k 1.11*** 1 Tm 2.7+. ***l 1.12*** *le dépôt* 1 Tm 6.20. — *ce Jour-là* 2 Tm 4.8. ***m 1.15*** *Paul abandonné* 4.16. ***n 1.16*** 4.19. ***o 1.18*** Jude 21. ***p 2.2*** Ou *par l'intermédiaire de nombreux témoins ;* il s'agirait alors des gens qui ont été témoins de l'Evangile auprès de Timothée. ***q 2.3*** Ou *souffre avec moi* (voir 1.8). ***r 2.5*** *lutte sportive* 1 Co 9.24+. — *couronne* voir 1 Co 9.25+ ; voir Ph 4.1 et la note. ***s 2.6*** 1 Co 9.7, 10.

ressuscité d'entre les morts,
issu de la race de David[t],
selon *l'Evangile que j'annonce 9 et pour lequel je souffre jusqu'à
être enchaîné[u] comme un malfaiteur. Mais la parole de Dieu n'est pas
enchaînée! 10 C'est pourquoi je supporte tout à cause des élus[v], afin
qu'eux aussi obtiennent le salut, qui est dans le Christ Jésus, avec la
gloire éternelle. 11 Elle est digne de confiance, cette parole:
Si nous mourons avec lui,
avec lui nous vivrons[w].
12 Si nous souffrons avec lui[x],
avec lui nous régnerons.
Si nous le renions[y],
lui aussi nous reniera.
13 Si nous lui sommes infidèles,
lui demeure fidèle,
car il ne peut se renier lui-même[z].

Dispenser avec droiture la parole de vérité

14 Tout cela, rappelle-le, attestant devant Dieu qu'il faut éviter les
querelles de mots[a]: elles ne servent de rien, sinon à perdre ceux qui
les écoutent. 15 Efforce-toi de te présenter à Dieu comme un homme
éprouvé, un ouvrier qui n'a pas à rougir[b], qui dispense avec droiture la
parole de vérité. 16 Quant aux bavardages[c] impies, évite-les. Ceux qui
s'y livrent, en effet, progresseront dans l'impiété; 17 leur parole est
comme une gangrène qui s'étend. Tels sont Hyménée[d] et Philétos.
18 Ils se sont écartés de la vérité en prétendant que la résurrection a
déjà eu lieu[e]; ils renversent ainsi la foi de plusieurs.

Le fondement posé par Dieu

19 Néanmoins, le solide fondement posé par Dieu demeure. Il a pour
sceau cette parole:
Le Seigneur connaît les siens
et encore:

t 2.8 *Jésus ressuscité d'entre les morts* 1 Co 15.4, 20. — *de la race de David* Mt 1.1 + ; voir Rm 1.3-4. ***u 2.9*** Ep 3.1 ; Ph 1.12, 14. ***v 2.10*** Paul *supporte tout* 1 Co 13.7 *à cause des élus* Col 1.24. ***w 2.11*** *parole digne de confiance* 1 Tm 1.15+. — *mourir avec le Christ, vivre avec le Christ* Rm 6.8. ***x 2.12a*** Ou *si nous tenons ferme.* ***y 2.12b*** *renier* le Christ Mt 10.33 ; Lc 12.9. ***z 2.13*** le Christ *fidèle* envers et contre tout Rm 3.3-4. — Dieu *ne se renie pas lui-même* Nb 23.19 ; Tt 1.2. ***a 2.14*** 1 Tm 6.4 ; Tt 3.9. ***b 2.15*** 1 Tm 4.6 ; Tt 2.7-8. ***c 2.16*** 1 Tm 4.7+. ***d 2.17*** *Hyménée* 1 Tm 1.20. ***e 2.18*** voir Rm 6.1-11 ; Ep 2.5 ; Col 2.12-13 ; 3.1.

Qu'il s'éloigne de l'iniquité,
*quiconque invoque le *nom du Seigneur*[f].

20 Dans une grande maison, il n'y a pas seulement des vases d'or et d'argent; il en est aussi de bois et d'argile. Les uns sont pour un usage noble, les autres pour un usage vulgaire[g]. 21 Celui qui se *purifie de ces souillures, sera un vase noble, *sanctifié, utile au Maître, propre à toute œuvre bonne[h].

Serviteur du Seigneur

22 Fuis les passions de la jeunesse, recherche la justice, la foi, l'amour, la paix[i] avec ceux qui, d'un *cœur *pur, invoquent le Seigneur. 23 Mais les controverses vaines et stupides, évite-les[j]. Tu sais qu'elles engendrent les querelles. 24 Or, un serviteur du Seigneur ne doit pas se quereller[k], mais être affable envers tous, capable d'enseigner, supportant les contrariétés. 25 C'est avec douceur qu'il doit instruire les contradicteurs: qui sait si Dieu ne leur donnera pas de se convertir pour connaître la vérité[l], 26 de revenir à eux-mêmes en se dégageant des filets du *diable qui les tenait captifs et assujettis à sa volonté?

Les impies des derniers temps

3 1 Sache bien ceci: dans les derniers jours[m] surviendront des temps difficiles. 2 Les hommes, en effet, seront égoïstes, âpres au gain, fanfarons, orgueilleux, *blasphémateurs, rebelles à leurs parents, ingrats, sacrilèges, 3 sans cœur, implacables, médisants, sans discipline, cruels, ennemis du bien, 4 traîtres, emportés, aveuglés par l'orgueil, amis des plaisirs plutôt qu'amis de Dieu[n]; 5 ils garderont les apparences de la piété[o], mais en auront renié la puissance. Détourne-toi aussi de ces gens-là! 6 Car ils sont des leurs, ceux qui s'introduisent dans les maisons[p] et prennent dans leurs filets des femmelettes chargées de péchés, entraînées par toutes sortes de désirs, 7 toujours en train d'apprendre mais sans jamais être capables de parvenir à la connaissance de la vérité[q]. 8 De même que Jannès et Jambrès s'opposèrent à Moïse, ainsi ces gens-là s'opposent à la vérité, ce sont des hommes à

***f* 2.19** *le solide fondement* 1) 1 Tm 3.15 ; 2) 1 Co 3.11 ; Ep 2.20 ; Ap 21.14.– *le Seigneur connaît...* Nb 16.5 ; Jn 10.14 ; 1 Co 8.3. – *Qu'il s'éloigne...* Nb 16.26 ; Es 26.13. ***g* 2.20** Rm 9.21-24. ***h* 2.21** *propre à toute œuvre bonne* 3.17. ***i* 2.22** *fuir... rechercher* 1 Tm 6.11. ***j* 2.23** 1 Tm 4.7+. ***k* 2.24** 1 Tm 3.3 ; Tt 1.7 ; 3.2. ***l* 2.25** *pour connaître la vérité* 1 Tm 2.4+. ***m* 3.1** *dans les derniers jours* 1 Tm 4.1+. ***n* 3.2-4** Rm 1.29-31+. ***o* 3.5** Mt 7.15, 21 ; Rm 2.20-21 ; Tt 1.16 ; voir 1 Tm 4.7+. ***p* 3.6** Tt 1.11. ***q* 3.7** *connaissance de la vérité* 1 Tm 2.4+.

l'esprit perverti, à la foi inconsistante[r]. 9 Mais ils n'iront pas plus
avant, car leur folie deviendra manifeste pour tous, comme le devint
celle de ces deux-là.

10 Mais toi, tu m'as suivi avec empressement dans l'enseignement, la
conduite, les projets, la foi, la patience, l'amour, la persévérance, 11 les
persécutions, les souffrances que j'ai connues à Antioche, à Iconium, à
Lystres. Quelles persécutions j'ai subies! Et de toutes le Seigneur m'a
délivré[s]! 12 D'ailleurs tous ceux qui veulent vivre avec piété dans le
Christ Jésus seront persécutés[t]. 13 Quant aux hommes mauvais et aux
imposteurs, ils progresseront dans le mal, trompant les autres et
trompés eux-mêmes. 14 Mais toi, demeure ferme dans ce que tu as
appris et accepté comme certain: tu sais de qui tu l'as appris[u].
15 Depuis ta tendre enfance tu connais les Saintes Ecritures; elles ont le
pouvoir de te communiquer la sagesse qui conduit au salut par la foi
qui est dans le Christ Jésus[v]. 16 Toute Ecriture est inspirée de Dieu[w] et
utile pour enseigner, pour réfuter, pour redresser, pour éduquer dans
la justice, 17 afin que l'homme de Dieu soit accompli, équipé pour
toute œuvre bonne[x].

Proclame la Parole

4 1 Je t'adjure en présence de Dieu et du Christ Jésus, qui viendra
juger les vivants et les morts, au nom de sa manifestation et de
son *Règne[y]: 2 proclame la Parole, insiste à temps et à contretemps[z],
reprends, menace, exhorte, toujours avec patience et souci d'ensei-
gner. 3 Viendra un temps, en effet, où certains ne supporteront plus la
saine doctrine[a], mais, au gré de leurs propres désirs et l'oreille leur
démangeant, s'entoureront de quantité de maîtres. 4 Ils détourneront
leurs oreilles de la vérité, vers les fables[b] ils se retourneront. 5 Mais toi
cependant, sois sobre en toutes choses, supporte la souffrance, fais
œuvre *d'évangéliste, remplis ton *ministère.

***r* 3.8** Ou *ils seront réprouvés en ce qui concerne la foi* (voir 1 Tm 6.5). — *Jannès et Jambrès :* c'étaient les noms que la tradition juive donnait aux magiciens d'Egypte mentionnés en Ex 7.11, 22, etc. ***s* 3.11** *souffrances de Paul à Antioche (de Pisidie)* Ac 13.50, à *Iconium* Ac 14.5, *à Lystres* Ac 14.19. — *délivré par le Seigneur* Ps 34.20. ***t* 3.12** Mt 16.24 ; Jn 15.20 ; Ac 14.22. ***u* 3.14** *de qui tu l'as appris* 1.5 ; 2.2. ***v* 3.15** les Saintes Ecritures et le salut Jn 5.39. ***w* 3.16** Ou *Toute Ecriture inspirée de Dieu est utile...* — *inspirée de Dieu* 2 P 1.21. — *utile pour enseigner* Rm 15.4. ***x* 3.17** 2.21. ***y* 4.1** *juge des vivants et des morts* Ac 10.42 ; Rm 14.9-10 ; 1 P 4.5. — *manifestation (finale) de Jésus Christ* 1 Tm 6.14+. ***z* 4.2** *à temps et à contretemps* Ac 20.20-21. ***a* 4.3** *viendra un temps...* 1 Tm 4.1. — *la saine doctrine* 1.10+. ***b* 4.4** *vers les fables* 1 Tm 4.7+.

Le temps de mon départ est arrivé

6 Pour moi, voici que je suis déjà offert en libation et le temps de
mon départ est arrivé[c]. 7 J'ai combattu le beau combat[d], j'ai achevé ma
course, j'ai gardé la foi. 8 Dès maintenant m'est réservée la couronne
de justice qu'en retour me donnera le Seigneur, en ce *Jour-là, lui le
juste juge; et non seulement à moi, mais à tous ceux qui auront aimé
sa manifestation[e].

Dernières recommandations

9 Efforce-toi de venir me rejoindre au plus vite[f]. 10 Car Démas m'a
abandonné par amour pour le monde présent. Il est parti pour Thessa-
lonique, Crescens pour la Galatie, Tite pour la Dalmatie[g]. 11 Luc seul
est avec moi. Prends Marc et amène-le avec toi, car il m'est précieux
pour le *ministère. 12 J'ai envoyé Tychique à Ephèse[h].
13 Le manteau que j'ai laissé à Troas[i] chez Carpos, apporte-le en
venant, ainsi que les livres, surtout les parchemins.
14 Alexandre le fondeur a fait preuve de beaucoup de méchanceté
à mon égard. *Le Seigneur* lui *rendra selon ses œuvres*[j]. 15 Toi
aussi, prends garde à lui, car il s'est violemment opposé à nos
paroles.
16 La première fois que j'ai présenté ma défense, personne ne m'a
assisté, tous m'ont abandonné[k]. Qu'il ne leur en soit pas tenu rigueur.
17 Le Seigneur, lui, m'a assisté; il m'a revêtu de force, afin que par moi
le message fût pleinement proclamé et qu'il fût entendu de tous les
*païens. Et j'ai été délivré de la *gueule du lion*[l] !
18 Le Seigneur me délivrera de toute entreprise perverse et me sau-
vera pour son *Royaume céleste. A lui la gloire dans les *siècles des
siècles! *Amen.

c 4.6 *libation :* voir Ph 2.17 et la note ; Ex 29.40 ; Nb 28.7. – *mon départ :* le terme utilisé par l'apôtre sert parfois à décrire le départ d'un navire qui quitte le port. C'est l'image d'une mort prochaine. Voir Ph 1.23. ***d 4.7*** *le beau combat* 1 Tm 1.18+. ***e 4.8*** *la couronne* 1 Co 9.25+ ; 2 Tm 2.5. – *la manifestation du Seigneur* 1 Tm 6.14+. ***f 4.9*** 1.4. ***g 4.10*** *Démas* Col 4.14+. – *Thessalonique* Ac 17.1 ; 20.4 ; 27.2 ; Ph 4.16. – *Galatie* Ac 16.6 ; 18.23 ; 1 Co 16.1 ; Ga 1.2 ; 1 P 1.1. – *Tite* 2 Co 2.13+. ***h 4.11-12*** *Luc* Col 4.14+. – *Marc* Ac 12.12+ ; Col 4.10 ; Phm 24 ; 1 P 5.13. – *Tychique* Ac 20.4+. – *Ephèse* Ac 19.1+. ***i 4.13*** *Troas* Ac 16.8+. ***j 4.14*** *Alexandre* 1 Tm 1.20.– *le Seigneur lui rendra...* 2 S 3.39 ; Ps 28.4 ; 62.13 ; Pr 24.12 ; Rm 2.6. ***k 4.16*** Paul fait allusion à son procès. – *Paul abandonné* 1.15. ***l 4.17*** *le Seigneur a assisté Paul* Ac 27.23. – Paul, porteur du message aux païens Ac 9.15 ; 23.11 ; Ga 2.7. – *délivré de la gueule du lion* Ps 22.22 ; Dn 6.21 ; *1 M* 2.60.

Salutations finales

19 Salue Prisca et Aquilas, ainsi que la famille d'Onésiphore[m].
20 Eraste est demeuré à Corinthe. J'ai laissé Trophime malade à Milet[n].
21 Efforce-toi de venir avant l'hiver. Tu as le salut d'Eubule, de
Pudens, de Lin, de Claudia et de tous les frères.
22 Le Seigneur soit avec ton esprit. La grâce soit avec vous tous.

m 4.19 *Prisca et Aquilas* Ac 18.2+. – *la famille d'Onésiphore* 2 Tm 1.16-17.
n 4.20 *Eraste* Rm 16.23+. – *Corinthe* Ac 18.1 ; 19.1 ; 1 Co 1.2 ; 2 Co 1.1. – *Trophime* Ac 20.4+. – *Milet* Ac 20.15-17.

ÉPÎTRE À TITE

Adresse et salutation

1 1 Paul, serviteur de Dieu, *apôtre de Jésus Christ pour amener les
élus de Dieu à la foi et à la connaissance de la vérité conforme à la
piété[a], 2 dans l'espérance de la *vie éternelle promise avant les temps
éternels par le Dieu qui ne ment pas, 3 et qui, aux temps fixés, a mani-
festé sa Parole dans un message qui m'a été confié, suivant l'ordre de
Dieu notre Sauveur[b],

4 à Tite, mon véritable enfant dans la foi[c] qui nous est commune:
grâce et paix de la part de Dieu le Père et du Christ Jésus notre Sau-
veur.

Organisation de l'Eglise de Crète[d]

5 Si je t'ai laissé en Crète, c'est pour que tu y achèves l'organisation
et que tu établisses dans chaque ville des *anciens[e], suivant mes ins-
tructions.

6 Chacun d'eux doit être irréprochable, mari d'une seule femme,
avoir des enfants croyants qu'on ne puisse accuser d'inconduite ou
d'insoumission. 7 Il faut en effet que l'épiscope[f] soit irréprochable en
sa qualité d'intendant de Dieu: ni arrogant, ni coléreux, ni buveur, ni
batailleur, ni avide de gains honteux. 8 Il doit être hospitalier, ami du
bien, pondéré, juste, saint, maître de soi, 9 fermement attaché à la
Parole digne de foi, qui est conforme à l'enseignement. Ainsi sera-t-il
capable d'exhorter dans la saine doctrine[g] et de réfuter les contradic-
teurs.

a ***1.1*** *Paul apôtre* 1 Co 1.1+. – *connaissance de la vérité* 1 Tm 2.4+. – *piété* 1 Tm 4.7+. **b** ***1.3*** *aux temps fixés* Ep 1.9-10 ; 1 Tm 2.6+. – *Dieu a manifesté sa Parole* Rm 16.25-26 ; 1 Co 2.7-9 ; Ep 3.5-9 ; Col 1.26. – *un message confié à Paul* 1 Tm 1.11+. – *Dieu Sauveur* 2 Tm 1.1+. **c** ***1.4*** *Tite* 2 Co 2.13+. – *mon véritable enfant dans la foi* 1 Tm 1.2. **d** ***1.5-9*** 1 Tm 3.2-7 ; 2 Tm 2.24-26. **e** ***1.5*** *anciens* Ac 11.30+ ; voir 1 Tm 3.1+. **f** ***1.7*** Voir 1 Tm 3.1 et la note. **g** ***1.9*** *saine doctrine* 1 Tm 1.10+.

Les faux docteurs

10 Nombreux sont en effet les insoumis, vains discoureurs et trom-
peurs, surtout parmi les *circoncis[h]. 11 Il faut leur fermer la bouche. Ils
bouleversent des familles entières, en enseignant pour un gain hon-
teux ce qu'il ne faut pas[i]. 12 L'un d'entre eux, leur propre *prophète, a
dit[j]:
«Crétois, perpétuels menteurs,
bêtes méchantes, panses fainéantes.»
13 Ce témoignage est vrai. C'est pourquoi reprends-les sévèrement[k],
pour qu'ils aient une foi saine. 14 Qu'ils ne s'attachent pas aux fables[l]
*juives et aux préceptes d'hommes qui se détournent de la vérité.
15 Tout est *pur pour ceux qui sont purs[m]. Mais pour ceux qui sont
souillés et qui refusent de croire, rien n'est pur; au contraire, leur
intelligence et leur conscience sont souillées. 16 Ils font profession de
connaître Dieu, mais par leurs œuvres ils le renient[n]. Ils sont abomina-
bles, rebelles, inaptes à toute œuvre bonne.

Les vieillards

2 1 Pour toi, enseigne ce qui est conforme à la saine doctrine[o]. 2 Que
les vieillards soient sobres, dignes, pondérés, pleins d'une foi
saine, d'amour, de persévérance[p].
3 Les femmes âgées, pareillement, doivent se comporter comme il
sied à des personnes saintes: ni médisantes[q], ni adonnées aux excès
de vin. Qu'elles enseignent le bien, 4 qu'elles apprennent ainsi aux
jeunes femmes à aimer leur mari et leurs enfants, 5 à être modestes,
chastes, dévouées à leur maison, bonnes, soumises à leur mari[r], pour
que la parole de Dieu ne soit pas *blasphémée.

Les jeunes gens

6 Exhorte aussi les jeunes gens à la pondération 7 en toutes choses.
Montre en ta personne un modèle[s] de belles œuvres: pureté de doc-
trine, dignité, 8 parole saine et inattaquable, afin que l'adversaire, ne
trouvant aucun mal à dire[t] à notre sujet, soit couvert de confusion.

h 1.10 *les circoncis:* voir Ac 15.1. ***i 1.11*** *des familles entières* 2 Tm 3.6. — *pour un gain honteux* Jn 10.12 ; 1 P 5.3. ***j 1.12*** Citation du poète crétois Epiménide de Cnossos (plus de 500 ans avant Jésus Christ). ***k 1.13*** reprendre sévèrement 2 Tm 4.2. ***l 1.14*** *fables* 1 Tm 1.4+. ***m 1.15*** Mt 15.11 ; Lc 11.41 ; Rm 14.20. ***n 1.16*** 1 Jn 1.6 ; 2.4. ***o 2.1*** conformité de l'enseignement chrétien 2 Tm 1.13 *à la saine doctrine* 1 Tm 1.10+. ***p 2.2*** *foi, amour, persévérance* 2 Th 1.3-4 ; 1 Tm 6.11 ; voir 1 Co 13.13+. ***q 2.3*** *saintes* Rm 1.7 et la note. — *non médisantes* 1 Tm 3.11. ***r 2.5*** *leur maison(née)* voir Ac 11.14 ; 16.15, 31 ; 18.8 ; 1 Co 1.16. — *soumises à leur mari* Ep 5.22. ***s 2.7*** 1 Tm 4.12 ; 1 P 5.3. ***t 2.8*** 1 P 2.15.

Les esclaves

[9] Que les esclaves[u] soient soumis à leurs maîtres en toutes choses; qu'ils se rendent agréables en évitant de les contredire, [10] et en ne commettant aucun détournement. Qu'ils fassent continuellement preuve d'une parfaite fidélité; ainsi feront-ils honneur en tout à la doctrine de Dieu notre Sauveur[v].

Un peuple qui lui appartient

[11] Car elle s'est manifestée, la grâce de Dieu, source de salut pour tous les hommes. [12] Elle nous enseigne à renoncer à l'impiété et aux désirs de ce *monde, pour que nous vivions dans le temps présent avec réserve, justice et piété[w], [13] en attendant la bienheureuse espérance et la manifestation de la gloire de notre grand Dieu et Sauveur Jésus Christ[x]. [14] Il s'est donné lui-même pour nous, afin de nous racheter de toute iniquité et de *purifier un peuple qui lui appartienne, qui soit plein d'ardeur pour les belles œuvres[y].

[15] C'est ainsi que tu dois parler, exhorter et reprendre avec pleine autorité. Que personne ne te méprise[z].

Devoir des fidèles

3 [1] Rappelle à tous qu'ils doivent être soumis aux magistrats, aux autorités, qu'ils doivent obéir, être prêts à toute œuvre bonne[a], [2] n'injurier personne, éviter les querelles[b], se montrer bienveillants, faire preuve d'une continuelle douceur envers tous les hommes.

[3] Car nous aussi, autrefois[c], nous étions insensés, rebelles, égarés, asservis à toutes sortes de désirs et de plaisirs, vivant dans la méchanceté et l'envie, odieux et nous haïssant les uns les autres. [4] Mais lorsque se sont manifestés la bonté de Dieu notre Sauveur[d] et son amour pour les hommes, [5] il nous a sauvés non en vertu d'œuvres que nous aurions accomplies nous-mêmes dans la justice, mais en vertu de sa miséricorde, par le bain de la nouvelle naissance et de la rénovation

u 2.9 Ep 6.5 ; Col 3.22 ; 1 Tm 6.1 ; 1 P 2.18. ***v 2.10*** *Dieu notre Sauveur* 1 Tm 1.1+. ***w 2.12*** *renoncer aux désirs de ce monde* 1 Jn 2.16. – *avec réserve, justice, piété* voir Ep 1.4. ***x 2.13*** *bienheureuse espérance :* certains traduisent *en attendant l'heureux jour que nous espérons.* Voir aussi 1 Tm 1.1. – *manifestation glorieuse de Jésus Christ* 1 Co 1.7 ; Ph 3.20 ; 1 Tm 6.14+. – *notre grand Dieu et Sauveur Jésus-Christ :* certains traduisent *de notre grand Dieu et de notre Sauveur Jésus Christ.* ***y 2.14*** le Christ *s'est donné* 1 Tm 2.6+. – *pour nous racheter* Ps 130.8.– *un peuple qui lui appartienne* Ex 19.5 ; Dt 4.20 ; 7.6 ; 14.2 ; Ez 37.23 ; 1 P 2.9. – *plein d'ardeur pour les belles œuvres* Ep 2.10 ; 1 P 3.13. ***z 2.15*** 1 Tm 4.12. ***a 3.1*** Rm 13.1 ; 1 P 2.13. ***b 3.2*** *querelles* 2 Tm 2.24+. ***c 3.3*** 1 Co 6.11 ; Ep 2.2 ; 5.8 ; 1 P 4.3. ***d 3.4*** *Dieu Sauveur* 1 Tm 1.1+.

que produit l'Esprit Saint[e]. 6 Cet Esprit, il l'a répandu sur nous avec
abondance par Jésus Christ notre Sauveur[f], 7 afin que, justifiés par sa
grâce[g], nous devenions, selon l'espérance, héritiers de la *vie éter-
nelle.
8 Elle est digne de confiance, cette parole[h], et je veux que tu sois tout
à fait attentif à ce sujet, afin que tous ceux qui ont mis leur foi en Dieu
s'appliquent à exceller dans les belles œuvres. Voilà qui est beau et
utile pour les hommes.
9 Mais les recherches vaines, les généalogies, les disputes, les con-
troverses relatives à la *loi, évite-les: elles sont inutiles et vaines[i].
10 Celui qui est hérétique, écarte-le après un premier et un second
avertissement[j]: 11 tu sais qu'un tel homme est dévoyé[k], pécheur, qu'il
se condamne lui-même.

Recommandations et salutations

12 Lorsque je t'aurai envoyé Artémas ou Tychique, efforce-toi de
venir me rejoindre à Nicopolis[l]. C'est là, en effet, que j'ai décidé de
passer l'hiver.
13 Veille avec zèle au voyage de Zénas le juriste et d'Apollos[m], afin
qu'ils ne manquent de rien. 14 Les nôtres aussi doivent apprendre à
exceller dans les belles œuvres, pour faire face aux nécessités urgen-
tes[n]. Ainsi ne seront-ils pas sans fruits.
15 Tous ceux qui sont avec moi te saluent. Salue ceux qui nous
aiment dans la foi.
La grâce soit avec vous tous.

e* *3.5 *sauvés par miséricorde* 2 Tm 1.9+. – *bain de la nouvelle naissance* Ep 5.26. – *rénovation que produit l'Esprit Saint* Jn 3.5. ***f* *3.6*** *Esprit répandu...* Jl 3.1. ***g* *3.7*** *justifiés par sa grâce* Rm 3.24. ***h* *3.8*** 1 Tm 1.15+. ***i* *3.9*** ce qu'il faut *éviter* 2 Tm 2.14, 16, 23. – *généalogies* 1 Tm 1.4 et la note. ***j* *3.10*** *hérétique :* certains traduisent *ceux qui causent des divisions.* – *premier et second avertissements* Mt 18.15-17. ***k* *3.11*** *dévoyé...* 1 Tm 6.4-5. ***l* *3.12*** *Tychique* Ac 20.4+. – *Nicopolis :* plusieurs villes portaient ce nom dans le monde antique. Paul semble désigner ici la ville de *Nicopolis* située sur la côte ouest de la Grèce. ***m* *3.13*** *Apollos* Ac 18.24+. ***n* *3.14*** *exceller dans les belles œuvres* 2.14. – *faire face aux nécessités urgentes* Ep 4.28.

ÉPÎTRE À PHILÉMON

INTRODUCTION

*De toutes les lettres de Paul parvenues jusqu'à nous, l'*Epître à Philémon *est la plus brève, la plus personnelle aussi. Pour autant, elle n'est pas une « lettre privée ». Paul s'adresse en effet aussi à l'« Eglise qui s'assemble dans la maison de Philémon » (v. 2).*

C'est sans doute de Rome ou de Césarée que Paul écrit cette lettre. Elle est en tout cas contemporaine de l'épître aux Colossiens : Paul est alors prisonnier (Col 4.3,10,18 ; Phm 9,10,13,18) et se trouve entouré des mêmes compagnons (Col 3.7-14 ; Phm 23-24). Philémon est un converti de Paul (v. 19) et Paul l'appelle « son bien-aimé collaborateur » (v. 1).

Circonstances

Les circonstances de la lettre demeurent quelque peu obscures. Il semble qu'Onésime, esclave de Philémon, se soit enfui de chez son maître et ait trouvé refuge auprès de Paul, qui s'est attaché à lui et en a fait son collaborateur. Il l'appelle « ce frère fidèle et très cher » (Col 4.9). Peut-être pour des raisons juridiques, Paul s'est décidé à renvoyer Onésime à son maître. Mais en même temps, il adresse à Philémon ce billet dans lequel il le prie d'accueillir l'esclave non seulement comme « un frère bien-aimé » mais, plus encore, comme si c'était Paul lui-même (v. 17). Paul ne demande pas en termes exprès à Philémon d'affranchir Onésime, mais il ne doute pas que Philémon fera plus encore qu'il ne lui est demandé (v. 21).

Intérêt doctrinal

Les divers passages où Paul, dans ses épîtres, aborde le problème des relations entre les maîtres et les esclaves peuvent paraître timides (1 Co 7.20-24 ; Ep 6.5-9 ; Col 3.22—4.1). S'il assure bien que, dans le Christ, toutes les frontières sont abolies, qu'il n'y a plus « ni esclave ni homme libre » (Ga 3.28), il semble n'en tirer aucune conséquence sur le plan extérieur et juridique, celui de la vie civile.

L'épître à Philémon interdit toutefois une interprétation dualiste de la pensée de Paul et c'est son originalité. Comme le relève Théo Preiss : « En fait, Paul ne juxtapose pas du tout le spirituel et le social : la fraternité, l'unité en Christ, s'empare plutôt de cette relation maître-esclave, la brise et l'accomplit sur un tout autre plan. Onésime sera considéré, non seulement comme un égal, un autre membre de la famille de Philémon, il sera pleinement frère. Il ne reste donc aucune marge de paternalisme : ce sera une totale fraternité. »

Si le Nouveau Testament n'est pas révolutionnaire, il ne saurait être qualifié de conservateur : tout ordre social se trouve radicalement mis en question par l'Evangile du Christ et son message d'amour.

ÉPÎTRE À PHILÉMON

1 Paul, prisonnier de Jésus Christ et Timothée[a], le frère, à Philémon,
notre bien-aimé collaborateur 2 et à Apphia, notre sœur, et à Archippe,
notre compagnon d'armes, et à l'Eglise qui s'assemble dans ta
maison[b]. 3 A vous grâce et paix[c], de la part de Dieu notre Père et du
Seigneur Jésus Christ.
4 Je rends grâce à mon Dieu en faisant continuellement mention de
toi dans mes prières[d] 5 car j'entends parler de l'amour et de la foi que
tu as envers le Seigneur Jésus et en faveur de tous les * saints[e]. 6 Que
ta participation à la foi soit efficace : fais donc connaître tout le bien
que nous pouvons accomplir pour la cause du Christ[f]. 7 Grande joie et
consolation[g] m'ont déjà été apportées : par ton amour, frère, tu as
réconforté le cœur des saints.
8 Aussi, bien que j'aie, en Christ, toute liberté de te prescrire ton
devoir, 9 c'est de préférence au nom de l'amour que je t'adresse une
requête. Oui, moi Paul, qui suis un vieillard, moi qui suis maintenant
prisonnier de Jésus Christ[h], 10 je te prie pour mon enfant, celui que j'ai
engendré en prison, Onésime[i], 11 qui jadis t'a été inutile et qui, main-
tenant, nous est utile, à toi comme à moi. 12 Je te le renvoie, lui qui est
comme mon propre cœur[j]. 13 Je l'aurais volontiers gardé près de moi,
afin qu'il me serve à ta place[k], dans la prison où je suis à cause de
* l'Evangile ; 14 mais je n'ai rien voulu faire sans ton accord, afin que
ce bienfait n'ait pas l'air forcé, mais qu'il vienne de ton bon gré[l].
15 Peut-être Onésime n'a-t-il été séparé de toi pour un temps qu'afin de
t'être rendu pour l'éternité, 16 non plus comme un esclave mais

a 1 Paul est en prison (v. 13, 22, 23), mais c'est pour le service du Christ (v. 13) ; voir Ep 3.1+. — *Timothée* Ac 16.1+. ***b 2*** *Archippe* Col 4.17.— *l'Eglise qui s'assemble dans ta maison* Rm 16.5+. ***c 3*** Rm 1.7 ; Ga 1.3 ; Ph 1.2, etc. ***d 4*** Rm 1.8-9. ***e 5*** *saints :* voir Rm 1.7 et la note. ***f 6*** Ph 1.9 ; Col 1.9. ***g 7*** 2 Co 7.4. ***h 9*** *prisonnier du Christ* Ep 3.1+ (voir v. 1). ***i 10*** *engendré :* expression raccourcie pour dire qu'Onésime est né à la foi, c'est-à-dire qu'il est devenu chrétien, grâce à Paul. Voir 1 Co 4.15 ; Ga 4.19. — *Onésime :* un esclave qui s'était enfui de chez son maître Philémon ; son nom signifie *Utile,* et fait jeu de mots au v. 11. Voir Col 4.9. ***j 12*** Autre texte : *je te le renvoie, et toi, reçois-le comme mon propre cœur.* ***k 13*** *à ta place* Ph 2.30. ***l 14*** 2 Co 9.7 ; 1 P 5.2.

comme bien mieux [m] qu'un esclave : un frère bien-aimé ; il l'est telle-
ment pour moi, combien plus le sera-t-il pour toi, et en tant qu'homme
et en tant que chrétien.
17 Si donc tu me tiens pour ton frère en la foi, reçois-le comme si
c'était moi. 18 Et s'il t'a fait quelque tort ou s'il a quelque dette envers
toi, porte cela à mon compte. 19 — C'est moi, Paul, qui l'écris de ma
propre main [n] : c'est moi qui paierai... Et je ne te rappelle pas que toi,
tu as aussi une dette envers moi, et c'est toi-même ! 20 Allons, frère,
rends-moi ce service dans le Seigneur ; donne à mon cœur son récon-
fort en Christ ! 21 C'est en me fiant à ton obéissance que je t'écris : je
sais que tu feras plus encore que je ne dis.
22 En même temps, prépare-moi un logement : j'espère en effet,
grâce à vos prières, vous être rendu. 23 Epaphras [o], mon compagnon de
captivité en Jésus Christ, te salue, 24 ainsi que Marc, Aristarque, Démas
et Luc, mes collaborateurs [p]. 25 La grâce du Seigneur Jésus Christ soit
avec vous.

m 16 *bien mieux* 1 Tm 6.2. ***n 19*** Ga 6.11+. ***o 23*** *Epaphras* Col 1.7+. ***p 24*** *Marc* Ac 12.12+ ; 2 Tm 4.11+. — *Aristarque* Ac 19.29+. — *Démas* Col 4.14+. — *Luc* Col 4.14+.

ÉPÎTRE AUX HÉBREUX

INTRODUCTION

*L'*Epître aux Hébreux *peut déconcerter le lecteur moderne. Tantôt l'auteur a des formules incomparables pour proclamer la transcendance du Christ et il sait en même temps exprimer avec réalisme l'extrême solidarité qui unit Jésus à « ses frères ». De plus la profonde connaissance qu'il a de l'Ancien Testament apparaît à chaque ligne et son amour de l'Eglise sous-tend chacune de ses exhortations. Tantôt il donne beaucoup de place aux rites anciens et bien des lecteurs ont alors l'impression de perdre pied.*

Par ailleurs, l'origine même de cette œuvre pose des questions complexes : de qui provient cette épître ? Peut-on, oui ou non, la rattacher au nom de l'apôtre Paul ? Pourquoi ressemble-t-elle si peu aux grandes épîtres pauliniennes ? A qui fut-elle adressée et en quelle occasion ? Est-ce même réellement une épître ?

Une origine controversée

*Pendant les quatre premiers siècles, la position de l'*Epître aux Hébreux *connut bien des vicissitudes, mais on note une différence sensible entre les Eglises d'Orient et celles d'Occident.*

Dans les Eglises d'Orient, Hébreux *fut toujours considérée comme paulinienne. Clément d'Alexandrie présente l'épître comme une adaptation grecque d'un texte composé par Paul en hébreu et traduit par Luc. Un peu plus tard Origène pense que la composition n'est pas de l'apôtre, mais d'un disciple de Paul, sans savoir qui il est. D'autres commentateurs orientaux s'en tenaient à l'affirmation de l'origine paulinienne, garantie par la tradition de leurs Eglises.*

*En Occident la situation était différente et l'*Epître aux Hébreux *ne fut pas acceptée sans réticences. Etait-ce un écrit inspiré ? L'usage qu'en firent certaines sectes contribua à augmenter les soupçons. Les spéculations sur Melkisédeq (ch.7), le refus du pardon aux chrétiens* *qui avaient apostasié pendant la persécution (6.4-6 et 10.26), l'affirmation que le Verbe ne serait qu'une créature (3.2), tout cela fit qu'à la fin du IVe siècle, l'épître n'était pas lue dans les églises. Saint Jérôme et saint Augustin adoptèrent l'attitude des Eglises d'Orient. Les listes du « canon des Ecritures » établies à la fin du IVe siècle mentionnent explicitement l'*Epître aux Hébreux.

Au temps de la Réforme et au XXe s.

*Les discussions reprirent à la Renaissance. On en trouve un écho dans le commentaire que Luther donna de l'épître en 1517-1518. Si He 2.3 est un argument très fort pour montrer que l'épître n'est pas de Paul, He 13.19 joue en sens contraire. En 1526, Luther a défini sa position : l'épître est d'un auteur inconnu qui utilise avec maîtrise les Ecritures. Calvin déclare qu'*Hébreux *fait indiscutablement partie des Ecritures apostoliques sans être pour autant une œuvre de saint Paul.*

L'exégèse protestante connut par la suite une certaine diversité d'opinions. Plus attaché au témoignage de la tradition, le magistère catholique se soucia de défendre l'origine paulinienne de l'épître. Lors des discussions du début du XXe siècle, la Commission Biblique romaine interdit aux catholiques de nier l'origine paulinienne, tout en admettant qu'on parlât de rédaction non paulinienne. Aujourd'hui on entend origine paulinienne au sens large. Par exemple Apollos aurait composé l'épître après le martyre de Paul.

La question d'authenticité

*De fait, nombreux sont les arguments qui s'opposent à l'authenticité paulinienne. L'allure générale d'*Hébreux *ne correspond pas du tout au tempérament de Paul : style paisible, composition régulière, personnalité effacée, différences dans le vocabulaire, les tournures employées et la façon même de concevoir le mystère du Christ. Les citations de l'AT sont toujours introduites comme « paroles » (il dit). L'auteur parle souvent de l'intronisation céleste du Christ, mais une seule fois de sa résurrection. Sa présentation du Christ grand prêtre est unique dans tout le NT.*

Cependant il y a sur plusieurs points une parenté très nette entre Hébreux *et la doctrine de Paul : 1) la Passion du Christ est présentée sous son aspect d'obéissance volontaire (5.8 et 10.9) ; 2) l'inefficacité de la Loi ancienne et son abrogation sont affirmées (7.11 et 10.1-10) ; 3) réciproquement c'est dans les épîtres pauliniennes que l'aspect sacrificiel et sacerdotal de la rédemption a été mis progressivement en lumière (voir Ga 2.20 et Ep 5.2,25) ; 4) entre la christologie d'*Hébreux *et celle des épîtres de la captivité, il y a des affinités : le Fils* *image de Dieu, son élévation au-dessus des anges, le nom qu'il reçoit à l'issue de son sacrifice.*

Quant à déterminer plus précisément le nom de l'auteur, *on n'y peut guère prétendre. On a proposé Luc, Clément de Rome, Barnabas. Luther met en avant celui d'Apollos, juif, d'éducation hellénistique à Alexandrie, connaisseur des Ecritures et orateur. Mais on ne peut vérifier cette hypothèse. Résignons-nous donc à ignorer le nom de l'auteur.*

Genre littéraire : épître ou sermon ?

Le genre même de l'œuvre prête à contestation : on l'appelle couramment épître. Mais le corps de l'écrit ne contient aucun élément épistolaire. Il faut attendre les tout derniers versets pour que le ton change. On est donc amené à distinguer dans l'écrit que nous possédons, d'une part un sermon destiné à être prononcé oralement (1.1—13.21) et d'autre part un court billet qui lui a été ajouté (13.22-25). Prononcé devant l'assemblée des fidèles, le sermon a été de surcroît envoyé par écrit à d'autres chrétiens.

Destinataires

Le titre « aux Hébreux » a été choisi au moment d'insérer l'écrit dans un recueil de plusieurs épîtres. Son sens n'est pas clair. Des commentateurs anciens en avaient déduit que les destinataires étaient d'origine juive, habitaient la Palestine et parlaient hébreu. Cette façon de voir n'est plus admise. Car le grec de l'épître est un excellent grec.

Bien des hypothèses ont été émises : les destinataires seraient des membres de la secte de Qumrân ou encore des gnostiques. Il en ressort que l'épître s'est nourrie d'un terreau très riche dans un milieu sensible à diverses influences et s'adresse à des communautés de fondation assez ancienne (5.12 ; 13.7). L'influence judéo-chrétienne semble en tout cas marquer profondément ces communautés (13.9).

Circonstances et dates

*La finale épistolaire évoque des circonstances que nous ne pouvons pas préciser. La date de la composition peut, elle aussi, être estimée de façon très diverse : très tôt avant les grandes épîtres de Paul ou à la fin du 1er siècle et même au-delà. L'utilisation d'*Hébreux *par Clément de Rome, vers 95, exclut une datation trop tardive. On peut penser aux années qui précédèrent la destruction du temple de Jérusalem, survenue en 70.*

Structure

*Le genre littéraire de l'*Epître aux Hébreux *lui assure une notable indépendance par rapport aux événements particuliers. Une étude précise de la composition met en évidence une technique de composition très ferme dont les procédés (inclusions, mots-crochets, symétries) se rattachent à des traditions littéraires bibliques. On peut ainsi reconnaître une structure en cinq parties annoncées par l'auteur.*

1) Dans une première partie (1.5—2.18), l'auteur s'attache à définir la position du Christ par rapport à Dieu (1.5-14) et par rapport aux hommes (2.5-18). Ce développement aboutit à l'affirmation du sacerdoce du Christ (2.17).

2) Une deuxième partie (3.1—5.10) montre deux traits fondamentaux du sacerdoce du Christ : Le Christ est accrédité auprès de Dieu (3.1-6) et il est solidaire des hommes (4.15—5.10).

3) La troisième partie (5.11—10.39) met en lumière les traits spécifiques du sacerdoce du Christ : grand prêtre d'un genre nouveau (7.1-28) ; son sacrifice personnel diffère des rites anciens et ouvre l'accès au vrai sanctuaire (8.1—9.28) par un pardon définitif des péchés (10.1-18).

4) Une quatrième partie (11.1—12.13) insiste sur deux aspects : la foi, à l'exemple des anciens (11.1-40), et l'endurance nécessaire (12.1-13).

5) La dernière partie (12.14—13.18) brosse un tableau de l'existence chrétienne.

Le sacerdoce du Christ

*L'apport doctrinal de l'*Epître aux Hébreux *consiste avant tout dans sa présentation sacerdotale du mystère du Christ.*

*Pour que soit pleinement révélé le caractère sacrificiel de la Passion et de la résurrection du Christ, un double dépassement est nécessaire : il faut d'une part qu'éclate l'étroitesse des conceptions traditionnelles, attachées à l'exécution des rites et, d'autre part, que soit reconnu, au-delà des apparences, le sens profond de l'événement. Avec l'*Epître aux Hébreux, *l'affirmation arrive à ce résultat par une comparaison avec les rites anciens et les sacrifices d'animaux.*

Dans le Christ glorifié à l'issue de sa passion, l'auteur reconnaît le parfait accomplissement du sacerdoce : Fils de Dieu, Frère des hommes, le Christ glorieux assure aux hommes l'accès auprès de Dieu. Selon le Ps 110, Dieu voulait susciter un prêtre d'un genre nouveau « dans la ligne de Melkisédeq » (7.1-28). La mort et la glorification du Christ constituent le seul véritable sacrifice (9.9 ; 10.1-4). La mort du Christ, offrande personnelle parfaite (9.14), prend l'homme tout entier et le soumet entièrement à la volonté de Dieu (5.8 ; 10.9-10). Elle le renouvelle de fond en comble, et l'établit dans l'intimité de Dieu.

La condition chrétienne

Elle se définit avant tout par cette mise en relation sacerdotale avec Dieu : Nous avons un grand prêtre (8.1 ; 10.21 ; 9.12 ; 7.25 ; 9.24). Il nous a ouvert le chemin : à sa suite nous sommes invités à nous approcher de Dieu en toute confiance (4.16 ; 7.19 ; 10.22) ; le péché est aboli (9.26 ; 10.12) ; l'ennemi vaincu (2.14) ; la libération définitive obtenue (2.15 ; 9.12). Les chrétiens ont part dès maintenant aux biens du monde à venir (6.4-5 ; 12.28). Dans ce monde terrestre, ils attendent la cité à venir (13.14), et la seconde apparition de leur Sauveur (9.28). Ils perçoivent la proximité du jour (10.25,37), mais ne jouissent pas encore de toute sa lumière.

Leur relation avec Dieu par le Christ est réelle et étroite, mais elle leur est donnée dans la foi. *Dans sa façon de parler de la foi, l'auteur unit deux points de vue assez différents, l'un plus intellectuel, qui précise le contenu de la foi (11.1b,3,6), l'autre plus existentiel, qui montre le dynamisme de la foi et la rapproche de l'espérance (11.1a,8-10).*

C'est d'ailleurs ce que l'on peut observer en d'autres développements. Dans le culte ancien, l'auteur montre à la fois le reflet de l'immuable réalité céleste (8.5 ; 9.24) et la préfiguration d'un événement « à venir », le sacrifice du Christ, dont la portée est eschatologique (9.7-12). Cette jonction paradoxale de deux perspectives qu'on pourrait croire inconciliables manifeste assurément la pénétration de son esprit, mais aussi et surtout la profondeur de sa foi.

*L'auteur montre que la foi est riche en œuvres et que tout ce qui s'est réalisé de valable dans l'Ancien Testament avait la foi pour base. Dans la situation d'épreuve où nous sommes, notre foi doit se doubler d'*endurance *(6.12 ; 10.36 ; 12.1-13). Si le Christ a pris sur lui la souffrance et la mort humaines et en a fait le chemin de sa gloire (2.9) et de notre salut (5.8-9) c'est pour nous permettre de les affronter pleins d'espoir (12.2-3).*

Bien qu'il insiste beaucoup sur la parfaite efficacité d'un seul sacrifice, celui du Christ, l'auteur n'hésite pas à présenter la vie chrétienne *comme une offrande continuelle (13.15) de « sacrifices » (au pluriel : 13.16). A l'exemple du sacrifice du Christ, et en union avec lui, le chrétien ne met pas le culte à côté de sa vie, mais il s'unit à Dieu par son existence réelle. L'auteur rappelle la nécessité de la cohésion entre chrétiens : sollicitude des uns pour les autres (3.12 ; 4.1,11 ;*

10.24 ; 12.15), assiduité aux assemblées chrétiennes (10.25), obéissance aux dirigeants (13.17). Il fait comprendre toute l'importance qu'il reconnaît à la prédication (2.1,3 ; 4.2 ; 5.11 ; 13.7) et à la liturgie chrétiennes (6.4 ; 10.19-22,29).

Dialectique des deux testaments

*Mieux peut-être qu'aucun autre écrit du Nouveau Testament, l'*Epître aux Hébreux *montre comment les Ecritures anciennes se sont accomplies dans le Christ et elle révèle l'ensemble des apports qui définissent cet accomplissement chrétien. L'exemple le plus significatif est celui du sacrifice du Christ : en un sens, la mort du Christ en croix est la négation même du culte ancien ; elle paraît sans rapport avec lui. Un regard attentif découvre cependant une profonde continuité : d'un côté comme de l'autre, une offrande est présentée à Dieu, qui va jusqu'à l'effusion du sang et qui vise à obtenir le pardon des péchés. Mais quelle supériorité dans le cas du Christ ! A l'immolation rituelle d'animaux succède un don personnel poussé à l'extrême, dans une obéissance parfaite envers Dieu et une solidarité totale avec les hommes.*

Cet exemple est loin d'être le seul. D'un bout à l'autre de son œuvre, l'auteur confronte les promesses et leur réalisation, les préfigurations anciennes et leur accomplissement. Il a un sens aigu de la continuité du dessein de Dieu qui fait l'unité des deux Testaments, mais il ne se montre pas moins conscient de la nouveauté et du caractère final de la révélation apportée par le Christ.

Conclusion

*S'il faut un certain effort pour aborder le texte de l'*Epître aux Hébreux, *cet effort ne tarde pas à être amplement récompensé. On perçoit dans cet écrit du Nouveau Testament un si intense désir d'entrer en communion avec Dieu, on y découvre une doctrine si profonde de la médiation du Christ et une compréhension si réelle des difficultés de l'existence humaine, qu'on ne se lasse plus de revenir à ces pages substantielles. Leur apport est sans doute, en notre temps, plus précieux que jamais. L'*Epître aux Hébreux *s'adresse en effet à des chrétiens désorientés et menacés de découragement. Elle indique le vrai remède à ce genre de mal : non pas de vagues exhortations moralisantes, mais un sérieux effort d'approfondissement dans la foi du Christ.*

ÉPÎTRE AUX HÉBREUX

Dieu nous a parlé par son Fils

1 1 Après avoir, à bien des reprises et de bien des manières, parlé
autrefois aux pères[a] dans les *prophètes, Dieu, 2 en la période
finale où nous sommes, nous a parlé à nous en un Fils qu'il a établi
héritier de tout, par qui aussi il a créé les mondes[b]. 3 Ce Fils est res-
plendissement de sa gloire et expression de son être et il porte l'uni-
vers par la puissance de sa parole. Après avoir accompli la *purifica-
tion des péchés, il s'est assis à la droite de la Majesté[c] dans les hau-
teurs, 4 devenu d'autant supérieur aux *anges qu'il a hérité d'un
*nom[d] bien différent du leur.

Le Fils de Dieu supérieur aux anges

5 Auquel des anges, en effet, a-t-il jamais dit :
Tu es mon fils,
moi, aujourd'hui, je t'ai engendré ?
Et encore :
Moi, je serai pour lui un père
et lui sera pour moi un fils[e] ?
6 Par contre, lorsqu'il introduit le premier-né dans le monde, il dit :
Et que se prosternent devant lui tous les anges de Dieu[f].
7 Pour les anges, il a cette parole :
Celui qui fait de ses anges des esprits
et de ses serviteurs une flamme de feu[g].

a 1.1 Ou *à nos pères,* les ancêtres du peuple israélite ; 4.16-18 ; 11.17 ; 1 Co 10.1. ***b 1.2*** Les derniers temps Ez 38.16 ; Dn 2.28 ; 10.14 ; Mi 4.1 ; Ac 2.17 ; 1 Co 10.11 ; 1 P 1.20. — Le Christ *héritier* Mt 21.38 ; 28.18 ; Ps 2.8 ; Gn 15.3-4 ; *Si* 44.21. — Le Christ associé à la création Jn 1.3 ; 1 Co 8.6 ; Col 1.16 (voir Pr 8.27-31 ; *Sg* 7.21 ; 9.9). ***c 1.3*** *image de Dieu* 2 Co 4.4 ; Col 1.15. — Le Christ *assis à la droite de Dieu* Ps 110.1 (Mt 22.44+). — La *droite* est le côté honorifique. — *Majesté :* un des titres de Dieu, adopté par les Juifs pour n'avoir pas à prononcer son nom. ***d 1.4*** *le nom* Ep 1.21 ; Ph 2.9. ***e 1.5*** v. 5a : Ps 2.7. — le Christ *Fils* Ac 13.33 ; He 5.5. — v. 5b : 2 S 7.14 ; 1 Ch 17.13. ***f 1.6*** Dt 32.43 (grec). — *premier-né* Col 1.18. — *le monde :* voir He 2.5 où le même terme grec désigne le monde à venir. ***g 1.7*** Ps 104.4.

8 Mais pour le Fils, celle-ci:
Ton trône, Dieu, est établi à tout jamais!
et *Le sceptre de la droiture est sceptre de ton règne*[h].
9 *Tu aimas la justice et détestas l'iniquité,*
*c'est pourquoi, ô Dieu, ton Dieu te donna *l'onction*
d'une huile d'allégresse, de préférence à tes compagnons.
10 Et encore:
C'est toi qui, aux origines, Seigneur, fondas la terre,
et les cieux sont l'œuvre de tes mains.
11 *Eux périront, mais toi, tu demeures.*
Oui, tous comme un vêtement vieilliront
12 *et comme on fait d'un manteau, tu les enrouleras*[i],
comme un vêtement, *oui, ils seront changés,*
mais toi, tu es le même et tes années ne tourneront pas court.
13 Et auquel des anges a-t-il jamais dit:
Siège à ma droite,
de tes ennemis, je vais faire ton marchepied[j]*?*
14 Ne sont-ils pas tous des esprits remplissant des fonctions et
envoyés en service pour le bien de ceux qui doivent recevoir en héri-
tage le salut?

Importance décisive du salut annoncé

2 1 Il s'ensuit que nous devons prendre plus au sérieux le message
entendu, si nous ne voulons pas aller à la dérive. 2 Car si la parole
annoncée par des *anges entra en vigueur et si toute transgression et
toute désobéissance reçurent une juste rétribution[k], 3 comment nous-
mêmes échapperons-nous, si nous négligeons un pareil salut, qui com-
mença à être annoncé par le Seigneur, puis fut confirmé pour nous par
ceux qui l'avaient entendu, 4 et fut appuyé aussi du témoignage de
Dieu par des *signes[l] et des prodiges, des miracles de toute sorte, et
par des dons de l'Esprit Saint répartis selon sa volonté!

Le Frère des hommes

5 Car ce n'est pas à des *anges qu'il a soumis le monde à venir, dont
nous parlons. L'attestation en fut donnée quelque part en ces termes:
6 *Qu'est-ce que l'homme pour que tu te souviennes de lui?*

h 1.8 Ou *son règne.* – v. 8-9 : Ps 45.7-8. ***i 1.12*** Autre texte (influencé par Es 34.4) : *tu les changeras.* – v. 10-12 : Ps 102.26-28. ***j 1.13*** Ps 110.1 (Mt 22.44+ ; He 10.13). ***k 2.2*** Selon une tradition rabbinique la révélation de la Loi au Sinaï a été promulguée *par des anges* (Ga 3.19 ; Ac 7.53). – *rétribution* He 10.29 ; 12.25. ***l 2.4*** Mc 16.17-18, 20 ; Ac 5.12 ; Rm 15.19 ; 2 Co 12.12.

Ou le fils de l'homme pour que tu portes tes regards sur lui?
7 *Tu l'abaissas quelque peu par rapport aux anges;*
de gloire et d'honneur tu le couronnas;
8 *tu mis toutes choses sous ses pieds.*
En lui soumettant toutes choses, il n'a rien laissé qui puisse lui rester
insoumis[m]. Or, en fait, nous ne voyons pas encore que tout lui ait été
soumis, 9 mais nous faisons une constatation: celui qui a été *abaissé*
quelque peu par rapport aux anges, Jésus, se trouve, à cause de la mort
qu'il a soufferte, *couronné de gloire et d'honneur*[n]. Ainsi, par la grâce
de Dieu, c'est pour tout homme qu'il a goûté la mort.
10 Il convenait, en effet, à celui pour qui et par qui tout existe et qui
voulait conduire à la gloire une multitude de fils, de mener à l'accom-
plissement par des souffrances l'initiateur[o] de leur salut. 11 Car le
*sanctificateur et les sanctifiés ont tous une même origine; aussi ne
rougit-il pas de les appeler *frères*[p] 12 et de dire:
*J'annoncerai ton *nom à mes frères,*
au milieu de l'assemblée, je te louerai[q],
13 et encore:
Moi, je serai plein de confiance en lui,
et encore:
Me voici, moi et les enfants que Dieu m'a donnés[r].
14 Ainsi donc, puisque *les enfants* ont en commun le *sang et la
chair, lui aussi, pareillement, partagea la même condition, afin de
réduire à l'impuissance, par sa mort, celui qui détenait le pouvoir de la
mort, c'est-à-dire le *diable[s], 15 et de délivrer ceux qui, par crainte de
la mort, passaient toute leur vie dans une situation d'esclaves. 16 Car ce
n'est pas à des *anges qu'il vient en aide, mais c'est à la descendance
d'Abraham. 17 Aussi devait-il en tous points se faire semblable à ses
frères, afin de devenir un *grand prêtre miséricordieux en même
temps qu'accrédité auprès de Dieu pour effacer[t] les péchés du peuple.
18 Car puisqu'il a souffert lui-même l'épreuve, il est en mesure de
porter secours à ceux qui sont éprouvés.

m 2.8 v. 6-8 : Ps 8.5-7. — Tout est soumis au Christ 1 Co 15.27 ; Ep 1.22 ; Ph 3.21. ***n 2.9*** *quelque peu : à un niveau un peu inférieur,* ou bien *pendant un peu de temps.* — *abaissé et glorifié* Ph 2.8-9. ***o 2.10*** *celui par qui... :* Dieu. — Le Christ *mené à l'accomplissement* par sa Passion Lc 13.32 ; He 5.9 ; 7.28. — *l'initiateur... :* le Fils. ***p 2.11*** Mt 25.40 ; Mc 3.35 ; Jn 20.17. ***q 2.12*** Ps 22.23. ***r 2.13*** v. 13a : 2 S 22.3 ; Es 8.17. — v. 13b : Es 8.18. ***s 2.14*** le Christ a *partagé notre condition* Rm 8.3 ; Ph 2.7 ; He 2.17. — L'œuvre du *diable* Sg 2.24 ; 1 Jn 3.8. ***t 2.17*** Lv 4.20, 26, 35 ; 16.6, 10, 11 donnent un aperçu des rites de purification opérés par le grand prêtre de l'ancienne alliance. — Le Christ *grand prêtre* He 3.1 ; 4.14 ; 5.1 ; 6.20 ; 7.26 ; 8.1 ; 9.11.

Jésus comparé à Moïse

3 1 Ainsi donc, frères *saints, qui avez en partage une vocation
céleste, considérez l'apôtre et le *grand prêtre de notre confes-
sion de foi, Jésus[u]. 2 Il est *accrédité* auprès de celui qui l'a constitué,
comme *Moïse* le fut *dans toute sa maison*[v]. 3 En fait, c'est une gloire
supérieure à celle de Moïse qui lui revient, dans toute la mesure où le
constructeur de la maison est plus honoré que la maison elle-même.
4 Toute maison, en effet, a son constructeur, et le constructeur de tout
est Dieu. 5 Or *Moïse* fut *accrédité dans toute sa maison* comme *servi-
teur* en vue de garantir ce qui allait être dit, mais Christ l'est comme
Fils, et sur sa maison. 6 Sa maison, c'est nous, si nous conservons la
pleine assurance et la fierté de l'espérance[w].

L'entrée par la foi dans le repos de Dieu

7 C'est pourquoi, comme dit l'Esprit Saint:
Aujourd'hui, si vous entendez sa voix,
8 *n'endurcissez pas vos *cœurs comme au temps de l'exaspération,*
au jour de la mise à l'épreuve dans le désert[x],
9 *où vos pères me mirent à l'épreuve en cherchant à me sonder,*
et ils virent mes œuvres 10 *pendant quarante ans.*
C'est pourquoi, *je me suis emporté contre cette génération*
et j'ai dit: Toujours leurs cœurs s'égarent;
ces gens-là n'ont pas trouvé mes chemins,
11 *car j'ai juré dans ma colère:*
On verra bien s'ils entreront dans mon repos!
12 Prenez garde, frères, qu'aucun de vous n'ait un cœur mauvais que
l'incrédulité détache du Dieu vivant, 13 mais encouragez-vous les uns
les autres, jour après jour, tant que dure la proclamation de *l'au-
jourd'hui*, afin qu'aucun d'entre vous ne *s'endurcisse*, trompé par le
péché. 14 Nous voici devenus, en effet, les compagnons du Christ,
pourvu que nous tenions fermement jusqu'à la fin notre position ini-
tiale, 15 alors qu'il est dit:
Aujourd'hui, si vous entendez sa voix,
n'endurcissez pas vos cœurs comme au temps de l'exaspération.
16 Quels sont, en effet, ceux qui *entendirent* et qui provoquèrent

u 3.1 *apôtre:* au sens étymologique d'envoyé. — *Jésus grand prêtre* 2.17+. **v 3.2** *constitué* ou *établi* (dans sa fonction de grand prêtre). — *Moïse dans la maison de Dieu* Nb 12.7. **w 3.6** Certains manuscrits ajoutent : *fermement jusqu'à la fin* (mots empruntés à 3.14). **x 3.8** v. 7-11 : Ps 95.7-11. — Episode de Massa et Mériba Ex 17.7.

l'exaspération ? N'est-ce pas tous ceux qui sortirent d'Egypte grâce à
Moïse? 17 Et contre qui s'est-il *emporté pendant quarante ans ?* N'est-
ce pas contre ceux qui avaient péché, dont *les cadavres tombèrent*
dans le désert ? 18 Et à qui *jura-t-il qu'ils n'entreraient pas dans son*
repos, sinon à ces indociles[y]? 19 Et nous constatons qu'ils ne purent
pas entrer à cause de leur incrédulité.

4 1 Craignons donc, alors que subsiste une promesse d'entrer dans
son repos, craignons que quelqu'un d'entre vous ne soit con-
vaincu d'être resté en retrait. 2 Car nous avons reçu la bonne nouvelle
tout comme ces gens-là, mais la parole qu'ils avaient entendue ne leur
fut d'aucun profit, car les auditeurs ne s'en sont pas pénétrés par la
foi[z].

3 Nous qui sommes venus à la foi, nous entrons dans le repos, dont il
a dit:

Car j'ai juré dans ma colère:
On verra bien s'ils entreront dans mon repos!

son ouvrage, assurément, ayant été réalisé dès la fondation du monde,
4 car on a dit du septième jour: *Et Dieu se reposa le septième jour de*
tout son ouvrage[a], 5 et de nouveau dans notre texte: *s'ils entreront*
dans mon repos.

6 Ainsi donc, puisqu'il reste décidé que certains y entrent, et que les
premiers à avoir reçu la bonne nouvelle n'y entrèrent pas à cause de
leur indocilité, 7 il fixe de nouveau un jour, *aujourd'hui*, disant beau-
coup plus tard, dans le texte de David déjà cité:

Aujourd'hui, si vous entendez sa voix,
*n'endurcissez pas vos *cœurs.*

8 De fait, si Josué leur avait assuré le repos[b], il ne parlerait pas, après
cela, d'un autre jour. 9 Un repos sabbatique reste donc en réserve pour
le peuple de Dieu. 10 Car celui qui est entré dans son repos s'est mis,
lui aussi, à *se reposer de son ouvrage*, comme Dieu s'est reposé du
sien. 11 Empressons-nous donc d'entrer dans ce repos, afin que le
même exemple d'indocilité n'entraîne plus personne dans la chute[c].

12 Vivante, en effet, est la parole de Dieu, énergique et plus tran-
chante qu'aucun glaive à double tranchant. Elle pénètre jusqu'à

***y* 3.18** v. 11-18 : mission de reconnaissance en Canaan Nb 13. — Manque de foi du peuple Nb 14.11 ; Dt 1.28. — Interdiction d'entrer en Terre promise Nb 14.21-23. — Leur mort dans le désert Nb 14.29, 32 ; 1 Co 10.10. ***z* 4.2** Autre texte : *car ils n'ont pas fusionné par la foi avec les auditeurs de la parole.* ***a* 4.4** Gn 2.2. ***b* 4.8** *repos* dans la Terre promise Jos 21.44 ; 22.4 ; 23.1. ***c* 4.11** Ou *afin que personne ne tombe en donnant le même exemple d'indocilité.*

diviser âme et esprit[d], articulations et moelles. Elle passe au crible les
mouvements et les pensées du cœur. 13 Il n'est pas de créature qui
échappe à sa vue; tout est nu à ses yeux, tout est subjugué par son
regard. Et c'est à elle que nous devons rendre compte.

L'adhésion au Christ grand prêtre

14 Ayant donc un *grand prêtre[e] éminent, qui a traversé les *cieux,
Jésus, le Fils de Dieu, tenons ferme la confession de foi. 15 Nous
n'avons pas, en effet, un grand prêtre incapable de compatir à nos fai-
blesses; il a été éprouvé en tous points à notre ressemblance, mais
sans pécher[f]. 16 Avançons-nous donc avec pleine assurance vers le
trône de la grâce, afin d'obtenir miséricorde et de trouver grâce, pour
être aidés en temps voulu.

Le Christ, grand prêtre compatissant

5 1 Tout *grand prêtre, en effet, pris d'entre les hommes est établi
en faveur des hommes pour leurs rapports avec Dieu. Son rôle est
d'offrir des dons et des *sacrifices pour les péchés[g]. 2 Il est capable
d'avoir de la compréhension pour ceux qui ne savent pas et s'égarent,
car il est, lui aussi, atteint de tous côtés par la faiblesse[h] 3 et, à cause
d'elle, il doit offrir, pour lui-même[i] aussi bien que pour le peuple, des
sacrifices pour les péchés. 4 On ne s'attribue pas à soi-même cet hon-
neur, on le reçoit par appel de Dieu[j], comme ce fut le cas pour Aaron.
5 C'est ainsi que le Christ non plus ne s'est pas attribué à lui-même la
gloire de devenir grand prêtre; il l'a reçue de celui qui lui a dit: *Tu es
mon fils, moi, aujourd'hui, je t'ai engendré*[k], 6 conformément à cette
autre parole: *Tu es prêtre pour l'éternité à la manière de Melkisédeq*[l].
7 C'est lui qui, au cours de sa vie terrestre, offrit prières et supplica-
tions avec grand cri et larmes à celui qui pouvait le sauver de la mort,
et il fut exaucé en raison de sa soumission. 8 Tout Fils qu'il était, il
apprit par ses souffrances l'obéissance[m], 9 et, conduit jusqu'à son
propre accomplissement[n], il devint pour tous ceux qui lui obéissent

***d* 4.12** Ou *jusqu'au point de division de l'âme et de l'esprit. — le glaive de la parole* Es 49.2 : *Sg* 18.15 ; Ap 19.15. ***e* 4.14** *grand prêtre* 2.17+. ***f* 4.15** 2.17-18 ; 7.26 ; 9.14 ; Jn 8.46 ; 2 Co 5.21 ; 1 Jn 3.5. ***g* 5.1** *le prêtre* s'approche de Dieu Ex 28.43 ; 29.30 ; Nb 18.1-7. — *il enseigne la Loi* Dt 33.10 ; Lv 10.11 ; Ml 2.7. — *il offre le sacrifice* Lv 1 ; 4 ; 9 etc. ***h* 5.2** *compréhension pour la faiblesse* 2.17-18 ; 4.15. — Péché d'ignorance Nb 15.22-31 ; Lc 23.34 ; Ac 3.17. ***i* 5.3** Lv 9.7-8 ; 16.6, 11 ; He 7.27. ***j* 5.4** Ex 28.1 ; Nb 16—17. ***k* 5.5** Ps 2.7 (He 1.5). ***l* 5.6** Ps 110.4 (He 6.20 ; 7.17). ***m* 5.8** Mt 26.36-46 par. ; Ph 2.8. ***n* 5.9** Ou *rendu parfait. — accomplissement* 2.10+.

cause de salut éternel, 10 ayant été proclamé par Dieu grand prêtre *à la*
manière de Melkisédeq.

Vers un approfondissement de la vie chrétienne

11 Sur ce sujet, nous avons bien des choses à dire et leur explication
s'avère difficile, car vous êtes devenus lents à comprendre. 12 Vous
devriez être, depuis le temps, des maîtres et vous avez de nouveau
besoin qu'on vous enseigne les tout premiers éléments des paroles de
Dieu[o]. Vous en êtes arrivés au point d'avoir besoin de lait, non de
nourriture solide. 13 Quiconque en est encore au lait ne peut suivre un
raisonnement sur ce qui est juste, car c'est un bébé. 14 Les adultes, par
contre, prennent de la nourriture solide, eux qui, par la pratique, ont
les sens exercés à discerner ce qui est bon et ce qui est mauvais.

6 1 Ainsi donc, laissons l'enseignement élémentaire sur le *Christ
pour nous élever à une perfection d'adulte, sans revenir sur les
données fondamentales: repentir des œuvres mortes[p] et foi en Dieu,
2 doctrine des baptêmes et *imposition des mains[q], résurrection des
morts et jugement définitif. 3 Voilà ce que nous allons faire, si du
moins Dieu le permet.

4 Il est impossible, en effet, que des hommes qui un jour ont reçu la
lumière[r], ont goûté au don céleste, ont eu part à l'Esprit Saint, 5 ont
savouré la parole excellente de Dieu et les forces du monde à venir,
6 et qui pourtant sont retombés, — il est impossible qu'ils trouvent une
seconde fois le renouveau[s], en remettant sur la croix le Fils de Dieu
pour leur conversion et en l'exposant aux injures.

7 Lorsqu'une terre boit les fréquentes ondées qui tombent sur elle et
produit une végétation utile à ceux qui la font cultiver, elle reçoit de
Dieu sa part de bénédiction. 8 Mais produit-elle épines et chardons,
elle est jugée sans valeur, bien près d'être maudite, et finira par être
brûlée.

9 Quant à vous, bien-aimés, nous sommes convaincus, tout en par-
lant ainsi, que vous êtes du bon côté, celui du salut. 10 Dieu, en effet,
n'est pas injuste; il ne peut oublier votre activité et l'amour que vous
avez montré à l'égard de son *nom en vous mettant au service des
*saints[t] dans le passé, et encore dans le présent. 11 Mais notre désir est

o 5.12 1 Co 2.14-15 ; 3.1-3 ; 1 P 2.2. ***p 6.1*** 9.14 ; Rm 8.6, 13 ; Ep 5.11 ; Ga 5.19. ***q 6.2*** *baptêmes :* ce pluriel peut désigner soit les rites d'ablution pratiqués par les Juifs et les païens, soit l'ensemble des actes accompagnant le baptême chrétien, soit conjointement le baptême de Jean et le baptême chrétien (Ac 18.25 ; 19.1). — *imposition des mains* Ac 8.17 ; 19.6 ; 1 Tm 4.14 ; 5.22. ***r 6.4*** 10.32 ; Ep 1.18 ; 5.14. ***s 6.6*** Péché impardonnable 10.26 ; Mt 12.31 ; 1 Jn 5.16. ***t 6.10*** *saints* Ex 19.5-6 ; Rm 1.7 ; 12.13 ; 15.25 ; 16.2 ; 1 P 1.16 ; 2.9.

que chacun de vous montre la même ardeur à porter l'espérance à son
épanouissement jusqu'à la fin, 12 sans ralentir votre effort, mais en imi-
tant ceux qui, par la foi et la persévérance, reçoivent l'héritage des
promesses.

Promesse de Dieu et espérance

13 Lorsque Dieu fit sa promesse à Abraham, comme il n'avait per-
sonne de plus grand par qui jurer, il jura par lui-même 14 et dit :
Oui, de bénédictions je te comblerai,
une immense expansion je te donnerai[u].
15 Ayant alors persévéré, Abraham vit se réaliser la promesse[v]. 16 Les
hommes jurent par plus grand qu'eux-mêmes, et pour mettre un terme
à toute contestation, ils recourent à la garantie du serment. 17 En ce
sens, Dieu, voulant bien davantage montrer aux héritiers de la pro-
messe le caractère irrévocable de sa décision, intervint par un ser-
ment. 18 Ainsi, deux actes irrévocables, dans lesquels il ne peut y avoir
de mensonge de la part de Dieu[w], nous apportent un encouragement
puissant, à nous qui avons tout laissé pour saisir l'espérance proposée.
19 Elle est pour nous comme une ancre de l'âme, bien fermement fixée,
qui pénètre au-delà du voile[x], 20 là où est entré pour nous, en précur-
seur, Jésus, devenu *grand prêtre *pour l'éternité à la manière de Mel-*
kisédeq.

Melkisédeq

7 1 Ce *Melkisédeq, roi de Salem, *prêtre du Dieu Très-Haut, est allé à*
la rencontre d'Abraham, lorsque celui-ci revenait du combat contre
les rois, et l'a béni[y]. 2 *C'est à lui qu'Abraham* remit *la dîme de tout.*
D'abord, il porte un nom qui se traduit « roi de justice », et ensuite, il est
aussi *roi de Salem*, c'est-à-dire roi de paix[z]. 3 Lui qui n'a ni père, ni mère,
ni généalogie, ni commencement pour ses jours, ni fin pour sa vie,
mais qui est assimilé au Fils de Dieu[a] reste prêtre à perpétuité.
4 Contemplez la grandeur de ce personnage, à qui Abraham a donné
en dîme la meilleure part du butin, lui, le patriarche. 5 Or, ceux des fils
de Lévi qui reçoivent le *sacerdoce ont ordre, de par la *loi, de pré-

u 6.14 Gn 22.17 (grec) ; *Si* 44.21 ; He 11.12. ***v 6.15*** *persévérance* dans la foi Rm 4.20. — L'objet de la *promesse* He 11.9, 13, 33, 39. ***w 6.18*** *deux actes :* la promesse *et* le serment. — Dieu ne ment pas Nb 23.19 ; 1 S 15.29. ***x 6.19*** Allusion au voile qui, dans le temple de Jérusalem, isolait le Saint des Saints, lieu de la présence de Dieu (9.3). Il s'agit ici du sanctuaire céleste ; 10.20 ; Lv 16.2-3, 12, 15. ***y 7.1*** Gn 14.17-20. ***z 7.2*** *roi de justice* est le sens étymologique de *Melkisédeq.* — *Salem* signifie *paix* et désigne Jérusalem, ville de la paix. ***a 7.3*** Gn 14 ne parle ni de l'ascendance, ni de la naissance, ni de la mort de Melkisédeq. Certaines tendances du judaïsme considéraient Melkisédeq comme un être divin, une sorte de Sauveur céleste.

lever la dîme[b] sur le peuple, c'est-à-dire sur leurs frères, qui sont pour-
tant des descendants d'Abraham. 6 Mais lui, qui ne figure pas dans
leurs généalogies, a soumis Abraham à la dîme et a béni le titulaire des
promesses. 7 Or sans aucune contestation, c'est l'inférieur qui est béni
par le supérieur. 8 Et ici, ceux qui perçoivent la dîme sont des hommes
qui meurent, là c'est quelqu'un dont on atteste qu'il vit. 9 Et pour tout
dire, en la personne d'Abraham, même Lévi, qui perçoit la dîme, a été
soumis à la dîme. 10 Car il était encore dans les reins[c] de son ancêtre,
lorsque eut lieu *la rencontre avec Melkisédeq*.

Grand prêtre à la manière de Melkisédeq

11 Si on était parvenu à un parfait accomplissement par le *sacer-
doce lévitique, car il était la base de la législation donnée au peuple,
quel besoin y aurait-il eu encore de susciter un autre *prêtre, *dans la
ligne de Melkisédeq*, au lieu de le désigner *dans la ligne* d'Aaron?
12 Car un changement de sacerdoce entraîne forcément un change-
ment de *loi. 13 Et celui que vise le texte cité fait partie d'une tribu
dont aucun membre n'a été affecté au service de *l'autel. 14 Il est
notoire, en effet, que notre Seigneur est issu de Juda[d], d'une tribu pour
laquelle Moïse n'a rien dit dans ses textes sur les prêtres. 15 Et l'évi-
dence est plus grande encore si l'autre prêtre suscité ressemble à Mel-
kisédeq, 16 et n'accède pas à la prêtrise en vertu d'une loi de filiation
humaine, mais en vertu de la puissance d'une vie indestructible. 17 Ce
témoignage, en effet, lui est rendu:

Tu es prêtre pour l'éternité
à la manière de Melkisédeq[e].

18 De fait, on a là, d'une part, l'abrogation du précepte antérieur en
raison de sa déficience et de son manque d'utilité, 19 car la loi n'a rien
mené à l'accomplissement, et, d'autre part, l'introduction d'une espé-
rance meilleure, par laquelle nous approchons de Dieu.

20 Et dans la mesure où cela ne s'est pas réalisé sans prestation de
serment — car s'il n'y a pas eu prestation de serment pour le sacer-
doce des autres, 21 pour lui il y a eu le serment prononcé par celui qui a
dit à son intention: *Le Seigneur l'a juré et il ne reviendra pas sur cela:
Tu es prêtre pour l'éternité* —, 22 dans cette mesure, c'est d'une meil-
leure *alliance[f] que Jésus est devenu le garant. 23 De plus, les autres

b ***7.5*** *loi de la dîme* Nb 18.21. *c* ***7.10*** Siège de la vigueur physique, *les reins* étaient censés contenir à l'avance toute la postérité d'un homme (Gn 35.11 ; 1 R 8.19). *d* ***7.14*** Par l'intermédiaire de David (Lc 1.32 ; Mt 9.27 ; Rm 1.3 ; 2 Tm 2.8), lui-même descendant de *Juda* (Mt 1.2 ; Lc 3.33 ; Ap 5.5). *e* ***7.17*** Ps 110.4 (He 5.6 ; 6.20). *f* ***7.22*** *meilleure alliance* 8.6.

sont nombreux à être devenus prêtres, puisque la mort les empêchait
de rester; 24 mais lui, puisqu'il demeure pour l'éternité, possède un
sacerdoce exclusif. 25 Et c'est pourquoi il est en mesure de sauver
d'une manière définitive ceux qui, par lui, s'approchent de Dieu, puis-
qu'il est toujours vivant pour intercéder[g] en leur faveur. 26 Et tel est
bien le grand prêtre[h] qui nous convenait, saint, innocent, immaculé,
séparé des pécheurs, élevé au-dessus des *cieux. 27 Il n'a pas besoin,
comme les autres grands prêtres, d'offrir chaque jour des *sacrifices,
d'abord pour ses propres péchés[i], puis pour ceux du peuple. Cela, il
l'a fait une fois pour toutes en s'offrant lui-même. 28 Alors que la loi
établit grands prêtres des hommes qui restent déficients[j], la parole du
serment qui intervient après la loi établit un Fils qui, pour l'éternité,
est arrivé au parfait accomplissement.

Notre grand prêtre et le culte terrestre

8 1 Or, point capital de notre exposé, c'est bien un tel *grand prêtre
que nous avons, lui qui s'est assis à la droite du trône de la
Majesté[k] dans les cieux, 2 comme *ministre du vrai *sanctuaire et de
la véritable tente[l] dressée par le Seigneur et non par un homme. 3 Tout
grand prêtre est établi pour offrir des dons et des *sacrifices; d'où la
nécessité pour lui aussi d'avoir quelque chose à offrir. 4 Si le Christ
était sur la terre, il ne serait pas même prêtre, la place étant prise par
ceux qui offrent les dons conformément à la *loi; 5 mais leur culte, ils
le rendent à une image[m], à une esquisse des réalités célestes, selon
l'avertissement divin reçu par Moïse pour construire la tente:

Vois, lui est-il dit,
tu feras tout d'après le modèle qui t'a été montré sur la montagne.

6 En réalité, c'est un ministère bien supérieur qui lui revient, car il
est médiateur d'une bien meilleure *alliance, dont la constitution
repose sur de meilleures promesses.

Annonce du changement d'alliance

7 Si, en effet, cette première *alliance[n] avait été sans reproche, il ne
serait pas question de la remplacer par une seconde. 8 En fait, c'est
bien un reproche qu'il leur adresse:

g 7.25 Rm 8.34 ; 1 Jn 2.1. **h 7.26** *le grand prêtre* 2.17+. **i 7.27** 5.3+. **j 7.28** Faiblesse du *prêtre* 5.2+. **k 8.1** *assis à la droite* Mt 22.44+. – *la Majesté* voir He 1.3 et la note. **l 8.2** *la véritable tente* 9.11. – *sanctuaire* 9.24. **m 8.5** Ou *à une figure.* Voir Ex 25.40 : le sanctuaire terrestre construit par Moïse d'après le modèle qui lui fut montré sur la montagne n'était qu'une copie, nécessairement déficiente, de l'habitation de Dieu. **n 8.7** Celle conclue au Sinaï (Ex 24.3-8).

Voici: des jours viennent, dit le Seigneur,
où je conclurai avec la maison d'Israël
et avec la maison de Juda une alliance nouvelle[o],
9 *non pas comme l'alliance que je fis avec leurs pères*
le jour où je les pris par la main
pour les mener hors du pays d'Egypte.
Parce qu'eux-mêmes ne se sont pas maintenus dans mon alliance,
moi aussi je les ai délaissés, dit le Seigneur.
10 *Car voici l'alliance par laquelle je m'allierai avec la maison d'Israël*
après ces jours-là, dit le Seigneur:
en donnant mes lois,
c'est dans leur pensée et dans leurs cœurs que je les inscrirai.
Je deviendrai leur Dieu,
ils deviendront mon peuple.
11 *Chacun d'eux n'aura plus à enseigner son compatriote*
ni son frère en disant: Connais le Seigneur!
car tous me connaîtront,
du plus petit jusqu'au plus grand,
12 *parce que je serai indulgent pour leurs fautes*
et de leurs péchés, je ne me souviendrai plus[p].
13 En parlant d'une alliance *nouvelle,* il a rendu ancienne la pre-
mière; or ce qui devient ancien et qui vieillit est près de disparaître.

Le culte ancien

9 1 La première alliance avait donc un rituel pour le culte et un
temple terrestre. 2 En effet, une tente fut installée, une première
tente appelée le Saint, où étaient le chandelier, la table et les pains
d'offrande[q]. 3 Puis, derrière le second voile, se trouvait une tente,
appelée Saint des Saints[r], 4 avec un brûle-parfum en or et l'arche de
l'alliance toute recouverte d'or; dans celle-ci un vase d'or qui conte-
nait la manne, le bâton d'Aaron qui avait fleuri et les tables de
l'alliance[s]. 5 Au-dessus de l'arche, les chérubins de gloire couvraient
de leur ombre le propitiatoire[t]. Mais il n'y a pas lieu d'entrer ici dans
les détails. 6 L'ensemble étant ainsi installé, les *prêtres, pour accom-

o 8.8 v. 8-12 : Jr 31.31-34. — *nouvelle alliance* Lc 22.20 ; 1 Co 11.25 ; 2 Co 3.6 ; He 8.13 ; 9.15 ; 12.24. ***p 8.12*** Pardon des *péchés* 10.17-18. ***q 9.2*** *la tente* Ex 26.1-30. — *le chandelier* Ex 25.31-40. — *la table des pains* Ex 25.23-30. ***r 9.3*** *le Saint des Saints* Ex 26.31-33. ***s 9.4*** *le brûle-parfum* Ex 30.1-6. — *l'arche* Ex 25.10-16. — l'urne pour *la manne* Ex 16.32-34. — *le bâton d'Aaron* Nb 17.16-26. — *les tables de l'alliance* Ex 25.16 ; 40.20 ; Dt 10.3-5 ; 1 R 8.9. ***t 9.5*** *les chérubins et le propitiatoire* Ex 25.17-22.

plir leur service, rentrent en tout temps dans la première tente[u].
7 Mais, dans la seconde, une seule fois par an, seul entre le grand prê-
tre[v], et encore, ce n'est pas sans offrir du *sang pour ses manque-
ments et pour ceux du peuple. 8 Le Saint Esprit a voulu montrer ainsi
que le chemin du *sanctuaire n'est pas encore manifesté, tant que
subsiste la première tente. 9 C'est là un symbole pour le temps pré-
sent: des offrandes et des *sacrifices y sont offerts, incapables de
mener à l'accomplissement, en sa conscience, celui qui rend le culte[w].
10 Fondés sur des aliments, des boissons et des ablutions diverses, ce
ne sont que rites humains, admis jusqu'au temps du relèvement[x].

Le sacrifice du Christ

11 Mais Christ est survenu, *grand prêtre des biens à venir[y]. C'est
par une tente plus grande et plus parfaite, qui n'est pas œuvre des
mains — c'est-à-dire qui n'appartient pas à cette création-ci —, 12 et
par le *sang, non pas des boucs et des veaux, mais par son propre
sang, qu'il est entré une fois pour toutes[z] dans le *sanctuaire et qu'il a
obtenu une libération définitive. 13 Car si le sang de boucs et de tau-
reaux et si la cendre de génisse répandue sur les êtres *souillés les
*sanctifient en *purifiant[a] leur corps, 14 combien plus le sang du
Christ[b], qui, par l'esprit éternel, s'est offert lui-même à Dieu comme
une victime sans tache, purifiera-t-il notre conscience des œuvres
mortes pour servir le Dieu vivant.

L'alliance scellée par le sang

15 Voilà pourquoi il est médiateur d'une *alliance nouvelle, d'un tes-
tament nouveau[c]; sa mort étant intervenue pour le rachat des trans-
gressions commises sous la première alliance, ceux qui sont appelés
peuvent recevoir l'héritage éternel déjà promis. 16 Car là où il y a *tes-
tament, il est nécessaire que soit constatée la mort du testateur. 17 Un
testament ne devient valide qu'en cas de décès; il n'a pas d'effet tant
que le testateur est en vie. 18 Aussi la première alliance elle-même n'a-
t-elle pas été inaugurée sans effusion de *sang. 19 Lorsque Moïse eut
proclamé à tout le peuple chaque commandement conformément à la
*loi, il prit le sang des veaux et des boucs, puis de l'eau, de la laine

u 9.6 Nb 18.2-6. ***v 9.7*** Lv 16.2, 12, 15. ***w 9.9*** Impuissance des *sacrifices* 10.1-4, 11. ***x 9.10*** Le temps de la nouvelle alliance. ***y 9.11*** Autre texte : *des biens arrivés.* — *le Christ grand prêtre* 2.17+. ***z 9.12*** 9.26 ; 10.10. ***a 9.13*** *purification par le sang* Lv 16.14-16. — *la cendre de génisse* Nb 19.9, 17-19. ***b 9.14*** 10.19 ; 1 P 1.18-19 ; 1 Jn 1.7. ***c 9.15*** Le texte original n'a qu'un seul mot pour désigner à la fois *l'alliance* et *le testament.* — *alliance nouvelle* 8.8-12+.

écarlate et de l'hysope, et il en aspergea le livre lui-même et tout le
peuple, 20 en disant: *Ceci est le sang de l'alliance que Dieu a ordonnée
pour vous*[d]; 21 puis il aspergea aussi avec le sang la tente et tous les
ustensiles du culte, 22 et c'est avec du sang que, d'après la loi, on
*purifie presque tout, et sans effusion de sang, il n'y a pas de pardon[e].
23 Si donc les images de ce qui est dans les *cieux sont purifiées par
ces rites, il est nécessaire que les réalités célestes elles-mêmes le
soient par des *sacrifices bien meilleurs.

L'entrée du Christ au ciel

24 Ce n'est pas, en effet, dans un *sanctuaire fait de main d'homme,
simple copie du véritable, que Christ est entré, mais dans le ciel
même, afin de paraître maintenant pour nous devant la face de Dieu.
25 Et ce n'est pas afin de s'offrir lui-même à plusieurs reprises, comme
le *grand prêtre qui entre chaque année dans le sanctuaire avec du
*sang étranger. 26 Car alors il aurait dû souffrir à plusieurs reprises
depuis la fondation du monde. En fait, c'est une seule fois, à la fin des
temps, qu'il a été manifesté pour abolir le péché par son propre sacri-
fice. 27 Et comme le sort des hommes est de mourir une seule fois,
après quoi vient le jugement, 28 ainsi le Christ fut offert une seule fois
pour enlever les péchés de la multitude et il apparaîtra une seconde
fois, sans plus de rapport avec le péché, à ceux qui l'attendent[f] pour le
salut.

L'unique sacrifice efficace

10 1 Ne possédant que l'esquisse des biens à venir et non l'expres-
sion même des réalités, la *loi est à jamais incapable, malgré
les *sacrifices, toujours les mêmes, offerts chaque année indéfiniment,
de mener à l'accomplissement ceux qui viennent y prendre part[g].
2 Sinon, n'aurait-on pas cessé de les offrir pour la simple raison que,
*purifiés une bonne fois, ceux qui rendent ainsi leur culte n'auraient
plus eu conscience d'aucun péché? 3 Mais, en fait, par ces sacrifices,
on remet les péchés en mémoire chaque année.

d* *9.20 v. 19-20 : conclusion de l'alliance Ex 24. 3-8. — *le sang de l'alliance* Za 9.11 ; Mt 26.28 ; 1 Co 11.25 ; He 10.29 ; 12.24 ; 13.20. — *l'hysope* Lv 14.4 ; Nb 19.6. — L'auteur a rapproché Ex 24.8 des paroles de la Cène en remplacant *voici* par *ceci* (Mt 26.68 ; Mc 14.24). ***e 9.22*** Lv 17.11 ; Nb 35.33. ***f 9.28*** *les péchés de la multitude* Es 53.12 ; 1 P 2.24. — *le Christ attendu* 1 Th 1.10 ; Ph 3.20 ; 2 Tm 4.8. ***g 10.1*** *la loi* de Moïse. — *à l'accomplissement :* ou *à la perfection.* — Insuffisance des sacrifices Es 1.11-13 ; Jr 6.20 ; 7.22 ; Am 5.21-25 ; Os 6.6 ; Mi 6.6-8.

[4] Car il est impossible que du *sang de taureaux et de boucs enlève
les péchés. [5] Aussi, en entrant dans le monde, le Christ dit:
De sacrifice et d'offrande, tu n'as pas voulu,
mais tu m'as façonné un corps.
[6] *Holocaustes et *sacrifices pour le péché*
ne t'ont pas plu.
[7] *Alors j'ai dit:*
Me voici, car c'est bien de moi
qu'il est écrit dans le rouleau du livre:
Je suis venu, ô Dieu, pour faire ta volonté[h].
[8] Il déclare tout d'abord:
Sacrifices, offrandes, holocaustes, sacrifices pour le péché,
tu n'en as pas voulu, ils ne t'ont pas plu.
Il s'agit là, notons-le, des offrandes prescrites par la loi.
[9] Il dit alors:
Voici, je suis venu pour faire ta volonté.
Il supprime le premier culte pour établir le second. [10] C'est dans
cette volonté que nous avons été *sanctifiés par l'offrande du corps de
Jésus Christ, faite une fois pour toutes.

[11] Et tandis que chaque *prêtre se tient chaque jour[i] debout pour
remplir ses fonctions et offre fréquemment les mêmes sacrifices, qui
sont à jamais incapables d'enlever les péchés, [12] lui, par contre, après
avoir offert pour les péchés un sacrifice unique, *siège* pour toujours *à
la droite de Dieu*[j] [13] et il attend désormais que ses *ennemis en soient
réduits à lui servir de marchepied.* [14] Par une offrande unique, en effet,
il a mené pour toujours à l'accomplissement ceux qu'il sanctifie.
[15] C'est ce que l'Esprit Saint nous atteste, lui aussi. Car après avoir dit:
[16] *Voici *l'alliance par laquelle je m'allierai* avec eux *après ces jours-là,*
le Seigneur a déclaré:
En donnant mes lois,
c'est dans leurs cœurs et dans leur pensée que je les inscrirai,
[17] *et de leurs péchés et de leurs iniquités je ne me souviendrai plus*[k].
[18] Or, là où il y a eu pardon, on ne fait plus d'offrande pour le péché.

Appel à une vie chrétienne généreuse

[19] Nous avons ainsi, frères, pleine assurance d'accéder au *sanc-
tuaire par le *sang de Jésus[l]. [20] Nous avons là une voie nouvelle et

***h* 10.7** v. 5-7 : Ps 40.7-9 (grec). ***i* 10.11** Sacrifice quotidien Ex 29.38. ***j* 10.12** *la droite :* voir 1.3 et note. — v. 12-13 : Ps 110.1 (Mt 22.44+). ***k* 10.17** v. 16-17 : Jr 31.31-34 (He 8.10-12). ***l* 10.19** 9.12, 14+.

vivante, qu'il a inaugurée à travers le voile, c'est-à-dire par son huma-
nité. 21 Et nous avons un *prêtre éminent établi sur la maison de Dieu.
22 Approchons-nous donc avec un cœur droit et dans la plénitude de la
foi, le cœur *purifié de toute faute de conscience et le corps lavé
d'une eau pure[m]; 23 sans fléchir, continuons à affirmer notre espé-
rance, car il est fidèle, celui qui a promis. 24 Veillons les uns sur les
autres, pour nous exciter à la charité et aux œuvres bonnes. 25 Ne
désertons pas nos assemblées, comme certains en ont pris l'habitude,
mais encourageons-nous et cela d'autant plus que vous voyez s'appro-
cher le *Jour.

26 Car si nous péchons délibérément après avoir reçu la pleine con-
naissance de la vérité, il ne reste plus pour les péchés aucun *sacri-
fice, 27 mais seulement une attente terrible du jugement et l'ardeur
d'un feu qui doit dévorer les rebelles. 28 Quelqu'un viole-t-il la *loi de
Moïse? Sans pitié, *sur la déposition de deux ou trois témoins*[n], c'est
pour lui la mort. 29 Quelle peine plus sévère encore ne méritera-t-il
pas, vous le pensez, celui qui aura foulé aux pieds le Fils de Dieu, qui
aura profané le sang de *l'alliance[o] dans lequel il a été *sanctifié, et
qui aura outragé l'Esprit de la grâce? 30 Nous le connaissons, en effet,
celui qui a dit:

A moi la vengeance, c'est moi qui rétribuerai !

Et encore:

Le Seigneur jugera son peuple[p].

31 Il est terrible de tomber aux mains du Dieu vivant.

32 Mais souvenez-vous de vos débuts: à peine aviez-vous reçu la
lumière[q] que vous avez enduré un lourd et douloureux combat, 33 ici,
donnés en spectacle sous les injures et les persécutions; là, devenus
solidaires de ceux qui subissaient de tels traitements. 34 Et, en effet,
vous avez pris part à la souffrance des prisonniers et vous avez accepté
avec joie la spoliation de vos biens, vous sachant en possession d'une
fortune meilleure et durable. 35 Ne perdez pas votre assurance, elle
obtient une grande récompense. 36 C'est d'endurance, en effet, que
vous avez besoin, pour accomplir la volonté de Dieu et obtenir ainsi la
réalisation de la promesse.

37 Car encore *si peu, si peu de temps,*
et celui qui vient sera là, il ne tardera pas[r].
38 *Mon juste par la foi vivra,*

m 10.22 Ez 36.25 ; Ep 5.26. ***n 10.28*** Dt 17.6 ; 19.15 ; Mt 18.16 ; 2 Co 13.1 ; 1 Tm 5.19. ***o 10.29*** *le sang de l'alliance* 9.20+. ***p 10.30*** Dt 32.35-36 (Rm 12.19). ***q 10.32*** 6.4+. ***r 10.37*** Es 26.20 (grec).

mais s'il fait défection,
mon âme ne trouve plus de satisfaction en lui[s].

39 Nous, nous ne sommes pas hommes à faire défection pour notre
perte, mais hommes de foi pour le salut de nos âmes.

Les réalisations de la foi

11 1 La foi est une manière de posséder déjà ce que l'on espère[t],
un moyen de connaître des réalités que l'on ne voit pas.
2 C'est elle qui valut aux anciens un bon témoignage.
3 Par la foi, nous comprenons que les mondes ont été organisés par
la parole de Dieu[u]. Il s'ensuit que le monde visible ne prend pas son
origine en des apparences.
4 Par la foi, Abel[v] offrit à Dieu un *sacrifice meilleur que celui de
Caïn. Grâce à elle, il reçut le témoignage qu'il était juste et Dieu rendit
témoignage à ses dons. Grâce à elle, bien que mort, il parle encore.
5 Par la foi, Hénoch fut enlevé afin d'échapper à la mort et *on ne le
retrouva pas, parce que Dieu l'avait enlevé* ; avant son enlèvement, en
effet, il avait reçu le témoignage *qu'il avait été agréable à Dieu*[w]. 6 Or,
sans la foi, il est impossible d'être agréable à Dieu, car celui qui
s'approche de Dieu doit croire qu'il existe et qu'il récompense ceux
qui le cherchent.
7 Par la foi, Noé[x], divinement averti de ce que l'on ne voyait pas
encore, prit l'oracle au sérieux, et construisit une arche pour sauver sa
famille. Ainsi, il condamna le monde et devint héritier de la justice qui
s'obtient par la foi.
8 Par la foi, répondant à l'appel, Abraham[y] obéit et partit pour un
pays qu'il devait recevoir en héritage, et il partit sans savoir où il allait.
9 Par la foi, il vint résider en étranger dans la terre promise[z], habitant
sous la tente avec Isaac et Jacob, les cohéritiers de la même promesse.
10 Car il attendait la ville munie de fondations, qui a pour architecte et
constructeur Dieu lui-même[a].
11 Par la foi, Sara[b], elle aussi, malgré son âge avancé, fut rendue
capable d'avoir une postérité, parce qu'elle tint pour fidèle l'auteur de
la promesse. 12 C'est pourquoi aussi, d'un seul homme, déjà marqué

s 10.38 Ha 2.3-4 (Rm 1.17 ; Ga 3.11). ***t 11.1*** *la foi* 1 Co 13.12 ; 2 Co 5.7. – *l'espérance* Rm 8.24-25. ***u 11.3*** Gn 1 ; Ps 33.6, 9 ; 2 P 3.5. ***v 11.4*** *Abel* Gn 4.4-10. ***w 11.5*** Gn 5.18-24 (grec) ; *Si* 44.16 ; 49.14 ; Lc 3.37. ***x 11.7*** *Noé* Gn 6.13-22 ; 7.1. ***y 11.8*** *Abraham* Gn 12.1-5. ***z 11.9*** *étranger* Gn 23.4. – *la terre promise* Gn 26.3 ; 35.12. ***a 11.10*** C'est la Jérusalem céleste que la cité de David ne faisait que préfigurer ; 11.16 ; 12.22 ; Ap 21.2, 10-27. ***b 11.11*** *Sara* Gn 17.19 ; 18.11-14 ; 21.2.

par la mort, naquit une multitude comparable à celle des *astres du ciel, innombrable, comme le sable du bord de la mer*[c].

13 Dans la foi, ils moururent tous, sans avoir obtenu la réalisation
des promesses, mais après les avoir vues et saluées de loin et après
s'être reconnus pour étrangers et voyageurs sur la terre. 14 Car ceux
qui parlent ainsi montrent clairement qu'ils sont à la recherche d'une
patrie; 15 et s'ils avaient eu dans l'esprit celle dont ils étaient sortis,
ils auraient eu le temps d'y retourner; 16 en fait, c'est à une patrie
meilleure qu'ils aspirent, à une patrie céleste. C'est pourquoi Dieu n'a pas honte d'être appelé leur Dieu; il leur a, en effet, préparé une ville.

17 Par la foi, Abraham, mis à l'épreuve, a offert Isaac[d]; il offrait le fils
unique, alors qu'il avait reçu les promesses 18 et qu'on lui avait dit:

C'est par Isaac qu'une descendance te sera assurée.

19 Même un mort, se disait-il, Dieu est capable de le ressusciter;
aussi, dans une sorte de préfiguration, il retrouva son fils.

20 Par la foi aussi, Isaac bénit Jacob et Esaü en vue de l'avenir[e]. 21 Par
la foi, Jacob, sur le point de mourir, bénit chacun des fils de Joseph et
se prosterna appuyé sur l'extrémité de son bâton[f]. 22 Par la foi, Joseph,
approchant de sa fin, évoqua l'exode des fils d'Israël et donna des ordres au sujet de ses ossements[g].

23 Par la foi, Moïse, après sa naissance, fut caché trois mois durant
par ses parents, car ils avaient vu la beauté de leur enfant et ils ne crai-
gnirent pas le décret du roi[h]. 24 Par la foi, Moïse, devenu grand,
renonça à être appelé fils de la fille du *Pharaon. 25 Il choisit d'être
maltraité avec le peuple de Dieu plutôt que de jouir pour un temps du
péché. 26 Il considéra l'humiliation du *Christ comme une richesse
plus grande que les trésors de l'Egypte, car il avait les yeux fixés sur la
récompense. 27 Par la foi, il quitta l'Egypte[i] sans craindre la colère du
roi et, en homme qui voit celui qui est invisible, il tint ferme.

28 Par la foi, il a célébré la *Pâque[j] et fait l'aspersion du *sang afin
que le Destructeur ne touchât point aux premiers-nés d'Israël. 29 Par la
foi, ils traversèrent la mer Rouge[k] comme une terre sèche, alors que
les Egyptiens, qui s'y essayèrent, furent engloutis. 30 Par la foi, les rem-
parts de Jéricho[l] tombèrent, après qu'on en eut fait le tour pendant

c 11.12 *descendance nombreuse comme le sable* Gn 13.16 ; 32.13. — *comme les étoiles* Gn 15.5 ; 26.4 ; Dt 1.10. — *comme le sable et les étoiles* Gn 22.17 ; *Si* 44.21. ***d 11.17*** Gn 22.1-14 ; Jc 2.21. ***e 11.20*** Gn 27.27-29, 39-40. ***f 11.21*** Gn 48.15-20 ; 49. ***g 11.22*** Gn 50.24-25 ; Ex 13.19. ***h 11.23*** *Moïse caché* Ex 2.2. — *le décret du roi* Ex 1.22. ***i 11.27*** v. 24-27 : Ex 2.11-15. ***j 11.28*** *la Pâque* Ex 12.12-13, 22-23. ***k 11.29*** *la mer Rouge* Ex 14. ***l 11.30*** *Jéricho* Jos 6.

sept jours. 31 Par la foi, Rahab[m], la prostituée, ne périt pas avec les
rebelles, car elle avait accueilli pacifiquement les espions.
32 Et que dire encore? Le temps me manquerait pour parler en détail
de Gédéon, Barak, Samson, Jephté, David, Samuel[n] et les *prophètes,
33 eux qui, grâce à la foi, conquirent des royaumes, mirent en œuvre la
justice, virent se réaliser des promesses, muselèrent la gueule des
lions[o], 34 éteignirent la puissance du feu[p], échappèrent au tranchant de
l'épée, reprirent vigueur après la maladie, se montrèrent vaillants à la
guerre, repoussèrent les armées étrangères; 35 des femmes retrouvè-
rent leurs morts par résurrection[q]. Mais d'autres subirent l'écartèle-
ment, refusant la délivrance pour aboutir à une meilleure résurrection;
36 d'autres encore subirent l'épreuve des moqueries et du fouet et celle
des liens et de la prison; 37 ils furent lapidés, ils furent sciés; ils mouru-
rent tués à coups d'épée; ils menèrent une vie errante, vêtus de peaux
de moutons ou de toisons de chèvres; ils étaient soumis aux priva-
tions, opprimés, maltraités[r], 38 eux dont le monde n'était pas digne; ils
erraient dans les déserts et les montagnes, dans les grottes et les
cavités de la terre. 39 Eux tous, s'ils ont reçu bon témoignage grâce à
leur foi, n'ont cependant pas obtenu la réalisation de la promesse.
40 Puisque Dieu prévoyait pour nous mieux encore, ils ne devaient pas
arriver sans nous à l'accomplissement.

Endurance dans l'épreuve

12 1 Ainsi donc, nous aussi, qui avons autour de nous une telle
nuée de témoins, rejetons tout fardeau et le péché qui sait si
bien nous entourer, et courons avec endurance[s] l'épreuve qui nous est
proposée, 2 les regards fixés sur celui qui est l'initiateur de la foi et qui
la mène à son accomplissement, Jésus, lui qui, renonçant à la joie qui
lui revenait, endura la croix au mépris de la honte et s'est assis à la
droite[t] du trône de Dieu. 3 Oui, pensez à celui qui a enduré de la part
des pécheurs une telle opposition contre lui, afin de ne pas vous
laisser accabler par le découragement. 4 Vous n'avez pas encore résisté
jusqu'au *sang dans votre combat contre le péché 5 et vous avez oublié
l'exhortation qui s'adresse à vous comme à des fils:

m 11.31 Jos 2.1-13 ; 6.17,22-25 ; Mt 1.5 ; Jc 2.25. ***n 11.32*** *Gédéon* Jg 6—7. — *Barak* Jg 4—5. — *Samson* Jg 13—16. — *Jephté* Jg 10—12. — *Samuel* et *David* 1 S—2 S. ***o 11.33*** Jg 14.5-6 ; 1 S 17.34-36 ; Dn 6. ***p 11.34*** Dn 3.23-25. ***q 11.35*** 1 R 17.17-24 ; 2 R 4.18-37. ***r 11.37*** v. 36-37 : Persécutions *2 M* 6.18—7.42 ; Jr 20 ; 37 ; 38 ; 2 Ch 24.21.

s 12.1 *témoins :* non pas des spectateurs mais tous ceux qui, selon le chapitre précédent, ont témoigné de leur foi. — *endurance* du chrétien 10.32 ; 1 Co 9.24-27 ; Ph 3.12 ; 1 Tm 6.12 ; 2 Tm 2.5. ***t 12.2*** Le Christ *initiateur* 2.10. — *renonçant à la joie... ou en vue de la joie qui lui était réservée.* — *assis à la droite* Mt 22.44+.

Mon fils, ne méprise pas la correction du Seigneur,
ne te décourage pas quand il te reprend.
6 *Car le Seigneur corrige celui qu'il aime,*
il châtie tout fils qu'il accueille[u].
7 C'est pour votre éducation que vous souffrez. C'est en fils que Dieu
vous traite. Quel est, en effet, le fils que son père ne corrige pas[v]? 8 Si
vous êtes privés de la correction, dont tous ont leur part, alors vous
êtes des bâtards et non des fils.
9 Nous avons eu nos pères terrestres pour éducateurs, et nous nous en
sommes bien trouvés; n'allons-nous pas, à plus forte raison, nous sou-
mettre au Père des esprits et recevoir de lui la *vie? 10 Eux, en effet,
c'était pour un temps, selon leurs impressions, qu'ils nous corrigeaient;
lui, c'est pour notre profit, en vue de nous communiquer sa *sainteté.
11 Toute correction, sur le moment, ne semble pas sujet de joie, mais de
tristesse. Mais plus tard, elle produit chez ceux qu'elle a ainsi exercés un
fruit de paix et de justice. 12 *Redressez donc les mains défaillantes et*
les genoux chancelants[w], 13 et *pour vos pieds, faites des pistes droites*[x],
afin que le boiteux ne s'estropie pas, mais plutôt qu'il guérisse.

Fidélité à la vocation chrétienne

14 Recherchez la paix avec tous, et la *sanctification sans laquelle
personne ne verra le Seigneur. 15 Veillez à ce que personne ne vienne à
se soustraire à la grâce de Dieu; qu'aucune racine amère ne se mette à
pousser, à causer du trouble et à infecter ainsi la communauté[y].
16 Veillez à ce qu'il n'y ait pas de débauché ou de profanateur, tel
Esaü[z] qui, pour un seul plat, vendit son droit d'aînesse. 17 Car, vous le
savez, lorsqu'il voulut par la suite hériter de la bénédiction, il fut exclu
et il n'y eut pour lui aucune possibilité de changement, malgré ses sup-
plications et ses larmes[a]!
18 Vous ne vous êtes pas approchés d'une réalité palpable[b], feu qui
s'est consumé, obscurité, ténèbres, ouragan, 19 son de trompette et
bruit de voix; ceux qui l'entendirent refusèrent d'écouter davantage la
parole. 20 Car ils ne pouvaient supporter cette injonction:
Qui touchera la montagne — fût-ce une bête — sera lapidé[c]!
21 Et si terrifiant était ce spectacle que Moïse dit:
Je suis terrifié et tremblant[d].
22 Mais vous vous êtes approchés de la montagne de Sion et de la ville

u 12.6 v. 5-6 : Pr 3.11-12. ***v 12.7*** Dt 8.5 ; 2 S 7.14. ***w 12.12*** Es 35.3. ***x 12.13*** Pr 4.26 (grec). ***y 12.15*** Dt 29.17 (grec) ; He 6.4-8 ; 10.26-31. ***z 12.16*** *Esaü* Gn 25.33-34. ***a 12.17*** Gn 27.34. ***b 12.18*** v. 18-19 : allusion aux phénomènes terrifiants qui accompagnaient la révélation de Dieu au Sinaï ; Ex 19.16-21 ; 20.18-21 ; Dt 4.11-12 ; 5.23. ***c 12.20*** Ex 19.12-13. ***d 12.21*** Dt 9.19.

du Dieu vivant, la Jérusalem céleste[e], et des myriades *d'anges en réu-
nion de fête, 23 et de l'assemblée des premiers-nés, dont les noms sont
inscrits dans les *cieux, et de Dieu, le juge de tous, et des esprits des
justes parvenus à l'accomplissement, 24 et de Jésus, médiateur d'une
*alliance neuve, et du *sang de l'aspersion qui parle mieux encore
que celui d'Abel[f].
25 Veillez à ne pas refuser d'entendre celui qui vous parle! Car s'ils
n'ont pas échappé au châtiment lorsqu'ils refusèrent d'entendre celui
qui les avertissait sur la terre, à plus forte raison nous non plus n'y échap-
perons pas, si nous nous détournons de qui nous parle du haut des cieux.
26 Lui, dont la voix ébranla alors la terre, fait maintenant cette pro-
clamation: *Une dernière fois je ferai trembler* non seulement *la terre*
mais aussi *le ciel*[g]. 27 Les mots *une dernière fois* annoncent la dispari-
tion de tout ce qui participe à l'instabilité du monde créé, afin que
subsiste ce qui est inébranlable. 28 Puisque nous recevons un
*royaume[h] inébranlable, tenons bien cette grâce. Par elle, servons
Dieu d'une manière qui lui soit agréable, avec soumission et avec
crainte. 29 Car notre Dieu est un feu dévorant[i].

La vraie communauté

13 1 Que l'amour fraternel[j] demeure. 2 N'oubliez pas l'hospitalité,
car, grâce à elle, certains, sans le savoir, ont accueilli des
*anges[k]. 3 Souvenez-vous de ceux qui sont en prison[l], comme si vous
étiez prisonniers avec eux, de ceux qui sont maltraités, puisque vous
aussi, vous avez un corps. 4 Que le mariage[m] soit honoré de tous et le
lit conjugal sans souillure, car les débauchés et les adultères seront
jugés par Dieu. 5 Que l'amour de l'argent n'inspire pas votre conduite;
contentez-vous de ce que vous avez, car le Seigneur lui-même a dit:

Non, je ne te lâcherai pas, je ne t'abandonnerai pas[n]*!*

6 Si bien qu'en toute assurance nous pouvons dire:

Le Seigneur est mon secours,
je ne craindrai rien;
que peut me faire un homme[o]*?*

7 Souvenez-vous de vos dirigeants, qui vous ont annoncé la parole de
Dieu; considérez comment leur vie s'est terminée et imitez leur foi.
8 Jésus Christ est le même, hier et aujourd'hui; il le sera pour l'éternité.
9 Ne vous laissez pas égarer par toutes sortes de doctrines étrangères.

e 12.22 11.10+. ***f 12.24*** nouvelle alliance 8.8-12. — *Abel* 11.4+. ***g 12.26*** Ag 2.6. ***h 12.28*** Dn 7.18. ***i 12.29*** Dt 4.24 ; 9.3 ; Es 33.14. ***j 13.1*** 1 Th 4.9 ; Rm 12.10 ; 1 P 1.22 ; 2 P 1.7 ; 1 Jn 3.10-18. ***k 13.2*** Gn 18.1-8 ; 19.1-3 ; *Tb* 5—7. ***l 13.3*** 10.34 ; 11.36. ***m 13.4*** Ep 5.5 ; 1 Co 6.13-19. ***n 13.5*** Dt 31.6 (selon une version d'origine inconnue). ***o 13.6*** Ps 118.6.

Car il est bon que le *cœur soit fortifié par la grâce et non par des aliments, qui n'ont jamais profité à ceux qui en font une question d'observance[p]. 10 Nous avons un *autel[q] dont les desservants de la tente n'ont pas le droit de tirer leur nourriture. 11 Car les corps des animaux, dont le *grand prêtre porte le *sang dans le *sanctuaire pour l'expiation du péché, sont brûlés hors du camp[r]. 12 C'est la raison pour laquelle Jésus, pour *sanctifier le peuple par son propre sang, a souffert en dehors de la porte[s]. 13 Sortons donc à sa rencontre en dehors du camp, en portant son humiliation[t]. 14 Car nous n'avons pas ici-bas de cité permanente, mais nous sommes à la recherche de la cité future[u]. 15 Par lui, offrons sans cesse à Dieu *un *sacrifice de louange*, c'est-à-dire *le fruit de lèvres* qui confessent son *nom[v]. 16 N'oubliez pas la bienfaisance et l'entraide communautaire, car ce sont de tels sacrifices qui plaisent à Dieu. 17 Obéissez à vos dirigeants[w] et soyez-leur dociles; car ils veillent personnellement sur vos âmes, puisqu'ils en rendront compte. Ainsi pourront-ils le faire avec joie et non en gémissant, ce qui ne tournerait pas à votre avantage. 18 Priez pour nous, car nous avons la conviction d'avoir une conscience pure avec la volonté de bien nous conduire en toute occasion. 19 Faites-le, je vous le demande instamment, afin que je vous sois plus vite rendu[x].

Souhait final

20 Que le Dieu de la paix qui a fait remonter d'entre les morts, par le *sang d'une *alliance éternelle[y], le grand pasteur des brebis, 21 notre Seigneur Jésus, vous rende aptes à tout ce qui est bien pour faire sa volonté; qu'il réalise en nous ce qui lui est agréable, par Jésus Christ, à qui soit la gloire dans les siècles des siècles. *Amen!

Envoi

22 Frères, je vous engage à supporter ce sermon! D'ailleurs, je ne vous envoie que quelques mots. 23 Apprenez que notre frère Timothée[z] a été libéré. S'il vient assez vite, j'irai vous voir avec lui. 24 Saluez tous vos dirigeants et tous les *saints. Ceux d'Italie[a] vous saluent.

25 La grâce soit avec vous tous!

p 13.9 Rm 14.2-23 ; 1 Co 8.8 ; Col 2.16-22 ; 1 Tm 4.3. ***q 13.10*** Voir 9.11-14 : *l'autel* du sanctuaire céleste. Les *desservants de la tente* sont les prêtres lévitiques. ***r 13.11*** Lv 16.27. ***s 13.12*** Jn 19.17, 20. ***t 13.13*** *humiliation* du Christ 11.26. ***u 13.14*** *la cité future* 11.16. ***v 13.15*** *sacrifice de louange* 2 Ch 29.31 ; Ps 50.14, 23. — *le fruit de lèvres qui confessent son nom* Os 14.3. ***w 13.17*** 13.7 ; 1 Th 5.12. ***x 13.19*** L'auteur est retenu par des circonstances qu'il ne précise pas. ***y 13.20*** Es 63.11. — *le sang de l'alliance* He 9.20+. — *alliance éternelle* Es 55.3 ; 61.8 ; Jr 32.40 ; Ez 37.26. ***z 13.23*** *Timothée* Ac 16.1+. ***a 13.24*** Soit des personnes résidant en Italie, soit un groupe d'Italiens habitant une des provinces de l'empire romain.

ÉPÎTRE DE JACQUES

INTRODUCTION

*L'*Epître de Jacques *ne présente à première vue rien de mystérieux. Elle se présente elle-même comme une lettre circulaire dont l'auteur est clairement désigné. Sa langue et son style attestent qu'elle est de provenance hellénistique. En raison de la polémique qu'elle mène au ch. 2, vv. 14-26, contre une forme dégénérée de la doctrine paulinienne du salut par la foi et du silence qu'elle observe au sujet de la terrible Guerre juive de 66 à 70, elle peut difficilement être datée d'avant l'année 80. Enfin, son contenu n'a rien d'abstrait et propose un enseignement moral dont une bonne part reprend les idées courantes dans le milieu hellénistique du temps.*

*Or, on constate que l'*Epître de Jacques *n'a été admise dans le canon du Nouveau Testament qu'après de longs débats et qu'au XVI*[e] *siècle, elle a de nouveau été critiquée avec vigueur par Luther. L'identification de l'auteur avec Jacques, « frère du Seigneur » et l'un des premiers chefs de l'Eglise de Jérusalem, semble assez fragile, vu le caractère purement palestinien de ce personnage, dont la culture hellénistique devait être mince. On est ainsi conduit à postuler l'existence d'une tradition des paroles de Jacques, sous-jacente à certains passages de l'épître, dont les procédés de composition ressemblent plus aux écrits juifs de Sagesse qu'à la littérature grecque et dont la langue comporte quelques sémitismes fort inattendus dans un écrit dont le grec est si élégant. Cette tradition aurait été utilisée par le rédacteur de l'épître, écrivant vers 80-90, un peu comme celle des paroles de Jésus l'a été à la même époque par les auteurs des Evangiles. Si l'on rejetait cette solution, il faudrait alors admettre qu'un secrétaire de langue grecque a mis en forme les exhortations que Jacques souhaitait adresser à ses lecteurs.*

Un autre problème a été soulevé par certains exégètes modernes : Jésus Christ n'étant mentionné que deux fois (1.1 et 2.1), d'une façon *très allusive, faut-il vraiment considérer l'*Epître de Jacques *comme un écrit chrétien ? Ne s'agirait-il pas plutôt d'un document juif superficiellement christianisé ? Le caractère visiblement chrétien du débat de 2.14-26 rend cette hypothèse bien peu vraisemblable. Mais à quels destinataires un auteur chrétien a-t-il pu adresser une œuvre où la personne de Jésus Christ joue un rôle aussi effacé ? Il faut sans doute penser d'une part à des chrétiens de culture grecque gardant des relations avec les synagogues auxquelles ils avaient jadis appartenu, et de l'autre à des Juifs hellénisés qu'il espérait gagner en mettant l'accent sur ce que les chrétiens avaient en commun avec eux : le zèle pour la loi morale, l'idéal de pauvreté, l'attente eschatologique et la foi au Dieu unique révélé dans l'Ancien Testament.*

*La proximité entre chrétiens et Juifs se traduisant principalement sur le terrain de la morale, on s'explique alors l'importance prépondérante accordée à celle-ci, ainsi que l'intime mélange entre motifs juifs et motifs grecs, si fréquent dans les écrits du judaïsme hellénistique. L'enseignement proposé par l'*Epître de Jacques *ne se réduit pourtant pas à la répétition de banalités acceptables par tous. L'une de ses originalités est le triple développement des ch. 2.1 à 3.13, consacré à la manière de célébrer le culte : attribution des places aux membres présents (2.1-13) ; ordre du service (3.1-13) ; suites pratiques à donner à la fraternité cultuelle (2.14-26). Ces trois passages dirigent une polémique assez vive contre les mauvaises habitudes prises, peut-être, dans certaines des Eglises se rattachant à la tradition paulinienne, qui étaient aussi celles qui avaient le plus complètement rompu avec le judaïsme.*

*L'autre originalité de l'enseignement moral de l'*Epître de Jacques*, c'est l'extrême sévérité de ses attaques contre les riches (1.9-11 ; 2.5-7 ; 4.13-17 ; 5.1-6), trop précises et trop vigoureuses pour n'être que des conventions littéraires. Les notables ainsi critiqués sont en outre des persécuteurs (2.6-7 ; 5.6), très probablement juifs.*

*L'auteur de l'*Epître de Jacques *paraît donc mener un combat sur deux fronts, contre des Eglises se réclamant de Paul, d'une part, et contre des Juifs riches, de l'autre. Il cherche ainsi à rassembler les autres chrétiens et les Juifs de condition modeste qui sont à ses yeux les deux composantes des « douze tribus de la dispersion ». Un tel regroupement était encore concevable avant le ralliement définitif des synagogues de la dispersion à la réforme pharisienne du judaïsme préconisée par l'école rabbinique de Jamnia. Il concernait toute la* diaspora *de langue grecque, mais l'épître pourrait néanmoins venir d'une ville hellénophone de Palestine, comme Césarée ou Tibériade.*

*Une telle tentative de rapprochement peut surprendre des lecteurs habitués à distinguer nettement judaïsme et christianisme. Pourtant, à l'heure du dialogue œcuménique et de la liquidation du contentieux judéo-chrétien, à l'époque de l'économie d'abondance et des nations prolétaires, le message de l'*Epître de Jacques *est sûrement actuel. Jadis dédaigné par les protestants et tiré dans un sens apologétique par les catholiques, il peut désormais donner à réfléchir aux uns comme aux autres.*

Le contenu de l'épître n'est pas présenté selon un plan précis. Une section centrale, s'étendant de 2.1 à 3.13, se distingue du reste par son thème (critique de la pratique cultuelle de certaines Eglises de tradition paulinienne) et par son recours à des procédés rhétoriques fréquents dans la « diatribe » grecque : questions et appels aux lecteurs, discussion avec un interlocuteur fictif, etc. Mais le chapitre premier n'est qu'une longue chaîne de sentences brèves sans ordre apparent. Quant à la troisième partie, à partir de 3.14, elle mêle au hasard développements un peu fournis (4.1-10 ; 4.13-17 ; 5.1-6 ; 5.7-11) et sentences isolées.

Ce désordre est habituel dans la littérature morale du temps et n'empêche pas l'auteur d'utiliser divers procédés stylistiques : allitération et rime, membres de phrases rythmés, etc. Il reproduit sans doute pour une part celui qui existait dans la tradition des paroles de Jésus, que l'auteur connaissait, et dans celle des paroles de Jacques. Il n'est ni sans force ni sans charme.

ÉPÎTRE DE JACQUES

Adresse et salutation

1 [1] Jacques, serviteur de Dieu et du Seigneur Jésus Christ, aux douze
tribus vivant dans la dispersion[a], salut.

A la perfection par l'épreuve

[2] Prenez de très bon cœur, mes frères, toutes les épreuves[b] par les-
quelles vous passez, [3] sachant que le test auquel votre foi est soumise[c]
produit de l'endurance. [4] Mais que l'endurance soit parfaitement opé-
rante, afin que vous soyez parfaits[d] et accomplis, exempts de tout
défaut.

La prière de la foi

[5] Si la sagesse fait défaut à l'un de vous, qu'il la demande au Dieu qui
donne à tous avec simplicité[e] et sans faire de reproche; elle lui sera
donnée. [6] Mais qu'il demande avec foi[f], sans éprouver le moindre
doute; car celui qui doute ressemble à la houle marine que le vent sou-
lève. [7] Que ce personnage ne s'imagine pas que le Seigneur donnera
quoi que ce soit [8] à un homme partagé[g], fluctuant dans toutes ses
démarches.

Le pauvre et le riche

[9] Que le frère de condition modeste[h] tire fierté de son élévation, [10] et
le riche, de son déclassement, parce qu'il passera comme la fleur des

a ***1.1*** *Jacques* voir Ac 15.13+ *serviteur de Jésus Christ* Rm 1.1 ; Ph 1.1 ; 2 P 1.1 ; Jude 1. — *le Seigneur Jésus Christ* Jc 2.1 ; 5.14-15. — *douze tribus :* voir Mt 19.28 ; Ac 26.7. Jacques s'adresse à des chrétiens d'origine juive vivant hors de Palestine (voir Jn 7.35 et note). Selon d'autres, les 12 tribus représentent l'ensemble du peuple de Dieu (Ap 7.4). — *ceux de la dispersion* Ac 15.23 ; 1 P 1.1. **b** ***1.2*** Rm 5.3-5 ; Jc 1.12 ; 1 P 1.6. **c** ***1.3*** Autre texte : *l'authenticité de votre foi. — un test pour la foi* 1 P 1.7. — *épreuve et endurance* Jc 1.12 ; 5.11 ; voir Lc 8.13-15. **d** ***1.4*** 1.17, 25 ; 2.22 ; 3.2 ; voir Mt 5.48 ; 19.21. **e** ***1.5*** *sagesse* 3.13. — *demander la sagesse* Pr 2.3-6 ; voir Jc 4.2-3. — *simplicité* Rm 12.8 ; 2 Co 11.3 ; Col 3.22 ; certains traduisent : *avec générosité.* **f** ***1.6*** Mt 7.7 ; Mc 11.24. **g** ***1.8*** 4.8. **h** ***1.9*** Voir 1 Co 1.26-29 ; 11.21-22 ; Jc 2.1-7 ; 5.1-6.

prés. 11 Car le soleil s'est levé avec le sirocco et a desséché l'herbe,
dont la fleur est tombée et dont la belle apparence a disparu[i]; de la
même façon, le riche, dans ses entreprises, se flétrira.

A la vie par l'épreuve

12 Heureux l'homme qui endure l'épreuve, parce que, une fois testé,
il recevra la couronne de la vie[j], promise à ceux qui L'aiment.

Tentation humaine et don de Dieu

13 Que nul, quand il est *tenté, ne dise: «Ma tentation vient de
Dieu.» Car Dieu ne peut être tenté de faire le mal et ne tente per-
sonne[k]. 14 Chacun est tenté par sa propre convoitise[l], qui l'entraîne et
le séduit. 15 Une fois fécondée, la convoitise enfante le péché, et le
péché, arrivé à la maturité, engendre la mort[m]. 16 Ne vous y trompez
pas, mes frères bien-aimés. 17 Tout don de valeur et tout cadeau parfait
descendent d'en haut, du Père des lumières[n] chez lequel il n'y a ni
balancement ni ombre due au mouvement. 18 De sa propre volonté, il
nous a engendrés par la parole de vérité[o], afin que nous soyons pour
ainsi dire les prémices de ses créatures.

Ecouter et réaliser la parole

19 Vous êtes savants, mes frères bien-aimés. Pourtant, que nul ne
néglige d'être prompt à écouter, lent à parler, lent à se mettre en
colère[p], 20 car la colère de l'homme ne réalise pas la justice de Dieu[q].
21 Aussi, débarrassés de toute souillure[r] et de tout débordement de
méchanceté, accueillez avec douceur la parole plantée en vous et
capable de vous sauver la vie. 22 Mais soyez les réalisateurs de la
parole[s], et pas seulement des auditeurs qui s'abuseraient eux-mêmes.
23 En effet, si quelqu'un écoute la parole et ne la réalise pas, il res-
semble à un homme qui observe dans un miroir le visage qu'il a de

i 1.11 *sirocco :* vent brûlant venant du désert. — v. 10-11 : *la fleur qui se fane* Ps 102.5, 12 ; Es 40.6-8 ; 1 P 1.24. ***j 1.12*** *heureux* Mt 5.3+ ; Lc 6.20+ ; 12.37-38 ; voir Jc 1.25 ; 5.11. — *couronne de vie* 1 Co 9.25+ ; Ph 4.1 et la note ; Ap 2.10. ***k 1.13*** *Si* 15.11-13. ***l 1.14*** Rm 7.7-8 ; 1 Jn 2.16-17. ***m 1.15*** *péché* 2.9 ; 4.17 ; 5.15-16 *et mort* 5.20 ; voir Rm 5.12 ; 6.23 ; 7.13. ***n 1.17*** *tout don de valeur vient du Père* Mt 7.11. — *le Père* Jc 1.27 ; 3.9 *des lumières* voir Gn 1.3, 14-18 ; 1 Jn 1.5. ***o 1.18*** *Dieu nous a engendrés* Jn 1.13 *par la parole de vérité* 1 P 1.23-25 ; voir Ep 1.13 ; Col 1.5 ; 2 Tm 2.15 ; Jc 3.14 ; 5.19. ***p 1.19*** *Vous êtes savants* ou *sachez-le, mes frères bien-aimés, que nul ne néglige pourtant...* Autre texte : *Par conséquent, mes frères bien-aimés, que nul ne néglige...* — *prompt à écouter, lent à parler Si* 5.11. — *lent à la colère* Qo 7.9 ; voir Ex 34.6. ***q 1.20*** *la justice (de Dieu)* 2.21-25 ; 3.18 ; 5.16 ; voir Mt 5.6, 10, 20 ; 6.33. ***r 1.21*** Ep 4.22, 25 ; Col 3.8 ; 1 P 2.1 ; voir Rm 13.12 ; He 12.1. ***s 1.22*** Mt 7.24 ; Rm 2.13.

naissance: 24 il s'est observé, il est parti, il a tout de suite oublié de quoi il avait l'air. 25 Mais celui qui s'est penché sur une *loi parfaite, celle de la liberté, et s'y est appliqué, non en auditeur distrait, mais en réalisateur agissant, celui-là trouvera le bonheur dans ce qu'il réalisera[t]. 26 Si quelqu'un se croit religieux sans tenir sa langue[u] en bride, mais en se trompant lui-même, vaine est sa religion. 27 La religion pure et sans tache devant Dieu le Père, la voici: visiter les orphelins et les veuves dans leur détresse; se garder du *monde[v] pour ne pas se *souiller.

Favoriser les riches, c'est violer la loi

2 1 Mes frères, ne mêlez pas des cas de partialité[w] à votre foi en notre glorieux Seigneur Jésus Christ. 2 En effet, s'il entre dans votre assemblée un homme aux bagues d'or, magnifiquement vêtu; s'il entre aussi un pauvre vêtu de haillons; 3 si vous vous intéressez à l'homme qui porte des vêtements magnifiques et lui dites: «Toi, assieds-toi à cette bonne place»; si au pauvre vous dites: «Toi, tiens-toi debout» ou «Assieds-toi là-bas, au pied de mon escabeau[x]», 4 n'avez-vous pas fait en vous-mêmes une discrimination? N'êtes-vous pas devenus des juges aux raisonnements criminels? 5 Ecoutez, mes frères bien-aimés! N'est-ce pas Dieu qui a choisi ceux qui sont pauvres aux yeux du *monde pour les rendre riches en foi et héritiers du *Royaume[y] qu'Il a promis à ceux qui L'aiment? 6 Mais vous, vous avez privé le pauvre de sa dignité. N'est-ce pas les riches qui vous oppriment? Eux encore qui vous traînent devant les tribunaux? 7 N'est-ce pas eux qui diffament le beau *nom qu'on invoque sur vous[z]? 8 Certes, si vous exécutez la loi royale, conformément au texte: *Tu aimeras ton prochain comme toi-même*[a], vous agissez bien. 9 Mais si vous êtes partiaux[b], vous commettez un péché et la *loi vous met en accusation comme transgresseurs. 10 En effet, observer toute la loi et trébucher sur

t 1.25 *la loi de la liberté* Rm 8.2 ; Ga 6.2 ; Jc 2.12 ; 1 P 2.16. — *réalisateur agissant* voir Jc 2.14. — *réalisation de la parole et bonheur* Jn 13.17. ***u 1.26*** Ps 34.14 ; 39.2 ; 141.3. ***v 1.27*** *religion pure et sans tache* Es 1.11-17, 23 ; Jr 5.28 ; Ez 22.7 ; Za 7.10. — *se garder du monde* voir Jc 4.4. ***w 2.1*** Jb 34.19 ; Ac 10.34+ ; Jc 2.9. ***x 2.3*** Sorte de tabouret bas utilisé pour poser les pieds quand on était assis (Mt 5.35 ; Lc 20.43 ; Ac 7.49). ***y 2.5*** *Dieu a choisi... les pauvres* 1 Co 1.26-28. — *héritiers du Royaume* Mt 25.34 ; 1 Co 6.9-10 ; 15.50 ; Ga 5.21 ; voir Jc 1.12. ***z 2.7*** Il s'agit du *nom* du Seigneur Jésus (voir 1.1 ; 2.1) ; Ac 2.38 ; 10.48. ***a 2.8*** *la loi royale :* c'est-à-dire la loi qui est au-dessus des autres lois. Certains traduisent cependant : *la loi du Royaume* (de Dieu). — *la loi* 1.25 ; 4.11. — *Tu aimeras...* Lv 19.18 (Mt 19.19 ; 22.39 ; Mc 12.31 ; Lc 10.27 ; Rm 13.9 ; Ga 5.14) ; voir Jn 13.34-35. ***b 2.9*** *partialité* Dt 1.17.

un seul point[c], c'est se rendre passible de tout, 11 car Celui qui a dit:
Tu ne commettras pas d'adultère a dit aussi: *Tu n'assassineras pas*[d] et
si, sans commettre d'adultère, tu commets un meurtre, tu contreviens
à la loi. 12 Parlez et agissez en hommes appelés à être jugés d'après la
loi de liberté[e]. 13 En effet, le jugement est sans pitié pour qui n'a pas eu
pitié[f]; la pitié dédaigne le jugement.

Sans œuvres, la foi est morte

14 A quoi bon, mes frères, dire qu'on a de la foi, si l'on n'a pas
d'œuvres[g]? La foi peut-elle sauver, dans ce cas? 15 Si un frère ou une
sœur n'ont rien à se mettre et pas de quoi manger tous les jours, 16 et
que l'un de vous leur dise: «Allez en paix, mettez-vous au chaud et
bon appétit», sans que vous leur donniez de quoi subsister, à quoi
bon? 17 De même, la foi qui n'aurait pas d'œuvres est morte dans son
isolement[h]. 18 Mais quelqu'un dira: «Tu as de la foi; moi aussi, j'ai des
œuvres; prouve-moi ta foi sans les œuvres et moi, je tirerai de mes
œuvres la preuve de ma foi. 19 Tu crois que Dieu est un? Tu fais bien. Les
*démons le croient, eux aussi, et ils frissonnent[i].» 20 Veux-tu te rendre
compte, pauvre être, que la foi est inopérante[j] sans les œuvres?
21 Abraham, notre père, n'est-ce pas aux œuvres qu'il dut sa justice, pour
avoir mis son fils Isaac sur *l'autel[k]? 22 Tu vois que la foi coopérait à ses
œuvres, que les œuvres ont complété la foi[l] 23 et que s'est réalisé le texte
qui dit: *Abraham eut foi en Dieu et cela lui fut compté comme justice* et il
reçut le nom d'ami de Dieu[m]. 24 Vous constatez que l'on doit sa justice[n]
aux œuvres et pas seulement à la foi. 25 Tel fut le cas aussi pour Rahab la
prostituée: n'est-ce pas aux œuvres qu'elle dut sa justice, pour avoir
accueilli les messagers et les avoir fait partir par un autre chemin[o]?

c 2.10 Mt 5.19 ; Dt 27.26 ; Ga 3.10. ***d 2.11*** *Tu ne commettras pas...* Ex 20.14 ; Dt 5.18 (Mt 5.27 ; 19.18 ; Lc 18.20 ; Rm 13.9). — *Tu n'assassineras pas* Ex 20.13 ; Dt 5.17 (Mt 5.21 ; Mc 10.19 ; Lc 18.20 ; Rm 13.9). ***e 2.12*** *appelés à être jugés* 5.9. — *loi de liberté* 1.25 +. ***f 2.13*** Mt 5.7 ; 18.32-35. ***g 2.14*** Une *foi* non agissante Mt 7.21,26 ; voir Jc 1.25 ; 3.13. — *foi* et *œuvres* voir Rm 3.28 ; Ga 2.16. — *les œuvres* produites par *la foi* Rm 2.6, 15-16 ; Ga 5.6 ; Ep 2.8-10 ; Col 1.10 ; 1 Th 1.3 ; 2 Th 1.11 ; voir Mt 5.16, 20 ; 7.12-27 ; 12.50 ; 18.23-35 ; 25.31-46. ***h 2.17*** Ou *tout à fait morte ;* 2.20, 26. ***i 2.19*** Mt 8.29 ; Mc 1.24 ; 5.7 ; Lc 4.34. ***j 2.20*** Autre texte : la foi *est morte.* ***k 2.21*** *Abraham* Rm 4 ; Ga 3.6-9 *notre père* Es 51.2 ; Mt 3.9 ; Lc 16.24, 27, 30 ; Jn 8.39, 53. — *il dut sa justice :* certains traduisent : *il fut reconnu juste* (par Dieu). — *Isaac sur l'autel* Gn 22.9, 12. ***l 2.22*** Foi et actes d'Abraham He 11.17. ***m 2.23*** *Abraham eut foi en Dieu* Gn 15.6 (Rm 4.3, 9, 22 ; Ga 3.6) ; voir *1 M* 2.52 ; *Si* 44.20. — *Abraham, ami de Dieu* 2 Ch 20.7 ; Es 41.8. ***n 2.24*** Certains traduisent : *l'homme est reconnu juste* (par Dieu). ***o 2.25*** Jos 2.4, 15 ; 6.17 ; He 11.31.

26 En effet, de même que, sans souffle, le corps est mort, de même
aussi, sans œuvres, la foi est morte[p].

Vous qui enseignez, tenez votre langue

3 1 Ne vous mettez pas tous à enseigner[q], mes frères. Vous savez
avec quelle sévérité nous serons jugés, 2 tant nous trébuchons
tous. Si quelqu'un ne trébuche pas lorsqu'il parle, il est un homme par-
fait[r], capable de tenir en bride son corps entier. 3 Si nous mettons un
mors dans la bouche des chevaux pour qu'ils nous obéissent, nous
menons aussi leur corps entier. 4 Voyez aussi les bateaux: si grands
soient-ils et si rudes les vents qui les poussent, on les mène avec un
tout petit gouvernail là où veut aller celui qui tient la barre. 5 De
même, la langue est un petit membre et se vante de grands effets.
Voyez comme il faut peu de feu pour faire flamber une vaste forêt! 6 La
langue aussi est un feu, le monde du mal; la langue est installée parmi
nos membres, elle qui souille le corps entier, qui embrase le cycle de la
nature, qui est elle-même embrasée par la *géhenne[s]. 7 Il n'est pas
d'espèce, aussi bien de bêtes fauves que d'oiseaux, aussi bien de rep-
tiles que de poissons, que l'espèce humaine n'arrive à dompter. 8 Mais
la langue, nul homme ne peut la dompter: fléau fluctuant, plein d'un
poison mortel[t]! 9 Avec elle nous bénissons le Seigneur et Père; avec
elle aussi nous maudissons les hommes, qui sont à l'image de Dieu[u];
10 de la même bouche sortent bénédiction et malédiction. Mes frères,
il ne doit pas en être ainsi. 11 La source produit-elle le doux et l'amer
par le même orifice? 12 Un figuier, mes frères, peut-il donner des
olives, ou une vigne des figues? Une source saline[v] ne peut pas non
plus donner d'eau douce. 13 Qui est sage et intelligent parmi vous?
Qu'il tire de sa bonne conduite la preuve que la sagesse empreint ses
actes de douceur.

Sagesse terrestre et sagesse d'en haut

14 Mais si vous avez le cœur plein d'aigre jalousie et d'esprit de riva-
lité, ne faites pas les avantageux et ne nuisez pas à la vérité par vos
mensonges. 15 Cette sagesse-là ne vient pas d'en haut[w]; elle est ter-

***p* 2.26** *une foi morte* 2.17, 20. ***q* 3.1** Rm 12.7 ; 1 Co 12.28-29 ; Ep 4.11. ***r* 3.2** *parfait* 1.4+. ***s* 3.6** *la langue et le corps tout entier* Mt 12.36-37 ; 15.11, 18-19. — *la géhenne* Mt 5.22+. ***t* 3.8** *fléau fluctuant :* autre texte : *fléau sans frein* (c'est-à-dire qu'on ne peut maîtriser). — Langue venimeuse Ps 140.4 (Rm 3.13). ***u* 3.9** Gn 1.26-27 ; 1 Co 11.7. ***v* 3.12** Certains manuscrits comportent : *De même* une source saline... ***w* 3.15** *sagesse d'en haut* 1.5, 17.

restre, animale, démoniaque. 16 En effet, la jalousie et l'esprit de riva-
lité s'accompagnent de remous et de force affaires fâcheuses. 17 Mais la
sagesse d'en haut est d'abord pure, puis pacifique, douce, conciliante,
pleine de pitié et de bons fruits, sans façon et sans fard[x]. 18 Le fruit de
la justice est semé dans la paix pour ceux qui font œuvre de paix[y].

Ami du monde, ennemi de Dieu

4 1 D'où viennent les conflits, d'où viennent les combats parmi
vous? N'est-ce pas de vos plaisirs qui guerroient dans vos mem-
bres[z]? 2 Vous convoitez et ne possédez pas; vous êtes meurtriers et
jaloux, et ne pouvez réussir; vous combattez et bataillez. Vous ne pos-
sédez pas parce que vous n'êtes pas demandeurs; 3 vous demandez[a] et
ne recevez pas parce que vos demandes ne visent à rien de mieux que
de dépenser pour vos plaisirs. 4 Femmes infidèles! Ne savez-vous pas
que l'amitié envers le *monde est hostilité contre Dieu[b]? Celui qui
veut être ami du monde se fait donc ennemi de Dieu. 5 Ou bien
pensez-vous que ce soit pour rien que l'Ecriture dit: Dieu désire jalou-
sement l'esprit qu'Il a fait habiter en nous[c]? 6 Mais il fait mieux pour se
montrer favorable; voilà pourquoi l'Ecriture dit: *Dieu résiste aux
orgueilleux, mais se montre favorable aux humbles*[d]. 7 Soumettez-vous
donc à Dieu; mais résistez au *diable[e] et il fuira loin de vous;
8 approchez-vous de Dieu et il s'approchera de vous. Nettoyez vos
mains, *pécheurs, et purifiez vos cœurs, hommes partagés[f]!
9 Reconnaissez votre misère, prenez le deuil, pleurez; que votre rire se
change en deuil et votre joie en abattement! 10 Humiliez-vous devant
le Seigneur, et Il vous élèvera[g].

Qui es-tu pour juger le prochain?

11 Ne médisez pas[h] les uns des autres, frères. Celui qui médit d'un
frère ou juge son frère médit d'une *loi et juge une loi; mais si tu juges

x 3.17 Fruits de la *sagesse* voir Ga 5.22-25. — *pacifique* Mt 5.9 ; He 12.11 ; 1 P 3.10-11. — *pitié* Jc 2.13. — *douceur* Mt 5.4 ; Jc 1.21 ; 1 P 3.4, 16. ***y 3.18*** *paix* et *justice* Es 32.17 ; He 12.11. — *ceux qui font œuvre de paix* Mt 5.9. ***z 4.1*** *guerre* 1 P 2.11 *dans vos membres* Rm 7.23. ***a 4.3*** 1.5 ; voir 5.13-18. ***b 4.4*** *Femmes infidèles :* certains traduisent : *Adultères !* (au sens imagé ; voir Os 3.1 ; Mt 12.39 ; 16.4). Autre texte : *Hommes et femmes infidèles !* — *amitié envers le monde* 1 Jn 2.15. — *hostilité contre Dieu* Rm 8.7. ***c 4.5*** Ou *L'Esprit que Dieu a fait habiter en nous a des désirs jaloux.* Ce texte ne figure ni dans l'A.T. ni dans le N.T. — *jalousie* de Dieu Ex 20.5 ; voir Gn 6.3. ***d 4.6*** Pr 3.34 (grec) ; Mt 23.12 ; 1 P 5.5. ***e 4.7*** Ep 6.12-13 ; 1 P 5.8-9. ***f 4.8*** *approchez-vous... Dieu s'approchera* Za 1.3 ; Ml 3.7. — *nettoyez vos mains* Es 1.16. — *purifiez vos cœurs* voir Jc 1.26-27 ; Mc 5.8. — *hommes partagés* voir Mt 6.2, 5, 16 ; 15.7-8. ***g 4.10*** Jb 5.11 ; 1 P 5.6. ***h 4.11*** voir 1.26 ; 3.9-10.

une loi, tu agis en juge et non en réalisateur de la loi. 12 Or un seul est
législateur et juge: celui qui peut sauver et perdre. Qui es-tu, toi, pour
juger le prochain[i]?

Gare à vous, hommes d'affaires!

13 Alors, vous qui dites: «Aujourd'hui — ou demain —, nous irons
dans telle ville, nous y passerons un an, nous ferons du commerce,
nous gagnerons de l'argent[j]», 14 et qui ne savez même pas, le jour sui-
vant, ce que sera votre vie, car vous êtes une vapeur, qui paraît un ins-
tant et puis disparaît! 15 Au lieu de dire: «Si le Seigneur le veut bien,
nous vivrons et ferons ceci ou cela[k]», 16 vous tirez fierté de vos fanfa-
ronnades. Toute fierté de ce genre est mauvaise. 17 Qui donc sait faire
le bien et ne le fait pas[l] se charge d'un péché.

Malheur à vous, riches!

5 1 Alors, vous les riches, pleurez à grand bruit sur les malheurs qui
vous attendent[m]! 2 Votre richesse est pourrie, vos vêtements
rongés des vers[n]; 3 votre or et votre argent rouillent et leur rouille ser-
vira contre vous de témoignage, elle dévorera vos chairs comme un
feu[o]. Vous vous êtes constitué des réserves à la fin des temps! 4 Voyez
le salaire des ouvriers qui ont fait la récolte dans vos champs: retenu
par vous, il crie et les clameurs des moissonneurs sont parvenues aux
oreilles du Seigneur Sabaoth[p]. 5 Vous avez eu sur terre une vie de
confort et de luxe, vous vous êtes repus au jour du carnage[q]. 6 Vous
avez condamné, vous avez assassiné le juste: il ne vous résiste pas[r].

Patience, le Seigneur approche

7 Prenez donc patience, frères, jusqu'à la venue du Seigneur. Voyez
le cultivateur: il attend le fruit précieux de la terre sans s'impatienter à
son propos tant qu'il n'en a pas recueilli du précoce et du tardif[s].
8 Vous aussi, prenez patience, ayez le cœur ferme, car la venue du Sei-
gneur est proche[t]. 9 Frères, ne gémissez pas les uns contre les autres,

i 4.12 Rm 2.1 ; 14.4. ***j 4.13*** v. 13-14 : Pr 27.1 ; Lc 12.18-20. ***k 4.15*** Ac 18.21 ; Rm 1.10 ; 1 Co 4.19. ***l 4.17*** Lc 12.47. ***m 5.1*** Es 5.8-10 ; Jr 5.26-30 ; Am 8.4-8 ; Lc 6.24. ***n 5.2*** Mt 6.19-20. ***o 5.3*** Ps 21.10 ; *Jdt* 16.17. ***p 5.4*** *salaire retenu* (autre texte : *volé)* Lv 19.13 ; Dt 24.14-15 ; Ml 3.5. — *une clameur qui va jusqu'à Dieu* Gn 4.10 ; Ps 18.7. — *Sabaoth :* transcription d'un terme hébreu que l'A.T. accole parfois au titre de Seigneur, pour désigner le Dieu d'Israël. Le sens est discuté ; certains traduisent : le Seigneur *des armées.* ***q 5.5*** Jr 12.3 ; 25.34. ***r 5.6*** Ps 37 ; *Sg* 2.12-20 ; Mt 5.39. ***s 5.7*** Autre texte : tant qu'il n'a pas reçu *les pluies* précoces et (les pluies) tardives ; voir Dt 11.14 ; Jr 5.24 ; Jl 2.23. ***t 5.8*** *patience* voir 1 Th 5.1-11. — *cœur ferme* 1 Th 3.13. — *la venue du Seigneur* Mt 24.3, 27, 37 ; 2 P 1.16 ; 1 Jn 2.28 ; voir 1 Co 15.23 ; 1 Th 2.19 ; 3.13 ; 4.15 ; 5.23 ; 2 Th 2.1, 8 *est proche* Rm 13. 11-12 ; He 10.25 ; 1 P 4.7.

pour éviter d'être jugés. Voyez: le juge se tient aux portes[u]. 10 Pour la
souffrance et la patience, le modèle à prendre, frères, ce sont les *pro-
phètes[v], qui ont parlé au nom du Seigneur. 11 Voyez: nous félicitons
les gens endurants; vous avez entendu l'histoire de l'endurance de Job
et vu le but du Seigneur parce que *le Seigneur a beaucoup de cœur et
montre de la pitié*[w].

Que votre oui soit oui

12 Mais avant tout, mes frères, ne jurez pas, ni par le *ciel, ni par la
terre, ni d'aucune autre manière. Que votre oui soit oui et votre non,
non, afin que vous ne tombiez pas sous le jugement[x].

Priez!

13 L'un de vous souffre-t-il? Qu'il prie. Est-il joyeux? Qu'il chante des
cantiques[y]. 14 L'un de vous est-il malade? Qu'il fasse appeler les
*anciens de l'Eglise et qu'ils prient après avoir fait sur lui une onction
d'huile[z] au *nom du Seigneur. 15 La prière de la foi sauvera le patient;
le Seigneur le relèvera et, s'il a des péchés à son actif, il lui sera par-
donné[a]. 16 Confessez-vous donc vos péchés[b] les uns aux autres et priez
les uns pour les autres, afin d'être guéris. La requête d'un juste agit
avec beaucoup de force. 17 Elie était un homme semblable à nous; il
pria avec ferveur pour qu'il ne plût pas, et il ne plut pas sur la terre
pendant trois ans et six mois[c]; 18 puis il pria de nouveau[d], le ciel donna
de la pluie, la terre produisit son fruit...

Ramenez les égarés

19 Mes frères, si l'un de vous s'est égaré loin de la vérité[e] et qu'on le
ramène, 20 sachez que celui qui ramène un *pécheur du chemin où il
s'égarait lui sauvera la vie et fera disparaître une foule de péchés[f].

u 5.9 Mt 24.33. ***v 5.10*** *souffrance des prophètes* Mt 5.12 ; 23.29-31 ; Ac 7.52 ; Rm 11.3 ; 1 Th 2.15 ; He 11.36-38. ***w 5.11*** *félicitations aux gens endurants* Dn 12.12 ; voir Col 1.11 ; Jc 1.3-4. — *l'endurance de Job* Jb 1.20-22 ; 2.10. — *le Seigneur a beaucoup...* Ex 34.6 ; Ps 103.8 ; 111.4. — *le but du Seigneur* Jb 42.10-17. ***x 5.12*** Mt 5.34-37 ; voir *Si* 23.9-11. ***y 5.13*** *prière* 1 Th 5.17-18. — *chanter des cantiques* Rm 15.9 ; 1 Co 14.15 ; Ep 5.19-20 ; Col 3.16-17. ***z 5.14*** *prière* pour les *malades* Ac 28.8. — *onction d'huile* Mc 6.13. ***a 5.15*** Sur cette tournure impersonnelle voir les notes sur Mt 3.2 ; 7.1. — Prière et guérison Mc 16.18. — *sauver, relever, pardonner* Mc 5.34, 41 ; Lc 17.19. ***b 5.16*** Dn 9.4-20 ; *Ba* 1.14—2.10 ; Mt 3.6 ; Ac 19.18. ***c 5.17*** *un homme comme nous* Ac 14.15. — *Elie* (voir Mt 11.14+) et la sécheresse 1 R 17.1 ; *Si* 48.2.— *trois ans et six mois* Lc 4.25. ***d 5.18*** La prière d'Elie 1 R 18.42-45. — Le prophète intercesseur Gn 18.22-32 ; Ex 32.11-14, 30-32 ; Jr 14.11 ; 18.20 ; Am 7.2,5. ***e 5.19*** Voir Mt 18.12-13, 15. ***f 5.20*** *lui sauvera la vie* 1 Tm 4.16 ; 1 Jn 5.16 ; Autres textes : *sauvera une vie.* — ou *arrachera une vie à la mort du pécheur.* — *faire disparaître une foule de péchés* Pr 10.12 ; 1 P 4.8 ; voir Ez 3.20-21.

PREMIÈRE ÉPÎTRE DE PIERRE

INTRODUCTION

Malgré ses dimensions modestes, la Première lettre de Pierre *mérite de retenir l'attention parce qu'elle constitue comme le « carrefour » des grands courants doctrinaux du Nouveau Testament. On y repère aisément l'écho des paroles de Jésus, telles que les rapportent les évangiles (1.8 et Jn 20.29 ; 2.2 et Mc 10.15 ; 2.12 et Mt 5.16 ; etc.) ; plusieurs thèmes correspondent à ceux des discours de Pierre d'après les Actes des Apôtres (par exemple 2.21-25 et Ac 3.13,26) ; des rapprochements ne manquent pas avec les épîtres de Paul (par exemple 2.4-8 et Rm 9.32-33 ; 2.13-17 et Rm 13.1-7). L'utilisation abondante de l'Ancien Testament montre comment les premiers chrétiens y cherchaient un éclairage pour leur foi au Christ et un soutien pour leur vie spirituelle. Ainsi,* 1 Pierre *nous fait saisir comme en raccourci la catéchèse fondamentale de l'époque apostolique.*

Destinataires

La lettre se présente comme une circulaire destinée aux chrétiens dispersés dans cinq provinces d'Asie Mineure. De lui-même, le mot dispersion *(1.1) vise les Juifs vivant hors de Palestine. L'examen du texte montre pourtant que, dans leur grande majorité, les destinataires proviennent du milieu païen (1.14,18 ; 4.3). L'emploi du mot* dispersion *leur rappelle le caractère passager de leur séjour sur la terre (2.11). Héritiers des privilèges d'Israël (2.4-10), les chrétiens constituent le peuple de Dieu, témoin de sa grâce parmi les nations.*

Les communautés visées (1.1) ont été fondées soit par Paul lui-même, soit par ses collaborateurs. On ne sait rien par contre d'une mission de Pierre dans ces régions. La lettre illustre ainsi l'autorité de cet apôtre, capable de s'adresser de lui-même ou par un disciple à des communautés qui ne le connaissaient pas directement. C'est le signe aussi des relations étroites qui unissent dans la foi les Eglises disper-

sées dans le vaste empire romain. Par ailleurs, la simplicité de leur organisation (5.1-4) correspond à un stade de vie ecclésiastique antérieur à celui que supposent les épîtres pastorales.

L'auteur, la date et le lieu de composition

Traditionnellement la lettre est attribuée à l'apôtre Pierre, selon les indications de l'en-tête (1.1) et les allusions de la fin (5.12-14). L'auteur se présente lui-même comme « témoin des souffrances du Christ » (5.1). L'affirmation des liens étroits qui l'unissent à Marc (5.13) correspond à la tradition qui fait du second évangéliste l'interprète de Pierre à Rome. Le nom de Babylone (5.13) semble bien désigner la capitale de l'empire romain. Silvain (ou Silas), désigné comme secrétaire (5.12), nous est connu par les Actes des Apôtres (Ac 15.40 ; 18.5). Selon certains, la persécution imminente dont il est question en 4.12 ; 5.9 serait celle déclenchée par Néron, après l'incendie de Rome en 64.

La qualité littéraire du grec de l'épître a fait douter qu'elle ait été écrite par Pierre lui-même. Mais la richesse de la langue peut s'expliquer par l'intervention d'un secrétaire comme Silvain. Les ressemblances relevées avec les épîtres de Paul ne supposent pas nécessairement que 1 Pierre *en dépende ; elles concernent d'ailleurs plus le domaine de l'exhortation morale que celui des doctrines spécifiquement pauliniennes. S'il est vrai que* 1 Pierre *insiste sur la valeur salutaire de la mort du Christ, elle ne dit rien de la justification par la foi sans les œuvres de la loi. L'exhortation à l'obéissance aux autorités (2.13-17) est à comparer à celle de Rm 13.1-7, mais aussi à la déclaration de Jésus (Mt 22.21).*

La difficulté la plus grande pour une datation avant 64 vient de l'adresse : y avait-il déjà, à cette époque, des communautés dans le Pont, la Cappadoce, la Bithynie ? Pour cette dernière province, notre point de repère est fourni par Pline le Jeune, qui en fut le gouverneur de 111 à 113, dans sa correspondance avec l'empereur Trajan : elle atteste les progrès rapides du christianisme et l'existence d'une première persécution, vingt ans auparavant, sous Domitien. De ce fait, certains auteurs placent 1 Pierre *vers les années 90-95, à l'époque de l'Apocalypse. La comparaison avec celle-ci montre l'impossibilité d'une datation aussi tardive. Les menaces qui pèsent sur les chrétiens, selon 1 Pierre, viennent plus de l'hostilité populaire que d'une décision des autorités comme dans le cas de l'Apocalypse.*

Si l'on hésite à attribuer l'épître à Pierre lui-même, on envisagera cependant une période assez voisine de son martyre, vers les années 70 à 80. Un disciple, séjournant à Rome, aurait rédigé ce message d'exhortation (5.12) pour maintenir vivante la voix de son maître et soutenir les communautés dans l'épreuve qui les atteint.

Genre littéraire, unité et but de l'épître

Abstraction faite de l'adresse et des salutations finales, 1 Pierre *ne présente guère le ton d'une lettre, mais ressemble souvent à une prédication (comme* Hébreux*). Il n'y a pas à chercher un plan logique, mais les exhortations se suivent (1.13—2.10 ; 2.11—3.12 ; 3.13—4.11 ; 4.12—5.11), introduites souvent par des interpellations (ainsi 2.11 : « Bien aimés, je vous exhorte... », comparer 4.12). On est frappé du grand nombre d'allusions, directes ou voilées, au baptême (ainsi 1.3,23 ; 2.1 ; 3.21). S'agirait-il donc, au moins dans la section 1.3—4.11, d'une homélie baptismale ? L'allusion à l'agneau sans tache (1.19) et la mention fréquente de la passion du Christ permettraient-elles de situer l'homélie dans le cadre de la liturgie pascale ?*

Ces hypothèses ont l'avantage d'attirer l'attention sur certains aspects du texte, mais elles risquent de faire oublier l'essentiel. L'épître n'est pas formée de deux morceaux indépendants ; dès le début l'adresse et la bénédiction annoncent les thèmes qui seront développés par la suite. Certes on discerne un progrès dans l'évocation des souffrances qui menacent ; rien que de normal s'il s'agit de faire découvrir aux destinataires que, même dans l'épreuve (2.19s), la grâce de Dieu est présente (5.12). Tel est le paradoxe de la béatitude des persécutés, répétée à plusieurs reprises (1.6 ; 3.14,17 ; 4.14).

L'auteur ne cherche pas à faire œuvre originale, mais il rappelle l'essentiel de la foi, avec le souci de l'enraciner dans la vie concrète. On pourrait récrire le Credo apostolique avec des formules de 1 Pierre, bien que le rôle de l'Esprit Saint y apparaisse assez réduit. La descente du Christ aux enfers, rarement attestée dans le Nouveau Testament, se présente en 3.19 sous la forme d'une prédication aux esprits pour manifester la portée universelle de son œuvre de salut.

La manière dont s'articulent les fondements théologiques et l'obligation morale diffère du mode paulinien. D'ordinaire Paul développe d'abord ses thèses dogmatiques, puis il en tire des exhortations. Dans 1 Pierre, *l'ordre vient d'abord et il est suivi d'une motivation théologique. Typique à cet égard est l'instruction aux serviteurs (ou esclaves, 2.18ss) qui se termine par la méditation des souffrances du Christ (2.22-24).*

La vie chrétienne selon 1 Pierre

Un grand nombre d'aspects de la vie chrétienne sont abordés dans cette épître : de la prière liturgique (1.3ss) à la prière au foyer (3.7), de la vie de travail (2.18) à la conduite à tenir quand se déchaîne la licence des fêtes populaires (3.4s), de l'affermissement personnel dans la foi à la communion avec les autres communautés (5.9). Nous ne pouvons relever que certains aspects essentiels.

a) L'enracinement dans l'œuvre du Christ

Le Christ est l'Elu de Dieu par excellence (2.4,6). Il s'agit de mettre toute sa foi en lui, pour participer à son œuvre. Tel est le sens d'un morceau très riche (2.4-10) où Pierre reprend une série de textes de l'Ancien Testament pour montrer leur réalisation dans le Christ et attester que l'Eglise est maintenant le vrai peuple de Dieu. Chaque chrétien doit avoir à cœur de s'associer aux souffrances du Christ (5.1) pour avoir part un jour à sa gloire. L'accent mis sur le sacrifice du Christ (1.18-19 ; 2.21-25 ; 3.18) va de pair avec l'importance donnée à sa résurrection (1.21 ; 2.7 ; 3.18,21) comme principe d'une nouvelle naissance (1.3,23 ; 2.2). Membres de l'Eglise par le baptême, les fidèles constituent une « communauté sacerdotale » (2.5,9), appelée à proclamer dans le monde les merveilles de l'œuvre accomplie par Dieu en Jésus Christ.

b) L'espérance vivante

Le thème de l'espérance court d'un bout à l'autre de l'épître (1.3,13,21 ; 3.5,15), avec la joyeuse attente de la prochaine manifestation du Christ (1.7 ; 4.13 ; 5.4,10). Le mot lui-même d'espérance en vient à désigner l'héritage céleste (1.4), mais il vise aussi l'attitude spirituelle qui permet au chrétien de tenir bon dans les épreuves de la vie. Puisque cette espérance vivante (1.3) distingue le chrétien de son entourage, chacun doit être prêt à en rendre compte avec une tranquille assurance (3.15).

c) Le témoignage dans la vie de tous les jours

L'amour n'en est pas moins une note distinctive de la communauté chrétienne. Pierre revient sans cesse sur la sincérité et l'esprit de service qui caractérisent l'amour vrai (1.22 ; 2.17 ; 4.8 ; 5.14). Les frères doivent être prêts à s'accueillir et, dans la communauté, chacun a sa tâche spécifique à remplir selon la grâce de Dieu (4.9s). Les anciens doivent diriger la communauté avec un grand désintéressement, matériel et spirituel (5.1-4).

Soucieux du bon renom des chrétiens (2.12,15 ; 3.1,16 ; 4.15), Pierre insiste dans les codes de devoirs (2.12—3.7) sur la soumission aux autorités et le respect des institutions. Ces directives reçoivent cependant une orientation et un contenu nouveaux par la référence au

Seigneur (2.13) et par l'attention donnée à chaque personne, y compris les plus humbles. Sans hostilité vis-à-vis du monde païen, 1 Pierre *souligne la responsabilité du peuple de Dieu à son égard : en toutes circonstances, même les plus dures, les croyants doivent agir de façon à éclairer les païens (2.11-12 ; 3.13-17).*

PREMIÈRE ÉPÎTRE DE PIERRE

Adresse et salutation

1 [1] Pierre, apôtre de Jésus Christ, aux élus qui vivent en étrangers
dans la dispersion, dans le Pont, la Galatie, la Cappadoce, l'Asie
et la Bithynie[a], [2] élus selon le dessein de Dieu le Père, par la sanctifica-
tion de l'Esprit, pour obéir à Jésus Christ et avoir part à l'aspersion de
son sang.

Que la grâce et la paix vous viennent en abondance[b]!

Action de grâce pour la révélation du salut en Jésus Christ

3 Béni soit Dieu, le Père de notre Seigneur Jésus Christ:
dans sa grande miséricorde, il nous a fait renaître[c]
pour une espérance vivante, par la résurrection de Jésus Christ
d'entre les morts,
4 pour un héritage[d] qui ne se peut corrompre, ni *souiller, ni flétrir;
cet héritage vous est réservé dans les *cieux,
5 à vous que la puissance de Dieu garde[e] par la foi
pour le salut prêt à se révéler au moment de la fin.
6 Aussi tressaillez-vous d'allégresse
même s'il faut que, pour un peu de temps, vous soyez affligés par
diverses épreuves[f],
7 afin que la valeur éprouvée de votre foi — beaucoup plus précieuse

a 1.1 *les élus* 2.4,9 ; 5.13 ; voir 1.15-16. — *la dispersion :* ce terme technique, désignant habituellement les Juifs vivant hors de Palestine, est appliqué ici aux chrétiens dispersés dans le monde ; Jn 7.35 ; Jc 1.1. — *Pont* Ac 2.9 ; 18.2, *Galatie* Ac 16.6+, *Cappadoce* Ac 2.9, *Asie* Ac 19.10+, *Bithynie* Ac 16.7, sont cinq provinces romaines de l'actuelle Asie Mineure. **b 1.2** *le dessein de Dieu* Rm 8.29. — *l'Esprit sanctifie* 2 Th 2.13. — *l'aspersion de son sang :* les effets de la mort du Christ sont décrits ici à l'aide du vocabulaire de l'Ancien Testament. Voir Ex 24.3-8 ; Lv 16.14-15 ; He 12.24. — *grâce et paix en abondance* 2 P 1.2 ; Jude 2. **c 1.3** *Béni soit Dieu, le Père* 2 Co 1.3 ; Ep 1.3. — *faire renaître* 1 P 1.23 ; voir 2.2. **d 1.4** *héritage* Mt 25.34. **e 1.5** Jn 10.28 ; 17.11. **f 1.6** *diverses épreuves* Jc 1.2.

que l'or périssable qui pourtant est éprouvé par le feu —
obtienne louange, gloire et honneur lors de la *révélation de Jésus
Christ[g],
8 Lui que vous aimez sans l'avoir vu[h],
en qui vous croyez sans le voir encore;
aussi tressaillez-vous d'une joie ineffable et glorieuse,
9 en remportant, comme prix de la foi, le salut de vos âmes[i].
10 Sur ce salut ont porté les recherches et les investigations des
*prophètes[j], qui ont prophétisé au sujet de la grâce qui vous était
destinée: 11 ils recherchaient à quel temps et à quelles circons-
tances se rapportaient les indications données par l'Esprit du Christ
qui était présent en eux, quand il attestait par avance les souf-
frances réservées au Christ[k] et la gloire qui les suivrait. 12 Il leur fut
révélé que ce n'était pas pour eux-mêmes, mais pour vous qu'ils
transmettaient ce message, que maintenant les prédicateurs de
*l'Evangile vous ont communiqué sous l'action de l'Esprit Saint
envoyé du ciel, et dans lequel les *anges désirent plonger leurs
regards[l].

Une espérance qui exige la sainteté

13 C'est pourquoi, l'esprit éveillé[m] pour les discernements néces-
saires, mettez toute votre espérance dans la grâce qui doit vous être
accordée lors de la *révélation de Jésus Christ. 14 Comme des enfants
obéissants, ne vous conformez pas aux convoitises d'autrefois[n], du
temps de votre ignorance; 15 mais, de même que celui qui vous a
appelés est *saint, vous aussi devenez saints dans toute votre
conduite, 16 parce qu'il est écrit:
Soyez saints, car je suis saint[o]...
17 Et si vous invoquez comme Père celui qui, sans partialité, juge

g* *1.7 *foi éprouvée* Jb 23.10 ; Ps 66.10 ; Pr 17.3 ; Jc 1.3. — *éprouvé par le feu* Es 48.10 ; Za 13.9 ; Ml 3.3 ; 1 Co 3.13. — *louange, gloire et honneur* Ep 1.6, 12, 16. — *révélation de Jésus Christ* 1 P 1.13 ; 4.13. ***h* *1.8*** Jn 20.29 ; 2 Co 5.7. ***i* *1.9*** *le prix* offert à *la foi* Rm 6.22. — *vos âmes :* c'est-à-dire vos personnes tout entières. ***j* *1.10*** Mt 13.17 ; Lc 10.24. ***k* *1.11*** Ps 22 ; Es 53 ; Lc 24.26 ; voir 2 P 1.19. ***l* *1.12*** Evangélisation et *Saint Esprit* Ac 1.8 ; 1 Co 2.4 ; 1 Th 1.5. — *les anges* devant *l'Evangile* Ep 3.10. ***m* *1.13*** Litt. *ayant ceint les reins de votre esprit. Ceindre ses reins :* expression imagée signifiant qu'un homme se met en tenue de travail ou de voyage, pour être libre de ses mouvements et disponible ; Lc 12.35+. ***n* *1.14*** *obéissance* 1.2, 22 ; voir 2.13, 18 ; 3.1, 5 ; 5.5. — *ne vous conformez pas...* Rm 12.2 ; Ep 4.17-18. — *les convoitises d'autrefois* Ep 2.3. ***o* *1.16*** Lv 11.44-45 ; 19.2 ; 20.7.

chacun selon son œuvre[p], conduisez-vous avec crainte durant le
temps de votre séjour sur la terre, 18 sachant que ce n'est point par des
choses périssables, argent ou or, que vous avez été rachetés[q] de la
vaine manière de vivre héritée de vos pères, 19 mais par le *sang pré-
cieux, comme d'un agneau sans défaut et sans tache, celui du Christ[r],
20 prédestiné avant la fondation du monde[s] et manifesté à la fin des
temps à cause de vous. 21 Par lui vous croyez en Dieu qui l'a ressuscité
des morts[t] et lui a donné la gloire, de telle sorte que votre foi et votre
espérance reposent sur Dieu.

Vivre en enfants de Dieu dans la charité et la simplicité

22 Vous avez *purifié vos âmes, en obéissant à la vérité, pour prati-
quer un amour fraternel sans hypocrisie. Aimez-vous les uns les autres
d'un cœur pur[u], avec constance, 23 vous qui avez été engendrés à nou-
veau par une semence non pas corruptible mais incorruptible, par la
parole de Dieu vivante et permanente[v]. 24 Car

toute chair est comme l'herbe,
et toute sa gloire comme la fleur de l'herbe:
l'herbe sèche et sa fleur tombe;
25 *mais la parole du Seigneur demeure éternellement.*

Or, cette parole, c'est *l'Evangile[w] qui vous a été annoncé.

2 1 Rejetez donc toute méchanceté et toute ruse, toute forme
d'hypocrisie, d'envie et de médisance[x]. 2 Comme des enfants
nouveau-nés, désirez le lait[y] pur de la parole afin que, par lui, vous
grandissiez pour le salut, 3 si

vous avez goûté que le Seigneur est bon[z].

p 1.17 *invoquer comme Père* Ps 89.27 ; Es 64.7 ; Jr 3.19 ; Mt 6.9 ; Lc 11.2 ; voir *Sg* 14.3 ; *Si* 23.4. — *celui qui juge sans partialité* Ac 10.34+. — *chacun selon ses œuvres* Ps 28.4 ; 62.13 ; Pr 24.12 ; Es 59.18 ; Jr 17.10 ; Rm 2.6 ; 1 Co 3.8 ; 2 Co 11.15 ; 2 Tm 4.14 ; Ap 2.23 ; 18.6 ; 20.12-13 ; 22.12. **q 1.18** *rachetés* Dt 7.8 ; 15.15 ; Es 41.14 ; 43.1, etc. ; Ps 130.8 ; Rm 3.24 ; 1 Co 1.30 ; Ep 1.7 ; Col 1.14. **r 1.19** *par le sang du Christ* Ac 20.28 ; He 9.12 ; 1 P 1.2. — *sans défaut et sans tache* Ex 12.5. **s 1.20** *prédestiné* Ac 2.23. — *avant la fondation du monde* Ep 1.4. **t 1.21** *par lui vous croyez...* Jn 14.6 ; Rm 5.1-2. — *en Dieu qui ressuscita Jésus* Rm 4.24 ; 10.9. **u 1.22** *obéissance à la vérité* (certains manuscrits ajoutent : *par l'Esprit)* Rm 1.5 ; 16.26. — *amour mutuel* Jn 13.34 ; Rm 12.10. — *d'un cœur pur :* autre texte : *de tout cœur.* **v 1.23** *engendrés...* Jn 1.13. — *la parole vivante de Dieu* He 4.12 *permanente* Dn 6.27. — *une semence* Mt 13.3-9, 19 par. **w 1.25** v. 24-25 : *toute chair...* Es 40.6-8 (Jc 1.10-11). — *cette parole, c'est l'Evangile :* voir Es 40.9. **x 2.1** *rejetez...* Ep 4.22 ; Jc 1.21. **y 2.2** *lait* 1 Co 3.2 ; He 5.12-13. **z 2.3** *vous avez goûté...* Ps 34.9.

Le fondement et la mission de l'Eglise

4 Approchez-vous de lui, pierre vivante,
rejetée par les hommes
mais choisie et précieuse devant Dieu[a].
5 Vous-mêmes, comme des pierres vivantes,
entrez dans la construction de la Maison habitée par l'Esprit,
pour constituer une *sainte communauté sacerdotale,
pour offrir des *sacrifices spirituels[b],
agréables à Dieu par Jésus Christ.
6 Car on trouve dans l'Ecriture:
*Voici, je pose en *Sion une pierre angulaire,*
choisie et précieuse,
et celui qui met en elle sa confiance
ne sera pas confondu[c].
7 A vous donc, les croyants, l'honneur;
mais pour les incrédules
la pierre qu'ont rejetée[d] *les bâtisseurs*
est devenue la pierre de l'angle,
8 et aussi *une pierre d'achoppement*[e],
un roc qui fait tomber.
Ils s'y heurtent, parce qu'ils refusent de croire à la parole, et c'est à
cela qu'ils étaient destinés.
9 Mais vous, vous êtes
la race élue, la communauté sacerdotale du roi, la nation sainte, le peuple que Dieu s'est acquis,
pour que vous proclamiez les hauts faits
de celui qui vous a appelés des ténèbres à sa merveilleuse lumière[f],
10 vous qui jadis n'étiez *pas son peuple,*
mais qui maintenant êtes le *peuple de Dieu* ;
vous qui *n'aviez pas obtenu miséricorde,*
mais qui maintenant *avez obtenu miséricorde*[g].

a 2.4 *la pierre rejetée* Ps 118.22 ; Mt 21.42 ; Ac 4.11. — *précieuse devant Dieu* Es 28.16. **b 2.5** *construction* voir Mt 16.18 ; 1 Co 3.9-10. — *Maison habitée par l'Esprit* Ep 2.21-22. — *sainte communauté sacerdotale* (c'est-à-dire qui exerce une fonction de prêtre) Ex 19.6 ; Es 61.6 ; 1 P 2.9 ; Ap 1.6 ; 5.10 ; 20.6. — *des sacrifices spirituels* Rm 12.1 ; He 13.15. **c 2.6** *Voici, je pose...* Es 28.16 (Rm 9.33). — *pierre angulaire* Ep 2.20+. **d 2.7** *pierre rejetée* 2.4+. **e 2.8** Es 8.14 (Rm 9.33) ; voir Lc 2.34. **f 2.9** *la race élue...* Es 43.20-21 ; Dt 7.6 ; voir 10.15. — *communauté sacerdotale* 1 P 2.5+. — *une nation sainte* Ex 19.5-6. — *le peuple que Dieu s'est acquis* Es 43.21. — *des ténèbres à la lumière* Es 9.1 ; Ac 26.18 ; Ep 5.8 ; Col 1.13. **g 2.10** Os 1.6, 9 ; 2.1, 23 (Rm 9.25).

L'existence chrétienne parmi les païens

11 Bien-aimés, je vous exhorte, comme des gens de passage et des étrangers, à vous abstenir des convoitises charnelles, qui font la guerre[h] à l'âme. 12 Ayez une belle conduite parmi les *païens, afin que, sur le point même où ils vous calomnient comme malfaiteurs, ils soient éclairés par vos bonnes œuvres et glorifient Dieu au *jour de sa venue[i].

Le devoir des chrétiens face aux autorités

13 Soyez soumis à toute institution humaine[j], à cause du Seigneur; soit au roi, en sa qualité de souverain, 14 soit aux gouverneurs, délégués par lui pour punir les malfaiteurs et louer les gens de bien. 15 Car c'est la volonté de Dieu qu'en faisant le bien vous réduisiez au silence l'ignorance des insensés[k]. 16 Comportez-vous en hommes libres, sans utiliser la liberté comme un voile pour votre méchanceté[l], mais agissez en serviteurs de Dieu. 17 Honorez tous les hommes, aimez vos frères, craignez Dieu[m], honorez le roi.

Le devoir des serviteurs face à leurs maîtres

18 Serviteurs[n], soyez soumis avec une profonde crainte à vos maîtres, non seulement aux bons et aux doux, mais aussi aux acariâtres. 19 Car c'est une grâce de supporter, par respect pour Dieu[o], des peines que l'on souffre injustement. 20 Quelle gloire y a-t-il, en effet, à supporter les coups si vous avez commis une faute? Mais si, après avoir fait le bien, vous souffrez avec patience[p], c'est là une grâce aux yeux de Dieu. 21 Or, c'est à cela que vous avez été appelés, car le Christ aussi a souffert pour vous, vous laissant un exemple afin que vous suiviez ses traces[q]:

22 Lui qui *n'a pas commis de péché*
et dans la bouche duquel il ne s'est pas trouvé de tromperie[r];

h 2.11 *étrangers et gens de passage* Ps 39.13 ; 1 P 1.1. – *convoitises charnelles :* c'est-à-dire les convoitises humaines habituelles ; voir Rm 1.3 et la note ; Ga 5.24. – *guerre* Ga 5.17 ; Jc 4.1. ***i 2.12*** *bonnes œuvres et glorification de Dieu* Mt 5.16. – *le jour où Dieu visite* Gn 50.24-25 ; Es 10.3 ; Jr 6.15 ; *Sg* 3.7 ; Lc 1.68 ; 7.16 ; 19.44. ***j 2.13*** v. 13-14 : Rm 13.1-7 ; Tt 3.1 ; 1 Tm 2.1-2 ; voir 1 P 3.1 ; 5.5. ***k 2.15*** 3.13 ; voir Ps 14.1. ***l 2.16*** Ga 5.13. ***m 2.17*** *honorer tous les hommes* Rm 12.10. – *aimer les frères* 1 P 1.22. – *craindre Dieu* Pr 24.21. ***n 2.18*** Ou *Esclaves ;* Ep 6.5-8 ; Col 3.22–4.1 ; Tt 2.9. ***o 2.19*** Voir Rm 13.5. ***p 2.20*** 3.14, 17 ; 4.14. ***q 2.21*** *un exemple* Jn 13.15. – *suivre les traces du Christ* Mt 16.24 ; voir 4.19+. ***r 2.22*** Es 53.9 ; Jn 8.46 ; 2 Co 5.21 ; 1 Jn 3.5.

23 lui qui, insulté, ne rendait pas l'insulte[s],
dans sa souffrance, ne menaçait pas,
mais s'en remettait au juste Juge;
24 lui qui, dans son propre corps, a porté nos péchés sur le bois,
afin que, morts à nos péchés, nous vivions pour la justice;
lui dont les meurtrissures vous ont guéris[t].
25 Car vous étiez égarés comme des brebis, mais maintenant vous
vous êtes tournés vers le *berger et le gardien de vos âmes[u].

Le témoignage chrétien dans la vie conjugale

3 1 Vous, de même, femmes[v], soyez soumises à vos maris, afin que,
même si quelques-uns refusent de croire à la Parole, ils soient
gagnés, sans parole, par la conduite de leurs femmes, 2 en considérant
votre conduite *pure, respectueuse. 3 Que votre parure ne soit pas
extérieure[w]: cheveux tressés, bijoux d'or, toilettes élégantes; 4 mais
qu'elle soit la disposition cachée du cœur, parure incorruptible d'un
esprit doux et paisible, qui est d'un grand prix devant Dieu. 5 C'est
ainsi qu'autrefois se paraient les saintes femmes qui espéraient en
Dieu, étant soumises à leurs maris: 6 telle Sara, qui obéissait à
Abraham, l'appelant son seigneur[x], elle dont vous êtes devenues les
filles en faisant le bien, et en ne vous laissant troubler par aucune
crainte.
7 Vous les maris[y], de même, menez la vie commune en tenant
compte de la nature plus délicate de vos femmes; montrez-leur du respect, puisqu'elles doivent hériter avec vous la grâce de la *vie, afin
que rien n'entrave vos prières.

Les impératifs de la vie communautaire

8 Enfin, soyez tous dans de mêmes dispositions, compatissants,
animés d'un amour fraternel, miséricordieux, humbles. 9 Ne rendez
pas le mal pour le mal, ou l'insulte pour l'insulte; au contraire,
bénissez, car c'est à cela que vous avez été appelés, afin d'hériter la
bénédiction[z].

s 2.23 Es 53.7 ; 1 P 3.9 ; voir Ac 8.32. ***t 2.24*** *lui qui... a porté nos péchés* Es 53.4, 12 ; He 9.28 ; voir Mc 10.45 par. ; Rm 4.25. — *le bois :* tournure hébraïque empruntée à Dt 21.22 pour désigner un gibet ; il s'agit ici de *la croix ;* Dt 21.22-23 ; Ga 3.13. — *vivre pour* Rm 6.2, 11. — *pour la justice :* voir Rm 8.4. — *lui dont les meurtrissures...* Es 53.5. ***u 2.25*** *égarés comme des brebis* Es 53.6 ; Ez 34.5-6 ; Mt 9.36. — *le berger* 1 P 5.4. — *vos âmes :* voir 1.9 et la note. ***v 3.1*** *femmes* Ep 5.22 ; Col 3.18 ; Tt 2.5. ***w 3.3*** 1 Tm 2.9. ***x 3.6*** Gn 18.12 (grec). ***y 3.7*** *maris* Ep 5.25 ; Col 3.19. ***z 3.9*** *ne pas rendre le mal pour le mal* Mt 5.44 ; 1 Th 5.15 ; 1 P 2.23. — *la bénédiction* de Dieu.

10 En effet,
qui veut aimer la vie
et voir des jours heureux
doit garder sa langue du mal
et ses lèvres des paroles trompeuses,
11 *se détourner du mal et faire le bien,*
rechercher la paix et la poursuivre.
12 Car
les yeux du Seigneur sont sur les justes,
et ses oreilles sont attentives à leur prière;
mais la face du Seigneur se tourne
contre ceux qui font le mal[a].

Confiance face à la persécution

13 Et qui vous fera du mal, si vous vous montrez zélés pour le bien?
14 Bien plus, au cas où vous auriez à souffrir pour la justice, heureux
êtes-vous.
N'ayez d'eux aucune crainte et ne soyez pas troublés[b]*;* 15 mais
**sanctifiez* dans vos cœurs le Christ qui est Seigneur. Soyez toujours
prêts à justifier votre espérance devant ceux qui vous en demandent
compte[c]. 16 Mais que ce soit avec douceur et respect, en ayant une
bonne conscience, afin que, sur le point même où l'on vous calomnie,
ceux qui décrient votre bonne conduite en Christ soient confondus.
17 Car mieux vaut souffrir en faisant le bien, si telle est la volonté de
Dieu, qu'en faisant le mal.

La victoire de Jésus Christ manifestée à tous

18 En effet, le Christ lui-même a souffert pour les péchés, une fois
pour toutes, lui juste pour les injustes, afin de vous présenter à Dieu,
lui mis à mort en sa chair, mais rendu à la *vie par l'Esprit[d]. 19 C'est
alors qu'il est allé prêcher même aux esprits en prison[e], 20 aux rebelles
d'autrefois, quand se prolongeait la patience de Dieu aux jours où Noé

a 3.12 v. 10-12 : Ps 34.13-17. ***b 3.14*** *heureux d'avoir à souffrir pour la justice* (voir 2.24 et la note sur Rm 8.4) Mt 5.11-12 ; 1 P 2.20 ; 4.14. — *n'ayez d'eux aucune crainte* Es 8.12-13. ***c 3.15*** Lc 12.11 ; 21.14. ***d 3.18*** Autres textes : le Christ *est mort...* — Après *pour les péchés* certains manuscrits ajoutent *en votre faveur.* — *une fois pour toutes* Rm 6.10 ; He 9.28 ; 10.10. — *pour vous* (d'autres lisent : *nous) présenter à Dieu* Ep 2.18. — *rendu à la vie par l'Esprit* voir Rm 1.4+ ; 1 Tm 3.16. — Sur la fin du verset 18 voir Rm 1.3-4 ; 1 Tm 3.16 et les notes. ***e 3.19*** *prêcher* Mt 3.1+ ; 24.14+ ; Mc 1.4+ ; voir 1 P 4.6. — *aux esprits en prison* voir Rm 10.7 ; Ep 4.8-10.

construisait l'arche, dans laquelle peu de gens, huit personnes, furent
sauvés par l'eau[f]. 21 C'était l'image du baptême qui vous sauve mainte-
nant: il n'est pas la purification des souillures du corps, mais l'engage-
ment envers Dieu d'une bonne conscience; il vous sauve par la résur-
rection de Jésus Christ[g], 22 qui, parti pour le *ciel, est à la droite de
Dieu et à qui sont soumis *anges, autorités et puissances[h].

La rupture avec le péché

4 1 Ainsi, puisque le Christ a souffert dans la chair, vous aussi armez-
vous de la même conviction: celui qui a souffert dans la chair a
rompu avec le péché[i], 2 pour vivre le temps qui lui reste à passer dans
la chair non plus selon les convoitises des hommes, mais selon la
volonté de Dieu. 3 C'est bien assez, en effet, d'avoir accompli dans le
passé la volonté des *païens, en vivant dans la débauche, les convoi-
tises, l'ivrognerie, les orgies, les beuveries et les idolâtries infâmes[j].
4 A ce propos, ils trouvent étrange que vous ne couriez plus avec eux
vers la même débauche[k] effrénée, et ils vous outragent. 5 Mais ils en
rendront compte à celui qui est prêt à juger les vivants et les morts[l].
6 C'est pour cela, en effet, que même aux morts[m] la bonne nouvelle a
été annoncée, afin que, jugés selon les hommes dans la chair, ils
vivent selon Dieu par l'Esprit.

La vigilance dans la vie de la communauté

7 La fin de toutes choses est proche[n]. Montrez donc de la sagesse et
soyez sobres afin de pouvoir prier. 8 Ayez avant tout un amour cons-
tant les uns pour les autres, car

l'amour couvre une multitude de péchés[o].

9 Pratiquez l'hospitalité[p] les uns envers les autres, sans murmurer.
10 Mettez-vous, chacun selon le don qu'il a reçu, au service les uns des

f **3.20** *rebelles* Gn 6.1-7. — *quand Noé construisait l'arche* Gn 6.13-22. — *par l'eau* ou *à travers l'eau*. **g 3.21** Au lieu de *l'engagement... envers Dieu* certains traduisent : *la demande, adressée à Dieu, d'une bonne conscience*. — *purification, bonne conscience* voir He 10.22. — *résurrection du Christ* et *salut* 1 P 1.3. **h 3.22** *à la droite de Dieu, au-dessus des puissances* Ep 1.20-22 ; Ph 2.9-11. — *autorités et puissances* Col 1.6+ et la note. **i 4.1** Après *a souffert* certains manuscrits ajoutent *pour vous*, et d'autres *pour nous*. — Sur l'expression *dans la chair* voir 3.18 et les notes de Rm 1.3-4 ; 1 Tm 3.16. — *souffrance* et *rupture avec le péché* Rm 6.2, 7. **j 4.3** Conduite passée Ep 2.2-3 ; Tt 3.3. — Liste des dérèglements Rm 1.29-31+. **k 4.4** Lc 15.13. **l 4.5** 2 Tm 4.1+. **m 4.6** Voir 3.18-19 ; 1 Th 4.13-18. **n 4.7** Rm 13.11-12 ; 1 Jn 2.18. **o 4.8** Pr 10.12 ; Jc 5.20 ; Lc 7.47 ; voir Mt 5.7 ; 1 Co 13.7. **p 4.9** *hospitalité* He 13.2.

autres, comme de bons administrateurs[q] de la grâce de Dieu, variée en ses effets. 11 Si quelqu'un parle, que ce soit pour transmettre les paroles de Dieu; si quelqu'un assure le service, que ce soit avec la force que Dieu accorde, afin que par Jésus Christ Dieu soit totalement glorifié[r], lui à qui appartiennent gloire et domination pour les *siècles des siècles. *Amen!

Bonheur promis aux persécutés

12 Bien-aimés, ne trouvez pas étrange d'être dans la fournaise de l'épreuve[s], comme s'il vous arrivait quelque chose d'anormal. 13 Mais, dans la mesure où vous avez part aux souffrances du Christ, réjouissez-vous[t], afin que, lors de la *révélation de sa gloire, vous soyez aussi dans la joie et l'allégresse. 14 Si l'on vous outrage pour le *nom du Christ, heureux êtes-vous, car l'Esprit de gloire, l'Esprit de Dieu, repose sur vous[u]. 15 Que nul d'entre vous n'ait à souffrir comme meurtrier, voleur ou malfaiteur, ou comme se mêlant des affaires d'autrui, 16 mais si c'est comme chrétien, qu'il n'en ait pas honte[v], qu'il glorifie plutôt Dieu de porter ce nom. 17 C'est le moment, en effet, où le jugement commence par la maison de Dieu; or, s'il débute par nous, quelle sera la fin de ceux qui refusent de croire[w] à *l'Evangile de Dieu? 18 Et

si le juste est sauvé à grand-peine,
qu'adviendra-t-il de l'impie et du pécheur[x]?

19 Ainsi, que ceux qui souffrent selon la volonté de Dieu remettent leur âme au fidèle Créateur[y], en faisant le bien.

Devoirs des chefs de la communauté

5 1 J'exhorte donc les *anciens qui sont parmi vous, moi qui suis ancien avec eux et témoin[z] des souffrances du Christ, moi qui ai part à la gloire qui va être *révélée: 2 paissez le troupeau de Dieu qui

q 4.10 *selon le don reçu* Rm 12.6-8. — *de bons administrateurs* Mt 25.14-30 par. ; Lc 12.42-48 par. ***r 4.11*** Le mot *diacre* appartient à la même racine que le verbe traduit ici par *assurer le service.* On pense que ce service se rapporte plus particulièrement à l'aide fournie aux nécessiteux Ac 6.2-4 ; Rm 12.7 et la note sur 1 Tm 3.8. — *que Dieu soit totalement glorifié* 1 Co 10.31. ***s 4.12*** *bien-aimés* 2.11. — *dans la fournaise de l'épreuve* 1.7. ***t 4.13*** Mt 5.11-12 ; Ac 5.41. ***u 4.14*** *outragés pour le Christ :* voir Ps 89.51-52 ; 1 P 2.20. — *de gloire :* certains manuscrits ajoutent ici *et de puissance.* — *l'Esprit de Dieu... sur vous* Es 11.2 ; voir Mt 10.20 par. ***v 4.16*** *chrétien* Ac 11.26+. — *ne pas avoir honte* Mc 8.38 par. ; Ac 5.41 ; voir Rm 1.16. ***w 4.17*** *le jugement commence par la maison de Dieu* Jr 25.29 ; Ez 9.6. — *ceux qui refusent de croire* 2 Th 1.8. ***x 4.18*** *si le juste...* Pr 11.31 (grec). ***y 4.19*** Ps 31.6 ; Lc 23.46. ***z 5.1*** *les anciens* 1 Tm 5.17 ; Tt 1.5-9 ; voir Ac 11.30+. — Pierre, *témoin* Mt 13.16 ; 2 P 1.16-17.

vous est confié, en veillant sur lui non par contrainte, mais de bon gré,
selon Dieu; non par cupidité[a], mais par dévouement. [3] N'exercez pas
un pouvoir autoritaire sur ceux qui vous sont échus en partage, mais
devenez les modèles[b] du troupeau. [4] Et quand paraîtra le souverain
*berger, vous recevrez la couronne[c] de gloire qui ne se flétrit pas.

Humilité et fermeté dans la foi

[5] De même, jeunes gens, soyez soumis aux anciens.
Et tous, dans vos rapports mutuels, revêtez-vous d'humilité, car
Dieu s'oppose aux orgueilleux,
mais aux humbles il accorde sa grâce[d].
[6] Humiliez-vous donc sous la main puissante de Dieu, afin qu'il vous
élève[e] au moment fixé; [7] déchargez-vous sur lui de tous vos soucis[f],
car il prend soin de vous.
[8] Soyez sobres, veillez! Votre adversaire, le *diable, comme un lion[g]
rugissant, rôde, cherchant qui dévorer. [9] Résistez-lui[h], fermes dans la
foi, sachant que les mêmes souffrances sont réservées à vos frères,
dans le monde.
[10] Le Dieu de toute grâce, qui vous a appelés à sa gloire[i] éternelle en
Christ, vous rétablira lui-même après que vous aurez souffert un peu
de temps; il vous affermira, vous fortifiera, vous rendra inébranlables.
[11] A lui la domination pour les *siècles! *Amen.

Conclusion et salutations

[12] Je vous ai écrit ces quelques mots par Silvain[j], que je considère
comme un frère fidèle, pour vous exhorter et vous attester que c'est à
la véritable grâce de Dieu que vous êtes attachés. [13] La communauté
des élus qui est à Babylone[k] vous salue, ainsi que Marc, mon fils.
[14] Saluez-vous les uns les autres d'un baiser fraternel[l].
Paix à vous tous qui êtes en Christ!

a 5.2 *paissez le troupeau de Dieu* Jn 21.15-17 ; Ac 20.28. — *non par contrainte, mais de bon gré* Phm 14+. — *non par cupidité* 1 Tm 3.8 ; Tt 1.7, 11. ***b 5.3*** *non autoritaire* 2 Co 1.24. — *modèles* 1 Co 4.16 ; 11.1 ; Ph 3.17 ; 1 Tm 4.12 ; Tt 2.7. ***c 5.4*** *berger* Jn 10 ; Lc 15.3-7 par. ; Mt 26.31 par. ; voir Mt 9.36 ; 1 P 2.25. — *couronne* 1 Co 9.25+. ***d 5.5*** *anciens :* il s'agit probablement ici des hommes plus âgés, et non pas des anciens d'Eglise comme au v. 1. — *Dieu s'oppose...* Pr 3.34 (grec) ; Jc 4.6 ; voir Mt 23.12. ***e 5.6*** Jb 22.29 ; Mt 23.12 ; Lc 1.52 ; 14.11 ; 18.14 ; Jc 4.6, 10. ***f 5.7*** Ps 55.23 ; Mt 6.25-30. ***g 5.8*** *sobriété et vigilance* 1 Th 5.6. — *comme un lion* Ps 22.14 ; 2 Tm 4.17. ***h 5.9*** Ep 6.11-13 ; Jc 4.7. ***i 5.10*** 1 Th 2.12. ***j 5.12*** *Silvain* (Silas) Ac 15.22+. ***k 5.13*** *les élus* 1.1+. *Babylone* Ap 14.8 ; 16.19 ; 17.5 ; 18.2, 10, 21. — Sans doute faut-il voir ici une désignation symbolique de Rome, la capitale de l'empire romain, comme en Ap 17.5. ***l 5.14*** Rm 16.16+.

DEUXIÈME ÉPÎTRE DE PIERRE

INTRODUCTION

Genre littéraire et théologie

Après la salutation d'usage (1.1-2), l'auteur rappelle le caractère de la vocation chrétienne (1.3-11). Vivant en communion avec la nature divine (1.4), le chrétien est appelé à la sainteté, qui suppose la fidélité à la parole apostolique et prophétique (1.12-21). En effet, la prédication chrétienne ne s'appuie pas sur des fables fabriquées (1.16), mais sur le témoignage apostolique et sur la parole des prophètes inspirés par l'Esprit Saint (1.21).

L'auteur lance ensuite une violente attaque, haute en couleur, contre les faux docteurs, dont il dénonce la perversion doctrinale et morale (2.1-22). Leur châtiment est inévitable, comme autrefois celui des anges coupables et des habitants de Sodome et de Gomorrhe (2.6).

Après cette longue tirade, le développement amorcé au chapitre 1 reprend avec la question que pose le retard de l'avènement glorieux du Christ (3.3-13) ; le Seigneur patiente, mais son jour viendra (3.9).

La lettre s'achève par un appel à la vigilance (3.14-18).

Intérêts de l'épître

L'épître apporte des précisions nouvelles sur l'interprétation et l'inspiration des Ecritures ainsi que sur la formation du canon ; les prophéties de l'AT et le témoignage apostolique sont mis sur le même plan et servent de base à une foi solide (1.19 ; 3.2). Nulle part ailleurs dans le NT, le caractère inspiré des Ecritures n'est affirmé aussi explicitement : « Aucune prophétie n'est affaire d'interprétation privée : en effet, ce n'est pas la volonté humaine qui a jamais produit une prophétie, mais c'est portés par l'Esprit Saint que des hommes ont parlé de la part de Dieu » (1.20-21).

On y trouve aussi la première mention d'un recueil de lettres de Paul (3.15-16) qui, même s'il ne contient pas nécessairement tout l'ensemble du corpus paulinien, est cependant regardé comme partie intégrante des Ecritures.

L'épître présente enfin cet autre intérêt de poser résolument le problème du retard de l'avènement du Christ : « Où en est la promesse de son avènement (du Seigneur) ? Car depuis que les pères sont morts, tout demeure dans le même état qu'au début de la création. » (3.4) Pour l'auteur, le prétendu retard provient seulement de la patience aimante de Dieu. Il veut laisser à chacun le temps de se convertir. Aussi, que tous vivent dès maintenant dans la sainteté. Par cet enseignement eschatologique, l'auteur rappelle une dimension importante de la vie chrétienne.

Adversaires et destinataires

L'auteur dénonce des « impies » qui se sont infiltrés dans l'Eglise (2.1). Qui sont-ils ? Convertis à la foi chrétienne, ils l'ont reniée et risquent maintenant de pervertir la communauté en lui promettant une fausse liberté (2.19). Leur hérésie est à la fois théologique — ces faux docteurs renient le Seigneur qui les a rachetés et méprisent les anges (2.10-11) — et morale : ils mènent une vie débauchée et sont insatiables de péché (2.14).

Il est difficile de préciser davantage car dans la longue série d'invectives du chapitre deuxième, l'auteur utilise des expressions conventionnelles et trace, comme on l'a dit, une sorte de « portrait-robot » de l'impie.

Les destinataires de la lettre sont familiers de l'Ecriture et des traditions apocalyptiques juives, auxquelles l'auteur fait de nombreuses allusions sans jamais les citer explicitement (sauf en 1.17) : les anges coupables (2.4), le déluge (2.5), Sodome et Gomorrhe (2.6-7), Balaam et Bosor (2.15), traditions concernant l'origine du monde par l'eau et sa destruction par le feu.

Cette épître, notamment en 2.1—3.3, et celle de Jude présentent des rapports évidents et étroits. Elles semblent suivre le même fil conducteur. C'est ainsi qu'elles polémiquent contre les faux docteurs, qualifiés dans les deux cas, de « sceptiques railleurs » (2 P 3.3 ; Jude 18), qui profèrent des énormités (2 P 2.18 ; Jude 16) et qui banquètent sans vergogne (2 P 2.13 ; Jude 12) ; leur péché est comparé à celui des anges coupables, de Sodome et Gomorrhe, de Balaam.

Il semble acquis que 2 Pierre *dépend de Jude ; en beaucoup de passages, le texte paraît secondaire ; en général, l'auteur clarifie les passages parallèles de l'épître de Jude ; il supprime certains éléments étranges pour des lecteurs moins informés des traditions apocryphes.*

D'autre part, 2 Pierre *soulève l'objection du retard de l'avènement du Christ, alors que pour Jude la question ne se pose pas.*

Comme cette épître a d'abord été reçue dans l'Eglise d'Alexandrie et contestée par celle de Syrie, nous suggérerions volontiers qu'elle provient d'un milieu judéo-chrétien de la Dispersion hellénistique.

Auteur et date

L'auteur s'identifie avec Syméon Pierre l'apôtre (1.1). La première lettre mentionnée en 3.1 se comprend spontanément comme étant la 1re épître de Pierre. En outre, l'auteur rappelle sa présence lors de la Transfiguration du Seigneur (1.16) ; enfin il annonce sa mort comme prochaine (1.14).

Cette identification toujours discutée soulève bien des difficultés.

L'auteur ne semble pas appartenir à la première génération chrétienne, qui est disparue (3.4). L'épître est postérieure à celle de Jude, datée communément des dernières décennies du premier siècle. Enfin et surtout, nous l'avons vu, elle contient une mention explicite du canon des Ecritures : il existe un recueil des lettres de Paul, qui, même s'il n'est pas complet, est compté parmi les « Ecritures » aussi bien que les autres écrits apostoliques et prophétiques.

Par ailleurs, comme il n'est pas possible de trop reculer la composition d'une épître si nourrie des traditions judéo-chrétiennes, on peut proposer comme date de rédaction 125 environ, période qui exclut une origine pétrinienne directe.

Si l'épître ne peut être attribuée à Pierre, elle pourrait cependant provenir d'un « cercle pétrinien » qui, à la suite des enseignements de l'apôtre, a voulu rappeler la nécessité de garder la foi.

Canonicité

Avec l'Apocalypse, ce fut le livre du NT qui eut le plus de difficultés à se faire reconnaître. C'est par l'Eglise d'Alexandrie que cette lettre a pénétré lentement dans l'ensemble des Eglises. Absente du canon de Muratori (peu avant 200), elle est citée pour la première fois par Origène (né en 185/6, mort en 254) qui la signale comme contestée. Eusèbe (mort en 340) la range encore parmi les écrits controversés. Ce n'est qu'au Ve siècle qu'elle est reconnue par la majorité des Eglises, au VIe siècle en Syrie. Cependant, vers l'an 200, elle est contenue dans une version égyptienne du Nouveau Testament et vers la fin du IIIe siècle dans le papyrus 72.

DEUXIÈME ÉPÎTRE DE PIERRE

Salutation

1 1 Syméon Pierre, serviteur et *apôtre de Jésus Christ, à ceux qui
ont reçu, par la justice de notre Dieu et Sauveur Jésus Christ[a], une
foi de même prix que la nôtre: 2 que la grâce et la paix vous viennent
en abondance[b] par la connaissance de Dieu et de Jésus, notre Sei-
gneur.

La vocation chrétienne

3 En effet, la puissance divine nous a fait don de tout ce qui est
nécessaire à la *vie et à la piété en nous faisant connaître celui qui
nous a appelés[c] par sa propre gloire et sa force agissante. 4 Par elles,
les biens du plus haut prix qui nous avaient été promis nous ont été
accordés, pour que par ceux-ci vous entriez en communion avec la
nature divine, vous étant arrachés à la pourriture que nourrit dans le
*monde la convoitise. 5 Et pour cette raison même, concentrant tous
vos efforts, joignez à votre foi la vertu, à la vertu la connaissance, 6 à la
connaissance la maîtrise de soi, à la maîtrise de soi la ténacité, à la
ténacité la piété, 7 à la piété l'amitié fraternelle, à l'amitié fraternelle
l'amour[d]. 8 Car ces qualités, si vous les possédez en abondance, ne
vous laissent pas inactifs ni stériles pour connaître notre Seigneur
Jésus Christ; 9 en effet, celui à qui elles manquent, c'est un aveugle qui
tâtonne[e]: il oublie qu'il a été *purifié de ses péchés d'autrefois.
10 C'est pourquoi, frères, redoublez d'efforts pour affermir[f] votre voca-
tion et votre élection; ce faisant, pas de danger de jamais tomber.
11 C'est ainsi, en effet, que vous sera généreusement accordée l'entrée
dans le *Royaume éternel de notre Seigneur et Sauveur Jésus Christ.

a *1.1* Autre traduction possible : *de notre Dieu et du Sauveur Jésus Christ. — Syméon Pierre* Ac 15.14. **b *1.2*** *grâce et paix* Rm 1.7 ; Ga 1.3 ; Ph 1.2, etc. *en abondance* Jude 2. **c *1.3*** *piété* 1 Tm 4.7+. — *celui qui nous a appelés* 1 P 2.9. **d *1.7*** v. 6-7 *maîtrise de soi... amour* Ga 5.22-23. **e *1.9*** Autre traduction possible : *aveugle à force de myopie.* **f *1.10*** Certains manuscrits comportent : redoublez d'efforts *afin que, par vos bonnes œuvres, vous affermissiez...*

Fidélité à la parole apostolique et prophétique

12 Aussi ai-je l'intention de toujours vous rappeler cela[g], bien que
vous le sachiez et que vous demeuriez fermes dans la vérité présente.
13 Mais je crois juste, tant que je suis ici-bas[h], de vous tenir en éveil par
mes rappels, 14 sachant qu'il est proche pour moi le moment de la
séparation, comme notre Seigneur Jésus Christ me l'a fait connaître[i];
15 mais je veillerai soigneusement à ce qu'après mon départ vous ayez
la possibilité, en toute occasion, de conserver le souvenir de ces enseignements.

16 En effet, ce n'est pas en nous mettant à la traîne de fables sophistiquées que nous vous avons fait connaître la venue puissante de notre
Seigneur Jésus Christ, mais pour l'avoir vu de nos yeux dans tout son
éclat. 17 Car il reçut de Dieu le Père honneur et gloire, quand la voix
venue de la splendeur magnifique de Dieu lui dit: «Celui-ci est mon
Fils bien-aimé, celui qu'il m'a plu de choisir[j].» 18 Et cette voix, nous-mêmes nous l'avons entendue venant du *ciel quand nous étions avec
lui sur la montagne *sainte.

19 De plus, nous avons la parole des *prophètes qui est la solidité
même[k], sur laquelle vous avez raison de fixer votre regard comme sur
une lampe brillant dans un lieu obscur, jusqu'à ce que luise le *jour et
que l'étoile du matin se lève dans vos cœurs.

20 Avant tout, sachez-le bien: aucune prophétie de l'Ecriture n'est
affaire d'interprétation privée[l]; 21 en effet, ce n'est pas la volonté
humaine qui a jamais produit une prophétie, mais c'est portés par
l'Esprit Saint[m] que des hommes ont parlé de la part de Dieu.

Contre les faux docteurs

2 1 Il y eut aussi des faux *prophètes dans le peuple; de même, il y aura parmi vous de faux docteurs, qui introduiront sournoisement
des doctrines pernicieuses, allant jusqu'à renier le Maître[n] qui les a
rachetés, attirant sur eux une perdition qui ne saurait tarder; 2 et beaucoup les suivront dans leurs débauches: à cause d'eux, le chemin de la

g 1.12 *rappel* incessant Jude 5. ***h 1.13*** ou *tant que je campe* 2 Co 5.1-5. ***i 1.14*** Le texte grec utilise ici l'image de la *tente* qu'on abandonne, pour faire allusion à la mort. De même au v. 13, l'existence humaine est comparée à celle des nomades qui vivent sous la tente. – *séparation (lever le camp)* 2 Co 5.1. – *comme... Jésus... me l'a fait connaître* Jn 21.18-19. ***j 1.17*** v. 17-18 : Mc 9.2-7 par. ***k 1.19*** Autre traduction possible : *aussi nous tenons pour d'autant plus solide la parole des prophètes...* ***l 1.20*** Autre traduction possible : *aucune prophétie... ne provient de la propre pensée du prophète.* ***m 1.21*** 2 Tm 3.16 ; 1 P 1.11. ***n 2.1*** *de faux docteurs parmi vous* Mt 24.11. – *renier le Maître* Jude 4.

vérité sera l'objet de *blasphèmes[o]; 3 et, dans leur cupidité, ils vous
exploiteront par des discours truqués[p]; pour eux, depuis longtemps
déjà, le jugement ne chôme pas et leur perdition ne dort pas. 4 Car
Dieu n'a pas épargné les *anges coupables, mais les a plongés, les a
livrés aux antres ténébreux du Tartare[q], les gardant en réserve pour le
jugement. 5 Il n'a pas épargné non plus l'ancien monde, mais il pré-
serva, lors du déluge dont il submergea le *monde des impies, Noé, le
huitième[r] des survivants, lui qui proclamait la justice; 6 puis il con-
damna à l'anéantissement les villes de Sodome et Gomorrhe[s] en les
réduisant en cendres à titre d'exemple pour les impies à venir; 7 et il
délivra Loth[t] le juste, accablé par la manière dont vivaient ces crimi-
nels débauchés; 8 car ce juste, vivant au milieu d'eux, les voyait et les
entendait: jour après jour, son âme de juste était à la torture, à cause
de leurs œuvres scandaleuses. 9 C'est donc que le Seigneur peut arra-
cher à l'épreuve les hommes droits et garder en réserve, pour les châ-
tier au *jour du jugement[u], les hommes injustes, 10 et d'abord ceux qui
courent après la chair dans leur appétit d'ordures et n'ont que mépris
pour la Souveraineté. Trop sûrs d'eux, arrogants, ils n'ont pas peur
d'insulter les Gloires[v], 11 alors que les anges, qui leur sont supérieurs
en force et en puissance, ne portent pas contre elles de jugement
insultant[w] devant le Seigneur. 12 Mais ces gens, comme des bêtes stu-
pides[x] vouées par nature aux pièges et à la pourriture, insultent ce
qu'ils ignorent et pourriront comme pourrissent les bêtes; 13 ils récol-
teront ainsi le salaire de l'injustice. Ils trouvent leur plaisir à se
dépraver en plein jour; ce sont des souillures et des ordures qui se
délectent de leurs mensonges quand ils font bombance avec vous[y].
14 Les yeux pleins d'adultère, ils sont insatiables de péché, appâtant les
âmes chancelantes, champions de cupidité, enfants de malédiction.
15 Abandonnant le droit chemin, ils se sont fourvoyés en suivant la
route de Balaam de Bosor[z], lequel se laissa tenter par un salaire
injuste, 16 mais il reçut une leçon pour sa transgression: une bête de
somme muette, empruntant une voix humaine, arrêta cette folie du

***o* 2.2** *le chemin* Ac 9.2+. — *objet de blasphèmes* Es 52.5. ***p* 2.3** Rm 16.18. ***q* 2.4** *anges coupables* Jude 6 ; voir Gn 6.1-4. — Dans la mythologie grecque le *Tartare* était la partie des enfers réservée à la punition des dieux rebelles. ***r* 2.5** *Dieu préserva Noé* Gn 6.8. — *Noé, le huitième* Gn 8.18 ; 1 P 3.20. — *le monde submergé par le déluge* 2 P 3.6 (voir Gn 6—9). ***s* 2.6** Gn 19.24 ; Jude 7 ; voir Mt 10.15+. ***t* 2.7** Gn 19.1-16. ***u* 2.9** *arracher à l'épreuve* 1 Co 10.13. — *gardés pour le jugement* Jude 6. ***v* 2.10** *mépris pour la Souveraineté* Jude 7-8 et la note. — *les Gloires :* catégorie d'êtres célestes considérés ici comme opposés à Dieu (v. 11). ***w* 2.11** Jude 9. ***x* 2.12** Jude 10. ***y* 2.13** Au lieu de *de leurs mensonges* certains manuscrits lisent *dans vos repas fraternels* (voir Jude 12). ***z* 2.15** *Balaam* Nb 22.7 ; Jude 11 ; Ap 2.14. — *Bosor* ou *Beor* (comme en Nb 22.15).

prophète[a]. 17 Ces gens sont des fontaines sans eau et des nuages
emportés par la bourrasque: les ténèbres obscures[b] leur sont réser-
vées. 18 En effet, débitant des énormités pleines de vide, ils appâtent
par les désirs obscènes de la chair ceux qui viennent à peine de s'arra-
cher aux hommes qui vivent dans l'erreur. 19 Ils leur promettent la
liberté alors qu'eux-mêmes sont esclaves de la pourriture, car on est
esclave de ce par quoi on est dominé[c]. 20 Si ceux, en effet, qui se sont
arrachés aux *souillures du monde par la connaissance de notre Sei-
gneur et Sauveur Jésus Christ se laissent de nouveau entortiller et
dominer par elles, leur situation devient finalement pire que celle du
début[d]. 21 Car il aurait mieux valu pour eux ne pas avoir connu le
chemin de la justice que, l'ayant connu, de s'être détournés du *saint
commandement[e] qui leur avait été transmis. 22 Il leur est arrivé ce que
dit à juste titre le proverbe: *Le chien est retourné à son vomissement*[f],
et: «La truie, à peine lavée, se vautre dans le bourbier.»

Le Jour du Seigneur tarde, mais il viendra

3 1 Mes amis, c'est déjà la seconde lettre que je vous écris; dans ces
deux lettres je fais appel à vos souvenirs pour stimuler en vous[g] la
juste manière de penser: 2 souvenez-vous des paroles dites à l'avance
par les *saints *prophètes et du commandement de vos *apôtres[h],
celui du Seigneur et Sauveur. 3 Tout d'abord sachez-le: dans les der-
niers *jours viendront des sceptiques moqueurs[i] menés par leurs pas-
sions personnelles 4 qui diront: «Où en est la promesse de son *avène-
ment? Car depuis que les pères[j] sont morts, tout demeure dans le
même état qu'au début de la création.» 5 En prétendant cela, ils
oublient qu'il existait il y a très longtemps des cieux et une terre tirant
origine de l'eau et gardant cohésion par l'eau grâce à la Parole de
Dieu[k]. 6 Par les mêmes causes, le *monde d'alors périt submergé par
l'eau[l]. 7 Quant aux cieux et à la terre actuels, la même Parole les tient
en réserve pour le feu, les garde pour le jour du jugement et de la per-
dition des impies. 8 Il y a une chose en tout cas, mes amis, que vous ne
devez pas oublier: pour le Seigneur un seul jour est comme mille ans

a 2.16 Nb 22.28. ***b 2.17*** *ténèbres obscures* Jude 13. ***c 2.19*** Jn 8.34. ***d 2.20*** Mt 12.45. ***e 2.21*** *connaître* la volonté de Dieu *et s'en détourner* Lc 12.47-48 ; Jc 4.17. — *le commandement :* comme en 2 P 3.2 et 1 Tm 6.14 ce terme au singulier est sans doute à prendre ici au sens collectif. ***f 2.22*** Pr 26.11. ***g 3.1*** ou *je stimule en vous par mes rappels.* ***h 3.2*** *se souvenir* de ce qu'ont dit *les apôtres* Jude 17. — *le commandement* 2 P 2.21+ et la note. ***i 3.3*** Jude 18. ***j 3.4*** *les pères :* cette appellation vise sans doute ici les chrétiens de la première génération. ***k 3.5*** Autre traduction possible : *ils oublient volontairement qu'il existait.... — des cieux, une terre... l'eau, la Parole de Dieu* Gn 1.6-9. ***l 3.6*** Gn 7.11-21 ; 2 P 2.5.

et mille ans comme un jour[m]. [9] Le Seigneur ne tarde pas à tenir sa pro-
messe, alors que certains prétendent qu'il a du retard, mais il fait
preuve de patience envers vous, ne voulant pas que quelques-uns
périssent mais que tous parviennent à la conversion[n]. [10] Le jour du Sei-
gneur viendra comme un voleur, jour où les cieux disparaîtront à
grand fracas, où les éléments embrasés se dissoudront et où la terre et
ses œuvres seront mises en jugement[o]. [11] Puisque tout cela doit ainsi se
dissoudre, quels hommes devez-vous être! Quelle sainteté de vie!
Quel respect de Dieu! [12] Vous qui attendez et qui hâtez la venue du
jour de Dieu, jour où les cieux enflammés se dissoudront et où les élé-
ments embrasés se fondront! [13] Nous attendons selon sa promesse *des
cieux nouveaux et une terre nouvelle* où la justice habite[p].

Exhortation à la vigilance

[14] C'est pourquoi, mes amis, dans cette attente, faites effort pour
qu'il vous trouve dans la paix, nets et irréprochables. [15] Et dites-vous
bien que la longue patience du Seigneur[q], c'est votre salut! C'est dans
ce sens que Paul, notre frère et ami, vous a écrit selon la sagesse qui
lui a été donnée. [16] C'est aussi ce qu'il dit dans toutes les lettres où il
traite de ces sujets: il s'y trouve des passages difficiles dont les gens
ignares et sans formation tordent le sens, comme ils le font aussi des
autres Ecritures pour leur perdition. [17] Eh bien, mes amis, vous voilà
prévenus: tenez-vous sur vos gardes, ne vous laissez pas entraîner[r] par
les impies qui s'égarent et ne vous laissez pas arracher à votre assu-
rance! [18] Mais croissez dans la grâce et la connaissance de notre Sei-
gneur et Sauveur Jésus Christ. A lui soit la gloire dès maintenant et jus-
qu'au *jour de l'éternité. *Amen.

m 3.8 Ps 90.4. ***n 3.9*** *le Seigneur ne tarde pas* Ha 2.3. — *que tous parviennent...* 1 Tm 2.4. ***o 3.10*** Autre texte : *seront consumées.* — *comme un voleur* Mt 24.43-44 ; Lc 12.39-40 ; 1 Th 5.2, 4 ; Ap 3.3 ; 16.15. ***p 3.13*** *cieux nouveaux* Es 65.17 ; 66.22 ; Ap 21.1. — *où la justice habitera* Es 60.21 ; 1 Co 6.9-10 ; Ap 21.27 ; 22.15. — *justice :* voir la note sur Rm 8.4. ***q 3.15*** Rm 2.4 ; 2 P 3.9. ***r 3.17*** *ne vous laissez pas entraîner* Mc 13.5. — *sur vos gardes* 1 Co 10.12.

ÉPÎTRES DE JEAN

INTRODUCTION

Circonstances de la composition

Les Epîtres johanniques, *au moins les deux premières, ne contiennent pratiquement pas de détails sur les circonstances de leur composition et la personne de leur auteur.*

Du ton polémique de plusieurs passages on peut déduire que les communautés auxquelles les épîtres sont adressées traversaient une crise grave. Elles subissaient l'influence de prédicateurs dont l'enseignement s'écartait dangereusement de la révélation chrétienne. Le point le plus sensible de l'hérésie propagée par ceux-ci concernait le Christ : ils n'identifiaient plus Jésus et le Messie (1 Jn 2.22) et rejetaient l'Incarnation (4.2 ; 2 Jn 7). Sur le plan moral, ils ne se souciaient pas du commandement de l'amour fraternel (1 Jn 2.4,9), tout en prétendant être dans la communion de Dieu et n'avoir pas besoin de confesser leurs fautes (1.8,10).

Ce type de spiritualité, où l'humanité de Jésus n'est pas prise plus au sérieux que l'amour fraternel, caractérisera plus tard les grands systèmes gnostiques du IIe siècle.

Tout en appliquant à ces docteurs les épithètes les plus graves, notamment celles de prophètes de mensonge (4.1) et d'antichrists (2.18,22 ; 4.3 ; 2 Jn 7), l'auteur de nos épîtres n'entre pas en polémique directement avec eux. Son but est d'aider les chrétiens à résister victorieusement à leur séduction. Pour cela, il les assure que ce sont eux, dans la fidélité à l'enseignement apostolique, qui possèdent vraiment la communion avec Dieu (1 Jn 1.3), et il va leur indiquer les critères permettant de distinguer les croyants véritables. Cela explique la fréquence d'une formule qui revient comme un refrain : « à ceci nous reconnaissons que... (que nous sommes en lui, par exemple) ».

L'auteur

Les épîtres sont presque certainement toutes les trois du même auteur : même situation sous-jacente, se reflétant au moins dans les deux premières, même vocabulaire, mêmes formules de prédilection.

Mais l'identification de cet auteur pose un problème. Les seules indications contenues dans le texte sont celles-ci : le titre d'Ancien, au début des deux petites épîtres, et la prétention, affirmée par l'auteur de la grande épître, d'appartenir au groupe des témoins oculaires de la vie de Jésus (1 Jn 1.1-3 ; 4.14).

Le titre d'Ancien doit se comprendre, selon l'usage des Eglises d'Asie (dont témoignent Papias et Irénée), comme désignant un homme qui avait connu soit Jésus lui-même, soit ses disciples ; il peut s'appliquer à un apôtre parvenu à un grand âge.

L'opinion traditionnelle, s'appuyant aussi sur la ressemblance de nos épîtres avec le quatrième évangile, attribue celles-ci également à l'apôtre Jean.

La première épître

Ce texte, qui s'ouvre sans mention d'auteur ni de destinataire et qui ne compte aucune salutation finale (comparer avec les épîtres de Paul), n'est pas une véritable lettre. Cependant l'auteur montre qu'il connaît ses lecteurs : dans la situation critique où ils se trouvent, il les exhorte à la fidélité en les appelant ses « petits enfants ».

L'épître semble donc avoir été adressée à un groupe d'Eglises, sans doute situées dans la province d'Asie, comme le rapporte l'ancienne tradition, afin de les soutenir et de les éclairer dans le combat pour la foi.

Les deux petites épîtres

A la différence de 1 Jean, *ces deux petits écrits ont toutes les caractéristiques de véritables lettres.*

La deuxième épître est adressée « à la Dame Elue et à ses enfants », titre donné par l'Ancien à une des Eglises d'Asie qui dépendent de lui, non identifiée par ailleurs. Les dangers menaçant cette communauté et les instructions que lui donne l'auteur sont ceux-là mêmes sur lesquels s'étend plus longuement la grande épître.

La troisième épître, qui présente d'étonnantes ressemblances stylistiques avec la deuxième, a cependant un caractère beaucoup plus personnel. Elle est adressée à un certain Gaïus, que l'Ancien félicite pour sa fidélité et encourage à persévérer. Il s'agit d'une entreprise missionnaire accomplie par des prédicateurs itinérants envoyés par l'Ancien. Gaïus continue à leur fournir son appui, tandis que Diotréphès, sans doute le chef de la Communauté, refuse les messages de l'Ancien et se soustrait à son autorité.

Apparemment, ce billet a donc un caractère pastoral et ne contient aucune allusion aux doctrines hérétiques dont parlent les deux autres épîtres. Cependant, l'opposition farouche de Diotréphès à l'œuvre d'évangélisation dirigée par l'Ancien pourrait s'expliquer par ses sympathies pour la doctrine des faux prophètes.

Théologie de la première épître

L'auteur tient à communiquer à ses lecteurs l'assurance dont ils ont besoin : ce sont eux, et non les prophètes de mensonge, qui possèdent la vie divine. Il en fait l'objet de son verset de conclusion : « Je vous ai écrit tout cela pour que vous sachiez *que vous avez la vie éternelle, vous qui avez la foi au nom du Fils de Dieu » (5.13). Puis, dans l'épilogue qui s'y ajoute, on notera l'accumulation des sentences où s'exprime la certitude de la foi.*

Autre trait dominant de cet écrit : la fréquence du thème de la communion avec Dieu. Il apparaît d'entrée dans les versets du prologue où l'auteur célèbre la joie de « notre communion avec le Père et avec son Fils Jésus Christ » (1.3). D'autres formules prennent ensuite le relais pour décrire la même réalité, comme par exemple celle qui affirme du chrétien qu'« il demeure en Dieu et Dieu demeure en lui » (4.15).

Mais cette communion divine diffère doublement de celle des faux prophètes. Avec une remarquable insistance, Jean souligne qu'elle ne peut s'atteindre que par et dans la médiation de Jésus, lui que les premiers témoins ont entendu et contemplé. De plus, l'épître répète inlassablement qu'il n'y a pas d'authentique communion avec le Père sans la pratique de l'amour à l'égard des frères.

Connaître Dieu : la première épître johannique nous propose pour cela trois énoncés esquissant trois aspects sous lesquels le Dieu biblique se fait connaître.

Dieu est lumière *(1.5), tel est le grand message dévoilé dès le début de l'épître. Ici comme dans le judaïsme, le mot lumière signifie révélation. En Jésus Christ nous est révélée la vie éternelle, annonce déjà le prologue, et nous participons à cette vie éternelle en aimant.*

Dieu est juste *(1.9 ; 2.29). Cette perfection de Dieu, appliquée aussi au Christ (2.1 ; 3.7), désigne essentiellement l'intervention par laquelle Dieu sauve l'homme de son péché et lui fait pratiquer la justice, à la suite de Jésus.*

Le troisième énoncé où l'auteur essaie de dire le mystère de Dieu est le plus célèbre ; il se trouve vraiment au cœur de la révélation néotestamentaire : Dieu est amour *(4.8,16). Pour saint Jean, l'amour est à la fois don de soi et communion. Il se révèle et il se communique. Le chrétien participe donc par sa foi à la grande révélation de l'amour par le Père, qui a été faite en Jésus Christ.*

Jean n'oublie pourtant pas que les docteurs de mensonge, eux aussi, prétendent « connaître Dieu ». C'est pourquoi il énumère pour ses lecteurs les critères de la vie chrétienne authentique. Ces critères sont de deux sortes : ceux qui relèvent de l'ordre moral, où est particulièrement soulignée la nécessité de l'amour fraternel, et les critères doctrinaux, se résumant dans l'enseignement de l'Eglise depuis l'origine : la foi en Jésus Christ, le Fils de Dieu « venu dans la chair » (4.2).

Quels sont les fruits de cette authentique communion avec Dieu et avec les frères ? L'action de la parole de Dieu et l'intensité de la foi rendent le chrétien victorieux du péché et du monde (2.13-14 ; 4.4 ; 5.4-5) ; quiconque vit pleinement sa vie d'enfant de Dieu n'est même plus, pour ainsi dire, capable de pécher (3.6,9 ; 5.18). Son entière soumission à la volonté de Dieu bannit chez lui toute crainte (4.18) et lui donne une pleine assurance devant le souverain Juge (2.28 ; 3.21 ; 4.17), l'assurance aussi d'être exaucé dans sa prière (3.21-22 ; 5.14-15). C'est pourquoi cette communion des croyants devient pour eux source de paix (2 Jn 3) et elle suscite en eux la joie chrétienne (1 Jn 1.3).

Conclusion

Les Epîtres johanniques *présentent une synthèse de la vie chrétienne authentique. Vie de communion avec Dieu, elle réalise en perfection l'Alliance Nouvelle entre Dieu et les hommes, annoncée par les prophètes pour les temps du salut. Vie qui prend corps aussi dans la communion fraternelle, et qui est rendue possible dans la vie du croyant par la vérité de Dieu intériorisée en lui sous l'action de l'Esprit.*

Sans abandonner la perspective ultime du salut où nous verrons le Fils de Dieu tel qu'il est, Jean perçoit déjà dans l'existence chrétienne ici-bas la joie des derniers temps qui approche de sa plénitude.

Mais cette dernière heure, où nous sommes introduits par la venue du Christ, exige le discernement des esprits.

Autant par cet appel à la clairvoyance que par le tableau qu'elles offrent de la vie chrétienne accomplie, les Epîtres johanniques *sont précieuses pour éclairer et affermir la fidélité de tous ceux qui, aujourd'hui encore, font profession de croire au Fils de Dieu venu parmi nous.*

PREMIÈRE ÉPÎTRE DE JEAN

Prologue

1 [1] Ce qui était dès le commencement,
ce que nous avons entendu,
ce que nous avons vu de nos yeux,
ce que nous avons contemplé
et que nos mains ont touché
du Verbe de vie[a]
2 — car la *vie s'est manifestée,
et nous avons vu
et nous rendons témoignage
et nous vous annonçons la vie éternelle,
qui était tournée vers le Père[b] et s'est manifestée à nous —,
3 ce que nous avons vu et entendu,
nous vous l'annonçons, à vous aussi,
afin que vous aussi vous soyez en communion[c] avec nous.
Et notre communion est communion avec le Père
et avec son Fils Jésus Christ.
4 Et nous vous écrivons cela
pour que notre joie[d] soit complète.

Marcher dans la lumière, libérés du péché

5 Et voici le message que nous avons entendu de lui
et que nous vous dévoilons:
Dieu est lumière[e],

a ***1.1*** Ou *au sujet de la parole de vie.* — *commencement* Jn 1.1-2 ; 1 Jn 2.13-14. — Témoignage oculaire Jn 1.14 ; 20.25 ; 1 Jn 4.14. ***b 1.2*** *la vie* Jn 1.4 ; 11.25-26 ; 1 Jn 4.9 *éternelle* Jn 3.16 ; 1 Jn 2.25 ; 5.11, 13. — *vers le Père* Jn 1.1. ***c 1.3*** v. 7 ; Jn 17.20-21 ; 1 Co 1.9. ***d 1.4*** Certains manuscrits lisent *votre joie ;* Jn 15.11 ; 16.24 ; 2 Jn 12. ***e 1.5*** *le message* 3.11 *dévoilé* Es 40.21 ; 42.9, etc. ; Dn 2.2, 4, 7 ; 5.12, 15, etc. ; Jn 4.25 ; 16.13-15. — *lumière* Jn 1.4, 5, 9 ; 8.12 ; 9.5 ; 12.46 ; 1 Tm 6.16 ; Jc 1.17.

et de ténèbres, il n'y a pas trace en lui.
6 Si nous disons: «Nous sommes en communion avec lui»,
tout en marchant dans les ténèbres,
nous mentons
et nous ne faisons pas la vérité[f].
7 Mais si nous marchons dans la lumière
comme lui-même est dans la lumière,
nous sommes en communion les uns avec les autres,
et le *sang de Jésus, son Fils, nous *purifie de tout péché[g].
8 Si nous disons: «Nous n'avons pas de péché[h]»,
nous nous égarons nous-mêmes
et la vérité n'est pas en nous.
9 Si nous confessons nos péchés,
fidèle et juste comme il est,
il nous pardonnera nos péchés[i]
et nous purifiera de toute iniquité.
10 Si nous disons: «Nous ne sommes pas pécheurs»,
nous faisons de lui un menteur,
et sa parole n'est pas en nous.

2 1 Mes petits enfants,
je vous écris cela pour que vous ne péchiez pas.
Mais si quelqu'un vient à pécher,
nous avons un défenseur[j] devant le Père,
Jésus Christ, qui est juste;
2 car il est, lui, victime d'expiation pour nos péchés;
et pas seulement pour les nôtres,
mais encore pour ceux du *monde entier[k].

Observer le commandement divin de l'Amour

3 Et à ceci nous savons que nous le connaissons:
si nous gardons ses commandements[l].

f ***1.6*** *dans les ténèbres* Jn 8.12 ; 1 Jn 2.9. — Prétention *mensongère* 2.4, 9. — *la vérité* mise en œuvre Jn 3.21. ***g 1.7*** *marcher dans la lumière* Es 2.5 ; Ep 5.8. — La mort de Jésus et la *purification des péchés* He 9.14 ; Ap 1.5 ; 7.14. ***h 1.8*** 1 R 8.46 ; Jb 9.2 ; Pr 20.9 ; Qo 7.20 ; Rm 3.10-20. ***i 1.9*** *confession des péchés* Ps 32.1-5 ; Pr 28.13 ; Mt 3.6 ; Mc 1.5 ; Jc 5.16. — *fidèle et juste* Dt 32.4 ; 1 Jn 2.29—3.1. — *pardon des péchés* Rm 4.6-8. ***j 2.1*** Jn 14.16, 26 ; 15.26 ; 16.7 ; Rm 8.34 ; He 7.25 ; 9.24. ***k 2.2*** *expiation* Ex 29.36-37 ; Jn 1.29 ; Rm 3.25 ; Col 1.20 ; He 2.17 ; 1 Jn 4.10, 14 ; Ap 5.9-10. — *pour le monde entier* Jn 4.42 ; Col 1.20 ; 1 Jn 4.14. ***l 2.3*** *connaître* Jr 31.34 ; He 8.11 ; 1 Jn 2.13-14. — *garder ses commandements* 3.22-24 ; 4.21 ; 5.2-3 ; 2 Jn 6.

4 Celui qui dit: «Je le connais»,
mais ne garde pas ses commandements,
est un menteur,
et la vérité n'est pas en lui[m].
5 Mais celui qui garde sa parole,
en lui, vraiment, l'amour de Dieu est accompli[n];
à cela nous reconnaissons que nous sommes en lui.
6 Celui qui prétend demeurer en lui,
il faut qu'il marche lui-même dans la voie où lui a marché[o].
7 Mes bien-aimés,
ce n'est pas un commandement nouveau que je vous écris,
mais un commandement ancien[p],
que vous avez depuis le commencement;
ce commandement ancien, c'est la parole que vous avez entendue.
8 Néanmoins, c'est un commandement nouveau que je vous écris
— cela est vrai en lui et en vous —
puisque les ténèbres passent
et que déjà luit la lumière véritable[q].
9 Celui qui prétend être dans la lumière,
tout en haïssant son frère[r],
est toujours dans les ténèbres.
10 Qui aime son frère
demeure dans la lumière,
et il n'y a rien en lui pour le faire trébucher[s].
11 Mais qui hait son frère
se trouve dans les ténèbres;
il marche dans les ténèbres[t]
et il ne sait pas où il va,
parce que les ténèbres ont aveuglé ses yeux.

La foi du croyant face au monde et aux antichrists

12 Je vous l'écris, mes petits enfants:

m 2.4 Tt 1.16 ; 1 Jn 1.6 ; 4.20. ***n 2.5*** *garder la parole* du Christ Jn 14.21, 23 ; 1 Jn 5.3. — *amour parfait* 4.12, 17. ***o 2.6*** Jn 13.15, 34 ; 1 Co 11.1 ; 1 P 2.21-25 ; 1 Jn 3.3, 16 ; 4.17. ***p 2.7*** 2.24 ; 3.11 ; 2 Jn 5-6. ***q 2.8*** *commandement nouveau* Jn 13.34 ; 15.12, 17 ; 1 Jn 3.16. — *ténèbres et lumière* Pr 4.18-19 ; Jn 8.12 ; Rm 13.12. — *lumière véritable* Jn 1.9. ***r 2.9*** Fausse prétention 1.6 ; 2.4. — *ne pas aimer son frère* 2.11 ; 3.10, 15 ; 4.20. ***s 2.10*** *Ou il n'y a rien en lui qui risque de faire tomber (les autres).* — Occasion de *trébucher* Ps 119.165 ; Rm 14.13. ***t 2.11*** Jn 12.35 ; 1 Jn 1.6 ; 2.9.

«Vos péchés vous sont pardonnés[u] à cause de son *nom à lui,
Jésus.»
13 Je vous l'écris, pères:
«Vous connaissez celui qui est dès le commencement.»
Je vous l'écris, jeunes gens:
«Vous êtes vainqueurs du Mauvais[v].»
14 Je vous l'ai donc écrit, mes petits enfants:
«Vous connaissez le Père.»
Je vous l'ai écrit, pères:
«Vous connaissez celui qui est dès le commencement.»
Je vous l'ai écrit, jeunes gens:
«Vous êtes forts[w],
et la parole de Dieu demeure en vous,
et vous êtes vainqueurs du Mauvais.»
15 N'aimez pas le *monde ni ce qui est dans le monde.
Si quelqu'un aime le monde,
l'amour du Père n'est pas en lui[x],
16 puisque tout ce qui est dans le monde
— la convoitise de la chair,
la convoitise des yeux,
et la confiance orgueilleuse dans les biens[y] —
ne provient pas du Père,
mais provient du monde.
17 Or le monde passe, lui et sa convoitise;
mais celui qui fait la volonté de Dieu[z] demeure à jamais.
18 Mes petits enfants,
c'est la dernière heure.
Vous avez entendu annoncer
qu'un antichrist[a] vient;
or dès maintenant beaucoup d'antichrists sont là;

***u* 2.12** Ou *je vous écris, mes petits enfants, parce que vos péchés vous sont pardonnés.* De même aux vv. 13-14 certains traduisent : *je vous écris... parce que... — péchés pardonnés* Ps 25.11 ; Mt 9.2 ; Lc 24.47 ; Jn 20.23 ; 1 Co 6.11. ***v* 2.13** *pères et jeunes gens* Ac 2.17-18. — *connaître Dieu* 1 Jn 2.3+. — *dès le commencement* Jn 1.1-2 ; 1 Jn 1.1. — *vainqueurs du Mauvais* 4.4 ; 5.4-5, 18 ; 1 P 5.8-9 ; Ap 12.11. ***w* 2.14** *forts* Ep 6.10-17. ***x* 2.15** *le monde* (en tant qu'il s'oppose à Dieu) Jn 12.31 + ; 17.14 ; Jc 4.4. — non pénétré de *l'amour de Dieu* Jn 5.42. ***y* 2.16** *convoitise* Ex 20.17 ; Rm 13.14 ; Ep 2.3 ; Tt 2.12 ; 1 P 2.11. — *confiance dans les biens* Mc 10.24 ; Lc 12.19 ; voir Jc 4.16. ***z* 2.17** *le monde passe* 1 Co 7.31. — *faire la volonté de Dieu* Sg 5.15 ; Mt 7.21. ***a* 2.18** *la dernière heure* 2 Tm 3.1 ; Jc 5.3 ; 2 P 3.3 ; Jude 18. — *antichrist* Mt 24.5, 23-24 ; Mc 13.21-22 ; 2 Th 2.3-4 ; 1 Tm 4.1 ; 1 Jn 3.18 ; 4.1, 3 ; 2 Jn 7.

à quoi nous reconnaissons que c'est la dernière heure.
19 C'est de chez nous qu'ils sont sortis,
mais ils n'étaient pas des nôtres.
S'ils avaient été des nôtres,
ils seraient demeurés avec nous.
Mais il fallait que fût manifesté[b]
que tous, tant qu'ils sont,
ils ne sont pas des nôtres.
20 Quant à vous, vous possédez une *onction, reçue du *Saint,
et tous, vous savez[c].
21 Je ne vous ai pas écrit
que vous ne savez pas la vérité,
mais que vous la savez,
et que rien de ce qui est mensonge[d]
ne provient de la vérité.
22 Qui est le menteur,
sinon celui qui nie
que Jésus est le *Christ[e]?
Voilà l'antichrist,
celui qui nie le Père et le Fils.
23 Quiconque nie le Fils
n'a pas non plus le Père;
qui confesse le Fils
a le Père, aussi[f].
24 Pour vous, que le message entendu dès le commencement
demeure en vous.
S'il demeure en vous,
le message entendu dès le commencement,
vous aussi, vous demeurerez dans[g] le Fils et dans le Père;
25 et telle est la promesse que lui-même nous a faite,
la *vie éternelle[h].
26 Voilà ce que j'ai tenu à vous écrire

***b* 2.19** *de chez nous* Ac 20.30. — *manifestation* nécessaire Mc 4.22 ; 1 Co 11.19. ***c* 2.20** *onction* v. 27 ; 2 Co 1.21. — *le Saint* (de Dieu) Mc 1.24 ; Lc 4.34 ; Jn 6.68 ; Ac 3.14 ; Ap 3.7. — *vous savez* Jr 31.34 ; 2 P 1.12 ; Jude 5 ; au lieu de *tous, vous savez,* certains manuscrits lisent : *vous savez tout.* ***d* 2.21** *savoir la vérité* Jn 8.32 ; 2 Jn 1. — *mensonge* Jn 8.44. ***e* 2.22** Mt 10.33 ; 1 Jn 4.3 ; 2 Jn 7. ***f* 2.23** *le Père* et *le Fils* Mt 11.27 ; Jn 5.23 ; 15.23 ; 1 Jn 4.15 ; 5.1 ; 2 Jn 9. — Reconnaître le *Fils* 1 Jn 4.2, 15. ***g* 2.24** *message* fondamental 2.7, 18 ; 3.11 ; 4.3 ; 2 Jn 6. — *demeurer dans* Jn 15.7-10 ; 1 Jn 2.27 ; 3.24. ***h* 2.25** Jn 3.15 ; 6.40.

à propos de ceux qui cherchent à vous égarer[i].
27 Pour vous, l'onction que vous avez reçue de lui
demeure en vous,
et vous n'avez pas besoin qu'on vous enseigne;
mais comme son onction vous enseigne sur tout
— et elle est véridique
et elle ne ment pas —
puisqu'elle vous a enseignés,
vous demeurez en lui[j].
28 Ainsi donc, mes petits enfants, demeurez en lui,
afin que, lorsqu'il paraîtra,
nous ayons pleine assurance[k]
et ne soyons pas remplis de honte, loin de lui,
à son *avènement.

Pratiquer la justice et ne pas pécher

29 Puisque vous savez qu'il est juste,
reconnaissez que quiconque pratique lui aussi la justice est né de lui[l].

3 1 Voyez de quel grand amour le Père nous a fait don,
que nous soyons appelés enfants de Dieu;
et nous le sommes!
Voilà pourquoi le *monde ne peut pas nous connaître:
il n'a pas découvert Dieu[m].
2 Mes bien-aimés,
dès à présent nous sommes enfants de Dieu,
mais ce que nous serons n'a pas encore été manifesté.
Nous savons que, lorsqu'il paraîtra,
nous lui serons semblables,
puisque nous le verrons tel qu'il est[n].
3 Et quiconque fonde sur lui une telle espérance
se rend *pur comme lui est pur[o].

i 2.26 séducteurs Mt 24.4-5, 11, 24 ; Tt 1.10 ; 1 Jn 3.7 ; 2 Jn 7 ; Ap 2.20 ; 12.9, etc. ***j 2.27*** ou *demeurez en lui !* Un *enseignement* devenu inutile Jr 31.34 (He 8.11). — *onction* et connaissance 1 Jn 2.20, 24 ; voir Jn 14.26 ; 16.13. ***k 2.28*** *lorsqu'il paraîtra* 3.2. — *assurance* Ph 1.20-21 ; 1 Jn 4.17. ***l 2.29*** *pratiquer la justice* 3.10. — *né de Dieu* 4.7 ; 5.1. ***m 3.1*** *enfants de Dieu* Jn 1.12 ; Rm 8.16 ; Ga 4.4-5 ; Ep 1.5 ; 1 Jn 3.10. — *le monde n'a pas découvert Dieu* Jn 16.3 ; 17.25 ; 1 Co 1.21 ; 1 Jn 4.8-9. ***n 3.2*** *lorsqu'il paraîtra* (ou *lorsque cela sera manifesté)* 2.28. — *semblables* 2 Co 3.18 ; Ph 3.21 ; Col 3.4. — *tel qu'il est* Jn 17.24. ***o 3.3*** *se rend pur* 2 Co 7.1. — *comme Jésus* 1 Jn 2.6+.

4 Quiconque commet le péché
commet aussi l'iniquité;
car le péché, c'est l'iniquité[p].
5 Mais vous savez que lui a paru pour enlever les péchés;
et il n'y a pas de péché en lui[q].
6 Quiconque demeure en lui ne pèche plus[r].
Quiconque pèche ne le voit ni ne le connaît.
7 Mes petits enfants,
que nul ne vous égare.
Qui pratique la justice[s] est juste,
comme lui est juste.
8 Qui commet le péché est du *diable,
parce que depuis l'origine le diable est pécheur.
Voici pourquoi a paru le Fils de Dieu:
pour détruire les œuvres du diable[t].
9 Quiconque est né de Dieu
ne commet plus le péché,
parce que sa semence demeure en lui;
et il ne peut plus pécher[u],
parce qu'il est né de Dieu.
10 A ceci se révèlent les enfants de Dieu[v] et les enfants du diable:
quiconque ne pratique pas la justice n'est pas de Dieu,
ni celui qui n'aime pas son frère.

Pratiquer la charité à l'exemple du Fils de Dieu

11 Car tel est le message que vous avez entendu dès le commencement:
que nous nous aimions les uns les autres[w].
12 Non comme Caïn:
étant du Mauvais, il égorgea son frère[x].

p* *3.4* *iniquité : opposition à Dieu, typique des derniers temps Mt 7.23 ; 13.41 ; 24.12 ; 2 Th 2.3-7. ***q 3.5*** *enlever les péchés* Es 53.4, 5, 9 ; Jn 1.29 ; 1 P 2.22-24 ; 1 Jn 2.2 ; 4.10. — Jésus est sans péché Jn 8.46 ; 9.16, 24, 31 ; 2 Co 5.21 ; He 4.15 ; 7.26 ; 9.14 ; 1 P 1.19 ; 2.22 ; 3.18. ***r 3.6*** Rm 6.14, 17-18 ; 1 Jn 3.9. ***s 3.7*** 2.29 ; 3.10. ***t 3.8*** Dans la dépendance *du diable* Jn 8.34. — *depuis l'origine* Gn 3.15 ; Jn 8.44. — *détruire les œuvres du diable* Mc 1.24 ; Jn 12.31 ; 16.11 ; Ap 12.9-11. ***u 3.9*** *semence de Dieu* Lc 8.12 ; 1 P 1.23-24 ; 1 Jn 2.14, 24 ; 2 Jn 2. — le *péché* devenu impossible Ps 37.31 ; 119.11 ; Jr 31.33-34 ; Ez 36.27-28 ; Rm 6.11 ; 1 Jn 5.18. ***v 3.10*** 3.1+. ***w 3.11*** Jn 13.34 ; 15.12, 17 ; 1 Jn 2.7 ; 3.23 ; 2 Jn 5. ***x 3.12*** *du Mauvais :* c'est-à-dire sous la dépendance du diable. — *Caïn* et *Abel* Gn 4.1-8 ; He 11.4.

Et pourquoi l'égorgea-t-il?
Ses œuvres étaient mauvaises,
tandis que celles de son frère étaient justes.
13 Ne vous étonnez pas, frères,
si le *monde vous hait[y].
14 Nous, nous savons que nous sommes passés de la mort dans la *vie,
puisque nous aimons nos frères.
Qui n'aime pas[z] demeure dans la mort.
15 Quiconque hait son frère est un meurtrier.
Et, vous le savez, aucun meurtrier n'a la vie éternelle
demeurant en lui[a].
16 C'est à ceci que désormais nous connaissons l'amour:
lui, Jésus, a donné sa vie pour nous;
nous aussi[b], nous devons donner notre vie pour nos frères.
17 Si quelqu'un possède les biens de ce monde
et voit son frère dans le besoin,
et qu'il se ferme à toute compassion[c],
comment l'amour de Dieu demeurerait-il en lui?
18 Mes petits enfants,
n'aimons pas en paroles et de langue,
mais en acte et dans la vérité[d];
19 à cela nous reconnaîtrons que nous sommes de la vérité,
et devant lui nous apaiserons notre cœur[e],
20 car, si notre cœur nous accuse,
Dieu est plus grand que notre cœur et il discerne tout[f].
21 Mes bien-aimés,
si notre cœur ne nous accuse pas,
nous nous adressons à Dieu avec assurance[g];
22 et quoi que nous demandions, nous l'obtenons de lui[h],
parce que nous gardons ses commandements
et faisons ce qui lui agrée.

y 3.13 Lc 6.22 ; Jn 15.18-19 ; 17.14. ***z 3.14*** *de la mort à la vie* Jn 5.24. — Absence d'amour 1 Jn 2.11. ***a 3.15*** *la haine* est un *meurtre* Mt 5.21-22 ; voir 1 Jn 2.9. — Incompatible avec la *vie éternelle* Jn 8.44 ; Ga 5.20-21 ; Ap 21.8. ***b 3.16*** *l'amour* authentique Jn 10.11, 15, 17 ; 13.1 ; 15.13 ; Ga 2.20 ; 1 Tm 2.6 ; Tt 2.14 ; 1 Jn 4.16. — *nous aussi* Ph 2.17 ; 1 Th 2.8. ***c 3.17*** Dt 15.7-8 ; Lc 10.31-32 ; Jc 2.15-16. ***d 3.18*** *amour en acte* Ga 5.6 ; Jc 2.14-17 *et dans la vérité* 2 Jn 1-2. ***e 3.19*** Pr 10.12 ; 1 P 4.8. ***f 3.20*** *accusation* Lc 18.13. — *Dieu discerne tout* 1 R 8.39 ; Ps 7.10 ; Ac 15.8. ***g 3.21*** He 4.16 ; 1 Jn 5.14. ***h 3.22*** Jr 29.12-13 ; Mt 7.7-8 ; 21.22 ; Mc 11.24 ; Jn 14.13 ; 15.7 ; 16.23-24 ; Rm 8.26-27 ; Jc 1.5 ; 1 Jn 5.14-15.

23 Et voici son commandement:
adhérer avec foi à son Fils Jésus Christ
et nous aimer les uns les autres[i],
comme il nous en a donné le commandement.
24 Celui qui garde ses commandements demeure en Dieu et Dieu en lui.
Par là nous reconnaissons qu'il demeure en nous,
grâce à l'Esprit[j] dont il nous a fait don.

Le discernement des esprits par la foi en Jésus Christ

4 1 Mes bien-aimés,
n'ajoutez pas foi à tout esprit,
mais éprouvez les esprits,
pour voir s'ils sont de Dieu;
car beaucoup de *prophètes de mensonge[k] se sont répandus dans le monde.
2 A ceci vous reconnaissez l'Esprit de Dieu:
tout esprit qui confesse Jésus Christ venu dans la chair
est de Dieu[l],
3 et tout esprit qui divise Jésus
n'est pas de Dieu;
c'est l'esprit de l'antichrist[m],
dont vous avez entendu annoncer qu'il vient,
et dès maintenant il est dans le monde.
4 Vous, mes petits enfants, qui êtes de Dieu,
vous êtes vainqueurs de ces prophètes-là,
parce que celui qui est au milieu de vous
est plus grand[n] que celui qui est dans le monde.
5 Eux, ils sont du *monde[o];
aussi parlent-ils le langage du monde,

***i* 3.23** *foi* Jn 6.29 ; Rm 10.14. — *foi et amour fraternel* 1 Jn 5.1-5. — Le commandement d'amour 1 Th 4.9 ; 1 P 1.22 ; 1 Jn 3.11+ ; 4.21. ***j* 3.24** *demeurer* Jn 14.23 ; 1 Jn 2.27. — *l'Esprit* Rm 8.9 ; 1 Jn 4.13. ***k* 4.1** *voir s'ils sont de Dieu* Dt 13.2-6 ; Jr 23.21-22 ; 28.8-9 ; Mt 7.15-20 ; Jn 8.42-47 ; Ep 5.8-10 ; Col 2.8 ; 1 Th 5.21. — *prophètes menteurs* Mt 7.15 ; 24.4, 5, 24 ; 2 P 2.1 ; 2 Jn 7. ***l* 4.2** Caractéristique de *l'Esprit de Dieu* 1 Co 12.3. — *confession* de la foi 1 Tm 6.12-13, 20-21. ***m* 4.3** de nombreux manuscrits lisent ici : *tout esprit qui ne confesse pas (sa foi en) Jésus...* Voir au v. 2. — *antichrist* Ac 20.29 ; 2 Th 2.7 ; 1 Jn 2.18+. ***n* 4.4** *victorieux* Jn 16.33 ; Rm 8.37 ; 1 Jn 2.13-14 ; 5.4-5 ; Ap 2.7, 11, 26 ; 3.5, 12, 21 ; 12.11 ; 17.14. — *plus grand* Mt 12.29. ***o* 4.5** Jn 15.19 ; 17.14.

et le monde les écoute.
6 Nous, nous sommes de Dieu.
Celui qui s'ouvre à la connaissance de Dieu nous écoute[p].
Celui qui n'est pas de Dieu ne nous écoute pas.
C'est à cela que nous reconnaissons
l'Esprit de la vérité et l'esprit de l'erreur.

L'amour vient de Dieu et s'enracine dans la foi

7 Mes bien-aimés,
aimons-nous les uns les autres,
car l'amour vient de Dieu,
et quiconque aime
est né de Dieu[q] et parvient à la connaissance de Dieu.
8 Qui n'aime pas n'a pas découvert Dieu,
puisque Dieu est amour[r].
9 Voici comment s'est manifesté l'amour de Dieu au milieu de nous:
Dieu a envoyé son Fils unique dans le *monde,
afin que nous vivions par lui[s].
10 Voici ce qu'est l'amour:
ce n'est pas nous qui avons aimé Dieu,
c'est lui qui nous a aimés
et qui a envoyé son Fils en victime d'expiation[t] pour nos péchés.
11 Mes bien-aimés,
si Dieu nous a aimés ainsi,
nous devons, nous aussi[u], nous aimer les uns les autres.
12 Dieu, nul ne l'a jamais contemplé.
Si nous nous aimons les uns les autres,
Dieu demeure en nous,
et son amour, en nous, est accompli[v].
13 A ceci nous reconnaissons
que nous demeurons en lui et lui en nous:
il nous a donné de son Esprit[w].
14 Et nous, nous témoignons, pour l'avoir contemplé,

p 4.6 *de Dieu* Jn 18.37. — *celui qui écoute* Jn 8.47 ; 10.26-27 ; 2 Tm 4.4. ***q 4.7*** *amour mutuel* 3.11, 23 ; 4.11. — *né de Dieu* 2.29 ; 5.1. ***r 4.8*** *Dieu est* Jn 4.24 ; 1 Jn 1.5 *amour* Jn 3.16 ; 5.20 ; 10.17 ; 15.9 ; 17.26 ; 1 Jn 4.9-11, 16. ***s 4.9*** *l'envoi du Fils unique* Jn 3.16. — *vivre par le Fils* Ep 2.4-5 ; Col 2.13. ***t 4.10*** *Dieu nous a aimés d'abord* Rm 5.8-10 ; 1 Jn 4.19. — *expiation* 2 Co 5.19 ; 1 Jn 2.2+. ***u 4.11*** *nous aussi* Mt 18.33. ***v 4.12*** Dieu invisible Ex 33.20 ; Jn 1.18 ; 1 Tm 6.16. — Présence de Dieu par *l'amour* Jn 14.23 ; 1 Jn 3.24. — Perfection de *l'amour* 2.5 ; 4.17. ***w 4.13*** Rm 8.9 ; 1 Co 12.3 ; 1 Jn 3.24.

que le Père a envoyé son Fils comme Sauveur du monde[x].
15 Quiconque confesse que Jésus est le Fils de Dieu[y],
Dieu demeure en lui et lui en Dieu.
16 Et nous, nous connaissons, pour y avoir cru,
l'amour que Dieu manifeste au milieu de nous.
Dieu est amour[z]:
qui demeure dans l'amour
demeure en Dieu et Dieu demeure en lui.
17 En ceci, l'amour, parmi nous, est accompli,
que nous avons pleine assurance pour le *jour du jugement,
parce que, tel il est, lui,
tels nous sommes[a], nous aussi, dans ce monde.
18 De crainte, il n'y en a pas dans l'amour;
mais le parfait amour jette dehors la crainte[b],
car la crainte implique un châtiment;
et celui qui craint n'est pas accompli dans l'amour.
19 Nous, nous aimons,
parce que lui, le premier, nous a aimés[c].
20 Si quelqu'un dit: «J'aime Dieu», et qu'il haïsse son frère,
c'est un menteur[d].
En effet, celui qui n'aime pas son frère, qu'il voit,
ne peut pas aimer Dieu qu'il ne voit pas.
21 Et voici le commandement que nous tenons de lui:
celui qui aime Dieu,
qu'il aime aussi son frère[e].

La foi dans le Fils de Dieu, racine de la charité

5 1 Quiconque croit que Jésus est le *Christ
est né de Dieu[f];
et quiconque aime Dieu qui engendre
aime aussi celui qui est né de Dieu.
2 A ceci nous reconnaissons que nous aimons les enfants de Dieu[g],
si nous aimons Dieu et mettons en pratique ses commandements.
3 Car voici ce qu'est l'amour de Dieu:

x 4.14 Témoignage oculaire 1.2.– *Sauveur du monde* Jn 3.17 ; 4.42. ***y 4.15*** *confesser* sa foi en *Jésus* Jn 9.22,35 ; Rm 10.9 ; 1 Jn 2.23 ; 2 Jn 9. – *le Fils* 1 Jn 5.5. ***z 4.16*** Foi et connaissance Jn 6.69 ; 8.31-32 ; 10.38 ; 1 Jn 3.16. – *l'amour que Dieu manifeste* Rm 5.8. – *Dieu est amour* 1 Jn 4.8+. ***a 4.17*** Perfection de l'amour 2.5 ; 4.12. – *assurance* 2.28. – comme Jésus 2.6. ***b 4.18*** Rm 8.15 ; 1 Jn 3.20. ***c 4.19*** 4.10. ***d 4.20*** *aimer Dieu, son frère* Lv 19.18 ; Mt 5.23-24, 44-45 ; 25.40, 45. – *menteur* 1 Jn 2.4. ***e 4.21*** Mt 22.36-40 par. ; voir 1 Co 13 ; 1 Jn 3.23. ***f 5.1*** 1 P 1.22-23 ; 1 Jn 2.29+. ***g 5.2*** 3.23+.

que nous gardions ses commandements.
Et ses commandements ne sont pas un fardeau[h],
4 puisque tout ce qui est né de Dieu est vainqueur[i] du *monde.
Et la victoire qui a vaincu le monde, c'est notre foi.
5 Qui est vainqueur du monde[j],
sinon celui qui croit que Jésus est le Fils de Dieu?
6 C'est lui qui est venu par l'eau et par le sang,
Jésus Christ,
non avec l'eau seulement,
mais avec l'eau et le sang;
et c'est l'Esprit qui rend témoignage,
parce que l'Esprit est la vérité[k].
7 C'est qu'ils sont trois à rendre témoignage[l],
8 l'Esprit, l'eau et le sang,
et ces trois convergent dans l'unique témoignage:
9 si nous recevons le témoignage des hommes,
le témoignage de Dieu[m] est plus grand;
car tel est le témoignage de Dieu:
il a rendu témoignage en faveur de son Fils.
10 Qui croit au Fils de Dieu
a ce témoignage en lui-même.
Qui ne croit pas Dieu
fait de lui un menteur,
puisqu'il n'a pas foi dans le témoignage
que Dieu a rendu en faveur de son Fils[n].
11 Et voici ce témoignage:
Dieu nous a donné la *vie éternelle[o],
et cette vie est en son Fils.
12 Qui a le Fils a la vie[p];
qui n'a pas le Fils de Dieu n'a pas la vie.

Epilogue

13 Je vous ai écrit tout cela
pour que vous sachiez[q] que vous avez la *vie éternelle,
vous qui avez la foi au *nom du Fils de Dieu.

h 5.3 *amour* et *commandements* Jn 14.15, 23,24 ; 15.10 ; 2 Jn 6. — *un fardeau léger* Dt 30.11 ; Mt 11.29-30. ***i 5.4*** *vainqueurs* 4.4+. ***j 5.5*** 1 Co 15.57 ; Ep 6.16. ***k 5.6*** *l'eau et le sang* Jn 19.34. — *le témoignage de l'Esprit* Jn 15.26. — *l'Esprit est la vérité* Jn 14.17 ; 15.26 ; 16.13. ***l 5.7*** Nb 35.30 ; Dt 19.15. ***m 5.9*** Jn 3.33 ; 5.32, 34, 36-37 ; 8.18 ; Rm 8.16 ; Ga 4.6. ***n 5.10*** Croire Dieu Jn 5.24. — Refus opposé au témoignage de Dieu Jn 5.37, 40. ***o 5.11*** Jn 17.3 ; 1 Jn 5.20. ***p 5.12*** *le Fils* et *la vie* Jn 3.36. ***q 5.13*** *pour que vous sachiez* Jn 20.31.

14 Et voici l'assurance que nous avons devant lui:
si nous lui demandons quelque chose selon sa volonté,
il nous écoute[r].
15 Et sachant qu'il nous écoute quoi que nous lui demandions,
nous savons que nous possédons ce que nous lui avons demandé.
16 Si quelqu'un voit son frère commettre un péché,
un péché qui ne conduit pas à la mort,
qu'il prie, et Dieu lui donnera la vie,
si vraiment le péché commis ne conduit pas à la mort.
Il existe un péché qui conduit à la mort[s]:
ce n'est pas à propos de celui-là que je dis de prier;
17 toute iniquité est péché;
mais tout péché ne conduit pas à la mort.
18 Nous savons que quiconque est né de Dieu ne pèche plus,
mais l'Engendré de Dieu le garde,
et le Mauvais n'a pas prise sur lui[t].
19 Nous savons que nous sommes de Dieu,
mais le *monde tout entier gît sous l'empire du Mauvais[u].
20 Nous savons que le Fils de Dieu est venu
et nous a donné l'intelligence
pour connaître le Véritable.
Et nous sommes dans le Véritable, en son Fils Jésus Christ.
Lui est le Véritable, il est Dieu et la vie éternelle[v].
21 Mes petits enfants,
gardez-vous des idoles[w].

r* *5.14 exaucement 3.22+. ***s* *5.16*** *péché n'entraînant pas la mort* Dt 22.26. – *péché entraînant la mort* Nb 15.30 ; 18.22 ; Mt 12.31-32 par. ; He 6.4-6 ; 10.26-27 ; 2 P 2.20-21. ***t* *5.18*** *l'Engendré de Dieu :* il s'agit de Jésus, le Fils de Dieu (3.8). Certains manuscrits lisent ici : *celui qui est né de Dieu se garde lui-même.* – *ne plus pécher* 3.9. – Préservé du *Mauvais* Jn 17.15 ; Jude 1. – *pas de prise* Rm 6.7. ***u* *5.19*** *être de Dieu* Jn 8.47. – *l'empire du Mauvais* Col 1.13. ***v* *5.20*** *l'intelligence* Jr 31.33 ; Ez 11.19 ; 36.26 ; Ep 1.17-18 ; Col 1.10 ; 1 Jn 2.3. – *le Véritable* Ap 3.7 ; dans ce verset, cette appellation est appliquée successivement à Dieu lui-même et à son Fils. – *il est Dieu* Jn 20.28 ; Rm 9.5 *et la vie éternelle* Jn 11.25 ; 17.3. ***w* *5.21*** *gardez-vous* 2 P 3.17. – *idoles* Ez 11.21 ; 36.25 ; 1 Co 10.14.

DEUXIÈME ÉPÎTRE DE JEAN

1 *L'Ancien, à la Dame élue et à ses enfants,
que j'aime dans la lumière de la vérité
— non pas moi seulement,
mais encore tous ceux qui possèdent la connaissance de la vérité[a]—,
2 en vertu de la vérité qui demeure en nous
et sera avec nous à jamais[b]:
3 avec nous seront grâce, miséricorde, paix[c],
qui nous viennent de Dieu le Père,
et de Jésus Christ, le Fils du Père,
dans la vérité et l'amour.
4 J'ai éprouvé une très grande joie
à trouver de tes enfants qui marchent dans la voie de la vérité,
selon le commandement[d] que nous avons reçu du Père.
5 Et maintenant, Dame, je te le demande
— je ne t'écris pas là un commandement nouveau,
mais celui que nous avons depuis le commencement —,
aimons-nous les uns les autres[e];
6 et voici ce qu'est l'amour:
que nous marchions dans la voie de ses commandements[f].
Tel est le commandement que vous avez entendu depuis le commencement,
pour que vous marchiez dans cette voie.
7 Car de nombreux séducteurs se sont répandus dans le monde:

a 1 Certains pensent que *la Dame élue* désigne ici une Eglise locale, dont les membres sont appelés *ses enfants.* — *L'Ancien* 3 Jn 1. — *élue* 1 P 5.13 ; 2 Jn 13 ; voir 2 Tm 2.10 ; Tt 1.8. — *dans la vérité* Ep 4.15 ; 1 Jn 3.18 ; 2 Jn 3-4. — *connaissance de la vérité* Jn 8.32 ; 1 Tm 4.3 ; 1 Jn 2.21. ***b 2*** *en nous* Jn 8.37 ; 1 Jn 1.8, 10 ; 2.4, 14, 24, 27 ; 3.9, 17. — *avec nous à jamais* Jn 14.16-17. ***c 3*** 1 Tm 1.2 ; 2 Tm 1.2. ***d 4*** *enfants :* voir v. 1 et la note. — *marcher dans la vérité* v. 6 ; 3 Jn 3-4. — *le commandement* 1 Jn 4.21. ***e 5*** *Dame :* voir v. 1 et la note. — *commandement nouveau* 1 Jn 2.7-8+. — *depuis le commencement* 1 Jn 2.24+. — *amour mutuel* 1 Jn 3.11+ ; 1 P 4.8. ***f 6*** Jn 14.15, 23-24 ; 1 Jn 3.23 ; 5.3.

ils ne professent pas la foi à la venue de Jésus Christ dans la chair.
Le voilà, le séducteur et l'antichrist[g]!
8 Prenez garde à vous-mêmes,
afin de ne pas perdre le fruit de vos œuvres,
mais de recevoir pleine récompense[h].
9 Quiconque va trop avant
et ne demeure pas dans la doctrine du Christ
n'a pas Dieu.
Celui qui demeure dans la doctrine,
il a, lui, et le Père et le Fils[i].
10 Si quelqu'un vient à vous
sans être porteur de cette doctrine,
ne l'accueillez pas chez vous[j]
et ne lui souhaitez pas la bienvenue.
11 Qui lui souhaite la bienvenue
communie à ses œuvres mauvaises[k].
12 J'ai bien des choses à vous écrire,
pourtant je n'ai pas voulu le faire avec du papier et de l'encre.
Car j'espère me rendre chez vous
et vous parler de vive voix,
afin que notre joie soit complète[l].
13 Te saluent les enfants de ta Sœur l'élue[m].

g 7 Mt 7.15 ; 1 Jn 2.18-19, 22, 26 ; 4.1-3 ; 2 P 2.1. ***h 8*** Certains manuscrits lisent ici : *le fruit de nos œuvres ;* Jn 6.29. — *récompense* Mt 10.42. ***i 9*** *demeurer* en Dieu 1 Jn 3.24+ ; 4.15. — *avoir le Père et le Fils* 1 Jn 2.23-24. ***j 10*** Mt 10.14 ; Rm 16.17 ; 1 Co 5.6, 9 ; Ep 5.11 ; 2 Th 3.6 ; Tt 3.10. ***k 11*** complice 1 Tm 5.22 ; Ap 18.4. ***l 12*** par écrit 3 Jn 13. — *de vive voix* Nb 12.8 ; 3 Jn 14. — *une joie complète* 1 Jn 1.4. ***m 13*** C'est-à-dire l'Eglise à laquelle appartient l'Ancien ; voir v. 1 et la note.

TROISIÈME ÉPÎTRE DE JEAN

1 *L'Ancien[a], à Gaïus, très aimé, que j'aime dans la lumière de la
vérité. 2 Cher ami, je souhaite que tu te portes bien à tous égards, et
que ta santé soit bonne; qu'il en aille comme pour ton âme qui, elle,
se porte bien.
3 J'ai, en effet, éprouvé une très grande joie, car des frères arrivés ici
rendent témoignage à la vérité qui transparaît dans ta vie: toi, tu mar-
ches dans la lumière de la vérité[b]. 4 Ma plus grande joie, c'est
d'apprendre que mes enfants[c] marchent dans la lumière de la vérité.
5 Cher ami, tu agis selon ta foi dans les soins que tu prends pour les frè-
res[d], et cela pour des étrangers. 6 Ils ont rendu devant l'Eglise témoi-
gnage à ta charité. Tu agiras bien en pourvoyant à leur mission[e] d'une
manière digne de Dieu. 7 Car c'est pour le *Nom qu'ils se sont mis en
route, sans rien recevoir[f] des *païens. 8 Nous donc, nous devons venir
en aide à ces hommes, afin de nous montrer coopérateurs[g] de la
vérité.
9 J'ai écrit un mot à l'Eglise. Mais Diotréphès, qui aime à tout régen-
ter[h], ne nous reconnaît pas. 10 Aussi, lorsque je viendrai[i], je dénoncerai
ses procédés, lui qui se répand contre nous en paroles mauvaises: et
non content de cela, il refuse lui-même de recevoir les frères, et ceux
qui voudraient les recevoir, il les en empêche et les chasse de l'Eglise.
11 Cher ami, ne prends pas exemple sur le mal mais sur le bien. Celui
qui fait le bien est de Dieu, celui qui fait le mal ne voit pas Dieu[j].
12 Quant à Démétrius, tout le monde lui rend un bon témoignage. La

a 1 *L'Ancien* 2 Jn 1. ***b 3*** *témoignage* v. 6. — *dans ta vie* voir Phm 5. — *marcher dans la vérité* 2 Jn 4. ***c 4*** *mes enfants* 1 Jn 2.1, 12, 18, 28. ***d 5*** *prendre soin des frères* Mt 10.41-42. ***e 6*** *l'Eglise :* d'après le v. 3 il s'agit de l'Eglise locale où réside l'Ancien. — *pourvoir à leur mission* Rm 15.24 ; Tt 3.13. ***f 7*** *le Nom* 1) Gn 21.33 ; Dt 12.11 ; Ps 44.6 ; 115.1 ; 2) Ac 5.41 ; 3) Ph 2.9-11 ; 4) Jn 3.18 ; 20.31 ; 1 Jn 3.23 ; 5.13. — *sans rien recevoir* 1 Co 9.12, 15. ***g 8*** *aide* aux prédicateurs itinérants Rm 12.13 ; He 13.2 ; 1 P 4.9. — *coopérateurs* 1 Co 3.9 ; 1 Th 3.2. ***h 9*** *l'Eglise :* il s'agit ici de l'Eglise locale à laquelle appartient Gaïus, et où Diotréphès jette le trouble. — *tout régenter* Mt 20.27 ; Ph 2.3 ; 1 P 5.3. ***i 10*** *je viendrai* 1 Co 4.18-21. ***j 11*** *faire le bien* 1 P 3.11. — *ne pas voir Dieu* 1 Jn 3.6.

vérité elle-même témoigne pour lui. Mais nous aussi, nous lui rendons témoignage, et tu sais que notre témoignage est vrai[k].

13 J'aurais bien des choses à t'écrire, mais je ne veux pas le faire avec l'encre et la plume[l]; 14 car j'espère te revoir prochainement, et nous nous entretiendrons de vive voix. 15 La paix soit avec toi! Les amis te saluent. Salue aussi les amis, chacun en particulier.

k 12 *témoigne pour lui* Pr 22.1 ; 2 Co 3.2-3 ; 2 P 2.12. – *témoignage vrai* Jn 19.35 ; 21.24. ***l 13*** 2 Jn 12+.

ÉPÎTRE DE JUDE

INTRODUCTION

*Le lecteur moderne risque d'être déconcerté par l'*Epître de Jude *dont la mentalité lui apparaît étrangère.*

Cette épître met en garde contre des faux docteurs dont il est difficile de se faire une idée exacte. Le portrait des adversaires comporte des traits conventionnels, clichés de la littérature polémique du judaïsme contemporain de l'ère chrétienne : ces gens sont gloutons, débauchés, cupides, intéressés... Ils sont accusés d'introduire des scissions dans l'Eglise, d'insulter les anges, de renier le Seigneur Jésus Christ.

Le milieu de l'auteur apparaît en étroite connexion avec les cercles qui, depuis le IIe siècle avant notre ère, ont vu s'élaborer la littérature apocalyptique et ont transmis des œuvres comme le livre d'Hénoch, l'Assomption de Moïse, les Testaments des Douze Patriarches. L'auteur cite même textuellement un passage du livre d'Hénoch (vv. 14-15) et utilise soit l'Assomption de Moïse elle-même, soit un document similaire (v. 9).

Ce milieu donne également une grande importance à la vénération de certaines catégories angéliques (v. 8). Toutefois la vénération de l'auteur pour les anges ne fait pas tort à sa christologie, puisqu'il confesse contre ses adversaires « le Seigneur Jésus Christ » (v. 4) ; Jésus est celui en qui il faut placer son attente pour la vie éternelle (v. 21).

C'est dans une ligne apocalyptique que se situe aussi la prédication de l'épître sur le jugement des impies. Le châtiment viendra inexorablement ; il est déjà préfiguré dans la condamnation des anges coupables, la punition de Sodome et de Gomorrhe, l'extermination au désert des générations incrédules. On remarquera la mentalité typologique qu'impliquent ces exemples. Les impies apparaissent déjà châtiés par les grandes condamnations d'autrefois ; l'auteur va jusqu'à dire qu'ils ont péri dans la révolte de Coré (v. 11). Le présent est déjà annoncé et contenu dans le passé. C'est une manière d'affirmer que les modes d'agir de Dieu restent identiques et que l'Ecriture demeure pour le présent une norme toujours valable.

L'auteur de l'épître se présente comme étant Jude, frère de Jacques. Mais est-ce bien lui qui a écrit cette lettre ? En effet, certaines indications de l'épître apparaissent post-apostoliques (au v. 3 il est question de la foi transmise aux saints et surtout, au v. 17, de l'enseignement des apôtres qui semblent appartenir en bloc au passé) ; l'auteur doit donc plutôt se réclamer des enseignements de Jude, frère du Seigneur. On pourrait envisager comme date pour l'épître les années 80-90.

*L'*Epître de Jude, *malgré son caractère particulier, a été réutilisée par la seconde épître de Pierre (voir l'introduction de cette épître) : elle devait donc jouir d'une certaine notoriété. Son admission dans le canon a cependant fait difficulté, surtout dans les Eglises de Syrie. Au IVe siècle, Eusèbe signale que certains la contestent. Elle a néanmoins été acceptée très tôt à Rome, à Alexandrie et à Carthage. D'après Jérôme (né vers 345 et mort vers 420), les réticences qui entouraient la lettre étaient dues aux emprunts qu'elle fait à des écrits non reconnus par les Eglises.*

ÉPÎTRE DE JUDE

Salutation

1 Jude, serviteur de Jésus Christ, frère de Jacques[a], à ceux qui sont
appelés, qui sont aimés de Dieu le Père et gardés pour Jésus Christ.
2 Que la miséricorde, la paix et l'amour vous viennent en abondance[b].

Les faux docteurs sont déjà jugés

3 Mes amis, alors que je désirais vivement vous écrire au sujet du
salut qui nous concerne tous, je me suis vu forcé de le faire afin de
vous encourager à combattre pour la foi qui a été transmise aux
*saints[c] définitivement. 4 Car il s'est infiltré parmi vous des individus
dont la condamnation est depuis longtemps inscrite à l'avance, impies
qui travestissent en débauche la grâce de notre Dieu et qui renient
notre seul Maître et Seigneur Jésus Christ[d].

5 Je veux vous rappeler, bien que vous sachiez tout définitivement,
que le Seigneur, après avoir sauvé son peuple du pays d'Egypte, a fait
périr ensuite ceux qui s'étaient montrés incrédules[e]. 6 Les *anges qui
n'avaient pas gardé leur rang mais qui avaient abandonné leur
demeure, il les garde éternellement enchaînés dans les ténèbres pour
le jugement du grand *Jour[f]. 7 Quant à Sodome et Gomorrhe et aux
villes d'alentour qui s'étaient livrées de semblable manière à la prostitution et avaient couru après des êtres d'une autre nature[g], elles gisent
comme un exemple sous le châtiment du feu éternel. 8 C'est de la

a 1 *Jacques* Ac 15.13+. ***b 2*** 2 P 1.2. ***c 3*** *encouragement à combattre* 1 Tm 1.18. — *saints* : voir Rm 1.7 et la note. ***d 4*** Ou *qui renient le seul Maître* (c'est-à-dire Dieu) et *notre Seigneur Jésus Christ* ; 2 P 2.1. — *des individus infiltrés parmi vous.* Ga 2.4. — *inscrit à l'avance* Ps 69.29 ; 139.16 ; voir Dn 7.10. ***e 5*** *tout savoir définitivement* 1 Jn 2.20. *le Seigneur* : appellation de Dieu, comme dans l'A.T. grec ; mais certains manuscrits lisent ici *Jésus.* — *rappel* 2 P 1.12. — *le peuple sauvé d'Egypte* Ex 12.51. — *mort des incrédules* Nb 14.29-30, 35 ; 1 Co 10.5. ***f 6*** *anges* déchus 2 P 2.4. — *gardés pour le jugement* 2 P 2.9. ***g 7*** Allusion aux vices contre nature des habitants de Sodome et Gomorrhe. Ce verset évoque Gn 19.1-25, où les anges venus sauver Lot sont pris par les Sodomites pour des êtres humains. — *Sodome et Gomorrhe* Gn 19.4-25 ; 2 P 2.6 ; voir Mt 10.15+.

même façon que ces gens-là, dans leur délire, *souillent la chair,
méprisent la Souveraineté, insultent les Gloires[h]. 9 Pourtant même
l'archange Michaël, alors qu'il contestait avec le *diable et disputait
au sujet du corps de Moïse, n'osa pas porter contre lui un jugement
insultant, mais il dit: « *Que le Seigneur te châtie*[i]! » 10 Mais ces gens-là,
ce qu'ils ne connaissent pas, ils l'insultent[j]; et ce qu'ils savent à la
manière instinctive et stupide des bêtes, cela ne sert qu'à les perdre.
11 Malheur à eux, parce qu'ils ont suivi le chemin de Caïn; pour un
salaire ils se sont abandonnés aux égarements de Balaam et ils ont péri
dans la révolte de Coré[k]. 12 Ce sont bien eux qui souillent vos repas fra-
ternels, lorsqu'ils font bombance et se gavent sans pudeur: nuages
sans eau emportés par les vents[l]; arbres de fin d'automne, sans fruits,
deux fois morts, déracinés; 13 flots sauvages de la mer crachant
l'écume de leur propre honte; astres errants réservés pour l'éternité à
l'épaisseur des ténèbres[m]. 14 C'est sur eux aussi qu'a *prophétisé
Hénoch, le septième depuis Adam[n], en disant: *Voici que vient le Sei-*
gneur avec ses saintes milices 15 *pour exercer le jugement universel et*
convaincre tous les impies de toutes leurs impiétés criminelles et de
*toutes les insolentes paroles que les *pécheurs impies ont proférées*
contre lui[o].

16 Ce sont bien eux! Des gens de hargne et de rogne, qui sont menés
par leurs passions; leur bouche profère des énormités[p] et ils ne consi-
dèrent les personnes qu'en fonction de leur intérêt.

Exhortation aux fidèles

17 Quant à vous, mes amis, souvenez-vous des paroles que vous ont
dites à l'avance les *apôtres de notre Seigneur Jésus Christ[q]. 18 Ils vous
disaient: « A la fin des temps il y aura des railleurs qui seront menés
par leurs passions impies[r]. » 19 Ce sont bien eux! Ils introduisent des
divisions, ils ont des pensées terrestres[s], ils ne possèdent pas l'Esprit.
20 Mais vous, mes amis, construisez-vous sur la base de votre foi très

h 8 *la Souveraineté*: sans doute une manière de parler de la puissance du Christ ; 2 P 2.10. — *les Gloires*: une catégorie d'êtres célestes. **i 9** L'auteur se réfère à un récit qui ne figure pas dans la Bible. — *l'archange Michaël* Dn 10.13, 21 ; 12.1 ; Ap 12.7. — *pas de jugement insultant* 2 P 2.11. — *Que le Seigneur...* Za 3.2. **j 10** 2 P 2.12. **k 11** *Caïn* Gn 4.3-8 ; 1 Jn 3.12. — *Balaam* Nb 22.5 ; 31.16 ; 2 P 2.15 ; Ap 2.14. — *la révolte de Coré* Nb 16.19-35. **l 12** *ils souillent vos repas fraternels* 2 P 2.13. — *ils se gavent sans pudeur* Ez 34.8 ; voir 1 Co 11.21. — *emportés par le vent* Ep 4.14. **m 13** *flots crachant l'écume* Es 57.20. — *réservés aux ténèbres* 2 P 2.17. **n 14** Gn 5.3-18 ; 1 Ch 1.1-3 ; Lc 3.37-38. **o 15** Aux v. 14-15 l'auteur cite le livre juif d'*Hénoch* (1.9). **p 16** Dn 11.36 (grec). **q 17** Rappel du message des apôtres 2 P 3.2. **r 18** 2 P 3.3. **s 19** Voir 1 Co 2.14 ; Jc 3.15.

*sainte[t]; priez dans l'Esprit Saint; 21 maintenez-vous dans l'amour de Dieu; placez votre attente dans la miséricorde de notre Seigneur Jésus Christ pour la *vie éternelle. 22 Ceux qui hésitent, prenez-les en pitié[u]; 23 sauvez-les en les arrachant du feu[v]; pour les autres, prenez-les en pitié, mais avec crainte, haïssant jusqu'à la tunique souillée par leur chair.

Bénédiction

24 A celui qui peut vous garder de toute chute et vous faire tenir sans tache[w] devant sa gloire dans l'allégresse, 25 au Dieu unique notre Sauveur par Jésus Christ notre Seigneur, gloire[x], grandeur, puissance et autorité, avant tous les temps, maintenant et à jamais. *Amen.

t 20 *construisez-vous...* 1 Th 5.11 *sur la base de votre foi* Col 2.7. ***u 22*** Au lieu de *prenez-les en pitié* certains manuscrits lisent : *cherchez à les convaincre.* ***v 23*** Am 4.11 ; Za 3.2. ***w 24*** Ph 1.10 ; 1 Th 5.23. ***x 25*** *Dieu Sauveur* 1 Tm 1.1 +. — *gloire au Dieu unique* Rm 16.27.

L'APOCALYPSE

INTRODUCTION

Le genre littéraire apocalyptique

Le mot « apocalypse » est la transcription d'un terme grec qui veut dire révélation. L'apocalyptique s'apparente donc à la tradition prophétique, dont elle représente une forme particulière qui semble s'être développée surtout à partir du IIe siècle avant Jésus Christ.

Tandis que le genre littéraire prophétique se caractérise par l'oracle, parole dite de la part de Dieu ou sous l'impulsion divine, l'apocalyptique fait plutôt référence à des visions. L'inspiré transmet le message en décrivant et interprétant les réalités célestes qu'il lui a été donné de contempler. Il le fait au moyen d'images volontiers impressionnantes, paradoxales ou énigmatiques, empruntées habituellement à la symbolique des théophanies bibliques, aux représentations religieuses du monde hellénistique et à la liturgie. Le procédé suggère que les réalités entrevues, étant d'un ordre supérieur, ne peuvent être évoquées qu'approximativement et que c'est un privilège d'en recevoir la communication et d'en obtenir l'intelligence.

Dans l'ensemble, les visions apocalyptiques proposent une interprétation religieuse de l'histoire au moyen d'une représentation symbolique de ses derniers accomplissements : au-delà des vicissitudes du temps présent et malgré l'action des puissances mauvaises, se préparent mystérieusement le triomphe décisif de Dieu et la manifestation de son Règne. Cette révélation a une fonction mobilisatrice : elle veut soutenir l'espérance des persécutés, ranimer la vigilance des tièdes et solliciter la conversion des égarés. C'est d'ailleurs en relation avec cette intention mobilisatrice qu'il faut comprendre les procédés de pseudonymie et d'antidatation, habituels aux apocalypses. Les visions sont censées avoir été éprouvées par des personnages du passé, ce qui permet de présenter comme futurs des événements qui, en fait, ont déjà eu lieu au moment de la diffusion du message ; le lecteur est ainsi amené à discerner qu'on est arrivé à la phase ultime. La perspective de l'imminence du grand « Jour du Seigneur » confère au temps présent une gravité particulière et invite aux engagements immédiats.

Les représentations apocalyptiques de l'histoire véhiculent en effet un certain dualisme : à l'ère présente marquée par les succès apparents de l'impiété succédera une ère nouvelle où s'exercera en plénitude le triomphe de Dieu et de ses élus. Ce triomphe n'est pas aléatoire, car ce qui doit *arriver ne dépend pas du jeu des volontés humaines mais du décret divin.*

Cette conception est à la fois pessimiste et optimiste : pessimiste en ce sens qu'elle souligne la caducité du monde présent et sa perversité ; optimiste en tant qu'elle proclame avec assurance le salut imminent des fidèles. On comprend qu'elle ait été particulièrement vivace en période de crise et dans les milieux frappés par la persécution.

Perspectives particulières de l'Apocalypse johannique

*Tout en adoptant pour une part les procédés et structures du genre littéraire apocalyptique, l'*Apocalypse *johannique ne peut s'y ramener totalement. Une section de l'ouvrage, les lettres aux Eglises d'Asie (Ap 2—3), s'apparente plus à la manière du prophétisme traditionnel qu'à la forme apocalyptique. Surtout, c'est par son interprétation religieuse de l'histoire et par ses véritables centres d'intérêt que l'*Apocalypse *de Jean se distingue de la plupart des œuvres de genre littéraire apocalyptique.*

L'eschatologie johannique a en effet assimilé certaines convictions essentielles de la théologie chrétienne primitive. L'ère nouvelle, annoncée et attendue par l'apocalyptique juive, a été inaugurée lors de la Résurrection du Christ. Les derniers temps sont commencés et les bienfaits messianiques sont déjà communiqués. Mais cet avènement est encore de l'ordre du mystère : il est toujours objet de révélation et ne peut être perçu que par la foi. Cependant, il tend vers son accomplissement plénier et sa manifestation glorieuse. Momentanément, il y a donc coexistence du « temps présent » et de « l'ère nouvelle ».

Dans cette perspective, la rupture classique entre ces deux phases de l'histoire n'offre plus la même signification. Plutôt que d'évoquer la succession de deux périodes antagonistes, elle souligne la confrontation actuelle de deux ordres de réalités. Dès lors, les visions n'ont plus comme rôle premier de symboliser les étapes préparatoires à l'avènement final ; elles s'intéressent davantage aux divers aspects de la condition actuelle de l'Eglise, réalité déjà céleste mais affrontée encore aux puissances de ce monde. Ainsi la méditation théologique prend le pas sur la description apocalyptique du déroulement de l'histoire.

*En faisant une telle place à la contemplation de la condition actuelle de l'Eglise et au rappel de ses fondements, l'*Apocalypse *johannique se rapproche des perspectives de la prédication prophétique qui tendait à provoquer le réveil spirituel par la commémoration des événements fondateurs de l'Alliance et la considération de la vocation d'Israël. Cette attention au mystère du « Royaume qui vient » plutôt qu'à la date de sa manifestation glorieuse explique sans doute pourquoi l'*Apocalypse *johannique n'exploite guère les procédés de pseudonymie et d'antidatation qui, dans l'apocalyptique courante, étaient principalement destinés à supputer l'imminence du « Jour du Seigneur ». Le thème de l'urgence est cependant maintenu, lié à cette conviction que les derniers temps sont proches puisque, dans un certain sens, ils sont déjà commencés.*

Auteur et circonstances de composition

*L'auteur de l'*Apocalypse *se donne le nom de Jean et le titre de prophète (Ap 1.1,4,9 ; 22.8-9). Bien qu'il ne se présente pas comme l'un des Douze, une tradition assez ferme, dont nous trouvons des traces dès le IIe siècle, l'identifie avec l'apôtre Jean, auquel elle attribue également le quatrième évangile. Plusieurs témoignages des premiers siècles nous indiquent cependant que cette tradition n'était pas unanimement acceptée. Les exégètes contemporains restent partagés, plus ou moins sensibles aux parentés ou aux divergences qu'offrent entre eux le quatrième évangile et l'*Apocalypse*. La question de l'attribution littéraire est d'ailleurs étroitement associée aux hypothèses concernant l'unité de l'œuvre et l'histoire de sa composition. La tendance actuelle est plutôt de rattacher l'*Apocalypse *et l'évangile johannique à des cercles chrétiens d'Ephèse qui se seraient considérés comme les héritiers de l'enseignement de l'apôtre Jean.*

Les destinataires sont les « sept Eglises d'Asie ». Il s'agit de sept communautés de la Province d'Asie, dont la métropole était Ephèse ; mais la symbolique du chiffre sept suggère que, à travers elles, l'auteur viserait l'ensemble des Eglises.

*A propos des circonstances de composition, l'ouvrage nous apporte deux indications fermes : d'une part, l'Eglise a déjà fait l'expérience de la persécution et semble même envisager un conflit ouvert avec le pouvoir impérial ; d'autre part, l'avènement glorieux du Christ, tel qu'on l'espère, se fait attendre et le prolongement des délais suscite, chez les uns, les compromissions ou la tiédeur et, chez les autres, le découragement, la perplexité ou l'impatience. Tenant compte de ces données, on peut envisager la fin du règne de Domitien (vers 91-96). Selon plusieurs auteurs cependant, l'histoire littéraire de l'*Apocalypse *serait plus complexe : certaines pièces auraient été composées entre la persécution de Néron et la ruine de Jérusalem.*

La structure de l'Apocalypse

Quoi qu'il en soit des hypothèses concernant l'histoire de sa composition, l'œuvre qui nous est parvenue révèle une certaine organisation. D'emblée on peut repérer un premier ensemble constitué par une vision inaugurale et les « lettres aux Eglises » (Ap 1.9—3.22). Dans le deuxième ensemble, qui constitue l'apocalypse proprement dite, la structure générale indique une progression vers l'accomplissement eschatologique : visions inaugurales du trône de Dieu et de l'investiture de l'Agneau (Ap 4—5), préludes de la fin des temps (Ap 6—11), confrontations et épreuves finales (Ap 12—20), avènement et manifestation du monde nouveau et de la Jérusalem céleste (Ap 21.1—22.5). A l'intérieur de ce schéma global, des structures intermédiaires (par ex. les « septénaires ») et des visions intercalaires permettent au prophète de multiplier les références à l'Ancien Testament et d'étaler sa méditation sur le mystère de l'Eglise et du temps présent.

L'établissement d'un plan précis et totalement cohérent reste aléatoire, mais le problème fondamental est l'interprétation à donner à la succession même des visions. Faut-il y voir une représentation symbolique des phases successives de l'histoire ou un pur procédé littéraire destiné à fournir un cadre à l'évocation des divers aspects du mystère chrétien et du jugement du monde ? Le parallélisme des structures intermédiaires et la récurrence de certains thèmes fondamentaux justifient cette seconde hypothèse : à travers l'ensemble de l'ouvrage, ce sont les mêmes convictions et le même message qui s'affirment, mais repris sans cesse sous des images différentes et en vue d'applications et d'explicitations nouvelles.

Le message de l'Apocalypse

*Comme tout message prophétique, l'*Apocalypse *proclame l'actualité du dessein de Dieu et, corrélativement, l'urgence de l'engagement. Cette proclamation, elle la fait en dévoilant le mystère du temps présent et de son accomplissement. Dans l'événement pascal, le Christ triomphant a inauguré le Royaume ; l'œuvre de Dieu est ainsi arrivée à son terme et nous n'attendons plus que sa manifestation.*

L'Eglise est associée à la victoire et à la vie du Ressuscité ; elle est le peuple « royal et sacerdotal » qui célèbre éternellement la liturgie de la reconnaissance. En ce sens, elle appartient déjà au monde céleste et cependant elle est encore en exode sur une terre qui reste solidaire des puissances de péché. Elle est ainsi engagée dans le conflit fonda-

mental, où elle doit témoigner de son appartenance et supporter l'épreuve. Par là, elle reproduit dans sa condition présente la carrière de son Sauveur, soutenue par l'espérance d'un triomphe et d'une communion dont elle a déjà reçu les prémices dans le mystère.

Ce message nous concerne. Loin de proposer un futur utopique dont l'attente permettrait de se désintéresser du présent ou de se résigner à ses rigueurs, il dévoile les enjeux d'un conflit actuel et permanent. L'antagonisme radical qu'il évoque n'est pas seulement inspiré par l'expérience occasionnelle des épreuves ou des tentations de la communauté croyante, mais par la conscience de la nécessité et de la gravité de l'option décisive à prendre aujourd'hui.

*En situant l'existence présente dans la perspective de la Parousie, l'*Apocalypse *rappelle que le Seigneur Jésus est au terme de l'histoire comme il est à son principe et que, au-delà des apparences, les réalités terrestres sont relatives au dessein de Dieu. Mais par ses nombreuses références au symbolisme liturgique, elle convie la communauté des fidèles à vivre le culte comme une rencontre actuelle avec le Christ, comme un appel à se conformer à la Pâque du Seigneur, comme une proclamation et une attente de la manifestation de la Jérusalem céleste dont elle est l'anticipation et le signe.*

L'APOCALYPSE

Introduction

1 [1] *Révélation[a] de Jésus Christ:
Dieu la lui donna pour montrer à ses serviteurs ce qui doit arriver bientôt.
Il la fit connaître en envoyant son *ange à Jean son serviteur,
[2] lequel a attesté comme Parole de Dieu et témoignage de Jésus Christ tout ce qu'il a vu[b].
[3] Heureux celui qui lit[c],
et ceux qui écoutent les paroles de la *prophétie
et gardent ce qui s'y trouve écrit,
car le temps est proche.

Adresse

[4] Jean aux sept Eglises qui sont en Asie:
Grâce et paix vous soient données,
de la part de Celui qui est, qui était et qui vient,
de la part des sept esprits[d] qui sont devant son trône,
[5] et de la part de Jésus Christ, le témoin fidèle, le premier-né d'entre les morts et le prince des rois de la terre.
A celui qui nous aime,
qui nous a délivrés[e] de nos péchés par son *sang,
[6] qui a fait de nous un royaume, des *prêtres[f] pour Dieu son Père,
à lui gloire et pouvoir pour les *siècles des siècles. *Amen.

a 1.1 En grec *apocalupsis,* dont on a fait apocalypse. ***b 1.2*** Voir vv. 11, 12, etc.; Jean va rapporter une *vision.* — *Parole de Dieu et témoignage de Jésus* 1.9; 6.9; 12.17; 19.10; 20.4. ***c 1.3*** Sous-entendu *à haute voix* (pendant le culte). ***d 1.4*** *Asie*: voir 2 Co 1.8 et la note. — Les *sept Eglises* sont mentionnées au v. 11. — *Celui qui est, qui était et qui vient* 1.8; 4.8; 11.17; 16.5; voir Ex 3.14. — *sept esprits* Es 11.2; Ap 3.1; 4.5; 5.6. ***e 1.5*** Autre texte: *nous a lavés.* — *le premier-né* Ps 89.28; Col 1.18. — *témoin fidèle* Ps 89.38; Es 55.4; Ap 2.13; 3.14; 19.11. ***f 1.6*** Ex 19.6; Es 61.6; 1 P 2.5, 9; Ap 5.10; 20.6.

7 Voici, il vient au milieu des nuées,
et tout œil le verra,
et ceux mêmes qui l'ont percé[g]:
toutes les tribus de la terre seront en deuil à cause de lui.
Oui! Amen!
8 Je suis l'Alpha et l'Oméga, dit le Seigneur Dieu,
Celui qui est, qui était et qui vient,
le Tout-Puissant[h].

Vision du Fils de l'homme

9 Moi, Jean, votre frère et votre compagnon dans l'épreuve, la royauté
et la persévérance en Jésus, je me trouvais dans l'île de Patmos[i] à
cause de la Parole de Dieu et du témoignage de Jésus.
10 Je fus saisi par l'Esprit au jour du Seigneur[j], et j'entendis derrière
moi une puissante voix,
telle une trompette,
11 qui proclamait: Ce que tu vois, écris-le dans un livre, et envoie-le
aux sept Eglises: à Ephèse, à Smyrne, à Pergame, à Thyatire, à
Sardes, à Philadelphie et à Laodicée.
12 Je me retournai pour regarder la voix qui me parlait; et, m'étant
retourné, je vis sept chandeliers[k] d'or;
13 et, au milieu des chandeliers,
quelqu'un qui semblait un fils d'homme[l].
Il était vêtu d'une longue robe,
une ceinture d'or lui serrait la poitrine;
14 sa tête et ses cheveux étaient blancs comme laine blanche, comme
neige,
et ses yeux étaient comme une flamme ardente;
15 ses pieds semblaient d'un bronze précieux, purifié au creuset,
et sa voix était comme la voix des océans;
16 dans sa main droite, il tenait sept étoiles,

g 1.7 *au milieu des nuées* Dn 7.13 ; voir Ex 19.16 ; Es 6.4 ; Mt 24.30 ; Mc 13.26 ; Lc 21.27 ; Ac 1.9 ; Ap 14.14. — *ceux qui l'ont percé* Za 12.10 (Jn 19.37). ***h 1.8*** *Alpha et Oméga* : première et dernière lettres de l'alphabet grec. Comme en 21.6 et 22.13 l'expression correspond à *le commencement et la fin.* — *le Tout-Puissant* 4.8 ; 11.17 ; 15.3 ; 16.7, 14 ; 19.6, 15 ; 21.22. ***i 1.9*** Petite île de la mer Egée, à une centaine de km d'Ephèse ; lieu d'exil des personnes jugées indésirables par les autorités romaines. ***j 1.10*** Un dimanche ; Ac 20.7 ; 1 Co 11.26 ; 16.2. ***k 1.12*** Ex 25.31-40 ; 27.20-21 ; Za 4.1-14. ***l 1.13*** v. 13-15 : *comme un fils d'homme* Dn 7.13 ; Ap 14.14. — *ceinture d'or* Dn 10.5. — *cheveux blancs* Dn 7.9. — *ses yeux, ses pieds, sa voix* Dn 10.6.

et de sa bouche sortait un glaive acéré[m], à deux tranchants.
Son visage resplendissait, tel le soleil dans tout son éclat.
17 A sa vue, je tombai comme mort à ses pieds,
mais il posa sur moi sa droite et dit:
Ne crains pas,
Je suis le Premier et le Dernier[n],
18 et le Vivant;
je fus mort, et voici, je suis vivant pour les *siècles des siècles,
et je tiens les clés de la mort et de l'Hadès[o].
19 Ecris donc ce que tu as vu, ce qui est et ce qui doit arriver ensuite.
20 Quant au mystère des sept étoiles que tu as vues dans ma droite et
aux sept chandeliers d'or, voici: les sept étoiles sont les *anges des
sept Eglises, et les sept chandeliers sont les sept Eglises.

Lettre à l'Eglise d'Ephèse

2 1 A *l'ange de l'Eglise qui est à Ephèse, écris:
Ainsi parle celui qui tient les sept étoiles[p] dans sa droite,
qui marche au milieu des sept chandeliers d'or:
2 Je sais tes œuvres[q], ton labeur et ta persévérance,
et que tu ne peux tolérer les méchants.
Tu as mis à l'épreuve ceux qui se disent *apôtres et ne le sont pas,
et tu les as trouvés menteurs.
3 Tu as de la persévérance:
tu as souffert à cause de mon *nom et tu n'as pas perdu courage.
4 Mais j'ai contre toi que ta ferveur première[r], tu l'as abandonnée.
5 Souviens-toi donc d'où tu es tombé:
repens-toi[s] et accomplis les œuvres d'autrefois.
Sinon je viens à toi,
et, si tu ne te repens, j'ôterai ton chandelier de sa place.
6 Mais tu as ceci en ta faveur:
comme moi-même, tu as en horreur les œuvres des Nicolaïtes[t].
7 Celui qui a des oreilles, qu'il entende ce que l'Esprit dit aux Eglises.

m 1.16 *sept étoiles* 1.20 ; 2.1 ; 3.1. – *un glaive acéré* Es 49.2 ; He 4.12 ; Ap 19.13-15. ***n 1.17*** Es 44.6 ; 48.12 ; Ap 2.8 ; 22.13 ; voir 1.8. ***o 1.18*** *le Vivant* He 7.25. — *les clés :* voir Es 22.22 ; Ap 3.7 et la note. — *l'Hadès* : nom que les grecs donnaient au royaume de la mort. Ailleurs le même mot est rendu par *séjour des morts.*

p 2.1 *sept étoiles* 1.16. ***q 2.2*** 3.1, 8, 15. ***r 2.4*** Ou *ton premier amour.* ***s 2.5*** 2.16, 22 ; 3.3, 19. ***t 2.6*** Les vv. 2, 14, 20, 24 font sans doute allusion aux doctrines et à la morale de la secte hérétique des *Nicolaïtes,* mentionnés encore au v. 15, mais dont nous ne savons rien par ailleurs.

Au vainqueur, je donnerai à manger de l'arbre de *vie qui est dans le paradis[u] de Dieu.

Lettre à l'Eglise de Smyrne

8 A *l'ange de l'Eglise qui est à Smyrne, écris:
Ainsi parle le Premier et le Dernier, Celui qui fut mort, mais qui est revenu à la vie:
9 Je sais ton épreuve et ta pauvreté — mais tu es riche —,
et les calomnies de ceux qui se prétendent *Juifs;
ils ne le sont pas: c'est une « *synagogue de *Satan[v]».
10 Ne crains pas ce qu'il te faudra souffrir.
Voici, le *diable va jeter des vôtres en prison pour vous *tenter,
et vous aurez dix jours d'épreuve.
Sois fidèle jusqu'à la mort et je te donnerai la couronne de vie[w].
11 Celui qui a des oreilles, qu'il entende ce que l'Esprit dit aux Eglises.
Le vainqueur ne souffrira nullement de la seconde mort[x].

Lettre à l'Eglise de Pergame

12 A *l'ange de l'Eglise qui est à Pergame, écris:
Ainsi parle celui qui a le glaive acéré à deux tranchants:
13 Je sais où tu demeures: c'est là qu'est le trône de *Satan.
Mais tu restes attaché à mon *nom et tu n'as pas renié ma foi,
même aux jours d'Antipas, mon témoin fidèle, qui fut mis à mort chez vous, là où Satan demeure.
14 Mais j'ai quelque reproche à te faire: il en est chez toi qui s'attachent à la doctrine de ce Balaam qui conseillait à Balak de tendre un piège aux fils d'Israël pour les pousser à manger des viandes sacrifiées aux idoles et à se prostituer[y].
15 Chez toi aussi, il en est qui s'attachent de même à la doctrine des Nicolaïtes[z].
16 Repens-toi donc.
Sinon je viens à toi bientôt[a],
et je les combattrai avec le glaive de ma bouche.
17 Celui qui a des oreilles, qu'il entende ce que l'Esprit dit aux Eglises.
Au vainqueur je donnerai de la manne cachée,

***u* 2.7** Le terme grec, emprunté au vieux perse, désigne un parc ; il renvoie ici au jardin d'Eden (Gn 2.8). — *arbre de vie* Gn 2.9 ; 3.22, 24 ; Ap 22.2, 14, 19. ***v* 2.9** 3.9 ; voir Rm 2.28-29 ; 2 Co 11.13-16 ; Ga 3.29. ***w* 2.10** *dix jours* : comme en Gn 24.55 ; Dn 1.12, etc. ; ce nombre indique seulement une durée relativement courte. — *couronne* 3.11 ; 4.4, 10 ; 6.2 ; 9.7 ; 12.1 ; 14.14 ; voir Ph 4.1 et la note. ***x* 2.11** 20.6, 14 ; 21.8. ***y* 2.14** Voir Nb 31.16 et 25.1-2. Pour *Balaam :* Nb 22—24. Voir aussi Ap 2.20 et la note. ***z* 2.15** Voir 2.6 et la note. ***a* 2.16** 3.11 ; 22.7, 12, 20.

je lui donnerai une pierre blanche, et, gravé sur la pierre, un nom
nouveau[b] que personne ne connaît sinon qui le reçoit.

Lettre à l'Eglise de Thyatire

18 A *l'ange de l'Eglise qui est à Thyatire, écris:
Ainsi parle le Fils de Dieu,
celui dont les yeux sont comme une flamme ardente et les pieds
semblables à du bronze précieux[c]:
19 Je sais tes œuvres, ton amour, ta foi, ton service et ta persévérance;
tes dernières œuvres dépassent en nombre les premières.
20 Mais j'ai contre toi que tu tolères Jézabel[d],
cette femme qui se dit *prophétesse et qui égare mes serviteurs,
leur enseignant à se prostituer et à manger des viandes sacrifiées
aux idoles.
21 Je lui ai laissé du temps pour se repentir,
mais elle ne veut pas se repentir de sa prostitution.
22 Voici, je la jette sur un lit d'amère détresse,
ainsi que ses compagnons d'adultère,
à moins qu'ils ne se repentent de ses œuvres.
23 Ses enfants, je les frapperai de mort;
et toutes les Eglises sauront que je suis celui qui scrute les reins et
les cœurs,
et à chacun de vous je rendrai selon ses œuvres[e].
24 Mais je vous le déclare à vous qui, à Thyatire, restez sans partager
cette doctrine et sans avoir sondé leurs prétendues «profondeurs»
de *Satan[f],
je ne vous impose pas d'autre fardeau.
25 Seulement, ce que vous possédez, tenez-le ferme jusqu'à ce que je
vienne.
26 Le vainqueur, celui qui garde jusqu'à la fin mes œuvres, je lui don-
nerai pouvoir sur les nations[g],
27 et il les mènera paître avec une verge de fer,
comme on brise les vases d'argile,

***b* 2.17** *manne :* voir Ex 16.32-34 ; He 9.4. — *un nom nouveau* Es 62.2 ; 65.15 ; Ap 3.12 ; voir Ph 2.9. ***c* 2.18** Dn 10.6 ; Ap 1.14, 15. ***d* 2.20** *Jézabel :* nom probablement symbolique ici ; voir 1 R 16.31-34 ; 19.1-2, etc. Depuis Os 5.3 ; 6.10, l'*idolâtrie* du peuple de Dieu a souvent été qualifiée de *prostitution.* ***e* 2.23** *Ses enfants :* tournure sémitique, comme en Lc 7.35, pour désigner ici les *adeptes* de « Jézabel ». — Dieu *scrute les reins et les cœurs* Ps 7.10 ; Jr 11.20. — *selon ses œuvres* Ps 62.13 ; Pr 24.12 ; Jr 17.10 ; Rm 2.6 ; 2 Tm 4.14 ; Ap 18.6 ; 20.12-13. ***f* 2.24** Allusion à des enseignements secrets, réservés aux initiés de la secte. ***g* 2.26** v. 26-27 : Ps 2.8-9 ; Ap 12.5 ; 19.15.

28 de même que moi aussi j'en ai reçu pouvoir de mon Père,
et je lui donnerai l'étoile du matin[h].
29 Celui qui a des oreilles, qu'il entende ce que l'Esprit dit aux Eglises.

Lettre à l'Eglise de Sardes

3 1 A *l'ange de l'Eglise qui est à Sardes, écris:
Ainsi parle celui qui a les sept esprits de Dieu et les sept étoiles:
Je sais tes œuvres: tu as renom de vivre, mais tu es mort!
2 Sois vigilant! Affermis le reste qui est près de mourir, car je n'ai pas
trouvé tes œuvres parfaites aux yeux de mon Dieu.
3 Souviens-toi donc de ce que tu as reçu et entendu.
Garde-le et repens-toi!
Si tu ne veilles pas, je viendrai comme un voleur[i],
sans que tu saches à quelle heure je viendrai te surprendre.
4 Cependant, à Sardes, tu as quelques personnes qui n'ont pas souillé
leurs vêtements.
Elles m'accompagneront, vêtues de blanc[j], car elles en sont dignes.
5 Ainsi le vainqueur portera-t-il des vêtements blancs;
je n'effacerai pas son nom du livre de *vie,
et j'en répondrai devant mon Père[k] et devant ses anges.
6 Celui qui a des oreilles, qu'il entende ce que l'Esprit dit aux Eglises.

Lettre à l'Eglise de Philadelphie

7 A *l'ange de l'Eglise qui est à Philadelphie, écris:
Ainsi parle le *Saint, le Véritable,
qui tient la clé de David[l],
qui ouvre et nul ne fermera,
qui ferme et nul ne peut ouvrir:
8 Je sais tes œuvres.
Voici, j'ai placé devant toi une porte ouverte que nul ne peut
fermer.
Tu n'as que peu de force, et pourtant tu as gardé ma parole et tu n'as
pas renié mon *nom.

***h* 2.28** 22.16 ; voir Nb 24.17 ; Mt 2.2. ***i* 3.3** *Souviens-toi... entendu* ou *rappelle-toi comment tu as reçu et entendu (la Parole).* – *comme un voleur* Mt 24.42-44 ; Lc 12.39-40 ; 1 Th 5.2 ; 2 P 3.10 ; Ap 16.15. ***j* 3.4** Dn 7.9 ; Mt 17.2 ; 28.3 ; Mc 16.5 ; Jn 20.12 ; Ap 3.18 ; 4.4 ; 6.11 ; 7.9, 13-14 ; 19.14. ***k* 3.5** *livre de vie* Ex 32.32-33 ; Ps 69.29 ; Dn 12.1 ; Lc 10.20 ; Ph 4.3 ; Ap 13.8 ; 17.8 ; 20.12, 15 ; 21.27. – Un *répondant* devant Dieu Mt 10.32 ; Lc 12.8. ***l* 3.7** Voir Es 22.22 : celui qui détient *la clé de* (la maison de) *David* est investi d'une mission de confiance et des pleins pouvoirs pour la remplir. Par ailleurs le Christ est descendant du roi David (Ac 2.30).

9 Voici, je te donne des gens de la *synagogue de *Satan, de ceux qui
se disent *Juifs, mais ne le sont pas, car ils mentent.
Voici, je les ferai venir se prosterner à tes pieds[m],
et ils reconnaîtront que je t'ai aimé.
10 Parce que tu as gardé ma parole avec persévérance[n],
moi aussi je te garderai de l'heure de l'épreuve,
qui va venir sur l'humanité entière, et mettre à l'épreuve les habitants de la terre.
11 Je viens bientôt.
Tiens ferme ce que tu as, pour que nul ne te prenne ta couronne[o].
12 Le vainqueur, j'en ferai une colonne dans le *temple de mon Dieu,
il n'en sortira jamais plus,
et j'inscrirai sur lui le nom de mon Dieu,
et le nom de la cité de mon Dieu, la Jérusalem nouvelle[p] qui descend du ciel d'auprès de mon Dieu,
et mon nom nouveau.
13 Celui qui a des oreilles, qu'il entende ce que l'Esprit dit aux Eglises.

Lettre à l'Eglise de Laodicée

14 A *l'ange de l'Eglise qui est à Laodicée, écris:
Ainsi parle *l'Amen, le Témoin fidèle et véritable,
le Principe de la création[q] de Dieu:
15 Je sais tes œuvres: tu n'es ni froid ni bouillant.
Que n'es-tu froid ou bouillant!
16 Mais parce que tu es tiède, et non froid ou bouillant, je vais te vomir de ma bouche.
17 Parce que tu dis: je suis riche, je me suis enrichi, je n'ai besoin de rien,
et que tu ne sais pas que tu es misérable, pitoyable, pauvre, aveugle et nu,
18 je te conseille d'acheter chez moi de l'or purifié au feu pour t'enrichir, et des vêtements blancs pour te couvrir et que ne paraisse pas la honte de ta nudité,
et un collyre pour oindre tes yeux et recouvrer la vue.
19 Moi, tous ceux que j'aime, je les reprends et les corrige[r].
Sois donc fervent et repens-toi!

m ***3.9*** *se prosterner à tes pieds* Es 45.14 ; 49.23 ; 60.14. — *je t'ai aimé* Es 43.4. **n** ***3.10*** Lc 21.19 ; 2 Tm 2.12 ; He 10.36. **o** ***3.11*** Voir 2.10 et la note. **p** ***3.12*** *le temple de Dieu* 7.15 ; 11.1. — *marqués du nom de Dieu* 14.1 ; 22.4. — *nouvelle Jérusalem* 21.2+. **q** ***3.14*** Pr 8.22 ; *Sg* 9.1-2 ; Jn 1.3 ; Col 1.15-18 ; He 1.2. **r** ***3.19*** Pr 3.12 ; 1 Co 11.32 ; He 12.6.

20 Voici, je me tiens à la porte et je frappe.
Si quelqu'un entend ma voix et ouvre la porte,
j'entrerai chez lui et je prendrai la cène avec lui[s] et lui avec moi.
21 Le vainqueur, je lui donnerai de siéger avec moi sur mon trône[t],
comme moi aussi j'ai remporté la victoire et suis allé siéger avec
mon Père sur son trône.
22 Celui qui a des oreilles, qu'il entende ce que l'Esprit dit aux Eglises.

Le trône de Dieu et le culte céleste

4 1 Après cela je vis:
Une porte était ouverte dans le ciel[u],
et la première voix que j'avais entendue me parler, telle une trom-
pette, dit:
Monte ici et je te montrerai ce qui doit arriver ensuite.
2 Aussitôt je fus saisi par l'Esprit.
Et voici, un trône se dressait dans le ciel,
et, siégeant sur le trône[v], quelqu'un.
3 Celui qui siégeait avait l'aspect d'une pierre de jaspe et de sardoine.
Une gloire nimbait le trône de reflets d'émeraude[w].
4 Autour du trône vingt-quatre trônes,
et sur ces trônes, vingt-quatre *anciens siégeaient, vêtus de blanc,
et, sur leurs têtes, des couronnes d'or[x].
5 Du trône sortaient des éclairs, des voix et des tonnerres.
Sept lampes ardentes[y] brûlaient devant le trône,
ce sont les sept esprits de Dieu.
6 Devant le trône, comme une mer limpide, semblable à du cristal.
Au milieu du trône et l'entourant, quatre animaux[z] couverts d'yeux
par-devant et par-derrière.
7 Le premier animal ressemblait à un lion,
le deuxième à un jeune taureau,
le troisième avait comme une face humaine,
et le quatrième semblait un aigle en plein vol.

s 3.20 Lc 22.29, 30 ; Jn 14.23. ***t 3.21*** Mt 19.28 ; Lc 22.30 ; Ap 20.4. ***u 4.1*** Ez 1.1 ; Mc 1.10 ; Jn 1.51 ; Ap 19.11. ***v 4.2*** 1 R 22.19 ; Ps 47.9 ; Es 6.1 ; Ez 1.26-27 ; 10.1 ; *Si* 1.8 ; Ap 4.9 ; 5.1, 7, 13 ; 6.16 ; 7.10 ; 19.4 ; 21.5. ***w 4.3*** Vision de la gloire divine Ez 1.26-28. — *Une gloire :* le même mot grec désigne aussi l'*arc-en-ciel,* ou encore une *auréole.* — *émeraude :* voir Ap 21.11, 20 et les notes. ***x 4.4*** *les anciens* d'Israël Ex 3.16 ; 24.1, 9 ; Nb 11.16 ; 1 R 8.1. — *vêtus de blanc* Ap 3.4+. — *couronne* 3.11. ***y 4.5*** *des éclairs, des voix...* Ex 19.16 ; Ez 1.13 ; Ap 8.5 ; 11.19 ; 16.18. — *lampes ardentes* Ez 1.13 ; Za 4.2. — *sept esprits* Ap 1.4+. ***z 4.6*** *mer de cristal* 15.2 ; voir Ex 24.10 ; Ez 1.22. — *quatre animaux* Ez 1.5-21 ; 10.14 ; Ap 19.4.

8 Les quatre animaux avaient chacun six ailes couvertes d'yeux tout
autour et au-dedans.
Ils ne cessent jour et nuit de proclamer:
Saint, saint, saint,
le Seigneur, le Dieu tout-puissant,
Celui qui était, qui est et qui vient[a]!
9 Et chaque fois que les animaux rendaient gloire, honneur et action
de grâce à celui qui siège sur le trône, au Vivant[b] pour les *siècles
des siècles,
10 les vingt-quatre anciens se prosternaient devant celui qui siège sur
le trône,
ils adoraient le Vivant pour les siècles des siècles
et jetaient leurs couronnes devant le trône en disant:
11 Tu es digne, Seigneur notre Dieu,
de recevoir la gloire, l'honneur et la puissance,
car c'est toi qui créas toutes choses;
tu as voulu qu'elles soient, et elles furent créées.

Le livre scellé et l'Agneau

5 1 Et je vis, dans la main droite de celui qui siège sur le trône,
un livre écrit au-dedans et au-dehors,
scellé de sept sceaux[c].
2 Et je vis un *ange puissant qui proclamait d'une voix forte:
Qui est digne d'ouvrir le livre et d'en rompre les sceaux?
3 Mais nul, dans le *ciel, sur la terre ni sous la terre[d],
n'avait pouvoir d'ouvrir le livre ni d'y jeter les yeux.
4 Je me désolais de ce que nul ne fût trouvé digne d'ouvrir le livre ni
d'y jeter les yeux.
5 Mais l'un des *anciens me dit:
Ne pleure pas!
Voici, il a remporté la victoire,
le lion de la tribu de Juda, le rejeton de David[e]:
il ouvrira le livre et ses sept sceaux.
6 Alors je vis:
au milieu du trône et des quatre animaux,

a 4.8 *six ailes* Es 6.2. – *des yeux tout autour* Ez 1.18 ; 10.12. – *Saint, saint, saint* Es 6.3. – *tout-puissant* Ap 1.8+. – *Celui qui est, qui était et qui vient* 1.4+. ***b 4.9*** *le trône* de Dieu 4.2+. – *le Vivant* Dn 4.31 ; 12.7. ***c 5.1*** Les livres d'alors avaient la forme d'un rouleau ; celui-ci est écrit sur les deux faces ; Ez 2.9-10. Pour les *sceaux* voir Ap 7.2 et la note ; Es 29.11. ***d 5.3*** Voir Ph 2.10 et la note. ***e 5.5*** *le lion de Juda* Gn 49.9 ; voir He 7.14. – *rejeton de David* Es 11.1, 10 (Rm 15.12) ; Ap 3.7 et la note ; 22.16.

au milieu des anciens,
un agneau se dressait, qui semblait immolé.
Il avait sept cornes[f] et sept yeux qui sont les sept esprits de Dieu envoyés sur toute la terre.
7 Il s'avança pour recevoir le livre de la main droite de celui qui siège sur le trône.
8 Et, quand il eut reçu le livre,
les quatre animaux et les vingt-quatre anciens se prosternèrent devant l'agneau.
Chacun tenait une harpe et des coupes d'or pleines de parfum,
qui sont les prières des *saints[g].
9 Ils chantaient un cantique nouveau:
Tu es digne de recevoir le livre et d'en rompre les sceaux,
car tu as été immolé,
et tu as racheté[h] pour Dieu, par ton *sang,
des hommes de toute tribu, langue, peuple et nation.
10 Tu en as fait, pour notre Dieu, un royaume et des *prêtres,
et ils régneront sur la terre[i].
11 Alors je vis:
Et j'entendis la voix d'anges nombreux autour du trône, des animaux et des anciens.
Leur nombre était myriades de myriades[j] et milliers de milliers.
12 Ils proclamaient d'une voix forte:
Il est digne, l'agneau immolé,
de recevoir puissance, richesse, sagesse,
force, honneur, gloire et louange[k].
13 Et toute créature au ciel, sur terre, sous terre et sur mer,
tous les êtres qui s'y trouvent,
je les entendis proclamer:
A celui qui siège sur le trône et à l'agneau,
louange, honneur, gloire et pouvoir pour les *siècles des siècles.
14 Et les quatre animaux disaient:
*Amen!
Et les anciens se prosternèrent et adorèrent.

***f* 5.6** *l'agneau immolé* Ex 12.3-6 ; Es 53.7 ; 1 P 1.19-20 ; Ap 5.12 ; 13.8 ; 14.1. – D'après Dt 33.17 ; Dn 7.7, 24, etc., la *corne* était symbole de puissance (voir 17.12) et, d'après Za 4.10, les *yeux* symboles de l'omniscience. Le chiffre *sept* est souvent symbole de plénitude et de totalité (voir Rt 4.15). ***g* 5.8** Ps 141.2 ; Ap 8.3. ***h* 5.9** *cantique nouveau* Es 42.10 ; Ps 33.3 ; 40.4 ; 96.1 ; 98.1 ; 144.9 ; 149.1 ; Ap 14.3. – *rachetés* 14.4. ***i* 5.10** *un royaume et des prêtres* 1.6+. – *ils régneront* Rm 5.17 ; Ap 20.6 ; 22.5-6. ***j* 5.11** *myriades* Dn 7.10 ; He 12.22. ***k* 5.12** Au Christ *la puissance...* Ph 2.9-11.

Ouverture des six premiers sceaux

6 [1] Alors je vis:
Quand l'agneau ouvrit le premier des sept sceaux, j'entendis le
premier des quatre animaux s'écrier d'une voix de tonnerre: Viens!
2 Et je vis: c'était un cheval[l] blanc.
Celui qui le montait tenait un arc.
Une couronne lui fut donnée,
et il partit en vainqueur et pour vaincre.
3 Quand il ouvrit le deuxième sceau, j'entendis le deuxième animal
s'écrier: Viens!
4 Alors surgit un autre cheval, rouge feu.
A celui qui le montait fut donné le pouvoir de ravir la paix de la terre
pour qu'on s'entretue,
et il lui fut donné une grande épée.
5 Quand il ouvrit le troisième sceau, j'entendis le troisième animal
s'écrier: Viens!
Et je vis: c'était un cheval noir.
Celui qui le montait tenait une balance à la main.
6 Et j'entendis comme une voix, au milieu des quatre animaux, qui
disait:
Une mesure de blé pour un denier[m] et trois mesures d'orge pour
un denier,
quant à l'huile et au vin, n'y touche pas.
7 Quand il ouvrit le quatrième sceau, j'entendis le quatrième animal
s'écrier: Viens!
8 Et je vis: c'était un cheval blême.
Celui qui le montait, on le nomme «la mort», et *l'Hadès le suivait.
Pouvoir leur fut donné sur le quart de la terre,
pour tuer par l'épée, la famine, la mort et les fauves de la terre[n].
9 Quand il ouvrit le cinquième sceau, je vis sous *l'autel les âmes de
ceux qui avaient été immolés à cause de la parole de Dieu et du
témoignage qu'ils avaient porté[o].
10 Ils criaient d'une voix forte:
Jusques à quand, Maître *saint et véritable,
tarderas-tu à faire justice[p]
et à venger notre *sang sur les habitants de la terre?

l 6.2 v. 2-5 : les 4 cavaliers Za 1.8 ; 6.1-8 ; voir Ap 19.11. ***m 6.6*** Voir au glossaire POIDS ET MESURES. ***n 6.8*** Ez 14.21 ; Jr 14.12 ; 15.2-3 ; Ez 5.16-17 ; 7.15 ; 14.12-21. ***o 6.9*** Les martyrs 7.9-17 ; 16.7 ; 20.4. ***p 6.10*** Dt 32.43 ; 2 R 9.7 ; Za 1.12 ; Ps 79.10 ; Lc 18.7 ; Ap 11.18 ; 18.20 ; 19.2.

11 Alors il leur fut donné à chacun une robe blanche[q],
et il leur fut dit de patienter encore un peu,
jusqu'à ce que fût au complet le nombre de leurs compagnons de service et de leurs frères,
qui doivent être mis à mort comme eux.
12 Et je vis:
Quand il ouvrit le sixième sceau,
il se fit un violent tremblement de terre.
Le soleil devint noir comme une étoffe de crin,
et la lune entière comme du sang.
13 Les étoiles du ciel tombèrent sur la terre,
comme fruits verts d'un figuier battu par la tempête.
14 Le ciel se retira comme un livre qu'on roule[r],
toutes les montagnes et les îles furent ébranlées.
15 Les rois de la terre, les grands, les chefs d'armée,
les riches et les puissants,
tous, esclaves et hommes libres,
se cachèrent dans les cavernes et les rochers des montagnes.
16 Ils disaient aux montagnes et aux rochers:
Tombez sur nous[s] et cachez-nous
loin de la face de celui qui siège sur le trône,
et loin de la colère de l'agneau!
17 Car il est venu le grand *jour de leur colère[t],
et qui peut subsister?

L'Eglise comme Peuple de Dieu

7 1 Après cela, je vis quatre *anges debout aux quatre coins de la terre.
Ils retenaient les quatre vents[u] de la terre,
afin que nul vent ne souffle sur la terre, sur la mer ni sur aucun arbre.
2 Et je vis un autre ange monter de l'Orient.
Il tenait le sceau du Dieu vivant[v].
D'une voix forte il cria aux quatre anges qui avaient reçu pouvoir de

***q* 6.11** *une robe blanche* 3.4+. ***r* 6.14** Voir la note sur 5.1. — v. 12-14 : signes cosmiques de la fin Es 13.10-13 ; 34.4 ; Ez 32.7-8 ; Am 8.9 ; Jl 2.10 ; 3.3-4 (Ac 2.17-20) ; Mt 24.29 par. ; Ap 8.12 ; 16.20 ; 20.11. ***s* 6.16** Es 2.19-21 ; Os 10.8 ; Lc 23.30 ; voir Ap 9.6. ***t* 6.17** Ps 110.5 ; Jl 2.1, 11 ; 3.4 ; So 2.2-3 ; Rm 2.5. ***u* 7.1** *les quatre coins de la terre* Ez 7.2 ; Mt 24.31. — *les quatre vents* Jr 49.36 ; Ez 37.9 ; Za 6.5 ; Dn 7.2. ***v* 7.2** Petit instrument gravé en creux servant à marquer les objets personnels ou les lettres qu'on envoyait ; Ez 9.4-6 ; Ap 3.12 ; 9.4 ; 22.4 ; voir 2 Co 1.22.

nuire à la terre et à la mer:
3 Gardez-vous de nuire à la terre, à la mer ou aux arbres,
avant que nous ayons marqué du sceau le front des serviteurs de notre Dieu.
4 Et j'entendis le nombre de ceux qui étaient marqués du sceau:
Cent quarante-quatre mille[w] marqués du sceau,
de toutes les tribus des fils d'Israël.
5 De la tribu de Juda[x] douze mille marqués du sceau.
De la tribu de Ruben douze mille,
de la tribu de Gad douze mille,
6 de la tribu d'Aser douze mille,
de la tribu de Nephtali douze mille,
de la tribu de Manassé douze mille,
7 de la tribu de Siméon douze mille,
de la tribu de Lévi douze mille,
de la tribu d'Issachar douze mille,
8 de la tribu de Zabulon douze mille,
de la tribu de Joseph douze mille,
de la tribu de Benjamin douze mille marqués du sceau.

L'Eglise comme multitude des élus

9 Après cela je vis:
C'était une foule immense que nul ne pouvait dénombrer,
de toutes nations, tribus, peuples et langues.
Ils se tenaient debout devant le trône et devant l'agneau,
vêtus de robes blanches[y] et des palmes à la main.
10 Ils proclamaient à haute voix:
Le salut est à notre Dieu
qui siège sur le trône et à l'agneau.
11 Et tous les *anges rassemblés autour du trône, des *anciens[z] et des quatre animaux
tombèrent devant le trône, face contre terre,
et adorèrent Dieu.
12 Ils disaient:
*Amen! Louange, gloire, sagesse,
action de grâce, honneur, puissance et force
à notre Dieu pour les *siècles des siècles! Amen!
13 L'un des anciens prit alors la parole et me dit:
Ces gens vêtus de robes blanches, qui sont-ils et d'où sont-ils venus?

w *7.4* *144 000:* 14.1-3. **x *7.5*** *tribu de Juda* 5.5+. **y *7.9*** *vêtus de blanc* 3.4+. **z *7.11*** *les* (24) *anciens* 4.4, 10; 11.16; 19.4.

14 Je lui répondis: Mon Seigneur, tu le sais!
Il me dit: Ils viennent de la grande épreuve[a].
Ils ont lavé leurs robes et les ont blanchies dans le *sang de l'agneau.
15 C'est pourquoi ils se tiennent devant le trône de Dieu et lui rendent un culte jour et nuit dans son *temple.
Et celui qui siège sur le trône les abritera sous sa tente[b].
16 Ils n'auront plus faim,
ils n'auront plus soif,
le soleil et ses feux ne les frapperont plus,
17 car l'agneau qui se tient au milieu du trône sera leur berger,
il les conduira vers des sources d'eaux vives.
Et Dieu essuiera toute larme de leurs yeux[c].

Ouverture du septième sceau

8 1 Quand il ouvrit le septième sceau,
il se fit dans le *ciel un silence[d] d'environ une demi-heure...
2 Et je vis les sept *anges qui se tiennent devant Dieu.
Il leur fut donné sept trompettes[e].
3 Un autre ange vint se placer près de *l'autel.
Il portait un encensoir d'or,
et il lui fut donné des parfums en grand nombre,
pour les offrir avec les prières de tous les *saints
sur l'autel d'or qui est devant le trône[f].
4 Et, de la main de l'ange,
la fumée des parfums monta devant Dieu,
avec les prières des saints.
5 L'ange alors prit l'encensoir,
il le remplit du feu de l'autel et le jeta sur la terre: et ce furent des tonnerres, des voix, des éclairs et un tremblement de terre[g].

Les six premières trompettes

6 Les sept *anges qui tenaient les sept trompettes[h] se préparèrent à en sonner.

a 7.14 Dn 12.1 ; Mt 24.21 ; Mc 13.19. **b 7.15** *le trône de Dieu* 4.2+. — *le temple de Dieu* 3.12 ; 11.1. — *la tente de Dieu* Ex 40 ; Es 4.5-6 ; Jn 1.14. **c 7.17** v. 16-17 : Es 49.10. — *leur berger* Ps 23.1 ; Ez 34.23 ; Jn 10.11, 14. — *sources d'eaux vives* Ps 23.2 ; Es 49.10 ; Jr 2.13 ; Jn 4.14. — *Dieu séchera toute larme* Es 25.8 ; 65.19 ; Ap 21.4. **d 8.1** Ha 2.20 ; So 1.7 ; Za 2.17 ; *Sg* 18.14. **e 8.2** *trompettes* Mt 24.31 ; 1 Co 15.20. **f 8.3** *la prière comparée à l'encens* Ps 141.2 ; Ap 5.8. — *l'autel des parfums* Ex 30.1-3 ; Ap 9.13. **g 8.5** 4.5+. **h 8.6** Voir 1 Th 4.16 : la *trompette* est souvent citée comme signal du jugement de Dieu.

7 Le premier fit sonner sa trompette: grêle et feu[i] mêlés de sang tom-
bèrent sur la terre;
le tiers de la terre flamba,
le tiers des arbres flamba,
et toute végétation verdoyante flamba.
8 Le deuxième ange fit sonner sa trompette:
on eût dit qu'une grande montagne embrasée était précipitée dans
la mer.
Le tiers de la mer devint du sang[j].
9 Le tiers des créatures vivant dans la mer périt,
et le tiers des navires fut détruit.
10 Le troisième ange fit sonner sa trompette:
et, du ciel, un astre immense tomba, brûlant comme une torche[k].
Il tomba sur le tiers des fleuves et sur les sources des eaux.
11 Son nom est: Absinthe[l].
Le tiers des eaux devint de l'absinthe,
et beaucoup d'hommes moururent à cause des eaux qui étaient
devenues amères.
12 Le quatrième ange fit sonner sa trompette:
le tiers du soleil, le tiers de la lune et le tiers des étoiles furent
frappés. Ils s'assombrirent du tiers: le jour perdit un tiers de sa clarté
et la nuit de même[m].
13 Alors je vis:
Et j'entendis un aigle qui volait au zénith proclamer d'une voix
forte: Malheur! Malheur! Malheur aux habitants de la terre, à cause
des sonneries de trompettes des trois anges qui doivent encore
sonner!

9 1 Le cinquième ange fit sonner sa trompette:
je vis une étoile précipitée du ciel sur la terre.
Et il lui fut donné la clé du puits de l'abîme[n].
2 Elle ouvrit le puits de l'abîme,
et il en monta une fumée, comme celle d'une grande fournaise[o].
Le soleil en fut obscurci, ainsi que l'air.
3 Et, de cette fumée, des sauterelles[p] se répandirent sur la terre.

i 8.7 Ex 9.23-24 ; Ez 38.22 ; *Sg* 16.22. ***j 8.8*** *chute de la montagne embrasée* Jr 51.25. – *changée en sang* Ex 7.17-21 ; Ap 16.3-4. ***k 8.10*** Es 14.12 ; Ap 9.1. ***l 8.11*** Plante contenant un principe amer et déjà connue en Israël comme vénéneuse ; Am 5.7 ; 6.12 ; Jr 9.14. ***m 8.12*** Ex 10.21-23 ; *Sg* 17 ; Ap 6.12-14+. ***n 9.1*** 11.7 ; 17.8 ; 20.1, 3 ; Lc 8.31. ***o 9.2*** Gn 19.28 ; Ex 19.18. ***p 9.3*** Insectes volant en colonies innombrables et dévorant toute la végétation des zones où ils s'arrêtent ; Ex 10.12-15 ; Jl 1–2 ; *Sg* 16.9.

Il leur fut donné un pouvoir pareil à celui des scorpions[q] de la terre.
4 Il leur fut défendu de faire aucun tort à l'herbe de la terre, à rien de
ce qui verdoie, ni à aucun arbre, mais seulement aux hommes qui ne
portent pas sur le front le sceau de Dieu[r].
5 Il leur fut permis non de les faire mourir, mais d'être leur tourment
cinq mois durant.
Et le tourment qu'elles causent est comme celui de l'homme que
blesse un scorpion.
6 En ces jours-là, les hommes chercheront la mort[s] et ne la trouveront
pas.
Ils souhaiteront mourir et la mort les fuira.
7 Les sauterelles avaient l'aspect de chevaux équipés pour le combat,
sur leurs têtes on eût dit des couronnes d'or,
et leurs visages étaient comme des visages humains.
8 Elles avaient des cheveux comme des cheveux de femme,
et leurs dents étaient comme des dents de lion.
9 Elles semblaient être comme cuirassées de fer,
et le bruit de leurs ailes était comme le bruit de chars à plusieurs
chevaux courant au combat.
10 Elles ont des queues comme celles des scorpions, armées de dards,
et dans leurs queues réside leur pouvoir de nuire aux hommes cinq
mois durant.
11 Elles ont comme roi l'ange de l'abîme qui se nomme, en hébreu,
Abaddon et, en grec, porte le nom d'Apollyon[t].
12 Le premier «malheur» est passé: voici, deux «malheurs» viennent
encore à la suite.
13 Le sixième ange fit sonner sa trompette:
j'entendis une voix venant des cornes de *l'autel d'or[u] qui se trouve
devant Dieu.
14 Elle disait au sixième ange qui tenait la trompette:
Libère les quatre anges qui sont enchaînés sur le grand fleuve
Euphrate[v].
15 On libéra les quatre anges qui se tenaient prêts pour l'heure, le jour,
le mois et l'année où ils devaient mettre à mort le tiers des hommes.
16 Et le nombre des troupes de la cavalerie était: deux myriades de
myriades.

q* *9.3 Petit animal des régions chaudes muni d'un dard venimeux à l'extrémité de la queue. ***r 9.4*** *le sceau de Dieu* 7.2+. ***s 9.6*** Jb 3.21 ; Ap 6.16+. ***t 9.11*** *Abaddon :* en hébreu *perdition, destruction.* — *Apollyon :* en grec *destructeur.* ***u 9.13*** *l'autel d'or* 8.3+. ***v 9.14*** Grand fleuve de Mésopotamie qui marqua la frontière orientale de l'empire romain. Il traverse l'Irak d'aujourd'hui.

J'en entendis le nombre.
17 Tels m'apparurent, dans la vision, les chevaux et leurs cavaliers:
ils portaient des cuirasses de feu, d'hyacinthe et de soufre.
Les têtes des chevaux étaient comme des têtes de lion, et leurs bouches vomissaient le feu, la fumée et le soufre.
18 Par ces trois fléaux, le feu, la fumée et le soufre, que vomissaient
leurs bouches, le tiers des hommes périt.
19 Car le pouvoir des chevaux réside dans leurs bouches ainsi que dans
leurs queues.
En effet, leurs queues ressemblent à des serpents,
elles ont des têtes et par là peuvent nuire.
20 Quant au restant des hommes, ceux qui n'étaient pas morts sous le
coup des fléaux,
ils ne se repentirent pas des œuvres de leurs mains, ils continuèrent
à adorer les *démons, les idoles d'or ou d'argent[w], de bronze, de
pierre ou de bois, qui ne peuvent ni voir, ni entendre, ni marcher.
21 Ils ne se repentirent pas[x] de leurs meurtres ni de leurs sortilèges,
de leurs débauches ni de leurs vols.

L'ange et le petit livre

10 1 Et je vis un autre *ange puissant qui descendait du *ciel.
Il était vêtu d'une nuée,
une gloire[y] nimbait son front,
son visage était comme le soleil,
et ses pieds comme des colonnes de feu.
2 Il tenait dans la main un petit livre ouvert[z].
Il posa le pied droit sur la mer, le pied gauche sur la terre,
3 et cria d'une voix forte, comme rugit un lion[a].
Quand il eut crié, les sept tonnerres firent retentir leurs voix.
4 Et quand les sept tonnerres eurent retenti, comme j'allais écrire,
j'entendis une voix qui, du ciel, me disait:
Garde secret le message des sept tonnerres et ne l'écris pas[b].
5 Et l'ange que j'avais vu debout sur la mer et sur la terre
leva la main droite vers le ciel 6 et jura,
par Celui qui vit pour les *siècles des siècles,
qui a créé le ciel et ce qui s'y trouve,
la terre et ce qui s'y trouve,

w ***9.20*** Culte rendu aux *démons* Dt 32.17 ; 1 Co 10.19-20. – *les idoles d'or ou d'argent* Ps 115.4-7 ; 135.15-17 ; Dn 5. 4,23. *x* ***9.21*** 16.9, 11, 21. *y* ***10.1*** Voir 4.3 et la note. *z* ***10.2*** Ez 2.8–3.3. *a* ***10.3*** Os 11.10 ; Am 1.2 ; 3.8. *b* ***10.4*** Dn 8.26 ; 12.4, 9 ; voir Ap 22.10.

la mer et ce qui s'y trouve:
il n'y aura plus de délai[c].
7 Mais aux jours où l'on entendra le septième ange, quand il commen-
cera de sonner de sa trompette, alors sera l'accomplissement du
*mystère de Dieu, comme il en fit l'annonce à ses serviteurs les
*prophètes[d].
8 Et la voix que j'avais entendue venant du ciel me parla de nouveau
et dit:
Va, prends le livre ouvert dans la main de l'ange qui se tient debout
sur la mer et sur la terre.
9 Je m'avançai vers l'ange et le priai de me donner le petit livre.
Il me dit: Prends et mange-le.
Il sera amer à tes entrailles,
mais dans ta bouche il aura la douceur du miel.
10 Je pris le petit livre de la main de l'ange et le mangeai.
Dans ma bouche il avait la douceur du miel[e],
mais quand je l'eus mangé, mes entrailles en devinrent amères.
11 Et l'on me dit:
Il te faut à nouveau prophétiser sur des peuples, des nations, des
langues[f] et des rois en grand nombre.

Les deux témoins

11 1 Alors on me donna un roseau semblable à une règle d'arpen-
teur[g],
et l'on me dit: Lève-toi et mesure le *temple de Dieu et *l'autel et
ceux qui y adorent.
2 Mais le parvis extérieur du temple, laisse-le de côté et ne le mesure
pas, car il a été livré aux nations qui fouleront aux pieds la cité
sainte pendant quarante-deux mois[h].
3 Et je donnerai à mes deux témoins de *prophétiser,
vêtus de sacs[i], mille deux cent soixante jours.
4 Ce sont les deux oliviers[j] et les deux chandeliers qui se tiennent
devant le Seigneur de la terre.

c 10.6 v. 5-6 : le serment de *l'ange* Dn 12.7. – *qui a créé le ciel et la terre* Gn 14.19, 22 ; Ex 20.11 ; Ps 146.6 ; Ne 9.6 ; Ac 4.24 ; Ap 14.7. ***d 10.7*** *le mystère de Dieu* Rm 16.25 ; 1 Co 2.7 ; Ep 1.9 ; 3.3-5,9 ; 6.19 ; Col 1.26-27 ; 2.2 ; 4.3. – *ses serviteurs les prophètes* Am 3.7 ; Za 1.6 ; Dn 9.6, 10 ; Ap 11.18. ***e 10.10*** *la douceur du miel* Ez 3.3. ***f 10.11*** Jr 1.10 ; 25.30 ; voir Ap 5.9. ***g 11.1*** Ez 40.3 ; Za 2.5-6 ; Ap 21.15. ***h 11.2*** *la cité sainte foulée aux pieds* Ps 79.1 ; Es 63.18 ; Lc 21.24. – *quarante-deux mois* = 3 ans 1/2 = *1 260 jours* (v. 3) Dn 7.25 ; 12.7 ; Ap 12.6, 14 ; 13.5. ***i 11.3*** Voir Jr 6.26 ; Jon 3.8. Le *sac :* tenue de *deuil* et de repentance. ***j 11.4*** Za 4.3, 11-14.

5 Si quelqu'un veut leur nuire, un feu[k] sort de leur bouche et dévore
leurs ennemis.
Oui, si quelqu'un voulait leur nuire, ainsi lui faudrait-il mourir.
6 Ils ont pouvoir de fermer le ciel, et nulle pluie n'arrose les jours de
leur prophétie.
Ils ont pouvoir de changer les eaux en sang[l]
et de frapper la terre de maints fléaux, autant qu'ils le voudront.
7 Mais quand ils auront fini de rendre témoignage,
la bête qui monte de l'abîme leur fera la guerre[m], les vaincra et les
fera périr.
8 Leurs corps resteront sur la place de la grande cité qu'on nomme
prophétiquement Sodome et Egypte[n], là même où leur Seigneur a
été crucifié.
9 Des peuples, des tribus, des langues et des nations, on viendra pour
regarder leurs corps pendant trois jours et demi,
et sans leur accorder de sépulture.
10 Les habitants de la terre se réjouiront à leur sujet, ils seront dans la
joie, ils échangeront des présents, car ces deux prophètes leur
avaient causé bien des tourments.
11 Mais après ces trois jours et demi, un souffle de vie, venu de Dieu,
entra en eux et ils se dressèrent[o].
Alors une grande frayeur tomba sur ceux qui les regardaient.
12 Ils entendirent une voix forte qui, du ciel, leur disait: Montez ici.
Et ils montèrent au ciel dans la nuée, sous les yeux de leurs ennemis[p].
13 A l'heure même il se fit un violent tremblement de terre,
le dixième de la cité s'écroula et sept mille personnes périrent dans
cette catastrophe.
Les survivants, saisis d'effroi, rendirent gloire au Dieu du ciel.
14 Le deuxième «malheur» est passé. Voici, le troisième «malheur»
vient bientôt.

La septième trompette

15 Le septième *ange fit sonner sa trompette:
il y eut dans le ciel de grandes voix qui disaient:

k 11.5 2 S 22.9 ; 2 R 1.10, 14 ; Ps 97.3 ; Jr 5.14. ***l 11.6*** *pouvoir de fermer le ciel* 1 R 17.1 ; Jc 5.17. — *eaux changées en sang* Ap 8.8+. ***m 11.7*** *la bête qui monte de l'abîme* Dn 7.3 ; Ap 13.1 ; 17.8 *fera la guerre aux saints* Dn 7.7, 21 ; Ap 12.17 ; 13.7. ***n 11.8*** *Sodome* (dépravation) Gn 18—19 ; Dt 29.22 ; 32.32 ; Es 1.9-10 ; Jr 23.14 ; Ez 16.46. — *Egypte* (oppression et idolâtrie) Ex 13.14 ; Es 19.1-3 ; *Sg* 11.15-16 ; 12.23-27 ; 15.16. ***o 11.11*** Ez 37.5, 10. ***p 11.12*** 2 R 2.11.

Le royaume du monde est maintenant à notre Seigneur et à son Christ;
il régnera pour les *siècles des siècles[q].
16 Les vingt-quatre *anciens[r] qui, devant Dieu, siègent sur leurs trônes
tombèrent face contre terre
et adorèrent Dieu 17 en disant:
Nous te rendons grâce, Seigneur Dieu Tout-Puissant,
qui es et qui étais[s],
car tu as exercé ta grande puissance
et tu as établi ton Règne.
18 Les nations se sont mises en colère,
mais c'est ta colère qui est venue.
C'est le temps du jugement pour les morts,
le temps de la récompense pour tes serviteurs les *prophètes,
les *saints et ceux qui craignent ton *nom[t], petits et grands,
le temps de la destruction pour ceux qui détruisent la terre.
19 Et le *temple de Dieu dans le ciel s'ouvrit,
et l'arche de *l'alliance apparut dans son temple.
Alors il y eut des éclairs, des voix, des tonnerres, un tremblement de terre et une forte grêle[u].

La femme et le dragon

12 1 Un grand *signe apparut dans le *ciel:
une femme, vêtue du soleil[v], la lune sous les pieds, et sur la tête une couronne de douze étoiles.
2 Elle était enceinte et criait dans le travail et les douleurs de l'enfantement[w].
3 Alors un autre signe apparut dans le ciel:
C'était un grand dragon rouge feu.
Il avait sept têtes et dix cornes[x] et, sur ses têtes, sept diadèmes.
4 Sa queue, qui balayait le tiers des étoiles du ciel, les précipita sur la terre[y].
Le dragon se posta devant la femme qui allait enfanter, afin de dévorer l'enfant dès sa naissance.
5 Elle mit au monde un fils, un enfant mâle;

q 11.15 Ex 15.18 ; Ps 2.2 ; 10.16 ; 22.28-29 ; Dn 2.44 ; 7.14 ; Ab 21 ; Za 14.9 ; Ap 12.10 ; 19.6. ***r 11.16*** *24 anciens* 7.11+. ***s 11.17*** *qui est, qui était* 1.4+. — *Tout-Puissant* 1.8+. ***t 11.18*** *colère des nations* Ps 2.1 ; 46.7. — *tes serviteurs les prophètes* Ap 10.7+. — *ceux qui craignent ton nom* Ps 115.13. ***u 11.19*** *arche de l'alliance* Ex 25.10 ; 1 R 8.1, 6 ; 2 Ch 5.7 ; 2 M 2.5 ; Ap 15.5. — *des éclairs, des voix...* 4.5+. ***v 12.1*** Ps 104.2 ; Ct 6.10. ***w 12.2*** Es 66.7-8 ; Mi 4.9-10. ***x 12.3*** *dragon* Dn 7.7. — *cornes* : voir Ap 5.6 et la note. ***y 12.4*** Dn 8.10.

c'est lui qui doit mener paître toutes les nations avec une verge de
fer[z].
Et son enfant fut enlevé auprès de Dieu et de son trône.
6 Alors la femme s'enfuit au désert, où Dieu lui a fait préparer une
place,
pour qu'elle y soit nourrie mille deux cent soixante jours[a].
7 Il y eut alors un combat dans le ciel:
Michaël[b] et ses *anges combattirent contre le dragon.
Et le dragon lui aussi combattait avec ses anges,
8 mais il n'eut pas le dessus:
il ne se trouva plus de place pour eux dans le ciel.
9 Il fut précipité, le grand dragon, l'antique serpent, celui qu'on
nomme *Diable et Satan, le séducteur du monde entier,
il fut précipité sur la terre[c] et ses anges avec lui.
10 Et j'entendis une voix forte qui, dans le ciel, disait:
Voici le temps du salut,
de la puissance et du Règne de notre Dieu,
et de l'autorité de son Christ;
car il a été précipité, l'accusateur[d] de nos frères,
celui qui les accusait devant notre Dieu, jour et nuit.
11 Mais eux, ils l'ont vaincu par le *sang de l'agneau et par la parole
dont ils ont rendu témoignage:
Ils n'ont pas aimé leur vie jusqu'à craindre la mort.
12 C'est pourquoi soyez dans la joie,
vous les cieux[e] et vous qui y avez votre demeure!
Malheur à vous, la terre et la mer,
car le diable est descendu vers vous,
emporté de fureur,
sachant que peu de temps lui reste.
13 Quand le dragon se vit précipité sur la terre, il se lança à la poursuite
de la femme qui avait mis au monde l'enfant mâle.
14 Mais les deux ailes du grand aigle furent données à la femme
pour qu'elle s'envole au désert, au lieu qui lui est réservé pour y être
nourrie, loin du serpent, un temps, des temps et la moitié d'un
temps[f].

z* *12.5 *elle mit au monde un fils* Es 7.14 ; 66.7. – *une verge de fer* Ps 2.9 (Ap 2.27 ; 19.15). ***a*** ***12.6*** *1260 jours* 11.2+. ***b*** ***12.7*** Dn 10.13, 21 ; 12.1 ; Jude 9. ***c*** ***12.9*** *le serpent originel* Gn 3.1-5, 15 ; Ap 20.2. – *Satan précipité sur terre* 8.10+ ; Lc 10.18 ; Jn 12.31. ***d*** ***12.10*** C'est le sens étymologique du nom *Satan* ; Jb 1.9-11 ; 2.4-5 ; Za 3.1-2. ***e*** ***12.12*** Es 44.23 ; 49.13 ; Jr 51.48 ; Ps 96.11 ; Ap 18.20. ***f*** ***12.14*** *des ailes d'aigle* Ex 19.4 ; Dt 32.11 ; Es 40.31. – Trois *temps* (ou trois ans) et demi. Voir Ap 11.2+ et la note.

15 Alors le serpent vomit comme un fleuve d'eau derrière la femme
pour la faire emporter par les flots.
16 Mais la terre vint au secours de la femme:
la terre s'ouvrit et engloutit le fleuve vomi par le dragon.
17 Dans sa fureur contre la femme, le dragon porta le combat contre le
reste de sa descendance,
ceux qui observent les commandements de Dieu et gardent le témoi-
gnage de Jésus[g].
18 Puis il se posta sur le sable de la mer.

Les deux bêtes

13 1 Alors, je vis monter de la mer une bête qui avait dix cornes
et sept têtes,
sur ses cornes dix diadèmes et sur ses têtes un nom *blasphéma-
toire[h].
2 La bête que je vis ressemblait au léopard,
ses pattes étaient comme celles de l'ours,
et sa gueule comme la gueule du lion.
Et le dragon lui conféra sa puissance, son trône et un pouvoir
immense[i].
3 L'une de ses têtes était comme blessée à mort,
mais sa plaie mortelle fut guérie.
Emerveillée, la terre entière suivit la bête.
4 Et l'on adora le dragon parce qu'il avait donné le pouvoir à la bête,
et l'on adora la bête en disant:
qui est comparable à la bête et qui peut la combattre?
5 Il lui fut donné une bouche pour proférer arrogances et blasphèmes,
et il lui fut donné pouvoir d'agir pendant quarante-deux mois[j].
6 Elle ouvrit sa bouche en blasphèmes contre Dieu,
pour blasphémer son *nom, son tabernacle et ceux dont la demeure
est dans le *ciel.
7 Il lui fut donné de faire la guerre aux *saints[k] et de les vaincre,
et lui fut donné le pouvoir sur toute tribu, peuple, langue et nation.
8 Ils l'adoreront, tous ceux qui habitent la terre,
tous ceux dont le nom n'est pas écrit, depuis la fondation du monde,
dans le livre de *vie de l'agneau immolé[l].

g 12.17 *contre sa descendance* Gn 3.15 ; voir Dn 7.21 ; Ap 11.7. – *le témoignage de Jésus* 1.2+. **h 13.1** Voir 5.6 et la note ; 17.3, 7-12. – *la bête qui monte de l'abîme* 11.7+. **i 13.2** Dn 7.4-6. **j 13.5** *arrogance* Dn 7.8, 11, 20, 25 ; 11.27. – *42 mois* Ap 11.2+ et la note. **k 13.7** 11.7+. **l 13.8** *ils l'adoreront* v. 12 ; 14.9-11 ; 16.2 ; 19.20 ; 20.4. – *le livre de vie* 3.5+. – *l'agneau immolé* 5.6+.

9 Que celui qui a des oreilles entende:
10 Qui est destiné à la captivité
ira en captivité.
Qui est destiné à périr par le glaive
périra par le glaive.
C'est l'heure de la persévérance et de la foi des saints[m].
11 Alors je vis monter de la terre une autre bête.
Elle avait deux cornes comme un agneau[n],
mais elle parlait comme un dragon.
12 Tout le pouvoir de la première bête, elle l'exerce sous son regard.
Elle fait adorer par la terre et ses habitants la première bête dont la
plaie mortelle a été guérie.
13 Elle accomplit de grands prodiges, jusqu'à faire descendre du ciel,
aux yeux de tous, un feu sur la terre[o].
14 Elle séduit les habitants de la terre par les prodiges qu'il lui est
donné d'accomplir sous le regard de la bête.
Elle les incite à dresser une image en l'honneur de la bête qui porte
la blessure du glaive et qui a repris vie.
15 Il lui fut donné d'animer l'image de la bête, de sorte qu'elle ait
même la parole et fasse mettre à mort quiconque n'adorerait pas
l'image de la bête[p].
16 A tous, petits et grands, riches et pauvres, hommes libres et
esclaves, elle impose une marque sur la main droite ou sur le front[q].
17 Et nul ne pourra acheter ou vendre, s'il ne porte la marque, le nom
de la bête ou le chiffre de son nom[r].
18 C'est le moment d'avoir du discernement[s]: celui qui a de l'intelli-
gence, qu'il interprète le chiffre de la bête,
car c'est un chiffre d'homme:
et son chiffre est six cent soixante-six.

L'Agneau et les rachetés

14 1 Et je vis:
L'agneau était debout sur la montagne de *Sion,
et avec lui les cent quarante-quatre mille qui portent son *nom[t] et le

m 13.10 Autre texte: *Si quelqu'un emmène en captivité, il ira lui-même en captivité ; si quelqu'un tue par le glaive, il sera lui-même tué par le glaive* ; Jr 15.2 ; 43.11. — *persévérance* Ap 14.12. **n 13.11** Mt 7.15 ; Ap 16.13 ; 19.20 ; 20.10. **o 13.13** v. 13-14 : *prodiges séducteurs* Dt 13. 2-4 ; Mt 24.24 ; 2 Th 2.3, 9. — *feu descendant du ciel* 1 R 18.24-39. **p 13.15** Dn 3.5-7, 15. **q 13.16** 14.9, 11 ; 16.2 ; 19.20 ; 20.4. **r 13.17** *Le chiffre d'un nom* était obtenu en additionnant les valeurs numériques attribuées aux lettres qui le constituent. **s 13.18** 17.9. **t 14.1** *l'agneau* 5.6+. — *la montagne de Sion* Ps 2.6 ; Jl 3.5 ; Ab 17. — *144 000* : Ap 7.4+. — *qui portent son nom* 3.12+.

nom de son Père écrits sur leurs fronts.
2 Et j'entendis une voix venant du ciel,
comme la voix des océans[u],
comme le grondement d'un fort coup de tonnerre,
et la voix que j'entendis était comme le chant de joueurs de harpe touchant leurs instruments.
3 Ils chantaient un cantique nouveau, devant le trône, devant les quatre animaux et les anciens[v].
Et nul ne pouvait apprendre ce cantique,
sinon les cent quarante-quatre mille, les rachetés de la terre.
4 Ils ne se sont pas souillés avec des femmes, car ils sont vierges.
Ils suivent l'agneau partout où il va.
Ils ont été rachetés d'entre les hommes comme *prémices[w] pour Dieu et pour l'agneau,
5 et dans leur bouche ne s'est point trouvé de mensonge[x]: ils sont irréprochables.

L'annonce du jugement

6 Et je vis un autre *ange qui volait au zénith.
Il avait un *Evangile éternel à proclamer à ceux qui résident sur la terre: à toute nation, tribu, langue et peuple.
7 Il disait d'une voix forte:
Craignez Dieu et rendez-lui gloire, car elle est venue, l'heure de son jugement.
Adorez le créateur[y] du ciel et de la terre, de la mer et des sources d'eaux.
8 Et un autre, un second ange, le suivit et dit:
Elle est tombée, elle est tombée, Babylone la grande,
elle qui a abreuvé toutes les nations du vin de sa fureur de prostitution[z].
9 Et un autre, un troisième ange, les suivit et dit d'une voix forte:
Si quelqu'un adore la bête et son image,
s'il en reçoit la marque[a] sur le front ou sur la main,

u 14.2 *la voix des océans* 1.15. ***v 14.3*** *cantique nouveau* 5.9+. – *quatre animaux* 4.6+. – *anciens* 4.4+ ; 7.11+. ***w 14.4*** *rachetés* 5.9. – *prémices* Jr 2.3 ; Rm 16.5 ; 1 Co 16.15. ***x 14.5*** Voir Jr 10.14 ; Rm 1.25 où *mensonge* est en relation avec le culte des faux dieux ; Ps 32.2 ; Es 53.9 ; So 3.13. ***y 14.7*** *le créateur* 10.5+. ***z 14.8*** Ancienne capitale de l'empire babylonien, la ville disparaît de l'histoire au IIe siècle av. J.-C. Comme en 1 P 5.13 l'appellation a donc ici valeur de symbole et pourrait désigner Rome ; Es 46.1-2 ; 47.1-15 ; Jr 50.29-32 ; 51.44-56 ; Za 5.5-11 ; Dn 4.27 ; Ap 16.19 ; 17.5 ; 18.10-21. – *elle est tombée* Es 21.9 ; Jr 51.8 ; Ap 18.2. – *le vin de sa prostitution* Jr 51.7 ; Ap 17.2 ; 18.3. ***a 14.9*** 13.16+.

10 il boira lui aussi du vin de la fureur de Dieu,
versé sans mélange dans la coupe de sa colère,
et il connaîtra les tourments dans le feu et le soufre[b],
devant les *saints anges et devant l'agneau.
11 La fumée de leur tourment s'élève aux *siècles des siècles,
et ils n'ont de repos ni le jour ni la nuit,
ceux qui adorent la bête[c] et son image,
et quiconque reçoit la marque de son nom.
12 C'est l'heure de la persévérance des saints qui gardent les commandements[d] de Dieu et la foi en Jésus.
13 Et j'entendis une voix qui, du ciel, disait: Ecris:
Heureux dès à présent ceux qui sont morts dans le Seigneur!
Oui, dit l'Esprit, qu'ils se reposent[e] de leurs labeurs, car leurs œuvres les suivent.

Moisson et vendange de la terre

14 Et je vis:
C'était une nuée blanche, et sur la nuée siégeait comme un fils d'homme[f].
Il avait sur la tête une couronne d'or et dans la main une faucille tranchante.
15 Puis un autre *ange sortit du *temple et cria d'une voix forte à celui qui siégeait sur la nuée:
Lance ta faucille et moissonne.
L'heure est venue de moissonner, car la moisson[g] de la terre est mûre.
16 Alors celui qui siégeait sur la nuée jeta sa faucille sur la terre, et la terre fut moissonnée.
17 Puis un autre ange sortit du temple céleste.
Il tenait, lui aussi, une faucille tranchante.
18 Puis un autre ange sortit de *l'autel. Il avait pouvoir sur le feu et cria d'une voix forte à celui qui tenait la faucille tranchante:
Lance ta faucille tranchante et vendange les grappes de la vigne de la terre,

b 14.10 *la coupe de sa colère* Ps 75.9 ; Es 51.17, 22 ; Jr 25.15 ; Ap 15.7 ; 16.19. – *soufre* : minéral de couleur jaune, dont la combustion produit une fumée suffocante ; Gn 19.24 ; Ps 11.6 ; Ez 38.22 ; Ap 19.20 ; 20.10, 15 ; 21.8. ***c 14.11*** Es 34.10 (Ap 19.3). – *ceux qui adorent la bête* Ap 13.8+. ***d 14.12*** *l'heure de la persévérance* 13.10. – *ceux qui gardent les commandements* 12.17. ***e 14.13*** Les mots *dès à présent* peuvent aussi être rattachés à *ceux qui meurent dans le Seigneur* ou encore à *ils se reposent*; He 4.10. ***f 14.14*** 1.13+. ***g 14.15*** Jl 4.13 ; Mt 13.39-40.

car ses raisins sont mûrs.
19 Et l'ange jeta sa faucille sur la terre,
il vendangea la vigne de la terre
et jeta la vendange dans la grande cuve de la colère de Dieu[h].
20 On foula la cuve hors de la cité, et de la cuve sortit du sang qui
monta jusqu'aux mors des chevaux sur une étendue de mille six
cents stades[i].

Les sept anges et les derniers fléaux

15 1 Et je vis dans le *ciel un autre *signe, grand et merveilleux:
Sept *anges tenaient sept fléaux[j],
les derniers, car en eux s'accomplit la colère de Dieu.
2 Et je vis comme une mer de cristal mêlée de feu.
Debout sur la mer de cristal,
les vainqueurs de la bête, de son image et du chiffre de son *nom[k]
tenaient les harpes de Dieu.
3 Ils chantaient le cantique de Moïse, le serviteur de Dieu, et le can-
tique de l'agneau:
Grandes et admirables sont tes œuvres,
Seigneur Dieu Tout-Puissant[l].
Justes et véritables sont tes voies,
Roi des nations.
4 Qui ne craindrait, Seigneur,
et ne glorifierait ton nom?
Car toi seul es *saint.
Toutes les nations viendront[m] et se prosterneront devant toi,
car tes jugements se sont manifestés.
5 Ensuite je vis:
Le *temple qui abritait le tabernacle du témoignage[n] s'ouvrit dans le
ciel,
6 et les sept anges qui tenaient les sept fléaux sortirent du temple;
ils étaient vêtus d'un lin pur, resplendissant, la taille serrée de cein-
tures d'or.
7 L'un des quatre animaux donna aux sept anges sept coupes d'or,
remplies de la colère[o] du Dieu qui vit aux *siècles des siècles.

h 14.19 Es 63.1-6 ; Lm 1.15 ; Ap 19.15. ***i 14.20*** Voir au glossaire POIDS ET MESURES. ***j 15.1*** *sept anges* 16.1 ; 17.1 ; 21.9. – *sept fléaux* Lv 16.21. ***k 15.2*** *mer de cristal* 4.6. – *image et chiffre de la bête* 13.16+. ***l 15.3*** *le cantique de Moïse* Ex 15.1-18. – *grandes et admirables* Ex 15.11 ; Ps 111.2-4 ; 139.14. – *Tout-Puissant* Ap 1.8+. ***m 15.4*** v. 3-4 : *Roi des nations, qui ne craindrait* Jr 10.7. – *toutes les nations viendront* Ps 86.9 ; Ml 1.11. ***n 15.5*** *tabernacle du témoignage* Ex 38.21 (demeure de la charte) ; 40.34 ; voir Ap 11.19+. ***o 15.7*** 14.10+.

8 Et le temple fut rempli de fumée[p] à cause de la gloire de Dieu et de
sa puissance.
Et personne ne pouvait entrer dans le temple jusqu'à l'accomplissement des sept fléaux des sept anges.

Les sept coupes

16 1 Et j'entendis une grande voix qui, du *temple[q], disait aux
sept *anges:
Allez et répandez sur la terre les sept coupes de la colère de Dieu.
2 Et le premier partit et répandit sa coupe sur la terre. Un ulcère malin
et pernicieux frappa les hommes qui portaient la marque de la bête
et qui adoraient son image[r].
3 Le deuxième répandit sa coupe sur la mer:
elle devint comme le sang d'un mort[s],
et tout ce qui, dans la mer, avait souffle de vie mourut.
4 Le troisième répandit sa coupe sur les fleuves et les sources des
eaux: ils devinrent du sang.
5 Et j'entendis l'ange des eaux qui disait:
Tu es juste, toi qui es et qui étais[t], le *Saint,
car tu as ainsi exercé ta justice.
6 Puisqu'ils ont répandu le sang des saints et des *prophètes,
c'est également du sang que tu leur as donné à boire[u].
Ils le méritent!
7 Et j'entendis *l'autel qui disait:
Oui, Seigneur Dieu Tout-Puissant,
tes jugements sont pleins de vérité et de justice[v].
8 Le quatrième répandit sa coupe sur le soleil:
et il lui fut donné de brûler les hommes par son feu.
9 Et les hommes furent brûlés par une intense chaleur;
ils *blasphémèrent le *nom de Dieu qui a pouvoir sur ces fléaux,
mais ils ne se repentirent pas pour lui rendre gloire.
10 Le cinquième répandit sa coupe sur le trône de la bête:
son royaume en fut plongé dans les ténèbres[w].
Les hommes se mordaient la langue de douleur;
11 ils blasphémèrent le Dieu du ciel

p 15.8 Ex 40.34-35 ; 1 R 8.10-11 ; Es 6.4. ***q 16.1*** Es 66.6 ; Ap 16.17. ***r 16.2*** *ulcère malin* Ex 9.10 ; Dt 28.35. – *marque de la bête* Ap 13.16+. – *image de la bête* 13.8+. ***s 16.3*** v. 3-4 : *eaux changées en sang* 8.8+. ***t 16.5*** *tu es juste* Dt 32.4 ; Ps 119.137 ; 145.17 ; Ap 15.3. – Celui qui est... 1.4+. ***u 16.6*** *le sang des saints et des prophètes* Mt 23.35-37 ; Ap 17.6 ; 18.24 ; 19.2. – *enivrés de sang* Es 49.26. ***v 16.7*** Les martyrs *sous l'autel* 6.9+. – *jugements pleins de vérité* Ps 19.10 ; 119.137 ; Ap 19.2. ***w 16.10*** Ex 10.21-22 ; Es 8.21-22.

à cause de leurs souffrances et de leurs ulcères,
mais ils ne se repentirent pas de leurs œuvres.
12 Le sixième répandit sa coupe sur le grand fleuve Euphrate:
l'eau en fut asséchée[x] pour préparer la voie aux rois qui viennent de l'Orient.
13 Alors, de la bouche du dragon, de la bouche de la bête et de la bouche du faux prophète, je vis sortir trois esprits impurs, tels des grenouilles.
14 Ce sont, en effet, des esprits de *démons.
Ils accomplissent des prodiges et s'en vont trouver les rois du monde entier,
afin de les rassembler pour le combat du grand *jour du Dieu Tout-Puissant.
15 Voici, je viens comme un voleur[y].
Heureux celui qui veille et garde ses vêtements,
pour ne pas aller nu et laisser voir sa honte.
16 Ils les rassemblèrent au lieu qu'on appelle en hébreu Harmaguedon[z].
17 Le septième répandit sa coupe dans les airs,
et, du temple, sortit une voix forte venant du trône.
Elle dit: c'en est fait!
18 Alors ce furent des éclairs, des voix et des tonnerres, et un tremblement de terre[a] si violent qu'il n'en fut jamais de pareil depuis que l'homme est sur la terre.
19 La grande cité se brisa en trois parties et les cités des nations s'écroulèrent.
Alors Dieu se souvint de Babylone la grande,
pour lui donner la coupe où bouillonne le vin de sa colère[b].
20 Toutes les îles s'enfuirent et les montagnes disparurent[c].
21 Des grêlons lourds comme des talents[d] tombèrent du ciel sur les hommes,
et les hommes blasphémèrent Dieu à cause du fléau de la grêle,
car ce fléau était particulièrement redoutable.

x 16.12 *Euphrate :* voir 9.14 et la note. — *fleuve asséché* Es 11.15 ; 44.27 ; Jr 50.38 ; 51.36. ***y 16.15*** *comme un voleur* 3.3+. ***z 16.16*** C'est-à-dire *Montagne de Meguiddo.* La ville cananéenne de Meguiddo, située au pied du mont Carmel, fut le théâtre de sanglantes batailles (Jg 5.19 ; 2 R 23.29). ***a 16.18*** 4.5+. ***b 16.19*** 14.10+. ***c 16.20*** Signes cosmiques de la fin 6.12-14+. ***d 16.21*** *grêlons* Ex 9.24 ; Ap 11.19. — *talent :* voir au glossaire POIDS ET MESURES.

Le jugement de la grande prostituée

17 1 Et l'un des sept *anges qui tenaient les sept coupes s'avança
et me parla en ces termes:
Viens, je te montrerai le jugement de la grande prostituée qui réside
au bord des océans[e].
2 Avec elle les rois de la terre se sont prostitués,
et les habitants de la terre se sont enivrés du vin de sa prostitution[f].
3 Alors il me transporta en esprit au désert.
Et je vis une femme assise sur une bête[g] écarlate, couverte de noms
*blasphématoires, et qui avait sept têtes et dix cornes.
4 La femme, vêtue de pourpre et d'écarlate, étincelait d'or, de pierres
précieuses et de perles[h].
Elle tenait dans sa main une coupe d'or pleine d'abominations: les
souillures de sa prostitution.
5 Sur son front un *nom était écrit, *mystérieux:
Babylone la grande, mère des prostituées et des abominations de la
terre.
6 Et je vis la femme ivre du *sang des *saints et du sang des témoins
de Jésus[i].
A sa vue je restai confondu.
7 Alors l'ange me dit: pourquoi cette stupeur?
Je te dirai le mystère de la femme et de la bête aux sept têtes et aux
dix cornes qui la porte.
8 La bête que tu as vue était, mais elle n'est plus.
Elle va monter de l'abîme et s'en aller à la perdition.
Et les habitants de la terre,
dont le nom n'est pas écrit, depuis la fondation du monde, dans le
livre de *vie[j],
s'étonneront en voyant la bête,
car elle était, n'est plus, mais reviendra.
9 C'est le moment d'avoir l'intelligence[k] que la sagesse éclaire:
les sept têtes sont les sept montagnes où réside la femme.
Ce sont aussi sept rois.

e* *17.1 *sept anges* 15.1+. — *la prostituée* Es 1.21 ; 23.16-18 ; Ez 16.15-63 ; Os 2 ; 5.3 ; Na 3.4. — *assise au bord des eaux* Jr 51.13 ; Ap 17.15. ***f 17.2*** Comparer 2.20 et la note (2e partie). — *vin de prostitution* 14.8+. ***g 17.3*** *la bête* 13.2+. ***h 17.4*** *la pourpre* et *l'écarlate*: deux teintures de luxe. Ces appellations étaient étendues aux vêtements de ces teintes. — Parure de la prostituée Ez 28.13 ; Ap 18.16. ***i 17.6*** 16.6+. ***j 17.8*** *la bête qui monte de l'abîme* 11.7+. — *le livre de vie* 3.5+. ***k 17.9*** *avoir l'intelligence* 13.18.

10 Cinq d'entre eux sont tombés, le sixième règne, le septième n'est
pas encore venu,
mais quand il viendra, il ne demeurera que peu de temps.
11 La bête qui était, et qui n'est plus, est elle-même un huitième roi.
Elle est du nombre des sept et s'en va à la perdition.
12 Les dix cornes que tu as vues sont dix rois[l] qui n'ont pas encore reçu
la royauté,
mais, pour une heure, ils partageront le pouvoir royal avec la bête.
13 Ils n'ont qu'un seul dessein : mettre au service de la bête leur puis-
sance et leur pouvoir.
14 Ils combattront l'agneau et l'agneau les vaincra,
car il est Seigneur des seigneurs[m] et Roi des rois,
et avec lui les appelés, les élus et les fidèles vaincront aussi.
15 Puis il me dit : Les eaux que tu as vues, là où réside la prostituée,
ce sont des peuples, des foules, des nations et des langues.
16 Les dix cornes que tu as vues et la bête haïront la prostituée,
elles la rendront solitaire et nue.
Elles mangeront ses chairs et la brûleront au feu[n].
17 Car Dieu leur a mis au cœur de réaliser son dessein, un même des-
sein :
mettre leur royauté au service de la bête jusqu'à l'accomplissement
des paroles de Dieu.
18 Et la femme que tu as vue, c'est la grande cité qui règne sur les rois
de la terre.

La chute de Babylone

18 1 Je vis ensuite un autre *ange descendre du ciel.
Il avait un grand pouvoir et la terre fut illuminée de sa gloire.
2 Il s'écria d'une voix forte :
Elle est tombée, elle est tombée, Babylone la grande ;
elle est devenue demeure de *démons, repaire de tous les esprits
impurs, repaire de tous les oiseaux impurs et odieux[o].
3 Car elle a abreuvé toutes les nations du vin de sa fureur de prostitu-
tion ; les rois de la terre[p] se sont prostitués avec elle,
et les marchands de la terre se sont enrichis de la puissance de son
luxe.

l* *17.12 *dix rois* Dn 7.24. ***m* *17.14*** Dt 10.17 ; Dn 2.47 ; 1 Tm 6.16 ; Ap 19.16. ***n* *17.16*** *elles la rendront solitaire* Es 47.8-9 ; Ez 16.39-41. — *brûlée au feu* Lv 21.9 ; Ap 18.8. ***o* *18.2*** *Elle est tombée* 14.8+ — *repaire* des animaux sauvages Es 13.21 ; 34.11 ; Jr 50.39 ; *Ba* 4.35. ***p* *18.3*** *vin de prostitution* 14.8+. — *les rois de la terre* 17.2.

4 Et j'entendis une autre voix qui, du ciel, disait:
Sortez de cette cité, ô mon peuple[q], de peur de participer à ses péchés, et de partager les fléaux qui lui sont destinés.
5 Car ses péchés se sont accumulés jusqu'au ciel[r],
et Dieu s'est souvenu de ses injustices.
6 Payez-la de sa propre monnaie,
rendez-lui au double ce qu'elle a fait.
Dans la coupe où elle a mêlé ses vins, mêlez-en pour elle le double[s].
7 Autant elle s'est complu dans la gloire et le luxe,
autant rendez-lui de tourment et de deuil.
Puisqu'elle dit en son cœur:
je trône en reine et ne suis point veuve, jamais je ne verrai le deuil[t],
8 à cause de cela viendront sur elle, en un seul jour, les fléaux qui lui sont destinés:
mort, deuil, famine, et elle sera consumée par le feu[u].
Car puissant est le Seigneur Dieu qui l'a jugée.
9 Alors ils pleureront et se lamenteront sur elle, les rois de la terre[v] qui ont partagé sa prostitution et son luxe, quand ils verront la fumée de son embrasement.
10 Ils se tiendront à distance par crainte de son tourment, et ils diront:
Malheur! Malheur!
O grande cité, Babylone, cité puissante,
il a suffi d'une heure pour que tu sois jugée!
11 Et les marchands[w] de la terre pleurent et prennent son deuil,
car nul n'achète plus leurs cargaisons,
12 cargaisons d'or et d'argent, de pierres précieuses et de perles,
de lin et de pourpre, de soie et d'écarlate[x];
bois de senteur, objets d'ivoire, de bois précieux, de bronze, de fer ou de marbre,
13 cannelle et amome, parfums, myrrhe et encens,
le vin et l'huile, la fleur de farine et le blé,
les bœufs et les brebis, les chevaux et les chars,
les esclaves et les captifs[y].
14 Le fruit que désirait ton âme s'en est allé loin de toi.
Tout ce qui est raffinement et splendeur est perdu pour toi.
Jamais plus on ne le retrouvera.

q 18.4 *Sortez* Es 48.20 ; 52.11 ; Jr 50.8 ; 51.6-9, 45 ; 2 Co 6.17. ***r 18.5*** Gn 18.20-21 ; Jr 51.9. ***s 18.6*** Rétribution Ps 137.8 ; Jr 50.15, 29 ; 2 Th 1.6. ***t 18.7*** Vantardise de Babylone Es 47.7-9. ***u 18.8*** 17.16+. ***v 18.9*** Ez 26.16-17 ; 27.30-35. ***w 18.11*** *les marchands* Ez 27.36. ***x 18.12*** Voir 17.4 et la note. — v. 12-13 : *cargaisons* Ez 27.12-24. ***y 18.13*** *cannelle et amome* : des épices ; *myrrhe* et *encens* : des résines aromatiques. — *esclaves et captifs* ou *des corps et des âmes d'hommes*.

15 Les marchands, qu'elle avait enrichis de ce commerce, se tiendront
à distance par crainte de son tourment. Dans les pleurs et le deuil,
16 ils diront:
Malheur! Malheur!
La grande cité, vêtue de lin, de pourpre et d'écarlate, étincelante
d'or, de pierres précieuses et de perles[z],
17 il a suffi d'une heure pour dévaster tant de richesses!
Et tous les pilotes, tous ceux qui naviguent dans les parages,
les marins et tous ceux qui vivent de la mer se tenaient à distance,
18 et s'écriaient en voyant la fumée de son embrasement:
Quelle cité était comparable à la grande cité?
19 Ils se jetaient de la poussière sur la tête,
poussaient des cris de larmes et de deuil en disant:
Malheur! Malheur!
La grande cité dont l'opulence a enrichi tous ceux qui ont des
vaisseaux sur la mer,
il a suffi d'une heure pour qu'elle soit dévastée[a]!
20 Réjouis-toi de sa ruine, *ciel[b]!
Et vous aussi, les *saints, les *apôtres et les *prophètes, car Dieu,
en la jugeant, vous a fait justice.
21 Alors un ange puissant saisit une pierre comme une lourde meule
et la précipita dans la mer en disant:
Avec la même violence sera précipitée Babylone, la grande cité.
On ne la retrouvera plus[c].
22 Et le chant des joueurs de harpe et des musiciens,
des joueurs de flûte et de trompette,
on ne l'entendra plus chez toi.
Aucun artisan d'aucun art ne se trouvera plus chez toi.
Et le bruit de la meule,
on ne l'entendra plus chez toi[d].
23 La lumière de la lampe
ne luira plus chez toi.
La voix du jeune époux et de sa compagne,
on ne l'entendra plus chez toi,
parce que tes marchands[e] étaient les grands de la terre,
parce que tes sortilèges ont séduit toutes les nations
24 et que chez toi on a trouvé le sang des prophètes, des saints[f] et de
tous ceux qui ont été immolés sur la terre.

z 18.16 Parure de la prostituée 17.4+. ***a 18.19*** v. 17-19 : lamentation des marins Ez 27.29-34. ***b 18.20*** 12.12+. ***c 18.21*** *pierre jetée à la mer* Jr 51.63-64. — Plus de trace Ez 26.21. ***d 18.22*** Es 24.8 ; Ez 26.13. ***e 18.23*** Jr 7.34 ; 25.10. — *les marchands* Es 23.8. ***f 18.24*** 16.6+.

Chant de triomphe et noces de l'Agneau

19 1 Ensuite j'entendis comme la grande rumeur d'une foule immense qui, dans le ciel, disait:
Alléluia[g]!
Le salut, la gloire et la puissance sont à notre Dieu.
2 Car ses jugements sont pleins de vérité et de justice.
Il a jugé la grande prostituée qui corrompait la terre de sa prostitution,
et il a vengé sur elle le *sang de ses serviteurs[h].
3 Et de nouveau ils dirent:
Alléluia!
Et sa fumée[i] s'élève aux siècles des siècles.
4 Les vingt-quatre *anciens et les quatre animaux se prosternèrent[j],
ils adorèrent le Dieu qui siège sur le trône et dirent:
*Amen. Alléluia!
5 Alors sortit du trône une voix qui disait:
Louez notre Dieu[k], vous tous ses serviteurs,
vous qui le craignez, petits et grands!
6 Et j'entendis comme la rumeur d'une foule immense,
comme la rumeur des océans,
et comme le grondement de puissants tonnerres.
Ils disaient:
Alléluia!
Car le Seigneur, notre Dieu Tout-Puissant, a manifesté son Règne[l].
7 Réjouissons-nous, soyons dans l'allégresse et rendons-lui gloire,
car voici les noces de l'agneau[m].
Son épouse s'est préparée,
8 il lui a été donné de se vêtir d'un lin resplendissant et pur,
car le lin, ce sont les œuvres justes des *saints.
9 Un *ange me dit: Ecris!
Heureux ceux qui sont invités au festin des noces de l'agneau[n]!
Puis il me dit: Ce sont les paroles mêmes de Dieu.
10 Alors je me prosternai à ses pieds pour l'adorer,
mais il me dit: Garde-toi de le faire!

g 19.1 Expression hébraïque signifiant *Louez le Seigneur!* ***h 19.2*** *jugements pleins de vérité* 16.7+. – Dieu vengeur 6.10+. ***i 19.3*** *la fumée* 14.11. ***j 19.4*** *24 anciens* 4.4+ ; 7.11+. – *4 animaux* 4.6+. ***k 19.5*** *louez notre Dieu* Ps 135.1. ***l 19.6*** *le Règne du Seigneur* 11.15+. – *Dieu Tout-Puissant* 1.8+. ***m 19.7*** Dieu époux d'Israël Es 54.1-8 ; Os 2.16-18. – Christ époux de l'Eglise Mt 22.2 ; 25.1-13 ; Ep 5.23, 25, 32 ; Ap 21.2, 9. ***n 19.9*** Mt 22.1-14 ; Lc 14.15-24.

Je suis un compagnon de service, pour toi et pour tes frères qui gardent le témoignage de Jésus[o].
C'est Dieu que tu dois adorer, car le témoignage de Jésus, c'est l'esprit de la *prophétie.

La victoire du Messie

11 Alors je vis le ciel ouvert:
c'était un cheval blanc,
celui qui le monte se nomme Fidèle et Véritable.
Il juge et il combat avec justice[p].
12 Ses yeux sont une flamme ardente;
sur sa tête, de nombreux diadèmes, et, inscrit sur lui, est un nom qu'il est seul à connaître[q].
13 Il est revêtu d'un manteau trempé de sang,
et il se nomme: la Parole de Dieu[r].
14 Les armées du ciel le suivaient sur des chevaux blancs, vêtues d'un lin blanc[s] et pur.
15 De sa bouche sort un glaive acéré pour en frapper les nations.
Il les mènera paître avec une verge de fer,
il foulera la cuve[t] où bouillonne le vin de la colère du Dieu Tout-Puissant.
16 Sur son manteau et sur sa cuisse il porte un nom écrit:
Roi des rois et Seigneur des seigneurs[u].
17 Alors je vis un ange debout dans le soleil.
Il cria d'une voix forte à tous les oiseaux qui volaient au zénith:
Venez, rassemblez-vous pour le grand festin de Dieu,
18 pour manger la chair des rois, la chair des chefs, la chair des puissants, la chair des chevaux et de ceux qui les montent, la chair de tous les hommes, libres et esclaves, petits et grands[v].
19 Et je vis la bête, les rois de la terre et leurs armées, rassemblés pour combattre[w] le cavalier et son armée.
20 La bête fut capturée, et avec elle le faux prophète qui, par les prodiges opérés devant elle, avait séduit ceux qui avaient reçu la marque de la bête et adoré son image. Tous deux furent jetés vivants dans l'étang de feu[x] embrasé de soufre.

o 19.10 *garde-toi de le faire* Ac 10.25-26 ; Ap 22.8-9. — *témoignage de Jésus* 1.2+. ***p 19.11*** *le ciel ouvert* 4.1+. — *cheval blanc* 6.2. — *Fidèle* 1.5+. — *avec justice* Ps 96.13 ; Es 11.4. ***q 19.12*** 2.17+. ***r 19.13*** *la Parole de Dieu* Jn 1.1, 14. ***s 19.14*** *vêtues de blanc* 3.4+. ***t 19.15*** *glaive de la Parole* 1.16+. — *verge de fer* 12.5+. — *il foule la cuve* 14.19+. ***u 19.16*** 17.14+. ***v 19.18*** v. 17-18 : Ez 39.17-20. ***w 19.19*** 16.14-16 ; 17.12-14. ***x 19.20*** *la bête et ses prodiges* 13.9-16+. — *étang de feu* Es 30.33 ; Ap 20.10, 15 ; 14.10+.

21 Les autres périrent par le glaive qui sortait de la bouche du cavalier,
et tous les oiseaux se rassasièrent de leurs chairs.

Les mille ans

20 1 Alors je vis un *ange qui descendait du ciel. Il avait à la main
la clé de l'abîme[y] et une lourde chaîne.
2 Il s'empara du dragon, l'antique serpent[z], qui est le *diable et Satan,
et l'enchaîna pour mille ans.
3 Il le précipita dans l'abîme, qu'il ferma et scella sur lui, pour qu'il ne
séduise plus les nations jusqu'à l'accomplissement des mille ans.
Il faut, après cela, qu'il soit relâché pour un peu de temps.
4 Et je vis des trônes.
A ceux qui vinrent y siéger, il fut donné d'exercer le jugement.
Je vis aussi les âmes de ceux qui avaient été décapités à cause du
témoignage de Jésus et de la parole de Dieu, et ceux qui n'avaient
pas adoré la bête ni son image et n'avaient pas reçu la marque sur le
front ni sur la main.
Ils revinrent à la vie et régnèrent avec le Christ[a] pendant mille ans.
5 Les autres morts ne revinrent pas à la vie avant l'accomplissement
des mille ans.
C'est la première résurrection.
6 Heureux et *saints ceux qui ont part à la première résurrection.
Sur eux la seconde mort n'a pas d'emprise:
ils seront *prêtres[b] de Dieu et du Christ,
et régneront avec lui pendant les mille ans.

Victoire finale et jugement

7 Quand les mille ans seront accomplis, *Satan sera relâché de sa
prison,
8 et il s'en ira séduire les nations qui sont aux quatre coins de la terre,
Gog et Magog[c].
Il les rassemblera pour le combat: leur nombre est comme le sable
de la mer.
9 Ils envahirent toute l'étendue de la terre et investirent le camp des
*saints et la cité bien-aimée[d].
Mais un feu descendit du ciel et les dévora.

***y* 20.1** *l'abîme* 9.1+. ***z* 20.2** 12.9+. ***a* 20.4** *des trônes* Dn 7.9, 22, 27 ; Mt 19.28 ; Lc 22.30 ; 1 Co 6.2. — Martyrs Ap 6.9+. — *parole de Dieu et témoignage de Jésus* 1.2+. — *adoration de la bête* 13.8+. — *marque de la bête* 13.16+. — *règne avec le Christ* 5.10+. ***b* 20.6** *la seconde mort* 2.11+. — *prêtres* 1.6+. ***c* 20.8** Depuis Ez 38—39 c'est ainsi qu'on désignait les nations ennemies du peuple de Dieu à la fin des temps. — *quatre coins de la terre* 7.1+. ***d* 20.9** *la cité investie* Lc 21.20, 24.

10 Et le *diable, leur séducteur, fut précipité dans l'étang de feu[e] et de
soufre, auprès de la bête et du faux *prophète.
Et ils souffriront des tourments jour et nuit aux *siècles des siècles.
11 Alors je vis un grand trône blanc et celui qui y siégeait:
devant sa face la terre et le ciel s'enfuirent sans laisser de traces.
12 Et je vis les morts, les grands et les petits, debout devant le trône,
et des livres furent ouverts.
Un autre livre fut ouvert: le livre de *vie,
et les morts furent jugés selon leurs œuvres[f], d'après ce qui était
écrit dans les livres.
13 La mer rendit ses morts,
la mort et *l'Hadès rendirent leurs morts,
et chacun fut jugé selon ses œuvres.
14 Alors la mort et l'Hadès furent précipités dans l'étang de feu[g].
L'étang de feu, voilà la seconde mort!
15 Et quiconque ne fut pas trouvé inscrit dans le livre de vie fut préci-
pité dans l'étang de feu.

Les nouveaux cieux et la nouvelle terre

21 1 Alors je vis un ciel nouveau et une terre nouvelle[h], car le
premier ciel et la première terre ont disparu et la mer n'est
plus.
2 Et la cité sainte, la Jérusalem nouvelle,
je la vis qui descendait du ciel, d'auprès de Dieu,
comme une épouse qui s'est parée pour son époux[i].
3 Et j'entendis, venant du trône, une voix forte qui disait:
Voici la demeure de Dieu avec les hommes.
Il demeurera avec eux.
Ils seront ses peuples et lui sera le *Dieu qui est avec eux*[j].
4 Il essuiera toute larme de leurs yeux[k],
La mort ne sera plus.
Il n'y aura plus ni deuil, ni cri, ni souffrance,
car le monde ancien a disparu.
5 Et celui qui siège sur le trône dit:
Voici, je fais toutes choses nouvelles[l].

e 20.10 *étang de feu* 19.20+. ***f 20.12*** *les livres* Dn 7.10. – *le livre de vie* Ap 3.5+. – *selon leurs œuvres* 2.23+. ***g 20.14*** 1 Co 15.26, 54; Ap 21.4. ***h 21.1*** Es 65.17 ; 66.22 ; 2 P 3.13 ; voir Mt 19.28 ; 2 Co 5.17 ; Col 3.10. ***i 21.2*** *Jérusalem nouvelle* Es 60 ; 62 ; 65.18-25 ; Ga 4.26 ; He 11.10, 16 ; Ap 3.12. – *parée pour son époux* Es 61.10 ; Ap 19.7+. ***j 21.3*** *la demeure de Dieu* Lv 26.11-12 ; Ez 37.27 ; Za 2.14 ; 2 Co 6.16 ; Ap 7.15+. – *Dieu avec eux* Es 7.14 ; 8.8 (Mt 1.23). ***k 21.4*** 7.17+. ***l 21.5*** 2 Co 5.17.

Puis il dit: Ecris: ces paroles sont certaines et véridiques.
6 Et il me dit: C'en est fait.
Je suis l'Alpha et l'Oméga,
le commencement et la fin.
A celui qui a soif,
je donnerai de la source d'eau vive, gratuitement[m].
7 Le vainqueur recevra cet héritage, et je serai son Dieu et lui sera
mon fils[n].
8 Quant aux lâches, aux infidèles, aux dépravés, aux meurtriers, aux
impudiques, aux magiciens, aux idolâtres et à tous les menteurs,
leur part se trouve dans l'étang embrasé de feu et de soufre: c'est la
seconde mort[o].

La Jérusalem nouvelle

9 Alors l'un des sept *anges qui tenaient les sept coupes pleines des
sept derniers fléaux vint m'adresser la parole et me dit:
Viens, je te montrerai la fiancée, l'épouse de l'agneau[p].
10 Il me transporta en esprit sur une grande et haute montagne,
et il me montra la cité sainte, Jérusalem,
qui descendait du ciel, d'auprès de Dieu.
11 Elle brillait de la gloire même de Dieu.
Son éclat rappelait une pierre précieuse,
comme une pierre d'un jaspe cristallin[q].
12 Elle avait d'épais et hauts remparts.
Elle avait douze portes
et, aux portes, douze anges et des *noms inscrits:
les noms des douze tribus des fils d'Israël.
13 A l'orient trois portes, au nord trois portes,
au midi trois portes et à l'occident trois portes[r].
14 Les remparts de la cité avaient douze assises[s],
et sur elles les douze noms des douze *apôtres de l'agneau.
15 Celui qui me parlait tenait une mesure[t], un roseau d'or,
pour mesurer la cité, ses portes et ses remparts.
16 La cité était carrée: sa longueur égalait sa largeur. Il la mesura au
roseau, elle comptait douze mille stades:
la longueur, la largeur et la hauteur en étaient égales.

m 21.6 *Alpha et Oméga* 1.8. – *je donnerai* Es 55.1 *l'eau de la vie* Jn 4.10, 14 ; 7.37-38 ; Ap 7.17+ ; 22.17. **n 21.7** 2 S 7.14 ; Ps 2.7 ; 89.27-28 ; He 1.5. **o 21.8** *étang de feu* 19.20+. – *seconde mort* 2.10+. **p 21.9** *sept anges* 15.1+. – *l'épouse de l'agneau* 19.7+. **q 21.11** *la gloire de Dieu* Es 60.1-2 ; Ap 15.8+. – *jaspe* : pierre fine teintée de vert et de rouge. **r 21.13** v. 12-13 : Ez 48.31-35. **s 21.14** *douze assises* Ep 2.20. **t 21.15** *mesure* 11.1+.

17 Il mesura les remparts, ils comptaient cent quarante-quatre coudées,
mesure humaine que l'ange utilisait[u].
18 Les matériaux de ses remparts étaient de jaspe,
et la cité était d'un or pur semblable au pur cristal.
19 Les assises des remparts de la cité s'ornaient de pierres précieuses
de toute sorte.
La première assise était de jaspe, la deuxième de saphir,
la troisième de chalcédoine, la quatrième d'émeraude,
20 la cinquième de sardoine, la sixième de cornaline,
la septième de chrysolithe, la huitième de béryl,
la neuvième de topaze, la dixième de chrysoprase,
la onzième d'hyacinthe, la douzième d'améthyste[v].
21 Les douze portes étaient douze perles.
Chacune des portes était d'une seule perle.
Et la place de la cité était d'or pur comme un cristal limpide.
22 Mais de *temple, je n'en vis point dans la cité,
car son temple, c'est le Seigneur[w], le Dieu Tout-Puissant ainsi que
l'agneau.
23 La cité n'a besoin ni du soleil[x] ni de la lune pour l'éclairer,
car la gloire de Dieu l'illumine, et son flambeau, c'est l'agneau.
24 Les nations marcheront à sa lumière,
et les rois de la terre y apporteront leur gloire[y].
25 Ses portes ne se fermeront pas au long des jours,
car, en ce lieu, il n'y aura plus de nuit[z].
26 On y apportera la gloire et l'honneur des nations[a].
27 Il n'y entrera nulle souillure,
ni personne qui pratique abomination et mensonge,
mais ceux-là seuls qui sont inscrits dans le livre de *vie de
l'agneau[b].

22 1 Puis il me montra un fleuve d'eau vive[c], brillant comme du
cristal,
qui jaillissait du trône de Dieu et de l'agneau.
2 Au milieu de la place de la cité et des deux bras du fleuve,
est un arbre de vie produisant douze récoltes.
Chaque mois il donne son fruit,

u 21.17 v. 16-17 : Ez 48.16-17. — *stades, coudées* : voir au glossaire POIDS ET MESURES. ***v 21.20*** Les vv. 19-20 énumèrent 12 variétés de pierres fines ou précieuses. — v. 18-21 : *matériaux des remparts* Es 54.11-12. ***w 21.22*** Jn 2.19-21 ; Ap 21.3 ; 22.3. ***x 21.23*** Es 60.19-20 ; Ap 22.5. ***y 21.24*** Es 60.3-5. ***z 21.25*** *portes ouvertes* Es 60.11. — *plus de nuit* Za 14.7 ; Ap 22.5. ***a 21.26*** *la gloire des nations* Ps 72.10-11. ***b 21.27*** *nulle souillure* Es 35.8 ; 52.1 ; Za 13.1-2 ; 1 Co 6.9-10 ; 2 P 3.13 ; Ap 22.15. — *le livre de vie* 3.5+. ***c 22.1*** Ez 47.1 ; Za 14.8 ; Jn 7.38.

et son feuillage sert à la guérison des nations[d].
3 Il n'y aura plus de malédiction.
Le trône de Dieu[e] et de l'agneau sera dans la cité, et ses serviteurs lui rendront un culte,
4 ils verront son visage et son nom sera sur leurs fronts[f].
5 Il n'y aura plus de nuit,
nul n'aura besoin de la lumière du flambeau ni de la lumière du soleil,
car le Seigneur Dieu répandra sur eux sa lumière,
et ils régneront aux siècles des siècles[g].

Epilogue

6 Puis il me dit: Ces paroles sont certaines et véridiques; le Seigneur, le Dieu des esprits des *prophètes, a envoyé son *ange,
pour montrer à ses serviteurs ce qui doit arriver[h] bientôt.
7 Voici, je viens bientôt[i].
Heureux celui qui garde les paroles prophétiques de ce livre.
8 Moi, Jean, j'ai entendu et j'ai vu cela.
Et, après avoir entendu et vu, je me prosternai, pour l'adorer, aux pieds de l'ange qui me montrait cela.
9 Mais il me dit: Garde-toi de le faire[j]!
Je suis un compagnon de service,
pour toi et pour tes frères les prophètes,
et pour ceux qui gardent les paroles de ce livre.
C'est Dieu que tu dois adorer.
10 Puis il me dit: Ne garde pas secrètes les paroles prophétiques de ce livre,
car le temps est proche[k].
11 Que l'injuste commette encore l'injustice et que l'impur vive encore dans l'impureté,
mais que le juste[l] pratique encore la justice et que le *saint se *sanctifie encore.
12 Voici, je viens bientôt,
et ma rétribution est avec moi, pour rendre à chacun selon son œuvre[m].

***d* 22.2** *arbre de vie* 2.7+. – *la guérison des nations* Ez 47.12. ***e* 22.3** *plus de malédiction* Gn 3.22-24 ; Za 14.11. – *trône de Dieu* Ap 4.2+. ***f* 22.4** *ils verront sa face* Ps 17.15 ; 42.3 ; Mt 5.8. – Marqués du nom de Dieu Ap 3.12+. ***g* 22.5** *plus de nuit* 21.23, 25+. – *ils régneront* 5.10+. ***h* 22.6** *ce qui doit arriver* 1.1+. ***i* 22.7** C'est le Ressuscité qui parle (voir vv. 12, 16, etc.) ; 2.16+. ***j* 22.9** v. 8-9 : *garde-toi de le faire* 19.10+. ***k* 22.10** *ne garde pas secrètes* 10.4+. – *le temps est proche* 1.3+. ***l* 22.11** *l'injuste* et *le juste* Dn 12.10. ***m* 22.12** *selon son œuvre* 2.23+.

13 Je suis l'Alpha et l'Oméga[n],
le Premier et le Dernier,
le commencement et la fin.
14 Heureux ceux qui lavent leurs robes,
afin d'avoir droit à l'arbre de *vie[o] et d'entrer, par les portes, dans
la cité.
15 Dehors les chiens[p] et les magiciens, les impudiques et les meur-
triers, les idolâtres et quiconque aime ou pratique le mensonge!
16 Moi, Jésus, j'ai envoyé mon ange pour vous apporter ce témoignage
au sujet des Eglises.
Je suis le rejeton et la lignée de David,
l'étoile brillante du matin[q].
17 L'Esprit et l'épouse disent: Viens!
Que celui qui entend dise: Viens!
Que celui qui a soif[r] vienne,
Que celui qui le veut reçoive de l'eau vive, gratuitement.
18 Je l'atteste à quiconque entend les paroles prophétiques de ce livre:
Si quelqu'un y ajoute, Dieu lui ajoutera les fléaux décrits dans ce
livre.
19 Et si quelqu'un retranche aux paroles de ce livre prophétique,
Dieu retranchera sa part de l'arbre de vie et de la cité sainte[s]
qui sont décrits dans ce livre.
20 Celui qui atteste cela dit: Oui, je viens bientôt.
*Amen, viens Seigneur Jésus[t]!
21 La grâce du Seigneur Jésus soit avec tous!

n 22.13 *Alpha et Oméga* 1.8, 17+. ***o 22.14*** *ceux qui lavent leur robe* 7.14. — *l'arbre de vie* 2.7+. ***p 22.15*** Voir Dt 23.19 ; Ph 3.2 : désignation des dépravés ; 1 Co 6.9-10 ; Ap 21.8. ***q 22.16*** *au sujet des Eglises* ou *au milieu des Eglises.* — *rejeton de David* 5.5+. — *étoile du matin* 2.28. ***r 22.17*** *celui qui a soif* 21.6+. ***s 22.19*** v. 18-19 : *retrancher, ajouter* Dt 4.2 ; 13.1. ***t 22.20*** *je viens bientôt* 2.16+. — *viens...* : voir 1 Co 16.22 et la note.

LE LIVRE DE PSAUMES

LES PSAUMES

INTRODUCTION

Le livre

Voici le recueil des « Louanges ». Il prend place après la Loi et les Prophètes, en tête de la troisième section de la Bible hébraïque, les « Ecrits », avant Job et les Proverbes avec lesquels il forme une triade distincte. Dans sa version grecque des Septante, il porte le nom de Psaltérion *ou* Psalmoï, *d'où le titre usuel de* Livre des Psaumes. *Cet ouvrage contient cent cinquante poèmes.*

A l'image du Pentateuque, le Psautier *est divisé en cinq parties (1—41 ; 42—72 ; 73—89 ; 90—106 ; 107—150), terminées chacune par une formule de bénédiction ou doxologie.*

L'emploi des noms divins permet aussi de distinguer deux groupes : celui où prédomine le tétragramme sacré YHWH, *qui est le nom spécifique du Dieu d'Israël (traduit par* SEIGNEUR*) (3—41 ; 90—150), et celui où le nom commun* Elohim *(c'est-à-dire Dieu) est le plus fréquent (42—83).*

On remarque également plusieurs regroupements internes, entre autres : les « prières de David, fils de Jessé » (voir 72.20), les livrets des fils de Coré (42—49 ; 84—85 ; 87—88) et d'Asaf (50 et 73—83) ; les chants des montées (120—134), ceux du « Règne de Dieu » (93—99), ceux où retentit l'acclamation liturgique « Alléluia » (le triple Hallel *: 113—118 ; 136 ; 146—150).*

La formation progressive du recueil, achevée peut-être vers la fin du IIIe s. avant J.-C., a maintenu certains doublets (14 = 53 ; 40.14-18 = 70 ; 57.8-12 + 60.7-14 = 108), mais a laissé d'autres psaumes en dehors du Psautier *; ainsi par exemple 1 S 2.1-10 ; Jon 2.3-10 ; Dn 2.20-23.*

Les Ps 1 et 2 (tenus pour un seul dans Ac 13.33) tiennent lieu de préface, tandis que la doxologie finale du Ps 150 clôt tout le Livre.

Les titres

Trente-quatre psaumes seulement n'en portent pas dans la Bible hébraïque. Ces titres, parfois appelés « suscriptions », sont d'étendue et de caractère variables ; souvent anciens, ils n'étaient déjà plus compris par les premiers traducteurs grecs, avant notre ère ; et ils continuent souvent à défier la sagacité des exégètes.

a) *La plupart de ces indications concernent* les auteurs traditionnels*: Moïse (90), Salomon (72), Asaf (50 ; 73—83 ; comparer 1 Ch 16.4-7 ; 25.1-2 ; Ne 7.44), les fils de Coré (42 ; 44—49 ; 84—85 ; 87—88 ; comparer 2 Ch 20.19), Hémân (88) et Etân (89 ; 1 Ch 15.17-19 ; 25.5), Yedoutoun (39 ; 62 ; 77 ; comparer 1 Ch 16.41-42 ; 25.1-3 ; 2 Ch 5.12 ; 29.14 ; Ne 11.17).*

Mais c'est le nom de David qui est le plus fréquent, au début de soixante-treize psaumes dans la Bible hébraïque. Il est accompagné treize fois d'une allusion à un événement de la vie du roi (3 ; 7 ; 18 ; 30 ; 34 ; 51 ; 52 ; 54 ; 56 ; 57 ; 59 ; 60 ; 63).

La tradition ancienne a salué en lui le grand poète et le musicien d'Israël (2 S 1.17,19-27 ; 3.33-34 ; 1 S 16.16-23 ; 18.10 ; Am 6.5), l'organisateur du culte (1 Ch 15—16 ; 23.5 ; Esd 3.10 ; Ne 12.36), mais également le modèle du juste persécuté, du pécheur repentant et la figure du Messie.

Les questions d'authenticité littéraire sont largement débattues parmi les exégètes contemporains. La préposition hébraïque qui précède les noms de personnes peut indiquer une référence à l'auteur aussi bien que l'appartenance à un cycle littéraire ou une allusion au héros du poème.

Quoi qu'il en soit, les psaumes ont été redits et revécus par des générations de croyants qui les ont adaptés à leur situation ; en outre, leur utilisation cultuelle les a adaptés à la liturgie du Temple. Ainsi leur caractère de prière vivante a rendu difficile toute entreprise cherchant à retrouver leur date d'origine, et l'on discutera longtemps encore de l'âge de ces textes. Mais on se souviendra que les Anciens n'avaient pas notre notion d'auteur et de propriété littéraire, et que la portée spirituelle de ces prières n'est pas fonction de leur date de composition.

b) *Quelques titres suggèrent* le caractère et la nature des compositions *: poème accompagné d'instruments à cordes (*mizmor, *57 fois), prière (*tefilla, *86 ; 90 ; 102 ; 142), louange (*tehilla, *145), chant d'amour (45) ;* maskîl *(32 ; 42 ; 44 ; 45 ; 52—55 ; 74 ; 78 ; 88 ; 89 ; 142) et* shiggayôn *(7) sont respectivement rendus par « instruction » et par « confession », non sans hésitation. D'autres expressions techniques inconnues sont simplement transcrites (voir 16 ; 56—60).*

c) *D'autres notices sont* d'ordre musical *: ainsi le* chef de chœur

(55 fois ; voir aussi 1 Ch 15.21), qui traduit un mot incompris des anciennes versions ; flûtes (5), instruments à cordes (4 ; 6 ; 12 ; 54 ; 55 ; 61 ; 67 ; 76), cithare de Gath (8 ; 81 ; 84), à moins qu'il s'agisse d'une mélodie particulière, accompagnaient le chant de ces poèmes. Par ailleurs, les psaumes nomment un nombre important d'instruments, tels que harpe, cithare, luth, cymbales, tambourins.

On suppose que certaines expressions énigmatiques indiquaient les airs sur lesquels étaient exécutés les chants : biche de l'aurore *(22),* les lis *(45 ; 69),* ne détruis pas *(57 ; 58 ; 59 ; 75).*

D'autres notices demeurent mystérieuses (9 ; 46 ; 53 ; 56 ; 60 ; 80 ; 88).

d) *Enfin quelques* rubriques liturgiques *rattachent certains psaumes à des actes cultuels :* pour la dédicace de la maison *(30),* pour le jour du sabbat *(92),* pour l'action de grâce *(100) ; et peut-être la formule* en mémorial *(38 ; 70) rattachait-elle ces psaumes à un acte cultuel précis. Quant aux* psaumes des montées, *ils appartenaient sans doute au répertoire des pèlerins qui « montaient » à Jérusalem.*

Les poèmes

Le Psautier *est entièrement rédigé en vers que l'on s'est efforcé de conserver dans la présentation de la traduction.*

Un vers se compose le plus souvent de deux membres, parfois de trois. Il obéit à un rythme basé sur l'accent tonique, comme dans la poésie anglo-saxonne. Le rythme le plus fréquent consiste en trois accents dans chaque membre du vers (3+3) ; parfois la cadence du second membre devient binaire (3+2). Mais il convient de souligner que les poètes hébreux usaient d'une grande liberté dans le choix et l'agencement des rythmes, et que certains poèmes sont assez proches de la prose.

Un élément commun aux poèmes bibliques et à la poésie sémitique, c'est le parallélisme, une sorte de balancement des membres de la phrase, comparable à une rime de pensée.

Tantôt la même idée est reprise avec des expressions semblables ; c'est le parallélisme synonymique :

Pourquoi cette agitation des peuples,
ces grondements inutiles des nations ? *(2.1)*

Tantôt le poète procède par contraste ou opposition ; c'est le parallélisme antithétique :

Oui, ceux qu'il bénit posséderont le pays
et ceux qu'il maudit seront arrachés. *(37.22)*

Dans le parallélisme synthétique, *la même idée est exprimée avec un développement de la pensée :*

Chantez au Seigneur un chant nouveau
chantez au Seigneur, terre entière. *(96.1)*

Certains refrains apparaissent (42 ; 43 ; 46 ; 49 ; 59 ; 67 ; 80 ; 99 ; 107) à intervalles irréguliers dans plusieurs psaumes et délimitent des strophes.

Le mot séla, *qui est traduit par* Pause, *apparaît à l'intérieur des chants, et spécialement dans les trois premiers livres. Il a une signification incertaine et pourrait indiquer, lui aussi, une sorte de division strophique.*

Dans la traduction, c'est l'unité de sens ou de thème qui a justifié les sections internes mises en relief par la disposition typographique.

Mentionnons encore les psaumes alphabétiques *(9—10 ; 37 ; 111 ; 112 ; 119), dans lesquels chaque vers, membre de vers ou strophe commence par une des lettres de l'alphabet hébreu, dans l'ordre alphabétique.*

Des allitérations, ou assonances, fréquentes mais impossibles à rendre en français, sont souvent signalées dans les notes.

Les familles de psaumes

Beaucoup de psaumes présentent des visages semblables, des allures, un langage, des accents qui ont un air de famille. Des ressemblances de structure, une phraséologie et une tonalité communes, supposent des situations identiques ou analogues, et les mêmes thèmes se mélangent entre eux pour donner naissance à des poèmes complexes. Nous parlerons donc de « familles » de psaumes en appliquant cette notion de parenté avec une grande souplesse. Un classement qui prétend grouper tous les psaumes doit nécessairement admettre le probable et même le conjectural. Avec ces réserves, nous proposons trois grandes familles :

1. Les louanges.

2. Les prières d'appel au secours, de confiance et de reconnaissance.

3. Les psaumes d'instruction.

1. LES LOUANGES

Les psaumes de louange sont nombreux et disséminés dans tous les livres du recueil. On admet généralement qu'ils furent composés pour le service liturgique et exécutés à l'occasion des fêtes d'Israël. Des raisons plausibles permettent parfois d'assigner l'un ou l'autre de ces psaumes à une solennité précise.

L'aspect communautaire fortement accentué se manifeste par des dialogues, des chœurs, des refrains, des acclamations, des répons comme Amen ! Alléluia ! *La participation collective se traduisait aussi par des cortèges ou des processions, des danses, des applaudissements ou des prosternements.*

Les louanges sont bâties d'ordinaire sur le même plan : une invitatoire plus ou moins étendue (et parfois une simple exclamation) ouvre le psaume ; tantôt le psalmiste s'interpelle lui-même, tantôt il lance son appel à la communauté, à certains de ses membres, ou aux nations, à la nature, aux liturges célestes (148 par exemple).

Puis le corps du poème développera les motifs de louange.

Et le psaume se terminera par une reprise de l'introduction, un résumé des motifs, des formules de bénédictions ou des souhaits, avec beaucoup de variantes possibles.

Ces louanges se rapportent à Dieu, à Sion et au Temple, ou au roi.

a) Les hymnes adressés au Seigneur de l'alliance *(8 ; 19 ; 33 ; 100 ; 103 ; 104 ; 111 ; 113 ; 114 ; 117 ; 135 ; 136 ; 145—150 ; voir aussi 78 ; 105). Israël chante sa foi au Dieu unique, créateur, maître de l'histoire, qui a choisi son peuple et lui reste fidèle en le guidant et en le sauvant par ses exploits, ses œuvres, ses merveilles ou miracles, sa parole. Et depuis la sortie d'Egypte, le peuple vit cette louange dans l'expérience spirituelle de l'alliance et de l'histoire du salut (78 ; 105), dont le Psautier est l'expression liturgique.*

Dans leur description de la nature, les psalmistes dépendent des conceptions de leur époque ; ils témoignent plus de leur contemplation religieuse de l'univers que d'une vision poétique du cosmos ; ils voient ainsi, à travers les forces de la nature, les interventions divines et la présence de son auteur dans le monde.

Si certains hymnes (29 ; début du 19 ; 104) ont pu être rapprochés de poèmes extrabibliques (cananéen, égyptien), les psalmistes ne copient pas, ils chantent le Dieu unique ; s'ils empruntent, ils assimilent ; leur Dieu ne se confond pas avec une force de la nature, il est d'abord le Dieu de l'histoire et de l'histoire d'Israël. Cela est évident dans les deux parties du Ps 19, et dans la place accordée à l'homme dans le Ps 8.

b) Les chants du « Règne » *(93 ; 96—99 ; comparer 47).*

Apparentés aux hymnes, ils se reconnaissent à leur accent universaliste et à l'acclamation « Le Seigneur est roi ! », qui, comme pour un sacre, célèbre Dieu, roi et juge d'Israël, maître des peuples et du monde. Du coup, toute la création participe à cette louange.

Ces psaumes étaient-ils chantés à l'occasion d'une fête déterminée : celle des Tentes, du Nouvel An, de Jérusalem ? Il est impossible d'apporter une réponse certaine.

On a relevé des points de contact avec la deuxième partie du livre d'Esaïe (voir, par exemple, 52.7), et des perspectives eschatologiques dans ces cantiques nouveaux *(96.1 ; 98.1). Mais dans le culte d'Israël, le présent actualise le passé et anticipe l'avenir : en effet la liturgie fait revivre le passé et ravive l'espoir.*

c) Les cantiques de Sion *(46 ; 48 ; 76 ; 84 ; 87 ; 122 ; voir 24 ; 68 ; 132) exaltent Jérusalem et son Temple. Capitale de la dynastie davidique, métropole religieuse, Sion a été choisie par Dieu comme son lieu de repos ; et voici ses titres, plus magnifiques les uns que les autres : la plus sainte des demeures du Très-Haut, la ville de Dieu, la cité du grand Roi. Les processions de l'arche s'y déroulent (24 ; 68). Elle est l'Extrême-Nord (48.3), titre semblable à celui que la mythologie cananéenne attribue au séjour de Baal ; dans le sanctuaire se trouve le Sinaï (68.18), et tout concourt pour assurer Israël que Dieu y est présent et en garantit la sécurité. Plus même, Sion devient le lieu où chaque homme finira par se reconnaître chez soi (87). Là encore la célébration liturgique anticipe dans le culte l'avenir de cette cité prédestinée.*

On ajoutera pour mémoire la collection des psaumes des montées *ou* pour les montées *(120—134), qui étaient vraisemblablement chantés lors des pèlerinages à Jérusalem. Ils se présentent sous des formes littéraires différentes, mais certains (122 ; 125 ; 132) sont de vraies louanges à Sion.*

d) Les psaumes royaux *glorifient presque toujours les monarques temporels de Jérusalem (2 ; 18 ; 20 ; 21 ; 45 ; 72 ; 89 ; 101 ; 110 ; 132 ; 144), à l'occasion d'un sacre, d'un anniversaire de couronnement, d'un mariage, d'une victoire...*

Ces chants offrent une grande variété littéraire due aux situations diverses qui en sont l'occasion. Mais leur unité tient à celui qu'ils célèbrent : le roi oint par le Seigneur, messie, *fils de Dieu, héritier des promesses de stabilité dynastique faites à David, représentant de Dieu et exécuteur de sa justice et de ses combats, l'intermédiaire des bénédictions du Maître d'Israël. On discerne bien dans ces poèmes la place qu'y tient la promesse faite à David par l'intermédiaire du prophète Natan (2 S 7).*

Ces psaumes de louange portent tous en eux une promesse de plénitude : attente du règne définitif de Dieu, attente d'une métropole idéale, attente du Messie.

2. LES PRIÈRES D'APPEL AU SECOURS, DE CONFIANCE ET DE RECONNAISSANCE

Ces prières ont en commun une situation de détresse : l'appel au secours, comme la prière de confiance, précède ou accompagne une crise ; l'action de grâce en décrit l'heureux dénouement et remercie Dieu pour la délivrance.

Parfois, dans un même psaume (22 ; 30 ; 31 ; 54 ; 56 ; 61), supplication, confiance et reconnaissance sont étroitement associées.

Ces prières émanent d'un individu et relèvent de la piété personnelle, ou bien de la communauté rassemblée pour une cérémonie liturgique (comparer Jl 1.13 ; 2.17). Il convient d'ailleurs de ne pas durcir cette distinction entre l'individuel et le collectif, car le fidèle qui prie n'est pas un solitaire ; il se reconnaît solidaire du peuple de Dieu (p. ex. 25.22 ; 28.9 ; 61.7 ; 63.12 ; 69.36) et il n'est pas étranger au culte (p. ex. 5.8 ; 28.2 ; 140.13-14).

De plus, le « je » du psalmiste masque parfois une collectivité, dans le cas où, par exemple, un prêtre ou un roi parle au nom d'un groupe. Enfin, des psaumes qui, à l'origine, exprimaient des sentiments individuels, devinrent des prières communautaires dans la liturgie cultuelle ou lors de leur insertion dans le Psautier.

a) Les appels au secours *se développent d'ordinaire sur le rythme suivant : invocation du nom divin, suivie d'un appel au secours ; puis est exposée la situation avec éventuellement une reprise de la supplication ; enfin pour conclusion est exprimée l'attente ou l'espérance de l'exaucement.*

Les prières individuelles *occupent à elles seules presque le quart du Psautier (5 ; 6 ; 7 ; 13 ; 17 ; 22 ; 25 ; 26 ; 28 ; 31 ; 35 ; 36 ; 38 ; 39 ; 42 ; 43 ; 51 ; 54—57 ; 59 ; 61 ; 63 ; 64 ; 69 ; 70 [=* 40.14-18*] ; 71 ; 86 ; 88 ; 102 ; 109 ; 120 ; 130 ; 140—143).*

Les plaintes de ces affligés décrivent souvent leur détresse concrète : ils sont malades, accusés, persécutés, pénitents, réfugiés ou déportés. Sur eux s'acharnent une meute d'ennemis complaisamment décrits par des métaphores : guerriers, bandits, chasseurs avec leurs pièges et leurs armes, bêtes féroces, taureaux, chiens, serpents... ; mais ces adversaires ne se laissent pourtant pas facilement identifier. Ils recourent à toutes sortes de procédés pour atteindre leur but, en particulier à des paroles malveillantes, calomnies, accusations, malédictions ou maléfices.

Pour ces malheureuses victimes tout se situe ici-bas ; maladie et ennemis entraînent vers la mort et le « shéol » (traduit ici par les enfers*), c'est-à-dire le séjour des morts situé dans les profondeurs de la terre, qu'il ne faut pas confondre avec l'Enfer.*

Le terme hébreu que nous serions tentés de traduire par « âme » possède en réalité plusieurs significations qui apparaîtront dans cette traduction : gorge, gosier, appétit, voracité, souffle, vie ; et souvent il équivaut au simple pronom personnel. Chez les anciens, on considérait cette vitalité comme une force qui varie d'intensité et que les maladies ou les attaques des ennemis réduisent et mettent sous l'emprise de la mort. Et si l'action de ces adversaires et la maladie apparaissent souvent étroitement imbriquées, il n'est pas toujours facile de savoir si l'affligé a été rendu malade par l'action malveillante d'autres individus, ou bien si ceux-ci sont devenus ses adversaires en découvrant dans sa maladie une preuve de sa culpabilité.

Parfois ces malheureux regardent leurs souffrances comme une punition de péchés connus ou cachés. Ils cherchent alors à désarmer la colère divine en avouant leurs fautes.

Mais parfois, la plainte de ces hommes rappelle les cris de Jérémie ou de Job. Et l'on en trouve qui en appellent à la justice de Dieu, afin qu'elle fasse éclater leur bon droit, fût-ce à travers l'épreuve d'un « jugement de Dieu » (voir Nb 5.11-31), et amène la confusion chez leurs ennemis.

Traditionnellement, sept prières (6 ; 32 ; 38 ; 51 ; 102 ; 130 ; 143) ont été adoptées dans les liturgies chrétiennes pour former le groupe des « psaumes de pénitence ».

Les prières collectives d'appel au secours *(12 ; 44 ; 58 ; 60 ; 74 ; 79 ; 80 ; 83 ; 85 ; 90 ; 94 ; 108 ; 123 ; 137 ; voir aussi 77 ; 82 ; 106 ; 126) ont la même structure que les précédentes ; elles supposent une calamité publique : défaite militaire, invasion de troupes ennemies, massacres, destructions, profanation du Temple, oppression des petits et des pauvres par les grands, ou des justes par les impies.*

Pour provoquer l'intervention du Seigneur, Israël allègue son innocence (44.18) ou avoue son péché (78.8-9), évoque les hauts faits de Dieu dans le passé (44.2-9 ; 74.2,12-17), ou son honneur et sa fidélité qui sont mis en jeu (74.18 ; 79.10,12 ; 44.27), car la cause du peuple est identifiée à celle de Dieu.

b) Les actes de confiance *passent au premier plan dans quelques psaumes (3 ; 4 ; 11 ; 16 ; 23 ; 27 ; 62 ; 121 ; 131 ; voir aussi 91).*

Ces chants peuvent provenir des milieux lévitiques, car ils chantent la sécurité, la joie et la paix qu'apporte l'intimité avec Dieu (16 ; 23) ; ils affirment la foi et invitent les compatriotes israélites à imiter cette expérience.

Cette sécurité heureuse est souvent associée au Temple où Dieu se manifeste, et d'où il exauce les fidèles réfugiés près de lui (3.5 ; 11.4 ; 27.4).

Les trois psaumes 115, 125 et 129 expriment la confiance de la collectivité.

c) Les prières de reconnaissance, *individuelles (9 ; 10 ; 30 ; 32 ; 34 ; 40.2-12 ; 41 ; 92 ; 116 ; 138, voir aussi 107), ou collectives (66 ; 67 ; 118 ; 124 ; voir aussi 65) comprennent généralement les éléments suivants : après une proclamation qui développe parfois des thèmes hymniques (9.3-12 par exemple), le psalmiste évoque le danger couru, sa prière dans l'épreuve et le revirement de la situation grâce au secours divin. La prière se termine par un appel à la louange, adressé à l'assistance.*

La reconnaissance semble donc bien être prononcée dans le cadre d'une cérémonie religieuse, avec accomplissement de vœux.

On notera tout particulièrement les liturgies d'actions de grâce des psaumes 118 et 107 ; dans ce dernier, quelqu'un préside la cérémonie à laquelle participent des caravaniers, des captifs, des malades, des marins, qui viennent remercier pour leur délivrance.

3. LES PSAUMES D'INSTRUCTION

Des éléments sapientiaux et didactiques sont présents dans les familles précédentes. Mais certains psaumes ont spécialement pour but d'instruire (ce qu'annonce le titre : maskîl, *« pour enseigner », p. ex. dans 60.1). Leurs formes littéraires sont variées :*

a) à l'exemple des Sages, ces psaumes utilisent le genre proverbial *ou des procédés scolaires comme l'*alphabétisme *(37 ; 112 ; 119) qui en facilitait la mémorisation ;*

b) des leçons d'histoire *(78 ; 105 ; 106) évoquent les traditions patriarcales, la sortie d'Egypte, la marche au désert, la révélation du Sinaï, la conquête ; ces interventions de Dieu soulignent sa fidélité aux promesses et à l'alliance, sa patience, sa miséricorde et commandent une certaine obéissance ;*

c) des textes liturgiques *(15 ; 24 ; 134 ; voir aussi 91 ; 95), employés éventuellement lors de l'arrivée à la porte du sanctuaire, vont rappeler les conditions requises pour paraître devant Dieu dans le Temple ;*

d) des exhortations prophétiques *(14 ; 50 ; 52 ; 53 ; 75 ; 81 ; voir encore 95), assorties d'oracles de promesses ou de menaces, insistent sur la véritable piété, sur les exigences de l'Alliance et dénoncent l'impiété. Le Ps 50 en particulier condamnera cette croyance populaire en une efficacité automatique des sacrifices, indépendante de la conduite morale ;*

e) des poèmes proprement sapientiaux *(1 ; 37 ; 49 ; 112 ; 119 ; 127 ; 133 ; voir aussi 128 ; 139) qui abordent des sujets comme le bonheur ou le malheur pour les justes ou pour les impies, et le thème de la rétribution, de cette justice que Dieu ne devrait pas manquer de rendre ici-bas, et si ce n'était pas le cas, dans l'au-delà peut-être (49.16 ; 73.24).*

Quant à la Loi, méditée avec amour, elle est une source inépuisable de bienfaits.

Le Psautier, hier et aujourd'hui

Vers le milieu du IIe s. avant J.-C., le texte hébreu des Psaumes a été traduit en grec à l'intention des Juifs de la dispersion ; c'est la version dite des Septante.

Un décalage dans la numérotation provient du fait que quelques psaumes de l'une des traditions se trouvent scindés en deux dans l'autre.

Le tableau ci-dessous met en évidence ces différences :

Hébreu		*Grec et Vulgate*
1 à 8	=	*1 à 8*
9 et 10	=	*9*
11 à 113	=	*10 à 112*
114 et 115	=	*113*
116	=	*114 et 115*
117 à 146	=	*116 à 145*
147	=	*146 et 147*
148 à 150	=	*148 à 150*

C'est la numérotation hébraïque qui est adoptée ici.

Des psaumes qui, dans la Bible hébraïque, étaient « orphelins », c'est-à-dire dépourvus d'en-têtes, s'enrichissent, dans la Bible grecque, de notices nouvelles : 84 poèmes sont rapportés à David, d'autres à différents auteurs, à Jérémie, Ezéchiel, Zacharie, Aggée, aux fils de Yonadab, avec parfois des renseignements inédits sur les circonstances de composition ; quant aux indications obscures des titres hébreux, elles sont interprétées de façon plus ou moins originale.

Malgré ses altérations, cette version donne quelquefois la possibilité de restituer un texte qui semble plus correct que celui de la Bible hébraïque.

Les Septante sont restées la version canonique des Eglises de langue grecque et sont à la base des traductions officielles de plusieurs Eglises orientales.

Des extraits de trois autres versions grecques, Aquila, Symmaque, et Théodotion, datant du milieu du IIe siècle de notre ère, nous sont parvenus par des citations des Pères grecs et par les Hexaples d'Origène.

Les Psaumes *étaient en honneur à Qumrân où l'on a retrouvé les restes de plusieurs recueils de psaumes ; et un grand rouleau dans la grotte 11.*

Israël, à travers son histoire souvent tourmentée, continuera à réciter, à méditer et à chanter le Psautier, *lors de ses fêtes nationales et religieuses dans le rituel synagogal, au foyer familial, si bien que l'on a pu écrire que les Juifs naissaient avec ce livre aux entrailles.*

Le Targum des Psaumes, traduction et paraphrase en araméen, remonte, sous sa forme orale, à une tradition relativement ancienne et, à ce titre, mérite d'être consulté par les traducteurs, de même que les commentaires des rabbins médiévaux, tels que Rashi et Ibn Ezra.

Dans le Nouveau Testament, les psaumes sont cités plus de cent fois ; le psaume 22 est appliqué à la passion de Jésus, le 110 au règne du ressuscité. Jésus a récité le Hallel (Ps 113—118 ; 136 ; 146—150) au moment de la Cène. Et les premiers chrétiens ont trouvé naturel de chanter eux aussi les psaumes à côté de leurs cantiques propres (Ep 5.19).

*Dès la fin du Ier siècle de notre ère ou au début du second, le Psautier fut traduit en syriaque : c'est la version de la Peshitta. Un peu plus tard, vers la fin du IIe siècle, apparaissent en Afrique et à Rome les plus anciennes versions latines. Au IVe siècle, saint Jérôme, en s'appuyant sur les Septante, corrige à deux reprises ces vieilles traductions latines et publie le « psautier romain », puis le « psautier gallican » qui fera partie de la Vulgate latine. Après quoi il procédera à une traduction latine faite directement à partir de l'hébreu (*psalterion juxta Hebraeos*).*

On trouvera dans les notes les variantes les plus caractéristiques des différentes versions.

A cette longue histoire, esquissée à grands traits, correspond toute une histoire spirituelle. En effet, des générations de croyants, juifs et chrétiens de toute confession, se sont inspirés des psaumes dans leur prière et dans leur vie. Ces textes bibliques ont suscité, depuis l'âge patristique, homélies et commentaires, vivifié la piété individuelle et collective, provoqué les recherches exégétiques. De tous les livres de l'Ancien Testament, le Psautier fut le premier à se répandre en français (vers 1100) et, à partir du XVIe siècle, les traductions et les paraphrases en vers se multiplieront. Le renouveau liturgique qui se manifeste dans les Eglises chrétiennes favorise la diffusion du recueil des « Louanges ». Certes, la piété authentique jaillit du cœur et ne se nourrit pas de clichés littéraires. Mais le Psautier *ne nous fournit pas des prières toutes faites ; il nous offre des prières à faire, il nous suggère des « chants nouveaux ».*

LES PSAUMES

PREMIER LIVRE (Ps 1—41)

PSAUME 1

1 Heureux l'homme
qui ne prend pas le parti des méchants,
ne s'arrête pas sur le chemin des pécheurs
et ne s'assied pas au banc des moqueurs[a],
2 mais qui se plaît à la loi du SEIGNEUR
et récite sa loi jour et nuit[b] !
3 Il est comme un arbre planté près des ruisseaux :
il donne du fruit en sa saison
et son feuillage ne se flétrit pas ;
il réussit[c] tout ce qu'il fait.
4 Tel n'est pas le sort des méchants :
ils sont comme la bale que disperse le vent[d].
5 Lors du jugement, les méchants ne se relèveront pas,
ni les pécheurs au rassemblement des justes.
6 Car le SEIGNEUR connaît le chemin des justes,
mais le chemin des méchants[e] se perd.

PSAUME 2

1 Pourquoi cette agitation des peuples,
ces grondements inutiles des nations ?

a ***1.1*** *Heureux* 2.12 ; 32.1 ; 33.12 ; 34.9 ; 40.5 ; 41.2 ; 84.5-6 ; 94.12 ; 106.3 ; 112.1 ; 119.1-2 ; 127.5 ; 128.1 ; 137.8 ; 144.15 ; 146.5 ; 1 R 10.8 ; Es 30.18 ; 32.20 ; 56.2 ; Jb 5.17 ; Pr 3.13 ; 8.32, 34 ; 14.21 ; 16.20 ; 29.18 ; Qo 10.17 ; Dn 12.12 ; Mt 5.3+. — *avec les moqueurs* Ps 26.4-5 ; voir 28.3. **b** ***1.2*** Chez les anciens, la lecture se pratiquait à haute voix ou à mi-voix (voir Ac 8.28-30). — *la loi du Seigneur* 19.8-15 ; 119. — *jour et nuit* Jos 1.7-8 ; voir Ps 35.28 ; *Si* 14.20-21. **c** ***1.3*** *comme un arbre près de l'eau* Jr 17.8. — *il réussit* Ps 37.4,19 ; Jos 1.8. **d** ***1.4*** *La bale* est l'enveloppe du grain de blé ; après avoir battu le blé on projetait en l'air le mélange de bale et de grain ; celui-ci, plus lourd, retombait sur place, tandis que le vent emportait la bale, plus légère 35.5 ; Es 29.5 ; Jb 21.18 ; voir Mt 3.12+. **e** ***1.6*** *le Seigneur connaît* 31.8 ; 37.18 ; 139.1-6,14,23. — *le chemin (des méchants)* Jr 21.8 ; Pr 4.18-19 ; voir Mt 7.13-14.

2 Les rois de la terre s'insurgent
et les grands conspirent entre eux,
contre le SEIGNEUR et contre son *messie[f] :
3 « Brisons leurs liens[g],
rejetons leurs entraves. »

4 Il rit, celui qui siège dans les cieux[h] ;
le Seigneur se moque d'eux.
5 Alors il leur parle avec colère,
et sa fureur les épouvante :
6 « Moi, j'ai sacré mon roi
sur *Sion, ma montagne sainte[i]. »

7 Je publierai le décret :
le SEIGNEUR m'a dit :
« Tu es mon fils ;
moi, aujourd'hui, je t'ai engendré[j].
8 Demande-moi,
et je te donne les nations comme patrimoine[k],
en propriété les extrémités de la terre.
9 Tu les écraseras avec un sceptre de fer,
et, comme un vase de potier, tu les mettras en pièces[l]. »

10 Et maintenant, rois, soyez intelligents[m] ;
laissez-vous corriger, juges de la terre !
11 Servez le SEIGNEUR[n] avec crainte,
exultez en tremblant ;
12 — rendez hommage au fils ;
sinon il se fâche, et vous périssez en chemin,
un rien, et sa colère s'enflamme !

Heureux tous ceux dont il est le refuge[o].

***f* 2.2** v. 1-2 : cité en Ac 4.25-26. — *conspiration* 48.5 ; 83.6 ; Es 7.4-6 ; Os 7.3-7 ; Ap 19.19. — *son messie* Ps 18.51 ; 20.7 ; 28.8 ; 84.10 ; 89.39 ; 132.10 ; 1 S 2.10 ; 10.1 ; 16.1, 13. ***g* 2.3** *Brisons leurs liens... :* paroles des rois révoltés. — *liens* imposés aux rois étrangers 149.8. ***h* 2.4** *celui qui siège dans les cieux* 115.3 ; 123.1 ; voir Mt 6.9. — le rire du Seigneur Ps 37.13 ; 59.9. ***i* 2.6** *le sacre du roi* 1 R 1.33-35 ; 2 R 11.12. — *Sion* Ps 20.3 ; 110.2. — *montagne sainte* 3.5+. ***j* 2.7** *Je publierai le décret... :* c'est le roi, désigné comme messie au v. 2, qui parle. — *Tu es mon fils... :* formule d'adoption ; 2 S 7.14. — Cité en Ac 13.33 ; He 1.5 ; 5.5. ; voir Mt 3.17 ; 17.5 ; 2 P 1.17. ***k* 2.8** *Demande-moi* 21.5 ; 1 R 3.5. — *les nations comme patrimoine* Ps 82.8. ***l* 2.9** *sceptre de fer* Ap 2.27 ; 12.5 ; 19.15. — *en pièces* Ps 68.22 ; 110.5-6. ***m* 2.10** *Sg* 6.1-11. ***n* 2.11** 72.11 ; Dn 7.14. ***o* 2.12** *rendez hommage au fils* ou *donnez un baiser au fils :* le baiser était un signe d'hommage. Le texte hébreu du début du v. 12 est obscur. — *Heureux* 1.1+ ; 34.9. — le Seigneur, *un refuge* 118.8-9 ; voir Jg 9.15.

PSAUME 3

1 *Psaume de David. Quand il fuyait devant son fils Absalom[p].*

2 SEIGNEUR, que mes adversaires sont nombreux :
nombreux à se lever contre moi,
3 nombreux à dire sur moi :
« Pas de salut pour lui auprès de Dieu[q] ! » **Pause.*

4 Mais toi, SEIGNEUR, tu es un bouclier pour moi ;
tu es ma gloire, celui qui relève ma tête[r].
5 A pleine voix, j'appelle le SEIGNEUR :
il m'a répondu de sa montagne sainte[s]. *Pause.*

6 Je me suis couché et j'ai dormi ;
je me suis réveillé : le SEIGNEUR est mon appui[t].
7 Je ne crains pas[u] ces gens si nombreux
postés autour de moi.

8 Lève-toi[v], SEIGNEUR ! Sauve-moi, mon Dieu !
toi qui frappes tous mes ennemis à la mâchoire
et casses les dents des méchants.

9 Auprès du SEIGNEUR est le salut[w],
sur ton peuple, la bénédiction ! *Pause.*

PSAUME 4

1 *Du *chef de chœur, avec instruments à cordes.*
Psaume de David.

2 Quand j'appelle, réponds-moi[x], Dieu, ma justice !
Dans la détresse tu m'as soulagé ;
par pitié, écoute ma prière.

***p* 3.1** 2 S 15—17. ***q* 3.3** 22.9 ; 71.11. ***r* 3.4** *le Seigneur, un bouclier* 18.3 ; 28.7 ; 84.12 ; 89.19 ; 91.4 ; 115.9-11 ; 119.114 ; Dt 33.29. — *celui qui relève ma tête* Ps 27.6 ; 110.7. ***s* 3.5** *appel au Seigneur* 4.2,4 ; 18.7 ; 22.3, 6 ; 28.1 ; 30.3 ; 31.23 ; 34.7,18 ; 55.17 ; 57.3 ; 61.3 ; 86.3,7 ; 107.6 ; 120.1 ; 130.1 ; 140.2 ; 141.1 ; Ex 8.8 ; Nb 20.16 ; Dt 26.7 ; Jos 24.7 ; Jg 3.9 ; 1 S 7.8 ; Es 19.20 ; 58.9 ; Jl 1.19-20 ; Jon 2.3 ; 3.8 ; Jb 30.20. — *montagne sainte* Ps 2.6 ; 15.1 ; 48.2 ; 87.1 ; Es 27.13 ; Jr 31.23 ; Ez 20.40 ; Jon 2.1. ***t* 3.6** sommeil paisible 4.9 ; 91.5-6 ; Pr 3.24. — *mon appui* Ps 37.17, 24. ***u* 3.7** sans peur 23.4 ; 27.1. ***v* 3.8** *lève-toi* 7.7 ; 9.20 ; 10.12 ; 21.14 ; 44.27 ; 94.2 ; 132.8 ; Nb 10.35. ***w* 3.9** *le salut* Jon 2.10 ; voir Pr 21.31. ***x* 4.2** *réponds-moi* 17.6 ; 20.10 ; 102.3.

[3] Hommes, jusqu'où irez-vous dans le mépris de ma gloire,
l'amour du vide
et la poursuite du mensonge[y] ? *Pause.
[4] Sachez que le SEIGNEUR a mis à part son fidèle ;
quand j'appelle le SEIGNEUR, il m'écoute[z].

[5] Frémissez et ne péchez pas ;
sur votre lit réfléchissez, et taisez-vous[a]. Pause.
[6] Offrez les *sacrifices prescrits,
et comptez sur le SEIGNEUR[b].

[7] Ils sont nombreux à dire : « Qui nous fera voir le bonheur ? »
— Fais lever sur nous la lumière de ta face[c], SEIGNEUR ! —
[8] Tu m'as mis plus de joie au cœur[d]
qu'au temps où abondaient leur blé et leur vin.
[9] Pareillement comblé, je me couche et m'endors,
car toi seul, SEIGNEUR, me fais demeurer en sécurité[e].

PSAUME 5

[1] *Du *chef de chœur, pour flûtes. Psaume de David.*

[2] Prête l'oreille[f] à mes paroles, SEIGNEUR ;
perçois mes gémissements.
[3] Sois attentif à ma voix et à mes cris,
mon roi et mon Dieu[g],
c'est toi que je prie.
[4] SEIGNEUR, le matin, tu entends ma voix ;
le matin, je prépare tout pour toi[h]
et j'attends... !

[5] Tu n'es pas un dieu ami du mal ;

***y* 4.3** *vide* et *mensonge* sont peut-être ici des images désignant les idoles (voir Am 2.4). ***z* 4.4** 34.7 ; 116.1 ; 145.19 ; Ex 22.26 ; Es 30.19 ; Jon 2.3. ***a* 4.5** *Frémissez, et ne péchez pas* Ep 4.26. — *lit* ou *natte* Ps 149.5. — garder le silence 39.2-4 ; Ez 24.17 ; Jb 2.10. ***b* 4.6** *sacrifices prescrits* 51.21 ; Dt 33.19. — *comptez sur le Seigneur* Ps 9.11 + ; 55.24+. ***c* 4.7** *Fais lever :* traduction incertaine. — *la lumière de ta face* Nb 6.25 ; Ps 31.17 ; 44.4 ; 80.4 ; 89.16. ***d* 4.8** *joie au cœur* Qo 5.19. ***e* 4.9** Autre traduction du début du v. 9 *En paix je me couche et m'endors aussitôt.* — *car toi seul... en sécurité :* une autre traduction *car toi, SEIGNEUR, tu me fais demeurer en sécurité dans la solitude.* — sommeil paisible 3.6+. ***f* 5.2** 17.1 ; 86.6 ; voir 71.2+. ***g* 5.3** *attentif* 34.16 ; 61.2 ; 66.19 ; 86.6 ; 102.18 ; 130.2 ; 142.7. — *mon roi et mon Dieu* 68.25 ; 74.12 ; 84.4 ; 145.1. ***h* 5.4** Autres traductions possibles : *je prépare pour toi ma prière* ou *mon sacrifice* (comparer Lv 6.5).

le méchant n'est pas reçu chez toi[i],
6 l'insolent ne se présente pas devant tes yeux.
Tu détestes tous les malfaisants ;
7 tu fais périr les menteurs.
L'homme fourbe et sanguinaire,
le SEIGNEUR l'exècre.

8 Mais moi, grâce à ta fidélité,
j'entre dans ta maison ;
avec crainte je me prosterne
vers ton temple saint[j].
9 SEIGNEUR, conduis-moi par ta justice
malgré ceux qui me guettent ;
aplanis devant moi ton chemin[k].

10 Rien dans leur bouche n'est sûr,
leur cœur est plein de crimes ;
leur gosier est une tombe béante
et leur langue une pente glissante[l].
11 Dieu, fais-les expier !
Que leurs projets causent leur chute !
Pour toutes leurs fautes, expulse-les,
puisqu'ils te sont rebelles.

12 Et tous ceux qui t'ont pour refuge se réjouiront,
toujours ils exulteront ; tu les abriteras,
tu feras crier de joie ceux qui aiment ton nom[m].
13 C'est toi, SEIGNEUR, qui bénis le juste ;
tu l'entoures de ta faveur comme d'un bouclier.

PSAUME 6

1 *Du *chef de chœur, avec instruments à huit cordes.*
Psaume de David.

2 SEIGNEUR, châtie-moi sans colère,

***i* 5.5** *être reçu chez Dieu* 15. ***j* 5.8** *entrer dans la maison de Dieu* 66.13 ; 100.4 ; voir 42.3. — *prosterné vers le temple* 138.2 ; 1 R 8.44, 48 ; voir Dn 6.11. ***k* 5.9** *conduis-moi* 25.5 ; 27.11 ; 61.3 ; 119.35 ; 139.24. — *chemin aplani* Es 45.13 ; Pr 3.6 ; 11.5. ***l* 5.10** *dans la bouche* des méchants 10.7 ; 36.4. — *leur gosier...* Rm 3.13. — *langue malfaisante* Ps 10.7 ; 12.3-5 ; 31.21 ; 50.19 ; 52.4 ; 55.22 ; 64.4 ; 109.2 ; 120.2-3 ; 140.4 ; Jr 9.2,7 ; Jc 3.6. ***m* 5.12** *refuge* en Dieu et *joie* 64.11. — *ceux qui aiment ton nom* 69.37 ; 119.132.

corrige-moi sans fureur[n] !
[3] Pitié, SEIGNEUR, je dépéris ;
guéris-moi[o], SEIGNEUR, je tremble de tous mes os,
[4] je tremble de tout mon être.

Alors, SEIGNEUR, jusqu'à quand...[p] ?
[5] Reviens, SEIGNEUR[q], délivre-moi,
sauve-moi à cause de ta fidélité !
[6] Car chez les morts, on ne prononce pas ton nom.
Aux enfers, qui te rend grâce[r] ?

[7] Je suis épuisé[s] à force de gémir.
Chaque nuit, mes larmes baignent mon lit,
mes pleurs inondent ma couche.
[8] Mes yeux sont rongés de chagrin[t],
ma vue faiblit, tant j'ai d'adversaires.

[9] Ecartez-vous de moi[u], vous tous, malfaisants,
car le SEIGNEUR a entendu mes sanglots.
[10] Le SEIGNEUR a entendu[v] ma supplication,
le SEIGNEUR accueille ma prière.
[11] Que mes ennemis, honteux et tout tremblants[w],
s'en retournent tous, soudain couverts de honte !

PSAUME 7

[1] *Confession ; de David.*
Il chanta au Seigneur, sur Koush le Benjaminite[x].

[2] SEIGNEUR mon Dieu, tu es mon refuge[y] ;
sauve-moi de tous mes persécuteurs et délivre-moi !
[3] Sinon, comme des lions, ils m'égorgent,
ils arrachent, et nul ne délivre[z].

[4] SEIGNEUR mon Dieu, si j'ai fait cela :

n* *6.2 *sans colère* 38.2 ; Jr 10.24 ; voir Pr 3. 11-12. — Autre traduction *ne me châtie pas dans ta colère, ne me corrige pas dans ta fureur.* ***o 6.3*** 30.3 ; 41.5 ; voir 107.20. ***p 6.4*** 80.5 ; 90.13 ; Es 6.11 ; Ha 1.2 ; Za 1.12 ; voir Ps 13.2 ; 74.9 ; 89.47 ; 94.3 ; Ap 6.10. ***q 6.5*** *Reviens, Seigneur* 90.13. ***r 6.6*** 30.10 ; 88.6,11-13 ; 115.17 ; Es 38.18. ***s 6.7*** *épuisé* 69.4 ; Jr 45.3. ***t 6.8*** 31.10. ***u 6.9*** *Ecartez-vous* 119.115 ; 139.19 ; Mt 7.23 ; Lc 13.27 ; voir Mt 25.41. ***v 6.10*** 4.4 ; 34.7 ; 116.1 ; 145.19 ; Gn 16.11 ; Ex 2.24 ; 3.7 ; 22.22, 26 ; Es 30.19 ; Jon 2.3 ; Ne 9.9. ***w 6.11*** *honteux et tremblants* 83.18. ***x 7.1*** Personnage non identifié. ***y 7.2*** 11.1 ; 17.7 ; 31.2-4, 20 ; 34.9, 23 ; 37.40 ; 46.2 ; 61.4 ; 71.1-3 ; 91.9 ; 141.8 ; 142.6. ***z 7.3*** 50.22 ; 71.11 ; Jg 18.28 ; Os 2.12+ ; Jb 5.4.

si j'ai un crime sur les mains[a],
5 si j'ai mal agi envers mon allié
en laissant échapper mon adversaire[b],
6 qu'un ennemi me poursuive et me rattrape,
qu'il me piétine tout vif à terre,
et qu'il roule mon honneur dans la poussière ! *Pause.

7 Lève-toi, SEIGNEUR, avec colère !
Surmonte la furie de mes adversaires,
veille à mon côté, toi qui dictes le droit !
8 Une assemblée de peuples t'entoure ;
là-haut, reprends place au-dessus d'elle !
9 Le SEIGNEUR juge les nations :
juge-moi[c], SEIGNEUR,
selon ma justice et mon innocence.

10 Que cesse la méchanceté des impies !
Affermis le juste !
Car celui qui examine les cœurs et les reins[d],
c'est le Dieu juste.
11 Mon bouclier est près de Dieu,
le sauveur des *cœurs droits.
12 Dieu est le juste juge[e],
un Dieu menaçant chaque jour.

13 S'il ne se reprend pas[f],
il aiguise son épée,
tend son arc et le tient prêt.
14 Il apprête des engins de mort
et, de ses flèches, fait des brandons[g].

15 Qui conçoit un méfait[h] et porte le crime
enfante la déception.
16 Qui creuse un trou et l'approfondit,
tombe dans la fosse qu'il a faite[i].

a* *7.4 Innocent 17.3-5 ; 26.4-5. ***b* *7.5*** Autre traduction *si j'ai dépouillé sans raison mon adversaire.* ***c* *7.9*** *Le Seigneur juge les nations* 9.9. — *juge-moi* 26.1 ; 35.24 ; 43.1. ***d* *7.10*** *celui qui examine* 11.4-5 ; 17.3 ; 26.2 ; 139.23 *les cœurs et les reins* 26.2 ; Jr 11.20 ; 17.10 ; 20.12 ; Ap 2.23 : c'est-à-dire qui connaît ce qu'il y a de plus secret dans la personne humaine (pensées, intentions, sentiments). ***e* *7.12*** 9.5 ; 82.1 ; Jr 11.20. ***f* *7.13*** Autre traduction *Si on ne se convertit pas.* ***g* *7.14*** Ou *il lance des flèches enflammées.* — *des engins de mort* voir 11.6 ; 64.8. ***h* *7.15*** Es 59.4-5 ; Jb 15.35. ***i* *7.16*** 9.16 ; 35.7-8 ; 57.7 ; 141.10 ; Pr 26.27.

17 Son crime lui revient sur la tête,
sa violence lui retombe sur le crâne[j].

18 Je rendrai grâce au SEIGNEUR pour sa justice,
et je chanterai le nom du SEIGNEUR, le Très-Haut.

PSAUME 8

1 *Du *chef de chœur, sur la guittith[k]. Psaume de David.*

2 SEIGNEUR, notre Seigneur,
Que ton nom est magnifique
par toute la terre !
Mieux que les cieux, elle chante ta splendeur[l] !

3 Par la bouche des tout-petits et des nourrissons,
tu as fondé une forteresse[m]
contre tes adversaires,
pour réduire au silence l'ennemi revanchard.

4 Quand je vois tes cieux, œuvre de tes doigts[n],
la lune et les étoiles que tu as fixées,
5 qu'est donc l'homme[o] pour que tu penses à lui,
l'être humain pour que tu t'en soucies ?

6 Tu en as presque fait un dieu[p] :
tu le couronnes de gloire et d'éclat ;
7 tu le fais régner sur les œuvres de tes mains ;
tu as tout mis sous ses pieds[q] :
8 tout bétail, gros ou petit,
et même les bêtes sauvages,
9 les oiseaux du ciel, les poissons de la mer,
tout ce qui court les sentiers des mers.

j 7.17 37.15 ; 94.23 ; Jr 2.19 ; Jb 4.8 ; Pr 5.22 ; 22.8 ; Ga 6.7-8. ***k 8.1*** Mot inconnu. Certaines versions anciennes y ont vu un instrument de musique, originaire de la ville de Gath ; les autres un chant pour les vendanges. ***l 8.2*** *le nom magnifique* du Seigneur 113.1-3. — *par toute la terre* 19.5 ; 104. Le texte de la fin du v. 2 est obscur. L'ancienne version grecque a compris *parce que ta splendeur a été exaltée au-dessus des cieux ;* les versions syriaque, araméenne et latine *parce que tu as placé ta splendeur au-dessus des cieux.* — Autre traduction possible *ton nom redit ta majesté céleste par la bouche des tout-petits et des nourrissons.* ***m 8.3*** L'ancienne version grecque a compris *tu t'es préparé une louange.* C'est sous cette dernière forme que ce verset est cité en Mt 21.16. — Dieu et les petits enfants Ps 148.12-13 ; *Sg* 10.21. ***n 8.4*** *les doigts* de Dieu Ex 8.15 ; Lc 11.20. ***o 8.5*** 114.3 ; Jb 7.17-18 ; He 2.6-8. ***p 8.6*** Les versions anciennes ont compris *tu l'abaissas quelque peu par rapport aux anges.* C'est sous cette forme que ce verset est cité en He 2.7. Voir Gn 1.26-27 ; *Sg* 2.23 ; *Si* 17.3-4. ***q 8.7*** *tu le fais régner* Gn 1.28 ; *Sg* 9.2-3. — *tout sous ses pieds* 1 Co 15.27 ; Ep 1.22.

10 SEIGNEUR, notre Seigneur,
que ton nom est magnifique
par toute la terre !

PSAUME 9

1 *Du *chef de chœur ; almouth labbén*[r]*. Psaume de David.*

2 SEIGNEUR, je rendrai grâce de tout mon cœur,
je redirai toutes tes merveilles[s].
3 Tu me fais jubiler au comble de la joie,
et je chante ton nom[t], Dieu Très-Haut.

4 Mes ennemis, qui battent en retraite,
trébuchent et périssent devant toi[u],
5 car tu as défendu mon droit et ma cause ;
tu t'es assis sur ton trône, juste juge[v].

6 Tu as menacé des nations, fait périr l'infidèle,
effacé leur nom[w] à tout jamais.
7 L'ennemi est achevé, ruiné pour toujours ;
tu as rasé des villes, le souvenir en est perdu[x].

8 Mais le SEIGNEUR siège pour toujours[y],
il affermit son trône pour le jugement.
9 C'est lui qui gouverne le monde avec justice[z]
et juge les peuples avec droiture.

10 Que le SEIGNEUR soit une citadelle pour l'opprimé,
une citadelle pour les temps de détresse[a] !
11 Qu'ils comptent sur toi, ceux qui connaissent ton nom,
car tu n'abandonnes pas ceux qui te cherchent[b], SEIGNEUR !

r 9.1 Transcription de deux mots dont on ne connaît pas le sens. L'ancienne version grecque a compris *sur les secrets du fils ;* l'ancienne version araméenne *sur la mort du fils*. Certains estiment plutôt que cette expression désigne des instruments de musique (sans qu'on puisse aujourd'hui préciser lesquels). ***s 9.2*** *de tout mon cœur* 111.1 ; 138.1. — *redire les merveilles de Dieu* 26.7 ; 66.16 ; 75.2 ; 107.22 ; 118.17. ***t 9.3*** 7.18 ; 92.2. ***u 9.4*** 68.3. ***v 9.5*** Dieu *défend ma cause* 35.23 ; 43.1+ ; 1 S 25.39 ; Mi 7.9. — Dieu, *juste juge* 7.12+. ***w 9.6*** *menaces aux nations* 2.10-12. — *leur nom effacé* Dt 9.14. ***x 9.7*** *souvenir perdu* Jb 18.17. ***y 9.8*** 10.16 ; 29.10 ; 102.13 ; 145.13 ; 146.10 ; Jr 10.10 ; Lm 5.19. ***z 9.9*** 96.10-13 ; 98.9 ; voir 75.3. ***a 9.10*** *temps de détresse* 77.3+. — *le Seigneur, une citadelle* 18.3 ; 46.8 ; 48.4 ; 59.10, 17-18 ; 62.3, 7 ; 144.2 ; voir 27.1+. ***b 9.11*** *compter sur le Seigneur* 4.6 ; 18.31 ; 21.8 ; 22.5-6 ; 25.2 ; 26.1 ; 31.7 ; 32.10 ; 37.3 ; 52.10 ; 55.24+. — *ceux qui connaissent ton nom* 91.14 ; Es 52.6. — *chercher le Seigneur* Ps 14.2 ; 22.27 ; 24.6 ; 34.5 ; 40.17 ; 63.2 ; 69.7, 33 ; 70.5 ; 77.3 ; 105.4 ; 119.2, 10 ; Dt 4.29 ; Es 26.9 ; 55.6 ; 65.1 ; Jr 29.13 ; Os 10.12 ; Am 5.4, 6 ; So 2.3 ; Za 8.22 ; 2 Ch 22.9 ; 30.19.

12 Chantons pour le SEIGNEUR qui siège à Sion,
proclamez parmi les peuples[c] ses exploits !
13 Lui qui recherche le meurtrier[d], il se souvient,
il n'oublie pas le cri des malheureux.

14 Pitié, SEIGNEUR ! Vois comme mes adversaires m'ont humilié,
toi qui me tires des portes de la mort[e],
15 pour que je redise toutes tes louanges,
aux portes de la fille de Sion,
et que j'exulte à cause de ton salut.

16 Les nations ont sombré dans la fosse qu'elles avaient creusée,
leur pied s'est pris au filet qu'elles avaient caché[f].
17 Le SEIGNEUR s'est fait connaître, il a rendu la sentence,
il prend l'infidèle à son propre piège. *Sourdine[g], *Pause.*

18 Que les infidèles retournent aux enfers[h],
toutes ces nations oublieuses de Dieu.
19 Non, le pauvre ne sera pas toujours oublié,
ni l'espoir des malheureux à jamais perdu.

20 Debout[i], SEIGNEUR ! Que l'homme ne triomphe pas !
Que les nations soient jugées devant ta face !
21 SEIGNEUR, répands sur elles la terreur,
et que les nations se reconnaissent mortelles[j]. *Pause.*

PSAUME 10 (9 suite)

1 Pourquoi[k], SEIGNEUR, rester éloigné
et te cacher dans les temps de détresse ?
2 L'arrogance de l'impie consume les malheureux,
ils sont pris aux ruses qu'il a combinées.

c 9.12 *chanter pour le Seigneur* 96.1+. – *à Sion* 132.13-14. – *parmi les peuples* 96.3 ; 105.1 ; Es 66.19. ***d 9.13*** Gn 9.5. ***e 9.14*** *les portes de la mort :* expression imagée qui désigne le domaine de la mort ; 107.18 ; Es 38.10 ; *Sg* 16.13 ; Mt 16.18. ***f 9.16*** *la fosse* 7.16+. – *filet* 10.9 ; 35.7 ; 57.7 ; 140.6 ; 141.9-10 ; Lm 1.13. – *pris à leur propre piège* Ps 64.9. ***g 9.17*** *Sourdine :* indication liturgique (la musique doit jouer plus doucement). ***h 9.18*** 90.3 ; 104.29 ; Jb 30.23 ; voir Jb 1.21. ***i 9.20*** 3.8+. ***j 9.21*** *mortel* 10.18 ; 56.5, 12. ***k 10.1*** Dans les anciennes versions grecque et latine les Ps 9 et 10 sont considérés comme formant un seul psaume ; d'où un décalage dans la numérotation des psaumes qui suivent. – *Pourquoi ?* 22.2.

3 Aussi l'impie se loue d'avoir atteint son but ;
ayant gagné, il bénit — non, il nargue — le SEIGNEUR[l].

4 Dans sa suffisance, l'impie ne cherche plus :
« Il n'y a pas de Dieu[m] », voilà toute son astuce.
5 Sa réussite se confirme en tout temps,
là-haut, tes sentences sont trop loin de lui ;
il crache[n] sur tous ses adversaires.

6 Il se dit : « Je suis inébranlable[o],
il ne m'arrivera jamais malheur. »
7 Sa bouche[p] est pleine de malédiction,
de tromperie et de violence ;
il a sous la langue forfait et méfait.

8 Il se tient à l'affût près des enclos ;
bien caché, il tue l'innocent :
ses yeux épient le faible,
9 il est à l'affût, bien caché comme un lion dans son fourré ;
il est à l'affût pour attraper le malheureux ;
il attrape le malheureux en l'entraînant dans son filet[q] ;
10 il rampe, il se tapit,
et de tout son poids tombe sur les faibles[r].
11 Il se dit : « Dieu oublie[s],
sa face est cachée, il n'y voit jamais rien. »

12 Debout, SEIGNEUR[t] ! Dieu, lève la main !
n'oublie pas les malheureux !
13 Pourquoi l'impie a-t-il nargué Dieu,
en se disant : « Tu n'iras pas me chercher ? »

14 Tu as vu[u], car c'est toi qui observes les forfaits et la souffrance,
pour tout prendre en main.
Le faible s'abandonne à toi,
c'est toi qui viens en aide à l'orphelin.

l* *10.3 *il bénit* : autre traduction *il maudit* (comme en 1 R 21.10, 13 ; Jb 1.5, 11 ; 2.5, 9). Pour éviter une tournure choquante (maudire le Seigneur), l'auteur a préféré s'exprimer d'une façon détournée. — *narguer le Seigneur* v. 13 ; Ps 74.10, 18. ***m 10.4*** 14.1 ; 36.2 ; 73.11 ; Jr 5.12 ; So 1.12 ; autre traduction *Dieu est incapable d'agir* (voir v. 11 et 13). ***n 10.5*** *la réussite* de l'impie 73.4-12. — *il crache* 12.6 ; voir Mc 14.65. ***o 10.6*** 30.7. ***p 10.7*** *leur bouche...* Rm 3.14. ***q 10.9*** *à l'affût* 17.12 ; Jr 5.26 ; Os 6.9. — *filet* 9.16+. — *il attrape le malheureux* 64.3-7. ***r 10.10*** Autre traduction *écrasés, les faibles s'affaissent et tombent en son pouvoir.* ***s 10.11*** 73.11 ; 94.7 ; Ez 9.9 ; Jb 22.13 ; voir Ps 44.25 ; 74.23. ***t 10.12*** *Debout, Seigneur !* 3.8+. ***u 10.14*** *tu as vu...* 31.8 ; voir Ex 3.7.

15 Casse le bras de l'impie,
et si tu cherches l'impiété du méchant,
tu ne trouveras rien.
16 Le SEIGNEUR est roi à tout jamais[v] ;
les nations ont disparu de son pays.

17 SEIGNEUR, tu as exaucé le désir des humbles,
tu rassures leur cœur, tu prêtes une oreille attentive,
18 pour faire droit à l'orphelin et à l'opprimé ;
et plus un mortel sur terre ne se fera tyran[w].

PSAUME 11 (10)

1 *Du *chef de chœur. De David.*

J'ai fait du SEIGNEUR mon refuge.
Comment pouvez-vous me dire :
Filez dans votre montagne, petits oiseaux[x] !
2 Voici que les méchants tendent l'arc[y],
ajustent leur flèche sur la corde,
pour tirer dans l'ombre sur les *cœurs droits.
3 Quand les fondements sont démolis,
que peut faire le juste ?

4 Le SEIGNEUR est dans son temple saint ;
le SEIGNEUR a son trône dans les *cieux.
Ses yeux observent[z],
du regard il apprécie les humains.
5 Le SEIGNEUR apprécie[a] le juste ;
il déteste le méchant et l'ami de la violence.

6 Qu'il fasse pleuvoir des filets sur les méchants !
Feu, soufre et tourmente,

v 10.16 9.8+. ***w 10.18*** *faire droit à l'orphelin et à l'opprimé* 72.4 ; 82.3 ; 103.6 ; 140.13 ; 146.7 ; Dt 10.18 ; Es 1.17 ; Jr 5.28 ; Jb 36.6. — *plus un mortel...* : autre traduction *on ne continuera plus à terroriser l'homme issu de la terre.* ***x 11.1*** *Psaume* **11 (10)** : le nombre indiqué entre parenthèses correspond au numéro du psaume dans les anciennes versions grecque et latine. Voir Ps 10.1 et la note. — *mon refuge* 7.2+. — *Filez dans votre montagne :* autre traduction *fuyez votre montagne* ; 55.7-8 ; 1 S 22.1 ; *1 M* 2.28. ***y 11.2*** 7.13 ; 64.4-5. ***z 11.4*** *le Seigneur dans son temple saint* 5.8 ; Ha 2.20. — *son trône dans les cieux* 2.4 ; 103.19 ; voir 47.9+. — *le Seigneur observe* 14.2 ; 102.20 ; 113.6. ***a 11.5*** Jr 20.12.

telle est la coupe qu'ils partagent[b] !
7 Car le SEIGNEUR est juste ;
il aime les actes de justice,
et les hommes droits le regardent en face[c].

PSAUME 12 (11)

1 *Du *chef de chœur, avec instruments à huit cordes.*
Psaume de David.

2 Au secours, SEIGNEUR ! Il n'y a plus de fidèle[d] ;
toute loyauté a disparu parmi les hommes ;
3 entre eux ils disent du mal,
les lèvres flatteuses[e], le *cœur double.

4 Que le SEIGNEUR coupe toutes ces lèvres flatteuses
et la langue arrogante[f]
5 de ceux qui disent : « Par notre langue nous vaincrons ;
nos lèvres sont avec nous ; qui sera notre maître ? »

6 — « Devant l'oppression des humbles et la plainte des pauvres,
maintenant je me lève, dit le SEIGNEUR,
je mets en lieu sûr celui sur qui l'on crache[g]. »

7 Les paroles du SEIGNEUR sont des paroles claires,
de l'argent affiné dans un creuset de terre[h],
et sept fois épuré.
8 Toi, SEIGNEUR, tu tiens parole.

Tu nous protégeras toujours de cette engeance-là.
9 Partout rôdent des impies,
et le vice gagne parmi les hommes[i].

b 11.6** des filets :* autre traduction (soutenue par une version grecque) *des charbons enflammés. — feu et soufre* Gn 19.24 ; Ez 38.22 ; Ap 20.10. — *telle est la coupe qu'ils partagent* ou *tel est le sort auquel ils ont part. — la coupe* 75.9 ; Es 51.17, 22 ; Jr 25.15-29 ; Mt 20.22+ ; Mc 10.38+. ***c 11.7 17.15 ; 63.3. — Autre traduction (soutenue par plusieurs versions anciennes) *sa face regarde la droiture.* ***d 12.2*** 14.3 ; Es 57.1 ; Jr 5.1 ; Mi 7.2 ; voir Rm 3.10-12. ***e 12.3*** 55.22 ; 59.8, 13 ; 140.4 ; Jr 9.2-10. ***f 12.4** langue arrogante* 31.19. ***g 12.6** oppression des humbles* 72.14 ; Dt 24.14 ; Es 3.15 ; 10.2 ; Am 2.6 ; 5.12 ; Pr 14.31 ; 22.16. — *je me lève* Es 33.10. — *celui sur qui l'on crache :* autre traduction possible *celui qui le désire.* ***h 12.7** les paroles du Seigneur* 18.31 ; 119.140 ; Pr 30.5. — *dans un creuset de terre :* traduction incertaine. ***i 12.9*** Le texte de la fin du psaume est obscur.

PSAUME 13 (12)

[1] *Du *chef de chœur. Psaume de David.*

[2] Jusqu'à quand SEIGNEUR ? M'oublieras-tu toujours ?
Jusqu'à quand me cacheras-tu ta face[j] ?
[3] Jusqu'à quand me mettrai-je en souci,
le chagrin au cœur tout le jour ?
Jusqu'à quand mon ennemi aura-t-il le dessus ?

[4] Regarde, réponds-moi, SEIGNEUR mon Dieu !
Laisse la lumière[k] à mes yeux, sinon je m'endors dans la mort,
[5] mon ennemi dira : « Je l'ai vaincu »,
et mes adversaires jouiront de ma chute[l].

[6] Moi, je compte sur ta fidélité :
que mon cœur jouisse de ton salut[m],
que je chante au SEIGNEUR pour le bien qu'il m'a fait !

PSAUME 14 (13)

(Voir Ps 53)

[1] *Du *chef de chœur. De David.*

Les fous se disent :
« Il n'y a pas de Dieu[n] ! »
Corrompus, ils ont commis des horreurs ;
aucun n'agit bien.

[2] Des cieux, le SEIGNEUR s'est penché vers les hommes,
pour voir[o] s'il en est un d'intelligent
qui cherche Dieu.

[3] Tous dévoyés[p], ils sont unis dans le vice ;
aucun n'agit bien,
pas même un seul.

[4] Sont-ils ignorants, tous ces malfaisants,
qui mangeaient mon peuple[q], en mangeant leur pain,

***j* 13.2** *jusqu'à quand ?* 67.4+ ; 74.10 ; 79.5 ; 89.4 *m'oublieras-tu* Lm 5.20. — Dieu *cache sa face* 10.11 ; 22.25 ; 27.9 ; 30.8 ; 69.18 ; 102.3. ***k* 13.4** 19.9 ; 1 S 14.27, 29 ; voir Ps 27.1 ; Jn 8.12+. ***l* 13.5** 38.17. ***m* 13.6** *compter sur la fidélité de Dieu* 52.10 ; voir 9.11+. — *salut et joie* 21.2. ***n* 14.1** *Il n'y a pas de Dieu* ou, comme l'a compris l'ancienne version araméenne, *Dieu n'a aucun pouvoir sur terre ;* 10.4+ et la note. ***o* 14.2** *le Seigneur s'est penché* 102.20. — *pour voir* 11.4 ; Gn 11.5. ***p* 14.3** *tous dévoyés...* Rm 3.10-12. ***q* 14.4** *ignorants* 79.6. — *ils mangeaient mon peuple* 79.7 ; Mi 3.3.

et n'invoquaient pas le SEIGNEUR !
5 Et voilà qu'ils se sont mis à trembler,
car Dieu était dans le camp des justes[r].
6 Vous bafouez les espoirs du malheureux,
mais le SEIGNEUR est son refuge[s].

7 Qui donne, depuis *Sion, la victoire à Israël ?
Quand le SEIGNEUR ramène les captifs de son peuple[t],
Jacob exulte, Israël est dans la joie.

PSAUME 15 (14)

1 *Psaume. De David.*

SEIGNEUR, qui sera reçu dans ta tente[u] ?
Qui demeurera sur ta montagne sainte ?

2 L'homme à la conduite intègre,
qui pratique la justice
et dont les pensées sont honnêtes[v].
3 Il n'a pas laissé courir sa langue[w],
ni fait tort aux autres,
ni outragé son prochain.

4 A ses yeux, le réprouvé est méprisable ;
mais il honore ceux qui craignent le SEIGNEUR[x].
Se fait-il tort dans un serment, il ne se rétracte pas.
5 Il n'a pas prêté son argent à intérêt,
ni rien accepté pour perdre un innocent.

Qui agit ainsi reste inébranlable[y].

r* *14.5 *ils se sont mis à trembler* 48.6-7. — *Dieu dans le camp des justes* 46.6. ***s 14.6*** 46.2 ; voir 7.2+. ***t 14.7*** 53.7 ; 85.2 ; 126.1-4. — Autre traduction *change le sort de son peuple* (voir Os 6.11). ***u 15.1*** *qui sera reçu ?* 24.3-6 ; Es 33.14-16. — La *tente* du Seigneur désigne d'une manière poétique le temple de Dieu à Jérusalem (voir Ps 27.5 ; 76.3 ; 78.60 ; Es 33.20), soit en souvenir de la *tente de la rencontre à l'époque de l'Exode (Ex 33.7), soit en souvenir de la tente dressée par David pour abriter *l'arche de l'alliance (2 S 6.17). ***v 15.2*** ou *qui dit la vérité comme il la pense.* — *conduite intègre* Jr 7.5-7 ; Ez 18.5-9 ; Mi 6.6-8 ; Pr 6.16-19. ***w 15.3*** 39.2 ; Jb 31.30 ; Pr 21.23. ***x 15.4*** *ceux qui craignent le Seigneur* 22.24 ; 25.14 ; 31.20 ; 33.18 ; 34.8, 10 ; 60.6 ; 66.16 ; 85.10 ; 103.11, 13, 17 ; 111.5 ; 112.1 ; 115.13 ; 118.4 ; 119.38, 63 ; 128.1 ; 130.4+ ; 135.20 ; 145.19 ; 147.11 ; Lc 1.50 ; Ac 10.35 ; 13.16 ; 17.17 ; Ap 19.5. ***y 15.5*** *prêt à intérêt* Ex 22.24. — Ne pas se laisser acheter Ex 23.8. — *inébranlable* Ps 16.8 ; 112.6 ; 125.1 ; Pr 10.25,30 ; voir Ps 10.6 ; 30.7.

PSAUME 16 (15)

[1] *Miktâm de David.*

Dieu, garde-moi, car j'ai fait de toi mon refuge[z].
[2] Je dis[a] au SEIGNEUR : « C'est toi le Seigneur !
Je n'ai pas de plus grand bonheur que toi ! »

[3] Les divinités de cette terre,
ces puissances qui me plaisaient tant[b],
[4] augmentent leurs ravages ; on se rue à leur suite.
Mais je ne leur offrirai plus de libations de sang,
et mes lèvres ne prononceront plus leurs noms[c].

[5] SEIGNEUR, mon héritage et ma part à la coupe,
tu tiens mon destin[d].
[6] Le sort qui m'échoit est délicieux,
la part que j'ai reçue est la plus belle.

[7] je bénis le SEIGNEUR qui me conseille,
même la nuit, ma conscience[e] m'avertit.
[8] Je garde sans cesse le SEIGNEUR devant moi,
comme il est à ma droite[f], je suis inébranlable.

[9] Aussi mon cœur se réjouit, mon âme exulte
et ma chair demeure en sûreté,
[10] car tu ne m'abandonnes pas aux enfers,
tu ne laisses pas ton fidèle voir la *fosse[g].

[11] Tu me fais connaître la route de la vie[h] ;
la joie abonde près de ta face,
à ta droite, les délices éternelles.

z 16.1 *Miktâm* : on a renoncé à traduire ce terme probablement technique, dont le sens est perdu. On le retrouve dans la suscription des Ps 56—60. — *mon refuge* 7.2+. ***a 16.2*** *Je dis* : d'après quelques manuscrits hébreux, ainsi que les anciennes versions grecque et latine. La plupart des manuscrits hébreux lisent *tu dis* (au féminin singulier). ***b 16.3*** Le texte hébreu du v. 3 est obscur. Au lieu de *les divinités de cette terre* certains traduisent *les fidèles qui sont dans le pays.* ***c 16.4*** *on se rue à leur suite* : autre traduction *on achète un autre* (dieu). — *libations* Jr 7.18 ; voir au glossaire SACRIFICES. — *ne pas prononcer le nom* des faux dieux Ex 23.13 ; Os 2.19 ; Za 13.2. ***d 16.5*** *le Seigneur, mon héritage* Nb 18.20 ; Dt 10.9 ; Lm 3.24 ; voir Ps 142.6. — *ma part à la coupe* ou *la part qui me revient* (voir Dt 18.2) ou encore *mon sort* (voir Ps 11.6 et la note). — *tu tiens mon destin* 31.6 ; voir Jr 13.25. ***e 16.7*** *ma conscience* (héb. *mes reins*) : Les Israélites situaient parfois dans *les reins* le siège des pensées et des sentiments secrets (voir Jr 12.2 ; Ps 7.10 et note). ***f 16.8*** v. 8-11 : cités en Ac 2.25-28. — Le Seigneur *à ma droite* Ps 109.31 ; 121.5 ; voir 110.5. ***g 16.10*** *tu ne laisses pas...* cité en Ac 13.35. ***h 16.11*** *la route de la vie* Pr 5.6 ; 15.24.

PSAUME 17 (16)

1 *Prière. De David.*

Justice, SEIGNEUR ! Ecoute,
sois attentif[i] à ma plainte ;
prête l'oreille à ma prière
qui ne vient pas de lèvres trompeuses.
2 Que mon jugement ressorte de ta face,
que tes yeux voient où est le droit !

3 Tu as examiné mon cœur[j] ; la nuit, tu as enquêté ;
tu m'as soumis à l'épreuve, tu n'as rien trouvé.
Ce que j'ai pensé n'a pas franchi ma bouche.
4 Pour payer l'homme selon la parole de tes lèvres,
j'ai moi-même surveillé la conduite de l'insolent[k].
5 J'ai marché sur tes traces,
mes pieds n'ont pas chancelé.

6 Je t'appelle car tu me répondras, mon Dieu.
Tends l'oreille vers moi, écoute ma parole !
7 Fais éclater ta fidélité, sauveur des réfugiés
qui, par ta droite[l], échappent aux agresseurs.
8 Garde-moi comme la prunelle de l'œil,
cache-moi à l'ombre de tes ailes[m],
9 loin des méchants qui m'ont pillé
et des ennemis mortels[n] qui me cernent.

10 Ils sont bouffis de graisse[o],
leur bouche parle avec arrogance.
11 Les voici sur nos talons[p] ; maintenant ils m'entourent,
l'œil sur moi pour me terrasser.
12 Ils sont pareils au lion[q] impatient de déchirer,
au fauve placé en embuscade.

i 17.1 Appel à la *justice* de Dieu 7.9 ; 26.1. — *sois attentif* 61.2. ***j 17.3*** 7.10 ; 26.2 ; 139.1-3, 23 ; Jb 7.18 ; 23.10 ; voir 1 S 16.7. ***k 17.4*** Le texte hébreu du v.4 est peu clair. ***l 17.7*** *la fidélité* de Dieu 23.6 ; 31.22 ; 62.13 ; 63.4 ; 69.17 ; voir 25.10+. — *la* (main) *droite* de Dieu 18.36+ ; 44.4 ; 48.11 ; 77.11 ; 80.16 ; 98.1 ; 108.7 ; 118.15 ; 139.10 ; Ex 15.6 ; Es 41.10 ; 48.13. ***m 17.8*** *comme la prunelle de l'œil* Dt 32.10. — *à l'ombre de tes ailes* Ps 36.8 ; 57.2 ; 61.5 ; 63.8 ; Dt 32.11 ; voir Ps 91.4. ***n 17.9*** Autres traductions *des ennemis qui me cernent avec animosité* ou *avec voracité.* ***o 17.10*** Traduction incertaine ; 73.4, 7 ; 119.70 ; Dt 32.15 ; Jb 15.27. ***p 17.11*** *sur nos talons* : le texte hébreu correspondant est peu clair. ***q 17.12*** *comme un lion* 10.9 ; 57.5.

[13] Lève-toi SEIGNEUR ! Affronte-le, fais-le plier !
Par ton épée, libère-moi du méchant !
[14] Que ta main, SEIGNEUR, les chasse de l'humanité,
hors de l'humanité et du monde[r].
Voilà leur part pendant cette vie !
Gave-les de ce que tu tiens en réserve !
Que leurs fils en soient rassasiés
et qu'ils en laissent pour leurs nourrissons.

[15] Moi, et c'est justice, je verrai ta face[s] ;
au réveil, je me rassasierai de ton image.

PSAUME 18 (17)

[1] *Du *chef de chœur. Du serviteur du SEIGNEUR, de David. Il adressa au SEIGNEUR les paroles de ce chant, le jour où le SEIGNEUR le délivra de la poigne de tous ses ennemis et de la main de Saül.*
[2] *Il dit* :

Je t'aime, SEIGNEUR, ma force[t].
[3] Le SEIGNEUR est mon roc, ma forteresse et mon libérateur.
Il est mon Dieu, le rocher où je me réfugie,
mon bouclier, l'arme[u] de ma victoire, ma citadelle.
[4] Loué soit-il ! J'ai appelé le SEIGNEUR[v],
et j'ai été vainqueur de mes ennemis.

[5] Les liens de la mort m'ont enserré,
les torrents de Bélial[w] m'ont surpris,
[6] les liens des enfers m'ont entouré,
les pièges de la mort[x] étaient tendus devant moi.

r 17.14 *hors de l'humanité et du monde* : le texte hébreu correspondant est peu clair. ***s 17.15*** *voir la face* de Dieu 11.7 ; 42.3 ; 63.3 ; Ex 24.11 ; Mt 5.8 ; Ap 22.4. — *ta face* Nb 12.8 ; voir Ps 42.3+. ***t 18.2*** *Je t'aime, Seigneur* voir 116.1. — *ma force* 118.14 ; Ex 15.2 ; Es 12.2 ; Ha 3.19. ***u 18.3*** *le Seigneur, mon roc* 28.1+ ; *ma forteresse* 27.1+ ; *mon libérateur* 40.18 ; 144.2 ; Lc 1.69. — *mon Dieu* Ps 22.11+ ; Ex 15.2 ; *mon refuge* Ps 7.2+. — *mon bouclier* 3.4+. — Le terme traduit ici par *arme* désigne habituellement la *corne*, symbole de puissance. ***v 18.4*** *appel au Seigneur* v. 7 ; 3.5+. ***w 18.5*** Au lieu de *les liens* on trouve dans le texte correspondant de 2 S 22.5 *les vagues*. — *les liens de la mort* 116.3 ; voir Ac 2.24. — *Bélial* (c'est-à-dire ce qui ne vaut rien) apparaît ici comme le nom propre de la mort personnifiée. Sous la forme *Béliar* le N.T. utilise ce même terme pour désigner le diable (2 Co 6.15). ***x 18.6*** Pr 13.14 ; 14.27.

7 Dans ma détresse, j'ai appelé le SEIGNEUR
et j'ai crié vers mon Dieu.
De son temple, il a entendu ma voix[y] ;
le cri jeté vers lui est parvenu à ses oreilles.

8 Alors la terre se troubla et trembla ;
les fondations des montagnes frémirent
et furent troublées quand il se mit en colère[z].
9 De son nez monta une fumée,
de sa bouche un feu dévorant
avec des braises enflammées.

10 Il déplia les cieux et descendit[a],
un épais nuage sous les pieds.
11 Sur le char du *chérubin, il s'envola,
planant sur les ailes du vent[b].
12 Il fit des ténèbres sa cachette,
de leurs replis son abri :
ténèbres diluviennes, nuages sur nuages[c] !

13 Une lueur le précéda et ses nuages passèrent :
grêle et braises en feu !
14 Dans les cieux, le SEIGNEUR fit tonner,
le Très-Haut donna de la voix[d] :
grêle et braises en feu !

15 Il lança ses flèches et il les dispersa,
des éclairs[e] en foule, et il les mit en déroute.
16 Le lit des eaux apparut
et les fondations du monde furent dévoilées,
par ton grondement, SEIGNEUR,
par le souffle[f] exhalé de ton nez.

y* *18.7 *appel au Seigneur* 3.5+. — *il a entendu* 4.4 ; 34.7 ; 116.1 ; 145.19 ; Ex 3.7 ; Es 30.19 ; Jon 2.3. ***z 18.8*** *se troubla et trembla* : la traduction essaie ici de rendre deux verbes hébreux aux consonances voisines. — *la terre trembla* 1 R 19.11-12 ; Ha 3.6. — *les montagnes frémirent* Ex 19.16, 18 ; Ha 3.10. — *colère* de Dieu Ha 3.8, 12. ***a 18.10*** 144.5 ; voir Ex 3.8 ; 19.11, 18, 20 ; Es 63.19. ***b 18.11*** *Sur le char du chérubin* : la traduction essaie de rendre ici deux termes hébreux aux consonances voisines. — *chérubins a)* gardiens du jardin d'Eden Gn 3.24 ; Ez 28.14,16 ; *b)* monture du Seigneur Ps 80.2 ; 99.1 ; 1 S 4.4 ; 2 S 6.2 ; 2 R 19.15 ; *c)* figures décorant le Temple 1 R 6.23-29 ; 2 Ch 3.14. — *sur les ailes du vent* Ps 104.3. ***c 18.12*** *ténèbres, nuages* 97.2 ; Dt 4.11. ***d 18.14*** *la voix du Très-Haut* 29 ; 77.18-19. ***e 18.15*** *flèches éclairs* 144.6. ***f 18.16*** *le souffle* du Seigneur Ex 15.8 ; Jb 37.10.

[17] D'en haut, il m'envoie prendre,
il me retire des grandes eaux[g].
[18] Il me délivre[h] de mon puissant ennemi,
de ces adversaires plus forts que moi.
[19] Le jour de ma défaite, ils m'affrontaient,
mais le SEIGNEUR s'est fait mon appui.
[20] Il m'a dégagé, donné du large ;
il m'a délivré, car il m'aime[i].

[21] Le SEIGNEUR me traite selon ma justice,
il me traite selon la pureté de mes mains,
[22] car j'ai gardé les chemins du SEIGNEUR[j],
je n'ai pas été infidèle à mon Dieu.
[23] Toutes ses lois ont été devant moi,
et je n'ai pas répudié ses commandements[k].
[24] J'ai été intègre avec lui[l],
et je me suis gardé de toute faute.
[25] Alors le SEIGNEUR m'a rendu selon ma justice,
selon la pureté qu'il a vue sur mes mains.

[26] Avec le fidèle, tu es fidèle ;
avec l'homme intègre, tu es intègre.
[27] Avec le pur, tu es pur ;
avec le pervers, tu es retors[m].

[28] C'est toi qui rends vainqueur un peuple humilié,
et qui fais baisser les regards hautains[n].
[29] C'est toi qui allumes ma lampe[o].
le SEIGNEUR mon Dieu illumine mes ténèbres.
[30] C'est avec toi que je saute le fossé[p],
avec mon Dieu que je franchis la muraille.

[31] De ce Dieu, le chemin est parfait,
la parole du SEIGNEUR[q] a fait ses preuves.
Il est le bouclier de tous ceux qui l'ont pour refuge.

g 18.17 144.7. — *les grandes eaux* : expression imagée désignant un grand danger auquel on semble ne pas pouvoir échapper. ***h 18.18*** *Il me délivre* 142.7. ***i 18.20*** 22.9. ***j 18.22*** v. 31 ; 25.9 ; 37.34 ; 77.14 ; 103.7 ; 128.1 ; Gn 18.19 ; Es 2.3 ; 40.3 ; Mc 1.3 par. ***k 18.23*** 119.102. ***l 18.24*** *intègre* avec Dieu Dt 18.13. ***m 18.27*** *retors avec le pervers* Pr 3.34. ***n 18.28*** Es 2.11 ; 5.15 ; Pr 6.16-17. ***o 18.29*** Expression figurée signifiant sans doute que Dieu maintient un descendant de David comme roi à Jérusalem (voir Ps 132.17 ; 2 S 21.17 ; 1 R 11.36 et la note). ***p 18.30*** *je saute le fossé* : autre traduction, soutenue par l'ancienne version grecque *j'échappe à une troupe* (de pirates). ***q 18.31*** 12.7 ; Pr 30.5.

32 Qui donc est dieu sinon le SEIGNEUR[r] ?
Qui donc est le Roc hormis notre Dieu ?

33 Ce Dieu me ceint de vigueur,
il rend mon chemin parfait
34 et mes pieds comme ceux des biches[s].
Il me maintient sur mes hauteurs.
35 Il entraîne mes mains pour le combat[t],
et mes bras plient l'arc de bronze.
36 Tu me donnes ton bouclier vainqueur,
ta droite me soutient, ta sollicitude[u] me grandit.
37 Tu allonges ma foulée,
et mes chevilles ne fléchissent pas.

38 Je poursuis mes ennemis, je les rattrape,
je ne reviens pas avant de les avoir achevés.
39 Je les massacre, ils ne peuvent se relever,
ils tombent sous mes pieds.
40 Tu me ceins de vigueur pour le combat,
tu fais plier sous moi les agresseurs.
41 De mes ennemis, tu me livres la nuque[v],
et j'extermine mes adversaires.
42 Ils crient, mais nul ne secourt ;
ils crient vers le SEIGNEUR, mais il ne répond pas.
43 J'en fais de la poussière pour le vent,
je les balaie comme la boue des rues.

44 Tu me libères des séditions du peuple,
tu me places à la tête des nations[w].
Un peuple d'inconnus se met à mon service ;
45 au premier mot, ils m'obéissent ;
des étrangers deviennent mes courtisans ;
46 des étrangers s'effondrent,
ils évacuent leurs bastions[x].

r* *18.32 46.11 ; 86.10 ; 90.2 ; Es 43.10 ; 44.6, 8 ; 45.6, 14, 21, 22 ; Mc 12.32 ; Jn 17.3 ; 1 Co 8.4 ; Ga 3.20 ; Ep 4.5-6 ; 1 Tm 2.5. ***s 18.34*** Ha 3.19. ***t 18.35*** 144.1. ***u 18.36*** *ta* (main) *droite* : c'est la main favorable 17.7+ ; 63.9 ; 98.1 ; *me soutient* 20.3 ; Es 9.6. – *ta sollicitude me grandit :* autre traduction *en t'abaissant jusqu'à moi* (voir v. 10) *tu me grandis.* ***v 18.41*** Manière imagée de décrire les adversaires en fuite (on aperçoit leur nuque) ou complètement vaincus (le vainqueur pose le pied sur la nuque du vaincu). ***w 18.44*** 2.8-9 ; Ap 2.26-27. ***x 18.46*** *ils évacuent leurs bastions* Mi 7.17 : traduction incertaine. Autres textes : anciennes versions grecque et syriaque *ils boitent hors de leurs chemins* ; ancienne version araméenne *ils décampent...*

[47] Vive le SEIGNEUR ! Béni soit mon Roc !
Qu'il triomphe, le Dieu de ma victoire !
[48] Ce Dieu m'accorde la revanche
et me soumet des peuples[y].
[49] Tu me libères de mes ennemis ;
bien plus, tu me fais triompher de mes agresseurs
et tu me délivres d'hommes violents.
[50] Aussi je te rends grâce parmi les nations[z], SEIGNEUR !
et je chanterai en l'honneur de ton nom :
[51] Il donne de grandes victoires à son roi,
il agit avec fidélité envers son *messie,
envers David et sa dynastie, pour toujours[a].

PSAUME 19 (18)

[1] *Du *chef de chœur. Psaume de David.*

[2] Les *cieux racontent la gloire de Dieu[b],
le firmament proclame l'œuvre de ses mains.
[3] Le jour en prodigue au jour le récit,
La nuit en donne connaissance à la nuit.

[4] Ce n'est pas un récit, il n'y a pas de mots,
leur voix ne s'entend pas.
[5] Leur harmonie éclate sur toute la terre
et leur langage jusqu'au bout du monde.

Là-bas, Dieu a dressé une tente pour le soleil[c] :
[6] c'est un jeune époux sortant de la chambre,
un champion joyeux de prendre sa course.
[7] D'un bout du ciel il surgit,
il vire à l'autre bout,
et rien n'échappe à sa chaleur.

[8] La loi du SEIGNEUR est parfaite,
elle rend la vie ;
la *charte du SEIGNEUR[d] est sûre,

y 18.48 47.4 ; 144.2. ***z 18.50*** Rm 15.9 ***a 18.51*** *messie* 2.2+. — *David et sa dynastie* 2 S 7.16-29. — *pour toujours* Ps 89.5, 30. ***b 19.2*** 50.6 ; 89.6 ; 96.11 ; 97.6 ; voir Rm 1.20. ***c 19.5*** *Leur harmonie* (c'est-à-dire les sons harmonieux qu'ils produisent) : traduction incertaine ; autre traduction *Leur écriture* (représentée par les constellations) *est lisible sur toute la terre* ; Rm 10.18. — *Là-bas* : c'est-à-dire *dans les cieux* (v. 2) ou *au bout du monde* (v. 5a). — v. 5-7 *le soleil Si* 43.1-5. ***d 19.8*** *la loi du Seigneur* Ps 119. — *la charte du Seigneur* voir 93.5.

elle rend sage le simple.
9 Les préceptes du SEIGNEUR sont droits,
ils rendent joyeux le cœur ;
le commandement du SEIGNEUR est limpide,
il rend clairvoyant[e].
10 La crainte du SEIGNEUR est chose claire[f],
elle subsiste toujours ;
les décisions du SEIGNEUR sont la vérité,
toutes, elles sont justes.

11 Plus désirables que l'or
et quantité d'or fin ;
plus savoureuses que le miel[g],
que le miel nouveau !

12 Ton serviteur lui-même en est éclairé[h] ;
il trouve grand profit à les garder.
13 Qui s'aperçoit des erreurs ?
Acquitte-moi des fautes cachées !
14 Éloigne aussi ton serviteur des orgueilleux :
qu'ils n'aient pas d'emprise sur moi,
alors je serai parfait
et innocent d'un grand péché.

15 Que les paroles de ma bouche
et le murmure de mon cœur
soient agréés en ta présence,
SEIGNEUR, mon roc[i] et mon défenseur !

PSAUME 20 (19)

1 *Du *chef de chœur. Psaume de David.*

2 Que le SEIGNEUR te réponde au jour de la détresse[j] ;
que le *nom du Dieu de Jacob te protège !
3 Du *sanctuaire, qu'il t'envoie de l'aide,
et depuis *Sion, qu'il te soutienne[k] !

e* *19.9 Autre traduction *il rend le regard brillant.* ***f 19.10*** *la crainte du Seigneur* 111.10 ; Jb 28.28 ; Pr 1.7 ; 9.10 ; 10.27 ; 14.27 ; 19.23 ; Es 33.6. – *chose claire* Ps 12.7 ; Jc 1.27. ***g 19.11*** *plus que l'or* 119.127. – *plus que le miel* 119.103. ***h 19.12*** Autre traduction *en devient avisé.* ***i 19.15*** *mon roc* 28.1+. ***j 20.2*** Cette bénédiction est prononcée sur le roi de Jérusalem (voir v. 6, 7, 10). – *jour de la détresse* 77.3+. ***k 20.3*** *depuis Sion* 14.7 ; 110.2 ; 128.5 ; 133.3 ; 134.3 ; voir 2.6 ; 118.26. – *qu'il te soutienne* 18.36 ; Es 9.6.

4 Qu'il se rappelle toutes tes offrandes ;
qu'il apprécie ton holocauste[l] ! *Pause.
5 Qu'il te donne ce que tu veux[m],
et qu'il accomplisse tout ton projet !

6 Alors nous acclamerons ta victoire,
en pavoisant au nom de notre Dieu.
Que le SEIGNEUR accomplisse toutes tes demandes !

7 Maintenant je le sais :
le SEIGNEUR donne la victoire à son *messie[n] ;
il lui répond de son sanctuaire *céleste,
par les prouesses victorieuses de sa droite.

8 Aux uns les chars,
aux autres les chevaux,
mais à nous le nom du SEIGNEUR notre Dieu[o] :
c'est lui que nous invoquons.
9 Eux, ils plient, ils tombent,
et nous, debout, nous résistons[p].

10 SEIGNEUR, donne la victoire !
Le roi nous répondra[q]
le jour où nous l'appellerons.

PSAUME 21 (20)

1 *Du *chef de chœur. Psaume de David.*

2 SEIGNEUR, le roi se réjouit[r] de ta force :
quelle joie lui apporte ta victoire !
3 Tu as satisfait le désir de son cœur[s],
tu n'as pas repoussé le souhait de ses lèvres. *Pause.*

4 Tu prends les devants pour le bénir de bienfaits ;
tu poses sur sa tête une couronne d'or.
5 Il t'a demandé la vie, tu la lui as donnée :
de longs jours qui ne finiront pas[t].

***l* 20.4** Voir au glossaire SACRIFICES. ***m* 20.5** *ce que tu veux* 21.3. ***n* 20.7** *messie* 2.2+. ***o* 20.8** *chars et chevaux* 33.16-17+ ; Os 1.7+ ; voir 2 Ch 20.15. — *le nom du Seigneur notre Dieu* Ps 124.8+. ***p* 20.9** Es 40.30-31. ***q* 20.10** Autre traduction, appuyée sur l'ancienne version grecque, *donne la victoire au roi et réponds-nous !* Ps 118.25. ***r* 21.2** *le roi se réjouit* 63.12. ***s* 21.3** *désirs satisfaits* 20.5. ***t* 21.5** *il t'a demandé* 2.8. — *de longs jours* 61.8 ; 1 R 3.14 ; 2 R 20.1-7 *qui ne finiront pas* Ps 89.37-38.

6 Par ta victoire, grande est sa gloire ;
tu places sur lui la splendeur et l'éclat[u].
7 Tu fais de lui une bénédiction[v] pour toujours,
près de ta face, tu lui donnes la joie.
8 Oui, le roi compte sur le SEIGNEUR,
et la fidélité du Très-Haut[w] le rend inébranlable.

9 Tu mettras la main sur tous tes ennemis[x],
et ta droite sur tes adversaires.
10 Tu en feras un brasier
quand ta face paraîtra.
Avec colère, le SEIGNEUR les engloutira,
et un feu les dévorera.
11 Tu aboliras leur postérité sur la terre
et leur race parmi les hommes.
12 S'ils prétendent te faire du mal
et méditent un complot, ils ne peuvent rien ;
13 car tu les mets sur le dos[y],
avec ton arc, tu les vises en pleine face.

14 Dresse-toi, SEIGNEUR[z], dans ta force !
Chantons ta prouesse par un psaume !

PSAUME 22 (21)

1 *Du *chef de chœur, sur « Biche de l'aurore[a] ». Psaume de David.*

2 Mon Dieu, mon Dieu, pourquoi m'as-tu abandonné[b] ?
J'ai beau rugir, mon salut reste loin.
3 Le jour, j'appelle, et tu ne réponds pas, mon Dieu ;
La nuit, et je ne trouve pas le repos.

4 Pourtant tu es le *Saint :
tu trônes, toi la louange d'Israël[c] !
5 Nos pères comptaient sur toi ;

u 21.6 *splendeur, éclat* 45.4 ; 96.6. ***v 21.7*** Gn 12.2-3 ; voir Ps 72.17. ***w 21.8*** *compter sur le Seigneur* 9.11+ ; 55.24+. — *la fidélité du Très-Haut* 61.8 ; 89.2 ; 2 S 7.15 ; Pr 20.28. ***x 21.9*** Les paroles des v. 9-13 semblent adressées au roi. ***y 21.13*** *le dos* des ennemis 18.41. ***z 21.14*** *dresse-toi, Seigneur* 7.7 ; 57.6,12. ***a 22.1*** Probablement premiers mots d'un air connu, sur lequel on devait chanter ce psaume. ***b 22.2*** *Mon Dieu...* Mt 27.46 par. — *abandonné* Ps 38.22 ; 71.18 ; Es 54.7. ***c 22.4*** *le Saint* Es 6.3+. — *toi, la louange d'Israël* : autre traduction *tu trônes au milieu des louanges d'Israël.*

Ils comptaient sur toi, et tu les libérais.
6 Ils criaient vers toi, et ils étaient délivrés ;
Ils comptaient sur toi, et ils n'étaient pas déçus[d].

7 Mais moi, je suis un ver et non plus un homme[e],
injurié par les gens, rejeté par le peuple.
8 Tous ceux qui me voient, me raillent ;
ils ricanent et hochent la tête[f] :
9 « Tourne-toi vers le SEIGNEUR !
Qu'il le libère, qu'il le délivre[g],
puisqu'il l'aime ! »

10 Toi tu m'as fait surgir du ventre de ma mère
et tu m'as mis en sécurité sur sa poitrine[h].
11 Dès la sortie du sein, je fus remis à toi ;
Dès le ventre de ma mère, mon Dieu, c'est toi[i] !
12 Ne reste pas si loin,
car le danger est proche
et il n'y a pas d'aide[j].

13 De nombreux taureaux me cernent,
des bêtes du Bashân[k] m'encerclent.
14 Ils ouvrent la gueule contre moi,
ces lions[l] déchirant et rugissant.

15 Comme l'eau je m'écoule ;
tous mes membres se disloquent.
Mon cœur est pareil à la cire,
il fond dans mes entrailles.
16 Ma vigueur est devenue sèche comme un tesson,
la langue me colle aux mâchoires.
Tu me déposes dans la poussière de la mort[m].

17 Des chiens me cernent ;
une bande de malfaiteurs m'entoure :

d* *22.6 *crier vers le Seigneur* 3.5+ ; Jg 3.9, 15. — *pas déçus* 31.2+. ***e 22.7*** *un ver* Es 41.14 ; Jb 25.6. — *non plus un homme* Es 53.3. ***f 22.8*** Moqueries Mt 27.29 par. — *hochements de tête* Mt 27.39 par. ; Ps 64.9 ; 109.25 ; Lm 2.15. ***g 22.9*** *que Dieu le délivre* ! Mt 27.43 par. ; voir Ps 3.3+ ; Sg 2.18. — *tourne-toi vers le Seigneur* 37.5 ; Pr 16.3. ***h 22.10*** 71.6 ; voir 139.13. ***i 22.11*** Naissance et adoption voir Gn 30.3 ; 48.12 ; Jb 3.12. — *mon Dieu, c'est toi* 31.15 ; 63.2 ; 118.28 ; 140.7 ; 143.10 ; voir 18.3. ***j 22.12*** *ne reste pas si loin* 35.22 ; 38.22 ; 71.12. — *aide* 40.14. ***k 22.13*** Région célèbre par ses élevages de gros bétail ; elle est située au nord de la Transjordanie ; Am 4.1+. ***l 22.14*** *lions* 17.12 ; 57.5. ***m 22.16*** v. 15-16 : image de l'agonie 102.4-6.

ils m'ont percé[n] les mains et les pieds.
18 Je peux compter tous mes os ;
des gens me voient, ils me regardent.
19 Ils se partagent mes vêtements
et tirent au sort mes habits[o].

20 Mais toi, SEIGNEUR, ne reste pas si loin !
O ma force, à l'aide ! Fais vite[p] !
21 Sauve ma vie[q] de l'épée
et ma personne des pattes du chien ;
22 arrache-moi à la gueule du lion,
et aux cornes des buffles...

Tu m'as répondu !
23 je vais redire ton nom à mes frères
et te louer en pleine assemblée[r] :
24 Vous qui craignez le SEIGNEUR[s], louez-le !
Vous tous, race de Jacob, glorifiez-le !
Vous tous, race d'Israël, redoutez-le !

25 Il n'a pas rejeté ni réprouvé un malheureux dans la misère ;
il ne lui a pas caché sa face ;
il a écouté quand il criait vers lui.

26 De toi vient ma louange ! Dans la grande assemblée[t],
j'accomplis mes vœux devant ceux qui le craignent :
27 Les humbles mangent à satiété ;
ils louent le SEIGNEUR, ceux qui cherchent le SEIGNEUR :
« A vous, longue et heureuse vie[u] ! »

28 La terre tout entière se souviendra et reviendra vers le SEIGNEUR ;
toutes les familles des nations se prosterneront devant sa face[v] :
29 Au SEIGNEUR, la royauté[w] ! Il domine les nations.
30 Tous les heureux de la terre ont mangé : les voici prosternés !
Devant sa face, se courbent tous les moribonds[x] :
il ne les a pas laissé vivre.

n 22.17 *des chiens* 59.7,15. — *ils m'ont percé* : autre traduction *Ils m'ont lié* ; le texte hébreu correspondant (*comme un lion*) est peu clair. ***o 22.19*** Mt 27.35 par. ***p 22.20*** 38.23 ; 40.14 ; 70.2 ; 71.12 ; 109.26. ***q 22.21*** *sauve ma vie* 35.17. ***r 22.23*** He 2.12 ; voir Ps 35.18 ; 40.10. ***s 22.24*** 15.4+. ***t 22.26*** 35.18+. ***u 22.27*** *chercher le Seigneur* 9.11+. — *longue et heureuse vie* 69.33. ***v 22.28*** 72.8-11 ; Jr 16.19-20. ***w 22.29*** 103.19 ; Ab 21 ; Ap 11.15 ; voir Ps 93.1. ***x 22.30*** *Tous les heureux* : le texte hébreu des v. 30-32 est peu clair et la traduction incertaine. — *les moribonds* 28.1 ; 30.4 ; 88.5 ; 143.7 ; Nb 16.33 ; Ez 26.20-21.

31 Une descendance servira le SEIGNEUR ;
on parlera de lui[y] à cette génération ;
32 elle viendra proclamer sa justice,
et dire au peuple qui va naître ce que Dieu a fait.

PSAUME 23 (22)

1 *Psaume de David.*

Le SEIGNEUR est mon *berger[z],
je ne manque de rien.
2 Sur de frais herbages il me fait coucher ;
près des eaux du repos il me mène[a],
3 il me ranime.

Il me conduit par les bons sentiers,
pour l'honneur de son nom[b].
4 Même si je marche dans un ravin d'ombre et de mort,
je ne crains aucun mal, car tu es avec moi ;
ton bâton, ton appui, voilà qui me rassure.

5 Devant moi tu dresses une table,
face à mes adversaires.
Tu parfumes d'huile ma tête,
ma coupe est enivrante[c].

6 Oui, bonheur et fidélité me poursuivent
tous les jours de ma vie,
et je reviendrai à la maison du SEIGNEUR[d],
pour de longs jours.

PSAUME 24 (23)

1 *Psaume. De David.*

Au SEIGNEUR, la terre[e] et ses richesses,
le monde et ses habitants !

y 22.31 48.14 ; 71.18 ; 78.6 ; 102.19. ***z 23.1*** 28.9 ; 80.2 ; Ez 34.11-16 ; voir Jn 10.11-16. ***a 23.2*** *il me mène* 73.24 ; Pr 4.11. ***b 23.3*** 25.11 ; 31.4 ; 79.9 ; 106.8 ; 109.21 ; Jr 14.7 ; Ez 20.9. ***c 23.5*** *une table* 78.19. — *Tu parfumes d'huile ma tête* : usage de l'hospitalité orientale 92.11 ; 133.2 ; Qo 9.8 ; voir Lc 7.46. — *ma coupe est enivrante* : autre traduction *ma coupe déborde.* ***d 23.6*** *fidélité* 17.7+. — *je reviendrai* : certaines traductions suivent les versions anciennes et lisent *j'habiterai* (voir Ps 27.4). — *dans la maison du Seigneur* 27.4. ***e 24.1*** 50.12 ; 89.12 ; 95.4-5 ; 1 Co 10.26.

2 C'est lui qui l'a fondée sur les mers[f]
et la tient stable sur les flots.

3 Qui gravira la montagne du SEIGNEUR[g] ?
Qui se tiendra dans son saint lieu ?
4 — L'homme aux mains innocentes et au cœur pur,
qui ne tend pas vers le mal[h]
et ne jure pas pour tromper.

5 Il obtient du SEIGNEUR la bénédiction[i],
et de son Dieu sauveur la justice.
6 Telle est la race de ceux qui le cherchent
qui recherchent ta face : c'est Jacob[j] ! **Pause.*

7 Portes, levez la tête !
élevez-vous, portails antiques !
qu'il entre, le roi de gloire[k] !
8 — Qui est le roi de gloire[l] ?
— Le SEIGNEUR, fort et vaillant,
le SEIGNEUR, vaillant à la guerre.

9 Portes, levez la tête !
levez-la, portails antiques !
qu'il entre, le roi de gloire !
10 — Qui est-il, ce roi de gloire ?
— Le SEIGNEUR, le tout-puissant,
c'est lui le roi de gloire. *Pause.*

***f* 24.2** 75.4 ; 104.5 ; Jb 38.4-6. ***g* 24.3** *Qui... ?* 15.1. ***h* 24.4** *l'homme aux mains innocentes* 15.2-5 ; 26.6 ; Gn 20.5 ; Es 33.14-15 ; voir Mt 5.8. — *qui ne tend pas vers le mal* : autre traduction *qui ne se sert pas de Dieu pour le mal.* ***i* 24.5** 129.8. ***j* 24.6** *chercher* le Seigneur 9.11+. *chercher la face* du Seigneur 27.8 ; 105.4 ; Os 5.15. — *c'est Jacob :* autrement dit ce sont de véritables Israélites. — Autres textes : ancienne version grecque *qui recherchent la face* (c'est-à-dire la présence) *du Dieu de Jacob :* ancienne version syriaque *qui recherchent ta face, ô Dieu de Jacob.* ***k* 24.7** *portes* (du Temple) 118.19-20. — *entrée du roi de gloire* voir 2 S 6.12-16 ; 1 R 8.1-6 ; Ez 44.2 ; Ml 3.1. ***l* 24.8** Voir Ex 24.16-17 ; 1 Co 2.8.

PSAUME 25 (24)

[1] *De David.*

Alef SEIGNEUR, je suis tendu vers toi[m].
Beth [2] Mon Dieu, je compte sur toi ; ne me déçois pas !
Que mes ennemis ne triomphent pas de moi !
Guimel [3] Aucun de ceux qui t'attendent n'est déçu[n],
mais ils sont déçus, les traîtres avec leurs mains vides.
Daleth [4] Fais-moi connaître tes chemins[o], SEIGNEUR ;
enseigne-moi tes routes.
Hé [5] Fais-moi cheminer vers ta vérité[p] et enseigne-moi,
car tu es le Dieu qui me sauve.
Je t'attends tous les jours.

Zaïn [6] SEIGNEUR, pense à la tendresse et à la fidélité
que tu as montrées depuis toujours !
Heth [7] Ne pense plus à mes péchés de jeunesse ni à mes fautes ;
pense à moi[q] dans ta fidélité,
à cause de ta bonté, SEIGNEUR.

Teth [8] Le SEIGNEUR est si bon et si droit
qu'il montre le chemin aux pécheurs.
Yod [9] Il fait cheminer les humbles vers la justice
et enseigne aux humbles son chemin.
Kaf [10] Toutes les routes du SEIGNEUR sont fidélité et vérité[r],
pour ceux qui observent les clauses de son *alliance.

Lamed [11] Pour l'honneur de ton nom, SEIGNEUR,
pardonne[s] ma faute qui est si grande !
Mem [12] Un homme craint-il le SEIGNEUR ?
Celui-ci lui montre quel chemin choisir.

m 25.1 *Alef, Beth, Guimel...* sont les noms des consonnes successives de l'alphabet hébreu. Dans le texte hébreu de ce psaume chaque verset commence par la consonne indiquée, d'où le nom de « psaumes alphabétiques » donné aux psaumes composés selon ce principe : 34 ; 37 ; 111 ; 112 ; 119 ; 145 et, en partie, l'ensemble formé par les Ps 9 et 10. Voir aussi Pr 31.10-31 ; Lm 1—4 ; Na 1.2-11 ; *Si* 51.13-30. — *tendu vers* le Seigneur Ps 86.4 ; 143.8. ***n 25.3*** *attendre* le Seigneur, espérer en lui 27.14 ; 31.25+ ; 33.18 ; 52.11 ; 104.27 ; 119.43 ; 147.11. — *pas de déception* 31.2+ ; Es 49.23. ***o 25.4*** 27.11 ; 86.11 ; 119.35 ; 143.8 ; Jn 14.4-6. ***p 25.5*** *vers ta vérité* Jn 16.13. ***q 25.7*** *Ne pense plus...* 79.8. — *pense à moi...* 106.4. ***r 25.10*** *fidélité et vérité* 40.11-12 ; 57.4 ; 61.8 ; 85.11 ; 86.15 ; 115.1 ; 138.2 ; Gn 24.27,49 ; 32.11 ; 47.29 ; Ex 34.6 ; Jos 2.14 ; 2 S 2.6 ; 15.20 ; Pr 3.3 ; 14.22 ; 16.6 ; 20.28 ; voir aussi Ps 26.3 ; 57.11 ; 69.14 ; 108.5 ; 117.2 ; Os 4.1 ; Mi 7.20.

Noun 13 Il passe des nuits heureuses,
et sa race possédera la terre[t].
Samek 14 Le SEIGNEUR se confie à ceux qui le craignent[u],
en leur faisant connaître son alliance.

Aïn 15 J'ai toujours les yeux sur le SEIGNEUR,
car Il dégage mes pieds du filet[v].
Pé 16 Tourne-toi vers moi[w] ; aie pitié,
car je suis seul et humilié.

Çadé 17 Mes angoisses m'envahissent ;
dégage-moi de mes tourments[x] !
Qof 18 Vois ma misère et ma peine,
enlève tous mes péchés[y] !
Resh 19 Vois mes ennemis si nombreux,
leur haine et leur violence.
Shîn 20 Garde-moi en vie et délivre-moi !
J'ai fait de toi mon refuge[z], ne me déçois pas !
Taw 21 Intégrité et droiture me préservent[a],
car je t'attends.

22 O Dieu, rachète[b] Israël !
Délivre-le de toutes ses angoisses !

PSAUME 26 (25)

1 *De David.*

Rends-moi justice, SEIGNEUR,
car ma conduite est intègre[c]
et j'ai compté sur le SEIGNEUR sans fléchir.
2 Examine-moi, SEIGNEUR, soumets-moi à l'épreuve,
passe au feu mes reins et mon cœur[d].

3 Ta fidélité est restée devant mes yeux ;
je me suis conduit selon ta vérité[e].

s 25.11 *Pour l'honneur de son nom* 23.3+. – *pardonne* 103.3. ***t 25.13*** *posséder la terre* 37.9 ; Gn 15.7, 18 ; Es 60.21 ; voir Mt 5.4. ***u 25.14*** *le Seigneur confie son secret* Jn 15.15. – *ceux qui craignent le Seigneur* Ps 15.4+. ***v 25.15*** *les yeux fixés sur le Seigneur* 123.1 ; 141.8. – *dégagé du filet* 31.5 ; 141.9. ***w 25.16*** 86.16 ; 119.132. ***x 25.17*** 107.28. ***y 25.18*** *Vois ma misère* 119.153. – *péchés enlevés* 32.5 ; 85.3. ***z 25.20*** Dieu, un *refuge* 34.9, 23. ***a 25.21*** *préservé* 40.12 ; 61.8. ***b 25.22*** *Dieu rachète* 34.23. ***c 26.1*** Appel à la *justice* de Dieu 7.9 ; 17.1. – *une conduite intègre* 15.2-5 ; 18.21-28 ; 101.2. ***d 26.2*** *examine-moi* 7.10 ; 17.3 ; 139.23. – *les reins et les cœurs* 7.10+ et la note. ***e 26.3*** *fidélité et vérité* 25.10+.

[4] Je n'ai pas été m'asseoir chez des imposteurs[f] ;
je ne suis pas entré chez des hypocrites ;
[5] j'ai pris en haine la bande des malfaiteurs ;
je n'ai pas été m'asseoir chez des impies.

[6] Je lave mes mains en signe d'innocence[g],
pour faire le tour de ton *autel, SEIGNEUR,
[7] en clamant l'action de grâce,
et en redisant toutes tes merveilles[h].

[8] SEIGNEUR, j'aime la maison où tu résides,
et le lieu où demeure ta gloire[i].
[9] Ne lie pas mon sort à celui des pécheurs[j],
ne me rends pas solidaire des assassins.
[10] Ils ont de l'ordure sur les mains,
leur droite est remplie par la vénalité.

[11] Ma conduite est intègre,
libère-moi, par pitié !
[12] Mon pied se tient sur du solide[k],
et dans les assemblées, je bénirai le SEIGNEUR.

PSAUME 27 (26)

[1] *De David.*

Le SEIGNEUR est ma lumière et mon salut,
de qui aurais-je peur ?
Le SEIGNEUR est la forteresse[l] de ma vie,
devant qui tremblerais-je ?

[2] Si des malfaiteurs m'attaquent
pour me déchirer[m],
ce sont eux, mes adversaires et mes ennemis,
qui trébuchent et tombent.

[3] Si une armée vient camper contre moi,
mon cœur ne craint rien.

f 26.4 v. 4-5 : pas de relations avec les *imposteurs* Ps 1.1-2. ***g 26.6*** 73.13 ; Dt 21.6-7 ; Mt 27.24 ; voir Ex 30.17-21. ***h 26.7*** 9.2. ***i 26.8*** *j'aime ta maison :* voir 122.1 — *le lieu où demeure ta gloire* 29.9 ; 63.3 ; voir Ex 16.7+. ***j 26.9*** 28.3 ; voir 1.1. ***k 26.12*** Sur un chemin sûr 25.4 ; 27.11 ; 143.10. ***l 27.1*** *lumière* 4.7 ; 18.29 ; 36.10 ; 43.3 ; Jn 8.12+. — *forteresse* 28.7-8 ; 31.3-4 ; 37.39 ; 52.9 ; 91.2 ; 94.22 ; voir 9.10+. ***m 27.2*** *pour me déchirer* ou *pour dévorer ma chair :* l'expression désigne peut-être la calomnie ; Jb 19.22.

Même si la bataille s'engage,
je garde confiance.

4 J'ai demandé une chose au SEIGNEUR,
et j'y tiens :
habiter la maison du SEIGNEUR
tous les jours de ma vie,
pour contempler la beauté du SEIGNEUR[n]
et prendre soin de son temple.

5 Car il me dissimule dans son abri
au jour du malheur ;
il me cache au secret de sa tente,
il m'élève sur un rocher[o].

6 Et maintenant ma tête domine
les ennemis qui m'entourent.
Dans sa tente je peux offrir
des sacrifices avec l'ovation[p]
et chanter un psaume pour le SEIGNEUR.

7 SEIGNEUR, écoute mon cri d'appel !
Par pitié, réponds-moi !
8 Je pense à ta parole :
« Cherchez ma face[q] ! »
Je cherche ta face, SEIGNEUR.

9 Ne me cache pas ta face[r] !
N'écarte pas avec colère ton serviteur !
Toi qui m'as secouru,
ne me quitte pas, ne m'abandonne pas,
Dieu de mon salut.
10 Père et mère m'ont abandonné,
le SEIGNEUR me recueille[s].

11 Montre-moi, SEIGNEUR, ton chemin[t],
et conduis-moi sur une bonne route
malgré ceux qui me guettent.

***n* 27.4** *dans la maison du Seigneur* 23.6. — *contempler Dieu* Ex 24.11 ; Ps 11.7 ; 17.15 ; 42.3 ; 63.3. — *la beauté* ou *la douceur* (voir Ps 90.17). ***o* 27.5** *à l'abri* 17.8 ; 31.21 ; 64.3. — la *tente* de Dieu : voir 15.1 et la note. — *sur un rocher* 61.3. ***p* 27.6** *ovation* 33.3 ; Lv 23.24. ***q* 27.8** *je pense à ta parole :* texte hébreu obscur ; autre traduction *mon cœur dit de ta part.* — *cherchez ma face* 24.6 ; 105.4 ; Os 5.15 ; voir 2 S 21.1. ***r* 27.9** 13.2 ; 30.8 ; 44.25 ; 69.18 ; 88.15 ; 102.3 ; 143.7. ***s* 27.10** Es 49.14-15 ; Jr 31.20. ***t* 27.11** 25.4, 12 ; 86.11 ; 139.24.

12 Ne me livre pas à l'appétit de mes adversaires,
car de faux témoins[u] se sont levés contre moi,
en crachant la violence.

13 Je suis sûr de voir les bienfaits du SEIGNEUR[v]
au pays des vivants.
14 Attends le SEIGNEUR ;
sois fort et prends courage[w] ;
attends le SEIGNEUR.

PSAUME 28 (27)

1 *De David.*

SEIGNEUR, je fais appel à toi.
Mon roc, ne sois pas sourd !
Si pour moi tu restes muet,
je ressemblerai aux moribonds[x].
2 Ecoute ma voix suppliante
quand je crie vers toi,
quand je lève les mains
vers le fond de ton *sanctuaire[y].

3 Ne me traîne pas avec les méchants
ni avec les malfaisants :
aux autres ils parlent de paix,
mais le mal est dans leur cœur[z].

4 Traite-les selon leurs actes[a]
et selon leurs méfaits !
Traite-les selon leurs œuvres,
rends-leur ce qu'ils méritent !

u 27.12 *faux témoins* 35.11 ; 1 R 21.10-13 ; Mc 14.56 par. ; Ac 6.13. ***v 27.13*** Le début du v. 13 est signalé comme obscur dans les manuscrits hébreux. ***w 27.14*** Dans le v. 14 on peut penser que l'auteur du psaume se parle à lui-même. — *attendre le Seigneur* 37.34 ; 130.5-6. — *sois fort et prends courage* 31.25 ; Jos 1.9 ; 1 Co 16.13. ***x 28.1*** *appel au Seigneur* 3.5+. — Dieu, *mon Roc* 18.3, 32, 47 ; 19.15 ; 31.3-4 ; 42.10 ; 62.3, 8 etc. ; 144.2 ; Dt 32.4, 15, 18 etc. ; 1 S 2.2 ; 2 S 23.3 ; Es 17.10 ; 30.29 ; 44.8 ; voir 1 Co 10.4. — Dieu *muet* Ps 35.22 ; 83.2 ; 109.1. — Dieu *sourd* 39.13. — *les moribonds* 22.30+. ***y 28.2*** *ma voix suppliante* 31.23 ; 140.7. — *le fond du sanctuaire* 1 R 8.6. — *vers le sanctuaire* 5.8+ ; 134.2. — *mains levées* : geste de la prière ; Ps 63.5 ; 119.48 ; 134.2 ; 1 R 8.22 ; Es 1.15 ; Lm 2.19 ; 3.41 ; Esd 9.5 et la note ; Ne 8.6 ; 1 Tm 2.8. ***z 28.3*** *pas avec les méchants* 26.9+. — *ils parlent de paix* Jr 6.14 ; 8.11 ; Ez 13.10. — Langage trompeur Ps 12.3 ; 55.22 ; voir Pr 26.24-25. ***a 28.4*** 94.2 ; 137.8 ; Ex 21.23-25 ; Jr 50.29 ; voir 2 Co 11.15 ; 1 P 1.17 ; Ap 20.12.

5 Ils ne prennent pas garde aux actes du SEIGNEUR,
ni à l'œuvre de ses mains :
qu'il les démolisse et ne les reconstruise[b] plus !

6 Béni soit le SEIGNEUR[c],
car il a écouté ma voix suppliante.
7 Le SEIGNEUR est ma forteresse[d] et mon bouclier ;
mon cœur a compté sur lui et j'ai été secouru.
J'exulte de tout mon cœur
et je lui rends grâce en chantant :

8 Le SEIGNEUR est la force de son peuple,
la forteresse qui sauve son *messie[e].
9 Sauve ton peuple,
bénis ton patrimoine,
sois leur *berger et porte-les toujours[f] !

PSAUME 29 (28)

1 *Psaume. De David*[g].

Donnez au SEIGNEUR, vous les dieux,
donnez au SEIGNEUR gloire et force !
2 Donnez au SEIGNEUR la gloire de son nom !
Prosternez-vous devant le SEIGNEUR, quand éclate sa sainteté[h] !

3 La voix du SEIGNEUR domine les eaux
— le Dieu de gloire fait gronder le tonnerre —
le SEIGNEUR domine les grandes eaux[i].

4 La voix puissante du SEIGNEUR,
la voix éclatante du SEIGNEUR,

***b* 28.5** *inattentifs aux actes du Seigneur* Es 5.12. — *démolir* Ps 52.7 *et reconstruire* Jr 1.10+. ***c* 28.6** 31.22 ; 41.14 ; 66.20 ; 68.20 ; 72.19 ; 89.53 ; 106.48 ; 124.6 ; 135.21 ; 144.1 ; Ex 18.10 ; Dn 3.28 ; Lc 1.68 ; 2 Co 1.3. ***d* 28.7** 27.1+ ; voir 9.10+. ***e* 28.8** *la force de son peuple :* d'après deux versions anciennes et quelques manuscrits hébreux. — Autre traduction possible du v.8b *la force qui sauve, c'est son messie.* — *salut* 3.9. — *force* 29.11 ; 68.36. — *le Seigneur et son messie* 1 S 2.10 ; voir Ps 2.2+. ***f* 28.9** *sauve ton peuple* Jr 31.7. — *il les porte* Dt 32.11. — *tel un berger* Es 40.11 ; Ps 23.1+. ***g* 29.1** La version grecque précise ici *Pour conclure la fête des Tentes* (voir Dt 16.13-15). Selon Za 14.13-19, pendant cette fête on priait pour obtenir la pluie. — *les dieux* Ps 138.1+. ***h* 29.2** *donner gloire au Seigneur* 96.7-8. — *quand éclate sa sainteté :* traduction incertaine d'un texte obscur ; versions grecque et syriaque *dans la cour de son *sanctuaire ;* version latine *en ornements sacrés.* ***i* 29.3** *la voix du Seigneur* et les forces de la nature Ex 19.16, 18, 19 ; Ps 18.11-16 ; 77.18-19 ; 97.2-4 ; Ha 3.4-11 ; Jb 37.25.

[5] la voix du SEIGNEUR casse les cèdres,
le SEIGNEUR fracasse les cèdres du Liban.

[6] Il fait bondir le Liban comme un veau,
et le Siryôn[j] comme un jeune buffle.
[7] La voix du SEIGNEUR taille des lames de feu[k].

[8] La voix du SEIGNEUR fait trembler le désert,
le SEIGNEUR fait trembler le désert de Qadesh[l].
[9] La voix du SEIGNEUR fait trembler les biches en travail ;
elle dénude les forêts[m].

Et dans son temple, tout dit : « Gloire ! »
[10] Le SEIGNEUR trône sur le déluge[n],
le SEIGNEUR trône comme roi éternel.
[11] Le SEIGNEUR donnera de la force à son peuple[o],
le SEIGNEUR bénira son peuple par la prospérité.

PSAUME 30 (29)

[1] *Psaume : chant pour la dédicace de la maison de David*[p].

[2] Je t'exalte, SEIGNEUR, car tu m'as repêché ;
tu n'as pas réjoui mes ennemis à mes dépens.
[3] SEIGNEUR mon Dieu,
j'ai crié vers toi, et tu m'as guéri[q] ;
[4] SEIGNEUR, tu m'as fait remonter des enfers,
tu m'as fait revivre quand je tombais dans la *fosse[r].

[5] Chantez pour le SEIGNEUR, vous ses fidèles,
célébrez-le[s] en évoquant sa *sainteté :
[6] Pour un instant[t] sous sa colère,

j 29.6 *il fait bondir le Liban* 114.4. – Le *Siryôn* : nom donné par les Cananéens au mont Hermon ; Dt 3.9 ; Ps 42.7 ; 89.13 ; 133.3. ***k 29.7*** C'est-à-dire *des éclairs* ; Na 3.3 ; Ha 3.11 ; voir Gn 3.24. ***l 29.8*** *le désert de Qadesh :* voir Nb 20.1. ***m 29.9*** *les biches en travail* Jb 39.1-4. – *elle dénude les forêts :* le texte hébreu est obscur et la traduction incertaine. Autre traduction *elle pousse les gazelles à mettre bas prématurément.* ***n 29.10*** Ou *depuis le déluge* (Gn 6–9) ou encore *sur le grand océan* (masse d'eau qui entourait la terre selon les conceptions anciennes). – *le Seigneur, roi éternel* Ps 9.8+ ; voir 93.1. ***o 29.11*** 28.8 ; 68.36. ***p 30.1*** *la maison de David :* ou bien le palais royal (voir 2 S 5.11), comme l'a compris l'ancienne version grecque ; ou bien le Temple, comme l'a compris l'ancienne version araméenne. La liturgie juive utilise ce psaume pour célébrer l'anniversaire de la dédicace de l'autel du Temple (voir *1 M* 4. 52-59 ; Jn 10.22). ***q 30.3*** Appel au Seigneur 3.5+. – *guéri* 6.3 ; 41.5. ***r 30.4*** *tu m'as fais revivre* Es 38.16-18 – *quand je tombais dans la fosse :* autre traduction *loin de ceux qui descendent dans la fosse* ; Ps 22.30+. ***s 30.5*** *chantez* 96.1+. – *célébrez-le* 97.12. ***t 30.6*** *pour un instant* Es 54.7-8.

toute une vie dans sa faveur.
Le soir s'attardent les pleurs,
mais au matin crie la joie.

7 Et moi, tranquille, je disais :
« Je resterai inébranlable[u].
8 SEIGNEUR, dans ta faveur,
tu as fortifié ma montagne. »

Mais tu as caché ta face,
et je fus épouvanté[v].
9 SEIGNEUR, j'ai fait appel à toi[w] ;
j'ai supplié le Seigneur :
10 « Que gagnes-tu à mon sang
et à ma descente dans la fosse ?
La poussière peut-elle te rendre grâce[x] ?
Proclame-t-elle ta fidélité ?
11 Ecoute, SEIGNEUR ! par pitié !
SEIGNEUR, sois mon aide ! »

12 Tu as changé mon deuil en une danse[y],
et remplacé mon *sac par des habits de fête.
13 Aussi, l'âme te chante sans répit ;
SEIGNEUR mon Dieu, je te rendrai grâce toujours.

PSAUME 31 (30)

1 *Du *chef de chœur. Psaume de David.*

2 SEIGNEUR, j'ai fait de toi mon refuge,
que je ne sois jamais déçu[z] !
Libère-moi par ta justice ;
3 tends vers moi l'oreille !
Vite ! Délivre-moi !
Sois pour moi le rocher fortifié[a],
le château fort qui me sauvera.

***u* 30.7** *inébranlable* 10.6. ***v* 30.8** texte incertain. Autre traduction *tu as établi une forteresse sur ma montagne* ; voir 18.34 ; 2 S 5.9-11 ; 1 R 15.4 ; 2 Ch 24.13. — *tu as caché ta face* Ps 27.9+. — *épouvanté* 104.29. ***w* 30.9** *appel* au Seigneur 3.5+. ***x* 30.10** *mon sang :* expression figurée fréquente en hébreu pour désigner la mort. — *les morts peuvent-ils rendre grâce à Dieu ?* 6.6+. ***y* 30.12** *du deuil à la joie* 126.5+. ***z* 31.2** *le Seigneur, mon refuge* 7.2+. — *jamais déçu* 22.6 ; 25.3, 20 ; 31.18 ; 37.19 ; 119.6 ; Es 49.23. ***a* 31.3** *tends l'oreille* 7.12+. — *vite !* 69.18 ; 70.2,6 ; 79.8 ; 102.3 ; 141.1 ; 143.7. — *rocher fortifié* 18.3 ; 71.3 ; voir 9.10+ ; 27.1+.

4 C'est toi mon roc et ma forteresse.
Pour l'honneur de ton nom[b], tu me conduiras et me guideras.
5 Tu me dégageras du filet[c] tendu contre moi,
car c'est toi ma forteresse.

6 Dans ta main je remets mon souffle[d].
Tu m'as racheté, SEIGNEUR, toi le Dieu vrai.
7 Je hais ceux qui tiennent aux vaines chimères ;
moi, je compte sur le SEIGNEUR[e].

8 Je danserai de joie pour ta fidélité,
car tu as vu ma misère
et connu ma détresse[f].
9 Tu ne m'as pas livré aux mains d'un ennemi,
tu m'as remis sur pied, tu m'as donné du large[g].

10 Pitié, SEIGNEUR ! Je suis en détresse :
le chagrin me ronge les yeux[h],
la gorge et le ventre.
11 Ma vie s'achève dans la tristesse,
mes années dans les gémissements.
Pour avoir péché, je perds mes forces
et j'ai les os rongés.

12 je suis injurié par tous mes adversaires,
plus encore, par mes voisins ;
je fais peur à mes intimes :
s'ils me voient dehors, ils fuient[i].

13 On m'oublie, tel un mort effacé des mémoires,
je ne suis plus qu'un débris.
14 Et j'entends les ragots de la foule :
« Il épouvante les alentours ! »
Ils se sont mis d'accord contre moi,
ils conspirent[j] pour m'ôter la vie.

b 31.4 *mon roc* 28.1+. — *ma forteresse* 27.1+. — *pour l'honneur de ton nom* 23.3 ; 25.11. ***c 31.5*** *dégagé du filet* 25.15+. ***d 31.6*** *vaines chimères :* expression péjorative pour désigner les idoles ; Lc 23.46 ; voir Ac 7.59 ; 1 P 4.19. ***e 31.7*** Dt 32.21 ; Jr 8.19 ; 10.8 ; Ps 4.3 ; voir Jon 2.9. — *compter sur le Seigneur* v. 15 ; Ps 9.11+ ; 55.24+. ***f 31.8*** le Seigneur connaît 1.6 ; 37.18. ***g 31.9*** *mis au large* 18.20 ; 118.5. ***h 31.10*** 6.8. ***i 31.12*** 38.12 ; 41.10 ; 69.9 ; 88.9, 19 ; Jb 19. 13-19 ; Lc 23.49. ***j 31.14*** Autre traduction possible *j'entends les ragots de la foule, alentour c'est la terreur ;* Jr 6.25+. — *conspiration* Ps 64.3 ; 83.4 ; Es 8.12+.

15 Mais je compte sur toi, SEIGNEUR.
Je dis : « Mon Dieu, c'est toi[k]. »
16 Mes heures sont dans ta main ;
délivre-moi de la main d'ennemis acharnés !
17 Fais briller ta face[l] sur ton serviteur,
sauve-moi par ta fidélité !

18 SEIGNEUR, que je ne sois pas déçu[m] de t'avoir appelé !
mais que les impies soient déçus
et réduits au silence des enfers !
19 Qu'elles soient muettes, ces lèvres menteuses
qui parlent contre le juste avec insolence,
arrogance[n] et mépris !

20 Qu'ils sont grands les bienfaits
que tu réserves à ceux qui te craignent[o] !
Tu les accordes à tous ceux dont tu es le refuge,
devant tout le monde.
21 Tu les caches là où se cache ta face,
loin des intrigues des hommes.
Tu les mets à l'abri
des attaques de la langue[p]

22 Béni soit le SEIGNEUR,
car sa fidélité[q] a fait pour moi un miracle
dans une ville retranchée.
23 Et moi, désemparé, je disais :
« Je suis exclu de ta vue. »
Mais tu as entendu ma voix suppliante
quand j'ai crié vers toi[r].

24 Aimez le SEIGNEUR, vous tous ses fidèles !
Le SEIGNEUR préserve les croyants,
mais à l'arrogant, il rend avec usure.
25 Soyez forts et prenez courage,
vous tous qui espérez dans le SEIGNEUR[s] !

k 31.15 *compter sur le Seigneur* v. 7+. – *mon Dieu, c'est toi* 22.11+. **l 31.17** 67.2 ; 80.4, 8, 20 ; 119.135 ; Nb 6.25 ; Dn 9.17. **m 31.18** *jamais déçu* v. 2+. **n 31.19** *arrogance* 12.4 ; 75.6. **o 31.20** 15.4+. **p 31.21** *cachés avec Dieu* 27.5. – *attaques de la langue* 5.10+. – *loin des intrigues :* certains pensent que l'auteur fait ainsi allusion à des pratiques magiques. **q 31.22** *Béni soit le Seigneur* 28.6+. – *fidélité de Dieu* 17.7+. **r 31.23** *désemparé* 116.11. – *exclu de la vue de Dieu* Jon 2.5. – *ma voix suppliante* Ps 28.2. – *crier vers le Seigneur* 3.5+. **s 31.25** *soyez forts et prenez courage* 27.14+. – *espérer dans le Seigneur* 37.7 ; 38.16 ; 42.6, 12 ; 43.5 ; 69.7 ; 145.15 ; Es 8.17 ; 30.18 ; 33.2 ; 51.5 ; 60.9 ; Jr 14.22 ; Os 12.7 ; Pr 20.22 ; Lm 3.25.

PSAUME 32 (31)

1 *De David. Instruction.*

Heureux l'homme dont l'offense est enlevée
et le péché couvert[t] !
2 Heureux celui à qui le SEIGNEUR ne compte pas la faute,
et dont l'esprit ne triche pas[u] !

3 Tant que je me taisais, mon corps s'épuisait[v]
à grogner tous les jours,
4 car, jour et nuit, ta main pesait sur moi,
ma sève s'altérait aux ardeurs de l'été[w] **Pause.*

5 Je t'ai avoué mon péché,
je n'ai pas couvert ma faute.
J'ai dit : « Je confesserai mes offenses au Seigneur[x] »,
et toi, tu as enlevé le poids de mon péché. *Pause.*

6 Ainsi tout fidèle te prie
le jour où il te rencontre.
Même si les grandes eaux[y] débordent,
elles ne l'atteignent pas.

7 Tu es pour moi un abri,
tu me préserves de la détresse,
tu m'entoures de chants de délivrance[z]. *Pause.*

8 — Je vais t'instruire, t'indiquer la route à suivre,
et te donner un conseil, en veillant sur toi[a] :
9 N'imite pas le cheval ou la mule stupides,
dont mors et bride doivent freiner la fougue,
et il ne t'arrivera rien[b] ! —

10 Beaucoup de douleurs attendent l'impie,
mais la fidélité entoure celui qui compte sur le SEIGNEUR[c].

t 32.1 v. 1-2 : Rm 4.6-8. — *Heureux* ! Ps 1.1+. — *offense enlevée, péché couvert* 25.18 ; 85.3. ***u 32.2*** Sans tricherie Jn 1.47. ***v 32.3*** *tant que je me taisais* 39.2-4. — *mon corps s'épuisait* 31.11. ***w 32.4*** Le texte de la deuxième partie du v. 4 est obscur et la traduction incertaine. ***x 32.5*** 38.19 ; 51.5 ; Jb 31.33 ; 2 S 12.13 ; 1 Jn 1.9, 10. ***y 32.6*** *le jour où il te rencontre* ou, en suivant l'ancienne version grecque, *au moment favorable* (comme en Es 49.8 ; Ps 69.14). — *les grandes eaux :* voir Ps 18.17 et la note. ***z 32.7*** *abri* voir 7.2+. — Le texte hébreu de la dernière partie du v. 7 est obscur. ***a 32.8*** Dieu *veille sur toi* 33.18. ***b 32.9*** *il ne t'arrivera rien :* le texte hébreu correspondant est obscur ; les versions anciennes ont compris *(pour qu')il(s) ne s'approche(nt) pas de toi.* ***c 32.10*** *compter sur le Seigneur* 9.11+ ; 55.24+.

11 Exultez à cause du SEIGNEUR,
réjouissez-vous, les justes,
et criez de joie, vous tous les *cœurs droits[d] !

PSAUME 33 (32)

1 Justes[e], acclamez le SEIGNEUR !
La louange convient aux hommes droits.
2 Rendez grâce au SEIGNEUR sur la cithare ;
sur la harpe à dix cordes, jouez pour lui[f] !
3 Chantez pour lui un chant nouveau,
jouez de votre mieux pendant l'ovation[g].

4 Car la parole du SEIGNEUR est droite,
et toute son œuvre est sûre.
5 Il aime la justice et l'équité ;
la terre est remplie de la fidélité du SEIGNEUR[h].

6 Par sa parole, le SEIGNEUR a fait les cieux[i],
et toute leur armée, par le souffle de sa bouche.
7 Il amasse et endigue les eaux de la mer[j] ;
dans des réservoirs, il met les océans.

8 Que toute la terre ait la crainte du SEIGNEUR[k],
que tous les habitants du monde le redoutent :
9 c'est lui qui a parlé, et cela arriva ;
lui qui a commandé, et cela exista[l].

10 Le SEIGNEUR a brisé le plan des nations[m],
il a anéanti les desseins des peuples.
11 Le plan du SEIGNEUR[n] subsiste toujours.
et les desseins de son cœur, d'âge en âge.
12 Heureuse la nation qui a le SEIGNEUR pour Dieu !
Heureux le peuple qu'il s'est choisi pour patrimoine[o] !

d 32.11 *justes... cœurs droits* 33.1 ; voir 97.12. ***e 33.1*** Appel aux *justes* 32.11 ; 97.12. ***f 33.2*** *cithare* : voir Ps 92.4 et la note. — *jouer pour le Seigneur* 147.7+. ***g 33.3*** *chant nouveau* 40.4 ; 96.1 ; 98.1 ; 144.9 ; 149.1 ; Es 42.10 ; Ap 5.9 ; 14.3. — *jouez de votre mieux* ou *pincez bien vos cordes* (il s'agit des instruments de musique nommés au v. 2). — *ovation* Ps 27.6 ; Lv 23.24. ***h 33.5*** *justice, équité, fidélité* 89.15. — *la fidélité du Seigneur remplit la terre* 119.64. ***i 33.6*** *parole* créatrice Gn 1.3, 6, etc. ; He 11.3. ***j 33.7*** voir 78.13 ; 104.9 ; Ex 15.8 ; Jb 38.8-11 ; Pr 8.29. ***k 33.8*** 67.8 ; 102.16. ***l 33.9*** Autre traduction *C'est lui qui parle, et cela arrive, /lui qui commande et cela existe.* — La parole efficace de Dieu 148.5 ; Gn 1.3, 6, etc. ; Es 48.13. ***m 33.10*** *plans des nations* 83.4-6 déjoués 2.2-6. ***n 33.11*** Es 46.10 ; Pr 19.21. ***o 33.12*** *heureux !* 1.1+. — *heureuse la nation...* 144.15. — *un peuple choisi* Dt 7.6.

13 Des cieux, le SEIGNEUR regarde
et voit tous les hommes[p].
14 Du lieu où il siège, il observe
tous les habitants de la terre,
15 lui qui leur modèle[q] un même cœur,
lui qui est attentif à toutes leurs œuvres.

16 Il n'est pas de roi qui sauve une grande armée,
ni de brave qu'une grande vigueur délivre[r].
17 Pour vaincre, le cheval n'est qu'illusion,
toute sa force ne permet pas d'échapper.

18 Mais le SEIGNEUR veille sur ceux qui le craignent,
sur ceux qui espèrent en sa fidélité[s],
19 pour les délivrer de la mort[t]
et les garder en vie durant la famine.

20 Nous, nous attendons le SEIGNEUR :
Notre aide et notre bouclier[u], c'est lui !
21 La joie de notre cœur vient de lui,
et notre confiance est en son *nom[v] très saint.
22 Que ta fidélité, SEIGNEUR, soit sur nous[w],
comme notre espoir est en toi !

PSAUME 34 (33)

1 *De David. Quand il se déprécia aux yeux d'Abimélek qui le chassa, et David s'en alla*[x].

Alef 2 Je bénirai le SEIGNEUR en tout temps[y],
sa louange sans cesse à la bouche.
Beth 3 Je suis fier du SEIGNEUR ;
que les humbles se réjouissent en m'écoutant :
Guimel 4 Magnifiez avec moi le SEIGNEUR,
exaltons ensemble son nom.

p* *33.13 14.2. ***q* *33.15*** 94.9-11 ; 139.13-16 ; Gn 2.7-8. ***r* *33.16*** Vrais et faux sauveurs 20.8 ; 147.10-11 ; Dt 17.16 ; 1 S 17.45-47 ; Es 31.1 ; Os 1.7+ ; 14.4 ; Mi 5.9-10 ; Za 9.10 ; 10.5 ; Pr 21.31. ***s* *33.18*** *le Seigneur veille* 32.8 ; 34.16. — *ceux qui craignent le Seigneur* 15.4+. — *ceux qui espèrent en sa fidélité* 147.11 ; voir 25.3+ ; 31.25+ ; 119.43, 49. ***t* *33.19*** *délivrés de la mort* 16.10. ***u* *33.20*** 115.9-11. ***v* *33.21*** *le nom du Seigneur* 124.8+. ***w* *33.22*** *ta fidélité sur nous* 90.17. ***x* *34.1*** Allusion à l'épisode rapporté en 1 S 21.11 — 22.1 (où le roi philistin est d'ailleurs nommé Akish). ***y* *34.2*** *Alef...* : voir Ps 25.1 et la note. — *bénir le Seigneur en tout temps* 16.7 ; 145.1.

Daleth 5 J'ai cherché le SEIGNEUR[z], et il m'a répondu,
il m'a délivré de toutes mes terreurs.
Hé 6 ceux qui ont regardé vers lui sont radieux,
et leur visage n'a plus à rougir.
Zaïn 7 Un malheureux a appelé : le SEIGNEUR a entendu[a]
et l'a sauvé de toutes ses détresses.

Heth 8 *L'ange du SEIGNEUR campe
autour de ceux qui le craignent[b], et il les délivre.
Teth 9 Voyez et appréciez combien le SEIGNEUR est bon.
Heureux l'homme dont il est le refuge[c] !
Yod 10 Craignez le SEIGNEUR, vous qu'il a consacrés,
car rien ne manque[d] à ceux qui le craignent.
Kaf 11 Les lions[e] connaissent le besoin et la faim,
mais rien ne manque à ceux qui cherchent le SEIGNEUR.

Lamed 12 Fils, venez m'écouter[f] !
Je vous enseignerai la crainte du SEIGNEUR.
Mem 13 Quelqu'un aime-t-il la vie[g] ?
Veut-on voir des jours heureux ?
Noun 14 Garde ta langue du mal
et tes lèvres des médisances.
Samek 15 Evite le mal[h], agis bien,
recherche la paix et poursuis-la !

Aïn 16 Le SEIGNEUR a les yeux sur les justes[i],
et l'oreille attentive à leurs cris.
Pé 17 Le SEIGNEUR affronte les malfaisants
pour retrancher de la terre leur souvenir.
Çadé 18 Ils crient[j], le SEIGNEUR entend
et les délivre de toutes leurs détresses.
Qof 19 Le SEIGNEUR est près des cœurs brisés[k],
et il sauve les esprits abattus.

z* *34.5 9.11+. ***a* *34.7*** Le verset commençant par la lettre *Waw* manque. — *appel au Seigneur* 3.5+. — *le Seigneur a entendu* 4.4+. ***b* *34.8*** *l'ange du Seigneur* 35.5-6 ; 91.11 ; Ex 14.19 ; 23.20. — *ceux qui le craignent* 15.4+. ***c* *34.9*** *le Seigneur est bon* 1 P 2.3. — *Heureux l'homme...* Ps 1.1+. — *le Seigneur, un refuge* 7.2+. ***d* *34.10*** *vous qu'il a consacrés :* autre traduction *vous qui lui êtes consacrés.* — *rien ne manque* 23.1 ; 111.5. ***e* *34.11*** *Les lions :* les anciennes versions grecque et syriaque ont cru reconnaître ici un langage imagé et ont traduit *les riches.* ***f* *34.12*** *Fils, venez...* Pr 1.8. ***g* *34.13*** v. 13-17 : *aimer la vie* 1 P 3.10-12. ***h* *34.15*** *évite le mal* 37.27. ***i* *34.16*** Le regard du Seigneur 33.18. ***j* *34.18*** *ils crient* : il s'agit des *justes*, mentionnés au v. 16. — *appel au Seigneur* Ps 3.5+. ***k* *34.19*** *cœur brisés* 51.19.

Resh 20 Le juste a beaucoup de malheurs,
chaque fois le SEIGNEUR le délivre.
Shîn 21 Il veille sur tous ses os,
pas un seul ne s'est brisé[l].
Taw 22 Le malheur fera mourir le méchant,
les ennemis du juste seront punis.

23 Le SEIGNEUR rachète[m] la vie de ses serviteurs :
aucun de ceux qui l'ont pour refuge ne sera puni.

PSAUME 35 (34)

1 *De David.*

O SEIGNEUR, accuse mes accusateurs,
attaque ceux qui m'attaquent !
2 Saisis bouclier et cuirasse,
et lève-toi pour me secourir !
3 Dégaine la lance, barre la route[n]
à mes poursuivants,
et dis-moi : « Je suis ton salut ! »

4 Qu'ils soient déçus et déshonorés,
ceux qui en veulent à ma vie !
Qu'ils reculent couverts de honte[o],
ceux qui préméditent mon malheur !
5 Qu'ils soient comme la bale en plein vent
quand *l'ange du SEIGNEUR[p] les refoulera !
6 Que leur chemin soit sombre et glissant[q]
quand l'ange du SEIGNEUR les poursuivra,

7 Sans motif, ils ont caché une fosse sous un filet[r] ;
sans motif, ils l'ont creusée pour moi.
8 Qu'un désastre sans précédent les surprenne,
que le filet caché par eux les attrape,
et qu'ils succombent[s] dans ce désastre !

***l* 34.21** *pas un seul os brisé* Jn 19.36. ***m* 34.23** *le Seigneur rachète* 25.22. ***n* 35.3** Autre traduction possible pour le début du v. 3 *dégaine la lance et la hache devant mes poursuivants.* ***o* 35.4** v. 26 ; 40.15 ; 70.3 ; 71.13. ***p* 35.5** *comme la bale* 1.4 et la note ; 83.14. — *l'ange du Seigneur* 34.8+. ***q* 35.6** 73.18 ; voir Jr 23.12. ***r* 35.7** *Sans motif* : autre traduction *sans succès.* — *fosse* 7.16+ et *filet* 9.16+ ; 57.7 ; 140.6 ; Lm 1.13. ***s* 35.8** Ou *Qu'un désastre... le surprenne, que le filet caché par eux l'attrape, et qu'il succombe...* (le v. 8 exprimerait alors une malédiction prononcée contre l'auteur du psaume par ses ennemis). — *un désastre* Es 47.11.

9 Alors je jubilerai à cause du SEIGNEUR,
j'exulterai, joyeux d'être sauvé.
10 Tout mon être dira :
« SEIGNEUR, qui est comme toi[t] ?
Tu délivres l'humilié d'un plus fort que lui,
l'humilié et le pauvre de leur exploiteur. »

11 De faux témoins[u] se lèvent
et m'interrogent sur ce que je ne sais pas.
12 Ils me rendent le mal pour le bien[v] ;
me voici tout seul.

13 Pendant leurs maladies, moi je revêtais un *sac,
je m'humiliais en *jeûnant
et je ruminais ma prière.
14 Comme pour un ami ou pour mon frère, j'allais et venais.
Comme en deuil[w] d'une mère, j'étais sombre et prostré.

15 Et quand j'ai trébuché, ils se sont attroupés, joyeux :
des estropiés se sont attroupés contre moi,
je ne sais pas pourquoi[x] ;
ils déchirent sans répit,
16 avec les railleurs les plus impurs qui m'entourent[y],
ils grincent des dents contre moi.

17 Seigneur, comment peux-tu voir cela ?
Soustrais ma vie à ce désastre[z]
et ma personne à ces lions.
18 Je te rendrai grâce dans la grande assemblée[a],
au milieu de la foule, je te louerai.

19 Que je ne fasse pas la joie de ceux qui m'en veulent injustement,
qu'ils ne clignent pas de l'œil, ceux qui me détestent sans motif[b] !
20 Ils n'ont jamais un mot de paix[c] ;
contre les gens tranquilles du pays,
ils inventent des calomnies.

t* *35.10 40.6 ; 71.19 ; 77.14 ; 89.7 ; 113.5. ***u* *35.11*** 27.12+. ***v* *35.12*** 38.21 ; 109.4-5 ; Pr 17.13. ***w* *35.14*** *en deuil* 38.7. ***x* *35.15*** *des estropiés* : traduction incertaine ; 2 S 5.6,8 — *je ne sais pas pourquoi* ou *je ne les connais pas.* ***y* *35.16*** La traduction du v. 16 est incertaine. ***z* *35.17*** *sauve ma vie* 22.21. ***a* *35.18*** 22.16 ; 35.18 ; 40.10 ; 107.32 ; voir encore 111.1+. ***b* *35.19*** *cligner de l'œil* Pr 6.13 ; 10.10 ; *Si* 27.22. — *sans motif* Ps 38.20 ; 69.5 ; Jn 15.25. ***c* *35.20*** Ennemis de la paix 120.6.

21 La bouche grande ouverte contre moi,
Ils disent : « Ah, ah[d] ! notre œil l'a vu. »

22 Tu as vu, SEIGNEUR, ne sois pas sourd !
Seigneur, ne t'éloigne pas de moi[e] !
23 Réveille-toi[f] et lève-toi pour défendre mon droit
et ma cause, ô mon Dieu et mon Seigneur !
24 Selon ta justice, défends mon droit, SEIGNEUR mon Dieu,
et que je ne fasse pas leur joie !

25 Qu'ils ne se disent pas :
« Ah, ah ! nous n'en ferons qu'une bouchée. »
Qu'ils ne disent pas : « Nous l'avons avalé[g]. »
26 Qu'ensemble ils rougissent de honte,
ceux qui se réjouissaient de mon malheur !
Qu'ils soient vêtus de honte et de déshonneur,
ceux qui triomphaient de moi !

27 Ceux qui voulaient pour moi la justice crieront de joie,
ils diront sans cesse : « Le SEIGNEUR triomphe,
lui qui a voulu le bonheur de son serviteur. »
28 Alors ma langue redira ta justice[h]
en te louant tous les jours.

PSAUME 36 (35)

1 *Du *chef de chœur, du serviteur du SEIGNEUR, de David.*

2 L'oracle impie de l'infidèle me vient à l'esprit ;
à ses yeux[i], il n'y a pas à trembler devant Dieu.
3 Car il se voit d'un œil trop flatteur
pour trouver sa faute[j] et la détester.

4 Il n'a que méfait et tromperie à la bouche.
il a perdu le sens du bien.
5 Sur sa couche, il prémédite un méfait ;
il s'obstine dans une voie qui n'est pas bonne,
il ne rejette pas le mal
6 SEIGNEUR, ta loyauté est dans les cieux,

***d* 35.21** *Ah, Ah* ! 40.16 ; 70.4. ***e* 35.22** *ne t'éloigne pas* 22.12+. ***f* 35.23** 7.7 ; 44.24 ; voir 59.5-6 ; 80.3 ; Es 51.9. ***g* 35.25** Les propos des adversaires 40.14-17 ; 70.3-5. ***h* 35.28** 71.24. ***i* 36.2** *à ses yeux* voir Rm 3.18. ***j* 36.3** 10.15 ; 17.3 ; Gn 44.16 ; 1 S 29.3, 6 ; Os 12.9.

ta fidélité va jusqu'aux nues[k].
7 Ta justice est pareille aux montagnes divines[l],
et tes jugements au grand *Abîme.

SEIGNEUR, tu sauves hommes et bêtes.
8 Dieu, qu'elle est précieuse, ta fidélité !
Les hommes se réfugient à l'ombre de tes ailes[m].
9 Ils se gavent des mets plantureux de ta maison
et tu les abreuves au fleuve de tes délices[n].

10 Car chez toi est la fontaine de la vie,
à ta lumière nous voyons la lumière[o].
11 Prolonge ta fidélité pour ceux qui te connaissent
et ta justice pour les cœurs droits.

12 Que l'arrogant ne mette pas le pied chez moi,
que la main des infidèles ne me chasse pas !
13 Là sont tombés des malfaisants :
renversés, ils n'ont pu se relever[p].

PSAUME 37 (36)

(Voir Ps 49 ; 73 ; Jb 21.1-26)

1 *De David.*

Alef Ne t'enflamme pas contre les méchants,
ne fais pas de zèle contre les criminels[q],
2 car ils se faneront aussi vite que l'herbe[r],
et comme la verdure, ils se flétriront.

Beth 3 Compte sur le SEIGNEUR[s] et agis bien
pour demeurer dans le pays et paître en sécurité.
4 Fais tes délices du SEIGNEUR,
il te donnera ce que ton cœur demande[t].

k 36.6 *ta loyauté... ta fidélité* 57.11 ; leurs dimensions voir Ep 3.18-19. ***l 36.7*** *aux montagnes divines* ou *aux plus hautes montagnes* ; 68.16 ; voir 80.11 ; Es 14.13. ***m 36.8*** *à l'ombre de tes ailes* 17.8+. ***n 36.9*** *les mets de ta maison* 23.5 ; 63.6 ; Jr 31.14. — Le mot hébreu traduit par *délices* évoque le jardin d'*Eden* (Gn 2.8). ***o 36.10*** *fontaine de vie* Jr 2.13 ; 17.13 ; voir Ez 47 ; Jl 4.18 ; Za 14.8 ; Jn 4.14+ ; Ap 22.1. — *lumière* (image de la vie) Ps 4.7 ; 27.1 ; 43.3 ; 44.4 ; 56.14 ; 89.16 ; Jb 33.30 ; Jn 8.12+. ***p 36.13*** Chute des *malfaisants* 14.5 ; 73.17-18. — Impossible de *se relever* 18.39. ***q 37.1*** *Alef* : voir Ps 25.1 et la note. — *Ne t'enflamme pas...* Pr 24.19 ; voir 23.17. — *ne fais pas de zèle contre les criminels* ou *ne sois pas jaloux des criminels.* ***r 37.2*** *aussi vite que l'herbe* 90.6+. ***s 37.3*** 9.11+ ; 55.24+. ***t 37.4*** *ton délice, le Seigneur* Es 58.14. — *il te donnera...* Ps 20.5 ; 21.3 ; 78.29 ; Pr 10.24.

Guimel 5 Tourne tes pas vers le SEIGNEUR[u],
compte sur lui : il agira,
6 il fera paraître ta justice comme l'aurore
et ton droit comme le plein midi[v].

Daleth 7 Reste calme près du SEIGNEUR, espère en lui ;
ne t'enflamme pas contre celui qui réussit[w],
contre l'homme qui agit avec ruse.

Hé 8 Laisse la colère, abandonne la fureur,
ne t'enflamme pas ; cela finira mal[x],
9 car les méchants seront arrachés,
mais ceux qui attendent le SEIGNEUR posséderont le pays[y].

Waw 10 Encore un peu et il n'y a plus d'impie ;
tu examines sa place, il n'y a plus rien[z].
11 Mais les humbles posséderont le pays,
ils jouiront d'une paix totale.

Zaïn 12 L'impie intrigue contre le juste ;
contre lui il grince des dents[a].
13 Mais le Seigneur rit de lui,
car il voit venir son jour[b].

Heth 14 Les impies ont dégainé l'épée et tendu l'arc
pour abattre l'humble et le pauvre,
pour égorger celui qui marche droit[c].
15 Mais leur épée entrera dans leur cœur
et leurs arcs se casseront[d].

Teth 16 Le peu qu'a le juste vaut mieux
que la fortune de tant d'impies[e],

u 37.5 *tes pas* ou *ton chemin* (c'est-à-dire ta conduite) ou *ton sort.* — Ancienne version grecque *Relève ton chemin au Seigneur.* — *tourné vers le Seigneur* 22.9. ***v 37.6*** *comme le plein midi* Es 58.10. ***w 37.7*** *reste calme* 4.5 ; 62.6 ; Es 30.15. — *celui qui réussit* Ps 1.3 ; 10.5 ; Jr 12.1. ***x 37.8*** *laisse la colère* Ep 4.31 ; Col 3.8 ; Jc 1.20. — *cela finira mal* : autres traductions *cela ferait mal* ou *ce serait mal faire.* ***y 37.9*** v. 11, 22, 29, 34 ; 25.13 ; Es 57.13 ; 60.21 ; Ez 11.17 ; voir Mt 5.4. ***z 37.10*** 103.16+. ***a 37.12*** 35.16 ; 112.10. ***b 37.13*** *le Seigneur rit de lui* 2.4+. — *il voit venir son jour* : le texte hébreu ne précise pas s'il s'agit du **jour du Seigneur* (voir Es 2.12) ou du *jour de l'impie*, c'est-à-dire du jour où celui-ci devra supporter les conséquences de ses méfaits (voir Ez 21.30). ***c 37.14*** *l'épée et l'arc des impies* 7.13 ; 11.2. — *celui qui marche droit* : l'expression hébraïque correspondante est unique dans l'A.T. ; l'ancienne version grecque l'a remplacée par *les hommes au cœur droit* (voir Ps 7.11). ***d 37.15*** *leur épée dans leur cœur* 7.17+. — *leurs arcs casseront* 46.10. ***e 37.16*** Pr 15.16 ; 16.8.

17 car les bras des impies casseront,
mais le SEIGNEUR soutient les justes[f].

Yod 18 Le SEIGNEUR connaît[g] les jours des hommes intègres,
et leur patrimoine subsistera toujours.
19 Ils ne seront pas déçus au temps du malheur[h],
aux jours de famine ils seront rassasiés.

Kaf 20 Ils périront les impies ;
et les ennemis du Seigneur,
pareils à la parure des prés,
sont partis, partis en fumée.

Lamed 21 L'impie emprunte, il ne rend pas ;
le juste a pitié et il donne[i].
22 Oui, ceux qu'il bénit posséderont le pays,
et ceux qu'il maudit[j] seront arrachés.

Mem 23 Grâce au SEIGNEUR, les pas de l'homme sont assurés[k],
et son chemin lui plaît.
24 S'il trébuche, il ne tombe pas,
car le SEIGNEUR le tient par la main[l].

Noun 25 J'ai été jeune et j'ai vieilli
sans jamais voir un juste abandonné,
ni ses descendants mendier leur pain.
26 Tous les jours le juste a pitié, il prête,
et sa descendance est une bénédiction[m].

Samek 27 Evite le mal, agis bien[n],
et tu auras toujours une demeure,
28 car le SEIGNEUR aime le droit,
il n'abandonne pas ses fidèles.

(Aïn) Il les garde toujours,
mais la descendance des impies est arrachée.
29 Les justes posséderont le pays,
ils y demeureront toujours.

f 37.17 41.4, 13 ; 55.23 ; voir Ps 145.14 ; 146.9 ; 147.6 ; Es 42.1. ***g 37.18*** *le Seigneur connaît...* 1.6 ; 31.8. ***h 37.19*** *pas déçus* 31.2+. — *au temps du malheur* 27.5 ; 41.2 ; 49.6 ; 94.13. ***i 37.21*** 112.9 ; Pr 21.26 ; voir Mt 5.42 ; 10.8 ; Ac 3.6 ; 20.35 ; Rm 12.8 ; Ep 4.28. ***j 37.22*** Le texte hébreu ne permet pas de préciser si l'on doit comprendre *ceux que Dieu bénit* ou *ceux que le juste bénit.* — *ceux qu'il bénit... ceux qu'il maudit* Mt 25.34, 41. ***k 37.23*** Pr 20.24. ***l 37.24*** voir v. 17 ; 3.6 ; 119.116. ***m 37.26*** *il prête* 112.5. — *sa descendance est une bénédiction* Gn 22.18 ; 26.4 ; 28.14 ; voir 12.3 ; 18.18. ***n 37.27*** 34.15.

Pé [30] La bouche du juste répète la sagesse,
et sa langue énonce le droit.
[31] La loi de son Dieu est dans son cœur,
ses pas ne fléchiront point[o].

Çadé [32] Les impies guettent le juste
et cherchent à le faire mourir ;
[33] Mais à leurs mains, le SEIGNEUR ne l'abandonne pas[p] ;
il ne le laisse pas condamner s'il est jugé.

Qof [34] Attends le SEIGNEUR et garde son chemin ;
il t'érigera en possesseur du pays,
et tu verras les impies arrachés.

Resh [35] J'ai vu l'impie abuser de sa force
et se déployer comme une plante vivace[q].
[36] Mais il a passé : il n'est plus ;
je l'ai cherché, il était introuvable[r].

Shîn [37] Regarde l'homme honnête, vois l'homme droit :
il y a une postérité pour l'homme pacifique[s].
[38] Mais les rebelles sont exterminés tous ensemble,
et la postérité des impies est arrachée.

Taw [39] Le salut des justes vient du SEIGNEUR :
il est leur forteresse au temps du danger[t].
[40] Le SEIGNEUR les aide et les libère ;
il les libère des impies et il les sauve,
car ils l'ont pris pour refuge[u].

PSAUME 38 (37)

[1] *Psaume de David, en mémorial*[v].

[2] SEIGNEUR, châtie-moi sans courroux,
corrige-moi sans fureur[w].

o 37.31 *la Loi dans son cœur* Dt 6.6 ; Jr 31.33. — *ses pas ne fléchiront pas* Ps 26.1. ***p 37.33*** v. 28 ; 9.11 ; 94.14 ; Dt 4.31 ; Ez 41.17. ***q 37.35*** 73.3-12 ; Jb 20.6-7 ; Ez 31.10-12. ***r 37.36*** *introuvable* v. 10. ***s 37.37*** *Regarde l'homme honnête, vois l'homme droit* : autre traduction, soutenue par les versions anciennes *regarde à l'honnêteté, vois la droiture.* — *une postérité pour l'homme pacifique* Pr 23.18. ***t 37.39*** *le salut des justes vient du Seigneur* 3.9 ; 57.4 ; 144.10 ; Es 45.17 ; Jr 3.23 ; Ac 4.12. — *forteresse* Ps 27.1+. — *au temps du danger* voir 77.3+. ***u 37.40*** *refuge* 7.2+. ***v 38.1*** L'ancienne version grecque rattache ce *mémorial* à la célébration du sabbat, d'après Lv 24.7-8. Au Ps 70.1 la version araméenne le rattache à l'offrande d'encens, d'après Lv 2.2. ***w 38.2*** Voir Ps 6.2+ et la note.

3 Tes flèches[x] se sont abattues sur moi,
ta main s'est abattue sur moi.
4 Rien d'intact[y] dans ma chair, et cela par ta colère,
rien de sain dans mes os, et cela par mon péché !
5 Car mes fautes ont dépassé ma tête[z],
comme un pesant fardeau, elles pèsent trop sur moi.

6 Mes plaies infectées suppurent,
et cela par ma sottise.
7 Je suis courbé et tout prostré ;
sombre[a], je me traîne tous les jours,
8 car mes reins sont envahis par la fièvre,
plus rien n'est intact dans ma chair.

9 Je suis engourdi[b], tout brisé ,
mon cœur gronde, je rugis.
10 Seigneur tous mes soupirs sont devant toi[c],
et mes gémissements ne te sont pas cachés.
11 Mon cœur palpite, les forces m'ont abandonné,
j'ai perdu jusqu'à la lumière de mes yeux[d].

12 Mes amis, mes compagnons reculent devant mes plaies,
mes proches se tiennent à distance[e].
13 Ceux qui en veulent à ma vie ont tendu des pièges,
ceux qui cherchent mon malheur ont parlé pour me perdre,
en murmurant chaque jour des perfidies[f].

14 Mais moi, comme un sourd, je n'entends pas ;
je suis un muet[g] qui n'ouvre pas la bouche.
15 Je suis un homme qui n'entend pas
et qui n'a pas de réplique à la bouche.
16 C'est en toi, SEIGNEUR, que j'espère[h] :
tu répondras, Seigneur mon Dieu !

17 Je disais : « Que je ne fasse pas la joie
de ceux qui triomphent de moi quand je vacille[i] »,
18 et me voici prêt à défaillir,
ma douleur m'est sans cesse présente.

x 38.3 *tes flèches* Jb 6.4 ; 16.13. ***y 38.4*** *rien d'intact* Es 1.5-6. ***z 38.5*** *mes fautes* 40.13. – Plus haut que *ma tête* Esd 9.6. ***a 38.7*** *sombre et prostré* 35.14 ; 42.10. ***b 38.9*** *engourdi* 102.4-6. ***c 38.10*** Ex 2.24 ; 6.5 ; Ps 5.2 ; 79.11. ***d 38.11*** Vue affaiblie 6.8 ; 31.10-11. ***e 38.12*** 31.12+. ***f 38.13*** *pièges* 35.7 ; 57.7. – *perfidies* 35.20. ***g 38.14*** *comme un muet* 39.2-3+. ***h 38.16*** 31.25 ; voir 25.3 ; 27.14. ***i 38.17*** Ceux qui profitent de ma faiblesse 35.15, 19.

19 Oui, je proclame ma faute
et je m'effraie de mon péché[j].

20 Mes ennemis, pleins de vie, sont puissants ;
ils sont nombreux, ceux qui me haïssent injustement[k].
21 Ceux qui me rendent le mal pour le bien[l]
m'accusent pour le bien que je poursuivais.
22 SEIGNEUR ne m'abandonne pas.
Mon Dieu, ne reste pas si loin[m].
23 Vite ! A l'aide[n] !
toi, Seigneur, mon salut !

PSAUME 39 (38)

1 *Du *chef de chœur, de Yedoutoun[o]. Psaume de David.*

2 Je disais : « Dans ma conduite je me garderai
des écarts de langage[p] ;
je garderai un bâillon à la bouche
tant qu'un infidèle sera en ma présence. »

3 Je me suis enfermé dans le silence,
et plus qu'il n'était bon[q], je me suis tu.
Ma douleur devint insupportable,
4 mon cœur brûlait dans ma poitrine.
Obsédé, et brûlé par un feu,
j'ai laissé parler ma langue :
5 SEIGNEUR, fais-moi connaître ma fin
et quelle est la mesure de mes jours,
que je sache combien je suis éphémère[r] !

6 Voici, tu as donné à mes jours une largeur de main,
et ma durée n'est presque rien devant toi.
Oui, tout homme solide n'est que du vent[s] ! **Pause.*
7 Oui, l'homme va et vient comme un reflet !

j 38.19 Confession des péchés 32.5+. ***k 38.20*** *injustement* 35.19+. ***l 38.21*** 35.12+. ***m 38.22*** *ne m'abandonne pas* 22.2 ; 27.9 ; 71.18 ; 119.8. — *ne reste pas si loin* 22.12 ; 35.22 ; 71.12. ***n 38.23*** *vite, à l'aide* ! 22.20+. ***o 39.1*** *Yedoutoun* ou *Yeditoun* : d'après 1 Ch 16.38-42, *Yedoutoun* est l'ancêtre d'un groupe de *lévites, chargé du chant pendant le culte et de la surveillance des portes du Temple ; Ps 62.1 ; 77.1. ***p 39.2*** Jb 2.10. ***q 39.3*** *enfermé dans le silence* 32.3 ; 38.14. — *plus qu'il n'était bon* : autres traductions *sans profit*, ou *pour de bon*, ou *à cause de son bonheur*. ***r 39.5*** 89.48 ; 90.9-10 ; Jb 7.6-21 ; 14.1-5 ; voir Es 40.7 ; Qo 6.2. ***s 39.6*** En hébreu il y a un jeu de mots entre les termes rendus ici par *ma durée* et au v. 5 par *éphémère*. — *du vent* 62.10 ; 144.4.

Oui, son agitation c'est du vent !
Il entasse, et ne sait qui ramassera.

8 Dès lors, que puis-je attendre[t], Seigneur ?
Mon espérance est en toi :
9 délivre-moi de tous mes péchés,
ne m'expose pas à l'insulte des fous.
10 j'ai fermé la bouche, je ne l'ouvrirai plus,
car c'est toi qui agis.

11 Détourne de moi tes coups,
je succombe sous l'attaque de ta main.
12 En punissant la faute, tu corriges l'homme,
comme une teigne[u] tu corromps ce qu'il chérit :
Oui, tout homme c'est du vent ! *Pause.*

13 Ecoute ma prière, SEIGNEUR, et mon cri ;
prête l'oreille à mes larmes, ne reste pas sourd,
car je ne suis qu'un immigré[v] chez toi,
un hôte comme tous mes pères.
14 Ne me regarde plus[w], je pourrai enfin sourire,
avant de m'en aller et de n'être plus rien.

PSAUME 40 (39)

(V. 14-18 : voir Ps 70.2-6)

1 *Du chef de chœur. De David, psaume.*

2 J'ai attendu, attendu le SEIGNEUR :
il s'est penché vers moi, il a entendu mon cri[x],
3 il m'a tiré du gouffre[y] tumultueux,
de la vase des grands fonds.
Il m'a remis debout, les pieds sur le rocher,
il a assuré mes pas.

4 Il a mis dans ma bouche un chant nouveau,
une louange pour notre Dieu.
Beaucoup verront, ils craindront
et compteront sur le SEIGNEUR[z] :

t* *39.8 Jb 17.13-16. ***u* *39.12*** Jb 13.28. ***v* *39.13*** 119.19 ; Gn 23.4 ; Lv 25.23 ; 1 Ch 29.15 ; He 11.13 ; 1 P 2.11. ***w* *39.14*** Jb 7.19, 21 ; 10.20-22 ; 14.6. ***x* *40.2*** *le Seigneur m'a entendu* 4.4+. ***y* *40.3*** *le gouffre* 18.5 ; 69.3. ***z* *40.4*** *un chant nouveau* 33.3+. — *compter sur le Seigneur* 9.11+ ; 55.24+.

5 Heureux cet homme qui a mis sa confiance dans le SEIGNEUR,
et ne s'est pas tourné vers les hommes de Rahav[a]
ni vers les suppôts du mensonge !

6 Qu'ils sont grands, SEIGNEUR mon Dieu,
les projets et les miracles que tu as faits pour nous !
Tu n'as pas d'égal.
Je voudrais l'annoncer, le répéter,
mais il y en a trop à dire[b].

7 Tu n'as voulu ni *sacrifice ni offrande,
— tu m'as creusé des oreilles pour entendre[c] —
tu n'as demandé ni holocauste ni expiation.
8 Alors j'ai dit : « Voici, je viens
avec le rouleau d'un livre écrit pour moi[d].
9 Mon Dieu, je veux faire ce qui te plaît,
et ta loi est tout au fond de moi. »

10 Dans la grande assemblée[e], j'ai annoncé ta justice ;
non, je ne retiens pas mes lèvres,
SEIGNEUR, tu le sais !
11 Je n'ai pas caché[f] ta justice au fond de mon cœur,
j'ai parlé de ta loyauté et de ton salut,
je n'ai pas dissimulé ta fidélité et ta vérité
à la grande assemblée.
12 Toi, SEIGNEUR, tu ne retiendras pas loin de moi ta miséricorde,
ta fidélité et ta vérité me préserveront toujours[g].

13 Des malheurs sans nombre allaient me submerger,
mes fautes[h] m'ont assailli, et j'en ai perdu la vue ;
j'en ai plus que de cheveux sur la tête, et le cœur me manque.

a 40.5 *heureux* ! 1.1+. — *mettre sa confiance dans le Seigneur* 71.5. — *les hommes de Rahav* : traduction incertaine. *Rahav* (voir Ps 89.11) : un des monstres du chaos primitif ; comparer avec Jb 9.13. — Anciennes versions grecque et syriaque : *et ne s'est pas tourné vers les vaines (idoles)*. **b 40.6** *Dieu n'a pas d'égal* 35.10+. — *trop de choses à dire* 71.15+ ; Jn 20.30 ; 21.25. **c 40.7** *ni sacrifices ni offrandes* Ps 50.8-10 ; 51.18-21 ; 69.31-32 ; Os 6.6 ; Am 5.22 ; He 10.5. — *des oreilles pour entendre* (que le Seigneur ne réclame pas de sacrifices) Es 50.4-5 ; Ez 12.2 ; Pr 20.12 ; Mt 11.15+. — Autre texte (version grecque et psautier romain) *tu m'as formé un corps* ; c'est sous cette dernière forme que le verset est cité en He 10.5. **d 40.8** Traduction incertaine. Autre traduction *au rouleau du livre il m'est prescrit de faire ta volonté* (2 R 22.13). — Versions anciennes *avec le rouleau d'un livre écrit à mon sujet* (voir Jn 5.39 ; He 10.7). **e 40.10** 35.18+. **f 40.11** *je n'ai pas caché...* 78.4. **g 40.12** *préservé* 25.21+. — *fidélité et vérité* 25.10+. **h 40.13** *mes fautes* 38.5.

14 SEIGNEUR, daigne me délivrer !
SEIGNEUR, viens vite à mon aide[i] !
15 Qu'ensemble ils rougissent de honte,
Ceux qui cherchent à m'ôter la vie[j] !
Qu'ils reculent désohonorés,
ceux qui désirent mon malheur !
16 Qu'ils soient ravagés, talonnés par la honte,
ceux qui font « Ah ! ah ![k] »
17 Qu'ils exultent de joie à cause de toi,
tous ceux qui te cherchent[l] !
Qu'ils ne cessent de dire : « Le SEIGNEUR est grand »,
ceux qui aiment ton salut !

18 Je suis pauvre et humilié,
le Seigneur pense à moi.
Tu es mon aide et mon libérateur[m] ;
mon Dieu, ne tarde pas !

PSAUME 41 (40)

1 *Du *chef de chœur. Psaume de David.*

2 Heureux[n] celui qui pense au faible !
Au jour du malheur, le SEIGNEUR le délivre,
3 le SEIGNEUR le garde vivant et heureux sur la terre.
Ne le livre pas à la voracité de ses ennemis[o] !
4 Le SEIGNEUR le soutient sur son lit de souffrance
en retournant souvent sa couche de malade[p].

5 Je disais : « SEIGNEUR, par pitié, guéris-moi,
car j'ai péché contre toi. »
6 Mes ennemis[q] disent du mal de moi :
« Quand mourra-t-il, que son nom disparaisse[r] ? »
7 Si quelqu'un vient me voir, il pense à mal,
il fait provision de méchancetés ;
sorti, il en parle dans la rue.

i* *40.14 *vite à mon aide* ! 22.20+. ***j 40.15*** 35.4+. ***k 40.16*** *Ah, Ah* ! Ps 35.21, 25+. ***l 40.17*** *chercher le Seigneur* 9.11+. — *joie* 35.27. ***m 40.18*** *mon libérateur* 18.3 ; 144.2. ***n 41.2*** *Heureux* ! 1.1+. ***o 41.3*** *le Seigneur ne le livre pas* 27.12. — *voracité des ennemis* 17.9. ***p 41.4*** Le Seigneur est comparé à un ami qui prend soin du malade. ***q 41.5*** *pitié* ! *guéris-moi* 6.3+. — *j'ai péché contre toi* 51.6 ; voir Lc 15.21. ***r 41.6*** *mes ennemis* 31.12-14 ; 38.17-20. — Propos des adversaires 35.25+.

[8] Réunis près de moi, tous ces adversaires chuchotent,
près de moi, ils évaluent mon malheur[s] :
[9] « Il a attrapé une sale affaire,
une fois couché, on ne s'en relève pas ! »

[10] Même l'ami sur qui je comptais,
et qui partageait mon pain, a levé le talon sur moi[t].
[11] Mais toi, SEIGNEUR, par pitié, relève-moi,
que je prenne ma revanche !

[12] Voici à quoi je reconnais ta bienveillance :
mon ennemi ne crie plus victoire.
[13] Tu m'as soutenu, remis en bon état[u],
et pour toujours rétabli devant toi.

[14] Béni soit le SEIGNEUR, le Dieu d'Israël,
depuis toujours et pour toujours !
*Amen et amen[v] !

DEUXIÈME LIVRE (Ps 42—72)

PSAUME 42 (41)

[1] *Du *chef de chœur. Instruction des fils de Coré*[w].

[2] Comme une biche se tourne
vers les cours d'eau[x],
ainsi mon âme se tourne
vers toi, mon Dieu.
[3] J'ai soif de Dieu,
du Dieu vivant :
Quand pourrai-je entrer
et paraître face à Dieu[y] ?

s 41.8 Ceux qui préméditent mon malheur 36.5. ***t 41.10*** *même l'ami...* 38.12 ; 55.14 ; 88.9 ; Jb 19.13-21 ; voir 2.11-13. — *celui qui partageait mon pain* Mc 14.18 *a levé le talon contre moi* Jn 13.18. ***u 41.13*** Autre traduction *tu m'as maintenu dans mon innocence.* ***v 41.14*** *Béni soit le Seigneur* ! 72.18 ; 89.53 ; 106.48 ; Lc 1.68. — Ce dernier verset sert de conclusion au premier livre du psautier (Ps 1—41). Voir Ps 72.18-19 ; 89.53. ***w 42.1*** D'après 1 Ch 6.22 ; 9.19 ; 26.1 ; 2 Ch 20.19 les descendants de *Coré* étaient chantres ou portiers au Temple. Les Ps 42—49 ; 84—85 ; 87— 88 appartenaient à leur répertoire. ***x 42.2*** Jl 1.20. ***y 42.3*** *soif de Dieu* 36.10 ; 63.2 ; 84.3 ; Jn 4.10-14 ; voir Jn 7.38. — *paraître face à Dieu* Ps 11.7 ; 17.15 ; 63.3 ; 84.8 ; Ex 23.15-17 ; 24.11 ; Es 1.12 ; voir Ex 33.20 ; Ap 22.4.

4 Jour et nuit,
mes larmes sont mon pain,
quand on me dit tous les jours :
« Où est ton Dieu[z] ? »
5 Je me laisse aller
à évoquer le temps
où je passais la barrière,
pour conduire jusqu'à la maison de Dieu[a],
parmi les cris de joie et de louange,
une multitude en fête.

6 Pourquoi[b] te replier, mon âme,
et gémir sur moi ?
Espère en Dieu !
Oui, je le célébrerai encore,
lui et sa face qui sauve.

7 Mon âme s'est repliée contre moi, ô mon Dieu,
c'est pourquoi je t'évoque
depuis le pays du Jourdain, des cimes de l'Hermon,
et du mont Micéar[c].

8 Les flots de *l'abîme s'appellent l'un l'autre,
au fracas de tes cataractes.
En se brisant et en roulant,
toutes tes vagues ont passé sur moi[d].

9 Le jour, le SEIGNEUR exerçait sa fidélité ;
la nuit, je le chantais,
et je priais Dieu qui est ma vie[e].

10 je veux dire à Dieu mon rocher :
« Pourquoi m'as-tu oublié ?
Pourquoi m'en aller[f], lugubre
et pressé par l'ennemi ? »

z 42.4 *des larmes comme pain* 80.6 ; 102.10. — *où est ton Dieu* ? 79.10 ; 115.2 ; Jl 2.17 ; Mi 7.10 ; Ml 2.17. ***a 42.5*** *se laisser aller* 62.9 ; 102.1 ; 1 S 1.15 ; Jb 30.16 ; Lm 2.12. — *Je passais la barrière* : traduction incertaine. — *pour conduire* : la traduction suit ici l'ancienne version grecque. — *la maison de Dieu* Ps 27.4. ***b 42.6*** *Pourquoi... ?* v. 12 ; Ps 43.5 ; voir Jn 12.27. ***c 42.7*** *mon âme repliée contre moi* Lm 3.20. — *les cimes de l'Hermon* Ps 89.13 ; 133.3 ; Dt 3.8 ; 4.48 ; Jos 12.1. — *l'Hermon* : imposante montagne située au nord de la Palestine. — Le *mont Micéar* (ou *Petit-Mont*) n'a pas pu être identifié. ***d 42.8*** 69.3 ; 88.8 ; Jon 2.4. ***e 42.9*** *la nuit... ma vie* : traduction incertaine. ***f 42.10*** *Dieu mon rocher* 28.1 +. — *pourquoi m'en aller...* 43.2.

11 Mes membres sont meurtris,
mes adversaires m'insultent
en me disant tous les jours :
« Où est ton Dieu ? »

12 Pourquoi[g] te replier, mon âme,
pourquoi gémir sur moi ?
Espère en Dieu !
Oui, je le célébrerai encore,
lui, le salut de ma face et mon Dieu.

PSAUME 43 (42)

1 Dieu, rends-moi justice
et plaide ma cause[h]
contre des gens infidèles.
Libère-moi de l'homme trompeur et criminel.
2 Dieu, toi ma forteresse,
pourquoi m'as-tu rejeté ?
Pourquoi m'en aller, lugubre
et pressé par l'ennemi[i] ?

3 Envoie ta lumière et ta vérité[j] :
elles me guideront,
me feront parvenir à ta montagne sainte
et à tes *demeures.
4 Je parviendrai à l'autel de Dieu,
au Dieu qui me fait danser de joie,
et je te célébrerai sur la cithare[k]
Dieu, mon Dieu !

5 Pourquoi te replier, mon âme,
pourquoi gémir sur moi ?
Espère en Dieu !
Oui, je le célébrerai encore,
lui, le salut de ma face et mon Dieu[l].

g 42.12 *Pourquoi...?* v. 6. ***h 43.1*** La reprise de certains versets (43.2*b* = 42.10*b*) et surtout du même refrain (43.5 = 42.6, 12) permet de penser que les Ps 42 et 43 formaient à l'origine un psaume unique. — *plaide ma cause* 9.5+ ; 119.154. ***i 43.2*** *pourquoi m'as-tu rejeté?* 44.10, 24 ; 60.12 ; 74.1. — *pourquoi m'en aller...?* 42.10. ***j 43.3*** 57.4. ***k 43.4*** Voir Ps 92.4 et la note. ***l 43.5*** *Pourquoi te replier...?* 42.6, 12.

PSAUME 44 (43)

(Voir Ps 74 ; 79 ; 80)

1 *Du *chef de chœur, des fils de Coré*[m]*, instruction.*

2 Dieu, nous avons entendu de nos oreilles,
nos pères nous ont raconté
l'exploit que tu fis en leur temps,
au temps d'autrefois[n].

3 Pour les implanter, de ta main, tu as dépossédé des nations[o],
et pour les déployer, tu as maltraité des peuples.
4 Ce n'est pas leur épée qui les a rendus maîtres du pays,
ce n'est pas leur bras qui les a fait vaincre,
mais ce fut ta droite, ton bras, et la lumière de ta face,
car tu les aimais[p].
5 O Dieu, toi qui es mon roi,
commande, et Jacob vaincra[q].

6 Grâce à toi, nous avons encorné nos adversaires,
par ton *nom, nous avons piétiné nos agresseurs[r].
7 Je ne comptais pas sur mon arc,
mon épée ne me donnait pas la victoire[s].
8 C'est toi qui nous as fait vaincre nos adversaires,
et tu as déshonoré nos ennemis[t].
9 Tous les jours nous chantions les louanges de Dieu[u]
en célébrant sans cesse ton nom. **Pause.*

10 Pourtant tu nous as rejetés[v] et bafoués,
tu ne sors plus avec nos armées.
11 Tu nous fais reculer devant l'adversaire,
et nos ennemis ont emporté le butin[w].

12 Tu nous livres comme agneaux de boucherie,
tu nous as dispersés parmi les nations[x].

m 44.1 Voir 42.1 et la note. ***n 44.2*** *entendu de nos oreilles* 2 S 7.22. — *nos pères nous ont raconté* Ps 78.3. — *temps d'autrefois* 77.6. ***o 44.3*** *nations dépossédées* 78.55. — *les implanter* 80.9 ; Ex 15.17. ***p 44.4*** *Ce n'est pas leur épée* Dt 8.17-18 ; Jos 24.12 ; Os 1.7. — *ta droite* Ps 17.7+. — *la lumière de ta face* 4.7. — *tu les aimais* 41.12 ; Dt 7.8. ***q 44.5*** *mon roi* 74.12 ; Es 33.22. — *Jacob*, ancêtre du peuple d'Israël, personnifie ici ce peuple tout entier ; voir Ps 14.7. ***r 44.6*** *encorner l'adversaire* 1 R 22.11. — *piétiner les agresseurs* Ps 60.14 ; 108.14. ***s 44.7*** 20.8 ; Os 1.7. ***t 44.8*** Victoire due au Seigneur 37.39-40. — *ennemis déshonorés* 132.18. ***u 44.9*** *louange en tout temps* 34.2. ***v 44.10*** 60.12 ; 74.1 ; 77.8 ; 89.39. ***w 44.11*** *reculer devant l'adversaire* Dt 28.25. — Pillé par l'ennemi Jg 2.14. ***x 44.12*** *comme agneaux de boucherie* Es 53.7. — *dispersés parmi les nations* Ps 106.27 ; Lv 26.33 ; Dt 28.64.

13 Tu cèdes ton peuple sans bénéfices,
et tu n'as rien gagné à le vendre[y].

14 Tu nous exposes aux outrages de nos voisins[z],
à la moquerie et au rire de notre entourage.
15 Tu fais de nous la fable des nations,
et devant nous les peuples haussent les épaules[a].

16 Tous les jours, j'ai devant moi ma déchéance,
et la honte couvre mon visage[b],
17 sous les cris d'outrage et de blasphème,
face à un ennemi revanchard.

18 Tout cela nous est arrivé, et nous ne t'avions pas oublié[c],
nous n'avions pas démenti ton *alliance ;
19 notre cœur ne s'était pas repris,
nos pas n'avaient pas dévié de ta route,
20 quand tu nous as écrasés au pays des chacals[d]
et recouverts d'une ombre mortelle.

21 Si nous avions oublié le nom de notre Dieu,
tendu les mains vers un dieu étranger,
22 Dieu ne l'aurait-il pas remarqué,
lui qui connaît les secrets des *cœurs[e] ?
23 C'est à cause de toi[f] qu'on nous tue tous les jours,
qu'on nous traite en agneaux d'abattoir !

24 Réveille-toi, pourquoi dors-tu, Seigneur ?
Sors de ton sommeil, ne rejette pas sans fin[g] !
25 Pourquoi caches-tu ta face[h]
et oublies-tu notre malheur et notre oppression ?
26 Car notre gorge traîne dans la poussière[i],
notre ventre est cloué au sol.

27 Lève-toi[j] ! A l'aide !
Rachète-nous au nom de ta fidélité !

***y* 44.13** Peuple vendu Dt 32.30 pour rien Es 52.3. ***z* 44.14** *outrages des voisins* 79.4. ***a* 44.15** *la fable des nations* 69.12. — *haussent les épaules* : l'hébreu exprime ce signe de mépris par l'expression équivalente *ils hochent la tête* ; voir Jr 48.17. ***b* 44.16** *devant moi* 38.18. — *honte sur le visage* 69.8. ***c* 44.18** 78.7 ; 103.2. ***d* 44.20** c'est-à-dire *au désert* ; Es 34.13. ***e* 44.22** *Dieu l'aurait remarqué* Pr 5.21. — *les secrets des cœurs* Jr 17.10. ***f* 44.23** Rm 8.36. — *à cause de toi :* autre traduction possible *contre toi,* c'est-à-dire *en t'offensant.* ***g* 44.24** *réveille-toi* 35.23+. — *rejeter sans fin* 74.1 ; 79.5 ; 80. ***h* 44.25** *cacher sa face* (pour ne pas voir) 10.11. ***i* 44.26** 119.25. ***j* 44.27** *lève-toi* ! 3.8 ; 35.2.

PSAUME 45 (44)

1 *Du *chef de chœur, sur les lis ; des fils de Coré.*
Instruction ; chant d'amour[k].

2 Le cœur vibrant de belles paroles,
je dis mes poèmes en l'honneur d'un roi.
Que ma langue soit la plume d'un habile[l] écrivain !

3 Tu es le plus beau des hommes,
la grâce coule de tes lèvres ;
aussi Dieu t'a béni à tout jamais[m].
4 O brave, ceins ton épée au côté,
ta splendeur et ton éclat.
5 Avec éclat, chevauche et triomphe
pour la vraie cause
et la juste clémence.

Que ta droite lance la terreur[n] :
6 tes flèches barbelées.
Sous toi tomberont des peuples,
les ennemis du roi frappés en plein cœur.

7 O DIEU, ton trône est éternel,
ton sceptre royal est un sceptre de droiture[o].
8 Tu aimes la justice, tu détestes le mal,
aussi Dieu, ton Dieu, t'a *oint d'une huile de joie,
de préférence à tes compagnons[p].

k 45.1 *sur les lis : les lis* représentent peut-être les premiers mots d'un chant connu sur l'air duquel on devait chanter ce psaume. Certains cependant pensent que le terme traduit par *lis* désigne plutôt un instrument de musique. — *fils de Coré* : voir Ps 42.1 et la note. — *chant d'amour* : autre traduction *chant des biens aimés.* ***l 45.2*** *cœur vibrant de belles paroles* Jb 32.18-20. — *habile* Pr 22.29. ***m 45.3*** *le plus beau des hommes* Ez 28.12, 17. — Il prononce la grâce Lc 4.22. — *béni à tout jamais* Ps 21.7. ***n 45.5*** *Que ta (main) droite lance la terreur* : traduction incertaine ; autre traduction possible *que ta (main) droite te fasse lancer des coups terribles.* — s. Jérôme (version latine) et Ibn Ezra (ancien commentateur juif) ont compris *que ta (main) droite t'enseigne des coups terribles.* — Ancienne version grecque *ta (main) droite te guidera miraculeusement.* — v. 5-6 : Triomphe du roi contre ses ennemis 2.9 ; 21.9 ; 110.2. ***o 45.7*** L'A.T. applique parfois le terme *dieu* à des humains (Ps 82.6 ; Ex 4.16 ; voir Jn 10.34-35). Il semble ici appliqué au roi. Les anciennes versions ont traduit le v. 7 comme s'adressant au Seigneur ; He 1.8-9 l'applique au Fils. — Les traducteurs modernes proposent parfois *ton trône est celui de Dieu* (voir 1 Ch 29.23), ou *ton trône est comme celui de Dieu.* — *droiture* (pour juger) Es 11.3-5. ***p 45.8*** Onction du roi Jg 9.8 ; 1 S 10.1 ; 2 S 2.4 ; 5.3 ; 1 R 1.45 ; 19.15 ; 2 R 9.6 ; 11.12. — *de préférence à tes compagnons* 1 S 16.6-13.

[9] Tes vêtements ne sont que myrrhe, aloès et cannelle.
Sortant des palais d'ivoire, des mélodies[q] te réjouissent.
[10] Des filles de rois sont là avec tes bijoux,
et debout à ta droite, la dame avec de l'or d'Ofir[r].

[11] Ecoute, ma fille ! regarde et tends l'oreille :
oublie ton peuple et ta famille[s] ;
[12] que le roi s'éprenne de ta beauté !
C'est lui ton seigneur[t],
prosterne-toi devant lui.
[13] Alors, fille de Tyr, les plus riches du peuple
te flatteront avec des présents[u].

[14] Majestueuse, la fille de roi est à l'intérieur
en robe brochée d'or.
[15] Parée de mille couleurs, elle est menée vers le roi ;
les demoiselles de sa suite, ses compagnes,
sont introduites auprès de toi.
[16] En un joyeux cortège,
elles entrent dans le palais royal.

[17] Tes fils remplaceront tes pères,
tu en feras des princes sur toute la terre.
[18] Je rappellerai ton *nom dans tous les âges ;
aussi les peuples te célébreront à tout jamais[v].

PSAUME 46 (45)

[1] *Du *chef de chœur ; des fils de Coré ; al-alamôth[w] ; chant.*

[2] Dieu est pour nous un refuge[x] et un fort,
un secours toujours offert dans la détresse.

q 45.9 *myrrhe, aloès, cannelle* : des parfums d'origine végétale. — *palais d'ivoire* 1 R 22.39 ; Am 3.15. — *des mélodies* : traduction incertaine. **r 45.10** *filles de roi* Ct 6.8. — *la dame* : le terme hébreu correspondant ne se retrouve ailleurs qu'en Ne 2.6 ; il désigne peut-être la reine mère. — *Ofir* : voir 1 R 9.28 et la note ; l'*or* importé de ce pays était particulièrement réputé ; Es 13.12+. **s 45.11** Les v. 11-17 paraissent s'adresser à la reine, le jour de son mariage. — *oublie ton peuple et ta famille* Rt 1.16. **t 45.12** *ton Seigneur* Ex 21.8 ; 1 P 3.6. — *prosterne-toi devant lui* Ep 5.24. **u 45.13** *fille de Tyr* : selon certains cette expression ferait allusion à Jézabel, princesse tyrienne qu'épousa le roi Akhab d'Israël (1 R 16.31). Plus probablement *fille de Tyr* est une expression figurée qui souligne la richesse de la fiancée royale. — *flattée avec des présents* Ps 72.10-12. **v 45.18** *à tout jamais* 2 S 7.29. **w 46.1** *fils de Coré* : voir Ps 42.1 et la note. — *al-alamôth* : certaines versions anciennes ont compris *pour les jeunes filles* ; l'ancienne version grecque *pour les secrets*. De toute façon il s'agirait des premiers mots d'un chant connu. Certains ont voulu rapprocher ce terme du titre *almouth* qu'on trouve au Ps 9.1 (voir la note). **x 46.2** *un refuge* 62.8-9 ; 71.7.

3 Aussi nous ne craignons rien quand la terre bouge,
et quand les montagnes basculent[y] au cœur des mers.

4 Leurs eaux grondent en écumant,
elles se soulèvent et les montagnes tremblent[z]. *Pause.*
5 Mais il est un fleuve dont les bras réjouissent la ville de Dieu,
la plus sainte des demeures du Très-Haut[a].

6 Dieu est au milieu d'elle ; elle n'est pas ébranlée.
Dieu la secourt dès le point du jour[b] :
7 Des nations ont grondé, des royaumes se sont ébranlés ;
il a donné de la voix[c] et la terre a fondu.

8 Le SEIGNEUR, le tout-puissant, est avec nous.
Nous avons pour citadelle[d] le Dieu de Jacob. *Pause.*

9 Allez voir les actes du SEIGNEUR,
les ravages[e] qu'il a faits sur la terre.
10 Il arrête les combats jusqu'au bout de la terre,
il casse l'arc, brise la lance,
il incendie les chariots[f].
11 Lâchez les armes ! reconnaissez que je suis Dieu !
Je triomphe des nations[g], je triomphe de la terre.

12 Le SEIGNEUR le tout-puissant, est avec nous.
Nous avons pour citadelle le Dieu de Jacob. *Pause.*

PSAUME 47 (46)

(Voir Ps 93 ; 96—99)

1 *Du *chef de chœur ; des fils de Coré[h] ; psaume.*

2 Peuples, battez tous des mains,
acclamez Dieu[i] par un ban joyeux.

y 46.3 Es 24.19 ; 54.10 ; Jb 9.5-6. ***z 46.4*** Fureur de la mer 93.3. ***a 46.5*** *un fleuve* Ez 47.2-12 ; Jl 4.18 ; Ap 22.1-2 ; voir Es 8.6 ; Ps 65.10. — *demeure du Très-Haut.* 68.17 ; 78.68. ***b 46.6*** Sion *n'est pas ébranlée* 125.1. — *Dieu la secourt dès le point du jour* Es 37.36-37. ***c 46.7*** Grondement des nations 2.1-3 ; Ap 11.18. — *la voix* du Seigneur Ps 29. ***d 46.8*** *le Seigneur est avec nous* Es 7.14 ; 8.10. — *le Seigneur, une citadelle* Ps 9.10+. ***e 46.9*** *allez voir les actes du Seigneur* 66.5. — *ravages* Es 13.9. ***f 46.10*** *il arrête les combats* Es 2.4. — Destruction des armes de guerre Ps 76.4 ; Os 2.20. — Au lieu de *chariots* les versions grecque et araméenne ont lu *boucliers.* ***g 46.11*** *reconnaissez que je suis Dieu* Dt 32.39 ; Ez 12.16. — Dieu au-dessus des nations Ps 47.8-9. ***h 47.1*** Voir 42.1 et la note. ***i 47.2*** So 3.14-15.

3 Car le SEIGNEUR, le Très-Haut, est terrible ;
il est le grand roi sur toute la terre[j].

4 Il nous soumet des peuples
et met des nations sous nos pieds.
5 Il choisit pour nous un patrimoine,
fierté de Jacob[k] son bien-aimé. *Pause.*

6 Dieu est monté parmi les ovations,
à la sonnerie du cor[l], lui, le SEIGNEUR.
7 Chantez Dieu, chantez[m] !
chantez pour notre roi, chantez !

8 Car le roi de toute la terre, c'est Dieu.
Chantez pour le faire savoir.
9 Dieu règne sur les nations ;
Dieu s'est assis sur son trône[n] sacré.

10 Les princes des peuples se sont rassemblés :
c'est le peuple du Dieu d'Abraham.
Car les boucliers de la terre sont à Dieu,
qui est monté au-dessus de tout[o].

PSAUME 48 (47)

1 *Chant, psaume. Des fils de Coré[p].*

2 Il est grand le SEIGNEUR, il est comblé de louanges[q],
dans la ville de notre Dieu, sa montagne sainte.
3 Belle et altière, elle réjouit toute la terre.
L'Extrême-Nord, c'est la montagne de *Sion[r],
la cité du grand roi.

j 47.3 Dieu *terrible* 68.36 ; 76.8 ; 96.4 ; Dt 7.21 ; Dn 9.4. — *le grand roi* 95.3 ; Ex 15.18 ; Es 52.7 ; Ml 1.14 ; 1 Tm 6.15 *sur toute la terre* Za 14.9. ***k 47.5*** *il choisit* 132.13+. — *fierté de Jacob* Am 8.7. — *Jacob* : voir Ps 44.5 et la note. ***l 47.6*** *Dieu a monté* 68.19 *parmi les ovations* 24.7-10 ; 89.16. — *sonnerie du cor* 98.6. ***m 47.7*** *chantez* 96.1+. ***n 47.9*** 9.5 ; 11.4 ; 89.15 ; 93.2 ; 97.2 ; 103.19 ; 1 R 22.19 ; Es 6.1 ; Ap 4.2. ***o 47.10*** Les anciennes versions grecque et syriaque ont traduit *les princes des peuples se sont réunis au Dieu d'Abraham.* — *rassemblés* Es 2.2. — *le peuple du Dieu d'Abraham* Gn 22.18 ; voir Ps 87. — Comme en Ps 84.10 et 89.19 les *boucliers* sont ici une appellation imagée des rois. — *au-dessus de tout* 97.9 ; voir 95.3 ; 96.4. ***p 48.1*** Voir Ps 42.1 et la note. ***q 48.2*** Ps 96.4. ***r 48.3*** *L'Extrême-Nord* : en Es 14.13 cette même expression fait allusion à la mythologie cananéenne ; elle désigne la montagne où s'assemblent les dieux cananéens, le centre où, selon cette mythologie, sont prises les décisions concernant la terre. Sous forme imagée le Ps 48 affirme ici que ce centre est en réalité à Sion, la cité de Dieu. — Beauté de Sion Ps 50.2. — *la cité du grand roi* Mt 5.35.

[4] Dans les palais de Sion,
Dieu est connu comme la citadelle[s].

[5] Voici, des rois s'étaient donné rendez-vous ;
ensemble ils avançaient[t].
[6] Ils ont vu : aussitôt, stupéfaits,
épouvantés, ils détalèrent[u].

[7] Un tremblement les cloua sur place,
tordus comme femme en travail[v].
[8] C'était le vent d'est,
quand il fracasse les bâteaux de Tarsis[w].

[9] Ce que nous avions entendu dire, nous l'avons vu
dans la ville du SEIGNEUR, le tout-puissant,
dans la ville de notre Dieu :
Dieu l'affermit[x] pour toujours. *Pause.*

[10] Dieu, nous revivons ta fidélité
au milieu de ton temple.
[11] Ta louange, comme ton nom, Dieu,
couvre l'étendue de la terre[y].
Ta droite est pleine de justice ;
[12] la montagne de Sion se réjouit[z],
les villes de Juda exultent
à cause de tes jugements.

[13] Défilez sur les murailles de Sion ;
comptez-en les tours.
[14] Admirez son rempart,
dénombrez ses palais,
pour annoncer à la génération suivante[a]
[15] que ce Dieu est notre Dieu à tout jamais.
Il nous mène...[b]

***s* 48.4** *Dieu, citadelle* 9.10+. ***t* 48.5** *le rendez-vous des rois* 2.2+. – Attaque manquée contre Jérusalem Es 36–37. ***u* 48.6** Dispersion des rois 68.13. ***v* 48.7** Ex 15.14. ***w* 48.8** *vent d'est* Jr 18.17. – *les bateaux de Tarsis* sont probablement des navires capables d'effectuer de longs trajets ; voir Ps 72.10 ; Jon 1.3 et les notes ; 1 R 10.22 ; 22.49 ; Es 2.16 ; 23.1 ; 60.9 ; Ez 27.25. ***x* 48.9** Ce qu'il y a à voir 46.9. – *la ville du Seigneur est affermie* 46.6. ***y* 48.11** 113.3. ***z* 48.12** 97.8. ***a* 48.14** 78.4. ***b* 48.15** *notre Dieu à tout jamais* 90.2. – La fin du verset est difficilement compréhensible. Les anciennes versions proposent des sens très divers : grec *pour toujours* ; latin *dans la mort* ; syriaque *au-delà de la mort* ; araméen *comme au temps de notre jeunesse*.

PSAUME 49 (48)

1 *Du *chef de chœur, des fils de Coré[c], psaume.*

2 Peuples, écoutez tous ceci[d] ;
habitants de l'univers, prêtez tous l'oreille,
3 gens du peuple, gens illustres,
riches et pauvres, tous ensemble.

4 Ma bouche dit des paroles de sagesse[e],
mon cœur murmure des propos de bon sens.
5 L'oreille attentive au proverbe,
sur ma cithare[f], je résous l'énigme.

6 Pourquoi craindre, aux mauvais jours,
la malice des fourbes qui me cernent[g],
7 et ceux qui comptent sur leur fortune
et se vantent de leur grande richesse[h] ?

8 Un homme ne peut pas en racheter un autre,
ni payer à Dieu sa rançon[i].
9 Quel que soit le prix versé pour une vie,
elle devra cesser pour toujours[j].

10 Il vivrait encore, indéfiniment ?
Jamais il ne verrait la fosse ?
11 Alors qu'on voit les sages mourir,
périr avec l'imbécile et la brute,
en laissant à d'autres leur fortune[k].

12 Ils croyaient leurs maisons éternelles,
leurs demeures impérissables,
et ils avaient donné leurs noms à des terres[l] !

c 49.1 Voir 42.1 et la note. ***d 49.2*** *peuples, écoutez...* Pr 8.4. ***e 49.4*** *ma bouche dit...* 45.2 ; 78.2. ***f 49.5*** *cithare* : voir 92.4 et la note. ***g 49.6*** *aux mauvais jours* 37.19+. — *la malice des fourbes qui me cernent :* texte hébreu obscur et traduction incertaine. ***h 49.7*** Jr 9.22 ; Lc 12.16-21. ***i 49.8*** L'hébreu ne permet pas de savoir si l'on doit comprendre *sa propre rançon* (ainsi l'ancienne version grecque) ou *la rançon de l'autre* (ainsi la version latine de s. Jérôme). ***j 49.9*** Autre traduction possible du v. 9 *La rançon de leur vie est coûteuse* ; / *il manquera toujours (de l'argent pour la payer).* — La vie ne peut être achetée Mt 16.26 ; Rm 3.24. ***k 49.11*** *les sages* meurent aussi Jb 21.23-26 ; Qo 2.14-16 ; 6.8. — *leur fortune* passe à d'autres v. 18 ; *Si* 11.19. ***l 49.12*** *Ils croyaient leurs maisons éternelles* ; traduction incertaine ; les versions anciennes ont compris *leur tombe est leur demeure pour toujours. — Donner son nom à une terre* : expression imagée qui signifie qu'on se considère comme le propriétaire éternel de cette terre. Voir une expression analogue en 2 S 12.28.

13 L'homme avec ses honneurs ne passe pas la nuit :
il est pareil à la bête[m] qui s'est tue.

14 Voici le destin de ceux qui ont une folle confiance en eux,
l'avenir de ceux qui se plaisent à leurs discours[n] : *Pause.
15 Ils sont parqués aux enfers comme des brebis ;
la Mort les mène paître.
Le lendemain, des hommes droits les piétinent,
leurs traits[o] s'effacent aux enfers,
ils sont loin de leurs palais.
16 Mais Dieu rachètera ma vie[p] au pouvoir des enfers ;
oui, il me prendra. *Pause.*

17 Ne crains plus quand un homme s'enrichit[q]
et quand la gloire de sa maison grandit.
18 Car en mourant, il n'emporte rien[r],
et sa gloire ne descend pas avec lui.

19 De son vivant, il se félicitait :
« On t'applaudit, car tout va bien pour toi ! »
20 Il rejoindra le cercle de ses pères
qui plus jamais ne verront la lumière[s].

21 L'homme avec ses honneurs mais qui n'a pas compris[t],
est pareil à la bête qui s'est tue.

PSAUME 50 (49)

1 *Psaume. D'Asaf.*

Le Dieu des dieux, le SEIGNEUR, a parlé ;
il a convoqué la terre,
du soleil levant au soleil couchant[u].
2 De Sion, beauté parfaite,
Dieu resplendit[v].

***m* 49.13** Qo 3.18-21. ***n* 49.14** 73.10. ***o* 49.15** *leurs traits* : d'après le texte hébreu « écrit » ; texte hébreu que la tradition juive considère comme « à lire » *leur rocher*, c'est-à-dire leur secours (ainsi l'ancienne version grecque) ou bien *leur dieu* (comme en Dt 32.31). — Le texte hébreu de la fin du verset est obscur. ***p* 49.16** 2 S 4.9 ; Os 13.14. ***q* 49.17** 73.12-20. ***r* 49.18** 1 Tm 6.7. ***s* 49.20** Jb 10.21-22. ***t* 49.21** *mais qui n'a pas compris* : en hébreu cette partie du v. 21 fait jeu de mots avec la partie correspondante du v. 13 *(il) ne passe pas la nuit.* Les versions anciennes traduisent les deux versets de la même manière. ***u* 50.1** *Asaf* est l'ancêtre d'une famille de *lévites chargée du chant dans le Temple (1 Ch 6.16-17, 24 ; 16.5-7 ; 25.1-2 ; 2 Ch 35.15). Les Ps 73-83 faisaient partie de son répertoire. — *Le Dieu des dieux* ou *Le plus grand des dieux*, ou *Le Dieu suprême* ; Dt 10.17. — *du soleil levant au soleil couchant* Ps 113.3+. ***v* 50.2** *beauté de Sion* 48.3. — *Dieu resplendit* Dt 33.2.

3 Qu'il vienne, notre Dieu,
et ne se taise pas !
Devant lui un feu dévore,
autour de lui, c'est l'ouragan[w].

4 Il convoque les *cieux d'en haut
et la terre pour le jugement de son peuple :
5 Rassemblez mes fidèles,
qui ont fait *alliance avec moi par un *sacrifice[x].
6 Et les cieux proclament sa justice :
Le juge, c'est Dieu[y] ! *Pause.*

7 Ecoute mon peuple[z], je vais parler ;
Israël, je vais témoigner contre toi :
« C'est moi Dieu, ton Dieu ! »

8 Ce n'est pas pour tes sacrifices que je t'accuse ;
à perpétuité, tes holocaustes sont devant moi[a],
9 Je ne prendrai pas un taureau dans ta maison,
ni des boucs dans tes enclos ;
10 car tous les animaux des forêts sont à moi,
et les bêtes des hauts pâturages[b].
11 Je connais tous les oiseaux des montagnes,
et la faune sauvage m'appartient.

12 Si j'avais faim, je ne te le dirais pas,
car le monde et ce qui le remplit est à moi[c].
13 Vais-je manger la viande des taureaux
et boire le sang des boucs[d] ?

14 Offre à Dieu la louange comme *sacrifice
et accomplis tes vœux[e] envers le Très-Haut.
15 Puis appelle-moi au jour de la détresse[f],
je te délivrerai, et tu me glorifieras.

w 50.3 *Dieu vient* Es 59.20 ; 63.19. – *qu'il ne se taise pas* 83.2. – *devant lui un feu* 97.3 ; Dt 32.22 ; 1 R 19.12 ; Dn 7.10. – *ouragan autour de lui* Jb 38.1 ; 40.6. ***x 50.5*** Ex 24.4-8. ***y 50.6*** *les cieux proclament...* 19.2. – *Dieu comme juge* 7.12 ; 94.2 ; Es 33.22 ; Jr 11.20 ; Jb 9.15 ; 23.7. ***z 50.7*** 78.1 ; 81.9. ***a 50.8*** v. 8-11 : problèmes posés par les sacrifices 40.7 ; 51.18-19 ; 1 S 15.22 ; Es 1.11-17 ; Jr 6.20 ; 7.21-23 ; Os 6.6 ; Am 5.21-25 ; Mi 6.6-8. ***b 5.10*** Les anciennes versions grecque et syriaque ont lu *les bêtes des montagnes et les bœufs.* ***c 50.12*** 24.1+. ***d 50.13*** 69.32. ***e 50.14*** *la louange comme sacrifice* : traduction soutenue par l'ancienne version araméenne. Autre traduction *Offre à Dieu le sacrifice de louange* ; même possibilité au v. 25. – 69.31 ; Os 14.3 ; He 13.15. – *accomplis tes vœux* Ps 56.13 ; 76.12 ; Dt 23.22 ; Qo 5.3-4 ; Mt 5.33. ***f 50.15*** *appelle-moi* Jr 33.3. – *au jour de la détresse* Ps 77.3+.

16 Dieu dit à l'impie :
Pourquoi réciter mes commandements
et avoir mon alliance à la bouche,
17 toi qui détestes la correction
et rejettes mes paroles ?

18 Si tu vois un voleur, tu deviens son complice,
tu prends ta place chez les adultères[g].
19 Tu livres ta bouche à la méchanceté,
tu associes ta langue au mensonge.
20 Tu t'assieds, tu parles contre ton frère,
tu salis le fils de ta mère.

21 Voilà ce que tu as fait, et je me tairais ?
Tu t'imagines que je suis comme toi[h] ?
Je t'accuse, j'étale tout sous tes yeux.
22 Comprenez-le, vous qui oubliez Dieu !
Sinon je déchire, et nul ne délivrera[i].

23 Qui offre la louange comme *sacrifice me glorifie,
et il prend le chemin où je lui ferai voir le salut[j] de Dieu.

PSAUME 51 (50)

1 *Du chef de chœur. Psaume de David.*
2 *Quand le prophète Natan alla chez lui, après que David fut allé chez Bethsabée*[k].

3 Aie pitié de moi, mon Dieu, selon ta fidélité ;
selon ta grande miséricorde, efface mes torts[l].
4 Lave-moi sans cesse de ma faute
et purifie-moi[m] de mon péché.

5 Car je reconnais mes torts[n],
j'ai toujours mon péché devant moi.
6 Contre toi, et toi seul, j'ai péché,

g 50.18 *voleur et adultère* Rm 2.21-22. ***h 50.21*** Le texte hébreu fait ici difficulté ; il semble avoir conservé côte à côte deux formes possibles de ce vers : 1) *Tu t'imagines que je suis comme toi* (forme confirmée par les versions anciennes) ; 2) *Tu t'imagines être « Je suis »* (« Je suis » étant le nom par lequel Dieu se désigne en Ex 3.14). ***i 50.22*** Os 5.14 ; voir Os 2.12+. ***j 50.23*** Au lieu de *et il prend le chemin*, les anciennes versions grecque et syriaque ont lu *là est le chemin où...* ; une autre version grecque et la version latine ont lu *à celui dont la conduite est intègre je ferai voir....* ***k 51.2*** 2 S 12.1. ***l 51.3*** *aie pitié* 41.5. — *efface mes torts* Es 43.25 ; 44.22. ***m 51.4*** *purifie-moi* Ez 36.25 ; 37.23. ***n 51.5*** Jb 31.33.

ce qui est mal à tes yeux, je l'ai fait,
ainsi tu seras juste quand tu parleras,
irréprochable quand tu jugeras[o].

7 Voici, dans la faute j'ai été enfanté[p]
et, dans le péché, conçu des ardeurs de ma mère.
8 Voici, tu aimes la vérité dans les ténèbres[q],
dans ma nuit, tu me fais connaître la sagesse.
9 Ote mon péché avec l'hysope, et je serai *pur ;
lave-moi, et je serai plus blanc que la neige[r].

10 Fais que j'entende l'allégresse et la joie,
et qu'ils dansent, les os que tu as broyés[s].
11 Devant mes péchés, détourne-toi,
toutes mes fautes, efface-les.
12 Crée pour moi un cœur pur, Dieu ;
enracine en moi un esprit tout neuf[t].

13 Ne me rejette pas loin de toi,
ne me reprends pas ton esprit saint[u] ;
14 rends-moi la joie d'être sauvé,
et que l'esprit généreux me soutienne !

15 J'enseignerai ton chemin aux coupables,
et les pécheurs reviendront vers toi[v].
16 Mon Dieu, Dieu sauveur, libère-moi du *sang[w] ;
que ma langue crie ta justice !
17 Seigneur, ouvre mes lèvres,
et ma bouche proclamera ta louange[x].

18 Tu n'aimerais pas que j'offre un *sacrifice,
tu n'accepterais pas d'holocauste[y].
19 Le sacrifice voulu par Dieu, c'est un esprit brisé[z] ;
Dieu, tu ne rejettes pas un cœur brisé et broyé.

o 51.6 *j'ai péché contre toi* 2 S 12.13 ; Lc 15.18. — *tu seras juste quand...* Rm 3.4. — *irréprochable quand tu jugeras* Ps 7.12. — Les versions grecque et syriaque ont un texte différent : *ainsi tu seras reconnu juste dans tes paroles et tu triompheras lorsqu'on te jugera.* C'est sous cette dernière forme que le verset est cité en Rm 3.4. ***p 51.7*** Jn 9.34 ; voir Rm 7.14. ***q 51.8*** *ténèbres* : le sens du terme ainsi traduit est incertain. ***r 51.9*** *hysope* : voir Lv 14.4 et la note. — *plus blanc que la neige* Es 1.18. ***s 51.10*** Ez 37.11. ***t 51.12*** Ez 11.19 ; 36.26 ; 2 Co 5.17. ***u 51.13*** *esprit saint* Es 63.11. ***v 51.15*** 22.28. ***w 51.16*** *Dieu sauveur* Es 17.10+. — *libère-moi du sang* : autres traductions *dispense-moi du sang (des sacrifices)* ; ou *fais que mon sang ne soit pas versé* ; ou encore *purifie-moi du sang (que j'ai versé)*, voir 2 S 11.14-17 ; 12.9 ; Ez 7.23 ; 9.9. ***x 51.17*** Des *lèvres* pour *la louange* 119.171. ***y 51.18*** Am 5.21-24. ***z 51.19*** *le sacrifice voulu par Dieu* Os 6.6. — *un cœur brisé* 69.21 ; Es 61.1 ; Ez 6.9.

20 Fais du bien à *Sion,
rebâtis les murs de Jérusalem[a].
21 Alors tu aimeras les sacrifices prescrits,
offrande totale[b] et holocauste ;
alors on offrira des taureaux sur ton *autel.

PSAUME 52 (51)

1 *Du *chef de chœur. Instruction de David.*
2 *Quand Doëg l'Edomite vint annoncer à Saül : « David est entré dans la maison d'Ahimélek[c]. »*

3 Pourquoi, bravache, te vanter de faire le mal ?
La fidélité de Dieu est pour tous les jours !

4 Ta langue prémédite des crimes ;
elle est perfide comme un rasoir affûté ;
elle est habile à tromper[d].
5 Au bien tu préfères le mal[e],
et à la franchise le mensonge. **Pause.*
6 Tu aimes toute parole qui détruit,
langue perfide !

7 Dieu lui-même te ruinera pour toujours,
il te tirera, t'arrachera de la tente,
il te déracinera du pays[f] des vivants. *Pause.*
8 Alors les justes verront et craindront[g] ;
ils riront de lui :
9 Le voici ce brave,
qui ne prenait pas Dieu pour forteresse
mais qui comptait sur sa grande richesse[h],
fort de ses crimes !

10 Mais moi, comme un olivier verdoyant
dans la maison de Dieu,

a ***51.20*** *fais du bien à Sion* 102.14-18. – Reconstruction Ez 36.33. **b** ***51.21*** *sacrifices prescrits* 4.6. – *offrande totale* : voir Lv 6.15-16. **c** ***52.2*** 1 S 21.8 ; 22.9-10. **d** ***52.4*** *langue* malfaisante 5.10+. – *habile à tromper* Mi 6.12 ; Jb 27.4. **e** ***52.5*** Jr 4.22. **f** ***52.7*** *arraché de sa tente* Jb 18.14 – *déraciné du pays* Pr 2.22. **g** ***52.8*** *voir et craindre* 40.4

h ***52.9*** *brave* : les versions anciennes ont traduit *homme* ; mais la traduction a essayé ici de reproduire un jeu de mots que l'hébreu fait entre *guibbôr* au v. 3 (bravache, fanfaron) et *guèbèr* (v. 9), rendu par *brave*. – *Dieu, une forteresse* 27.1 ; 28.7 ; 31.3-4 ; voir 9.10+. – *compter sur la richesse* Pr 11.28.

je compte sur la fidélité de Dieu[i]
à tout jamais.
11 Toujours je te rendrai grâce, car tu as agi[j] ;
j'ai espoir en ton nom, car il est bon,
en présence de tes fidèles.

PSAUME 53 (52)
(Voir Ps 14)

1 *Du *chef de chœur, al-mâhalath[k]. Instruction de David.*

2 Les fous se disent :
« Il n'y a pas de Dieu[l] ! »
Corrompus, ils se sont pervertis dans des horreurs ;
aucun n'agit bien.

3 Des cieux, Dieu s'est penché vers les hommes,
pour voir[m] s'il en est un d'intelligent
qui cherche Dieu.

4 Tous fourvoyés, ils sont unis dans le vice ;
aucun n'agit bien[n],
pas même un seul.

5 Sont-ils ignorants, ces malfaisants,
qui mangeaient mon peuple[o] en mangeant leur pain
et n'invoquaient pas Dieu !

6 Et là où ils se sont mis à trembler,
il n'y avait pas de quoi trembler,
car Dieu a éparpillé les os de tes assiégeants.
Tu les as bafoués, car Dieu les a repoussés.

7 Qui donne, depuis Sion, des victoires à Israël ?
Quand Dieu ramène les captifs[p] de son peuple,
Jacob exulte, Israël est dans la joie.

***i* 52.10** *verdoyant* 1.3. — *dans la maison de Dieu* 92.13-14. — *compter sur le Seigneur* 9.11+. ***j* 52.11** 1 R 8.32. ***k* 53.1** *al-mâhalath :* terme technique de sens inconnu, qu'on retrouve au Ps 88.1. L'ancienne version grecque l'a traduit comme un nom propre (voir Gn 28.9) ; les autres versions grecques et la version latine ont compris *en chœur.* ***l* 53.2** Le Ps 53 reproduit le Ps 14 à quelques détails près : il possède une suscription (v. 1) ; le nom *Dieu* remplace l'appellation *le Seigneur ;* enfin le contenu du v. 6 diffère de celui des versets correspondants dans le Ps 14. — Pour les notes voir au Ps 14. — *pas de Dieu* 14.1 ; 10.4+, 11, 13. ***m* 53.3** *Dieu s'est penché* 14.2 ; 102.20. — *pour voir* 11.4 ; Gn 11.5. ***n* 53.4** Rm 3.10-12. ***o* 53.5** *ignorants* 79.6. — *ils mangeaient mon peuple* 79.7 ; Mi 3.3. ***p* 53.7** *Dieu ramène les captifs* 14.7+.

PSAUME 54 (53)

1 *Du *chef de chœur, avec instruments à cordes. Instruction de David.*
2 *Quand les Zifites[q] vinrent dire à Saül : « David n'est-il pas caché parmi nous ? »*

3 Dieu, sauve-moi par ton nom ;
par ta bravoure, rends-moi justice.
4 O Dieu, écoute ma prière,
prête l'oreille aux paroles de ma bouche.

5 Car des étrangers m'ont attaqué[r]
et des tyrans en veulent à ma vie.
Ils n'ont pas tenu compte de Dieu. **Pause.*

6 Voici, Dieu est mon aide,
le Seigneur est avec ceux qui m'appuient[s].
7 Qu'il rende le mal à ceux qui m'espionnent !
Par ta fidélité, extermine-les.

8 De bon cœur je t'offrirai des *sacrifices ;
SEIGNEUR, je célébrerai ton nom[t] car il est bon :
9 Il m'a délivré de toute détresse,
et je toise mes ennemis[u].

PSAUME 55 (54)

1 *Du *chef de chœur, avec instruments à cordes. Instruction de David.*

2 O Dieu, prête l'oreille[v] à ma prière ;
quand je supplie, ne te dérobe pas.
3 Fais attention à moi et réponds-moi.
Bouleversé, je me plains et je divague,
4 aux cris d'un ennemi
et sous la pression d'un impie ;
car ils déversent sur moi des méfaits
et m'attaquent avec colère.

5 Mon cœur se crispe dans ma poitrine ;

q 54.2 *Les Zifites* sont les habitants du village de Zif, dans le sud du territoire de Juda ; ils dénoncèrent à Saül la cachette de David (1 S 23.19). ***r 54.5*** 86.14. ***s 54.6*** Autre traduction (avec les versions) *le Seigneur est mon appui.* ***t 54.8*** *ton nom* 52.11. ***u 54.9*** 59.11 ; 112.8 ; 118.7. ***v 55.2*** 17.1 ; 71.2+ ; 86.6.

des frayeurs mortelles sont tombées sur moi,
6 crainte et tremblement[w] me pénètrent,
et je suis couvert de frissons.
7 Alors j'ai dit : « Ah, si j'avais des ailes[x] de colombe !
je m'envolerais pour trouver un abri.
8 Oui, je fuirais au loin
pour passer la nuit au désert[y]. *Pause.
9 je gagnerais en hâte un refuge
contre le vent de la tempête. »

10 Seigneur, mets la brouille
et la division dans leur langage[z].
Car j'ai vu la violence et la discorde dans la ville.
11 Jour et nuit, elles rôdent[a] sur ses murailles.
A l'intérieur, il y a méfait et forfait ;
12 à l'intérieur, il y a des crimes ;
brutalité et tromperie
ne quittent pas ses rues.

13 Ce n'est pas un ennemi qui m'insulte,
car je le supporterais.
Ce n'est pas un adversaire qui triomphe de moi,
je me déroberais à lui.
14 Mais c'est toi, un homme de mon rang,
mon familier[b], mon intime.
15 Nous échangions de douces confidences,
et nous marchions de concert dans la maison de Dieu.

16 Que la ruine fonde sur eux !
Qu'ils descendent vivants aux enfers,
car la méchanceté est chez eux[c], elle est en eux.

17 Moi, je fais appel à Dieu[d],
et le SEIGNEUR me sauvera.
18 Le soir, le matin, à midi[e],
bouleversé, je me plains.
Il a entendu ma voix,
19 il m'a libéré, gardé sain et sauf,

w 55.6 Jb 4.14. ***x 55.7*** 139.9. ***y 55.8*** Jr 9.1. ***z 55.10*** Gn 11.1-9. ***a 55.11*** 59.7. ***b 55.14*** 41.10 ; Jr 9.3 ; Mi 7.6. ***c 55.16*** *Que la ruine fonde sur eux !* traduction incertaine. — *descendre vivant aux enfers* Nb 16.33. — *la méchanceté est chez eux :* autre traduction *quand les malheurs viendront chez eux.* ***d 55.17*** *appel au Seigneur* 3.5+. ***e 55.18*** Dn 6.11.

quand on me combattait,
car il y avait foule auprès de moi.
20 Que Dieu entende et qu'il les humilie,
lui qui trône dès l'origine[f] ! *Pause.*
Ils ne changeront pas,
ils ne craignent pas Dieu.

21 Cet homme[g] a porté la main sur ses amis,
il a profané son *alliance.
22 L'onction glisse de sa bouche,
mais son cœur fait la guerre.
Ses paroles sont plus douces que l'huile,
mais ce sont des poignards[h].

23 Rejette ton fardeau, mets-le sur le SEIGNEUR,
il te réconfortera,
il ne laissera jamais chanceler le juste[i].

24 Et toi, Dieu, tu les feras descendre dans un charnier béant.
Les hommes sanguinaires et trompeurs
ne vivront pas la moitié de leurs jours.
Mais moi, je compte sur toi[j].

PSAUME 56 (55)

1 *Du *chef de chœur, Al yônath élèm rehôqîm. De David, miktâm. Quand les Philistins le saisirent à Gath*[k].

2 Pitié, Dieu ! Car un homme me harcèle :
tous les jours il combat, il m'opprime.
3 Des espions me harcèlent[l] tous les jours,
mais là-haut, une grande troupe combat pour moi.
4 Le jour où j'ai peur, je compte sur toi.

f 55.20 29.10. ***g 55.21*** L'auteur semble désigner ici un de ses adversaires en particulier, peut-être un de ses anciens amis. ***h 55.22*** Langage hypocrite 5.10 ; 12.3+. — *paroles* acérées 57.5 ; 59.8 ; 64.4. ***i 55.23*** *ton fardeau :* le terme hébreu correspondant ne se trouve nulle part ailleurs dans l'A.T. Il est traduit ici d'après le sens qu'il a dans les commentaires juifs traditionnels (Talmud) ; la traduction reste incertaine. — *remets au Seigneur ton fardeau* 37.5 ; 1 P 5.7. — *il ne laissera jamais chanceler le juste :* autre traduction *il ne laissera pas le juste chanceler à jamais.* ***j 55.24*** *la moitié de la vie* 102.25. — *compter sur le Seigneur* 9.11 + ; 56.4-5 ; 62.6, 9 ; 71.5 ; 84.13 ; 86.2 ; 91.2 ; 104.27 ; 112.7 ; 115.9-11 ; 125.1 ; 143.8 ; Es 26.4 ; Jr 17.7. ***k 56.1*** *Al yônath élèm rehôqîm :* la traduction a renoncé à rendre ces quatre mots hébreux, qui indiquaient peut-être le titre d'une mélodie sur laquelle on devait chanter le Ps 56. En modifiant quelque peu le texte, certains proposent de traduire *Sur « la colombe des dieux lointains ».* — *miktâm :* voir Ps 16.1 et la note. — *David à Gath* 1 S 21.11-13. ***l 56.3*** *harcelé* 57.4 ; voir 5.9.

5 Sur Dieu, dont je loue la parole,
sur Dieu je compte, je n'ai pas peur :
que ferait pour moi un être de chair[m] ?

6 Tous les jours ils me font souffrir[n],
ils ne pensent qu'à me nuire.
7 A l'affût ils épient
et ils observent mes traces
pour attenter à ma vie.
8 Pour ce méfait, échapperaient-ils ?
Dieu, que ta colère abatte ces gens[o] !

9 Tu as compté mes pas de vagabond ;
dans ton outre recueille mes larmes.
N'est-ce pas écrit dans tes comptes[p] ?

10 Mes ennemis battront en retraite
le jour où j'appellerai ;
je le sais, Dieu est pour moi[q].

11 Sur Dieu, dont je loue les paroles,
— sur le SEIGNEUR, dont je loue les paroles —
12 sur Dieu je compte, je n'ai pas peur :
que feraient pour moi les hommes ?

13 Dieu, je suis tenu par mes vœux ;
j'accomplis pour toi les *sacrifices de louange.
14 Car tu m'as délivré de la mort.
N'as-tu pas préservé mes pieds de la chute,
pour que je marche devant Dieu
à la lumière de la vie[r] ?

PSAUME 57 (56)

(V. 8-12 : voir Ps 108.2-6)

1 *Du *chef de chœur, al-tashehéth. De David, miktâm.*
Quand, dans la caverne[s], il fuyait Saül.

m 56.5 Valeurs du secours humain 60.13. — *compter sur Dieu* 9.11+ ; 55.24+. ***n 56.6*** *ils me font souffrir :* traduction conjecturale. ***o 56.8*** *que ta colère...* Jr 18.23. ***p 56.9*** *larmes* Es 38.5. — *dans tes comptes* ou *dans ton livre ;* voir Ps 69.29 ; Ap 3.5+. ***q 56.10*** *ennemis en retraite* 9.4. — *Dieu est pour moi* 118.7 ; 124.1-2.

r 56.14 *délivré de la mort* 33.19 ; 116.8. — *la lumière de la vie* 36.10. ***s 57.1*** *al-tashehéth* (ne détruis pas) est peut-être le titre d'une mélodie sur laquelle on devait chanter les Ps 57 ; 58 ; 59 ; 75. — *miktâm :* voir Ps 16.1 et la note. — *David dans la caverne* 1 S 22.1-2 ; 24. 1-9 ; voir Ps 142.1.

2 Pitié, Dieu ! aie pitié de moi,
car je t'ai pris pour refuge ;
et je me réfugie à l'ombre de tes ailes[t],
tant que dure le malheur.
3 Je fais appel à Dieu, le Très-Haut,
au Dieu qui fera tout pour moi[u] :
4 Que, des cieux, il m'envoie le salut !
Celui qui me harcèle a blasphémé, *Pause.*
que Dieu envoie sa fidélité et sa vérité[v] !

5 Je puis me coucher parmi des lions de feu,
des hommes qui ont pour dents des lances et des flèches,
et pour langue, une épée acérée[w].
6 Dieu, dresse-toi sur les cieux[x] ;
que ta gloire domine toute la terre !

7 Sur mon passage, ils ont préparé un filet :
on m'a courbé la tête.
Devant moi, ils ont creusé une trappe :
ils sont tombés en plein milieu[y]. *Pause.*

8 Le cœur rassuré[z], mon Dieu,
le cœur rassuré,
je vais chanter un hymne :
9 Réveille-toi, ma gloire ;
réveillez-vous, harpe et cithare,
je vais réveiller l'aurore[a].

10 Je te rendrai grâce parmi les peuples, Seigneur ;
je te chanterai parmi les nations[b].
11 Car ta fidélité s'élève jusqu'aux cieux
et ta vérité[c] jusqu'aux nues.

12 Dieu, dresse-toi sur les cieux[d] ;
que ta gloire domine toute la terre !

***t* 57.2** *à l'ombre de tes ailes* 17.8+. ***u* 57.3** *appel à Dieu* 3.5+. — *Dieu fera tout pour moi* 138.8. ***v* 57.4** *celui qui me harcèle* 56.3 ; voir 5.9. — *que Dieu envoie... sa vérité* 43.3. — *fidélité et vérité* 25.10+. ***w* 57.5** au milieu *des lions* 17.12 ; Dn 6.17. — *de feu* Jb 41.13. — *langue acérée* Ps 55.22 ; 64.4. ***x* 57.6** v. 12 ; 108.6. ***y* 57.7** *filet* 9.16+. — *trappe* voir 7.16+. — Pris à leur propre piège 9.16 ; 64.9. ***z* 57.8** *cœur rassuré* 108.2. ***a* 57.9** *harpe et cithare* : voir Ps 92.4 et la note. — *réveiller l'aurore* 119.62, 147. ***b* 57.10** *parmi les nations* 18.50. ***c* 57.11** *ta fidélité jusqu'aux cieux* 36.6 ; 103.11. — *fidélité et vérité* v. 4 ; 25.10+. ***d* 57.12** 8.2 ; 113.4 ; voir Es 2.11.

PSAUME 58 (57)

1 *Du *chef de chœur, al-tashehéth. De David, miktâm*[e].

2 C'est vrai ! Quand vous parlez, la justice est muette[f].
Fils des hommes, jugez-vous avec droiture ?
3 Non ! Sciemment, vous commettez des crimes :
sur la terre, vous propagez[g] la violence de vos mains.
4 A peine conçus, les méchants sont dévoyés,
les menteurs divaguent dès leur naissance.
5 Ils ont un venin pareil au venin du serpent ;
ils sont comme la vipère[h] sourde, qui se bouche l'oreille,
6 qui n'obéit pas à la voix des enchanteurs
et du charmeur le plus habile aux charmes[i].

7 Dieu ! casse-leur les dents dans la gueule ;
SEIGNEUR, démolis les crocs de ces lions[j].
8 Qu'ils s'écoulent comme les eaux qui s'en vont !
Que Dieu ajuste ses flèches, et les voici fauchés[k] !
9 Qu'ils soient comme la limace qui s'en va en bave !
Comme le fœtus avorté[l], qu'ils ne voient pas le soleil !
10 Avant que vos marmites ne sentent la flambée d'épines,
aussi vif que la colère[m], il les balayera.

11 Le juste se réjouira en voyant la vengeance[n] :
il lavera ses pieds dans le sang des méchants.
12 Et les hommes diront : « Oui, le juste fructifie :
oui, il y a un Dieu qui juge sur la terre[o]. »

e 58.1 *al-tashehéth :* voir Ps 57.1 et la note. *miktâm :* voir Ps 16.1 et la note. ***f 58.2*** La traduction des premiers mots de ce psaume est incertaine ; autre traduction (conjecturale) : *Est-il vrai, vous les dieux, que vous disiez la justice ?* Juges injustes 82.2. ***g 58.3*** *vous propagez :* traduction incertaine. Autre traduction *vous pesez* (allusion à la balance, image de la justice). Les anciennes versions grecque et syriaque ont compris *vos mains tissent l'injustice.* ***h 58.5*** *un venin de serpent* Dt 32.33. – *comme la vipère* 140.4. ***i 58.6*** Qo 10.11. ***j 58.7*** *casse-leur les dents* 3.8. – *crocs de lion* 57.5. ***k 58.8*** *comme l'eau qui s'écoule* Jb 11.16. – *flèches de Dieu* Ps 18.15. – *les voici fauchés :* traduction conjecturale. ***l 58.9*** Jb 3.16. ***m 58.10*** *aussi vif que la colère :* traduction conjecturale. ***n 58.11*** *le juste se réjouira* 35.27. – *en voyant la vengeance* Jr 11.20 ; Ez 25.17. ***o 58.12*** *le juste fructifie* 1.3. – *un Dieu qui juge la terre* Ml 2.17 ; Jb 19.29.

PSAUME 59 (58)

1 *Du *chef de chœur, al-tashehéth. De David, miktâm.*
Quand Saül envoya garder la maison pour le faire mourir[p].

2 Dieu, délivre-moi de mes ennemis[q] ;
protège-moi de mes agresseurs.
3 Délivre-moi des malfaisants
et sauve-moi des hommes sanguinaires[r].

4 Car les voici en embuscade[s] contre moi,
des puissants m'attaquent,
sans que j'aie commis de faute ou de péché, SEIGNEUR !
5 Je ne suis pas coupable, et ils courent se poster.
Sors du sommeil[t] ! Viens à ma rencontre et vois !
6 Toi, SEIGNEUR Dieu, le tout-puissant, Dieu d'Israël,
réveille-toi pour punir toutes ces nations ;
sois sans pitié pour tous ces traîtres[u] de malheur. **Pause.*

7 Le soir, ils reviennent,
grondant comme des chiens ;
ils rôdent[v] par la ville.
8 Les voici, de la bave plein la gueule,
des épées sur les babines[w] :
« Qui donc entend ? »

9 Et toi, SEIGNEUR, tu ris d'eux[x],
tu te moques de toutes ces nations.
10 Je regarderai vers toi, la force.
Ma citadelle, c'est Dieu.
11 Le Dieu fidèle vient au-devant de moi :
Dieu me fait toiser[y] ceux qui m'espionnent.

12 Ne les massacre pas, sinon mon peuple oubliera[z].
Que ta vigueur les secoue et les rabaisse,
Seigneur notre bouclier !
13 Dès qu'ils parlent, ils ont le péché à la bouche ;
qu'ils soient pris à leur orgueil[a],
pour la malédiction et le mensonge qu'ils profèrent !

p 59.1 1 S 19.11-17. — *al-tashehéth :* voir Ps 57.1 et la note. — *miktâm :* voir Ps 16.1 et la note. ***q 59.2*** 31.16. ***r 59.3*** *hommes sanguinaires* 5.7. ***s 59.4*** 10.9 ; Pr 1.11 ; Lm 4.19. ***t 59.5*** 35.23 ; 44.24. ***u 59.6*** Es 26.10. ***v 59.7*** *comme des chiens* 22.17. — *ils rôdent* 55.11. ***w 59.8*** Langage acéré 55.22. ***x 59.9*** 2.4 ; 37.13. ***y 59.11*** 54.9 ; 112.8 ; 118.7. ***z 59.12*** Ez 12.16. ***a 59.13*** Es 13.11 ; Ez 7.24.

[14] Achève avec fureur ;
achève, et qu'il n'en reste rien !
et qu'ils sachent que Dieu
est le souverain de Jacob[b],
jusqu'aux extrémités de la terre. *Pause.*

[15] Le soir, ils reviennent,
grondant comme des chiens ;
ils rôdent par la ville.
[16] Ils errent en quête de nourriture ;
s'ils ne sont pas repus,
ils passent la nuit à geindre[c].

[17] Et moi, je chante ta force,
le matin, j'acclame ta fidélité,
car tu as été pour moi une citadelle,
un refuge au jour de ma détresse[d].
[18] Je te chanterai, toi ma force.
Ma citadelle, c'est Dieu[e],
le Dieu qui m'est fidèle !

PSAUME 60 (59)

(V. 7-14 : voir Ps 108.7-14)

[1] *Du *chef de chœur ; al-shoushân édouth. Miktâm[f] de David. Pour enseigner.*
[2] *Quand il combattait les *Araméens de Mésopotamie et ceux de Çova. Et Joab revint et battit Edom, soit douze mille hommes, dans la vallée du Sel[g].*

[3] Dieu, tu nous as rejetés[h], disloqués ;
u t'es irrité : rétablis-nous !
[4] Tu as fait trembler la terre, tu l'as crevassée :
réduis ses fractures, car elle chancelle[i] !

b 59.14 *achève...* Nb 16.21 ; Jr 14.12. — *Dieu, souverain de Jacob-Israël* Jg 8.23. — *Jacob :* voir Ps 44.5 et la note. **c 59.16** Texte hébreu *ils passent la nuit ;* trois versions anciennes *ils geignent.* En hébreu, les deux verbes correspondant à ces traductions ont des formes très voisines. La traduction suppose que le texte hébreu est intentionnellement ambigu. **d 59.17** *le matin* 5.4 ; 30.6. — *au jour de ma détresse* 77.3+.

e 59.18 *Dieu, ma citadelle* voir 31.3+. **f 60.1** *al-shoushân édouth* indique sans doute le titre d'un chant de même mélodie que le Ps 60. Le sens de ce titre est inconnu. — *miktâm :* voir 16.1 et la note. **g 60.2** 2 S 8.3-5, 13. **h 60.3** 44.10 ; 74.1 ; 89.39. **i 60.4** *tu as fait trembler la terre* Ag 2.6 ; voir Am 1.1 ; 8.8 ; Za 14.5. — *elle chancelle* Es 24.20 ; 54.10.

5 Tu as fait voir de durs moments à ton peuple,
tu nous as fait boire un vin qui saoule[j].

6 A ceux qui te craignent[k], tu as donné le signal
pour fuir devant l'archer. *Pause.
7 Pour que tes bien-aimés soient délivrés,
sauve par ta droite[l] et réponds-nous.

8 Dieu a parlé dans le *sanctuaire :
J'exulte ; je partage Sichem
et je mesure la vallée de Soukkoth[m].
9 Galaad est à moi ; Manassé est à moi ;
Ephraïm est le casque de ma tête ;
Juda est mon sceptre[n] ;
10 Moab, la cuvette où je me lave.
Sur Edom, je jette ma sandale ;
Philistie, brise-toi contre moi en criant[o] !

11 Qui me mènera à la ville retranchée ?
Qui me conduira jusqu'en Edom,
12 sinon toi, le Dieu qui nous a rejetés,
le Dieu qui ne sortait plus avec nos armées[p] ?

13 Viens à notre aide contre l'adversaire,
car le secours de l'homme est illusion[q].
14 Avec Dieu nous ferons des exploits :
c'est lui qui piétinera nos adversaires[r].

PSAUME 61 (60)

1 *Du *chef de chœur, sur l'instrument à cordes de David.*

2 O Dieu, écoute mes cris,
sois attentif[s] à ma prière.
3 Du bout de la terre,
je fais appel à toi
quand le cœur me manque.

***j* 60.5** Es 51.17 ; Jr 25.15, 27 ; voir Ps 75.9. ***k* 60.6** 15.4+. ***l* 60.7** 17.7 ; 21.9 ; 44.4 ; 45.5 ; 48.11 ; 77.11 ; 118.15-16 ; 139.10. ***m* 60.8** *dans le sactuaire* ou *selon sa sainteté.* — *Sichem* (en Palestine centrale) et *Soukkoth* (en Transjordanie) sont deux étapes de Jacob à son retour en Palestine (voir Gn 33.17-18). ***n* 60.9** *Juda est mon sceptre* Gn 49.10. ***o* 60.10** *jeter sa sandale :* geste signifiant qu'on prenait possession d'un terrain (comparer Dt 25.9 ; Rt 4.7). — *en criant :* autre traduction *pousse des cris de joie contre moi.* ***p* 60.12** 44.10. ***q* 60.13** *viens à notre aide* 2 Ch 14.10. — *le secours humain* 56.5 ; voir 118.8. ***r* 60.14** *avec Dieu* 18.30 ; 44.6-9 ; He 11.33. — *adversaires piétinés* Ps 44.6 ; voir Rm 16.20. ***s* 61.2** *écoute mes cris* 5.2 ; 17.1 ; 28.2 ; 54.4 ; 55.2 ; 64.2 ; 141.1. — *sois attentif* 5.3+.

Sur le rocher trop élevé pour moi
tu me conduiras[t].
4 Car tu es pour moi un refuge[u],
un bastion face à l'ennemi.

5 Je voudrais être reçu sous ta tente pour des siècles,
et m'y réfugier, caché sous tes ailes[v]. *Pause.
6 C'est toi, Dieu, qui as exaucé mes vœux,
et donné leur héritage à ceux qui craignent ton nom[w].

7 Aux jours du roi, ajoute des jours ;
que ses années soient des siècles[x] !
8 Qu'il siège toujours en face de Dieu !
Charge la fidélité et la vérité[y] de le préserver.
9 Alors je chanterai sans cesse ton nom,
pour accomplir chaque jour mes vœux[z].

PSAUME 62 (61)

1 *Du *chef de chœur, d'après Yedoutoun[a]. Psaume de David.*

2 Oui, mon âme est tranquille devant Dieu ;
mon salut vient de lui[b].
3 Oui, il est mon rocher, mon salut,
ma citadelle[c] ; je suis presque inébranlable.

4 Allez-vous longtemps vous ruer tous ensemble
contre un homme, pour l'abattre
comme un mur qui penche
ou une clôture branlante ?

5 Oui, à cause de son rang,
ils projettent de le bannir ;
ils se plaisent au mensonge :
de la bouche ils bénissent,
mais au fond d'eux-mêmes, ils maudissent[d]. *Pause.

t 61.3 *du bout de la terre* Es 41.9. – *appel à Dieu* Ps 3.5+. – *tu me conduiras* Ps 60.11 ; voir 5.9+. ***u 61.4*** 5.12 ; 7.2+. ***v 61.5*** *sous la tente* 15.1. – *sous tes ailes* 17.8+. ***w 61.6*** Autre traduction possible *tu m'as donné en héritage ceux qui craignent ton nom.* ***x 61.7*** Longue vie au roi 21.5. ***y 61.8*** *Qu'il siège...* 110.1 ; Es 16.5. – *fidélité et vérité* 25.10+. ***z 61.9*** 66.13. ***a 62.1*** *Yedoutoun :* voir Ps 39.1 et la note. ***b 62.2*** *tranquille devant Dieu* 37.7. – *le salut vient de Dieu* Es 12.2. ***c 62.3*** *rocher, salut* 89.27 ; voir 27.5 ; 61.3. – *citadelle* 9.10+. ***d 62.5*** Bénédiction hypocrite Ps 28.3.

6 Oui, sois tranquille près de Dieu, mon âme ,
car mon espoir vient de lui[e].
7 Oui, il est mon rocher et mon salut,
ma citadelle : je suis inébranlable.

8 Mon salut et ma gloire sont tout près de Dieu ;
mon rocher fortifié, mon refuge[f] sont en Dieu.
9 Comptez sur lui en tout temps, vous, le peuple !
Epanchez devant lui votre cœur[g] ;
Dieu est pour nous un refuge. *Pause.*

10 Oui, les gens du peuple sont un souffle,
les gens illustres, un mensonge.
Quand on soulève la balance[h],
à eux tous, ils pèsent moins qu'un souffle.

11 Ne comptez pas sur la violence :
ne vous essoufflez pas en rapines.
Si votre fortune augmente,
n'y mettez pas votre cœur[i].

12 Dieu a dit une chose,
deux choses[j] que j'ai entendues,
ceci : que la force est à Dieu,
et à toi, Seigneur, la fidélité ;
et ceci : que tu rends à chacun selon ses œuvres[k].

PSAUME 63 (62)

1 *Psaume de David. Quand il était dans le désert de Juda*[l].

2 Dieu, c'est toi mon Dieu ! Dès l'aube je te désire ;
mon âme a soif de toi ;
ma chair languit après toi,
dans une terre desséchée[m], épuisée, sans eau.

e 62.6 71.5 ; Gn 49.18. ***f 62.8*** 46.2 ; 71.1 ; voir Ps 27.5+. ***g 62.9*** *compter sur Dieu* 9.11+ ; 55.24 +. — *épancher son cœur devant Dieu* 42.5 ; 142.3 ; 1 S 1.15. ***h 62.10*** *gens du peuple, gens illustres* Ps 49.3. — *un souffle* Ps 39.6-7. — *quand on soulève la balance :* les balances de l'époque avaient un fléau suspendu ; autre traduction *en montant sur la balance* ; Es 40.15. ***i 62.11*** *ne pas compter sur la violence* Es 30.12 ; *sur sa fortune* Jb 27.16 ; 31.25 ; Mt 19.22 ; 1 Tm 6.17. ***j 62.12*** *une chose, deux choses* Os 6.2+. ***k 62.13*** *fidélité* 17.7+. — *à chacun selon ses œuvres* Jr 25.14 ; Jb 34.11 ; Rm 2.6 ; 2 Tm 4.14. ***l 63.1*** 1 S 23.14. ***m 63.2*** *je te désire :* en hébreu les termes traduits par *aube* et *je te désire* comportent les mêmes consonnes ; le texte joue sur cette ressemblance. — *soif de toi* 42.3+. — *une terre desséchée* 143.6.

3 J'étais ainsi quand je t'ai vu dans le *sanctuaire
en contemplant ta force et ta gloire[n].
4 Oui, ta fidélité vaut[o] mieux que la vie,
mes lèvres te célébreront.

5 Ainsi, je te bénirai ma vie durant,
et à ton nom, je lèverai les mains[p].
6 Comme de graisse et d'huile, je me rassasierai[q],
et la joie aux lèvres, ma bouche chantera louanges.

7 Quand sur mon lit je pense à toi,
je passe des heures à te prier.
8 Car tu as été mon aide,
à l'ombre de tes ailes[r] j'ai crié de joie.
9 Je m'attache à toi de toute mon âme,
et ta droite me soutient[s].

10 Qu'ils aillent à la ruine ceux qui en veulent à ma vie !
Qu'ils rentrent dans les profondeurs de la terre !
11 Qu'on les passe au fil de l'épée !
Qu'ils soient la part des chacals !
12 Et le roi se réjouira de Dieu ;
quiconque jure par lui[t] n'aura qu'à s'en louer ;
car la bouche des menteurs sera close.

PSAUME 64 (63)

1 *Du *chef de chœur. Psaume de David.*

2 Dieu ! écoute ma plainte[u] ;
préserve ma vie d'un ennemi terrifiant ;
3 cache-moi loin du complot[v] des scélérats,
loin des malfaisants qui se concertent.

4 Ils ont affûté leur langue comme une épée ;
ils ont ajusté leurs flèches[w], leurs paroles venimeuses,

n 63.3 *contempler Dieu* 17.15+. — *ta force et ta gloire* 29.1 ; voir 78.61. ***o 63.4*** *ta fidélité* 17.7+. ***p 63.5*** *je te bénirai* Ps 145.2. — *à ton nom :* autre traduction *en entendant prononcer ton nom ou en ta présence.* — *je lèverai les mains* 28.2+ et la note. ***q 63.6*** *se rassasier* 36.9. ***r 63.8*** 17.8+. ***s 63.9*** *s'attacher à Dieu* Dt 13.5. — *ta droite me soutient* Ps 18.36 ; Es 41.10. ***t 63.12*** Le contexte ne permet pas de préciser s'il s'agit d'un serment fait en invoquant le nom du roi ou celui de Dieu. — *le roi se réjouira* 21.2. ***u 64.2*** 5.2 ; 17.1, 6. ***v 64.3*** *complot* 31.14+. ***w 64.4*** *langue acérée* 5.10+ ; voir 55.22. — *flèches* 11.12+ ; Jr 9.2.

5 pour tirer en cachette sur un homme intègre :
ils tirent soudain, sans rien craindre[x].
6 Ils se forgent une parole maligne ;
ils calculent pour dissimuler des pièges ;
ils disent : « Qui s'en apercevra[y] ? »
7 Ils combinent des crimes :
« Nous avons bien combiné notre affaire :
au fond de l'homme, le cœur est impénétrable ! »

8 Mais Dieu leur a tiré dessus ;
soudain, voici la flèche :
ce sont leurs propres coups,
9 leur langue s'est retournée contre eux.

En les voyant, chacun hoche la tête[z] ;
10 tout homme est saisi de crainte[a],
il proclame ce que Dieu a fait,
et de cet acte, il tire la leçon.

11 Que le juste se réjouisse du SEIGNEUR,
qu'il le prenne pour refuge,
et tous les *cœurs droits[b] s'en loueront.

PSAUME 65 (64)

1 *Du *chef de chœur, psaume. De David, chant.*

2 Dieu qui es en *Sion,
la louange te convient,
et pour toi on accomplit des vœux[c].
3 Jusqu'à toi qui entends la prière,
tout être de chair peut venir[d].

4 Les fautes ont été plus fortes que moi,
mais tu effaces nos péchés[e].

x 64.5 Le texte hébreu joue ici sur la ressemblance des verbes traduits par *tirer* et *craindre.* ***y 64.6*** Es 29.15. ***z 64.9*** *retournée contre eux* 9.16. — *hochements de tête* 22.8+ ; voir 44.15. ***a 64.10*** 40.4. ***b 64.11*** *réjouissance* 5.12 ; 69.33. — *cœurs droits* 32.11. ***c 65.2*** *Dieu qui est en Sion* Ps 132.13 ; 135.21 ; Es 31.9 ; 46.13 ; Jr 8.19 ; 31.6 ; Jl 4.17 ; Lm 4.11. — *la louange te convient :* traduction incertaine, mais soutenue par les anciennes versions grecque et syriaque. D'après d'autres versions anciennes : *pour toi le silence est une louange* ou *à toi une louange silencieuse.* — *accomplir des vœux* Ps 76.12+. ***d 65.3*** *Dieu entend la prière* 17.1 ; 66.19-20 ; Jon 2.8 ; Pr 15.29 voir Ps 34.16. — *tout être peut venir à Dieu* Es 66.23. ***e 65.4*** 78.38 ; Dt 21.8.

5 Heureux l'invité que tu choisis,
il demeurera dans tes *parvis.
Nous serons rassasiés des biens de ta maison[f],
des choses saintes de ton temple.

6 Avec justice, tu nous réponds par des merveilles,
Dieu notre sauveur[g],
sécurité de la terre entière
jusqu'aux mers lointaines.

7 Il affermit les montagnes par sa vigueur ;
il se ceint de bravoure[h].
8 Il apaise le vacarme des mers,
le vacarme de leurs vagues
et le grondement des peuples[i].

9 Au bout du monde, on s'effraie de tes *signes,
tu fais crier de joie les régions du levant et du couchant[j].

10 Tu as visité la terre, tu l'as abreuvée ;
tu la combles de richesses.
La rivière de Dieu regorge d'eau,
tu prépares le froment des hommes[k].
Voici comment tu prépares la terre :
11 Enivrant ses sillons,
tassant ses mottes,
tu la détrempes sous les averses,
tu bénis ce qui germe.

12 Tu couronnes tes bienfaits de l'année,
et sur ton passage la fertilité ruisselle[l].
13 Les pacages du désert ruissellent,
les collines prennent une ceinture[m] de joie,
14 les prés se parent de troupeaux ;
les plaines se drapent de blé :
tout crie et chante.

f 65.5 *Heureux... !* 1.1+. — *dans tes parvis* 84.3 ; 92.14 ; 96.8 ; 100.4 ; 135.2 ; Es 1.12 ; Za 3.7. — *rassasiés des biens de ta maison* Ps 36.9 ; 90.14 ; Jr 31.14. ***g 65.6*** *tu nous réponds par des merveilles* Dt 10.21 ; Es 64.2. — *Dieu sauveur* Es 17.10+. ***h 65.7*** *il affermit les montagnes* 24.2 ; 119.90 ; Jr 10.12. — *ceint de bravoure* Ps 93.1. ***i 65.8*** *il apaise la mer* 89.10+. — *et le grondement des peuples* Es 29.7 ; Ps 2.1. ***j 65.9*** *on s'effraie* ou *on s'émerveille.* — *cris de joie* d'un bout à l'autre de la terre 67.5. ***k 65.10*** *la terre abreuvée de pluie* Es 30.23 ; Jl 2.23. — *la rivière de Dieu* Ps 46.5+. — *le froment des hommes* Os 2.10 ; Jl 2.19. ***l 65.12*** 72.16 ; Am 9.13. ***m 65.13*** 96.12.

PSAUME 66 (65)

1 *Du *chef de chœur ; chant, psaume.*

Acclamez Dieu, toute la terre[n] ;
2 chantez la gloire de son nom,
glorifiez-le par la louange[o].
3 Dites à Dieu : « Que tes œuvres sont terribles !
devant ta grande force, tes ennemis se font courtisans[p].
4 Toute la terre se prosterne[q] devant toi,
elle chante pour toi, elle chante ton nom. » **Pause.*

5 Venez, vous verrez[r] les actes de Dieu.
qui terrifie les hommes par son exploit :
6 Il changea la mer en terre ferme,
on passait le fleuve à pied sec[s] ;
là, nous lui faisons fête.
7 Par sa bravoure il domine à tout jamais,
ses yeux surveillent les nations[t] ;
que les rebelles ne se redressent pas ! *Pause.*

8 Peuples, bénissez notre Dieu[u] ;
faites résonner sa louange.
9 Celui qui nous fait vivre
n'a pas laissé nos pieds chanceler[v].

10 Dieu, tu nous as examinés,
affinés[w] comme on affine l'argent.
11 Tu nous as menés dans un piège,
tu as mis nos reins dans un étau ;
12 tu as permis qu'on nous traite en bête de somme.
Nous sommes entrés dans le feu et dans l'eau,
mais tu nous as fait sortir pour un banquet[x].

13 J'entre dans ta maison avec des holocaustes ;
envers toi, j'accomplis les vœux[y]

***n* 66.1** 98.4+. ***o* 66.2** *la gloire de son nom* 29.2 ; 96.8 ; 115.1. — La traduction de la fin du v. 2 est incertaine ; certains proposent *c'est votre gloire que de le louer.* ***p* 66.3** 18.45 ; Dt 33.29. ***q* 66.4** Es 49.23 ; Ez 46.3. ***r* 66.5** *venez voir* 46.9. ***s* 66.6** 74.15 ; 114.3, 5 ; Ex 14.16 ; Jos 3.13 ; Es 44.27 ; 50.2. ***t* 66.7** 14.2 ; 33.13 ; Jb 28.24 ; 2 Ch 16.9. ***u* 66.8** 22.28-29 ; 117.1 ; 145.21. ***v* 66.9** 55.23 ; 121.3. ***w* 66.10** 26.2 ; Es 48.10 ; Jr 9.6 ; Za 13.9 ; 1 P 1.7. ***x* 66.12** La traduction du début du v. 12 est incertaine. Toutes les versions anciennes ont discerné ici une image de l'oppression subie par Israël. — *pour un banquet* 23.5. ***y* 66.13** *holocaustes :* voir au glossaire SACRIFICES. — *accomplir ses vœux* 76.12+.

14 qui ont ouvert mes lèvres
et que ma bouche a prononcés dans ma détresse.
15 Je t'offre des bêtes grasses en holocauste,
avec le fumet des béliers ;
j'apprête des taureaux et des boucs. *Pause.*

16 Venez, vous tous qui craignez Dieu,
vous m'entendrez raconter
ce qu'il a fait pour moi[z].
17 Quand ma bouche l'appelait,
la louange soulevait ma langue.

18 Si j'avais pensé à mal,
le Seigneur n'aurait pas écouté[a].
19 Mais Dieu a écouté,
il a été attentif à ma prière[b].
20 Béni soit Dieu[c],
qui n'a pas écarté de lui ma prière,
ni de moi sa fidélité.

PSAUME 67 (66)

1 *Du *chef de chœur, avec instruments à cordes. Psaume, chant.*

2 Que Dieu nous prenne en pitié et nous bénisse !
Qu'il fasse briller sa face parmi nous[d], **Pause.*
3 pour que, sur la terre, on connaisse ton chemin,
et parmi tous les païens, ton salut[e].

4 Que les peuples te rendent grâce, Dieu !
Que les peuples te rendent grâce, tous ensemble[f] !

5 Que les nations chantent leur joie,
car tu gouvernes les peuples avec droiture[g],
et sur terre tu conduis les nations.

6 Que les peuples te rendent grâce, Dieu !
Que les peuples te rendent grâce, tous ensemble !

***z* 66.16** *ceux qui craignent Dieu* 15.4 +. — *raconter ce qu'il a fait* 9.2+. ***a* 66.18** *penser à mal* voir Es 1.16. — *le Seigneur n'aurait pas écouté* Jn 9.31. ***b* 66.19** 65.3+. ***c* 66.20** *Béni soit Dieu !* 28.6+. ***d* 67.2** Formule de bénédiction Nb 6.24-25. ***e* 67.3** *ton chemin :* expression figurée fréquente dans l'A.T. ; elle sert ici à désigner la conduite de Dieu à l'égard d'Israël ; 51.15. — *tous les païens :* autre traduction *toutes les nations.* — Que les païens connaissent le salut Ac 28.28 ; voir 1 R 8.43, 60. ***f* 67.4** 99.1-3. ***g* 67.5** 98.9+ ; voir 9.9+.

7 La terre a donné sa récolte :
Dieu, notre Dieu, nous bénit[h].
8 Que Dieu nous bénisse,
et que la terre tout entière[i]
le craigne !

PSAUME 68 (67)

1 *Du *chef de chœur, de David ; psaume, chant.*

2 Dieu se lève, ses ennemis se dispersent
et ses adversaires fuient devant lui[j].
3 Comme se dissipe la fumée, tu les dissipes :
comme la cire[k] fond au feu,
les infidèles périssent devant Dieu.

4 Mais les justes se réjouissent[l],
ils exultent devant Dieu, au comble de la joie :
5 Chantez pour Dieu, chantez son nom ;
exaltez celui qui mène son char dans les steppes[m].
Son nom est : LE SEIGNEUR ; exultez devant lui.

6 Père des orphelins, justicier des veuves[n],
tel est Dieu dans sa sainte demeure.
7 Aux isolés, Dieu procure un foyer :
il fait sortir les captifs par une heureuse délivrance[o],
mais les rebelles habitent des lieux arides.

8 Dieu, quand tu sortis[p] à la tête de ton peuple.
quand tu t'avanças dans les solitudes. **Pause.*
9 la terre trembla, les cieux mêmes ont ruisselé,
devant Dieu — celui du Sinaï —
devant Dieu, le Dieu d'Israël[q].

h 67.7 *récolte, bénédiction* 65.10-14 ; 85.13. ***i 67.8*** 22.28 ; 33.8 ; Es 41.5 ; Jr 10.7. ***j 68.2*** Nb 10.35. ***k 68.3*** *comme une fumée* 37.20 ; Os 13.3. — *comme la cire* Ps 22.15 ; 97.5 ; Mi 1.4. ***l 68.4*** 32.11 ; 97.12 ; Jb 22.19. ***m 68.5*** *chantez pour Dieu...* 96.1+ ; Jr 20.13. — *exaltez :* autre traduction *louez* ou *préparez une route pour...* — *celui qui mène son char...* Ps 18. 10-11 ; Es 19.1. ***n 68.6*** 146.9+ ; Ex 22.21-22 ; voir *Ba* 6.37. ***o 68.7*** *un foyer* 113.9. — *une heureuse délivrance :* le terme hébreu ainsi traduit est unique dans l'A.T. et sa traduction incertaine. Dans la littérature cananéenne d'Ougarit le même terme désignait les sages-femmes du monde des dieux. ***p 68.8*** Jg 5.4 ; Dt 33.2 ; Ha 3.3-6. ***q 68.9*** *tremblement de terre* Ex 19.18 ; He 12.26. — *ruissellement des montagnes* Jg 5.5. — *Dieu d'Israël* Ps 59.6.

10 Dieu, tu répandais une pluie généreuse ;
ton héritage était épuisé, tu l'as rétabli.
11 Ton pays où ils se sont installés,
c'est toi, Dieu, qui l'établis
dans ta bonté pour le pauvre[r].

12 Le Seigneur donne un ordre,
et ses messagères[s] sont une grande armée.
13 Rois et armées détalent, détalent,
et tu partages comme butin les parures[t] des maisons.
14 Resteriez-vous couchés[u] au bivouac ?

Les ailes de la colombe sont lamées d'argent,
et son plumage d'or pâle.
15 Lorsqu'en ce lieu le Souverain dispersa des rois,
il neigeait sur le Mont-Sombre[v].

16 Montagne divine, montagne du Bashân[w],
montagne bossue, montagne du Bashân,
17 pourquoi loucher, montagnes bossues,
sur la montagne où Dieu a désiré habiter ?
Mais oui ! Le SEIGNEUR y demeurera toujours[x].

18 La cavalerie de Dieu a deux myriades d'escadrons flamboyants.
Le Seigneur est parmi eux ; le Sinaï est dans le *sanctuaire[y].
19 Tu es monté sur la hauteur ; tu as fait des prisonniers,
tu as pris des dons[z] parmi les hommes, même rebelles,
pour avoir une demeure, SEIGNEUR Dieu !

20 Béni soit le Seigneur[a] chaque jour !
Ce Dieu nous apporte la victoire. *Pause.*
21 Ce Dieu est pour nous le Dieu des victoires,
et les portes de la mort[b] sont à DIEU le Seigneur.

***r* 68.11** Autre traduction *c'est toi, Dieu, qui l'établis pour le pauvre, dans ta bonté.* ***s* 68.12** messagères du Seigneur Es 40.9. ***t* 68.13** *rois et armées* Ps 48.5. — *parures :* traduction incertaine ; le terme ainsi rendu ne se retrouve qu'en Jb 8.6 au sens de *splendeur.* ***u* 68.14** *rester couché* Jg 5.16. ***v* 68.15** Cette montagne n'a pas été identifiée. — *neige* Jb 38.22-23 ; voir Jg 5.20. ***w* 68.16** *le Bashân :* voir 22.13 et la note ; Am 4.1. ***x* 68.17** *la montagne où Dieu a désiré habiter* 78.68. — *toujours* Ez 43.7. ***y* 68.18** *la cavalerie de Dieu* 2 R 6.17. — *escadrons flamboyants* Jos 5.13-15. — Autre texte pour la fin du verset, suivi par les versions grecque et latine *Le Seigneur est parmi eux, dans le Sinaï, dans le sanctuaire.* ***z* 68.19** Les versions syriaque et araméenne ont lu *tu as fait des dons aux hommes* (ce serait alors une allusion à la loi donnée par Dieu à Israël lors du séjour au pied du Sinaï). C'est sous cette dernière forme que le verset est cité en Ep 4.8. — *tu es monté* Ps 47.6 ; Ep 4.8. ***a* 68.20** 28.6+. ***b* 68.21** *les portes de la mort* ou *les moyens d'échapper à la mort.* Certains traducteurs anciens ont compris *les portes qui conduisent à la mort.* Voir Mt 16.18.

22 Mais Dieu écrase la tête de ses ennemis,
le crâne chevelu[c] de celui qui vit dans ses crimes.

23 Le Seigneur a dit : « J'en ramène du Bashân,
j'en ramène des gouffres de la mer,
24 afin que tu les piétines dans le sang,
et que la langue de tes chiens[d] ait sa ration d'ennemis. »

25 Dieu, ils ont vu tes cortèges,
les cortèges de mon Dieu, de mon roi, dans le sanctuaire :
26 en tête les chanteurs, les musiciens derrière,
parmi des filles jouant du tambourin.

27 Dans les assemblées, bénissez Dieu,
le SEIGNEUR, à la source d'Israël[e].
28 Il y a là Benjamin, le cadet, leur guide.
les princes de Juda dans leur robe de brocart[f],
les princes de Zabulon, les princes de Nephtali.

29 Ton Dieu a décidé que tu serais fort :
montre ta force, Dieu[g] ! toi qui as agi pour nous.
30 A la vue de ton palais qui domine Jérusalem,
des rois t'apporteront leurs présents[h].

31 Menace la bête des roseaux,
la harde des taureaux
avec ces peuples de veaux,
ceux qui rampent avec leurs pièces d'argent[i].

Il a éparpillé des peuples belliqueux ;
32 de riches étoffes arrivent d'Egypte ;
la Nubie accourt vers Dieu, les mains pleines[j].

c 68.22 *Ennemis écrasés* Es 63.3. — *crâne chevelu* Jg 4.2. **d 68.24** 2 R 9.36. **e 68.27** *bénir Dieu dans les assemblées* 26.12. — *à la source d'Israël :* peut-être la source du *Guihôn,* proche des murailles de Jérusalem, à l'est de la ville, et d'où partaient certains cortèges (voir 1 R 1:33-40). **f 68.28** *..., leur guide,... dans leur robe de brocart, :* la traduction suit ici l'interprétation rabbinique ; texte traditionnel inintelligible. **g 68.29** L'appellation *dieu* s'applique peut-être ici au roi (voir Ps 45.7). **h 68.30** 72.10 ; 76.12 ; 1 R 10.24-25. **i 68.31** *la bête des roseaux :* peut-être l'hippopotame ou le crocodile. Certains pensent que cette expression fait allusion à l'Egypte. — *taureaux* 22.13. — *ceux qui rampent avec leurs pièces d'argent :* traduction incertaine. **j 68.32** *de riches étoffes :* le mot ainsi traduit ne se trouve nulle part ailleurs et sa traduction reste incertaine. Autres textes *des ambassadeurs* (ancienne version grecque) ; *en hâte ils arrivent* (une autre version grecque et la version latine). — *les mains pleines :* traduction incertaine ; anciennes versions grecque et syriaque *l'Ethiopie avance sa main vers Dieu.* — Dons pour Dieu Es 18.7.

33 Royaumes de la terre,
chantez pour Dieu ;
jouez pour le Seigneur[k], *Pause.*
34 celui qui mène son char au plus haut des cieux antiques.
Voici qu'il donne de la voix[l], une forte voix.
35 Donnez à Dieu la force.

Sa majesté est sur Israël,
sa force est dans les nuées.
36 Dieu, tu es terrifiant depuis tes sanctuaires.
C'est le Dieu d'Israël,
qui donne au peuple force et puissance[m].
Béni soit Dieu !

PSAUME 69 (68)

1 *Du *chef de chœur, sur les lis[n], de David.*

2 Dieu, sauve-moi :
l'eau m'arrive à la gorge[o].
3 Je m'enlise dans un bourbier sans fond.
et rien pour me retenir.
Je coule dans l'eau profonde[p],
et le courant m'emporte.

4 Je m'épuise à crier,
j'ai le gosier en feu ;
mes yeux se sont usés
à force d'attendre mon Dieu[q].

5 Ils sont plus nombreux que les cheveux de ma tête,
ceux qui me détestent sans motif ;
ils sont puissants, ces destructeurs
qui m'en veulent injustement[r].
— Ce que je n'ai pas volé,
puis-je le rendre ? —

***k* 68.33** Musique pour le Seigneur 147.7+. ***l* 68.34** *celui qui mène son char...* 18.11 ; Dt 33.26. — *il donne de ta voix* Ps 29. ***m* 68.36** 29.11. ***n* 69.1** *sur les lis :* probablement titre d'une mélodie sur laquelle on devait chanter le Ps 69. ***o* 69.2** 18.5 ; Jon 2.4-6. ***p* 69.3** *eau profonde* 130.1. ***q* 69.4** *je m'épuise à crier* 6.7 ; Jr 45.3. — *mes yeux usés* Ps 119.82, 123 ; Lm 2.11. — *attendre mon Dieu* 33.22 ; 71.14. ***r* 69.5** *plus nombreux que mes cheveux* 40.13. — *ceux qui m'en veulent injustement* 35.19 ; Jn 15.25.

6 Dieu tu connais ma sottise[s],
et mes fautes ne te sont pas cachées.
7 Seigneur DIEU tout-puissant,
que je ne sois pas la honte
de ceux qui espèrent en toi,
ni le déshonneur de ceux qui te cherchent[t],
Dieu d'Israël !
8 C'est à cause de toi que je supporte l'insulte,
que le déshonneur couvre mon visage[u],
9 et que je suis un étranger pour mes frères[v],
un inconnu pour les fils de ma mère.
10 Oui, le zèle pour ta maison m'a dévoré ;
ils t'insultent, et leurs insultes retombent sur moi[w].

11 J'ai pleuré et *jeûné[x],
cela m'a valu des insultes.
12 j'ai revêtu le *sac du deuil,
je suis devenu leur fable.
13 Les gens assis à la porte jasent sur moi,
et je suis la chanson des buveurs.

14 SEIGNEUR, voici ma prière ;
c'est le moment d'être favorable ;
Dieu dont la fidélité est grande[y],
réponds-moi, car tu es le vrai salut.

15 Arrache-moi à la boue ; que je ne m'enlise pas ;
que je sois arraché à ceux qui me détestent
et aux eaux profondes !
16 Que le courant des eaux ne m'emporte pas,
que le gouffre ne m'engloutisse pas,
que le puits ne referme pas sa gueule sur moi !

17 Réponds-moi, SEIGNEUR, car ta fidélité[z] est bonne ;
selon ta grande miséricorde, tourne-toi vers moi,
18 et ne cache plus ta face à ton serviteur.
Je suis dans la détresse ; vite[a], réponds-moi ;

s 69.6 *ma sottise* 38.6. ***t 69.7*** *chercher* le Seigneur 9.11+. ***u 69.8*** *à cause de toi...* Jr 15.15. — *déshonneur sur le visage* Ps 44.16. ***v 69.9*** Jb 19.13,15. ***w 69.10*** *m'a dévoré :* le texte hébreu est grammaticalement ambigu ; on peut comprendre *le zèle que j'éprouve pour ta maison...* ou *la jalousie que ta maison éveille (chez mon adversaire)... ;* 119.139 ; Jn 2.17 ; voir Rm 15.3. — *leurs insultes tombent sur moi* 79.4. ***x 69.11*** *jeûne* 109.24-25. ***y 69.14*** *le moment favorable* Es 49.8. — *ta fidélité est grande* Lm 3.32. ***z 69.17*** *ta fidélité* 17.7+ ; 109.21. ***a 69.18*** *ne cache plus ta face* 13.2+. — vite 31.3+.

19 viens près de moi[b], sois mon défenseur ;
j'ai des ennemis, libère-moi.

20 Tu me sais insulté, déshonoré, couvert de honte ;
tous mes adversaires sont devant toi.
21 L'insulte m'a brisé le cœur
et j'en suis malade ;
j'ai attendu un geste, mais rien ;
des consolateurs, et je n'en ai pas trouvé[c].

22 Ils ont mis du poison dans ma nourriture ;
quand j'ai soif, ils me font boire du vinaigre[d].
23 Que leur table devienne pour eux un piège[e],
et pour leurs amis, un traquenard !
24 Que leurs yeux s'obscurcissent et ne voient plus ;
fais-leur sans cesse ployer les reins.

25 Répands sur eux ta fureur[f] ;
que ton ardente colère les atteigne !
26 Que leur campement soit ravagé[g],
que nul n'habite sous leurs tentes,
27 car celui que tu avais frappé, ils l'ont persécuté ;
ils comptent[h] les coups subis par tes victimes.

28 Impute-leur faute sur faute ;
qu'ils n'aient plus accès à ta justice !
29 Qu'ils soient effacés du livre de vie[i],
qu'ils ne soient pas inscrits avec les justes !

30 Et moi, humilié et meurtri,
ton salut, Dieu, me mettra hors d'atteinte.
31 Je pourrai louer le nom de Dieu par un chant
et le magnifier par des actions de grâce[j].

32 Voilà qui plaît au SEIGNEUR plus qu'un bœuf[k],
qu'un taureau avec cornes et sabots.
33 En voyant cela, les humbles se réjouissent :
« A vous qui cherchez Dieu,
à vous, longue vie[l] ! »

b 69.19 *près de moi* Lm 3.57. ***c 69.21*** *j'en suis malade :* traduction incertaine (le verbe hébreu correspondant ne se retouve nulle part ailleurs). — *pas de consolateurs* Es 51.19. ***d 69.22*** *vinaigre* Mc 15.36. ***e 69.23*** *que leur table...* Rm 11.9-10. ***f 69.25*** Ez 21.36 ; So 3.8 ; Ap 16.1. ***g 69.26*** *que leur campement...* Ac 1.20. ***h 69.27*** *ils comptent* ou *ils racontent.* ***i 69.29*** *livre de vie* Ap 3.5+. ***j 69.31*** *actions de grâce* 50.14. ***k 69.32*** *plus qu'un sacrifice* 50.8 ; 51.18-19 ; Os 6.6 ; Am 5.21-24 ; Mi 6.6-8. ***l 69.33*** *les humbles se réjouissent* 34.3. — *chercher Dieu* 9.11+. — *longue vie* 22.27.

34 Car le SEIGNEUR exauce les pauvres,
il ne rejette pas les siens quand ils sont captifs[m].

35 Louez-le, cieux, terre,
mers et tout ce qui y grouille.
36 Car Dieu sauvera *Sion
et rebâtira les villes de Juda[n].
On y habitera, on la possédera,
37 la race de ses serviteurs l'aura pour patrimoine[o],
et ceux qui aiment son nom y feront leur demeure.

PSAUME 70 (69)

(V. 2—6 : voir Ps 40.14—18)

1 *Du *chef de chœur : de David, en mémorial*[p].

2 O Dieu, viens me délivrer,
SEIGNEUR, viens vite à mon aide[q] !

3 Qu'ils rougissent de honte,
ceux qui cherchent ma mort[r] ;
qu'ils reculent déshonorés,
ceux qui désirent mon malheur !
4 Qu'ils repartent sous le poids de la honte,
ceux qui font : « Ah ! ah ![s] »

5 Qu'ils exultent de joie à cause de toi,
tous ceux qui te cherchent[t] !
Qu'ils disent sans cesse : « Dieu est grand »,
ceux qui aiment ton salut !

6 Je suis pauvre et humilié ;
Dieu, viens vite à moi !
Tu es mon aide et mon libérateur :
SEIGNEUR, ne tarde pas !

m 69.34 *le Seigneur exauce les pauvres* 140.13. — *il ne rejette pas les captifs* Za 9.11. ***n 69.36*** 102.17 ; Es 44.26 ; Jr 30.18 ; Ez 36.10. ***o 69.37*** *la race de ses serviteurs* Es 65.9. — *ceux qui aiment ton nom* Ps 5.12+. ***p 70.1*** *mémorial :* voir Ps 38.1 et la note. — Le Ps 70 reproduit à quelques détails près le Ps 40.14-18. ***q 70.2*** *vite à mon aide !* 22.20+. ***r 70.3*** 35.4+. ***s 70.4*** *Ah, ah !* 35.21, 25+. ***t 70.5*** *joie* 35.27. — *chercher le Seigneur* 9.11+.

PSAUME 71 (70)

1 SEIGNEUR, je t'ai pris pour refuge[u] ;
que jamais plus je ne sois humilié !
2 Tu vas me délivrer, me libérer, dans ta justice.
Tends l'oreille[v] vers moi, sauve-moi.
3 Sois le rocher[w] où je m'abrite,
où j'ai accès à tout instant :
tu as décidé de me sauver.
Oui, tu es mon roc, ma forteresse.

4 Mon Dieu, délivre-moi des mains du méchant,
de la poigne des criminels et des violents.
5 Tu es mon espérance, Seigneur DIEU,
ma sécurité dès ma jeunesse.
6 Je m'appuie sur toi depuis ma naissance,
tu m'as séparé[x] du ventre maternel.
A toi sans cesse va ma louange !

7 Pour beaucoup, je tenais du prodige ;
tu étais mon refuge fortifié[y].
8 Je n'avais que ta louange à la bouche,
que ta splendeur, au long des jours.

9 Ne me rejette pas, maintenant que je suis vieux ;
quand mes forces déclinent, ne m'abandonne pas[z].
10 Car mes ennemis parlent de moi,
ceux qui me surveillent se sont entendus.
11 Ils disent[a] : « Dieu l'a abandonné ;
traquez-le, attrapez-le,
personne n'ira le délivrer ! »

12 Dieu, ne t'éloigne pas de moi,
mon Dieu, viens vite à mon aide[b] !
13 Qu'ils aillent se perdre dans la honte,
ceux qui s'en prennent à ma vie[c] !
Qu'ils se couvrent de déshonneur et d'infamie,
ceux qui cherchent mon malheur !

u 71.1 7.2+. ***v 71.2*** *tends l'oreille* 5.2 ; 17.1 ; 31.3 ; 86.1,6 ; 88.3 ; 102.3 ; 140.7 ; 141.1. ***w 71.3*** *rocher* 18.3 ; 31.3. ***x 71.6*** *depuis ma naissance* 22.10-11. — *tu m'as séparé :* le terme hébreu correspondant est unique et son sens incertain.
y 71.7 *refuge fortifié* 46.2 ; 62.8-9. ***z 71.9*** *ne m'abandonne pas* 22.12 ; 38.22. ***a 71.11*** Propos des adversaires 3.3+. ***b 71.12*** *ne t'éloigne pas* voir v. 9. — *vite à mon aide* 22.20+. ***c 71.13*** 35.4+.

14 Pour moi, je ne cesse pas d'espérer
et je persiste à chanter tes louanges.
15 J'ai tous les jours à la bouche les récits
de ta justice et de ton salut,
et je n'en connais pas le nombre[d].

16 J'ai part aux prouesses[e] du Seigneur DIEU ;
de toi seul j'évoque la justice.
17 Dieu, tu m'as instruit dès ma jeunesse,
et jusqu'ici, j'ai proclamé tes merveilles.
18 Malgré ma vieillesse et mes cheveux blancs,
ne m'abandonne pas, Dieu :
que je puisse proclamer les œuvres de ton bras à cette génération[f],
ta vaillance à tous ceux qui viendront.
19 Si haute est ta justice, Dieu[g] !
Toi qui as fait de grandes choses,
Dieu, qui est comme toi ?

20 Toi qui nous as tant fait voir
de détresses et de malheurs,
tu vas à nouveau nous laisser vivre[h].
Tu vas à nouveau m'élever
hors des *abîmes de la terre.
21 Tu rehausseras ma dignité,
et à nouveau tu me réconforteras.

22 Alors, je m'accompagnerai de la harpe
pour te célébrer, mon Dieu, et ta fidélité ;
sur la cithare, je jouerai pour toi,
*Saint d'Israël[i] !
23 Je jouerai pour toi,
mes lèvres chanteront de joie,
car tu as racheté ma vie.
24 Et ma langue, tous les jours,
redira ta justice,
car c'est la honte et l'infamie
pour ceux qui cherchaient mon malheur[j].

d 71.15 *je n'en connais pas le nombre :* traduction conjecturale, d'après une version grecque et la version araméenne ; 40.6 ; 139.17-18. ***e 71.16*** Ou *J'en viens au récit de tes prouesses, Seigneur...* ***f 71.18*** 22.31+. ***g 71.19*** 36.6+. ***h 71.20*** La traduction suit ici le texte « écrit » ; texte que la tradition juive considère comme « à lire » : *toi qui m'as tant fait voir... à nouveau me laisser vivre.* ***i 71.22*** *cithare :* voir 92.4 et la note. — Musique *pour Dieu* 147.7+. — *Saint d'Israël* Es 1.4+. ***j 71.24*** *louange* 35.28. — *ceux qui cherchaient mon malheur* 35.26.

PSAUME 72 (71)

1 *De Salomon.*

Dieu, confie tes jugements au roi,
ta justice[k] à ce fils de roi.
2 Qu'il gouverne ton peuple avec justice,
et tes humbles selon le droit.

3 Grâce à la justice, que montagnes et collines
portent la prospérité[l] pour le peuple !
4 Qu'il fasse droit aux humbles du peuple,
qu'il soit le salut des pauvres,
qu'il écrase l'exploiteur[m] !

5 Que l'on te craigne,
tant que soleil et lune brilleront[n],
jusqu'au dernier des siècles !

6 Qu'il descende comme l'averse sur les regains[o],
comme la pluie qui détrempe la terre !
7 Pendant son règne, que le juste soit florissant[p],
et grande la prospérité,
jusqu'à la fin des lunaisons !

8 Qu'il domine d'une mer à l'autre,
et du Fleuve jusqu'au bout de la terre[q] !
9 Les nomades s'inclineront devant lui,
ses ennemis lécheront la poussière.
10 Les rois de Tarsis et des Iles
enverront des présents ;
les rois de Saba et de Séva
paieront le tribut[r].
11 Tous les rois se prosterneront devant lui,
toutes les nations le serviront.

k 72.1 *Salomon* 1 R 3.12-28. — *confie tes jugements au roi* 1 R 3.9. — *ta justice* Ps 36.7 ; 89.15. ***l 72.3*** *prospérité* 1 R 4.20. ***m 72.4*** *faire droit aux humbles* Jr 22.15-16 ; Pr 29.14. — *écraser l'exploiteur* voir Ps 60.14 ; 108.14. ***n 72.5*** 89.37. ***o 72.6*** 2 S 23.4. ***p 72.7*** Voir Ps 37.11. ***q 72.8*** *qu'il domine :* le terme hébreu ainsi traduit fait jeu de mots avec le verbe rendu par *qu'il descende* (v.6). — *le Fleuve :* voir 80.12 et la note. — *d'une mer à l'autre, et du Fleuve...* Za 9.10 ; *Si* 44.21 ; voir aussi Gn 15.18 ; 1 R 5.1. ***r 72.10*** *Tarsis* désigne peut-être l'Espagne (voir aussi la note sur Jon 1.3). — *Les Iles* désignent habituellement les pays situés au-delà de la mer Méditerranée. — *Saba* est sans doute situé dans le sud de l'Arabie et *Séva* au nord de l'actuel Soudan (voir Es 43.3). — *roi de Saba* 1 R 10.1-13. — *tribut* 1 R 5.1.

12 Oui, il délivrera le pauvre qui appelle[s],
et les humbles privés d'appui.
13 Il prendra souci du pauvre et du faible ;
aux pauvres, il sauvera la vie[t] :
14 Il les défendra contre la brutalité et la violence,
il donnera cher de leur vie.

15 Qu'il vive ! On lui donnera l'or de Saba[u],
on priera pour lui sans relâche,
on le bénira tous les jours !

16 Qu'il y ait dans le pays,
au sommet des montagnes,
des champs de blé,
dont les épis ondulent comme le Liban,
et de la ville, on ne verra qu'un pays de verdure[v].

17 Qu'il se fasse un nom éternel,
qu'il le propage sous le soleil,
afin qu'on se bénisse l'un l'autre[w] en le nommant
et que toutes les nations le disent bienheureux.

18 Béni soit le SEIGNEUR Dieu, le Dieu d'Israël,
le seul qui fasse des miracles !
19 Béni soit à jamais son nom glorieux !
Que toute la terre soit remplie de sa gloire !
*Amen et amen[x] !

20 Fin des prières de David fils de Jessé[y].

s 72.12 *Oui :* autre traduction *Car.* — *délivrance du pauvre qui appelle* Jb 29.12. **t 72.14** *il donnera cher de leur vie :* on sous-entend *quand il jugera leur meurtrier ;* 116.15. **u 72.15** *Qu'il vive !* 1 S 10.24 ; 1 R 1.25, 34, 39 ; 2 R 11.12 ; 2 Ch 23.11. — *l'or de Saba* 1 R 10.1-22. **v 72.16** *des champs de blé :* traduction incertaine. — *et de la ville, on ne verra qu'un pays de verdure :* traduction traditionnelle *ils fleuriront depuis la ville comme l'herbe de la terre.* **w 72.17** *qu'il le propage :* d'après le texte « écrit » ; texte que la tradition juive considère comme « à lire » *qu'il croisse ;* ancienne version grecque (pour tout le début du v. 17) *Que son nom soit béni à jamais, qu'il persiste devant le soleil.* — *qu'on se bénisse l'un l'autre...* Gn 12.3 ; 22.18. **x 72.19** Les v. 18-19 forment à la fois la conclusion du psaume et la conclusion de la deuxième partie du psautier (Ps 42—72) ; voir 41.14 et la note. — *Béni soit...* 28.6+. — *toute la terre remplie de sa gloire* Ha 3.3. **y 72.20** Ces derniers mots indiquent peut-être la fin d'une des collections de Psaumes portant le titre *de David.*

TROISIÈME LIVRE (Ps 73—89)

PSAUME 73 (72)

1 *Psaume. D'Asaf.*

En vérité, Dieu est bon[z] pour Israël,
pour les hommes au cœur pur.

2 Pourtant, j'avais presque perdu pied,
un rien, et je faisais un faux pas,
3 car j'étais jaloux des parvenus[a],
je voyais la chance des impies.
4 Ils ne se privent de rien jusqu'à leur mort,
ils ont la panse bien grasse.
5 Ils ne partagent pas la peine des gens,
ils ne sont pas frappés avec les autres.

6 Alors, ils plastronnent avec orgueil,
drapés dans leur violence[b].
7 Leur œil apparaît-il malgré leur graisse,
les visées de leur cœur y sont transparentes[c].

8 Ils ricanent, ils parlent d'exploiter durement,
et c'est de haut qu'ils parlent.
9 Ils ouvrent la bouche jusqu'au ciel,
et leur langue balaie la terre.

10 Aussi, le peuple de Dieu se tourne de ce côté[d],
où on lui verse de l'eau en abondance.
11 Ils disent : « Comment Dieu saurait-il[e] ?
Y a-t-il un savoir chez le Très-Haut ? »
12 Et les voilà ces impies,
qui, toujours tranquilles, accroissent leur fortune[f] !

13 En vérité, c'est en vain que j'ai gardé mon cœur pur
et lavé mes mains en signe d'innocence[g].

z 73.1 *Asaf* 50.1 + et la note. — *Dieu est bon* 25.8 ; 100.5 ; 119.68. ***a 73.3*** *jaloux* 37.1 ; Jb 21.7 ; Jr 12.1. — *les parvenus :* le sens du terme hébreu correspondant n'est pas certain ; ancienne version araméenne *les railleurs ;* ancienne version grecque *les transgresseurs ;* Ps 5.6 (insolents) ; 75.5 (prétentieux). ***b 73.6*** 109.18 ; voir Ep 4.22-24. ***c 73.7*** ou *ce que leur cœur convoite y est parfaitement visible.* — *leur graisse* 17.10+. ***d 73.10*** La traduction suit ici le texte que la tradition juive considère comme « à lire » ; texte « écrit » *il fait revenir son peuple ici.* — Succès de prestige des parvenus 10.5 ; 49.14. ***e 73.11*** voir 10.4+. ***f 73.12*** 49.7 ; voir 62.11. ***g 73.13*** 26.6 ; Dt 21.6 ; voir Mt 27.24.

14 J'étais frappé chaque jour[h],
corrigé chaque matin.
15 Si j'avais dit : « Je vais calculer comme eux »,
j'aurais trahi la race de tes fils.

16 J'ai réfléchi pour comprendre
ce qui m'était pénible à voir,
17 jusqu'à ce que j'entre dans le *sanctuaire de Dieu,
et discerne quel serait leur avenir :

18 En vérité, tu les mettras sur un terrain glissant
pour les précipiter vers la ruine.
19 Soudain, quel ravage !
les voici finis, anéantis par l'épouvante.
20 Tu chasseras leur image de la ville, Seigneur,
comme un songe au réveil[i].

21 Alors que j'avais le cœur aigri,
les reins transpercés,
22 moi, stupide, ne comprenant rien,
j'étais comme une bête[j], mais j'étais avec toi.

23 Car je suis toujours avec toi :
tu m'as saisi la main droite[k],
24 tu me conduiras selon tes vues,
tu me prendras derrière la Gloire[l].

25 Qui aurais-je au ciel ?
Puisque je suis avec toi,
je ne me plais pas sur terre.
26 J'ai le corps usé, le cœur aussi ;
mais le soutien de mon cœur, mon patrimoine[m],
c'est Dieu pour toujours.

h 73.14 44.23. ***i 73.20*** Autres traductions : *Comme un songe, Seigneur, en t'éveillant tu chasses jusqu'à leur image* (en hébreu le terme traduit par *en t'éveillant* s'écrit et se prononce comme celui qu'on a traduit par *de la ville). — comme un songe au réveil* 90.5 ; Es 29.7-8 ; Jb 20.8. ***j 73.22*** Le texte hébreu exprime cette idée d'une manière plus particulière *comme l'hippopotame* (voir Jb 40.15 et la note). — *j'étais avec toi* 63.9. ***k 73.23*** *saisi par la main droite* voir 18.36 ; Es 41.10. ***l 73.24*** *tu me conduis* 23.2 ; Pr 4.11. — *tu me prendras* voir Ps 16.10. — *derrière la Gloire :* traduction, appuyée sur les versions latine de S. Jérôme et grecque de Symmaque, voir Es 58.8. ***m 73.26*** *corps et cœur usés* 32.3 ; Ha 3.16 ; Pr 5.11. — *Dieu mon soutien* voir Ps 28.1+. — *mon patrimoine* 16.5 ; 142.6.

27 Voici donc : qui s'éloigne de toi périra ;
tu détruis qui te laisse et se prostitue[n].
28 Mon bonheur à moi, c'est d'être près de Dieu ;
j'ai pris refuge auprès du Seigneur DIEU,
pour annoncer toutes tes actions[o].

PSAUME 74 (73)

1 *Instruction. D'Asaf.*

Pourquoi, Dieu, ce rejet sans fin,
cette colère qui fume contre le troupeau de ton pâturage[p] ?
2 Rappelle-toi la communauté que tu acquis dès l'origine,
la tribu que tu revendiquas pour patrimoine[q],
la montagne de *Sion où tu fis ta demeure.

3 Porte tes pas vers ces ruines sans fin :
dans le *sanctuaire, l'ennemi a tout saccagé[r],
4 tes adversaires ont hurlé là même où tu nous rencontrais ;
comme signes ils ont mis leurs enseignes[s].

5 On les aurait crus dans un taillis,
levant la cognée,
6 quand ils ont brisé toutes les sculptures
à coups de hache et de masse[t].

7 Ils ont livré au feu ton sanctuaire[u],
abattu et profané la *demeure de ton nom.
8 Leur engeance unanime s'est concertée
pour brûler dans le pays tout lieu de rencontre avec Dieu.

9 Nous ne voyons plus nos signes,
il n'y a plus de *prophètes,
et parmi nous, nul ne sait jusqu'à quand[v] !

n 73.27 Comme en de nombreux passages des livres prophétiques, le verbe *se prostituer* est employé ici en un sens figuré ; il équivaut à *rendre un culte à d'autres dieux* ; 106.39 ; Os 1.2+. ***o 73.28*** *refuge* 7.2+. — *annoncer tes actions* 9.2 ; 22.23, 32 ; 26.7 ; 48.14-15 ; 66.16 ; 77.13 ; 118.17. ***p 74.1*** *Asaf* 50.1+ et la note. — *rejet* 44.10 ; 60.12 ; 77.8 ; 89.39. — *troupeau de Dieu* 77.21+. ***q 74.2*** *rappelle-toi* 119.49 ; 132.1 ; Ex 32.13 ; Ha 3.2 ; Lm 5.1. — *acquis dès l'origine* Dt 7.6. — *le patrimoine* de Dieu Ps 28.9 ; 33.12 ; Dt 32.9 ; 1 R 8.53 ; Jr 10.16 ; 51.19. ***r 74.3*** 2 R 25.8-11. ***s 74.4*** On peut penser que ces *enseignes* sont les symboles ou les statues des faux dieux que les envahisseurs ont placés dans le Temple de Jérusalem ; voir Dn 9.27. ***t 74.6*** Le texte hébreu des v. 5 et 6 est obscur. ***u 74.7*** 2 R 25.9 ; Es 64.10 ; Jr 52.13. ***v 74.9*** *plus de prophètes* 77.9 ; Ez 7.26 ; Lm 2.9. — *jusqu'à quand ?* Ps 6.4+.

[10] O Dieu, jusqu'où iront les blasphèmes de l'adversaire ?
L'ennemi en finira-t-il d'outrager ton nom ?
[11] Pourquoi retirer ta main, ta main droite,
et la retenir contre toi[w] ?

[12] Toi pourtant, Dieu, mon roi[x] dès l'origine,
et l'auteur des victoires au sein du pays,
[13] tu as maîtrisé la mer par ta force,
fracassant la tête des dragons sur les eaux[y] ;
[14] tu as écrasé les têtes du Léviatan,
le donnant à manger à une bande de chacals[z].

[15] C'est toi qui as creusé les sources et les torrents,
et mis à sec des fleuves[a] intarissables.
[16] A toi le jour, à toi aussi la nuit :
tu as mis à leur place la lune et le soleil ;
[17] tu as fixé toutes les bornes de la terre ;
l'été et l'hiver, c'est toi qui les as inventés !

[18] Rappelle-toi : l'ennemi a blasphémé le SEIGNEUR.
Un peuple de fous outrage ton nom.
[19] Ne livre pas ta tourterelle à la bête affamée,
n'oublie pas à jamais la vie de tes pauvres.

[20] Regarde à *l'alliance :
on s'entasse dans les cachettes du pays,
devenu le domaine de la violence.
[21] Que l'opprimé ne soit plus déshonoré,
que le pauvre et le malheureux louent ton nom !

[22] Lève-toi[b], Dieu ! Défends ta cause !
Rappelle-toi le *blasphème continuel de ces fous.
[23] N'oublie pas les clameurs de tes adversaires,
le vacarme sans cesse grandissant de tes agresseurs.

w 74.11 *ta main droite* : la main bienfaisante. — *contre toi :* d'après le texte que la tradition juive considère comme « à lire ». ***x 74.12*** *mon roi* 5.3+. ***y 74.13*** *la mer maîtrisée* 77.17 ; 89.10-11 ; 93.3-4 ; 104.7 ; 107.29 ; Es 51.9 ; Jb 9.13 ; 26.12. — *des dragons* ou *des monstres marins*. ***z 74.14*** Les poèmes cananéens trouvés à Ougarit décrivent le *Léviatan* comme un montre marin à sept têtes ; 104.26 ; Es 27.1 ; Am 9.3 ; Jb 3.8 ; 26.13 ; 40.25 — 41.26. — *à une bande de chacals* ou *aux habitants du désert* . ***a 74.15*** *sources* Ex 17.1-7 ; Nb 20.2-13. — *fleuves mis à sec* Jos 3.15-16 ; voir Ps 66.6 ; 114.5. ***b 74.22*** Nb 10.35 ; Ps 132.8 ; 2 Ch 6.41.

PSAUME 75 (74)

1 *Du *chef de chœur, al-tashehéth. Psaume, d'Asaf[c], chant.*

2 Dieu, nous te célébrons,
nous célébrons ton nom, car il est proche,
tes merveilles sont annoncées[d].

3 Quand je donne rendez-vous,
moi, je juge avec droiture[e],
4 La terre s'effondrera avec tous ses habitants.
N'est-ce pas moi qui en ai fixé les colonnes[f] ? **Pause.*

5 J'ai dit aux prétentieux : « Plus de prétention[g] ! »
et aux impies : « Ne levez pas le front !
6 Ne levez pas si haut votre front ;
ne parlez pas ainsi, la nuque insolente. »

7 Non, il ne vient ni de l'est ni de l'ouest,
il ne vient pas du désert, le relèvement[h].
8 C'est Dieu qui juge :
il abaisse l'un, il relève l'autre[i].

9 Le SEIGNEUR tient en main une coupe[j],
il verse un vin âpre et fermenté :
ils le boiront, ils en laperont même la lie,
tous les impies de la terre.

10 Pour moi, je proclamerai toujours,
en chantant pour le Dieu de Jacob[k] :
11 « Je vais briser le front de tous les impies,
mais le front du juste se relèvera. »

c 75.1 *Al-tashehéth :* voir 57.1 et la note. — *Asaf* 50.1+ et la note. ***d 75.2*** He 2.12. ***e 75.3*** Les v. 3-6 rapportent les paroles de Dieu. — *Dieu juge avec droiture* 9.9 ; 67.5 ; 96.10 ; voir 35.24 ; 1 P 2.23. ***f 75.4*** *effondrement de la terre* voir 46.3-4. — *les colonnes de la terre* 1 S 2.8 ; voir Ps 104.5 ; Jb 26.7. ***g 75.5*** v. 5-6 : 1 S 2.3. ***h 75.7*** D'après quelques manuscrits hébreux et l'ancienne version grecque il faudrait traduire *il ne vient pas non plus du désert des montagnes.* ***i 75.8*** *le juge, c'est Dieu* 50.6+. — *il abaisse l'un, il relève l'autre* 1 S 2.4-8 ; Ez 21.31 ; Lc 1.51-54. ***j 75.9*** 11.6 ; Jr 25.15-17+ ; voir Ps 60.5 ; Ab 16. ***k 75.10*** Musique pour le Seigneur 147.7+.

PSAUME 76 (75)

1 *Du *chef de chœur, avec instruments à cordes.*
Psaume, d'Asaf[l]*, chant.*

2 En Juda, Dieu s'est fait connaître ;
son nom est grand[m] en Israël.
3 Sa tente s'est fixée à Salem[n],
et à *Sion, sa demeure.

4 Là, il a brisé les foudres de l'arc,
le bouclier et l'épée, la guerre[o]. **Pause.*
5 Tu resplendis, magnifique,
à cause des montagnes de butin[p].

6 Ils ont été dépouillés,
ces cœurs indomptables pris par le sommeil[q],
tous ces hommes valeureux qui ne trouvaient plus leurs mains.
7 Sous ta menace, Dieu de Jacob,
le char et le cheval se sont figés[r] :
8 C'est toi qui es terrifiant ;
qui tiendrait devant toi
lors de ta colère ?

9 Des cieux, tu énonces le verdict[s] ;
terrifiée, la terre se calme,
10 quand Dieu se lève pour le jugement,
pour sauver tous les humbles[t] de la terre. *Pause.*
11 Même la fureur des hommes[u] fait ta gloire ;
ceux qui échappent à cette fureur, tu te les attaches.

12 Faites des vœux et accomplissez-les[v] pour le SEIGNEUR votre Dieu ;

***l* 76.1** Voir 50.1 + et la note. ***m* 76.2** *Dieu s'est fait connaître* 48.4. — *son nom est grand* 48.2 ; 99.3 ; Jos 7.9 ; 1 S 12.22 ; 1 R 8.42 ; Jr 10.6 ; 44.26 ; Ez 36.23 ; Ml 1.11 ; 2 Ch 6.32. ***n* 76.3** *Sa tente à Salem* 2 S 6.17 ; 7.2 ; voir Ps 132.5. — *Salem* Gn 14.18 ; He 7.1 : nom abrégé de Jérusalem. En hébreu *Salem* s'écrit presque comme le terme qui désigne la *paix* (voir He 7.2) ; d'où la traduction de l'ancienne version grecque *dans la paix*. Voir aussi Ps 122.6. ***o* 76.4** Armes de guerre brisées 46.10 ; voir 48. 4-8 ; Os 2.20. ***p* 76.5** Le sens de l'expression hébraïque est incertain ; autre traduction possible *plus que des montagnes de butin.* ***q* 76.6** 2 R 19.35. ***r* 76.7** Ex 14.25. ***s* 76.9** *Dieu, juge de la terre* 94.2+. ***t* 76.10** 12.6 ; 34.7 ; Es 11.4 ; Jr 20.13 ; voir Ps 72.2, 4, 12 ; 82.3. ***u* 76.11** Les mots hébreux traduits par *fureur* et *hommes* peuvent évoquer, par jeu de mots, les noms propres de *Hamat* (ville de Syrie) et d'*Edom*, ennemis traditionnels du peuple d'Israël. ***v* 76.12** 22.26 ; 56.13 ; 65.2 ; 66.13 ; Qo 5.3-4.

apportez vos présents à ce Dieu terrible, vous tous qui l'entourez,
13 car il coupe le souffle aux princes,
il terrifie les rois de la terre.

PSAUME 77 (76)

1 *Du *chef de chœur, sur Yeditoun ; d'Asaf[w], psaume.*

2 C'est Dieu que j'appelle et je crie ;
c'est Dieu que j'appelle, il m'écoutera[x].
3 Au temps de ma détresse, je cherche le Seigneur.
Dans la nuit, les mains tendues[y] sans faiblir,
je refuse tout réconfort.

4 Je me rappelle Dieu et je gémis[z] ;
plus j'y reviens, plus mon esprit s'embrouille ; **Pause.*
5 tu tiens mes paupières ouvertes,
je suis troublé, je ne sais que dire :
6 je réfléchis aux jours d'autrefois[a],
aux années de jadis.
7 La nuit, je me rappelle mon refrain,
mon cœur y revient,
et mon esprit s'interroge :

8 Le Seigneur va-t-il rejeter pour toujours[b] ?
Ne sera-t-il plus jamais favorable ?
9 Sa fidélité a-t-elle tout à fait disparu[c] ?
La parole s'est-elle tue pour des siècles ?
10 Dieu a-t-il oublié de faire grâce ?
De colère, a-t-il fermé son cœur ? *Pause.*
11 Je le dis, mon mal vient de là :
la droite du Très-Haut[d] a changé !

12 Je rappelle les exploits du SEIGNEUR[e] ;
oui, je me rappelle ton miracle d'autrefois.

w 77.1 *Yeditoun :* voir 39.1 et la note. — *Asaf :* voir 50.1+ et la note. ***x 77.2*** *appel à Dieu* 3.5+. — *il m'écoutera* 17.6 ; 20.2, 10 ; 28.6 ; 120.1+. ***y 77.3*** *Au temps de ma détresse* 9.10 ; 20.2 ; 37.39 ; 50.15 ; 59.17 ; 86.7 ; 102.3 ; Gn 35.3 ; Es 33.2 ; Jr 14.8 ; Na 1.7 ; Ha 3.16. — *chercher le Seigneur* Ps 9.11+. — *mains tendues :* voir 28.2 ; 88.10 et les notes. ***z 77.4*** *Je me rappelle...* voir 42.5. — *je gémis* 42.6, 12 ; 43.5. ***a 77.6*** 143.5. ***b 77.8*** *rejeter* 44.10+ *pour toujours* Lm 3.31 ; 5.22. ***c 77.9*** Lm 3.21-22. ***d 77.11*** *la droite du Très-Haut* 17.7+. ***e 77.12*** D'après le texte hébreu « écrit » ; texte hébreu que la tradition juive considère comme « à lire » et versions anciennes *je me souviens des exploits du Seigneur.*

13 Je me redis tout ce que tu as accompli,
j'en reviens à tes exploits :

14 Dieu, ton chemin n'est que sainteté !
Quel dieu est aussi grand que Dieu[f] ?
15 C'est toi le dieu qui a fait le miracle,
et ta force, tu l'as montrée parmi les peuples.
16 Par ton bras, tu as affranchi ton peuple,
les fils de Jacob et de Joseph. *Pause.*

17 Les eaux t'ont vu[g], Dieu,
les eaux t'ont vu, elles tremblaient,
*l'abîme lui-même frémissait.

18 Les nuages ont déversé leurs eaux,
les nuées ont donné de la voix,
et tes flèches volaient de tous côtés.

19 Au roulement de ton tonnerre,
les éclairs ont illuminé le monde,
la terre a frémi[h] et tremblé.

20 Dans la mer tu fis ton chemin[i],
ton passage dans les eaux profondes,
et nul n'a pu connaître tes traces.

21 Tu as guidé ton peuple comme un troupeau,
par la main de Moïse et d'Aaron[j].

PSAUME 78 (77)

1 *Instruction. D'Asaf.*

O mon peuple, écoute ma loi,
tends l'oreille[k] aux paroles de ma bouche.
2 Je vais ouvrir la bouche pour une parabole[l]
et dégager les leçons du passé.

***f* 77.14** 48.2 ; 86.10 ; 95.3 ; 96.4 ; 104.1 ; 135.5 ; 145.3 ; 147.5 ; Jr 32.18-19 ; Dn 9.4. ***g* 77.17** 114.3 ; Es 51.10 ; Jb 38.8-11. ***h* 77.19** *roulement de tonnerre* Ex 19.16. — *frémissement de la terre* Ps 97.4. ***i* 77.20** v.20-21 : 114.3-5 ; Es 63.12-13 ; *Sg* 19.7-8 ; voir Ex 15.8. ***j* 77.21** *ton peuple comme un troupeau* 74.1 ; 79.13 ; 80.2 ; 95.7 ; 100.3 ; Es 40.11 ; Jr 13.17, 20 ; voir Lc 12.32+ ; Jn 10.16 ; 1 P 5.2-3. — *par la main de Moïse et d'Aaron* Ex 4.14-16 ; 7.1 ; Jos 24.5 ; 1 S 12.8 ; Mi 6.4 ; voir Ps 99.6. ***k* 78.1** *Asaf* 50.1+ et la note. — *ô mon peuple* 50.7 ; 81.9. — *écoute, tends l'oreille* Dt 32.1 ; Es 28.23 ; voir Pr 22.17. ***l* 78.2** *je vais ouvrir la bouche* Mt 13.35 *pour une parabole* voir 49.5.

3 Ce que nous avons entendu et connu[m],
ce que nos pères nous ont transmis,
4 nous ne le tairons pas à leurs descendants,
mais nous transmettrons à la génération suivante[n]
les titres de gloire du SEIGNEUR,
sa puissance et les merveilles qu'il a faites.

5 Il a fixé une règle en Jacob,
établi une loi en Israël.
Elle ordonnait à nos pères
d'enseigner ces choses à leurs fils[o],
6 afin que la génération suivante les apprenne,
ces fils qui allaient naître :

Qu'ils se lèvent et les transmettent à leurs fils ;
7 qu'ils mettent leur confiance en Dieu,
qu'ils n'oublient pas les exploits de Dieu,
qu'ils observent ses commandements[p],
8 pour ne pas être comme leurs pères,
la génération indocile et rebelle[q],
la génération au *cœur inconstant,
dont l'esprit ne se fiait pas à Dieu.

9 Si les fils d'Ephraïm[r], les archers les mieux équipés,
ont détalé le jour du combat,
10 c'est qu'ils n'avaient pas gardé *l'alliance de Dieu,
refusant de suivre sa loi.
11 Ils avaient oublié ses exploits
et les merveilles qu'il leur avait montrées :

12 Devant leurs pères, il avait fait le miracle,
en terre d'Egypte, au pays de Tanis[s].
13 Il fendit la mer pour les faire passer[t],

m 78.3 44.2 ; Dt 4.9. ***n 78.4*** 22.31 ; 48.14 ; 102.19. ***o 78.5*** *Jacob :* voir 44.5 et la note. — *que les pères enseignent leurs fils* Ex 12.26-27 ; Dt 4.9 ; 6.7, 20-25. ***p 78.7*** *mettre sa confiance en Dieu* 40.5 ; 2 R 18.5 ; Es 30.15 ; Pr 22.19 ; voir Ps 9.11+ ; 55.24+ ; Gn 15.6. — *ne pas oublier les exploits de Dieu* Ps 77.12 ; 103.2 ; 106.13. — *observer ses commandements* 119.60, 115 ; Dt 4.40 ; 6.17 ; 8.6 ; 10.13 ; 11.1, etc. ; 1 R 8.58, 61 ; Qo 12.13 ; Mt 19.17. ***q 78.8*** *comme leurs pères* v. 57 ; 106.6. — *indocile et rebelle* Ex 32.9 ; 33.3,5 ; 34.9 ; Dt 9.6, 13 ; 21.18,20 ; 31.27. ***r 78.9*** *Ephraïm* est l'un des fils de Joseph (Gn 48.1) et l'ancêtre d'une des principales tribus constituant le royaume du Nord ou royaume d'Israël ; voir Os 4.17 et la note. *Les fils d'Ephraïm :* tournure hébraïque qui désigne les descendants d'Ephraïm, c'est-à-dire les membres de la tribu qui porte son nom. ***s 78.12*** *Tanis (Çoan)* Es 30.4 ; Ez 30.14 : ville égyptienne, symbolisant ici l'Egypte tout entière (voir Nb 13.22). ***t 78.13*** Ex 14—15 ; voir Ps 106.9 ; 136.13-15.

dressant les eaux comme une digue.
14 Le jour, il les guidait par la nuée,
et chaque nuit, par la lumière d'un feu[u].

15 Il fendait les rochers au désert,
pour les faire boire comme à la source[v] du grand *Abîme.
16 Du roc il fit jaillir des ruisseaux
et couler l'eau comme des fleuves.

17 Or ils continuèrent à pécher contre lui,
se rebellant dans la steppe contre le Très-Haut.
18 Sciemment, ils mirent Dieu à l'épreuve
et demandèrent de manger[w] selon leur appétit.

19 Ils s'en prirent à Dieu
en disant : « Dieu est-il capable
de dresser la table dans le désert ?
20 Oui, il a frappé le rocher,
l'eau a coulé en torrents abondants,
mais peut-il aussi fournir le pain
et préparer la viande pour son peuple ? »

21 Alors entendant cela, le SEIGNEUR s'emporta[x] :
un feu s'alluma contre Jacob,
la colère monta contre Israël,
22 car ils ne s'étaient pas fiés à Dieu,
ils ne croyaient pas qu'il les sauverait[y].

23 Il commanda aux nuées d'en haut,
il ouvrit les portes des cieux.
24 Pour les nourrir, il fit pleuvoir la manne,
il leur donna le blé des *cieux[z] :
25 chacun mangea le pain des Forts[a] ;
il leur envoya des vivres à satiété.

26 Dans le ciel, il éloigna le vent d'est ;
par sa puissance, il amena le vent du sud.

u 78.14 *nuée, feu* 105.39 ; Ex 13.21 ; 14.20, 24 ; Nb 9.15-22 ; 10.11-12 ; Es 4.5. ***v 78.15*** v. 15-16 : *l'eau du rocher* 105.41 ; 114.8 ; Ex 17.1-7 ; Nb 20.1-13 ; Es 43.20 ; 48.21 ; Ne 9.15 ; *Sg* 11.4. ***w 78.18*** *ils mirent Dieu à l'épreuve* 95.9 ; 106.14 ; Ex 17.2, 7 ; Nb 14.22 ; Dt 6.16 ; Es 7.12 ; Mt 4.7 ; Ac 15.10 ; 1 Co 10.9. — *ils réclamèrent à manger* Ps 105.40 ; 106.15 ; Ex 16.2-36. ***x 78.21*** Nb 11.33-34. ***y 78.22*** *ils ne croyaient pas...* 106.13. ***z 78.24*** *la manne* Ex 16.15 ; Nb 11.7-9 ; Dt 8.3 ; Ne 9.15 ; *Sg* 16.20 ; Jn 6.49, 58. — *le blé des cieux* Ex 16.4, 11-15 ; Jn 6.31. ***a 78.25*** *les Forts :* appellation exceptionnelle des *anges* (voir Ps 103.20). Le *pain des Forts* est la *manne* (v. 24), appelée aussi pain des cieux en Ps 105.40 ; voir *Sg* 16.20 ; 1 Co 10.3.

27 Il fit pleuvoir sur eux de la viande, abondante comme la poussière,
des oiseaux[b] nombreux comme le sable de la mer.
28 Il les jetait au milieu de leur camp,
tout autour de leurs demeures.

29 Ils mangèrent et se gavèrent :
il avait accédé à leur désir.
30 Leur désir n'était pas assouvi,
ils avaient encore la bouche pleine[c],
31 que la colère de Dieu les assaillit,
et qu'il tua parmi eux les plus importants,
terrassant la jeunesse d'Israël.

32 Malgré cela, ils péchaient toujours[d],
ils ne se fiaient pas à ses merveilles.
33 Il réduisit leurs jours à du vent
et leurs années à l'épouvante.

34 Quand Dieu les tuait, eux le cherchaient ;
ils se reprenaient[e], ils se tournaient vers lui,
35 se souvenant que Dieu était leur rocher[f],
que le Dieu Très-Haut était leur défenseur.

36 Mais leur bouche le trompait,
leur langue lui mentait ;
37 leur cœur[g] n'était pas fermement avec lui,
et ils ne se fiaient pas à son alliance.

38 Et lui, le miséricordieux,
au lieu de détruire, il effaçait la faute.
Souvent il retint sa colère[h],
il ne réveilla pas toute sa fureur,
39 se souvenant qu'ils n'étaient que chair,
un souffle qui s'en va[i] sans retour.

40 Que de fois ils lui furent rebelles dans le désert[j],
ils l'offensèrent dans les solitudes !
41 De nouveau ils mirent Dieu à l'épreuve,
attristant le *Saint d'Israël[k].

b* *78.27 v. 26-28 : cailles Nb 11.31. ***c* *78.30*** v. 29-31 : Nb 11.33 ; *Sg* 16.2-3 ; 19. 11-12. ***d* *78.32*** 106.7. ***e* *78.34*** voir Jg 2.11-19 ; 3.7-9, etc. ***f* *78.35*** 28.1+. ***g* *78.37*** *leur cœur* Ac 8.21. ***h* *78.38*** *le miséricordieux* Ex 34.6+ ; Dt 4.31. — *il retint sa colère* Nb 14.18. ***i* *78.39*** *ils n'étaient que chair* Gn 6.3. — *un souffle qui s'en va* Ps 39.6 ; 144.4. ***j* *78.40*** *rebelles dans le désert* v. 32+. ***k* *78.41.*** *ils mirent à l'épreuve* v. 18+. — *le Saint d'Israël* Es 1.4+.

42 Ils ne se rappelaient plus[l] ce que sa main avait fait,
le jour où il les avait rachetés à l'adversaire :

43 Il impose ses *signes à l'Egypte,
ses prodiges au pays de Tanis[m].
44 Il change en sang leurs canaux[n]
et leurs ruisseaux, pour les empêcher de boire.
45 Il leur envoie une vermine qui les dévore,
des grenouilles[o] qui les infestent.

46 Il livre leurs récoltes aux sauterelles[p],
le fruit de leur travail aux criquets.
47 Il ravage leurs vignes par la grêle,
leurs sycomores[q] par le gel.
48 Il abandonne leur bétail aux grêlons,
leurs troupeaux à la foudre.

49 Il lâche sur eux son ardente colère :
fureur, rage, suffocation,
*anges de malheur en mission.
50 Livrant passage à sa colère,
il ne les préserve plus de la mort,
il abandonne leur vie à la peste.
51 Il frappe tous les fils aînés de l'Egypte,
les prémices de la maturité sous les tentes de Cham[r].

52 Il fait partir son peuple comme un troupeau,
il les mène au désert[s] comme des brebis ;
53 il les guide avec sûreté, ils n'ont pas à trembler
quand la mer recouvre leurs ennemis[t].

54 Il les amène à son domaine sacré,
à cette montagne acquise par sa droite[u].

***l* 78.42** 106.7, 13,21. ***m* 78.43** *signes* miraculeux en Egypte 105.27 ; 135.9 ; Ex 7.3 ; Jr 32.20. – *Tanis* v.12. ***n* 78.44** *eaux changées en sang* (1re plaie) 105.29 ; Ex 7.14-25 ; *Sg* 11.4-14 ; Ap 16.4. ***o* 78.45** *vermine* (4e plaie) 105.31 ; Ex 8.16-28 et *grenouilles* (2e plaie) 105.30 ; Ex 7.26–8.10. ***p* 78.46** *sauterelles* (8e plaie) 105.34 ; Ex 10. 1-20 ; *Sg* 16.9 ; voir Jl 1.4-12 ; Ap 9.3-11. ***q* 78.47** *grêle* (7e plaie) 105.32 ; Ex 9.13-35 ; *Sg* 16.16 ; Ap 8.7 ; 16.21. – *sycomores :* voir Am 7.14 et la note. ***r* 78.51** v. 49-51 : *mort des fils aînés* (10e plaie) 105.36 ; 135.8 ; 136.10 ; Ex 11.1-10 ; 12.29 ; *Sg* 18.5-19. – *Cham :* ancêtre de la population égyptienne d'après Gn 10.6 ; Ps 105.23,27 ; 106.22 ; *les tentes de Cham :* expression figurée désignant les habitations des Egyptiens. ***s* 78.52** *comme un troupeau* 77.21 + . – *au désert* 68.8 ; 136.16 ; Ex 13.18 ; Dt 29.4 ; Jos 24.7 ; Jr 2.6 ; 31.2 ; Ez 20.10 ; Ne 9.19, 21. ***t* 78.53** *il les guide* 23.2 ; Es 63.12-13. – *quand la mer recouvre...* Ps 106.11 ; Ex 14.27-28 ; 15.10. ***u* 78.54** Ex 15.17 ; Es 56.7.

[55] Il chasse devant eux des nations,
il leur distribue par lots un patrimoine[v],
il installe sous leurs tentes
les tribus d'Israël.

[56] Rebelles, ils mirent à l'épreuve le Dieu Très-Haut[w],
ne respectant pas ses exigences.
[57] Ils désertèrent, ils trahirent[x] comme leurs pères,
ils se retournèrent comme un arc vicieux.
[58] Ils l'indignaient avec leurs *hauts lieux ;
leurs idoles[y] excitaient sa jalousie.

[59] Dieu entendit et s'emporta,
il rejeta complètement Israël[z] ;
[60] il quitta la *demeure de Silo,
la tente qu'il avait dressée[a] parmi les hommes.
[61] Il livra sa force à la captivité,
sa majesté à des mains ennemies[b].

[62] Il abandonna son peuple à l'épée,
il s'emporta contre son patrimoine.
[63] Un feu dévora les jeunes gens,
pour les jeunes filles, on ne chanta plus l'éloge.
[64] Les prêtres tombèrent sous l'épée,
et les veuves ne firent pas les lamentations.

[65] Tel un dormeur, le Seigneur s'éveilla[c],
tel un brave que le vin ragaillardit.
[66] Il frappa ses ennemis par derrière[d],
leur infligeant un outrage éternel.

[67] Il écarta la famille de Joseph,
il refusa de choisir la tribu d'Ephraïm[e].

v 78.55 *il chasse des nations* 135.10 ; 136.17-20. — *il leur distribue...* 105.44 ; 135.12 ; 136.21-22 ; Gn 15.13-16 ; Dt 4.1, 38 ; 6.10 ; Jos 23.4. ***w 78.56*** *rebelles* v. 32+, 40-42. — *ils mirent Dieu à l'épreuve* v. 18+, 41. ***x 78.57*** *ils trahirent* Dt 32.15 ; Jg 2.13. ***y 78.58*** *leurs idoles* 106.28, 36-39. ***z 78.59*** Indignation de Dieu 106.29 ; Dt 32.19 ; Es 59.15. — *rejet d'Israël* Ps 60.3, 12 ; Rm 11.1. ***a 78.60*** *la demeure de Silo* est l'ancien *sanctuaire des Israélites, situé en Palestine centrale ; on y avait entreposé *l'arche de l'alliance jusqu'à l'époque du jeune Samuel (1 S 4.3) ; 1 S 4.16 ; Jr 7.14 ; 26.9. — *la tente qu'il avait dressée :* autre texte (suivi par les anciennes versions) *la tente qu'il avait habitée ; la tente* désigne ici sans doute le sanctuaire de Silo (comparer Ps 15.1 et la note). ***b 78.61*** *sa force... sa majesté:* ces mots désignent parfois *l'arche de l'alliance (comparer 1 S 4.22 ; Ps 96.6). — L'arche aux mains des Philistins 1 S 5.1—6.12. ***c 78.65*** 35.23+. ***d 78.66*** Allusion probable aux malheurs des Philistins racontés en 1 S 5.6-12. ***e 78.67*** *la famille de Joseph... la tribu d'Ephraïm :* voir v. 9 et la note.

68 Il choisit la tribu de Juda,
la montagne de *Sion qu'il aime[f].
69 Il bâtit son *sanctuaire pareil aux cimes,
et comme la terre[g], il l'a fondé pour toujours.

70 Il choisit David[h] son serviteur,
le prenant dans une bergerie :
71 de derrière ses brebis, il le fit venir ;
il en fit le *berger de Jacob[i] son peuple,
d'Israël son patrimoine.
72 Berger au cœur irréprochable,
il les guida d'une main avisée.

PSAUME 79 (78)

1 *Psaume. D'Asaf.*

Dieu, les nations ont envahi ton patrimoine[j],
souillé ton temple saint,
et mis en ruine Jérusalem.
2 Elles ont livré les cadavres de tes serviteurs
en pâture aux oiseaux du ciel[k],
la chair de tes fidèles aux bêtes de la terre,

3 et elles ont versé leur sang à flots
tout autour de Jérusalem,
les privant de sépulture[l].

4 Nous voici, outragés par nos voisins[m],
la moquerie et la risée de ceux qui nous entourent.
5 Jusqu'où ira, SEIGNEUR, cette colère[n] qui n'en finit pas,
cette jalousie qui brûle comme un feu ?

6 Répands ta fureur sur les nations qui t'ignorent,
sur les royaumes qui n'invoquent pas ton nom[o],

***f* 78.68** *il a choisi... Sion* 132.13 ; 135.21 ; Es 31.9 ; 46.13 ; Jl 4.17. — *il aime la montagne de Sion* Ps 87.2 ; voir aussi 2.6+ et 2 S 5.7. ***g* 78.69** Autre texte (plusieurs manuscrits hébreux, anciennes versions grecque et syriaque) *et sur la terre.* ***h* 78.70** 1 S 13.14 ; 16.11-13 ; 2 S 7.8-9. ***i* 78.71** *derrière ses brebis* voir Am 7.15. — *le berger de Jacob* Ez 34.23. ***j* 79.1** *Asaf* 50.1+et la note. — *le patrimoine de Dieu envahi...* 2 R 25.9 ; Lm 1.10 ; Ps 74.3-9. ***k* 79.2** *1 M* 7.17 ; voir Jr 19.7. ***l* 79.3** Etre *privé de sépulture* était considéré comme un très grand malheur (voir Jr 14.16 ; Qo 6.3), et même comme un châtiment divin (Jr 36.30). — *du sang à flots* Ap 16.6. ***m* 79.4** 44.14. ***n* 79.5** 85.6 ; 89.47. ***o* 79.6** *répands ta fureur...* Jr 10.25. — *qui n'invoquent pas ton nom* 1 Th 4.5.

[7] car ils ont mangé Jacob, ravagé son domaine[p].

[8] N'invoque pas contre nous les fautes anciennes.
Vite ! que ta pitié vienne au-devant de nous,
car nous sommes au plus bas[q].
[9] Aide-nous, Dieu notre sauveur,
pour la gloire de ton *nom.
Délivre-nous, efface nos péchés[r]
pour l'honneur de ton nom.

[10] Pourquoi laisser dire aux nations :
« Où est leur dieu ? »
Que les nations apprennent, sous nos yeux,
qu'il y a une vengeance pour le meurtre[s] de tes serviteurs !

[11] Que la plainte des prisonniers[t] parvienne jusqu'à toi ;
ton bras est grand, laisse vivre les condamnés.
[12] Rends sept fois à nos voisins, en plein cœur,
l'outrage[u] qu'ils t'ont fait, Seigneur.
[13] Et nous, ton peuple, le troupeau de ton pâturage[v],
nous pourrons te célébrer toujours,
et proclamer tes louanges d'âge en âge.

PSAUME 80 (79)

[1] *Du *chef de chœur, èl-shôshannîm. Témoignage d'Asaf[w], psaume.*

[2] *Berger d'Israël, écoute.
Toi qui mènes Joseph comme un troupeau,
toi qui sièges sur les *chérubins[x], révèle-toi,
[3] devant Ephraïm, Benjamin, et Manassé.
Réveille ta vaillance[y],
viens pour nous sauver.

p 79.7 *Jacob :* voir Ps 44.5 et la note. — *son domaine :* autre traduction *ils ont ravagé le domaine de Dieu.* **q 79.8** *fautes anciennes* non retenues 25.7. — *vite !* 31.3+. — *nous sommes au plus bas* 142.7. **r 79.9** *Dieu, notre sauveur* Es 43.3+. — *efface nos péchés* Ps 51.3, 11 ; Es 43.25 ; 44.22 ; Ac 3.19. **s 79.10** *ne pas laisser dire aux païens...* 115.2 ; Jl 2.17. — *où est leur Dieu ?* Ps 42.4 ; Mi 7.10 ; Ml 2.17. — *une vengeance pour le meurtre* Nb 35.19. **t 79.11** 102.21. **u 79.12** *un outrage* à ne pas oublier 89.51. **v 79.13** 77.21+. **w 80.1** *èl-shôshannîm* pourrait être traduit *vers les lis* (voir Ps 45.1). — *Asaf* 50.1 + et la note. **x 80.2** *Berger d'Israël* 23.1 + ; voir 77.21+. — *sur les chérubins* 1 S 4.4 ; Ps 18.11. **y 80.3** *Ephraïm et Manassé :* tribus descendant des deux fils de Joseph (voir Gn 41.50-52) ; avec *Benjamin* elles rassemblent les descendants *de Rachel* (Gn 30.22-23 ; 35.16-20). — *le réveil de Dieu* Ps 35.23+.

4 Dieu, fais-nous revenir ;
que ton visage s'éclaire[z] et nous serons sauvés.

5 SEIGNEUR Dieu, le tout-puissant,
jusqu'à quand t'enflammer contre les prières de ton peuple[a],
6 le nourrir d'un pain pétri de larmes[b]
et l'abreuver d'une triple mesure de larmes ?
7 Tu fais de nous la querelle de nos voisins,
nos ennemis ont de quoi rire[c].

8 Dieu le tout-puissant, fais-nous revenir ;
que ton visage s'éclaire et nous serons sauvés.

9 La vigne[d] que tu as retirée d'Egypte,
tu l'as replantée en chassant des nations ;
10 tu as déblayé le sol devant elle,
pour qu'elle prenne racine
et remplisse le pays.

11 Son ombre couvrait les montagnes,
et ses pampres, les cèdres divins.
12 Elle déployait ses sarments jusqu'à la mer,
et ses rejets jusqu'au Fleuve[e].

13 Pourquoi as-tu défoncé ses clôtures,
que tous les passants y grappillent[f] ?
14 Le sanglier venu de la forêt la ravage,
les bêtes des champs la broutent.

15 Dieu le tout-puissant, reviens donc ;
regarde du haut des cieux et vois.
Interviens pour cette vigne,
16 pour la souche plantée par ta droite,
— et sur le fils qui te doit sa force[g].

z 80.4 *fais-nous revenir 85.5 ; Jr 31.18.* — *que ton visage s'éclaire* Ps 31.17+. ***a 80.5*** *jusqu'à quand* 6.4+. — *contre les prières de ton peuple :* autre traduction possible *quand ton peuple prie.* ***b 80.6*** 42.4+. ***c 80.7*** *le rire de nos ennemis* 79.4. ***d 80.9*** *vigne* (symbole d'Israël) Es 5.1+ ; Mc 12.1 par. ***e 80.12*** Le *Fleuve* est une appellation habituelle de *l'Euphrate* (Gn 15.18), limite de l'empire de David et de Salomon (1 R 5.1, 4). — *jusqu'au Fleuve* Ps 72.8+ ; 2 R 24.7. ***f 80.13*** Pillage du domaine de Dieu Jr 12.7-13. ***g 80.16*** Autre traduction *et sur le fils que tu as rendu fort pour toi.* Certains pensent que ce *fils* désigne un rejeton de la vigne, symbole traditionnel du peuple de Dieu (voir Es 5.1-7) ; d'autres, avec l'ancienne version araméenne, voient ici une allusion au roi-*messie. — La fin du v. 16 semble empruntée au v. 18.

17 La voici incendiée, coupée ;
devant ton visage menaçant ils[h] périssent.
18 Pose ta main sur l'homme qui est à ta droite,
et sur le fils d'homme qui te doit sa force[i].
19 Alors, nous ne te quitterons pas ;
tu nous feras vivre et nous invoquerons ton nom.

20 SEIGNEUR Dieu, le tout-puissant, fais-nous revenir ;
que ton visage s'éclaire et nous serons sauvés.

PSAUME 81 (80)

1 *Du *chef de chœur, sur la guittith, d'Asaf*[j].

2 Criez de joie pour Dieu notre force,
acclamez le Dieu de Jacob.
3 Mettez-vous à jouer, faites donner le tambour,
avec la cithare mélodieuse, avec la harpe[k].
4 Sonnez du cor au mois nouveau,
à la pleine lune, pour notre jour de fête[l].

5 C'est là pour Israël une loi[m],
une décision du Dieu de Jacob,
6 une règle qu'il a imposée à Joseph
quand il sortit[n] contre le pays d'Egypte :

J'entends un langage que je ne connais pas[o] ;
7 j'ai ôté la charge de son épaule
et ses mains ont déposé le fardeau[p].

h 80.17 *ils :* le texte hébreu est ambigu ; on ne peut déterminer s'il s'agit ici des ravageurs décrits aux v. 13-14 ou des Israélites représentés par la vigne. ***i 80.18*** *l'homme qui est à ta droite* 110.1. — *qui te doit sa force* 89.22. ***j 81.1*** *sur la guittith* 8.1 et la note. — *Asaf* 50.1+et la note. ***k 81.3*** *cithare, harpe :* voir 92.4 et la note. — Voix humaines et accompagnement musical 47.6-8 ; 98.4-6 ; 150.1-5 ; 2 Ch 5.13 ; voir Ps 96.1+. — Musique pour le Seigneur 147.7+. ***l 81.4*** Dans le calendrier israélite le début du *mois nouveau* coïncidait avec la nouvelle lune ; il était marqué par une *fête* chômée (Lv 23.24 ; Nb 29. 1-6) ; voir au glossaire NÉOMÉNIE ; 2 R 4.23 ; Es 1.13 ; Os 2.13 ; Am 8.5. ***m 81.5*** Ex 23.14. ***n 81.6*** *Joseph* personnifie ici le peuple d'Israël quand il était en Egypte. — *il sortit... :* c'est-à-dire *Dieu* sortit (voir cependant la note suivante). ***o 81.6*** L'ancienne version grecque rattache cette dernière ligne du v. 6 à la précédente ; elle a compris : *Quand Joseph sortit d'Egypte, il entendit un langage qu'il ne connaissait pas.* Quant au texte hébreu, il peut être compris soit comme une remarque de l'auteur du psaume annonçant la déclaration de Dieu (v. 7 et suivants), soit comme le début de cette déclaration elle-même. ***p 81.7*** *son épaule :* Dieu parle d'Israël en le personnifiant sous les traits d'un homme épuisé. Au verset suivant il s'adresse directement à son peuple. — *la charge* pesant sur Israël Ex 1.11-14 ; 5.6-9. — Israël déchargé Ex 2.24 ; 3.8 ; 6.6 ; voir Ps 55.23 ; Mt 11.29-30 ; 1 P 5.7.

8 Quand tu criais sous l'oppression, je t'ai délivré,
je t'ai répondu dans le secret de l'orage ;
je t'ai mis à l'épreuve près des eaux de Mériba[q].

9 Ecoute, mon peuple, je t'en adjure !
Israël, si tu m'écoutes[r],
10 il n'y aura pas chez toi de dieu étranger,
tu ne te prosterneras pas[s] devant un dieu différent.
11 C'est moi, le SEIGNEUR ton Dieu,
qui t'ai fait monter du pays d'Egypte[t].
Ouvre grand la bouche, et je la remplirai !

12 Mais mon peuple n'a pas écouté[u] ma voix,
Israël n'a pas voulu de moi,
13 et je les ai renvoyés à leur cœur endurci[v] :
qu'ils suivent donc leurs projets !

14 Ah ! si mon peuple m'écoutait[w],
si Israël suivait mes chemins,
15 j'aurais vite fait d'humilier leurs ennemis,
de détourner ma main contre leurs oppresseurs.
16 Ceux qui haïssent le SEIGNEUR le courtiseraient,
ce serait leur destin pour toujours[x].
17 Il nourrirait Israël de fleur de froment,
et de miel sauvage[y] il le rassasierait.

PSAUME 82 (81)

1 *Psaume. D'Asaf.*

Dieu s'est dressé dans l'assemblée divine,
au milieu des dieux[z], il juge :

q* *81.8 *oppression* et *délivrance* 4.2 ; 25.17 ; 34.7+ ; 50.15+ ; 107.6, 13, 19, 28 ; 118.5 ; 120.1 ; Jon 2.3. — *dans le secret de l'orage* Ex 19.16. — *épreuve à Mériba* Ps 95.8+. ***r 81.9*** *Ecoute !* 50.7 ; 78.1 ; Dt 6.4. — *si tu m'écoutes* Ps 95.7. ***s 81.10*** *pas de dieu étranger* Ex 20.3 ; Jos 24.23. — *tu ne te prosterneras pas...* Ex 20.5. ***t 81.11*** *c'est moi, ton Dieu* 50.7 ; Ex 20.2 ; Es 41.10 — *qui t'ai fait monter du pays d'Egypte* Lv 11.45 ; 1 S 8.8 ; Jr 2.6 ; Os 12.14 ; Am 2.10. ***u 81.12*** Dt 1.43 ; Es 66.4 ; Jr 7.24, 28 ; 11.10 ; 13.10-11 ; 35.16 ; So 3.2. ***v 81.13*** *renvoyés* Ac 7.42 ; Rm 1.24 ; voir Jr 2.19 ; 14.16 ; Ez 18.20 ; Ga 6.7-8 — *à leur cœur endurci* Jr 3.17 ; 7.24 ; Dt 29.18. ***w 81.14*** v. 14-15 : v. 9 ; Es 48.18-19. ***x 81.16*** Traduction incertaine d'un texte obscur ; ancienne version syriaque *ce serait leur terreur pour toujours.* ***y 81.17*** Dt 32.13 ; Es 7.22 ; voir Mc 1.6. ***z 82.1*** *Asaf* 50.1+ et la note. — *dans l'assemblée divine* 89.6. — *dieux* voir Ex 4.16. — *au milieu des dieux :* autres traductions *au milieu des anges* (anciennes versions grecque et syriaque) ; *au milieu des juges (terrestres)* (ancienne version araméenne).

2 Jusqu'à quand jugerez-vous de travers
en favorisant les coupables[a] ? *Pause.
3 Soyez des juges pour le faible et l'orphelin[b],
rendez justice au malheureux et à l'indigent ;
4 libérez le faible et le pauvre,
délivrez-les de la main des coupables.

5 Mais ils ne savent pas, ils ne comprennent pas,
ils se meuvent dans les ténèbres,
et toutes les assises de la terre sont ébranlées.

6 Je le déclare, vous êtes des dieux[c],
vous êtes tous des fils du Très-Haut,
7 pourtant vous mourrez comme les hommes,
vous tomberez tout comme les princes.

8 Lève-toi, Dieu ! Sois le juge de la terre[d],
car c'est toi qui as toutes les nations pour patrimoine.

PSAUME 83 (82)

1 *Chant, psaume d'Asaf*[e].

2 O Dieu, sors de ton silence ;
Dieu, ne reste pas inerte et muet[f].
3 Voici tes ennemis qui grondent,
tes adversaires qui relèvent la tête.

4 Contre ton peuple, ils trament un complot[g],
ils intriguent contre ton trésor :
5 Ils disent : « Allez ! supprimons leur nation,
que le nom d'Israël ne soit plus mentionné ! »

6 D'un commun accord ils ont intrigué
pour faire alliance contre toi :
7 les gens d'Edom et les Ismaélites,
Moab et les enfants d'Hagar,
8 Gueval, Ammon, Amaleq,
la Philistie avec les habitants de Tyr.

a 82.2 Jr 5.28 ; Ez 22.27 ; Mi 3.1-4 ; voir Za 9.9. ***b 82.3*** Ex 23.6 ; Es 1.17 ; Jb 29.12. ***c 82.6*** Jn 10.34 ; voir Ps 58.2. ***d 82.8*** Dieu, maître des nations voir Dt 32.8. ***e 83.1*** *Asaf* 50.1+ et la note. ***f 83.2*** 28.1+ ; voir 44.24 ; 50.3. ***g 83.4*** *complot* 31.14.

9 Même Assour s'est joint à eux,
prêtant main-forte aux fils de Loth[h]. *Pause.

10 Traite-les comme Madiân,
comme Sisera et Yavîn[i] au torrent du Qishôn.
11 Ils furent anéantis à Ein-Dor,
ils ont servi de fumier à la terre.
12 Leurs princes, rends-les comme Orev et Zéev
et tous leurs chefs, comme Zèvah et Çalmounna[j],
13 eux qui disaient : « Emparons-nous
des domaines de Dieu ! »

14 Mon Dieu, fais-les tourbillonner
comme de la paille en plein vent[k],
15 Tel un feu qui dévore la forêt,
telle une flamme qui embrase les montagnes,
16 poursuis-les de ta bourrasque,
épouvante-les par ton ouragan.

17 Couvre de confusion leur visage,
et qu'ils cherchent ton nom, SEIGNEUR[l] !
18 Frappés pour toujours d'épouvante et de honte,
qu'ils périssent, déshonorés,
19 qu'ils sachent que tu portes le nom de SEIGNEUR, toi seul,
le Très-Haut sur toute la terre[m] !

PSAUME 84 (83)

1 *Du *chef de chœur ; sur la guittith. Des fils de Coré*[n]*, psaume.*

2 Comme elles sont aimées tes demeures,
SEIGNEUR tout-puissant !

h* *83.9 *Edom* (v. 7) : population installée au sud de la Palestine ; Nb 20.14-21 ; Am 1.11+. — les *Ismaélites* et les *enfants d'Hagar* (v. 7) : tribus arabes (voir Gn 21.9-21 ; 1 Ch 5.19-20). — *Moab* (v. 7 ; Am 2.1+) et *Ammon* (v. 8 ; Am 1.13+) : deux petits royaumes, à l'est du Jourdain et de la mer Morte ; ce sont les *fils de Loth* (Gn 19.30-38). — *Gueval* (v. 8) : population installée au sud de la mer Morte. — *Amaleq* (v. 8) : peuple nomade de la région du Néguev, souvent présenté comme l'ennemi traditionnel d'Israël ; Ex 17.8-16 ; Dt 25.17 ; Jg 6.3,33 ; 10.12 ; 1 S 15.2. — *Philistie* (Am 1.6+) et *Tyr* (Am 1.9+) désignent ici toutes les populations habitant la côte méditerranéenne de la Palestine. — *Assour :* soit une tribu transjordanienne (Gn 25.3, 18 ; 2 S 2.9), soit l'empire assyrien. ***i 83.10*** *comme Madiân* Jg 6—8 ; Es 9.3. — *Sisera et Yavîn* Jg 4—5 ; 1 S 12.9. ***j 83.12*** *Orev et Zéev* Jg 7.25. — *Zèvah et Çalmounna* Jg 8.5-12. ***k 83.14*** Es 17.13 ; Jb 27.21. ***l 83.17*** Voir 9.11+. ***m 83.19*** *qu'ils sachent...* 46.11 ; voir 2 R 19.19 ; Ez 7.9 ; 39.22 ; Dn 4.29. — *le Très-Haut sur toute la terre* Ps 97.9. ***n 84.1*** *sur la guittith :* voir 8.1 et la note. — *fils de Coré :* voir 42.1 et la note.

[3] Je languis à rendre l'âme
après les *parvis du SEIGNEUR[o].
Mon cœur et ma chair crient
vers le Dieu vivant.

[4] Le moineau lui-même trouve une maison,
et l'hirondelle un nid pour mettre sa couvée,
près de tes *autels, SEIGNEUR tout-puissant,
mon roi et mon Dieu[p].
[5] Heureux les habitants de ta maison[q] :
ils te louent sans cesse ! *Pause.*

[6] Heureux l'homme qui trouve chez toi sa force :
de bon cœur il se met en route[r] ;
[7] en passant par le val des Baumiers
ils en font une oasis[s],
les premières pluies le couvrent de bénédictions.
[8] Toujours plus ardents, ils avancent
et se présentent devant Dieu[t] à *Sion.

[9] SEIGNEUR Dieu, le tout-puissant,
écoute ma prière[u] ;
prête l'oreille, Dieu de Jacob. *Pause.*
[10] O Dieu, vois celui qui est notre bouclier[v],
regarde le visage de ton *messie.

[11] Puisqu'un jour dans tes parvis
en vaut plus de mille,
j'ai choisi :
plutôt rester au seuil de la maison de mon Dieu
que de loger sous les tentes des infidèles.

[12] Oui, le SEIGNEUR Dieu est un soleil et un bouclier[w] ;
le SEIGNEUR donne la grâce et la gloire,

o 84.3 v. 2-3 : désir de la présence de Dieu 42.3,9 ; 63.2-3. — *les parvis du Seigneur* 65.5+. ***p 84.4*** *près de tes autels, Seigneur... :* autre traduction... *couvée. Tes autels, Seigneur... ! — mon roi et mon Dieu* 5.3+. ***q 84.5*** *Heureux...* 1.1+ *les habitants de ta maison* 23.6 ; 27.4 ; 65.5 ; 101.7 ; 135.2 ; 140.14 ; voir 122.1. ***r 84.6*** On sous-entend *pour le pèlerinage qui les mènera vers Jérusalem ;* 120—134. ***s 84.7*** Le *baumier* (ou *micocoulier)* 2 S 5.23-24 : arbre à sève abondante, poussant dans les vallées sèches. Le *val des Baumiers* permettait d'accéder à la porte ouest de Jérusalem. — *une oasis :* ou *une fontaine.* — Le texte hébreu de la fin du v. 7 est obscur. ***t 84.8*** Es 1.12 ; Jr 7.10 ; Mi 6.6 ; voir Jb 1.6 ; 2.1. ***u 84.9*** 39.13 ; 143.1 ; 1 R 8.28 ; Dn 9.17 ; voir Ps 6.10 ; 65.3. ***v 84.10*** Autre traduction : *Vois, ô Dieu qui es notre bouclier.* — Voir aussi 47.10 et la note. ***w 84.12*** *Dieu, un bouclier* 3.4+.

il ne refuse pas le bonheur
à ceux qui vont sans reproche.

13 SEIGNEUR tout-puissant,
heureux l'homme qui compte sur toi[x] !

PSAUME 85 (84)

1 *Du *chef de chœur, des fils de Coré[y], psaume.*

2 Tu as montré ton amour pour ton pays, SEIGNEUR !
tu as fait revenir les captifs de Jacob[z] ;
3 tu as enlevé la faute[a] de ton peuple,
tu as couvert tout son péché. **Pause.*
4 Tu as mis fin à ton emportement,
tu es revenu de ton ardente colère[b].

5 Fais-nous revenir Dieu notre sauveur[c] !
renonce à ta rancune envers nous.
6 Seras-tu toujours irrité contre nous,
prolongeant ta colère d'âge en âge[d] ?

7 N'est-ce pas toi qui reviendras nous faire vivre
et qui seras la joie de ton peuple ?
8 Montre-nous ta fidélité, SEIGNEUR,
et donne-nous ton salut.

9 J'écoute ce que dit Dieu, le SEIGNEUR ;
il dit : « Paix[e] », pour son peuple et pour ses fidèles,
mais qu'ils ne reviennent pas à leur folie !
10 Son salut est tout proche de ceux qui le craignent,
et la gloire va demeurer dans notre pays[f].

11 Fidélité et Vérité se sont rencontrées,
elles ont embrassé Paix et Justice[g].

x 84.13 *heureux l'homme...* 1.1+. — *compter sur le Seigneur* 9.11+ ; 55.24+. **y 85.1** Voir 42.1 et la note. **z 85.2** *tu as fait revenir les captifs de Jacob :* 14.7 ; voir Ps 126 ; autre traduction *tu as changé le sort de Jacob.* — Sur *Jacob,* voir Ps 44.5 et la note. **a 85.3** *faute enlevée* 32.5. **b 85.4** 78.38 ; Ex 32.14 ; Es 48.9 ; Ez 20.21-22 ; Os 11.9. **c 85.5** *Fais nous revenir* 80.4 ; Jr 31.18. — *Dieu, notre sauveur* Es 43.3+. **d 85.6** Une *colère* sans fin ? 79.5. **e 85.9** *écouter ce que dit le Seigneur* Ha 2.1 ; He 2.1. — *Paix !* Es 57.19 ; Ps 125.5 ; 128.6 ; Lc 2.14. **f 85.10** *le salut tout proche* Es 51.5. — *ceux qui le craignent* Ps 15.4+. — *la gloire du Seigneur demeure...* Ex 24.16. **g 85.11** Autre traduction (soutenue par les versions anciennes) : *Paix et Justice se sont embrassées.* — *Fidélité et Vérité* 89.15 ; voir 97.2 ; Ep 4.15.

12 La Vérité germe[h] de la terre
et la Justice se penche du ciel.

13 Le SEIGNEUR lui-même donne le bonheur,
et notre terre donne sa récolte[i].
14 La Justice marche devant lui,
et ses pas tracent le chemin[j].

PSAUME 86 (85)

1 *Prière. De David.*

SEIGNEUR, tends l'oreille, réponds-moi,
car je suis un malheureux et un pauvre[k].
2 Garde-moi en vie, car je suis fidèle.
Toi mon Dieu, sauve ton serviteur
qui compte sur toi[l].

3 Aie pitié de moi[m], Seigneur,
c'est toi que j'appelle chaque jour.
4 Réjouis le cœur de ton serviteur,
car, Seigneur, je suis tendu vers toi[n].

5 Seigneur, toi qui es bon et qui pardonnes,
riche en fidélité[o] pour tous ceux qui t'appellent,
6 prête l'oreille à ma prière, SEIGNEUR !
Sois attentif[p] à ma voix suppliante !
7 Au jour de la détresse je t'appelle,
et tu me réponds[q].

8 Nul n'est comme toi[r] parmi les dieux, Seigneur !
Ce que tu fais est incomparable.
9 Toutes les nations que tu as faites
viendront[s] se prosterner devant toi, Seigneur,
et glorifier ton nom.
10 Car tu es grand, tu fais des miracles,
tu es Dieu, toi seul !

h 85.12 Es 45.8. ***i 85.13*** *récolte* et *bonheur* 67.7 ; Za 8.12. ***j 85.14*** Autre traduction (soutenue par l'ancienne version latine) *il* (c'est-à-dire Dieu, ou *elle,* c'est-à-dire la Justice) *mettra ses pas sur le chemin.* — *la Justice marche devant* Es 58.8. ***k 86.1*** *tends l'oreille* 71.2+. — *malheureux et pauvre* 40.18 ; 140.13. ***l 86.2*** *garde-moi en vie* 25.20. — *compter sur Dieu* 9.11+ ; 55.24+. ***m 86.3*** *Aie pitié de moi* 57.2. ***n 86.4*** 25.1+. ***o 86.5*** *pardon* 25.11. — *riche en fidélité* 103.8. ***p 86.6*** 5.3+ ; voir 28.2. ***q 86.7*** *Au jour de la détresse* 77.3+. — *tu me réponds* 17.6. ***r 86.8*** Ex 15.11. ***s 86.9*** Ap 3.9 ; 15.4.

11 SEIGNEUR, montre-moi ton chemin
et je me conduirai selon ta vérité.
Unifie mon cœur[t]
pour qu'il craigne ton *nom.

12 Seigneur mon Dieu, je veux te célébrer de tout mon cœur[u],
et glorifier ton nom pour toujours,
13 car ta fidélité est grande envers moi
et tu m'as délivré des profondeurs des enfers[v].

14 Dieu ! des orgueilleux m'ont attaqué[w]
et une ligue de tyrans en veut à ma vie ;
ils ne tiennent pas compte de toi.

15 Mais toi, Seigneur, Dieu miséricordieux et bienveillant[x],
lent à la colère, plein de fidélité et de loyauté,
16 tourne-toi vers moi ; aie pitié de moi,
donne ta force à ton serviteur[y]
et sauve le fils de ta servante.
17 Agis avec éclat en ma faveur,
alors mes ennemis seront confondus en voyant
que toi, SEIGNEUR, tu me secours et me consoles.

PSAUME 87 (86)

1 *Des fils de Coré, psaume, chant.*

Le SEIGNEUR a fondé Sion sur les montagnes saintes[z],
2 il en aime les portes
plus que toutes les demeures de Jacob[a].
3 On fait sur toi des récits de gloire,
ville de Dieu ! *Pause.*

4 Je mentionne Rahav et Babylone
parmi ceux qui me connaissent[b].

t* *86.11 *montre-moi ton chemin* 25.4,8, 12 ; 27.11. — *selon la vérité* 25.6 ; 26.3 — *Unifie mon cœur* Jc 1.8 : expression condensée, à peu près équivalente à *Fais que mes pensées, mes décisions (et mes sentiments) n'aient qu'un seul but...* — Autre traduction appuyée sur les anciennes versions grecque et syriaque *Réjouis mon cœur.* ***u 86.12*** 9.2. ***v 86.13*** Dt 32.22. ***w 86.14*** *attaqué* 54.5. ***x 86.15*** Ex 34.6+. ***y 86.16*** *tourne-toi vers moi* 25.16. — *ton serviteur* 116.16. ***z 87.1*** *fils de Coré :* voir 42.1 et la note. — *Le Seigneur, fondateur de Sion* Es 14.32 ; voir 28.16. — *montagnes saintes* Ps 3.5+. ***a 87.2*** *Jacob :* voir 44.5 et la note. ***b 87.4*** Comme en Es 30.7 *Rahav* est sans doute ici une désignation symbolique de l'Egypte (voir aussi Ps 40.5 et la note). — *qui me connaissent :* le texte hébreu ne permet pas de reconnaître si c'est Dieu ou Jérusalem personnifiée qui parle ici ; Es 19.21 ; voir Jr 2.8 ; Jn 17.3.

Certes, c'est en Philistie, à Tyr ou en Nubie,
que tel homme est né.
5 Mais on peut dire de *Sion[c] ;
« En elle, tout homme est né,
et c'est le Très-Haut qui la consolide ! »

6 Le SEIGNEUR inscrit dans le livre des peuples[d] :
« A cet endroit est né tel homme »,
7 mais ils dansent et ils chantent : *Pause.*
« Toutes mes sources sont en toi ! »

PSAUME 88 (87)

1 *Chant, psaume. Des fils de Coré. Du *chef de chœur, al-mâhalath le-annôth. Instruction ; d'Hémân l'Ezrahite*[e].

2 SEIGNEUR, mon Dieu sauveur !
le jour, la nuit, j'ai crié vers toi[f].
3 Que ma prière parvienne jusqu'à toi.
tends l'oreille[g] à ma plainte.

4 Car ma vie est saturée de malheurs
et je frôle les enfers.
5 On me compte parmi les moribonds[h] ;
me voici comme un homme fini,
6 reclus parmi les morts,
comme les victimes couchées dans la tombe,
et dont tu perds le souvenir
car ils sont coupés de toi.

7 Tu m'as déposé dans les profondeurs de la *Fosse,
dans les Ténèbres, dans les gouffres[i].
8 Ta fureur s'est appesantie sur moi ;
de toutes tes vagues[j] tu m'as accablé. **Pause.*

9 Tu as éloigné de moi mes intimes[k] ;
à leurs yeux, tu as fait de moi une horreur.

c 87.5 Autre traduction (soutenue par les versions latine et araméenne) *Mais on dira à Sion.* — Autre texte (ancienne version grecque) *Mère Sion, dira l'homme* (voir Ga 4.26). ***d 87.6*** le Seigneur inscrit... Es 4.3 ; Ez 13.9 ; voir Ap 3.5+. ***e 88.1*** *fils de Coré* 42.1 et la note. — *al-mâhalath* 53.1 et la note. — *le-annôth* peut signifier *pour répondre* ou *pour affliger.* — *Hémân* 1 Ch 6.18 ; voir 1 R 5.11 ; 1 Ch 2.6 *l'Ezrahite* Ps 89.1. ***f 88.2*** *le jour... la nuit* 22.3. — *crier vers le Seigneur* voir 3.5+. ***g 88.3*** *ma prière jusqu'à toi* 102.2. — *tends l'oreille* 71.2. ***h 88.5*** *parmi les moribonds* 22.30+. ***i 88.7*** Au bord de la mort 18.5-6. ***j 88.8*** *tes vagues* 42.8. ***k 88.9*** *éloigné de mes intimes* 31.12+.

Enfermé, je n'ai pas d'issue.
10 Mes yeux sont épuisés par la misère.
Je t'ai appelé tous les jours, SEIGNEUR !
les mains ouvertes vers toi[l].

11 Feras-tu un miracle pour les morts ?
Les trépassés se lèveront-ils pour te célébrer[m] ?

12 Dans la Tombe peut-on dire ta fidélité,
et dans *l'Abîme[n] dire ta loyauté ?
13 Ton miracle se fera-t-il connaître dans les Ténèbres,
et ta justice au pays de l'Oubli ?

14 Mais moi, je crie vers toi, SEIGNEUR !
Le matin[o], ma prière est déjà devant toi.
15 SEIGNEUR, pourquoi me rejeter,
me cacher ton visage ?

16 Malheureux, exténué dès l'enfance,
j'ai subi tes épouvantes et je suis hébété[p].
17 Tes fureurs ont passé sur moi,
tes terreurs m'ont anéanti.

18 Tous les jours elles m'ont cerné comme les eaux,
elles m'ont encerclé de partout.
19 Tu as éloigné de moi compagnons et amis[q] ;
pour intimes, j'ai les ténèbres.

PSAUME 89 (88)

1 *Instruction. D'Etân l'Ezrahite*[r].

2 Je chanterai toujours les bontés du SEIGNEUR.
Ma bouche fera connaître ta loyauté pour des siècles.
3 Oui, je le dis : « Ta bonté est édifiée pour toujours ;
dans les cieux, tu établis ta loyauté. »

l* *88.10 C'est le geste de la prière; 28.2 et la note ; 77.3 ; 143.6. ***m* *88.11*** On ne loue plus Dieu chez les morts 6.6 ; Es 38.18. — *les trépassés* Es 26.14. ***n* *88.12*** *l'Abîme* ou *le lieu de la perdition :* désignation imagée du *séjour des morts ; Jb 26.6 ; 28.22 ; Pr 15.11 ; Ap 9.11. ***o* *88.14*** *crier vers le Seigneur* v. 2. — *dès le matin* 59.17 ; 143.8. ***p* *88.16*** Le terme hébreu ne se trouve nulle part ailleurs ; la traduction est incertaine. ***q* *88.19*** v. 9 ; 31.12+. ***r* *89.1*** *Etân* 1 Ch 15.17-19 *l'Ezrahite* Ps 88.1+.

4 J'ai conclu une *alliance en faveur de mon élu[s],
j'ai juré à David mon serviteur :
5 j'établis ta dynastie pour toujours,
je t'ai édifié un trône pour tous les siècles. *Pause.*

6 Que les cieux célèbrent cette merveille, SEIGNEUR !
et ta loyauté dans l'assemblée des saints[t].
7 Qui donc là-haut est égal au SEIGNEUR ?
qui ressemble au SEIGNEUR parmi les dieux[u] ?

8 Dans le conseil des *saints, Dieu est grandement redoutable,
plus terrible que tous ceux qui l'entourent.
9 SEIGNEUR, Dieu des puissances !
qui est fort comme toi, SEIGNEUR ?
Ton entourage, c'est ta loyauté.

10 C'est toi qui maîtrises l'orgueil de la Mer[v] ;
quand ses vagues se soulèvent, c'est toi qui les apaises.
11 C'est toi qui as écrasé le cadavre de Rahav[w],
qui as dispersé tes ennemis par la force de ton bras.

12 A toi les cieux ! à toi aussi la terre[x] !
le monde et ses richesses, c'est toi qui les fondas.
13 Le Nord et le Midi, c'est toi qui les créas ;
le Tabor et l'Hermon[y] crient de joie à ton *nom.

14 A toi ce bras plein de vaillance,
cette main puissante, cette droite levée !
15 La justice et le droit sont les bases de ton trône ;
la fidélité et la vérité[z] précèdent ta face.

16 Heureux le peuple qui sait t'acclamer !
il marchera à la lumière de ta face[a], SEIGNEUR !
17 A ton nom, ils danseront de joie tous les jours,
à cause de ta justice ils se redressent.

s 89.4 Les v. 4-5 résument la déclaration de Dieu faite à David par l'intermédiaire du prophète Natan ; 2 S 7.11-17 ; 23.5 ; Ac 2.30. ***t 89.6*** Les *saints* désignent ici les anges qui entourent Dieu comme les membres de sa cour royale Jb 5.1 ; 15.15. — v. 6-7 : *les saints, les dieux* v. 7-9 ; Ps 138.1+. ***u 89.7*** v. 7-9 : Es 40.18, 25 ; 46.5. ***v 89.10*** 65.8 ; 107.29 ; Jb 38.8-11 ; Mc 4.41. ***w 89.11*** *Rahav :* voir Ps 40.5 et la note ; voir aussi Jb 7.12 et la note ; Ps 74.13. ***x 89.12*** 24.1-2. ***y 89.13*** *Le Tabor :* montagne isolée située en Galilée ; Os 5.1. — L'*Hermon* Ps 42.7+ et la note. ***z 89.15*** *justice et droit,* appuis du trône de Dieu Es 9.6+. — *fidélité et vérité* Ps 85.11+. ***a 89.16*** *Heureux !* 1.1+. — *la lumière de ta face* 80.4.

[18] Oui, tu es leur force éclatante ;
tu redresses notre front par ta faveur[b].
[19] Notre bouclier dépend du SEIGNEUR,
et notre roi, du *Saint d'Israël[c].

[20] Un jour dans une apparition, tu parlas ainsi à tes fidèles :
J'ai accordé mon aide à un brave,
j'ai exalté un jeune homme de mon peuple[d].
[21] J'ai trouvé David mon serviteur,
je l'ai sacré avec mon huile sainte[e].
[22] Solide, ma main sera près de lui
et mon bras le rendra fort.

[23] L'ennemi ne pourra le surprendre,
le rebelle ne pourra l'humilier,
[24] car j'écraserai devant lui ses adversaires,
je frapperai ceux qui le haïssent.

[25] Ma loyauté et ma fidélité seront près de lui,
et à mon nom, il redressera le front.
[26] Je mettrai la mer sous sa main,
les fleuves sous sa droite.

[27] Lui m'appellera : « Mon père !
mon Dieu ! le rocher qui me sauve[f] ! »
[28] Et moi, je ferai de lui l'aîné,
le très-haut parmi les rois[g] de la terre.

[29] Pour toujours je lui garderai ma fidélité ;
mon *alliance[h] lui sera assurée.
[30] J'établirai sa dynastie à jamais,
et son trône[i] pour la durée des cieux.

[31] Si ses fils abandonnent ma loi.
et ne suivent pas mon droit,
[32] s'ils violent mes préceptes
et ne gardent pas mes commandements,
[33] je punirai leur rébellion par la trique

***b* 89.18** La traduction suit ici le texte hébreu « écrit », suivi par la version latine de S. Jérôme et la version araméenne. Le texte hébreu que la tradition juive considère comme « à lire », suivi par les versions grecque et syriaque, a compris *notre front se redresse à cause de ta faveur.* ***c* 89.19** *notre bouclier* 47.10 et la note. — *Saint d'Israël* Es 1.4+. ***d* 89.20** 2 S 7.8. ***e* 89.21** *J'ai trouvé David* Ac 13.22. — *sacré avec l'huile sainte* 1 S 16.13. ***f* 89.27** *Mon père* 2 S 7.14 ; Ps 2.7. — *mon Dieu* 22.11+. — *le rocher qui me sauve* 18.3+. ***g* 89.28** *l'aîné, le très-haut parmi les rois* Ap 1.5. ***h* 89.29** *alliance* avec David Jr 33.21. ***i* 89.30** 2 S 7.16 ; Jr 33.26.

et leur faute par des coups,
34 mais sans briser ma fidélité envers lui[j]
ni démentir mon alliance.

35 Je ne violerai pas mon alliance,
je ne changerai pas ce qui est sorti de ma bouche.
36 Une fois pour toutes, je l'ai juré sur ma *sainteté :
non ! je ne tromperai pas David !
37 Sa dynastie durera toujours ;
et son trône sera devant moi, comme le soleil,
38 comme la lune, toujours là, solide,
en témoin fidèle dans les nues[k]. *Pause.*

39 C'est toi pourtant, qui as rejeté[l], méprisé ton *messie,
qui t'es emporté contre lui.
40 Tu as renié l'alliance avec ton serviteur,
jeté à terre et profané son diadème.

41 Tu as défoncé toutes ses clôtures[m],
démantelé ses forteresses ;
42 tous les passants l'ont pillé[n] ;
le voici outragé par ses voisins.

43 Tu as relevé la puissance de l'ennemi[o],
tu as réjoui tous ses adversaires ;
44 tu as même retourné contre lui le tranchant de son épée,
tu ne l'as pas appuyé pendant le combat.

45 Tu as mis fin à sa splendeur
et renversé à terre son trône.
46 Tu as abrégé le temps de sa jeunesse,
tu l'as couvert de honte. *Pause.*

47 Jusqu'à quand SEIGNEUR ? Te cacheras-tu constamment ?
Laisseras-tu flamber ta colère[p] ?
48 Pense à ce que dure ma vie :
tu as créé l'homme pour une fin si dérisoire[q] !

j 89.34 Autre texte, présenté par quelques manuscrits hébreux et soutenu par les versions syriaque et latine *mais sans lui retirer ma fidélité.* — v. 31-34 : 2 S 7.14-15. ***k 89.38*** Autre traduction *(son trône sera) solide comme la lune, toujours là ; il y aura un témoin fidèle dans les nues.* — *témoin fidèle* Ap 1.5. ***l 89.39*** *tu as rejeté* 74.1 ; 77.8 ; 2 R 23.27 ; Jr 7.15, 29 ; 14.19 ; 33.24 ; Lm 3.31 ; 5.22. ***m 89.41*** *clôtures défoncées* 80.13. ***n 89.42*** *pillé par les passants* 80.13-14. ***o 89.43*** 44.11, 14 ; voir Lc 10.19. ***p 89.47*** *Jusqu'à quand ?* 6.4+ *laisseras-tu flamber ta colère* 79.5. ***q 89.48*** 39.6 ; 90.9-10 ; 103.15-16 ; Jb 10.20-21 ; 14.1-2 ; voir *Sg* 2.1-5.

49 Quel homme vivrait sans voir la mort,
échappant à l'emprise des enfers ? *Pause.*

50 Seigneur ! où sont tes bontés d'autrefois ?
Tu avais juré à David sur ta fidélité !
51 Seigneur ! pense à tes serviteurs outragés,
à tout ce peuple dont j'ai la charge[r].
52 Tes ennemis l'ont outragé, SEIGNEUR !
en crachant sur les pas de ton messie[s].
53 Béni soit le SEIGNEUR pour toujours !
*Amen et amen[t] !

QUATRIÈME LIVRE (Ps 90—106)

PSAUME 90 (89)

1 *Prière, de Moïse, l'homme de Dieu*[u].

Seigneur, d'âge en âge
tu as été notre abri.
2 Avant que les montagnes naissent
et que tu enfantes la terre et le monde,
depuis toujours[v], pour toujours, tu es Dieu.

3 Tu fais retourner l'homme à la poussière[w],
car tu as dit : « Fils d'Adam, retournez-y ! »
4 Oui, mille ans, à tes yeux,
sont comme hier, un jour[x] qui s'en va,
comme une heure de la nuit.

5 Tu les balayes, pareils au sommeil,
qui, au matin, passe comme l'herbe[y] ;
6 elle fleurit le matin, puis elle passe ;
elle se fane sur le soir, elle est sèche.

7 Oui, nous avons été achevés par ta colère,
épouvantés par ta fureur.

r 89.51 Traduction incertaine ; d'autres proposent *j'ai supporté les persécutions de tous les peuples.* ***s 89.52*** Le sens du v. 52 est incertain. ***t 89.53*** Le v. 53 constitue à la fois la conclusion du psaume et la conclusion du troisième livre du psautier (Ps 73—89). Voir Ps 41.14 ; 72.19. — *Béni soit le Seigneur...* 28.6+. ***u 90.1*** *Moïse, homme de Dieu* Dt 33.1. ***v 90.2*** Avant même la création Gn 1.1-2 ; Jb 38.4-7 ; Pr 8.22-31 ; Jn 1.1-5. — *depuis toujours* Ps 93.2 ; Ha 1.12. ***w 90.3*** 104.29 ; Gn 3.19 ; Jb 34.15 ; Qo 3.20 ; 12.7. ***x 90.4*** 2 P 3.8. ***y 90.5*** *Tu les balayes :* il s'agit sans doute des *fils d'Adam* (v. 3), c'est-à-dire des humains. — v. 5-6 : éphémère comme l'herbe 37.2 ; 103.15-16 ; Es 40.6-7 ; Jb 14.2 ; Jc 1.10-11.

8 Tu as placé nos fautes en ta présence,
nos secrets à la clarté de ta face.

9 Oui, devant ta fureur s'effacent tous nos jours ;
le temps d'un soupir, nous avons achevé nos années :
10 Soixante-dix ans c'est parfois la durée de notre vie,
quatre-vingts, si elle est vigoureuse
et son agitation n'est que peine et misère ;
c'est vite passé[z], et nous nous envolons.

11 Qui peut connaître la force de ta colère ?
Plus on te craint, mieux on connaît ton courroux !
12 Alors, apprends-nous à compter nos jours,
et nous obtiendrons la sagesse du *cœur[a].

13 Reviens, SEIGNEUR ! Jusqu'à quand[b] ?
ravise-toi en faveur de tes serviteurs.
14 Dès le matin, rassasie-nous[c] de ta fidélité,
et nous crierons de joie nos jours durant.

15 Rends-nous en joie tes jours de châtiment,
les années où nous avons vu le malheur.
16 Que ton action soit visible pour tes serviteurs,
et ta splendeur pour leurs fils !
17 Que la douceur du Seigneur notre Dieu soit sur nous !
Consolide pour nous l'œuvre de nos mains,
oui, consolide cette œuvre de nos mains.

PSAUME 91 (90)

1 Celui qui habite là où se cache le Très-Haut
passe la nuit à l'ombre du Dieu-Souverain.

2 — Je dis du SEIGNEUR : « Il est mon refuge, ma forteresse,
mon Dieu : sur lui je compte[d] ! » —

3 C'est lui qui te délivre du filet[e] du chasseur
et de la peste pernicieuse.
4 De ses ailes il te fait un abri[f],

z 90.10 Qo 12.1-7 ; *Si* 18.9-10. ***a 90.12*** *compter nos jours* voir Ga 6.10. — *nous obtiendrons la sagesse du cœur :* le texte hébreu est obscur et la traduction incertaine. — respect du Seigneur et *sagesse* Pr 1.7. ***b 90.13*** *Reviens, Seigneur !* 6.5. — *Jusqu'à quand ?* 6.4+. ***c 90.14*** *rassasiés* 17.15. ***d 91.2*** *Je dis du Seigneur :* ce psaume se déroule comme un dialogue entre un catéchète et un fidèle ; aux v. 2 et 9 *a* le fidèle exprime son assentiment à l'enseignement qu'il reçoit. — *refuge, forteresse* voir 27.1+ ; 62.3,8. — *compter sur Dieu* 9.11+ ; 55.24. ***e 91.3*** 124.7+ ; voir 9.16+. ***f 91.4*** Dt 32.11 ; Ps 17.8+.

et sous ses plumes tu te réfugies.
Sa fidélité est un bouclier et une armure.

5 Tu ne craindras ni la terreur de la nuit,
ni la flèche qui vole au grand jour,
6 ni la peste qui rôde dans l'ombre,
ni le fléau qui ravage en plein midi.

7 S'il en tombe mille à ton côté
et dix mille à ta droite,
toi, tu ne seras pas atteint.
8 Ouvre seulement les yeux
et tu verras comment sont payés les infidèles.

9 Oui, SEIGNEUR, c'est toi mon refuge ! —

Tu as fait du Très-Haut ta demeure,
10 il ne t'arrivera pas de malheur,
aucun coup ne menacera ta tente,
11 car il chargera ses *anges
de te garder en tous tes chemins[g].

12 Ils te porteront dans leurs bras
pour que ton pied ne heurte pas de pierre ;
13 tu marcheras sur le lion et la vipère,
tu piétineras le tigre et le dragon[h].

14 — Puisqu'il s'attache à moi, je le libère[i],
je le protégerai car il connaît mon nom.
15 S'il m'appelle, je lui répondrai,
je serai avec lui dans la détresse ;
je le délivrerai et le glorifierai ;
16 je le comblerai de longs jours
et je lui manifesterai mon salut[j].

PSAUME 92 (91)

1 *Psaume, chant, pour le jour du *sabbat.*

2 Qu'il est bon de célébrer le SEIGNEUR
et de chanter pour ton nom, Dieu Très-Haut !
3 de proclamer dès le matin ta fidélité

g 91.11 v. 11-12 ; Mt 4.6. ***h 91.13*** Dangers neutralisés Jb 5.19-22. — *piétiner... le dragon* Lc 10.19. ***i 91.14*** Ou *je l'ai libéré ;* à partir du v. 14 c'est Dieu qui prend la parole ; il parle du fidèle qui s'est exprimé aux v. 2 et 9*a*. ***j 91.16*** 50.23.

et ta loyauté durant les nuits[k],
4 sur le luth et sur la harpe,
au son de la cithare[l].

5 Car ton action me réjouit, SEIGNEUR !
et devant les œuvres de tes mains, je crie de joie.
6 Que tes œuvres sont grandes, SEIGNEUR,
et insondables tes desseins[m] !

7 L'homme stupide n'y connaît rien,
l'esprit borné n'y comprend rien.
8 Si les infidèles poussent comme l'herbe,
si tous les malfaisants fleurissent,
c'est pour être supprimés à tout jamais[n].

9 Mais toi, là-haut,
tu es pour toujours le SEIGNEUR[o].
10 Voici que tes ennemis, SEIGNEUR !
voici que tes ennemis vont périr,
et tous les malfaisants se disperser.

11 Tu as relevé mon front comme la corne du buffle,
et je baigne dans l'huile fraîche[p].
12 Mon œil repère ceux qui m'espionnent[q] ;
et les méchants qui m'attaquent,
mon oreille les entend.

13 Le juste pousse comme un palmier,
s'étend comme un cèdre du Liban[r] :
14 planté dans la maison du SEIGNEUR[s],
il pousse dans les *parvis de notre Dieu.

15 Même âgé, il fructifie encore,
il reste plein de sève et de verdeur[t],
16 proclamant la droiture du SEIGNEUR :
« Il est mon rocher[u] ! En lui pas de détours ! »

***k* 92.3** *dès le matin* 59.17 ; 88.14. — *durant les nuits* 16.7 ; 77.7 ; 119.55 ; Es 26.9. ***l* 92.4** *luth, harpe, cithare :* ces nons traduisent approximativement trois termes hébreux désignant des instruments de musique à cordes. — Louer Dieu en musique 33.2 ; 57.9 ; 147.7+. ***m* 92.6** *desseins insondables* 139.17-18. ***n* 92.8** *les infidèles* 37.35-36 ; 73.3-20. ***o* 92.9** 90.2. ***p* 92.11** *front relevé* 75.11. — *la corne du buffle :* l'image symbolise la force que Dieu a rendue au fidèle. — *je baigne dans l'huile fraîche :* image de la prospérité retrouvée ; 23.5. ***q* 92.12** *ceux qui m'espionnent :* on traduit ainsi un terme qui ne se retrouve nulle part ailleurs dans l'A.T. et que les anciennes versions grecque et syriaque ont compris comme signifiant *mes ennemis.* ***r* 92.13** Prospérité du *juste* 1.3. ***s* 92.14** 52.10. ***t* 92.15** *même âgé...* 103.5. ***u* 92.16** *mon rocher* 28.1+.

PSAUME 93 (92)

1 Le SEIGNEUR est roi.
Il est vêtu de majesté[v].
Le SEIGNEUR est vêtu,
avec la force pour baudrier.

Oui, le monde reste ferme, inébranlable.
2 Depuis lors ton trône est ferme ;
depuis toujours tu es[w].

3 Les flots ont enflé, SEIGNEUR !
les flots ont enflé leur voix ;
les flots enflent leur fracas.

4 Plus que la voix des grandes eaux,
et des vagues superbes de la mer,
superbe est le SEIGNEUR dans les hauteurs[x] !

5 Tes décrets sont vraiment sûrs.
La *sainteté est l'apanage de ta maison,
SEIGNEUR, pour la suite des temps[y].

PSAUME 94 (93)

1 SEIGNEUR, Dieu qui venges[z] !
Révèle-toi, Dieu qui venges !
2 Lève-toi, juge de la terre[a],
rends leur dû aux orgueilleux.

3 Pour combien de temps[b], SEIGNEUR, ces impies ?
combien de temps les impies vont-ils triompher ?
4 Ils fanfaronnent, ils disent des insolences,
ils se vantent, tous ces malfaisants[c].

5 Ils écrasent ton peuple, SEIGNEUR !
ils humilient ton patrimoine ;

v 93.1 *le Seigneur est roi* 29.10 ; 47.9 ; 59.14 ; 96.10 ; 97.1 ; 99.1 ; 145.1 ; 146.10 ; Ex 15.18 ; Es 24.23 ; 52.7 ; 1 Ch 16.31 ; Ap 19.6 ; voir Ps 9.8+. — *vêtu de majesté* 104.1+. — *inébranlable* voir 125.1. ***w 93.2*** *ton trône* 47.9+. — *depuis toujours tu es* 90.2 ; Ha 1.12. ***x 93.4*** Le Seigneur domine les éléments révoltés Ps 29.10 ; Jb 38.8. ***y 93.5*** *Tes décrets :* un des termes utilisés pour désigner les commandements de Dieu. — *l'apanage* ou *le privilège.* — *pour la suite des temps* 1 R 8.13. ***z 94.1*** Dt 32.35 ; Es 35.4 ; Na 1.2 ; Rm 12.19 ; 1 Th 4.6. ***a 94.2*** *lève-toi* 3.8+. — *juge de la terre* Gn 18.25 ; voir Ps 9.20 ; 50.6 ; 75.8 ; 76.9. ***b 94.3*** *pour combien de temps ?* 6.4+. ***c 94.4*** 73.3-12.

6 ils massacrent la veuve et l'immigré,
ils assassinent les orphelins[d].

7 Ils disent : « Le SEIGNEUR n'y voit rien[e] ;
le Dieu de Jacob ne sait rien ! »
8 Gens stupides entre tous, sachez-le ;
esprits bornés, comprendrez-vous un jour ?

9 Il a planté l'oreille, ne peut-il pas entendre ?
Il a façonné l'œil, ne peut-il regarder[f] ?
10 Il a corrigé des nations, ne peut-il punir ?
Lui qui a donné à l'homme la connaissance,
11 le SEIGNEUR connaît la vanité des projets de l'homme[g].

12 Heureux l'homme que tu corriges[h], SEIGNEUR,
que tu enseignes par ta loi,
13 pour le reposer des mauvais jours
pendant que se creuse une fosse pour les impies.

14 Car le SEIGNEUR ne délaisse pas son peuple[i],
il n'abandonne pas son patrimoine :
15 on jugera de nouveau selon la justice,
et tous les cœurs droits s'y conformeront.

16 Qui va plaider ma cause[j] contre ces méchants,
prendre mon parti contre ces malfaisants ?
17 Si le SEIGNEUR ne m'avait secouru,
le Silence[k] devenait bientôt ma demeure.

18 Quand je disais : « Je vais tomber ! »,
ta fidélité, SEIGNEUR, me soutenait.
19 Quand mille soucis m'envahissaient,
je savourais ton réconfort.

20 Serait-il ton complice, ce trône criminel
qui crée la misère au mépris des lois[l] ?
21 Ils s'attaquent à la vie du juste,
ils déclarent coupable une victime innocente[m].

***d* 94.6** Ex 22.20-21 ; Dt 24.17, 19-21. ***e* 94.7** 10.11 ; 73.11. ***f* 94.9** Ex 4.11 ; Pr 20.12. ***g* 94.11** *le Seigneur connaît...* 1 Co 3.20. — *vanité des projets humains* Qo 1.2. ***h* 94.12** 119.71 ; Jb 5.17. ***i* 94.14** 1 S 12.22 ; *Si* 47.22 ; Rm 11.1-2. ***j* 94.16** *plaider ma cause...* 43.1. ***k* 94.17** *Si le Seigneur ne m'avait secouru* 124.1-5. — *le Silence :* désignation poétique du *séjour des morts, comme en 115.17. ***l* 94.20** Autre traduction possible *qui crée des peines contraires aux lois.* ***m* 94.21** Pr 17.15.

22 Mais le SEIGNEUR est devenu ma forteresse ;
mon Dieu est le rocher[n] où je me réfugie.
23 Il leur a rendu leur crime ;
il les anéantit par leur propre méchanceté[o] ;
il les anéantit, le SEIGNEUR notre Dieu.

PSAUME 95 (94)

1 Venez ! crions de joie pour le SEIGNEUR,
acclamons le rocher qui nous sauve[p] ;
2 présentons-nous devant lui en rendant grâce,
acclamons-le avec des hymnes.

3 Car le SEIGNEUR est le grand Dieu,
le grand roi au-dessus de tous les dieux[q].
4 Il tient dans sa main les gouffres de la terre ;
les crêtes des montagnes sont à lui.
5 A lui la mer, c'est lui qui l'a faite,
et les continents que ses mains ont formés[r] !

6 Entrez[s] ! allons nous incliner, nous prosterner ;
à genoux devant le SEIGNEUR qui nous a faits !

7 Car il est notre Dieu :
nous sommes le peuple qu'il fait paître,
le troupeau qu'il garde.

— Aujourd'hui, pourvu que vous obéissiez[t] à sa voix !
8 Ne durcissez pas votre cœur comme à Mériba,
comme au jour de Massa[u] dans le désert,
9 où vos pères m'ont défié et mis à l'épreuve[v],
alors qu'ils m'avaient vu à l'œuvre.

10 Pendant quarante ans[w] cette génération m'a écœuré,

***n* 94.22** *le Seigneur, ma forteresse...* 18.3+. — *rocher* 28.1+. ***o* 94.23** 7.17+. ***p* 95.1** v. 1-2 : invitation à la louange 81.2 ; 100 ; 105.1-6 ; 106.1 ; 107.1 ; 113.1 ; 117 ; 118.1 ; 135.1-3 ; 136.1-3 ; 147.1 ; 148 ; 149.1-3 ; 150. ***q* 95.3** *grandeur de Dieu* 77.14+. — *Dieu roi* 5.3+ ; 9.8+ ; 24.7 ; 47.3-8 ; 99.4 ; Jr 10.7, 10 ; Za 14.9 ; Ml 1.14 ; 1 Tm 1.17 ; 6.15 ; Ap 17.14 ; 19.16 ; voir Ps 93.1+. — *au-dessus de tous les dieux* 96.4 ; 97.9. ***r* 95.5** v. 4-5 : 24.1+. ***s* 95.6** *entrez !* 100.4. ***t* 95.7** v. 7-11 : passage cité en He 3.7-11. — *son peuple, son troupeau* Ps 100.3 ; Ez 34.11-12. — *pourvu que vous obéissiez* Ps 81.9, 14-15 ; Es 48.18-19. ***u* 95.8** *Massa* et *Mériba* Ex 17.1-7 ; Dt 33.8. — *à Mériba* Nb 20.2-13 ; Ps 81.8 ; 106.32. — *à Massa* Dt 6.16 ; 9.22. ***v* 95.9** *défié* et *mis à l'épreuve :* en hébreu ces deux verbes évoquent les noms de *Mériba* (discorde, contestation) et *Massa* (tentation, épreuve) mentionnés au v. 8 ; 78.18+. ***w* 95.10** Ex 16.35 ; Nb 14.33-34 ; 32.13 ; Dt 2.7 ; 29.4 ; Am 2.10.

et j'ai dit : « C'est un peuple à l'esprit égaré ;
ils ne connaissent pas mes chemins. »
11 Alors, dans ma colère, je l'ai juré :
« Non, ils n'entreront pas dans mon lieu de repos[x] ! »

PSAUME 96 (95)

(Voir Ps 105 ; 106 ; 1 Ch 16.23-33)

1 Chantez au SEIGNEUR un chant nouveau[y],
chantez au SEIGNEUR, terre entière ;
2 chantez au SEIGNEUR, bénissez son *nom !

Proclamez son salut[z] de jour en jour ;
3 annoncez sa gloire parmi les nations,
ses merveilles parmi tous les peuples[a] !

4 Car le SEIGNEUR est grand et comblé de louanges,
il est terrible et supérieur à tous les dieux[b] :
5 toutes les divinités des peuples sont des vanités.

Le SEIGNEUR a fait les cieux[c].
6 Splendeur et éclat sont devant sa face,
force et majesté[d] dans son *sanctuaire.

7 Donnez au SEIGNEUR, familles des peuples,
donnez au SEIGNEUR gloire[e] et force ;
8 donnez au SEIGNEUR la gloire de son nom.

Apportez votre offrande, entrez dans ses *parvis ;
9 prosternez-vous devant le SEIGNEUR, quand éclate sa *sainteté[f] ;
tremblez devant lui, terre entière.

x 95.11 Le serment de Dieu 106.26 ; Nb 14.30 ; He 3.18. — *mon lieu de repos* Dt 12.9. ***y 96.1*** *chant nouveau* 33.3+. — *chantez... au Seigneur* 9.12 ; 30.5 ; 47.7 ; 66.2 ; 68.5 ; 81.2 ; 135.3 ; Ex 15.21 ; 1 Ch 16.9, 23. ***z 96.2*** *proclamer son salut* (sa victoire) 98.2. ***a 96.3*** *parmi les peuples* 9.12+. ***b 96.4*** *grand, comblé de louanges* 48.2 ; 145.3 ; voir 99.2. — *terrible* 47.3+. — *supérieur à tous les dieux* 95.3+. ***c 96.5*** *divinités... vanités :* la traduction essaie de rendre ainsi le jeu de mots que l'on trouve en hébreu entre les deux termes correspondants, et qu'on pourrait aussi traduire *dieux... insignifiants.* — *des vanités* 97.7 ; 115.4-8 ; 1 Co 8.4-6. — *le Seigneur a fait les cieux* Gn 1.6-8 ; voir Ps 121.2+. ***d 96.6*** *splendeur et éclat* 104.1. — *force et majesté :* l'ensemble de ces deux termes abstraits peut désigner ici *l' *arche de l'alliance* (voir Ps 78.61 et la note). ***e 96.7*** *donnez gloire au Seigneur* 29.1-2. ***f 96.9*** *prosternez-vous* 99.9. — *quand éclate ta sainteté :* traduction incertaine (voir Ps 29.2 et la note).

10 Dites parmi les nations : « Le SEIGNEUR est roi.
Oui, le monde reste ferme, inébranlable.
Il juge les peuples avec droiture[g]. »
11 Que les *cieux se réjouissent, que la terre exulte,
et que grondent la mer[h] et ses richesses !
12 Que la campagne tout entière soit en fête,
que tous les arbres[i] des forêts crient alors de joie,
13 devant le SEIGNEUR, car il vient,
car il vient pour gouverner la terre[j].
Il gouvernera le monde avec justice
et les peuples selon sa loyauté.

PSAUME 97 (96)

1 Le SEIGNEUR est roi.
Que la terre exulte,
que tous les rivages[k] se réjouissent !

2 Ténèbres et nuée l'entourent ;
la justice et le droit[l] sont les bases de son trône.
3 Un feu marche devant lui,
dévorant[m] à l'entour ses adversaires.

4 Ses éclairs ont illuminé le monde ;
la terre l'a vu, elle a tremblé[n] ;
5 les montagnes, comme la cire[o],
ont fondu devant le SEIGNEUR,
devant le Seigneur de toute la terre.

6 Les *cieux ont proclamé sa justice[p],
et tous les peuples ont vu sa gloire :
7 « Honte à tous les idolâtres,
qui se vantent des vanités ;

g 96.10 *parmi les nations* 9.12+. — *le Seigneur est roi* 93.1+. — *le monde reste ferme* 93.1. — *le Seigneur juge les peuples avec droiture* 9.9 ; voir 98.9. **h 96.11** *Que les cieux...* Es 44.23 ; 49.13 ; Ap 12.12 ; 18.20. — *que la terre...* 97.1. — *que la mer...* Ps 98.7 ; Es 42.10-12. **i 96.12** *que tous les arbres...* Es 55.12. **j 96.13** 98.9. **k 97.1** *le Seigneur est roi* 93.1+. — *Que la terre exulte* 96.11. — *que tous les rivages...* voir Es 42. 10-12. **l 97.2** *ténèbres et nuée* 18.9-12 ; Ex 19.16-18 ; Dt 4.11 ; 5.22. — *justice et droit* Es 9.6+. **m 97.3** *Un feu devant lui* 50.3+. — *dévorant* 106.18. **n 97.4** *Ses éclairs* 77.19. — *la terre a tremblé* 96.9. **o 97.5** *comme la cire* 68.3+. **p 97.6** *Les cieux ont proclamé* 19.2 *sa justice* 50.6.

prosternez-vous devant lui,
vous toutes les divinités[q] ! »

8 *Sion l'a entendu, elle se réjouit ;
les villes de Juda exultent[r]
à cause de tes jugements, SEIGNEUR !
9 Car c'est toi, SEIGNEUR,
le Très-Haut sur toute la terre,
dominant de haut tous les dieux[s].

10 Vous qui aimez le SEIGNEUR, haïssez le mal.
Il garde la vie de ses fidèles,
les délivrant de la main des impies.

11 Pour le juste une lumière[t] est semée ;
et c'est une joie pour les *cœurs droits.
12 Justes, réjouissez-vous à cause du SEIGNEUR,
célébrez-le en évoquant sa *sainteté[u].

PSAUME 98 (97)

1 *Psaume.*

Chantez au SEIGNEUR un chant nouveau,
car il a fait des merveilles.
Sa droite, son bras[v] très saint
l'ont rendu vainqueur.

2 Le SEIGNEUR a fait connaître sa victoire[w] ;
aux yeux des nations il a révélé sa justice.
3 Il s'est rappelé sa fidélité, sa loyauté,
en faveur de la maison d'Israël.
Jusqu'au bout de la terre[x], on a vu
la victoire de notre Dieu.

q 97.7 *qui se vantent... vanités... divinités :* on a ici un jeu de mots analogue à celui du Ps 96.5 (voir ce passage et la note). — *prosternez-vous* He 1.6. — *toutes les divinités :* l'ancienne version grecque a compris *tous les anges,* et c'est sous cette dernière forme que le verset est cité en He 1.6. ***r 97.8*** 48.12 ***s 97.9*** *c'est toi... le Très-Haut* 83.19. — *sur toute la terre* 47.3. — *dominant tous les dieux* 95.3+. ***t 97.11*** 112.4 ; Es 58.10. ***u 97.12*** *Justes, réjouissez-vous* 32.11. — *en évoquant sa sainteté* 30.5. ***v 98.1*** *chant nouveau* 33.3+. — *il a fait des merveilles* 86.10 ; Ex 34.10 ; Lc 1.49. — *Sa* (main) *droite* 17.7+. — *son bras* Es 59.16 ; 63.5. ***w 98.2*** 67.3 ; Es 49.6 ; Lc 2.30-32. ***x 98.3*** *la maison d'Israël :* expression sémitique fréquente dans l'A.T. et qui désigne ici l'ensemble du peuple d'Israël, considéré comme une grande famille. — *fidélité et loyauté* Voir 25.10+ — *envers Israël* Lc 1.54. — *Jusqu'au bout de la terre* Es 52.10 ; Lc 3.6.

4 Acclamez le SEIGNEUR, terre entière[y] ;
faites éclater vos chants de joie et vos musiques ;
5 jouez pour le SEIGNEUR sur la cithare[z],
sur la cithare, au son des instruments.
6 Avec les trompettes, au son du cor,
acclamez le roi[a], le SEIGNEUR.

7 Que grondent la mer[b] et ses richesses,
le monde et ses habitants !
8 Que les fleuves battent des mains,
qu'avec eux les montagnes crient de joie
9 devant le SEIGNEUR, car il vient
pour gouverner la terre.
Il gouvernera le monde avec justice
et les peuples avec droiture[c].

PSAUME 99 (98)

1 Le SEIGNEUR est roi :
Que les peuples tremblent !
Il siège sur les *chérubins[d] :
que la terre frémisse !

2 Le SEIGNEUR est grand dans *Sion.
et il domine tous les peuples[e] :
3 qu'ils célèbrent ton nom grand[f] et terrible !
Il est *saint !

4 La force d'un roi c'est d'aimer le droit.
C'est toi qui as établi l'ordre.
Le droit et la justice en Jacob,
c'est toi qui les as faits[g] :
5 Exaltez le SEIGNEUR notre Dieu,
prosternez-vous[h] devant son piédestal !
Il est saint !

y 98.4 66.1 ; 100.1. ***z 98.5*** *cithare :* voir Ps 92.4 et la note. — Musique pour le Seigneur 147.7+. ***a 98.6*** Dieu *roi* 47.3, 7-9 ; 93.1+. ***b 98.7*** *Que gronde la mer...* 96.11. ***c 98.9*** *le Seigneur vient gouverner la terre...* 67.5 ; 96.13. — *il gouvernera le monde avec justice* 9.9+ ; voir Ac 17.31. — *et les peuples avec droiture* Ps 96.10. ***d 99.1*** *le Seigneur est roi* 93.1+. — *il siège sur les chérubins* 18.11+. ***e 99.2*** *le Seigneur est grand* 96.4 — *dans Sion* Es 12.6. — *il domine tous les peuples* Ps 113.4+. ***f 99.3*** *ton nom est grand* 76.2+. ***g 99.4*** *la force d'un roi...* Pr 16.12. — L'auteur du *droit* en Israël Ps 11.7 ; voir 72.1-2. — *Jacob :* voir 44.5 et la note. ***h 99.5*** *exaltez le Seigneur* 107.32. — *prosternez-vous...* 132.7.

6 Moïse et Aaron parmi ses prêtres,
et Samuel parmi ceux qui invoquaient son *nom,
faisaient appel au SEIGNEUR,
et il leur répondait[i].
7 Dans la colonne de nuée[j] il leur parlait.
Ils ont respecté ses exigences,
et les lois qu'il leur avait données.

8 SEIGNEUR notre Dieu, tu leur répondis toi-même,
tu fus pour eux un Dieu patient
mais qui se vengeait de leurs méfaits[k] :

9 Exaltez le SEIGNEUR notre Dieu ;
prosternez-vous vers sa montagne sainte,
car il est saint[l] le SEIGNEUR notre Dieu !

PSAUME 100 (99)

1 *Psaume pour l'action de grâce.*

Acclamez le SEIGNEUR, terre entière[m] ;
2 servez le SEIGNEUR avec joie ;
entrez devant lui avec allégresse[n].

3 Reconnaissez que le SEIGNEUR est Dieu.
Il nous a faits et nous sommes à lui,
son peuple et le troupeau[o] de son pâturage.

4 Entrez par ses portes en rendant grâce,
dans ses *parvis en le louant ;
célébrez-le, bénissez son nom[p].

5 Car le SEIGNEUR est bon :

i 99.6 *Moïse et Aaron* Ex 28.1 ; voir Ps 77.21+. — *et Samuel* Jr 15.1. — *appel à Dieu* et réponse Ps 107.6+ ; 118.5 ; Ex 19.19 ; 33.11 ; 1 S 7.9 ; 12.18 ; *Si* 46.16 ; voir Ps 3.5+. ***j 99.7*** Ex 33.9 ; Nb 12.5. ***k 99.8*** *un Dieu patient* Ex 34.6. — *de leurs méfaits :* il s'agit sans doute des méfaits commis par le peuple. Voir pourtant Nb 20.12, 24 ; 27.14 ; on pourrait alors penser que le psaume fait allusion aux fautes commises par Moïse et Aaron. ***l 99.9*** *Exalter le Seigneur* Ex 15.2 ; Es 25.1. — *prosternez-vous...* Ps 97.7. — *vers sa montagne sainte* 3.5 ; Dn 6.11 ; voir Ps 121.1. — *il est saint* v. 3, 5 ; Lv 19.2 ; Es 6.3. ***m 100.1*** 98.4+. ***n 100.2*** *servir* Dt 28.47 — *avec joie* Ps 68.4 ; Ne 8.10. — *avec allégresse* Ps 47.2 ; 95.1. ***o 100.3*** *reconnaître le Seigneur comme Dieu* 31.15 ; 105.7 ; Dt 4.39 ; 1 R 18.36 ; Ez 6.7 ; Mt 6.9. — *il nous a faits* Ps 149.2 ; Dt 32.6 ; Ep 2.10. — *à lui :* autre texte (manuscrits hébreux, anciennes versions grecque et syriaque) *c'est lui qui nous a faits, ce n'est pas nous.* — *son peuple* et son *troupeau* Ps 79.13 ; 95.7 ; Ez 34.31 ; voir Jn 10.16. ***p 100.4*** *entrer dans la maison du Seigneur* 5.8 ; 118.19 — *en rendant grâce* 116.17-19. — *bénissez son nom* 96.2.

sa fidélité est pour toujours,
et sa loyauté[q] s'étend d'âge en âge.

PSAUME 101 (100)

1 *De David. Psaume.*

Je veux chanter la fidélité et le droit
et jouer pour toi, SEIGNEUR[r] !
2 Je veux progresser dans l'intégrité :
quand viendras-tu vers moi ?
En ma maison je saurai me conduire,
le cœur intègre[s].

3 Je n'aurai de regard
pour aucune chose funeste.
Je haïrai[t] l'apostasie,
elle n'aura pas prise sur moi.
4 Loin de moi le *cœur tortueux[u] ;
le mal, je ne veux pas le connaître.

5 Celui qui diffame les autres en secret,
je le réduirai au silence.
Le regard hautain[v], le cœur ambitieux,
je ne puis les tolérer.

6 Je distinguerai les hommes sûrs du pays
pour qu'ils siègent à mes côtés.
Celui qui a une conduite intègre[w],
celui-là sera mon ministre.

7 Il ne siégera pas en ma maison,
l'homme habile à tromper[x].
Le diseur de mensonges
ne tiendra pas devant mon regard.

8 Chaque matin je réduirai au silence

q 100.5 *le Seigneur est bon* 106.1+. — *fidélité éternelle* 103.17+. — *sa loyauté* 117.2. ***r 101.1*** *fidélité et droit* Mi 6.8. — Musique pour le Seigneur 147.7+. ***s 101.2*** *intégrité* v. 6 ; 119.1 ; Pr 11.20. — *vers moi :* autre traduction *pour moi.* — *En ma maison* Jos 24.15 ; 1 Tm 3.4. — *cœur intègre* Ps 78.72 ; 1 R 9.4. ***t 101.3*** *pas un regard* Es 33.15. — *chose funeste :* autres traductions possibles *mauvais procédé* ou *agissement de vaurien* ou encore *pratique démoniaque.* — *je haïrai* Pr 8.13 ; Jude 23. ***u 101.4*** *cœur tortueux* Pr 11.20. ***v 101.5*** *diffamation* Lv 19.16 ; voir Ps 50.20. — *regard hautain* 18.28 ; 131.1 ; Es 2.11 ; Pr 21.4. ***w 101.6*** *conduite intègre* 15.2. ***x 101.7*** 26.4-5 ; 52.4.

tous les méchants du pays,
en extirpant de la ville du SEIGNEUR
tous les malfaisants[y].

PSAUME 102 (101)

1 *Prière du malheureux qui défaille et se répand en plaintes devant le SEIGNEUR*[z].

2 SEIGNEUR, écoute ma prière,
que mon cri parvienne jusqu'à toi[a] !
3 Ne me cache pas ton visage
au jour de ma détresse.
Tends vers moi l'oreille.
Le jour où j'appelle,
vite[b], réponds-moi.

4 Car mes jours sont partis en fumée,
mes os ont brûlé[c] comme un brasier.
5 Comme l'herbe coupée,
mon cœur se dessèche ;
j'en oublie de manger[d] mon pain.
6 A force de gémir[e],
je n'ai plus que la peau sur les os.

7 Je ressemble au choucas du désert,
je suis comme le hibou des ruines.
8 Je reste éveillé, et me voici
comme l'oiseau solitaire sur un toit.

9 Tous les jours mes ennemis m'outragent,
furieux contre moi, ils maudissent par moi[f].
10 Comme pain je mange de la cendre,
et je mêle des larmes[g] à ma boisson.

11 Par ton indignation et ton courroux[h]
tu m'as soulevé et rejeté.

y 101.8 Lv 20.6 ; Es 52.1 ; Ap 21.27. ***z 102.1*** *plaintes devant le Seigneur* 142.3. ***a 102.2*** *écoute ma prière* 39.13 ; 84.9 ; 143.1. — *jusqu'à toi* 18.7 ; 88.3 ; 119.169. ***b 102.3*** *Ne me cache pas ton visage* 27.9+. — *au jour de ma détresse* 77.3+. — *Tends vers moi l'oreille* 71.2+. — *Le jour où j'appelle* 56.10 ; voir 3.5+. — *vite* 31.3+. ***c 102.4*** *jours partis en fumée* 90.9 ; Jc 4.14. — *mes os ont brûlé* Jb 30.30. ***d 102.5*** *Comme l'herbe* 90.6 ; Es 40.7. — *j'en oublie de manger* 1 S 1.7. ***e 102.6*** *gémir* 6.7 ; 31.11 ; Lm 1.21. ***f 102.9*** *mes ennemis m'outragent* 42.11 ; 44.17. — *ils maudissent par moi* Es 65.15. ***g 102.10*** *pain et larmes* 42.4+. ***h 102.11*** Na 1.6.

12 Mes jours s'en vont[i] comme l'ombre,
et je me dessèche comme l'herbe.

13 Mais toi, SEIGNEUR, tu sièges pour toujours,
et tous les âges[j] feront mention de toi.
14 Tu te lèveras, par amour pour *Sion,
car il est temps d'en avoir pitié :
oui, le moment est venu[k] !
15 Tes serviteurs tiennent à ses pierres[l],
et sa poussière leur fait pitié.

16 Les nations craindront le *nom du SEIGNEUR,
et tous les rois de la terre, ta gloire[m],
17 quand le SEIGNEUR rebâtira Sion
et deviendra visible dans sa gloire[n],
18 quand il se tournera vers la prière des spoliés[o]
et cessera de les repousser.

19 Que cela soit écrit pour la génération suivante,
et un peuple recréé[p] louera le SEIGNEUR :
20 Il s'est penché du haut de son *sanctuaire ;
le SEIGNEUR, depuis les cieux, a regardé la terre[q],
21 pour écouter le gémissement des prisonniers[r]
et relâcher les condamnés à mort.

22 On publiera le nom du SEIGNEUR dans Sion
et sa louange dans Jérusalem,
23 quand se réuniront peuples et royaumes
pour servir le SEIGNEUR[s].

24 Il a réduit mes forces en pleine course ;
il a abrégé mes jours[t].
25 Mon Dieu, ai-je dit,
ne m'enlève pas au milieu de mes jours !

i* *102.12 90.9 ; 103.15 ; 109.23 ; 144,4 ; Jb 14. 1-2. ***j* *102.13*** *tu sièges pour toujours* 9.8 ; Lm 5.19. — *tous les âges* Ps 135.13 ; Ex 3.15. ***k* *102.14*** *pitié* 67.2 ; 135.14 ; Dt 32.36 ; Es 14.1 ; Jr 31.20 ; Ez 39.25 ; Am 5.15. — *le moment est venu* Ps 69.14 ; 119.126. ***l* *102.15*** Es 52.2 ; Lm 4.1 ; voir Dn 9.17 ; Ne 2.3. ***m* *102.16*** Es 59.19 ; 66.18. ***n* *102.17*** *rebâtir Sion* 51.20 ; 147.2 ; voir Jr 30.18. — *la gloire du Seigneur* Es 60.1. ***o* *102.18*** 22.25 ; 69.34 ; 1 R 8.28. ***p* *102.19*** *pour la génération suivante* 22.31-32. — *un peuple recréé* Es 43.1, 21. ***q* *102.20*** *le Seigneur s'est penché* 14.2. — *il a regardé la terre* 11.4+ ; Dt 26.15 ; Es 63.15. ***r* *102.21*** 79.11. ***s* *102.23*** 86.9 ; Es 45.14 ; 60.3 ; Ml 1.11 ; Ap 15.4 ; 21.24. ***t* *102.24*** *mes forces :* d'après le texte hébreu que la tradition juive considère comme « à lire » et plusieurs versions anciennes ; texte hébreu « écrit » et ancienne version grecque : *sa force.* — *jours abrégés* 89.46.

Tes années[u] couvrent tous les siècles.
26 Autrefois tu as fondé la terre,
et les cieux sont l'œuvre de tes mains.
27 Ils périront, toi tu resteras.
Ils s'useront tous comme un vêtement,
tu les remplaceras[v] comme un habit,
et ils céderont la place.

28 Voilà ce que tu es, et tes années ne finissent pas.
29 Les fils de tes serviteurs[w] s'établiront,
et leurs descendants se maintiendront devant toi.

PSAUME 103 (102)

1 *De David.*

Bénis le SEIGNEUR, ô mon âme,
que tout mon cœur bénisse son saint *nom[x] !
2 Bénis le SEIGNEUR, ô mon âme,
et n'oublie aucune de ses largesses[y] !

3 C'est lui qui pardonne entièrement ta faute
et guérit[z] tous tes maux.
4 Il réclame ta vie à la *fosse[a]
et te couronne de fidélité et de tendresse.
5 Il nourrit de ses biens ta vigueur,
et tu rajeunis comme l'aigle[b].

6 Le SEIGNEUR accomplit des actes de justice,
il fait droit à tous les exploités[c].
7 Il révèle ses chemins à Moïse
et aux fils d'Israël[d] ses hauts faits.

8 Le SEIGNEUR est miséricordieux et bienveillant,

u 102.25 Les versions grecque et syriaque ont lié la fin du v. 24 et le début du v. 25 ; elles ont compris *la brièveté de mes jours, fais-la moi savoir. — les années* de Dieu v. 28 ; 90.2, 4. ***v 102.27*** *usure* du ciel et de la terre Es 34.4 ; 51. 6-8 ; He 1.10-12. — *cieux remplacés* Es 65.17 ; voir 2 P 3.10 ; Ap 20.11. ***w 102.29*** 69.37 ; Ez 37.25. ***x 103.1*** *mon âme, bénis le Seigneur* v. 22 ; 104.1, 35. — *que mon cœur bénisse...* 145.21 ; voir Dt 6.5 *son saint nom* Ps 105.3 ; 106.47 ; Lc 1.49. ***y 103.2*** *n'oublie pas...* Dt 6.12 ; 8.11. ***z 103.3*** *celui qui pardonne entièrement* 130.8 ; Ex 34.9 ; Mt 9.6 ; *et guérit* 30.3 ; Es 53.5 ; Jr 3.22. ***a 103.4*** 107.20 ; Es 38.17 ; Jon 2.7. ***b 103.5*** *ta vigueur :* traduction incertaine ; ancienne version grecque *ton désir ;* autres versions *ton corps,* ou *ta parure,* ou *ta durée* ou encore *ta vieillesse. — rajeunissement* 92.15 *comme l'aigle* Es 40.31. ***c 103.6*** 146.7. ***d 103.7*** *Il révèle ses chemins à Moïse* Ex 33.13, 17. — *à Israël* Ps 78.11 ; 111.6.

lent à la colère et plein de fidélité[e].
9 Il n'est pas toujours en procès[f]
et ne garde pas rancune indéfiniment.
10 Il ne nous traite pas selon nos péchés,
il ne nous rend pas selon nos fautes[g].

11 Comme les cieux dominent la terre,
sa fidélité dépasse ceux qui le craignent[h].
12 Comme le levant est loin du couchant,
il met loin de nous nos offenses[i].

13 Comme un père est tendre pour ses enfants,
le SEIGNEUR est tendre[j] pour ceux qui le craignent ;
14 il sait bien de quelle pâte nous sommes faits,
il se souvient que nous sommes poussière[k].
15 L'homme ! ses jours sont comme l'herbe[l] ;
il fleurit comme la fleur des champs :
16 que le vent passe, elle n'est plus,
et la place où elle était l'a oubliée[m].
17 Mais la fidélité du SEIGNEUR,
depuis toujours et pour toujours,
est sur ceux qui le craignent,
et sa justice pour les fils de leurs fils[n],
18 pour ceux qui gardent son *alliance[o]
et pensent à exécuter ses ordres.

19 Le SEIGNEUR a établi son trône dans les cieux,
et sa royauté[p] domine tout.
20 Bénissez le SEIGNEUR, vous ses *anges,
forces d'élite au service de sa parole,
qui obéissez dès que retentit sa parole[q].

e 103.8 Ex 34.6+ ; Jc 5.11. ***f 103.9*** Es 57.16 ; Jr 3.12 ; Mi 7.18. ***g 103.10*** Ez 20.44 ; Jb 33.27 ; Esd 9.13 ; Rm 5.8. ***h 103.11*** *sa fidélité dépasse...* 36.6 ; 117.2 ; Es 55.9. — *ceux qui craignent le Seigneur* Ps 15.4+. ***i 103.12*** Es 38.17 ; 44.22 ; Jr 50.20 ; Mi 7.19. ***j 103.13*** *Comme un père* Es 49.15 ; Jr 31.20 ; Ml 3.17. — *tendresse du Seigneur* Dt 4.31. ***k 103.14*** Le mot rendu par *de quelle pâte nous sommes faits* (ou *façonnés*) évoque l'action du potier, qui a façonné son ouvrage, comme en Gn 2.7 ; Jb 10.9 ; autre traduction possible *il connaît nos penchants* — *poussière* Ps 78.39 ; 90.3 ; 104.29 ; 146.4 ; Gn 2.7 ; 3.19 ; 18.27. ***l 103.15*** 90.5-6 ; 102.12 ; Es 40.6-7. ***m 103.16*** ou *et la place où l'homme était l'a oublié ;* 37.10, 36 ; Jb 7.10 ; 8.18. ***n 103.17*** *fidélité éternelle* 100.5 ; 106.1 ; 107.1 ; 119.90, 136 ; Ex 20.6 ; Lc 1.50. — *justice de Dieu* Ps 99.4 ; Rm 3.21. — *pour les fils de leurs fils* Es 51.8. ***o 103.18*** Gn 17.9 ; Ex 19.5 ; Dt 33.9. ***p 103.19*** *le trône du Seigneur* 11.4+. — *la royauté du Seigneur* 22.29+ ; 93.1+ ; Dn 3.33. ***q 103.20*** *ses anges* 148.2 ; *Dn grec* 3.58 ; Lc 2.13 ; 2 P 2.11 ; Ap 5.11. — *qui obéissez à sa parole* Ps 148.8 ; *Ba* 3.33-35.

21 Bénissez le SEIGNEUR, vous toutes ses armées,
vous ses ministres qui faites sa volonté.
22 Bénissez le SEIGNEUR, vous toutes ses œuvres,
partout dans son empire.
Bénis le SEIGNEUR, ô mon âme.

PSAUME 104 (103)

1 Bénis le Seigneur, ô mon âme !

SEIGNEUR mon Dieu, tu es si grand !
Vêtu de splendeur[r] et d'éclat,
2 drapé de lumière comme d'un manteau,
tu déploies les cieux[s] comme une tenture.

3 Il étage ses demeures au-dessus des eaux ;
des nuages il fait son char ;
il marche sur les ailes du vent[t].
4 Des vents il fait ses messagers,
et des flammes[u], ses ministres.

5 Il a fondé la terre[v] sur ses bases,
elle est à tout jamais inébranlable.
6 Tu l'as couverte de l'Océan comme d'un habit ;
les eaux restaient sur les montagnes.

7 A ta menace elles ont fui[w],
affolées par tes coups de tonnerre,
8 escaladant les montagnes, descendant les vallées
vers le lieu que tu leur avais fixé.
9 Tu leur as imposé une limite à ne pas franchir ;
elles ne reviendront plus couvrir la terre[x].

10 Il envoie l'eau des sources[y] dans les ravins :
elle s'en va entre les montagnes ;

r 104.1 *mon âme, bénis le Seigneur* 103.1+. — *Dieu, si grand* 95.3 ; 2 S 7.22. — *vêtu de splendeur* Ps 93.1 ; 111.3 ; Jb 40.10. ***s 104.2*** Gn 1.6 ; Es 40.22 ; 42.5 ; 44.24 ; 45.12 ; Jr 10.12 ; Za 12.1 ; Jb 9.8. ***t 104.3*** *au-dessus des eaux :* il s'agit ici de la masse d'eau que l'on situait au-dessus de la voûte du ciel (voir Gn 1.7 ; Ps 148.4). C'est une manière poétique d'exprimer que le Seigneur est au-dessus de tout ce qui existe. — *les nuages, char du Seigneur* Es 19.1. — *sur les ailes du vent* Ps 18.11. ***u 104.4*** *vents et flammes* He 1.7 ; voir Ps 148.8 ; 1 R 19.11, 12. ***v 104.5*** 24.2 ; 93.1 ; 119.90 ; Jb 38.4 ; Pr 8.29. ***w 104.7*** 18.14, 16 ; 106.9 ; Es 50.2 ; Na 1.4. ***x 104.9*** *une limite imposée à la mer* Jr 5.22 ; Jb 38.8-11 ; Pr 8.29. — *les flots ne reviendront plus* voir Gn 9.11. ***y 104.10*** 74.15 ; Dt 8.7.

11 elle abreuve toutes les bêtes des champs,
les ânes sauvages étanchent leur soif.
12 Près d'elle s'abritent les oiseaux du ciel
qui chantent dans le feuillage.

13 Depuis ses demeures il abreuve les montagnes,
la terre se rassasie du fruit de ton travail[z] :
14 tu fais pousser l'herbe pour le bétail,
les plantes que cultive l'homme,
tirant son pain de la terre[a].

15 Le vin réjouit le *cœur des humains
en faisant briller les visages plus que l'huile.
Le pain réconforte le cœur des humains[b].

16 Les arbres du SEIGNEUR se rassasient,
et les cèdres du Liban qu'il a plantés.
17 C'est là que nichent les oiseaux,
la cigogne[c] a son logis dans les cyprès.
18 Les hautes montagnes sont pour les bouquetins,
les rochers sont le refuge des damans[d].

19 Il a fait la lune pour fixer les fêtes,
et le soleil qui sait l'heure de son coucher[e].
20 Tu poses les ténèbres, et c'est la nuit
où remuent toutes les bêtes des bois.
21 Les lions rugissent après leur proie
et réclament à Dieu leur nourriture[f].

22 Au lever du soleil ils se retirent,
se couchent dans leurs tanières,
23 et l'homme s'en va à son travail[g],
à ses cultures jusqu'au soir.

24 Que tes œuvres sont nombreuses, SEIGNEUR !
Tu les as toutes faites avec sagesse[h],
la terre est remplie de tes créatures.

***z* 104.13** 65.10 ; Es 55.10 ; Jr 14.22 ; Ac 14.17. ***a* 104.14** *pour le bétail* 147.9 ; Gn 1.30. – *le pain de l'homme* Gn 1.29 ; Jb 28.5. ***b* 104.15** *Le vin réjouit* 4.8 ; Jg 9.13. – *le pain réconforte* Gn 18.5 ; Mt 6.11. ***c* 104.17** *la cigogne* Jr 8.7. ***d* 104.18** *les bouquetins* Jb 39.1. – Le *daman des rochers* est un petit mammifère herbivore de la taille d'un lapin, appartenant à la même famille que les espèces africaines (daman des arbres et daman des steppes) ; il vit en colonies ; Pr 30.26. ***e* 104.19** Gn 1.14-18 ; *Si* 43.2-8 ; voir Ps 19.5-6. ***f* 104.21** 145.15 ; Jb 38.39-41. ***g* 104.23** Gn 2.15 ; Ex 20.9 ; Jn 9.4. ***h* 104.24** *œuvres nombreuses du Seigneur* 40.6 ; Jb 5.9. – *sagesse de Dieu* Gn 1.31 ; Jr 10.12 ; Jb 28.23-28 ; Pr 3.19-20.

[25] Voici la mer, grande et vaste de tous côtés,
où remuent, innombrables,
des animaux petits et grands[i].
[26] Là, vont et viennent les bateaux,
et le Léviatan[j] que tu as formé pour jouer avec lui.

[27] Tous comptent sur toi
pour leur donner en temps voulu la nourriture[k] :
[28] tu donnes, ils ramassent ;
tu ouvres ta main, ils se rassasient[l].

[29] Tu caches ta face, ils sont épouvantés ;
tu leur reprends le souffle, ils expirent
et retournent à leur poussière[m].
[30] Tu envoies ton souffle, ils sont créés[n],
et tu renouvelles la surface du sol.

[31] Que la gloire du SEIGNEUR dure toujours,
que le SEIGNEUR se réjouisse de ses œuvres[o] !
[32] Il regarde la terre, et elle tremble ;
il touche les montagnes, et elles fument[p].

[33] Toute ma vie je chanterai le SEIGNEUR,
le reste de mes jours je jouerai pour mon Dieu[q].
[34] Que mon poème lui soit agréable !
et que le SEIGNEUR fasse ma joie[r] !

[35] Que les pécheurs disparaissent de la terre,
et que les infidèles n'existent plus !
Bénis le SEIGNEUR, ô mon âme !
Alléluia[s] !

i 104.25 69.35 ; Gn 1.20 ; *Si* 43.25. ***j 104.26*** *bateaux* et navigateurs 107.23-30. — *Léviatan :* à la différence de Ps 74.14, ce terme désigne ici, semble-t-il, les grands animaux marins (baleines, dauphins...). ***k 104.27*** 145.15. ***l 104.28*** 145.16 ; Jb 36.31 ; Mt 6.26. ***m 104.29*** *Tu caches ta face* 30.8. — *retour à la poussière* 90.3 ; 146.4 ; Gn 3.19 ; Jb 34.15 ; *Sg* 2.3. ***n 104.30*** 33.6 ; Gn 2.7 ; Ez 37.10 ; Jb 33.4 ; Ac 17.25 ; voir Jl 3.1-2. ***o 104.31*** *gloire* Rm 11.36. — *joie* Gn 1.31. ***p 104.32*** *la terre tremble* 18.8 ; Am 9.5 ; *Si* 16.19. — *les montagnes fument* Ps 144.5 ; Ex 19.18. ***q 104.33*** *Toute ma vie...* 63.5 ; 146.2. — Musique pour le Seigneur 147.7+. ***r 104.34*** *agréable au Seigneur* 19.15. — *le Seigneur, ma joie* 32.11 ; Jl 2.23. ***s 104.35*** *disparition des pécheurs* 37.38 ; Es 13.9 ; Ap 21.27. — *Alléluia* (final) Ps 105—106 ; 113 ; 115—117 ; 135 ; 146—150 ; Ap 19.1-6 ; exclamation qui pourrait être traduite par *louez le Seigneur* ou encore *vive le Seigneur !*

PSAUME 105 (104)

(V. 1-15 : voir 1 Ch 16.8-22)

1 Célébrez le SEIGNEUR, proclamez son *nom,
faites connaître ses exploits[t] parmi les peuples.
2 Chantez pour lui, jouez pour lui ;
redites tous ses miracles[u].

3 Soyez fiers de son saint nom
et joyeux[v], vous qui recherchez le SEIGNEUR.
4 Cherchez le SEIGNEUR et sa force,
recherchez toujours sa face[w].

5 Rappelez-vous les miracles qu'il a faits,
ses prodiges[x] et les jugements sortis de sa bouche,
6 vous, race d'Abraham son serviteur,
vous, fils de Jacob[y], ses élus !

7 C'est lui le SEIGNEUR notre Dieu
qui gouverne toute la terre[z].
8 Il s'est toujours rappelé son *alliance,
mot d'ordre pour mille générations[a],
9 celle qu'il a conclue avec Abraham,
confirmée par serment à Isaac[b],
10 qu'il a érigée en décret pour Jacob,
*alliance perpétuelle[c] pour Israël,
11 quand il a dit : « Je te donne la terre de Canaan ;
c'est le patrimoine qui vous échoit[d] ! »

12 Alors on pouvait les compter,
c'était une poignée[e] d'immigrants.
13 Ils allaient et venaient de nation en nation[f],
d'un royaume vers un autre peuple.

t 105.1 *Célébrer le Seigneur...* Es 12.4 ; voir Ps 33.2 ; 106.1 ; 107.1 ; 136.1. — *proclamez son nom* 80.19 ; 116.4 ; Gn 4.26 ; Ex 34.5 ; Jl 3.5 — *faites connaître ses exploits* Ps 9.12 ; 96.3 ;145.12. ***u 105.2*** *Chantez pour lui* 9.3 ; 68.5. — Musique pour le Seigneur 147.7+. — *redire ses miracles* 9.2 ; Ac 2.11. ***v 105.3*** *son saint nom* 33.21 ; 103.1+ ; 124.8+. — *joyeux* 40.17 ; 70.5 ; 106.5. ***w 105.4*** *Cherchez le Seigneur* 9.11+. — *recherchez sa face* 24.6+. ***x 105.5*** *Rappelez-vous ses miracles* 77.12 ; 111.4+ ; voir 136.4. — *ses prodiges* 78.43 ; Ex 11.9. ***y 105.6*** *race d'Abraham* Es 41.8 ; Jn 8.33 ; Rm 4.13 ; Ga 3.16. — *fils de Jacob :* expression sémitique pour désigner les Israélites ; Ps 22.24 ; Es 45.19. ***z 105.7*** *le Seigneur notre Dieu* 95.7 ; 100.3 ; 2 Ch 14.10. — *gouverne toute la terre* Ps 94.2 ; Gn 18.25 ; Es 26.9 ; Mi 4.3. ***a 105.8*** *Il s'est rappelé son alliance* 106.45. — *pour mille générations* Dt 7.9 ; voir Ex 20.6 ; Dt 5.10. ***b 105.9*** *avec Abraham* Gn 15.18 ; voir 12.3 ; 22.17. — *confirmée à Isaac* Gn 26.3. ***c 105.10*** *pour Jacob* Gn 28.13-15. — *alliance perpétuelle* Ps 111.9 ; Gn 17.7 ; Jg 2.1. ***d 105.11*** 78.55. ***e 105.12*** Gn 34.30 ; Dt 7.7 ; 26.5. ***f 105.13*** Gn 47.9 ; He 11.9, 13.

[14] Mais il ne laissa personne les opprimer,
il châtia des rois[g] à cause d'eux :
[15] « Ne touchez pas à mes *messies,
ne faites pas de mal à mes *prophètes[h]. »

[16] Il appela la famine sur le pays ;
il coupa tous les vivres[i].
[17] Il envoya devant eux un homme,
Joseph, qui fut vendu comme esclave[j].

[18] On lui entrava les pieds,
on lui passa un collier de fer[k] ;
[19] jusqu'à l'accomplissement de sa prédiction
la parole du SEIGNEUR l'éprouva[l].

[20] Le roi ordonna de le délier,
le maître des peuples le fit relâcher[m].
[21] Il l'établit seigneur de sa maison
et maître de toutes ses possessions[n],
[22] pour qu'il attache les princes à sa personne,
et qu'il donne aux *anciens la sagesse.

[23] Et Israël entra en Egypte,
Jacob émigra au pays de Cham[o].
[24] Dieu rendit son peuple très prolifique
et plus puissant que ses adversaires[p].
[25] Il changea leur cœur[q], les fit haïr son peuple
et traiter ses serviteurs avec perfidie.

[26] Il envoya Moïse son serviteur
et Aaron qu'il avait choisi[r].

g 105.14 *personne ne les opprima* Gn 35.5 ; *Sg* 10.11-12. — *il châtia des rois* Gn 12.17 ; 20.3, 7. ***h 105.15*** *messies* (c'est-à-dire ceux qui ont reçu *l'onction d'huile ; voir Ps 133.2) : habituellement ce terme s'applique aux rois (voir 1 S 10.1) ou aux prêtres (Ex 29.7) ; il est utilisé ici au sens figuré (ceux que Dieu a choisis) et semble s'appliquer aux ancêtres du peuple d'Israël (voir Gn 20.6 ; 26.11). — *Ne touchez pas* Gn 26.11 ; voir 20.6 *à mes prophètes* Gn 20.7. ***i 105.16*** *famine sur le pays* Gn 41.54, 57. — *plus de vivres* Es 3.1 ; Ez 4.16. ***j 105.17*** *Joseph envoyé devant* Gn 45.5. — *vendu comme esclave* Gn 37.27-28 ; Ac 7.9. ***k 105.18*** Joseph emprisonné Gn 39.20. ***l 105.19*** Autre traduction *jusqu'à ce que le Seigneur eût prouvé son innocence.* — *la prédiction* de Joseph Gn 40.12-13 ; 41.13, 54. ***m 105.20*** Joseph relâché Gn 41.14. ***n 105.21*** Gn 41.40 ; Ac 7.10. ***o 105.23*** *émigration en Egypte* Gn 46.6-7 ; voir Ac 13.17. — *le pays de Cham* 78.51+ et la note ; Gn 10.6. ***p 105.24*** Ex 1.7 ; Dt 26.5. ***q 105.25*** Ex 1.9-10 ; 7.3 ; Ac 7.19. ***r 105.26*** *Dieu envoya Moïse* Ex 3.10, *son serviteur* He 3.5 *et Aaron* Ex 4.14, 27. — *qu'il avait choisi* Nb 16.5.

27 Leur parole imposa des *signes en Egypte,
les prodiges de Dieu dans le pays de Cham[s].

28 Il envoya les ténèbres[t], et les ténèbres vinrent,
et sa parole ne fut pas contestée.
29 Il changea les eaux en sang[u]
et fit mourir leurs poissons.

30 Leur pays grouilla de grenouilles[v]
jusque dans les chambres de leurs rois.
31 Il parla, et vinrent la vermine
et les moustiques[w] sur tout leur territoire.

32 Au lieu de pluies, il leur donna la grêle,
du feu et des flammes[x] sur leur pays.
33 Il frappa leurs vignes et leurs figuiers,
et brisa les arbres de leur territoire.

34 Il parla, et vinrent les sauterelles[y]
et les larves innombrables.
35 Elles mangèrent toute l'herbe du pays,
elles mangèrent les fruits du sol.

36 Il frappa tous les aînés[z] du pays,
prémices de leur maturité.
37 Il fit sortir son peuple avec de l'argent et de l'or,
et nul ne chancela[a] parmi ses tribus.

38 L'Egypte se réjouit de leur sortie,
car la terreur[b] était tombée sur elle.
39 Il étendit une nuée pour servir de rideau,
et un feu[c] pour illuminer la nuit.

s 105.27 La traduction du v. 27 est incertaine ; autre traduction *ils imposèrent chez eux les signes dont il avait parlé et des prodiges dans le pays de Cham.* — *signes et prodiges en Egypte* 78.43+. ***t 105.28*** *ténèbres* (9[e] plaie) Ex 10.21-29 ; *Sg* 17.1–18.4 ; Ap 16.10-11. ***u 105.29*** *eau changée en sang* (1re plaie) 78.44+. ***v 105.30*** *grenouilles* (2e plaie) 78.45+. ***w 105.31*** *vermine* (4e plaie) 78.45+. — *moustiques* (3e plaie) Ex 8.12-15 ; *Sg* 19.10. ***x 105.32*** *grêle et flammes* (7e plaie) 78.47-48+. ***y 105.34*** *sauterelles* (8e plaie) 78.46+. ***z 105.36*** *les aînés* (10e plaie) 78.49-51+. ***a 105.37*** *son peuple :* la traduction suit ici le texte d'un manuscrit des Psaumes trouvé à Qumrân, près de la mer Morte ; voir aussi v. 43 et Ps 78.52 ; texte hébreu traditionnel *il les fit sortir.* — *avec de l'argent et de l'or* Ex 12.35-36 ; voir Gn 15.14. — *nul ne chancela* Es 63.13. ***b 105.38*** *l'Egypte se réjouit* Ex 12.33. — *la terreur* Ex 15.16. ***c 105.39*** *une nuée, un feu* 78.14+.

40 A leur demande il fit venir les cailles ;
il les rassasia du pain des cieux[d].
41 Il ouvrit le rocher, l'eau ruissela[e]
et s'écoula dans les steppes comme un fleuve.

42 Il s'est rappelé sa sainte parole
envers Abraham[f] son serviteur.
43 Il a fait sortir son peuple dans l'allégresse[g],
ses élus avec des cris de joie.

44 Il leur a donné les terres des nations[h],
et ils recueillent le travail des peuples,
45 pourvu qu'ils gardent ses décrets
et qu'ils observent ses lois.

Alléluia[i] !

PSAUME 106 (105)

(V. 1,47-48 : voir 1 Ch 16.34-36)

1 Alléluia !

Célébrez le SEIGNEUR, car il est bon.
car sa fidélité est pour toujours[j].
2 Qui peut dire[k] les prouesses du SEIGNEUR
et faire entendre toutes ses louanges ?

3 Heureux ceux qui observent le droit
et pratiquent la justice[l] en tout temps !
4 Quand tu seras favorable à ton peuple.
pense à moi[m], SEIGNEUR !
Lorsque tu le sauveras, occupe-toi de moi,
5 que je puisse voir le bonheur de tes élus[n],

d 105.40 *A leur demande :* la traduction suit ici le texte des anciennes versions ; texte hébreu traditionnel *à sa demande* (c'est-à-dire à la demande d'Israël). — *des cailles* 78.18+, 26+. — *pain des cieux* 78.24-25+. ***e 105.41*** 78.15-16+. ***f 105.42*** Gn 15.13-14 ; Ex 2.24 ; Lc 1.54-55. ***g 105.43*** 106.5 ; Ex 15.20-21. ***h 105.44*** 78.54-55+. ***i 105.45*** Les versions anciennes ont compris *afin qu'ils gardent* (ancienne version araméenne *parce qu'ils gardent...*). — *Pourvu qu'ils observent ses lois* 78.7 ; 119 ; Ez 36.27 ; Ep 2.10. — *Alléluia* Ps 104.35+. ***j 106.1*** *Alleluia* 111.1 ; 112.1 ; 113.1 ; 135.1 ; 146—150. — *Célébrez le Seigneur* 105.1+ *car il est bon* 100.5 ; 107.1 ; 118.1, 29 ; 119.68 ; 135.3 ; 136.1 ; Jr 33.11 ; Na 1.7 ; Esd 3.11 ; 2 Ch 5.13 ; *1 M* 4.24. — *sa fidélité est pour toujours* 1 Ch 16.41. ***k 106.2*** Dt 3.24 ; Jb 26.14 ; Qo 1.8 ; *Si* 18.4 ; 43.32. ***l 106.3*** *Heureux !* 1.1+. — *observer le droit et pratiquer la justice* Es 56.1 ; Jr 22.15. ***m 106.4*** *Quand tu seras favorable* 102.14. — *pense à moi* 25.7 ; Jr 15.15 ; Ne 5.19. ***n 106.5*** 105.43 ; Es 65.9 ; voir 66.10.

me réjouir de la joie de ton peuple
et partager la fierté de ton patrimoine.

6 Tout comme nos pères[o], nous avons péché,
nous avons dévié, nous avons été coupables.
7 Nos pères, en Egypte,
n'ont rien compris à tes miracles.
Ils ont oublié tes nombreuses bontés.
ils se sont révoltés près de la mer, la mer des Joncs[p].

8 Mais il les sauva pour l'honneur de son nom[q],
pour montrer sa puissance.
9 Il menaça la *mer des Joncs, et elle sécha ;
il les fit marcher[r] dans les *abîmes comme dans le désert.

10 Il les sauva des mains hostiles[s],
il les défendit contre la main de l'ennemi :
11 les eaux recouvrirent leurs adversaires[t],
il n'en resta pas un.
12 Et ils ont cru en ses paroles,
ils chantaient[u] sa louange.

13 Bien vite ils ont oublié ses actes,
ils n'ont pas attendu la suite de son dessein[v] :
14 dans le désert ils se sont pris de convoitise,
dans les solitudes ils ont mis Dieu à l'épreuve[w].
15 Il leur donna ce qu'ils demandaient,
mais il envoya trop peu pour leur appétit[x].

16 Dans le camp ils ont jalousé Moïse[y],
et Aaron l'homme consacré au SEIGNEUR.
17 La terre s'ouvrit et engloutit Datân,
elle recouvrit la bande d'Abirâm[z].
18 Un feu consuma leur bande[a],
une flamme dévora les impies.

***o* 106.6** Jr 3.25 ; Dn 9.5. ***p* 106.7** *oublié* 78.11 — *ta bonté* 89.2. — *révoltés près de la mer des Joncs.* Ex 14.10-12 ; Ne 9.17. ***q* 106.8** Ez 20.9. ***r* 106.9** *il menaça la mer* 104.7+ ; Mt 8.26. — *elle sécha* Ps 66.6. — *il les fit marcher* 78.13. ***s* 106.10** 107.2 ; voir Ex 14.30 ; Lc 1.71. ***t* 106.11** Ex 14.28 ; 15.5 ; Dt 11.4. ***u* 106.12** *ils ont cru* Ex 14.31. — *ils chantaient* Ex 15.1-18, 21. ***v* 106.13** *ils ont oublié* v. 7,21 ; 78.11 ; voir Dt 4.9. — *attendre* voir Lm 3.26 — *le dessein de Dieu* Ps 107.11. ***w* 106.14** *convoitise dans le désert* Nb 11.4 ; 1 Co 10.6. — *Dieu mis à l'épreuve* Ps 78.18+. ***x* 106.15** Autre traduction *et il leur envoya le dépérissement ;* autre texte (anciennes versions grecque et syriaque) *et il leur envoya de quoi manger à satiété.* — *ce qu'ils demandaient* 78.18-20+. ***y* 106.16** *Moïse jalousé* Nb 16.2-7. ***z* 106.17** *La terre s'ouvrit* Nb 16.31-32. — *Datân, Abirâm* Nb 16.1. ***a* 106.18** Nb 16.35 ; He 10.27.

19 A l'Horeb ils ont façonné un veau ;
ils se sont prosternés[b] devant du métal,
20 et ils ont troqué leur Gloire[c]
contre la copie d'un bœuf, d'un herbivore !

21 Ils ont oublié Dieu, leur sauveur[d],
qui avait fait de grandes choses en Egypte,
22 des miracles au pays de Cham,
des actes terribles[e] près de la mer des Joncs.

23 Il décida de les exterminer,
mais Moïse son élu,
se tenant sur la brèche[f] devant lui,
détourna sa fureur destructrice.

24 Ils ont méprisé un pays merveilleux,
ils n'ont pas cru[g] à sa parole,
25 ils ont récriminé sous leurs tentes
et n'ont pas obéi à la voix du SEIGNEUR[h].

26 La main levée, il jura[i]
de les abattre dans le désert,
27 de disperser leurs descendants dans tous les pays[j],
de les abattre chez les païens.

28 Puis ils se sont mis sous le joug du *Baal de Péor[k],
ils ont mangé les sacrifices des morts,
29 ils ont ulcéré Dieu par leurs agissements
et un fléau[l] fit irruption parmi eux.

30 Alors Pinhas se tint debout, il trancha[m],
et le fléau fut enrayé.
31 Cela lui fut compté comme acte juste,
d'âge en âge, pour toujours.

b 106.19 *A l'Horeb :* c'est-à-dire *au mont Horeb* (autre nom du mont Sinaï) ; Dt 9.8. — *un veau* Ex 32.4 ; Dt 4.16-19 ; 9.12, 16, 21 ; Ne 9.18 ; Ac 7.41. — *prosternés* Ex 32.8. ***c 106.20*** *leur Gloire :* une appellation du Seigneur ; Rm 1.23 ; voir Jr 2.13 ; Os 4.7 ; *Sg* 12.24. ***d 106.21*** *Ils ont oublié* v. 7, 13 ; Dt 32.18 ; Jr 2.32 — *leur sauveur* Es 17.10+. ***e 106.22*** *au pays de Cham* 78.51+ et la note. — *les actes terribles* Jr 32.21. ***f 106.23*** *se tenant sur la brèche :* comme en Ez 22.30 l'expression est à prendre ici au sens figuré : Moïse est présenté comme le seul défenseur d'Israël devant Dieu (allusion à l'intercession de Moïse pour Israël en Ex 32.11-14). Voir aussi Nb 14.13-20 ; Dt 9.25-29. ***g 106.24*** *Ils ont méprisé le pays* Nb 13.32 ; 14.31. — *ils n'ont pas cru* Nb 14.11 ; Dt 1.32 ; 9.23. ***h 106.25*** Nb 14.2-4 ; Dt 1.27-28. ***i 106.26*** Le serment de Dieu 95.11+. ***j 106.27*** 44.12+ ; Ez 20.23. ***k 106.28*** Nb 25.1-3 ; Dt 4.3. ***l 106.29*** *Dieu ulcéré* 78.59. — *un fléau* Nb 25.8 ; 1 Co 10.8. ***m 106.30*** v. 30-31 : *Pinhas* Nb 25.7-13.

32 Ils ont irrité Dieu près des eaux de Mériba
et causé le malheur de Moïse[n],
33 en étant indociles à son esprit,
et Moïse parla sans réfléchir[o].

34 Ils n'ont pas supprimé les peuples
dont le SEIGNEUR leur avait parlé[p].
35 Ils ont eu commerce avec les païens[q]
et se sont initiés à leurs pratiques.

36 Ils ont servi leurs idoles
qui devinrent un piège pour eux[r].
37 Ils ont *sacrifié leurs fils
et leurs filles aux *démons[s].

38 Ils ont répandu un *sang innocent,
le sang de leurs fils et de leurs filles[t]
qu'ils sacrifièrent aux idoles cananéennes,
et le pays fut sali par des flots de sang.
39 Ils se sont souillés par leurs pratiques
et prostitués[u] par leurs agissements,

40 La colère du SEIGNEUR[v] s'enflamma contre son peuple
et il prit en horreur son patrimoine.
41 Il les livra aux mains des nations,
et leurs adversaires les ont dominés[w] ;
42 l'ennemi les a opprimés,
et ils ont fléchi sous sa main.

43 Bien des fois il les a délivrés,
mais ils s'obstinaient[x] dans leur révolte
et s'enfonçaient dans leur faute.

n* *106.32 *Mériba* 95.8+. — *le malheur de Moïse* Dt 4.21 ; 32.51-52. ***o* *106.33*** *son esprit :* le texte hébreu ne permet pas de préciser s'il s'agit de l'Esprit *de Dieu* ou de l'esprit *de Moïse.* — *indociles à son esprit* Es 63.10. — *Moïse parla sans réfléchir* Nb 20.10, 12. ***p* *106.34*** *Ils n'ont pas supprimé les peuples* Jg 1.21-33. — malgré l'ordre du Seigneur Dt 7.1-2, 16. ***q* *106.35*** Jg 3.5-6 ; voir 1 Co 12.2 ; 15.33. ***r* *106.36*** Culte rendu aux *idoles* Jg 2.12. — *un piège pour eux* Ex 23.33 ; Dt 7.16 ; Jg 2.3 ; *Sg* 14.11. ***s* *106.37*** *sacrifices d'enfants* 2 R 16.3 ; 17.17 ; Jr 7.31-32 ; 19.5 ; Ez 20.26. — *aux démons* Dt 32.17 ; 1 Co 10.20. ***t* *106.38*** Es 57.5 ; Jr 2.34 ; Ez 16.20. ***u* *106.39*** *souillés* Jr 2.7 ; Ez 20.30. — *prostitués* Os 1.2+ et la note ; Jr 3.6-9. ***v* *106.40*** 78.49 ; Jg 2.14. ***w* *106.41*** *Il les livra* Ne 9.27 ; voir Rm 1.24. — *dominés* Lv 26.17. ***x* *106.43*** *délivrés, mais...* Jg 2.16-17.

44 Il regarda leur détresse
quand il entendit[y] leurs cris.
45 Il se souvint de son *alliance avec eux,
et dans sa grande fidélité il se ravisa[z].
46 Il les fit prendre en pitié[a]
par tous ceux qui les avaient déportés.

47 Sauve-nous, SEIGNEUR notre Dieu :
rassemble-nous du milieu des nations.
Alors nous célébrerons ton saint *nom
en nous glorifiant de te louer[b].

48 Béni soit le SEIGNEUR, le Dieu d'Israël,
depuis toujours et pour toujours.
Et tout le peuple dira :
« Amen ! Alléluia ! »[c]

CINQUIÈME LIVRE (Ps 107—150)

PSAUME 107 (106)

1 Célébrez le SEIGNEUR car il est bon,
car sa fidélité[d] est pour toujours.

2 Qu'ils le redisent, ceux que le SEIGNEUR a défendus[e],
ceux qu'il a défendus contre la main de l'adversaire,
3 qu'il a rassemblés de tous les pays,
du levant et du couchant,
du nord et de la mer[f].

4 Certains s'égarèrent dans les solitudes
par un chemin désert[g], sans trouver de ville habitée.
5 Affamés, assoiffés[h], la vie les abandonnait.

y 106.44 Dieu *regarda* et *entendit* 107.6+. ***z 106.45*** *Il se souvint* 98.3 *de son alliance* 105.8 ; Lc 1.72. — *et se ravisa* Ps 90.13 ; Jr 26.19. ***a 106.46*** 1 R 8.50 ; Jr 42.12 ; Esd 9.9. ***b 106.47*** *rassemble-nous :* voir 107.3+ ; Dt 30.3 ; *2 M* 1.27. — *ton saint nom* Ps 103.1+. — *en nous glorifiant...* 1 Ch 16.35-36. ***c 106.48*** Le v. 48 sert à la fois de conclusion au Ps 106 et au quatrième livre du psautier (voir Ps 41.14 ; 72.19 ; 89.53 ; 150). — *Béni soit le Seigneur* 28.6+. — *tout le peuple dira Amen* Dt 27.15 ; Ne 5.13 ; 8.6 ; 1 Ch 16.36. — *Amen ! Alléluia* Ap 19.4. — *Alléluia !* Ps 104.35+. ***d 107.1*** *Célébrez le Seigneur* 105.1+ *car il est bon et sa fidélité...* 106.1+. ***e 107.2*** 19.15 ; 106.10 ; voir Ex 6.6. ***f 107.3*** *le Seigneur rassemble* 106.47 ; Es 11.12 ; 43.5 ; Jr 29.14 ; 31.8 ; Ez 20.34 ; 39.27 ; *Si* 36.10. — *du nord et de la mer* Es 49.12. — L'ancienne version araméenne précise ici *la mer Rouge.* ***g 107.4*** *par un chemin désert* Jr 2.6. ***h 107.5*** Ex 15.22 ; 16.3 ; Es 41.17.

6 Ils crièrent vers le SEIGNEUR dans leur détresse,
et il les a délivrés[i] de leurs angoisses :
7 il leur a fait prendre un chemin direct
pour aller vers une ville habitée.

8 Qu'ils célèbrent le SEIGNEUR pour sa fidélité
et pour ses miracles en faveur des humains :
9 car il a désaltéré le gosier avide
et bien rempli le ventre affamé[j].

10 Certains habitaient dans les ténèbres[k] et l'ombre mortelle,
prisonniers de la misère et des fers,
11 car ils s'étaient révoltés contre les ordres de Dieu,
ils avaient nargué le dessein du Très-Haut[l].
12 Il dompta leur cœur par la souffrance,
ils flanchèrent et nul ne les aidait.

13 Ils crièrent vers le SEIGNEUR dans leur détresse,
et il les a sauvés de leurs angoisses :
14 il les a tirés des ténèbres[m] et de l'ombre mortelle,
il a rompu leurs liens.

15 Qu'ils célèbrent le SEIGNEUR pour sa fidélité
et pour ses miracles en faveur des humains ;
16 car il a brisé les portes de bronze
et fait sauter les verrous de fer[n].

17 Certains, abrutis par leurs dérèglements,
avilis par leurs péchés,
18 étaient dégoûtés de toute nourriture
et touchaient aux portes de la mort[o].

19 Ils crièrent vers le SEIGNEUR dans leur détresse,
et il les a sauvés de leurs angoisses :
20 il a envoyé sa parole pour les guérir
et les soustraire à la *fosse[p].

21 Qu'ils célèbrent le SEIGNEUR pour sa fidélité
et pour ses miracles en faveur des humains.

i 107.6 Appel et délivrance 81.8 ; Jg 3.9, 15, etc. ; Ne 9.27. ***j 107.9*** *il a désaltéré* voir Mt 5.6 ; Jn 4.14 ; 7.37. — *affamés, rassasiés* Lc 1.53 ; voir Ps 146.7. ***k 107.10*** *dans les ténèbres* Es 9.1 ; 42.7. ***l 107.11*** 106.43 ; Es 28.7-13 ; 2 Ch 36.16 ; 2 P 3.3. ***m 107.14*** Col 1.13. ***n 107.16*** Es 45.2. ***o 107.18*** *dégoûtés de toute nourriture* 102.5. — *aux portes de la mort* 88.4. ***p 107.20*** *guérir et soustraire à la mort* 103.3-4. — *parole* du Seigneur et *guérison* Mt 8.8.

22 Qu'ils offrent des *sacrifices de louange[q]
et proclament ses œuvres en criant leur joie.

23 Ceux qui partent en mer sur des navires
et exercent leur métier sur les grandes eaux,
24 ceux-là virent les œuvres du SEIGNEUR
et ses miracles en haute mer.

25 A sa parole se leva un vent de tempête[r]
qui soulevait des vagues.
26 Ils montent aux cieux,
descendent aux abîmes,
sont malades à rendre l'âme ;
27 ils roulent et tanguent comme l'ivrogne
et toute leur adresse est engloutie.

28 Ils crièrent au SEIGNEUR dans leur détresse,
et il les a tirés de leurs angoisses :
29 il a réduit la tempête au silence[s],
et les vagues se sont tues.
30 Ils se sont réjouis de ce retour au calme
et Dieu les a guidés au port désiré[t].

31 Qu'ils célèbrent le SEIGNEUR pour sa fidélité
et pour ses miracles en faveur des humains.
32 Qu'ils l'exaltent dans l'assemblée du peuple[u]
et le louent à la séance des *anciens.

33 Il peut changer les fleuves en désert[v],
les sources en pays de la soif,
34 une terre fertile en saline,
à cause de la méchanceté de ses habitants.

35 Il peut changer le désert en nappe d'eau[w]
et la steppe en source.
36 Il y fait habiter des affamés
qui fondent une ville habitable.
37 Ils ensemencent des champs,
plantent des vignes,
ils en récoltent les fruits[x].

q 107.22 50.14 ; He 13.15. ***r 107.25*** Jon 1.4. ***s 107.29*** 89.10 ; Jon 1.15 ; Mc 4.39 par. ***t 107.30*** *au port désiré* Jn 6.21. ***u 107.32*** 35.18+. ***v 107.33*** Es 42.15 ; 50.2. ***w 107.35*** 114.8 ; Es 35.7 ; 41.18 ; 43.20. ***x 107.37*** Jr 31.5 ; Am 9.13-15.

38 Il les bénit, et ils se multiplient,
il ne laisse pas leur cheptel s'amoindrir[y].
39 Puis ils diminuent et déclinent[z]
sous les privations, le malheur et la douleur.

40 Il répand le mépris sur les nobles
et les égare[a] dans un maquis sans chemin.
41 Mais il protège le pauvre[b] de la misère
et rend les familles aussi nombreuses que des troupeaux.

42 A cette vue, les hommes droits se réjouissent,
et toute injustice ferme la bouche[c].
43 Qui veut être sage[d] ?
qu'il prenne garde à tout cela,
et que l'on discerne les bontés du SEIGNEUR !

PSAUME 108 (107)

(V. 2-6 : Ps 57.8-12 ; v. 7-14 : Ps 60.7-14)

1 *Chant, psaume de David.*

2 Le cœur rassuré, mon Dieu,
je vais chanter un hymne :
voilà ma gloire !
3 Réveillez-vous, harpe et cithare,
je vais réveiller l'aurore[e].

4 Je te rendrai grâces parmi les peuples, SEIGNEUR,
je te chanterai parmi les nations[f] ;
5 car ta fidélité est plus grande que les cieux
et ta vérité[g] va jusqu'aux nues.

6 Dieu dresse-toi sur les cieux[h],
et que ta gloire domine toute la terre.

7 Pour que tes bien-aimés soien délivrés,
sauve par ta droite, et réponds-moi[i].

y 107.38 Bénédiction et prospérité Gn 1.28 ; Ex 1.7 ; Dt 7.13 ; Jr 31.27 ; Pr 10.22. ***z 107.39*** Décadence 1 S 2.4 ; Jb 12.23. ***a 107.40*** Jb 12.21, 24 ; 1 S 2.4-5 ; Lc 1.51-52. ***b 107.41*** 113.7 ; 147.6 ; 1 S 2.8 ; Lc 1.52-53. ***c 107.42*** *l'injustice* muselée 58.11-12 ; 63.12. ***d 107.43*** Jr 9.11 ; Os 14.10. ***e 108.3*** *harpe et cithare :* voir 92.4 et la note. — *réveiller l'aurore* 119.62. ***f 108.4*** *parmi les nation* 18.50. ***g 108.5*** *ta fidélité plus grande que les cieux* 36.6 ; 103.11. — *fidélité et vérité* 25.10+. ***h 108.6*** 8.2 ; 113.4 ; voir Es 2.11. ***i 108.7*** *ta droite* 60.7+. — *réponds-moi* 20.7.

8 Dieu a parlé dans son *sanctuaire :
J'exulte ! Je partage Sichem
et je mesure la vallée de Soukkoth[j].
9 Galaad est à moi ; Manassé est à moi ;
Ephraïm est le casque de ma tête ;
Juda est mon sceptre[k] ;
10 Moab, la cuvette où je me lave.
Sur Edom je jette ma sandale[l].
Je crie contre la Philistie.

11 Qui me mènera à la ville fortifiée ?
Qui me conduira jusqu'en Edom,
12 sinon toi, le Dieu qui nous a rejetés,
le Dieu qui ne sortait plus avec nos armées[m] ?

13 Viens à notre aide contre l'adversaire,
car le secours de l'homme est illusion[n].
14 Avec Dieu nous ferons des exploits :
c'est lui qui piétinera nos adversaires[o].

PSAUME 109 (108)

1 *Du *chef de chœur ; de David, psaume.*

Dieu que je loue, ne reste pas muet[p],
2 car ils ont ouvert contre moi
une bouche méchante et trompeuse,
Ils m'ont parlé avec une langue menteuse[q] ;
3 des paroles de haine m'ont cerné,
et ils m'ont combattu sans motif[r].

4 Pour prix de mon amitié ils m'ont accusé ;
et moi, je suis en prières.
5 Ils m'ont rendu le mal pour le bien[s]
et la haine pour l'amitié.

j 108.8 Pour *sanctuaire, Sichem* et *Soukkoth,* voir 60.8 et la note. ***k 108.9*** Voir Gn 49.10. ***l 108.10*** Voir 60.10 et la note. ***m 108.12*** 44.10. ***n 108.13*** *Viens à notre aide* 2 Ch 14.10 ; voir Ps 22.20+. – *le secours humain* 56.5 ; voir 33.15+ ; 118.8. ***o 108.14*** *Avec Dieu nous ferons des exploits* 18.30 ; 44.6-9 ; He 11.33. – *adversaires piétinés* 44.6 ; voir Rm 16.20. ***p 109.1*** *Dieu que je loue* v. 30 ; Jr 17.14. – *Dieu muet* 28.1+. ***q 109.2*** 52.4 ; 120.2 ; voir 5.10+. ***r 109.3*** *sans motif* 69.5. ***s 109.5*** 35.12+.

6 — Désigne contre lui un accusateur,
un méchant, qui se tienne à sa droite[t].
7 De son procès, qu'il sorte coupable,
que sa prière devienne un péché,
8 que ses jours soient réduits,
qu'un autre prenne sa charge[u],
9 que ses fils soient orphelins,
que sa femme soit veuve[v],
10 que ses fils soient vagabonds et suppliants,
qu'ils mendient[w] hors de leurs ruines,
11 qu'un usurier saisisse tous ses biens,
que des étrangers raflent ses gains[x],
12 que personne ne lui reste loyal,
que personne n'ait pitié de ses orphelins,
13 que ses descendants soient supprimés,
qu'en une génération leur *nom soit effacé[y],
14 qu'on rappelle au SEIGNEUR le péché de ses pères,
que la faute de sa mère ne soit pas effacée !
15 Que tout cela reste présent au SEIGNEUR
et qu'il supprime de la terre leur souvenir[z] ! —

16 Attendu qu'il ne s'est pas soucié d'agir avec loyauté,
qu'il a persécuté à mort un pauvre,
un malheureux, frappé au cœur[a],
17 qu'il aimait la malédiction,
et qu'elle est venue à lui[b],
qu'il ne voulait pas la bénédiction,
et qu'elle s'est éloignée de lui,
18 qu'il a revêtu la malédiction comme un manteau.
et qu'elle a pénétré en lui comme de l'eau[c],
et dans ses membres comme une huile :
19 Qu'elle soit donc le vêtement[d] dont il se couvre,
la ceinture qu'il portera toujours !

t 109.6 Les v. 6-19 citent les paroles de malédiction que les adversaires ont prononcées contre l'auteur du psaume. — *à sa droite* Za 3.1 ; Jb 30.12 *un accusateur* Jb 1.6 ; Ap 12.10. ***u 109.8*** Ac 1.20. ***v 109.9*** Ex 22.23 ; Jr 18.21. ***w 109.10*** ou *qu'ils soient poursuivis.* ***x 109.11*** Jb 5.5 ; 20.18. ***y 109.13*** *descendants supprimés* 37.28. — *leur nom effacé* Jb 18.17, 19 ; Pr 10.7 ; *Si* 41.11. — Plusieurs manuscrits hébreux et trois versions anciennes ont lu *son nom.* ***z 109.15*** Que le Seigneur n'oublie pas... Jr 18.23 ; Lm 1.22. — *souvenir supprimé* Ps 34.17. ***a 109.16*** v. 22 ; Ps 34.19. ***b 109.17*** 59.13+ ; Jr 2.19 ; Ez 35.6 ; Jc 2.13. ***c 109.18*** *comme de l'eau* Nb 5.22. ***d 109.19*** *comme un vêtement...* v. 29 ; 73.6.

20 Voilà comment le SEIGNEUR paiera mes accusateurs[e]
et ceux qui disent du mal de moi !

21 Et toi, DIEU, Seigneur,
agis en ma faveur pour l'honneur de ton nom.
Ta loyauté est bienfaisante[f], délivre-moi.

22 Pauvre et malheureux, je le suis,
et au fond de moi, le cœur est blessé[g].
23 J'ai dû m'en aller comme l'ombre qui s'évanouit,
on me chasse[h] comme les sauterelles.

24 J'ai tant *jeûné que mes jambes flageolent ;
privé d'huile je suis décharné.
25 Pour eux je suis devenu abject ;
en me voyant, ils hochent la tête[i].

26 A l'aide[j], SEIGNEUR mon Dieu !
Sauve-moi selon ta fidélité ;
27 qu'ils reconnaissent là ta main
et ton œuvre, SEIGNEUR !

28 Eux maudissent, toi tu bénis[k].
Ils s'étaient dressés, ce fut leur honte,
et ton serviteur se réjouit.
29 Que mes accusateurs soient vêtus de déshonneur
et couverts de leur honte comme d'un manteau[l] !

30 Je célébrerai le SEIGNEUR à voix haute,
je le louerai[m] au milieu de la multitude.
31 Car il se tient à la droite du pauvre[n]
pour le sauver de ses juges.

e 109.20 35.1, 4 ; 69.23 ; l'ancienne version grecque a compris *Voilà le travail de mes accusateurs auprès du Seigneur.* ***f 109.21*** *pour l'honneur de ton nom* 23.3+. — *ta loyauté bienfaisante* 69.17. ***g 109.22*** *pauvre et malheureux* 40.18 ; 86.1 ; 140.13. — *le cœur est blessé :* d'après trois versions anciennes ; autre texte (d'après les anciennes versions grecque et syriaque) *le cœur est troublé.* ***h 109.23*** Le verbe hébreu évoque le geste de *secouer* un arbre ou un vêtement pour en faire tomber les sauterelles. ***i 109.25*** *ils hochent la tête* 22.8+. ***j 109.26*** *A l'aide !* 22.20+. ***k 109.28*** Nb 24.10 ; voir Mt 5.11. ***l 109.29*** *comme d'un manteau* v. 19 ; 71.13. ***m 109.30*** *je louerai le Seigneur* 71.14. ***n 109.31*** 16.8+ ; la droite était considérée comme le côté honorifique (Ps 110.1) ou favorable (ici et Ps 110.5).

PSAUME 110 (109)

1 *De David. Psaume.*

Oracle du SEIGNEUR à mon seigneur :
« Siège à ma droite,
que je fasse de tes ennemis
l'escabeau de tes pieds[o] ! »

2 Que le SEIGNEUR étende de *Sion[p]
la puissance de ton sceptre !
Domine au milieu de tes ennemis !

3 Ton peuple est volontaire
le jour où paraît ta force.
Avec une sainte splendeur,
du lieu où naît l'aurore
te vient une rosée de jouvence[q].

4 Le SEIGNEUR l'a juré,
il ne s'en repentira pas :
« Tu es prêtre pour toujours,
à la manière de Melkisédeq[r]. »

5 Le Seigneur est à ta droite :
il a écrasé des rois au jour de sa colère[s] ;
6 il juge les nations[t] ; les cadavres s'entassent :
partout sur la terre, il a écrasé des têtes.
7 En chemin il boit[u] au torrent,
aussi relève-t-il la tête.

o 110.1 Verset cité en Mt 22.44 ; 26.64 ; Mc 12.36 ; 14.62 ; 16.19 ; Lc 20.42-43 ; 22.69 ; Ac 2.34-35 ; Rm 8.34 ; 1 Co 15.25 ; Ep 1.20 ; Col 3.1 ; He 1.3, 13 ; 8.1 ; 10.12, 13 ; 12.2. — *mon seigneur :* titre respectueux donné au roi. — *ma droite :* voir Ps 109.31 et la note ; 16.11. ***p 110.2*** *depuis Sion* 14.7 ; 20.3 ; 128.5 ; Es 2.3. ***q 110.3*** Au lieu de *avec une sainte splendeur,* certains manuscrits hébreux, ainsi qu'une version grecque et la version latine de s. Jérôme ont compris *sur les montagnes saintes.* — *du lieu où naît l'aurore :* traduction conjecturale. — *une rosée de jouvence :* traduction conjecturale ; ancienne version grecque *je t'ai engendré* (voir Ps 2.7). — *rosée* Es 26.19. ***r 110.4*** Verset cité en Jn 12.34 ; He 5.6, 10 ; 6.20 ; 7.3, 17, 21. — *le Seigneur l'a juré* Ps 89.4 ; 132.11. — *Melkisédeq* Gn 14.18. ***s 110.5*** *ta droite :* voir 109.31 et la note. — *au jour de sa colère* 76.8 ; Es 63.6 ; Na 1.6. ***t 110.6*** *il juge les nations* 7.9. ***u 110.7*** Il s'agit du roi ; peut-être a-t-on ici une allusion à l'un des épisodes du couronnement ; celui-ci se déroulait en effet près d'une source (voir 1 R 1.33-35).

PSAUME 111 (110)

(Voir Ps 112)

1 Alléluia.

Alef De tout cœur je célébrerai le SEIGNEUR
Beth au conseil des hommes droits et dans l'assemblée[v]
Guimel 2 Grandes sont les œuvres du SEIGNEUR[w] !
Daleth Tous ceux qui les aiment les étudient.
Hé 3 Son action éclate de splendeur
Waw et sa justice subsiste toujours[x].

Zaïn 4 Il a voulu qu'on rappelle ses miracles ;
Heth le SEIGNEUR est bienveillant et miséricordieux[y].
Teth 5 A qui le craint il a donné le butin,
Yod il se rappelle toujours son alliance[z].
Kaf 6 A son peuple il a montré la puissance de ses œuvres.
Lamed en lui donnant le patrimoine des nations[a].
Mem 7 Les œuvres de ses mains sont vraies et justes,
Noun tous ses préceptes sont sûrs[b],
Samek 8 établis à tout jamais,
Aïn faits de droiture et de vérité[c].
Pé 9 A son peuple il a envoyé la délivrance.
Çadé prescrit pour toujours son *alliance.
Qof Son *nom est *saint et terrible[d].
Resh 10 Le principe de la sagesse c'est de craindre le Seigneur :
Shîn tous ceux qui font cela sont bien avisés.

Taw Sa louange subsiste toujours[e].

v 111.1 *Alef...* : voir 25.1 et la note. — *Alléluia* 106.1+. — *de tout cœur* 138.1 ; Ep 5.19. — *dans l'assemblée* Ps 35.18+ ; 109.30 ; 149.1. ***w 111.2*** 92.6 ; 104.24 ; Ap 15.3. ***x 111.3*** *splendeur* 96.6 ; 104.1. — *justice éternelle* 112.3. ***y 111.4*** *il a voulu qu'on rappelle...* ou *il laisse un mémorial de... :* voir Ex 12.14 ; 13.9 et les notes ; Ps 105.5 ; 107.8 ; Lc 22.19. — *bienveillant et miséricordieux* Ex 34.6+. ***z 111.5*** *celui qui craint le Seigneur* 15.4+. — *le butin :* autre traduction *la nourriture ;* 34.10. — *il se souvient de son alliance* 105.8 ; 106.45. ***a 111.6*** *puissance de ses œuvres* Jr 27.5. — *patrimoine des nations* Ps 44.3. ***b 111.7*** *vraies et justes* Dn 4.34 ; Ap 15.3. — *préceptes sûrs* Ps 19.8 ; 93.5. ***c 111.8*** *à tout jamais* Es 40.8 ; voir Mt 5.18. — Autre traduction *faits avec droiture et vérité ;* Ps 19.10. ***d 111.9*** *délivrance* Lc 1.68. — *alliance pour toujours* Ps 105.10. — *saint et terrible* Dt 28.58 ; Lc 1.49. ***e 111.10*** *crainte du Seigneur et sagesse* Es 33.6 ; Jb 28.28 ; Pr 9.10 ; *Si* 1.16. — *qui font cela* ou *qui appliquent (les préceptes du Seigneur,* voir v. 7) ; autre texte (anciennes versions grecque, syriaque et latine) *qui suivent (le principe de la sagesse).* — *louange pour toujours* Ap 7.12.

PSAUME 112 (111)

(Voir Ps 111)

1 Alléluia.

Alef Heureux l'homme qui craint le SEIGNEUR
Beth et qui aime ses commandements[f] :

Guimel 2 Sa lignée est puissante sur la terre,
Daleth la race des hommes droits sera bénie[g].
Hé 3 Il y a chez lui biens et richesses,
Waw et sa justice subsiste toujours[h].
Zaïn 4 Dans l'obscurité se lève une lumière pour les hommes droits.
Heth Il est juste, bienveillant et miséricordieux[i].

Teth 5 L'homme fait bien de compatir et de prêter[j] :
Yod il gérera ses affaires selon le droit :
Kaf 6 pour toujours il sera inébranlable,
Lamed on gardera toujours la mémoire du juste[k].
Mem 7 Il ne craindra pas les rumeurs méchantes ;
Noun le cœur assuré, il compte sur le SEIGNEUR[l] ;
Samek 8 le cœur ferme, il ne craindra rien,
Aïn et il peut toiser ses ennemis[m].
Pé 9 Il a donné largement aux pauvres[n] :
Çadé sa justice subsiste toujours,
Qof son front se relève avec fierté.
Resh 10 L'impie le voit, il enrage,
Shîn il grince des dents et s'effondre :
Taw les souhaits des impies sont réduits à néant[o].

***f* 112.1** *Alef... :* voir 25.1 et la note. — *Alléluia* 106.1+. — *Heureux l'homme...* 1.1+ — *qui craint le Seigneur* 15.4+ ; 115.13 ; 128.1 ; voir *Si* 25.11 ; 34.14. — *aimer les commandements du Seigneur* Ps 119.48. ***g* 112.2** *sa lignée* 25.13 ; 102.29 ; Pr 11.21 ; 20.7 — *sera bénie* Pr 10.7. ***h* 112.3** *sa justice...* v. 9 ; 111.3. ***i* 112.4** *lumière* 37.6 ; 97.11 ; Es 58.10 ; Jn 8.12. — *juste, bienveillant et miséricordieux :* une formule traditionnelle que l'A.T. réserve habituellement à Dieu (voir Ex 34.6+). Certains manuscrits de l'ancienne version grecque ont donc ici *le Seigneur Dieu est juste, bienveillant et miséricordieux...,* dans le même sens que 111. 4. ***j* 112.5** 37.26 ; Pr 14.21 ; 19.17 ; Lc 6.35. ***k* 112.6** C'est-à-dire : le juste restera toujours présent, non seulement par le souvenir qu'il laissera, mais aussi par l'exemple qu'il aura donné et les actions qu'il aura faites. — *inébranlable* 15.5+ ; voir 55.23. ***l* 112.7** Autre traduction *il n'aura pas peur devant une mauvaise nouvelle* (voir Jr 49.23) ou *il ne craindra pas qu'une mauvaise nouvelle lui arrive.* — *le cœur assuré* Ps 108.2. — *compter sur le Seigneur* 9.11+ ; 55.24+. ***m* 112.8** *il ne craindra rien* 27.3,14. — *toiser ses ennemis* 54.9+. ***n* 112.9** 37.21 ; Pr 11.24 ; 21.26 ; 28.27 ; 2 Co 9.9. ***o* 112.10** *grincer des dents* 35.16. — *réduits à néant* 1.6 ; Jb 8.13.

PSAUME 113 (112)

1 Alléluia.

Serviteurs du SEIGNEUR, louez.
louez le *nom du SEIGNEUR[p].
2 Que le nom du SEIGNEUR soit béni
dès maintenant et pour toujours[q] !
3 Du soleil levant au soleil couchant[r],
loué soit le nom du SEIGNEUR !

4 Le SEIGNEUR domine[s] toutes les nations,
et sa gloire est au-dessus des cieux.
5 Qui ressemble au SEIGNEUR[t] notre Dieu ?
Il siège tout en haut
6 et regarde tout en bas[u]
les cieux et la terre.

7 Il relève le faible[v] de la poussière,
il tire le pauvre du tas d'ordures,
8 pour l'installer avec les princes,
avec les princes de son peuple.
9 Il installe au foyer la femme stérile,
en joyeuse mère de famille.

Alléluia[w] !

PSAUME 114 (113 A)

1 Quand Israël sortit d'Egypte[x],
quand la famille de Jacob quitta un peuple barbare,
2 Juda devint son *sanctuaire[y],
et Israël son domaine.

3 A cette vue, la mer s'enfuit[z],
le Jourdain reflua,
4 les montagnes bondirent[a] comme des béliers,
les collines comme des cabris.

p 113.1 *Alléluia* 106.1+. — *Serviteurs du Seigneur* 134.1 ; 135.1 ; *Dn grec* 3.85. — *louez le nom du Seigneur* Ps 135.1. ***q 113.2*** 41.14 ; Jb 1.21 ; Dn 2.20. ***r 113.3*** Ou *Depuis le lever jusqu'au coucher du soleil;* 50.1 ; Ml 1.11 ; voir Es 59.19. ***s 113.4*** 57.6 ; 97.9 ; 99.2. ***t 113.5*** 35.10+. ***u 113.6*** 11.4+ ; 138.6 ; Es 63.15 ; voir Ep 4.10. ***v 113.7*** 1 S 2.8 ; Lc 1.52 ; Jc 2.5. ***w 113.9*** *stérile... mère* Gn 18.10-11 ; 25.21 ; 30.22 ; 1 S 1.2, 19-20 ; Es 54.1 ; Lc 1.7, 13. — *Alléluia* Ps 104.35+. ***x 114.1*** Ex 12.41. ***y 114.2*** 78.68-69 ; Ex 15.17 ; 25.8 ; Lv 20.26 ; Dt 7.6 ; Jr 2.3 ; 1 Co 3.16 ; 6.19-20 ; voir 1 P 2. 4-5. ***z 114.3*** 77.17 ; 104.7 ; Ex 14.21+. ***a 114.4*** 29.6 ; voir Ex 19.18.

5 Mer, pourquoi t'enfuir ?
Jourdain, pourquoi refluer[b] ?
6 Montagnes, pourquoi bondir comme des béliers.
et vous collines, comme des cabris ?

7 Terre, tressaille devant le Maître[c].
devant le Dieu de Jacob,
8 lui qui change le roc en étang[d]
et le granit en fontaine.

PSAUME 115 (113 B)

1 Non pas à nous, SEIGNEUR, non pas à nous,
mais à ton *nom rends gloire,
pour ta fidélité, pour ta loyauté[e].

2 Pourquoi les nations disent-elles :
« Où donc est leur Dieu[f] ? »
3 Notre Dieu est dans les cieux ;
tout ce qu'il a voulu, il l'a fait[g].

4 Leurs idoles sont d'argent et d'or,
faites de main d'homme[h] :
5 Elles ont une bouche, et ne parlent pas ;
elles ont des yeux, et ne voient pas ;
6 elles ont des oreilles, et n'entendent pas ;
elles ont un nez, et ne sentent pas ;
7 des mains, et elles ne palpent pas ;
des pieds, et elles ne marchent pas ;
elles ne tirent aucun son de leur gosier.
8 Que leurs auteurs leur ressemblent[i],
et tous ceux qui comptent sur elles !

9 Fils d'Israël ! comptez sur le SEIGNEUR.
— leur aide et leur bouclier[j], c'est lui !

b 114.5 66.6 ; 74.15 ; Jos 3.15-16. ***c 114.7*** 96.9. ***d 114.8*** 78.15-16 ; 105.41 ; 107.35+ ; Ex 17.5-6 ; Dt 8.15 ; Ne 9.15. ***e 115.1*** A Dieu seul la *gloire* Es 48.11 ; Ez 36.22 ; *Dn grec* 3.43 ; Ac 12.23. — *fidélité et loyauté* de Dieu Ps 108.5 ; voir 25.10+. ***f 115.2*** 79.10+ ; Ex 32.12 ; Nb 14.15-16. ***g 115.3*** *dans les cieux* 2.4+ ; 11.4+ ; 123.1+. — *il a fait tout ce qu'il a voulu* 135.6. ***h 115.4*** v. 4-7 : impuissance des idoles 135.15-18 ; Dt 4.28 ; Es 40.19-20 ; 41.6-7 ; 44.9-20 ; 46.6-7 ; Jr 10.3-15 ; 16.20 ; Os 8.5-6 ; Ha 2.18 ; *Sg* 13.10—14.31 ; 15.15 ; *Lt-Jr* 3.54-55 ; *Dn grec* 14 ; Ac 19.26 ; Ap 9.20. ***i 115.8*** Dt 27.15 ; Jr 2.5 ; *Sg* 14.8. ***j 115.9*** *Fils d'Israël :* expression sémitique, fréquente dans l'A.T. pour désigner ceux qui forment le peuple d'Israël. — *compter sur le Seigneur* 9.11+ ; 55.24+. — *notre aide et notre bouclier* 33.20 ; voir 3.4+.

10 Maison d'Aaron[k] ! comptez sur le SEIGNEUR.
— leur aide et leur bouclier, c'est lui !
11 Vous qui craignez le SEIGNEUR[l] ! comptez sur le SEIGNEUR.
— leur aide et leur bouclier, c'est lui !

12 Le SEIGNEUR se souvient de nous ; il bénira :
il bénira la maison d'Israël,
il bénira la maison d'Aaron[m],
13 il bénira ceux qui craignent le SEIGNEUR,
les petits comme les grands[n].

14 Que le SEIGNEUR vous fasse prospérer,
vous et vos enfants[o] !
15 Soyez bénis par le SEIGNEUR,
l'auteur des cieux et de la terre[p].

16 Les cieux sont les cieux du SEIGNEUR,
mais la terre, il l'a donnée aux hommes[q].
17 Ce ne sont pas les morts qui louent le SEIGNEUR,
eux qui tous descendent au Silence[r].
18 Mais nous, nous bénissons le SEIGNEUR,
dès maintenant et pour toujours.

Alléluia[s] !

PSAUME 116 (114—115)

1 J'aime le SEIGNEUR,
car il entend ma voix suppliante[t],
2 il a tendu vers moi l'oreille[u],
et toute ma vie je l'appellerai.

k 115.10 *Aaron,* frère de Moïse (Ex 4.14) est considéré dans l'A.T. comme l'ancêtre des prêtres d'Israël (voir Ex 28.1). L'expression *maison d'Aaron* désigne l'ensemble de ses descendants, c'est-à-dire les prêtres en fonction ; Ps 118.3 ; 135.19. ***l 115.11*** Après l'exil cette expression a désigné plus particulièrement les non-Juifs convertis à la foi d'Israël ; 15.4+. ***m 115.12*** *maison d'Israël :* voir 98.3 et la note. — *le Seigneur se souvient* Es 49.15. — *Dieu bénira* Ps 28.9 ; 67.7 ; 109.28 ; Ep 1.3 *Israël* Nb 6.23-26 *et la maison d'Aaron* voir Jr 33.18. ***n 115.13*** *il bénira ceux qui craignent le Seigneur* 128.4. — *petits et grands* Jr 31.34 ; Ap 11.18. ***o 115.14*** Dt 1.11 ; Ac 2.39. ***p 115.15*** *bénis* par le créateur 134.3 ; Gn 14.19 ; voir Rt 2.20. — *l'auteur des cieux et de la terre* 121.2+. ***q 115.16*** *les cieux* v. 3+. — *la terre aux hommes* Jr 27.5 ; Ac 17.26. ***r 115.17*** Voir 94.17 et la note ; 6.6+. ***s 115.18*** *Mais nous...* Es 38.19. — *dès maintenant et pour toujours* 113.2 ; 121.8. — *Alléluia* 104.35+. ***t 116.1*** *J'aime le Seigneur* 18.2. — *supplication entendue* 28.2 ; 66.19. ***u 116.2*** 102.3.

[3] Les liens de la mort m'ont enserré,
les entraves des enfers m'ont saisi ;
j'étais saisi par la détresse et la douleur[v],
[4] et j'appelais le SEIGNEUR par son nom :
« De grâce ! SEIGNEUR, libère-moi[w] ! »

[5] Le SEIGNEUR est bienveillant et juste ;
notre Dieu fait miséricorde[x].
[6] Le SEIGNEUR garde les gens simples :
j'étais faible[y], et il m'a sauvé.
[7] Retrouve le repos, mon âme,
car le SEIGNEUR t'a fait du bien[z].

[8] Tu m'as délivré de la mort.
tu as préservé mes yeux des larmes
et mes pieds de la chute[a],
[9] pour que je marche devant le SEIGNEUR,
au pays des vivants.

[10] J'ai gardé confiance même quand je disais[b] :
« Je suis très malheureux ! »
[11] Désemparé, je disais :
« Tous les hommes sont des menteurs[c]. »
[12] Comment rendrai-je au SEIGNEUR
tout le bien qu'il m'a fait ?

[13] Je lèverai la coupe[d] de la victoire
et j'appellerai le SEIGNEUR par son nom ;
[14] j'accomplirai mes vœux[e] envers le SEIGNEUR.
et en présence de tout son peuple.

[15] Il en coûte au SEIGNEUR
de voir mourir ses fidèles[f].
[16] De grâce ! SEIGNEUR, puisque je suis ton serviteur,
ton serviteur, le fils de ta servante.

v 116.3 *les liens de la mort* 18.5. — *détresse et douleur* 31.11. ***w 116.4*** *le Seigneur appelé par son nom* 118.5. — *libère-moi* 6.5 ; 22.6. ***x 116.5*** *le Seigneur, compatissant et juste* Ex 34.6+ ; Ps 112.4 ; 145.17. — *Dieu fait miséricorde* 103.13. ***y 116.6*** *faible* 142.7. ***z 116.7*** 13.7. ***a 116.8*** *délivré de la mort* 16.10 ; 49.16 ; 86.13 ; *Dn grec* 3.88 ; Ac 2.24 ; voir He 5.7. — *larmes* Es 25.8 ; Ap 21.4. — *préservé de la chute* Ps 56.14. ***b 116.10*** Autre texte (ancienne version grecque) *j'ai cru, c'est pourquoi j'ai parlé ;* c'est sous cette forme que le verset est cité en 2 Co 4.13. ***c 116.11*** *désemparé* 31.23. — *tous les hommes menteurs* 12.3 ; 62.10 ; Rm 3.4. ***d 116.13*** 1 Co 10.16. ***e 116.14*** v. 18 ; 50.14 ; 56.13 ; Jon 2.10. ***f 116.15*** 72.14.

17 Tu as dénoué mes liens[g].
Je t'offrirai un *sacrifice de louange[h]
et j'appellerai le SEIGNEUR par son nom ;
18 j'accomplirai mes vœux envers le SEIGNEUR,
et en présence de tout son peuple,
19 dans les *parvis de la maison du SEIGNEUR,
au milieu de toi, Jérusalem !

Alléluia ![i]

PSAUME 117 (116)

1 Nations, louez toutes le SEIGNEUR[j].
Peuples, glorifiez-le tous.
2 Car sa fidélité nous dépasse,
et la loyauté du Seigneur est pour toujours.

Alléluia ![k]

PSAUME 118 (117)

1 Célébrez le SEIGNEUR, car il est bon,
et sa fidélité est pour toujours[l].

2 Qu'Israël le redise :
« Sa fidélité est pour toujours ! »
3 Que la maison d'Aaron[m] le redise :
« Sa fidélité est pour toujours ! »
4 Que ceux qui craignent le SEIGNEUR[n] le redisent :
« Sa fidélité est pour toujours ! »

5 Quand j'étais assiégé, j'ai appelé le SEIGNEUR :
le SEIGNEUR m'a répondu[o] en me mettant au large.
6 Le SEIGNEUR est pour moi, je ne crains rien,
que me feraient les hommes[p] ?

g 116.16 *ton serviteur* 119.125 ; 143.12. — *liens dénoués* Jr 30.8. ***h 116.17*** 107.22 ; voir Lv 7.12. ***i 116.19*** *Alléluia* 104.35+et la note. ***j 117.1*** Rm 15.11. ***k 117.2*** *sa fidélité nous dépasse* 103.11 ; Rm 5.20. — *loyauté éternelle du Seigneur* Ps 100.5 ; Mi 7.20. — *Alléluia* Ps 104.35+et la note. ***l 118.1*** *Célébrez le Seigneur* 105.1+ — *car il est bon et sa fidélité...* 106.1+. ***m 118.3*** Voir 115.10+ et la note. ***n 118.4*** Voir 15.4+ ; 115.11 et la note. ***o 118.5*** *appel et réponse* 99.6+ ; voir 3.5+. ***p 118.6*** *le Seigneur est pour moi* He 13.6 ; Jr 1.8 ; Rm 8.31. — *je ne crains rien* Ps 56.5 ; Es 12.2 ; 41.10-14 ; 43.1 ; 44.2 ; Jr 1.8 ; So 3.16. — *que me feraient les hommes ?* Autre traduction *que feraient pour moi les hommes ?* (voir Ps 56.12) ; Es 51.12 ; Jr 1.19.

7 Le SEIGNEUR est pour moi, il me vient en renfort,
et je toise mes ennemis[q].

8 Mieux vaut se réfugier près du SEIGNEUR
que compter sur les hommes[r] !
9 Mieux vaut se réfugier près du SEIGNEUR
que compter sur les princes[s] !

10 Toutes les nations m'avaient encerclé :
au *nom du SEIGNEUR, je les pourfendais[t].
11 Elles m'ont encerclé, encerclé :
au nom du SEIGNEUR, je les pourfendais.
12 Elles m'ont encerclé comme des guêpes ;
elles se sont éteintes comme un feu d'épines[u],
au nom du SEIGNEUR, je les pourfendais.

13 Tu m'avais bousculé pour m'abattre[v],
mais le SEIGNEUR m'a aidé.
14 « Ma force et mon cri de guerre[w], c'est LUI ! »
« Je lui dois la victoire ! »
15 Clameur de joie et de victoire
dans les tentes des justes :
« La droite du SEIGNEUR[x] fait un exploit !
16 la droite du SEIGNEUR est levée !
la droite du SEIGNEUR fait un exploit ! »

17 Non, je ne mourrai pas, je vivrai
pour raconter les œuvres[y] du SEIGNEUR :
18 Certes le SEIGNEUR m'a corrigé,
mais il ne m'a pas livré à la mort[z].
19 Ouvrez-moi les portes[a] de la justice,
j'entrerai pour célébrer le SEIGNEUR.

q 118.7 *il me vient en renfort :* autre traduction *il est le seul aide que j'aie* (Ps 54.6). — *je toise mes ennemis* 54.9+. ***r 118.8*** *le Seigneur, un refuge* 7.2+. — *Mieux vaut... le Seigneur... que les hommes* 60.13 ; Jr 17.5, 7 ; voir Ps 62.9, 10. ***s 118.9*** *ou que les princes* 146.3 ; Es 30.3. ***t 118.10*** *encerclé* 22.13. — *je les pourfendais :* traduction incertaine ; versions anciennes *je les ai repoussées* (grec) ; *je me suis vengé d'elles* (latin) ; *je les extermine* (araméen). ***u 118.12*** *feu d'épines* Es 33.12. ***v 118.13*** *Tu m'avais bousculé :* le texte hébreu ne permet pas de reconnaître à quel interlocuteur le psaume s'adresse ici. Anciennes versions *on m'a poussé pour que je tombe.* — *pour m'abattre* 62.4. ***w 118.14*** Voir Ex 15.2 ; Es 12.2. ***x 118.15*** *La* (main) *droite du Seigneur* Ex 15.6. ***y 118.17*** *raconter ses œuvres* 9.2+ ; Jr 51.10. ***z 118.18*** *corrigé par le Seigneur* 107.12 ; Jr 30.11 ; 31.18. — *mais... Sg* 12.21-22 ; 2 Co 6.9. ***a 118.19*** *portes ouvertes* 24.7 ; Es 26.2.

20 — C'est la porte du SEIGNEUR ;
que les justes entrent[b] !

21 Je te célèbre car tu m'as répondu[c],
et je te dois la victoire.
22 La pierre que les maçons ont rejetée
est devenue la pierre angulaire[d].
23 Cela vient du SEIGNEUR :
c'est une merveille à nos yeux !

24 Voici le jour que le SEIGNEUR a fait[e] :
qu'il soit notre bonheur et notre joie !
25 Donne, SEIGNEUR, donne la victoire[f] !
Donne, SEIGNEUR, donne le triomphe !

26 Béni soit celui qui entre, au nom du SEIGNEUR !
— Nous vous bénissons depuis la maison du SEIGNEUR[g].
27 Le SEIGNEUR est Dieu et il nous a donné la lumière :
Formez le cortège, rameaux en main,
jusqu'aux cornes de *l'autel[h].
28 — Tu es mon Dieu ! et je te célèbre.
mon Dieu, et je t'exalte[i].

29 Célébrez le SEIGNEUR, car il est bon
et sa fidélité est pour toujours.

PSAUME 119 (118)

(Voir Ps 19.8-15 ; Si 2.16)

Alef 1 Heureux ceux dont la conduite est intègre[j]
et qui suivent la Loi du SEIGNEUR.

b 118.20 15.2-3 ; 24.4. ***c 118.21*** 66.19 ; 116.1-2. ***d 118.22*** *La pierre... angulaire* Es 28.16 ; Za 4.7 ; Mc 12.10 par. ; Ac 4.11 ; 1 P 2.4-7. ***e 118.24*** 75.3 ; Ex 49.8 ; Ne 8.9. ***f 118.25*** *donne la victoire :* autre traduction *sauve donc.* Le terme correspondant, transposé en *Hosanna* dans les milieux grecs, est devenu plus tard une acclamation (voir Mt 21.9) ; Jr 31.7 ; Jn 12.13 par. ***g 118.26*** *Béni soit... !* 28.6+ *au nom du Seigneur* Dt 21.5 ; Mt 21.9 par. ; 23.39. — *Nous vous bénissons* Ps 129.8. — *depuis la maison du Seigneur* 20.3+. ***h 118.27*** *Le Seigneur est Dieu* Dt 4.35 ; 1 R 18.39. — *la lumière* Ps 18.29 ; 67.2 ; Ex 13.21 ; Nb 6.25 ; Es 60.1 ; 1 Jn 2.8 ; voir Ps 27.1+. — *Formez le cortège :* traduction incertaine ; le sens du v. 27 est discuté. — *les cornes de l'autel :* voir Ex 27.2 et la note. ***i 118.28*** *mon Dieu* 22.11+ *je t'exalte* Es 25.1 ; voir Ps 99.5 ; 107.32 ; Lc 1.46. ***j 119.1*** *Alef :* voir 25.1 et la note sur les psaumes alphabétiques. Le Ps 119 comprend 22 strophes de 8 versets ; chacun d'eux mentionne un des nombreux termes synonymes désignant les commandements de Dieu : *loi, exigences, chemins, préceptes,* etc. — *heureux* 1.1+. — *conduite intègre* 84.12-13 ; Pr 11.20 ; 13.6 ; Lc 11.28.

[2] Heureux ceux qui se conforment à ses exigences,
de tout cœur ils le cherchent[k].
[3] Ils n'ont pas commis de crime,
ils ont suivi ses chemins.
[4] C'est toi qui as promulgué tes préceptes
pour qu'on les garde[l] avec soin.
[5] Que ma conduite s'affermisse[m]
pour garder tes décrets ;
[6] alors je ne serai pas déçu
en contemplant tous tes commandements[n].
[7] Je te célébrerai d'un cœur droit
en étudiant tes justes décisions.
[8] Tes décrets, je les garde,
ne m'abandonne pas[o] complètement !

Beth [9] Comment un jeune homme[p] aura-t-il une conduite pure ?
C'est en prenant garde selon ta parole.
[10] De tout mon cœur je t'ai cherché,
ne me laisse pas errer[q] loin de tes commandements.
[11] Dans mon cœur je conserve tes ordres
afin de ne pas pécher contre toi.
[12] Béni sois-tu[r], SEIGNEUR !
enseigne-moi tes décrets.
[13] Mes lèvres ont récité[s]
toutes les décisions de ta bouche.
[14] A suivre tes exigences, j'ai trouvé la joie[t]
comme au comble de la fortune.
[15] Tes préceptes, je les méditerai
et je contemplerai tes voies.
[16] Je me délecte de tes décrets,
je n'oublie pas ta parole.

Guimel [17] Agis en faveur de ton serviteur : je vivrai
et je garderai ta parole.
[18] Dessille mes yeux, et je verrai
les merveilles de ta Loi.

k 119.2 *chercher le Seigneur* 9.11+ – *de tout son cœur* v. 10, 145 ; Dt 4.29 ; 2 Ch 30.19 ; 31.21. ***l 119.4*** Dt 6.2 ; voir Mt 5.19. ***m 119.5*** v. 133. ***n 119.6*** *pas déçu* v. 31 ; 31.2+ ; 1 Jn 2.28. – *contempler les commandements* de Dieu v. 15 ; Jc 1.23-25. ***o 119.8*** 38.22+ ; Jn 8.29. ***p 119.9*** *jeune homme* Pr 1.4. ***q 119.10*** 139.24. ***r 119.12*** 1 Ch 29.10,18 ; voir 28.6+. ***s 119.13*** *réciter...* 1.2. ***t 119.14*** *joie* v. 111, 162.

19 Je suis un étranger sur la terre[u],
ne me cache pas tes commandements.
20 J'aime avec passion
tes décisions de chaque instant.
21 Tu as menacé ces maudits orgueilleux
qui s'égarent loin de tes commandements.
22 Débarrasse-moi de l'insulte et du mépris,
car je me suis conformé à tes exigences.
23 Même si des princes siègent pour discuter contre moi,
ton serviteur médite tes décrets.
24 Tes exigences elles-mêmes font mes délices,
elles sont mes conseillers.

Daleth 25 Me voici collé à la poussière,
selon ta parole, fais-moi revivre[v].
26 Je t'ai décrit mes chemins et tu m'as répondu[w].
enseigne-moi tes décrets.
27 Fais-moi discerner le chemin de tes préceptes
et je méditerai tes merveilles[x].
28 Le chagrin a fait couler mes larmes[y] ;
relève-moi selon ta parole.
29 Ecarte de moi le chemin du mensonge
et fais-moi la grâce de ta Loi.
30 J'ai choisi le chemin de la loyauté,
je me suis aligné sur tes décisions.
31 A tes exigences, je me suis astreint[z] ;
SEIGNEUR, fais que je ne sois pas déçu.
32 Je cours sur le chemin de tes commandements[a]
car tu m'ouvres l'esprit.

Hé 33 SEIGNEUR, indique-moi le chemin de tes décrets,
et ma récompense sera de les observer[b].
34 Rends-moi intelligent[c], j'observerai ta Loi
et je la garderai de tout cœur.
35 Conduis-moi[d] sur le sentier de tes commandements,
car je m'y plais.

u 119.19 v. 54 ; 39.13 ; He 11.13 ; 1 P 1.1 ; 2.11. ***v 119.25*** *collé à la poussière* 44.26 — *revivre* v. 50, 88, 93, 149, 156, 159 ; 85.7 ; Os 6.2. ***w 119.26*** *tu m'as répondu* 118.21. ***x 119.27*** 105.2. ***y 119.28*** *larmes* 116.8. ***z 119.31*** *astreint* Dt 11.22 ; voir Jr 13.11. ***a 119.32*** *courir* He 12.1 — *sur le chemin de tes commandements* voir Jr 31.33. ***b 119.33*** Voir v. 112 ; autre traduction *je les garderai avec profit* (voir Ps 19.12) ; ancienne version grecque *je les garderai continuellement.* ***c 119.34*** *intelligence* Jr 9.23. ***d 119.35*** *Conduis-moi* 5.9+.

[36] Incline mon cœur vers tes exigences,
et non vers le profit[e].
[37] Détourne mes yeux de l'illusion[f],
fais-moi revivre dans tes chemins.
[38] Pour ton serviteur réalise[g] tes ordres,
et l'on te craindra.
[39] Détourne l'insulte que je redoute,
car tes décisions sont bonnes.
[40] Oui, j'aime tes préceptes ;
par ta justice fais-moi revivre.

Waw [41] Que viennent sur moi tes bontés[h], SEIGNEUR,
le salut conforme à tes ordres.
[42] Et j'aurai une parole pour qui m'insulte,
car je compte sur ta parole.
[43] N'ôte pas de ma bouche toute parole de vérité,
car j'espère[i] en tes décisions.
[44] Je garderai sans cesse ta Loi,
et à tout jamais.
[45] Je marcherai à l'aise,
car je recherche tes préceptes[j].
[46] Devant des rois je parlerai de tes exigences,
et je n'aurai pas honte[k].
[47] Je me délecte[l] de tes commandements
que j'aime tant.
[48] Je lève les mains[m] vers tes commandements que j'aime tant,
et je méditerai tes décrets.

Zaïn [49] Rappelle-toi la parole dite[n] à ton serviteur,
en laquelle tu me fis espérer.
[50] C'est ma consolation[o] dans la misère,
car tes ordres m'ont fait revivre.
[51] Les orgueilleux se sont bien moqués de moi[p],
mais je n'ai pas dévié de ta Loi.
[52] Je me rappelle tes décisions de toujours, SEIGNEUR,
elles sont ma consolation.

e 119.36 voir Es 33.15 ; Jr 22.17 ; He 13.5. ***f 119.37*** Idoles illusoires Jr 18.15 ; 1 Jn 5.21. ***g 119.38*** *pour ton serviteur* Lc 1.38. – *réalise* ou *confirme*. ***h 119.41*** *tes bontés* 89.2. ***i 119.43*** v. 49, 74 ; 33.18+ ; 147.11. ***j 119.45*** *à l'aise* voir Jn 8.31-32. – *je recherche tes préceptes* Ps 112.2. ***k 119.46*** Ac 18.26 ; 19.8 ; Ep 6.20 ; Ph 1.13-14. ***l 119.47*** v. 70, 143 ; Jn 4.34. ***m 119.48*** 28.2+. ***n 119.49*** *Rappelle-toi* Jr 15.15. – *la parole dite* Ps 105.42. ***o 119.50*** *1 M* 12.9 ; Rm 15.4. ***p 119.51*** 123.3.

53 La rage m'a saisi devant les infidèles
qui abandonnent ta Loi.
54 Tes décrets sont devenus mes cantiques
dans la maison où je ne fais que passer[q].
55 La nuit, je me rappelle ton *nom[r], SEIGNEUR,
pour garder ta Loi.
56 Ce qui m'appartient,
c'est d'observer tes préceptes.

Heth 57 Ma part[s], SEIGNEUR, ai-je dit,
c'est de garder tes paroles.
58 J'ai mis tout mon cœur à détendre ton visage[t],
fais-moi grâce selon tes ordres.
59 J'ai réfléchi à ma conduite[u]
et je ramène mes pas vers tes exigences.
60 Sans perdre un instant, je me suis hâté
de garder tes commandements.
61 Les cordes des infidèles m'ont ligoté,
ta Loi, je ne l'ai pas oubliée.
62 En pleine nuit[v] je me lève pour te célébrer
à cause de tes justes décisions.
63 Je m'associe à tous ceux qui te craignent[w]
et qui gardent tes préceptes.
64 De ta fidélité, SEIGNEUR, la terre est comblée[x] ;
enseigne-moi tes décrets.

Teth 65 Tu as fait le bonheur[y] de ton serviteur,
selon ta parole, SEIGNEUR.
66 Enseigne-moi les bienfaits du jugement et de la science[z],
car je me fie à tes commandements.
67 Avant d'être humilié[a], je m'égarais ;
à présent je garde tes ordres.
68 Tu es bon[b] et bienfaisant,
enseigne-moi tes décrets.

***q* 119.54** *des cantiques* 101.1 ; 137.4. — *je ne fais que passer* v. 19+. ***r* 119.55** *la nuit...* 63.7 ; 134.1. — *ton nom* 20.8 ; 124.8+. ***s* 119.57** *Ma part* 16.5. ***t* 119.58** Ex 32.11 ; Ml 1.9. ***u* 119.59** Lc 15.17. ***v* 119.62** 42.9 ; Ac 16.25. ***w* 119.63** 15.4+. ***x* 119.64** 65.10. ***y* 119.65** *le bonheur* 86.17. ***z* 119.66** *Enseigne-moi les bienfaits du jugement... :* autre traduction *Enseigne-moi ce qu'il y a de bien dans le jugement et la science ;* anciennes versions grecque et syriaque *Enseigne-moi la bonté, la correction et la science.* — *jugement... science* (connaissance de Dieu) Os 4.2+ ; Ph 1.9 ; Jc 1.5. ***a* 119.67** Pr 15.33. ***b* 119.68** 25.8 ; 73.1 ; 100.5.

69 Des orgueilleux m'ont sali de leurs mensonges,
moi, de tout cœur, j'observe tes préceptes.
70 Leur cœur s'est figé comme de la graisse[c] ;
moi, je me délecte de ta Loi.
71 Il me fut bon d'être humilié
pour étudier tes décrets.
72 La Loi sortie de ta bouche vaut mieux pour moi
que des millions d'or et d'argent[d].

Yod 73 Tes mains m'ont fait[e] et affermi ;
rends-moi intelligent et j'étudierai tes commandements.
74 En me voyant, ceux qui te craignent se réjouissent[f],
car j'espère en ta parole.
75 Je reconnais, SEIGNEUR, que tes décisions sont justes,
et que tu avais raison de m'humilier.
76 Que ta fidélité me console,
comme tu l'as ordonné pour ton serviteur.
77 Que ta miséricorde me pénètre et je vivrai,
car ta Loi fait mes délices.
78 Honte aux orgueilleux qui m'ont accablé de mensonges ;
moi, je médite tes préceptes.
79 Que reviennent à moi ceux qui te craignent,
ils connaîtront[g] tes exigences.
80 Que je suive parfaitement tes décrets,
pour ne pas éprouver la honte.

Kaf 81 Je me suis usé à attendre ton salut,
j'ai espéré en ta parole.
82 Mes yeux se sont usés à chercher tes ordres,
et je dis : « Quand me consoleras-tu[h] ? »
83 J'étais pareil à une outre racornie[i],
mais je n'ai pas oublié tes décrets.
84 Combien ces jours dureront-ils pour ton serviteur ?
Quand prendras-tu une décision contre mes persécuteurs[j] ?
85 Contre moi des orgueilleux ont creusé des fosses[k],
au mépris de ta Loi.

c 119.70 *cœur figé* Es 6.10. — *graisse* Ps 17.10+. ***d 119.72*** *or et argent* 19.11. ***e 119.73*** Es 64.7 ; Jb 10.8 ; *Sg* 7.1 ; voir Ps 139.15. ***f 119.74*** *ceux qui te craignent* 15.4+ — *se réjouissent* 107.42. ***g 119.79*** *ils connaîtront :* d'après le texte hébreu « écrit » ; texte hébreu que la tradition juive considère comme « à lire » et versions anciennes *et qui connaissent.* ***h 119.82*** 101.2. ***i 119.83*** *outre :* voir Mc 2.22 et la note ; *une outre racornie :* l'hébreu exprime cette idée en précisant *une outre qui a été exposée à la fumée.* ***j 119.84*** *contre mes persécuteurs* 7.2. ***k 119.85*** *des fosses* 57.7.

86 Tous tes commandements sont fidélité[l] ;
on me poursuit avec perfidie, aide-moi.
87 Usé et presque terrassé,
je n'ai pas abandonné tes préceptes.
88 Selon ta fidélité, fais-moi revivre,
et je garderai ce que ta bouche édicte.

Lamed 89 A jamais, SEIGNEUR,
ta parole[m] se dresse dans les cieux.
90 Ta fidélité dure d'âge en âge :
tu as fixé la terre, et elle tient[n] ;
91 selon tes décisions, tout tient[o] jusqu'à ce jour,
car l'univers est ton serviteur.
92 Si ta Loi n'avait pas fait mes délices,
j'aurais péri de misère.
93 Jamais je n'oublierai tes préceptes,
car par eux tu m'as fait revivre[p].
94 Je suis à toi[q] ! sauve-moi,
car j'ai cherché tes préceptes.
95 Des infidèles ont espéré me perdre,
moi, je reste attentif à tes exigences.
96 A toute perfection j'ai vu une limite,
mais ton commandement est d'une ampleur infinie.

Mem 97 Combien j'aime ta Loi[r],
tous les jours je la médite.
98 Ton commandement me rend plus sage[s] que mes ennemis,
je le fais mien pour toujours.
99 Je suis plus avisé que tous mes maîtres[t],
car j'ai médité tes exigences.
100 J'ai plus de discernement que les *anciens,
car j'ai observé tes préceptes.
101 J'ai évité toutes les routes du mal
afin de garder ta parole.
102 Je ne me suis pas détourné de tes décisions,
car c'est toi qui m'as instruit.
103 Que tes ordres sont doux à mon palais,
plus que le miel[u] à ma bouche !

l* *119.86 33.4 ; 111.7-8. ***m* *119.89*** *ta parole* Es 40.8 ; *Sg* 18.15 ; Jn 1.1. ***n* *119.90*** *Ta fidélité dure d'âge en âge* 103.17+. — *la terre tient* 104.5. ***o* *119.91*** 105.7 ; Jr 33.25. ***p* *119.93*** *revivre* v. 25+. ***q* *119.94*** 100.3 ; 1 Co 3.23. ***r* *119.97*** 40.9. ***s* *119.98*** Dt 4.6. ***t* *119.99*** Mt 11.25. ***u* *119.103*** 19.11 ; *Si* 23.27 ; 24.20.

104 Grâce à tes préceptes j'ai du discernement,
aussi je déteste toutes les routes du mensonge.

Noun 105 Ta parole est une lampe[v] pour mes pas,
une lumière pour mon sentier.
106 J'ai juré, et je le confirme,
de garder tes justes décisions.
107 Je suis bien trop humilié[w],
SEIGNEUR, fais-moi revivre selon ta parole.
108 Agrée, SEIGNEUR, l'offrande[x] de mes prières,
enseigne-moi tes décisions.
109 Au constant péril de ma vie
je n'ai pas oublié ta Loi.
110 Des infidèles m'ont tendu un piège[y],
mais je n'ai pas erré loin de tes préceptes.
111 Tes exigences sont à jamais mon patrimoine :
elles sont la joie[z] de mon cœur.
112 Je m'applique à pratiquer tes décrets ;
c'est à jamais ma récompense[a].

Samek 113 Je déteste les cœurs partagés[b]
et j'aime ta Loi.
114 Mon abri et mon bouclier[c], c'est toi !
j'espère en ta parole.
115 Méchants, détournez-vous de moi[d],
et j'observerai les commandements de mon Dieu.
116 Selon tes ordres, sois mon appui[e] et je vivrai ;
ne déçois pas mon attente.
117 Soutiens-moi[f], et je serai sauvé,
et je ne perdrai pas de vue tes décrets.
118 Tu as rejeté tous ceux qui s'égaraient loin de tes décrets,
car leurs manœuvres n'étaient que mensonge.
119 Tu as réduit en scories tous les infidèles du pays,
aussi j'aime tes exigences.
120 Ma chair frissonne de terreur devant toi
et de crainte devant tes décisions.

v 119.105 Pr 6.23 ; voir *Sg* 18.4 ; Jn 8.12+. ***w 119.107*** Appel de *l'humilié* 70.6 ; 116.10. ***x 119.108*** 51.21 ; 1 S 26.19 ; Es 56.7 ; voir Mi 6.7 ; Ml 1.13. ***y 119.110*** *piège* Jr 9.7 ; voir Ps 9.16+. ***z 119.111*** *joie* v. 14 ; Jr 15.16.

a 119.112 *ma récompense* v. 33. ***b 119.113*** *Si* 2.12 ; Mt 6.24 ; Jc 1.8. ***c 119.114*** *mon bouclier* Ps 3.4+. ***d 119.115*** 6.9+. ***e 119.116*** *mon appui* 63.9. ***f 119.117*** *Soutiens-moi* 18.36.

Aïn

121 J'ai agi selon le droit[g] et la justice ;
ne me livre pas à mes oppresseurs.
122 Garantis le bonheur de ton serviteur ;
que les orgueilleux ne m'oppriment pas.
123 Mes yeux se sont usés à attendre ton salut
et à chercher les ordres de ta justice.
124 Agis envers ton serviteur selon ta fidélité
et enseigne-moi tes décrets.
125 Je suis ton serviteur[h] ; donne-moi du discernement,
et je connaîtrai tes exigences.
126 Pour le SEIGNEUR, il est temps d'agir[i] :
on a violé ta Loi.
127 Aussi j'aime tes commandements
plus que l'or, même le plus fin.
128 Aussi je trouve justes en tous points tous les préceptes ;
je déteste toutes les routes du mensonge.

Pé

129 Tes exigences sont des merveilles,
aussi je m'y conforme.
130 La découverte de tes paroles illumine,
elle donne du discernement aux simples[j].
131 La bouche grande ouverte, j'aspire,
avide de tes commandements.
132 Tourne-toi vers moi et fais-moi grâce,
comme il en est décidé pour ceux qui aiment ton nom[k].
133 Affermis mes pas par tes ordres
et ne laisse aucun mal me dominer[l].
134 Libère-moi de l'oppression[m] des hommes,
et je garderai tes préceptes.
135 Pour ton serviteur que ton visage s'illumine[n] :
enseigne-moi tes décrets.
136 Des larmes ont ruisselé de mes yeux,
car on ne garde pas ta Loi.

g 119.121 *le droit :* partout ailleurs dans le psaume, le terme hébreu correspondant figure au pluriel et a été rendu par *décisions.* ***h 119.125*** 116.16 ; 143.12. ***i 119.126*** On peut comprendre *il est temps d'agir en faveur du Seigneur* ou *il est temps que le Seigneur agisse ; 69.14 ; 102.14.* ***j 119.130*** *illumination* v. 105+ ; 19.9. — *du discernement aux simples* Pr 1.4 ; voir Mt 11.25. ***k 119.132*** *Tourne-toi vers moi* Nb 6.26 ; 2 R 13.23. — *fais-moi grâce* Es 30.18-19 ; Pr 3.34. — *ceux qui aiment ton nom* 69.37 ; Es 56.6 ; voir Ps 97.10 ; 145.20. ***l 119.133*** *Affermis mes pas* 37.23 ; 40.3 ; Dt 7.9 ; Jg 5.31. — *ne laisse aucun mal* Rm 6.12. ***m 119.134*** Es 54.14 ; Lc 1.74. ***n 119.135*** 31.17+.

Çadé 137 SEIGNEUR, tu es juste[o],
et tes décisions sont droites.
138 Tu as formulé tes exigences, c'est la justice
et la pleine fidélité.
139 Mon zèle m'a consumé[p]
quand mes adversaires oubliaient tes paroles.
140 Tes ordres sont à toute épreuve[q],
et ton serviteur les aime.
141 Même chétif et méprisé
je n'ai pas oublié tes préceptes.
142 Ta justice est la justice éternelle,
et ta Loi est la vérité.
143 La détresse et l'angoisse[r] m'ont saisi,
mais tes commandements sont mes délices.
144 Tes exigences sont la justice éternelle ;
donne-moi du discernement et je vivrai.

Qof 145 J'ai appelé de tout cœur[s], réponds-moi, SEIGNEUR ;
j'observerai tes décrets.
146 Je t'ai appelé, sauve-moi,
et je respecterai tes exigences.
147 J'ai devancé l'aurore[t] et je crie ;
j'espère en tes paroles.
148 Avant l'heure j'ai ouvert les yeux
pour méditer tes ordres.
149 Selon ta fidélité, écoute ma voix ;
SEIGNEUR, selon tes décisions, fais-moi revivre.
150 Ils approchent, ces persécuteurs infâmes
qui s'éloignent de ta Loi.
151 Toi, tu es proche[u], SEIGNEUR,
et tous tes commandements sont la vérité.
152 Tes exigences, je sais depuis longtemps
que tu les as établies pour toujours[v].

Resh 153 Vois ma misère et délivre-moi,
car je n'ai pas oublié ta Loi.
154 Soutiens ma cause et défends-moi ;
par tes ordres fais-moi revivre.

o 119.137 Dt 32.4 ; Ap 16.7 ; 19.2. ***p 119.139*** 69.10. ***q 119.140*** L'hébreu exprime cette idée d'une manière imagée : *Ta parole est bien affinée au feu* (sous-entendu *comme un métal précieux) ;* voir 12.7. ***r 119.143*** Voir Jn 12.27. ***s 119.145*** *appel à Dieu* 3.5+. – *de tout cœur* v. 2+ ; *Sg* 8.21. ***t 119.147*** *devancer l'aurore* 57.9. ***u 119.151*** 34.19 ; Dt 4.7 ; Jr 1.8. ***v 119.152*** *pour toujours* Mt 5.18 ; 1 P 1.25.

155 Le salut est loin des infidèles,
car ils n'ont pas recherché tes décrets.
156 SEIGNEUR, tes miséricordes[w] sont nombreuses,
selon tes décisions, fais-moi revivre.
157 Nombreux sont mes persécuteurs et mes adversaires[x],
mais je ne me suis pas écarté de tes exigences.
158 J'ai vu des traîtres et je suis écœuré[y],
car ils n'ont pas gardé tes ordres.
159 Vois combien j'aime tes préceptes,
selon ta fidélité, SEIGNEUR, fais-moi revivre.
160 Le principe de ta parole, c'est la vérité[z] ;
toute décision de ta justice est éternelle.

Shîn 161 Des princes m'ont persécuté sans motif[a],
mon cœur ne redoute que tes paroles.
162 Je me réjouis de tes ordres
comme celui qui trouve un grand butin[b].
163 Je déteste le mensonge, je l'abhorre,
c'est ta Loi que j'aime.
164 Sept fois par jour je t'ai loué
pour tes justes décisions.
165 Grande est la paix de ceux qui aiment ta Loi :
pour eux plus d'obstacle !
166 SEIGNEUR, j'ai attendu de toi le salut[c]
et j'ai accompli tes commandements.
167 J'ai respecté tes exigences,
je les aime vraiment.
168 J'ai respecté tes préceptes et tes exigences,
tous mes chemins[d] sont devant toi.

Taw 169 Que mon cri parvienne en ta présence[e], SEIGNEUR,
donne-moi du discernement selon ta parole !
170 Que ma supplique arrive en ta présence[f] ;
selon tes ordres délivre-moi !
171 Que mes lèvres prodiguent la louange,
car tu m'enseignes tes décrets.
172 Que ma langue chante tes ordres,
car tous tes commandements sont la justice[g].

w 119.156 *miséricorde* 69.17 ; 145.9. ***x 119.157*** *adversaires nombreux* 3.2 ; 69.5. ***y 119.158*** *écœuré* 95.10. ***z 119.160*** Jn 17.17. ***a 119.161*** 1 S 26.18. ***b 119.162*** Es 9.2 ; Mt 13.44. ***c 119.166*** *j'ai attendu de toi...* 33.18+. ***d 119.168*** 39.2 ; 139.3. ***e 119.169*** 18.7 ; 102.2 ; voir Ps 88.3. ***f 119.170*** 140.7 ; 143.1. ***g 119.172*** Rm 7.12.

173 Que ta main me vienne en aide[h],
car j'ai choisi tes préceptes.
174 De toi, SEIGNEUR, je désire le salut,
et ta Loi fait mes délices.
175 Que je puisse vivre pour te louer,
et tes décisions me viendront en aide.
176 Je suis errant comme une brebis perdue :
recherche ton serviteur[i],
car je n'ai pas oublié tes commandements.

PSAUME 120 (119)

1 *Chant des montées.*

Dans ma détresse, j'ai appelé le SEIGNEUR,
et il m'a répondu[j].
2 « SEIGNEUR, délivre-moi des lèvres fausses,
d'une langue à mensonge[k] ! »

3 Que te donner, que t'infliger de plus,
langue à mensonge ?
4 Des flèches de guerre, barbelées,
avec des braises de genêt[l].

5 Malheur à moi ! j'ai dû émigrer à Mèshek,
rester parmi les tentes de Qédar[m].
6 Je suis trop resté
chez ceux qui détestent la paix.
7 Je suis la paix ! mais si je parle[n],
ils sont pour la guerre.

h 119.173 Voir 63.9. ***i 119.176*** *errant comme une brebis perdue* Es 53.6 ; Ez 34.6 ; 1 P 2.25. – *recherche ton serviteur* Lc 15. ***j 120.1*** *Chant des montées :* Titre commun aux Ps 120–134. On pense qu'il s'agit des psaumes chantés par les pèlerins qui *montaient* à Jérusalem (Voir Es 2.3 ; Jr 31.6 ; Ps 84) en particulier pour les trois grandes fêtes prescrites en Ex 23.14-17. Les versions grecque et latine ont traduit *chant des degrés,* c'est-à-dire des quinze marches qu'il fallait gravir pour accéder à la cour d'Israël dans le Temple de Jérusalem. – *détresse, appel* et *réponse* du Seigneur 34.7 ; 81.8 ; 86.7 ; 118.5 ; Jon 2.3. – *appel* au Seigneur Ps 3.5+. ***k 120.2*** 31.19 ; 52.4, 6 ; 109.2 ; *Si* 51.2 ; voir Ps 5.10+. ***l 120.4*** *des flèches... avec des braises de genêt :* certains pensent qu'il s'agit de flèches incendiaires. – *flèches barbelées* 45.6. – *braises* 140.11. ***m 120.5*** *Mèshek* (Gn 10.2 ; Ez 27.13 ; 38.2) : situé en Asie Mineure. – *Qédar* (Gn 25.13) ; tribu nomade d'Arabie. ***n 120.7*** Autre traduction (avec la version latine) *Moi, je parle de paix, mais ils...*

PSAUME 121 (120)

1 *Chant. Pour les montées.*

Je lève les yeux vers les montagnes :
d'où le secours[o] me viendra-t-il ?
2 Le secours me vient du SEIGNEUR,
l'auteur des cieux et de la terre[p].

3 — Qu'il ne laisse pas chanceler ton pied,
que ton gardien[q] ne somnole pas ! —
4 Non ! il ne somnole ni ne dort[r],
le gardien d'Israël.

5 Le SEIGNEUR est ton gardien,
Le SEIGNEUR est ton ombrage.
Il est à ta droite[s].

6 De jour, le soleil ne te frappera pas[t],
ni la lune pendant la nuit.
7 Le SEIGNEUR te gardera de tout mal[u].
Il gardera ta vie.

8 Le SEIGNEUR gardera tes allées et venues,
dès maintenant et pour toujours[v].

PSAUME 122 (121)

1 *Chant des montées. De David.*

Quelle joie quand on m'a dit :
« Allons à la maison du SEIGNEUR[w] ! »

2 Nous nous sommes arrêtés
à tes portes, Jérusalem !
3 Jérusalem, la bien bâtie,
ville d'un seul tenant[x] !

o 121.1 *montées :* voir 120.1 et la note. — *Je lève les yeux* 123.1. — *vers les montagnes* 48.2 ; 133.3. — *secours* 3.5 ; 20.3. ***p 121.2*** 115.15 ; 124.8 ; 134.3 ; 136.5 ; 146.6 ; Gn 1.1 ; Ex 20.11 ; Es 42.5 ; Pr 3.19 ; Ac 14.15 ; Ap 14.7. ***q 121.3*** Préservé du faux pas 66.9 ; 1 S 2.9 ; Pr 3.23. — Le Seigneur, *gardien* vigilant Ps 127.1 ; Es 27.3. ***r 121.4*** 1 R 8.52 ; 18.27. ***s 121.5*** *à l'ombre du Seigneur* 91.1 ; Es 25.4 ; Lc 1.35. — *à ta droite* Ps 16.8+ ; 109.31 et la note. ***t 121.6*** Es 49.10 ; *Sg* 18.3 ; Ap 7.16. ***u 121.7*** 41.3 ; 97.10 ; Gn 28.15 ; 1 Th 5.23 ; 2 Tm 4.18. ***v 121.8*** *tes allées et venues* Dt 28.6. — *dès maintenant et pour toujours* Ps 125.2 ; 131.3. ***w 122.1*** *montées :* voir 120.1 et la note. — *à la maison du Seigneur* 27.4 ; 42.5 ; 43.4 ; Es 2.3 ; 30.29 ; voir Za 8.21. ***x 122.3*** *Jérusalem, la bien bâtie* Mc 13.1 ; voir 1 P 2.5 ; Ap 21.10-27. — *ville d'un seul tenant :* traduction incertaine d'un texte obscur.

4 C'est là que sont montées les tribus,
les tribus du SEIGNEUR,
selon la règle en Israël[y],
pour célébrer le nom du SEIGNEUR.
5 Car là sont placés des trônes pour la justice[z],
des trônes pour la maison de David.

6 Demandez la paix pour Jérusalem[a] :
Que tes amis vivent tranquilles ;
7 que la paix soit dans tes remparts
et la tranquillité dans tes palais[b] !

8 A cause de mes frères et de mes compagnons,
je dirai : « La paix soit chez toi ! »
9 A cause de la maison du SEIGNEUR[c] notre Dieu,
je veux ton bonheur.

PSAUME 123 (122)

1 *Chant des montées.*

J'ai levé les yeux vers toi
qui sièges dans les cieux[d] :
2 Oui, comme les yeux des esclaves
vers la main de leurs maîtres,
et les yeux d'une servante
vers la main de sa maîtresse,
ainsi nos yeux sont levés
vers le SEIGNEUR notre Dieu,
dans l'attente de sa pitié[e].

3 Pitié, SEIGNEUR, pitié !
car nous sommes saturés de mépris[f],
4 nous en sommes saturés, nous en sommes gorgés.
Les repus ne sont qu'une plaisanterie[g] !
Aux arrogants le mépris !

y 122.4 *la règle en Israël* 81.5 ; Ex 34.24 ; Lc 2.41-42 ; autre texte (manuscrit hébreu des Psaumes trouvé à Qumrân) *la communauté d'Israël.* ***z 122.5*** Dt 17.8-11 ; 1 R 7.7 ; 2 Ch 19.8. ***a 122.6*** 51.20. ***b 122.7*** *tes amis...* (v. 6), *tes remparts,... tes palais :* les v. 6*b* et 7 représentent la prière réclamée aux fidèles au v. 6*a.* La ville de Jérusalem est interpellée ici comme une personne. ***c 122.9*** *la maison du Seigneur* 26.8. ***d 123.1*** *montées :* voir 120.1 et la note. — *les yeux levés* 121.1. — *le Seigneur siège aux cieux* 103.19 ; 115.3 ; Es 40.22 ; *2 M* 3.39 ; Mt 5.34 ; 6.9. ***e 123.2*** *nos yeux levés vers le Seigneur* 25.15 ; 141.8. — *dans l'attente de sa pitié* 69.4. ***f 123.3*** 44.14-17 ; Ne 3.36. ***g 123.4*** L'ancienne version grecque a compris *Honte aux hommes repus !* — *aux arrogants le mépris* Pr 16.18 ; 18.12.

PSAUME 124 (123)

1 *Chant des montées. De David.*

Sans le SEIGNEUR qui était pour nous,
— qu'Israël le redise[h] ! —
2 sans le SEIGNEUR qui était pour nous
quand des hommes nous attaquèrent[i],
3 alors, dans leur ardente colère contre nous,
ils nous avalaient tout vifs[j],
4 alors des eaux nous entraînaient,
un torrent nous submergeait[k] ;
5 alors nous submergeaient
des eaux bouillonnantes.

6 Béni soit le SEIGNEUR[l]
qui n'a pas fait de nous
la proie de leurs dents !
7 Comme un oiseau, nous avons échappé
au filet des chasseurs ;
le filet s'est rompu,
nous avons échappé[m].

8 Notre secours, c'est le *nom du SEIGNEUR,
l'auteur des cieux et de la terre[n].

PSAUME 125 (124)

1 *Chant des montées.*

Ceux qui comptent sur le Seigneur
sont comme le mont *Sion :
il est inébranlable,
il demeure toujours[o].

2 Jérusalem ! des montagnes l'entourent !

h 124.1 *montées :* voir 120.1 et la note. — Si nous n'avions eu le Seigneur 94.17. — *le Seigneur pour nous* 118.13. — *qu'Israël le redise* 118.2 ; 129.1. ***i 124.2*** *attaqués* 3.2. ***j 124.3*** 35.25 ; Jr 51.34 ; Pr 1.12. ***k 124.4*** 18.5 ; 32.6 ; 42.8 ; 69.2-3 ; Es 8.7-8. ***l 124.6*** 28.6+. ***m 124.7*** 91.3 ; 107.20 ; Pr 6.5 ; voir Ps 25.15+. ***n 124.8*** *c'est le nom du SEIGNEUR :* autre traduction (soutenue aussi par la version grecque) *notre secours est dans le nom* (ou *la personne) du SEIGNEUR ;* 20.8 ; 33.21 ; Pr 18.10. — *l'auteur des cieux et de la terre* Ps 121.2+. ***o 125.1*** montées : voir 120.1 et la note. — *compter sur le Seigneur* 9.11+ ; 55.24+. — *inébranlable* 15.5+ ; 55.23. — *Sion demeure toujours* Jl 4.20 ; voir 1 J 2.17.

Ainsi le SEIGNEUR entoure son peuple
dès maintenant et pour toujours[p].
3 Non, un sceptre indigne ne pèsera pas[q]
sur le domaine des justes,
et les justes ne tendront pas la main
vers le crime.

4 Sois bon, SEIGNEUR, pour qui est bon,
pour les hommes au *cœur droit[r].
5 Mais les dévoyés aux menées tortueuses,
que le SEIGNEUR les chasse
avec les malfaisants !

La paix sur Israël[s] !

PSAUME 126 (125)

1 *Chant des montées.*

Au retour du SEIGNEUR, avec le retour de *Sion,
nous avons cru rêver[t],
2 Alors notre bouche était pleine de rires[u]
et notre langue criait sa joie ;
alors on disait parmi les nations :
« Pour eux le SEIGNEUR a fait grand ! »

3 Pour nous le SEIGNEUR a fait grand
et nous étions joyeux.
4 SEIGNEUR, retourne avec nos captifs,
comme les torrents du Néguev[v].

5 Qui a semé dans les larmes
moissonne dans la joie[w] !

p 125.2 *le Seigneur entoure son peuple* 32.10 ; Za 2.9. — *dès maintenant et pour toujours* Ps 121.8 ; 131.3. ***q 125.3*** *le sceptre :* emblème de la royauté, il désigne ici, au sens figuré, la royauté elle-même. — Un pouvoir pesant Es 9.3 ; 10.27 ; 14.5. ***r 125.4*** *pour qui est bon* 18.26-27. — *cœur droit* 7.11. ***s 125.5*** Les malfaisants *chassés* 92.8-10 ; Mt 7.23. — *paix sur Israël !* 128.6 ; Ga 6.16 ; voir Es 32.18. ***t 126.1*** *montées :* voir 120.1 et la note. — *Au retour... :* autre traduction possible, soutenue par les versions anciennes *Quand le Seigneur ramena les captifs...* ou *Quand le Seigneur changea le sort de Sion ;* 14.7 ; 53.7 ; 85.2. — *nous avons cru rêver :* autre traduction possible (soutenue par l'ancienne version araméenne) *nous étions comme des gens guéris.* ***u 126.2*** Jb 8.21. ***v 126.4*** *retourne avec nos captifs* ou *ramène nos captifs* ou encore *change notre sort.* — le *Néguev :* région semi-désertique du sud de la Palestine. Quand une pluie soudaine remplit ses torrents, ceux-ci apportent la fertilité tout le long de leur cours. ***w 126.5*** 30.12 ; Es 25.8-9 ; 61.3 ; 65.19 ; Jr 31.9, 13 ; *Ba* 4.23 ; Jn 16.20.

6 Il s'en va, il s'en va en pleurant,
chargé du sac de semence.
Il revient, il revient avec joie,
chargé de ses gerbes.

PSAUME 127 (126)

1 *Chant des montées. De Salomon.*

Si le SEIGNEUR ne bâtit la maison[x],
ses bâtisseurs travaillent pour rien.
Si le SEIGNEUR ne garde la ville,
la garde veille pour rien.

2 Rien ne sert de vous lever tôt,
de retarder votre repos,
de manger un pain pétri de peines !
A son ami qui dort, il donnera tout autant[y].

3 Mais oui ! des fils[z] sont la part que donne le SEIGNEUR,
et la progéniture un salaire.
4 Telles des flèches aux mains d'un guerrier,
tels sont les fils de votre jeunesse.

5 Heureux l'homme qui en a rempli son carquois !
Il ne perdra pas la face s'il doit affronter
l'adversaire aux portes de la ville[a].

PSAUME 128 (127)

1 *Chant des montées.*

Heureux tous ceux qui craignent le SEIGNEUR
et suivent ses chemins[b] !

x 127.1 *montées :* voir 120.1. — *Si le Seigneur...* 128 ; Dt 8.17-18 ; Pr 10.22 ; voir Ps 33.16+. — Certains ont vu dans la *maison* mentionnée ici une allusion au Temple de Jérusalem (interprétation que pourrait suggérer la mention de *Salomon* dans le titre du Psaume ; voir 1 R 5.15—7.51) ; d'autres pensent que le psaume énonce ici une phrase en forme de proverbe. ***y 127.2*** *rien ne sert de vous lever tôt* Mt 6.25-34. — *un pain pétri de peines* Gn 3.19. — *A son ami... :* autre traduction (soutenue par les versions anciennes) *alors qu'il donnera à son ami le sommeil.* ***z 127.3*** *des fils* 128.3-4 ; Pr 17.6. ***a 127.5*** Il s'agit des portes ménagées dans le mur de défense qui entourait la ville. La place qui se trouvait devant ces portes servait pour le marché et pour les séances du tribunal (Dt 25.7 ; Am 5.12 ; Jb 29.5, 7-12 ; Pr 22.22 ; 31.23). ***b 128.1*** *montées :* voir 120.1 et la note. — *Heureux !* 1.1+. — *ceux qui craignent le Seigneur* 15.4+. — *les chemins* du Seigneur 18.22+.

2 Tu te nourris du labeur de tes mains.
Heureux es-tu ! A toi le bonheur !
3 Ta femme est une vigne généreuse
au fond de ta maison ;
tes fils[c], des plants d'oliviers
autour de ta table.
4 Voilà comment est béni l'homme
qui craint le SEIGNEUR.

5 Que le SEIGNEUR te bénisse depuis *Sion[d].
et tu verras la prospérité de Jérusalem
tous les jours de ta vie,
6 et tu verras les fils de tes fils.

La paix sur Israël[e] !

PSAUME 129 (128)

1 *Chant des montées.*

Que de fois, dès ma jeunesse, on m'a combattu,
— qu'Israël le redise[f] ! —
2 que de fois, dès ma jeunesse, on m'a combattu
sans rien pouvoir contre moi.

3 Des laboureurs[g] ont labouré mon dos.
ils ont tracé leurs longs sillons.
4 Le SEIGNEUR est juste[h],
il a brisé les cordes des infidèles.

5 Qu'ils perdent la face, qu'ils reculent[i]
tous ceux qui détestent *Sion !
6 Qu'ils soient comme l'herbe des toits
qui est sèche avant de grandir[j].

c 128.3 *Ta femme* Pr 18.22 ; 19.14. — *tes fils* Ps 127.3-5 ; 144.12. ***d 128.5*** *Que le Seigneur te bénisse* 134.3. — *depuis Sion* 20.3+. ***e 128.6*** 125.5+. ***f 129.1*** *montées :* voir 120.1 et la note. — *qu'Israël le redise* 118.2 ; 124.1. ***g 129.3*** *Des laboureurs :* autre texte (manuscrit hébreu trouvé à Qumrân et ancienne version grecque) *des infidèles ;* l'image du labour fait allusion aux mauvais traitements longtemps subis par le peuple de Dieu. ***h 129.4*** 7.10, 12 ; 11.7 ; 51.6 ; 119.137 ; 145.17 ; Es 45.21 ; So 3.5 ; Lm 1.18 ; Dn 4.34 ; 9.14 ; Esd 9.15 ; Ne 9.33. ***i 129.5*** 35.4 ; 40.15. ***j 129.6*** *l'herbe des toits* 2 R 19.26. — *avant de grandir :* traduction incertaine ; autre traduction possible (soutenue par l'ancienne version grecque) *avant qu'on ne l'arrache.*

7 Le moissonneur n'en remplit pas sa main.
le javeleur n'en fait pas une brassée,
8 et les passants ne disent pas :
« Le SEIGNEUR vous a bénis ! »

Nous vous bénissons[k] au nom du SEIGNEUR.

PSAUME 130 (129)

1 *Chant des montées.*

Des profondeurs je t'appelle[l], SEIGNEUR :
2 Seigneur, entends ma voix ;
que tes oreilles soient attentives
à ma voix suppliante[m] !

3 Si tu retiens les fautes, SEIGNEUR !
Seigneur, qui subsistera[n] ?
4 Mais tu disposes du pardon
et l'on te craindra[o].

5 J'attends le SEIGNEUR[p],
j'attends de toute mon âme
et j'espère en sa parole.

6 Mon âme désire le Seigneur,
plus que la garde[q] ne désire le matin.
plus que la garde le matin.

7 Israël, mets ton espoir dans le SEIGNEUR,
car le SEIGNEUR dispose de la grâce
et, avec largesse, du rachat.
8 C'est lui qui rachète Israël[r]
de toutes ses fautes.

k 129.8 118.26. ***l 130.1*** *montées :* voir 120.1 et la note. — *appel au Seigneur* 3.5+. ***m 130.2*** *oreilles attentives* 71.2+ ; Ne 1.6 ; 2 Ch 6.40. — *ma voix suppliante* Ps 5.3 ; 140.7. ***n 130.3*** *qui subsistera ?* 143.2. ***o 130.4*** *craindre* le Seigneur 25.12, 14 ; 67.8 ; 72.5 ; 111.10 ; 112.1 ; Es 8.13 ; 50.10 ; Pr 3.7 ; Qo 3.14 ; voir Ps 15.4+. ***p 130.5*** 27.14 ; 37.34 ; 40.2. ***q 130.6*** *désirer le Seigneur* Es 26.9. *plus que la garde* Es 21.11. ***r 130.8*** 25.22.

PSAUME 131 (130)

1 *Chant des montées. De David.*

SEIGNEUR, mon cœur est sans prétentions ;
mes yeux n'ont pas visé trop haut.
Je n'ai pas poursuivi ces grandeurs,
ces merveilles qui me dépassent[s].

2 Au contraire, mes désirs se sont calmés
et se sont tus.
comme un enfant sur sa mère.
Mes désirs sont pareils à cet enfant[t].

3 Israël, mets ton espoir dans le SEIGNEUR,
dès maintenant et pour toujours[u].

PSAUME 132 (131)

1 *Chant des montées[v].*

SEIGNEUR, souviens-toi de David.
rappelle-toi toute sa peine.
2 C'est lui qui jura au SEIGNEUR,
et fit ce vœu à l'Indomptable de Jacob[w] :

3 « Jamais je ne rentrerai sous ma tente,
jamais je n'irai m'étendre sur mon lit,
4 jamais je ne laisserai mes yeux se fermer
ni mes paupières céder au sommeil,
5 avant d'avoir trouvé une place pour le SEIGNEUR,
une demeure pour l'Indomptable de Jacob ! »

6 Nous avons appris qu'elle était à Ephrata,
nous l'avons trouvée dans la campagne de Yaar[x] :

s 131.1** montées :* voir 120.1 et la note. — *merveilles qui me dépassent* 139.6. ***t 131.2** cet enfant :* le terme employé par l'hébreu désigne *l'enfant sevré* (c'est-à-dire âgé déjà de plusieurs années) ; l'image est celle du jeune enfant que la mère porte encore sur le dos. — Calme et confiance voir Es 30.15. — *comme un enfant* Mt 18.3 ; voir Es 66.13 ; Os 11.3, 4. ***u 131.3** ton espoir dans le Seigneur* voir 62.9. — *dès maintenant et à toujours* 121.8+. ***v 132.1 Voir 120.1 et la note. ***w 132.2*** v. 2-5 : le *vœu* de David 2 S 7.2-3. — *l'Indomptable de Jacob :* cette ancienne désignation symbolique de Dieu soulignait en particulier la force du Seigneur ; voir Gn 49.24 ; Es 49.26 ; 60.16. ***x 132.6** elle* désigne ici *l'*arche de l'alliance* (v. 8), qui resta un certain temps à Qiryath-Yéarim après son séjour chez les Philistins 1 S 5.1—7.1 ; 2 S 6.1-19. — *Ephrata :* désigne ici probablement une localité de la tribu d'Ephraïm (voir 1 S 1.1). — *Yaar :* sans doute nom abrégé de *Qiryath-Yéarim.*

7 « Allons à sa demeure,
prosternons-nous devant son piédestal[y].
8 Lève-toi, SEIGNEUR[z], viens à ton lieu de repos,
toi et *l'arche où réside ta force !
9 Que tes prêtres soient vêtus de justice,
que tes fidèles crient leur joie !
10 A cause de David ton serviteur,
ne congédie pas ton *messie[a] ! »

11 Le SEIGNEUR l'a juré à David ;
c'est la vérité, il ne la reniera pas :
« C'est quelqu'un sorti de toi
que je mettrai sur ton trône[b].
12 Si tes fils gardent mon alliance
et les exigences que je leur enseignerai,
leurs fils aussi
siégeront à perpétuité sur ton trône[c]. »

13 Car le SEIGNEUR a choisi *Sion,
il l'a voulue pour résidence[d] :
14 « Elle sera toujours mon lieu de repos,
j'y résiderai ; c'est elle que j'ai voulue.

15 Je bénirai, je bénirai ses ressources,
je rassasierai de pain ses pauvres.
16 Je revêtirai du salut ses prêtres,
et ses fidèles crieront leur joie.

17 Là, je ferai germer la vigueur de David,
et je préparerai une lampe[e] pour mon messie.
18 Je revêtirai de honte ses ennemis,
et sur lui son diadème fleurira. »

y 132.7 *devant son piédestal* 99.5. ***z 132.8*** v. 8-9 : 2 Ch 6.41 ; voir Nb 10.35 ; Ps 68.2. ***a 132.10*** *ne congédie pas* 2 Ch 6.42 *ton messie* Ps 2.2+. ***b 132.11*** Promesse du Seigneur à David 2 S 7. 9-17 ; Jr 33.21-22, 26. — *quelqu'un sorti de toi* 2 S 7.12 ; Jr 33.17. ***c 132.12*** v. 12 : 2 S 7.14-16. ***d 132.13*** *Sion, résidence que Dieu a choisie* 48.2-3 ; 68.17 ; 78.68 ; 87.2 ; 135.21 ; Es 31.9 ; 46.13 ; Jr 8.19 ; 31.6 ; Jl 4.17 ; Za 1.17 ; Lm 4.11 ; voir Dt 12.5, etc. ***e 132.17*** *je ferai germer...* voir Es 11.1 ; Jr 23.5 ; 33.15 ; Za 3.8 ; 6.12. — une lampe Ps 18.29 et la note ; 2 S 21.17 ; 1 R 11.36 et la note ; 15.4 ; 2 R 8.19.

PSAUME 133 (132)

1 *Chant des montées. De David.*

Oh ! quel plaisir, quel bonheur
de se trouver entre frères[f] !
2 C'est comme l'huile qui parfume la tête,
et descend sur la barbe,
sur la barbe d'Aaron[g],
qui descend sur le col de son vêtement.

3 C'est comme la rosée de l'Hermon,
qui descend sur les montagnes de *Sion.
Là, le SEIGNEUR a décidé de bénir[h] :
c'est la vie pour toujours !

PSAUME 134 (133)

1 *Chant des montées.*

Allons ! bénissez le SEIGNEUR,
vous tous, serviteurs du SEIGNEUR.
qui vous tenez dans la maison du SEIGNEUR
pendant les nuits[i].

2 Levez les mains vers le *sanctuaire
et bénissez le SEIGNEUR[j].
3 Qu'il te bénisse depuis *Sion, le SEIGNEUR.
l'auteur des cieux et de la terre[k].

f 133.1 *montées :* voir 120.1 et la note. — *de se trouver entre frères* ou *que des frères habitent ensemble.* ***g 133.2*** *Aaron,* ancêtre des prêtres d'Israël, personnifie ceux-ci (voir Ps 115.10 et la note). — *l'huile qui parfume la tête* est l'huile qui était répandue sur la tête des prêtres au moment de leur consécration Ex 29.7 ; 30.30-32. ***h 133.3*** *rosée* 110.3 ; Gn 27.28 ; Dt 32.2 ; Es 26.19 ; Os 14.6 ; Pr 19.12. — *l'Hermon* Ps 42.7+et la note. — *les montagnes de Sion :* appellation poétique des collines sur lesquelles étaient bâtis Jérusalem et le Temple ; 20.3+. ***i 134.1*** *montées :* voir 120.1 et la note. — Invitation à bénir Dieu voir 95.1+. — *vous tous, serviteurs du Seigneur* 113.1+. — *dans la maison du Seigneur* 135.2. — *pendant les nuits* Es 30.29 ; 1 Ch 9.33. ***j 134.2*** *mains levées vers le sanctuaire* 28.2+. — *bénir le Seigneur* 68.27 ; 103.21-22 ; 135.19-20 ; Ne 9.5 ; 1 Ch 29.20. ***k 134.3*** *depuis Sion* 20.3+. — *l'auteur des cieux et de la terre* 121.2+.

PSAUME 135 (134)

1 Alléluia !

Louez le nom du SEIGNEUR[l].
Louez-le, serviteurs du SEIGNEUR,
2 qui vous tenez dans la maison du SEIGNEUR[m],
dans les *parvis de la maison de notre Dieu.

3 Alléluia ! que le SEIGNEUR est bon !
Chantez[n] son nom, qu'il est aimable !
4 Car le SEIGNEUR s'est choisi Jacob,
il a fait d'Israël son apanage[o].

5 Oui, je le sais : le SEIGNEUR est grand ;
notre Seigneur surpasse tous les dieux[p],
6 Tout ce qu'a voulu le SEIGNEUR[q], il l'a fait,
dans les cieux et sur la terre,
dans les mers et dans tous les *abîmes.

7 Du bout de la terre, soulevant les nuées.
il a fait les éclairs pour qu'il pleuve ;
il tire le vent de ses réservoirs[r].

8 C'est lui qui frappa les aînés d'Egypte[s],
depuis l'homme jusqu'au bétail.
9 Au milieu de toi, Egypte,
il envoya *signes et prodiges[t]
contre le *Pharaon et tous ses serviteurs.

10 C'est lui qui frappa des nations nombreuses,
et tua des rois puissants[u] :
11 Sihôn, le roi des *Amorites,
Og, le roi du Bashân[v],
et tous les royaumes de Canaan.
12 Puis il donna leur pays comme patrimoine[w],
comme patrimoine à Israël, son peuple.

l 135.1 *Alléluia* 104.35 et la note ; 106.1+. — *serviteurs... louez* 113.1. ***m 135.2*** 134.1. ***n 135.3*** *le Seigneur est bon* 106.1+. — *Chantez* 96.1+. ***o 135.4*** *il s'est choisi Jacob* Dt 7.6 ; 14.2. — *son apanage* ou *sa part personnelle* (comme en Ex 19.5) ; Dt 14.2 ; 26.18 ; Ml 3.17. ***p 135.5*** Ps 95.3 ; Ex 18.11. ***q 135.6*** *tout ce qu'il veut* 115.3. ***r 135.7*** Jr 10.13 ; 51.16. ***s 135.8*** 78.51 ; 105.36 ; 136.10 ; Ex 12.29 ; voir *Sg* 18.5-13. ***t 135.9*** 78.43 ; 105.27 ; Ex 7—11 ; 14 ; Jr 32.20. ***u 135.10*** 136.17-20. ***v 135.11*** *Sihôn* Nb 21.21-30. — *Og* Nb 21.33-35. — le *Bashân* Ps 22.13 et la note. ***w 135.12*** 78.55 ; 136.21-22.

13 SEIGNEUR, on dira toujours ton nom.
SEIGNEUR, on fera mention de toi d'âge en âge[x].
14 Car le SEIGNEUR rend justice à son peuple[y],
il se ravise en faveur de ses serviteurs.

15 Les idoles[z] des nations sont d'argent et d'or,
faites de main d'homme.
16 Elles ont une bouche, et ne parlent pas ;
elles ont des yeux, et ne voient pas ;
17 elles ont des oreilles, et n'entendent pas ;
pas le moindre souffle dans leur bouche[a] !
18 Que leurs auteurs leur ressemblent,
et tous ceux qui comptent sur elles !

19 Maison d'Israël, bénissez le SEIGNEUR.
Maison d'Aaron[b], bénissez le SEIGNEUR.
20 Maison de Lévi, bénissez le SEIGNEUR.
Vous qui craignez le SEIGNEUR[c], bénissez le SEIGNEUR.
21 Depuis *Sion, béni soit le SEIGNEUR
qui demeure à Jérusalem !

Alléluia[d] !

PSAUME 136 (135)

1 Célébrez le SEIGNEUR, car il est bon
et sa fidélité est pour toujours[e].
2 Célébrez le Dieu des dieux[f],
car sa fidélité est pour toujours.
3 Célébrez le Seigneur des seigneurs,
car sa fidélité est pour toujours.

4 Il est le seul auteur de grands miracles[g],
car sa fidélité est pour toujours.

x 135.13 *d'âge en âge* 102.13 ; Ex 3.15. ***y 135.14*** Dt 32.36. ***z 135.15*** v. 15-18 ; 115.4-8+. **a** ***135.17*** Autre traduction possible *(elles ont) un nez mais pas de souffle dans leur bouche.* ***b 135.19*** *Maison d'Israël* (98.3 et la note), *Maison d'Aaron* (115.10 et la note) 115.9-10 ; 118.2-3. ***c 135.20*** *Maison de Lévi :* les *lévites* comprenaient diverses familles de prêtres subalternes ; sur l'expression *maison de...* voir Ps 115.10 et la note. — *Vous qui craignez le Seigneur* 15.4+ ; 115.11 et la note. ***d 135.21*** *Béni soit le Seigneur* 28.6+. — *Alléluia* 104.35+. ***e 136.1*** *célébrez le Seigneur* 105.1+. — *car il est bon* 106.1+. — D'après 2 Ch 7.3 il est probable que le refrain *car il est bon...* était repris en chœur par l'assemblée réunie pour le culte. ***f 136.2*** v. 2-3 : Dt 10.17. ***g 136.4*** 72.18.

[5] l'auteur intelligent des cieux[h],
car sa fidélité est pour toujours,
[6] affermissant la terre sur les eaux[i],
car sa fidélité est pour toujours.
[7] Il est l'auteur des grandes lumières[j],
car sa fidélité est pour toujours,
[8] le soleil qui règle les jours,
car sa fidélité est pour toujours,
[9] la lune et les étoiles qui règlent les nuits,
car sa fidélité est pour toujours.

[10] Frappant l'Egypte dans ses aînés[k],
car sa fidélité est pour toujours,
[11] il en fit sortir Israël[l],
car sa fidélité est pour toujours,
[12] à main forte et le bras étendu[m],
car sa fidélité est pour toujours.
[13] Coupant en deux la *mer des Joncs[n],
car sa fidélité est pour toujours,
[14] il fit passer Israël au milieu[o],
car sa fidélité est pour toujours,
[15] précipita le *Pharaon et son armée[p] dans la mer des Joncs,
car sa fidélité est pour toujours.

[16] Menant son peuple à travers le désert[q],
car sa fidélité est pour toujours,
[17] frappant de grands rois[r],
car sa fidélité est pour toujours,
[18] il tua des rois superbes,
car sa fidélité est pour toujours,
[19] Sihôn, le roi des *Amorites,
car sa fidélité est pour toujours,
[20] et Og, le roi du Bashân[s],
car sa fidélité est pour toujours.

[21] Puis il donna leur pays en patrimoine,
car sa fidélité est pour toujours,

h 136.5 Gn 1.1, 6-8 ; voir Ps 121.2+. ***i 136.6*** 24.2. ***j 136.7*** v. 7-9 : *les grandes lumières* Gn 1.14-18. ***k 136.10*** 135.8+. ***l 136.11*** Ex 12.31, 51 ; 13.3. ***m 136.12*** Dt 4.34 ; 5.15 ; 7.19 ; 11.2 ; 26.8 ; 1 R 8.42 ; Jr 32.21 ; Ez 20.33-34 ; 2 Ch 6.32. ***n 136.13*** Ex 13.18 ; 14.21 ; Ps 78.13. ***o 136.14*** Ex 14.22,29. ***p 136.15*** Ex 14.26-28 ; 15.4-5, 21. ***q 136.16*** 78.52 ; Ex 15.22 ; Dt 8.2, 15 ; Jr 2.6. ***r 136.17*** v. 17-20 : 135.10-11+. ***s 136.20*** Sur *le Bashân,* voir 22.13 et la note.

22 en patrimoine à Israël, son serviteur[t],
car sa fidélité est pour toujours.
23 Dans notre abaissement, il se souvint de nous[u],
car sa fidélité est pour toujours,
24 il nous arracha à nos adversaires[v],
car sa fidélité est pour toujours.

25 Il donne du pain à toute créature[w],
car sa fidélité est pour toujours.
26 Célébrez le Dieu des *cieux,
car sa fidélité est pour toujours.

PSAUME 137 (136)

1 Là-bas, au bord des fleuves de Babylone[x],
nous restions assis tout éplorés
en pensant à *Sion.
2 Aux saules du voisinage
nous avions pendu nos cithares[y].

3 Là nos conquérants nous ont demandé des chansons,
et nos ravisseurs[z] des airs joyeux :
« Chantez-nous quelque chant de Sion. »

4 Comment chanter un chant du SEIGNEUR
en terre étrangère ?
5 Si je t'oublie, Jérusalem,
que ma droite oublie[a]...!
6 Que ma langue colle à mon palais
si je ne pense plus à toi,
si je ne fais passer Jérusalem
avant toute autre joie.

7 SEIGNEUR, pense aux fils d'Edom,

t 136.22 *leur pays en patrimoine* 135.12+. — *Israël, ton serviteur* Es 44.21. **u 136.23** 106.45 ; voir Lc 1.72. **v 136.24** Lc 1.71. **w 136.25** 104.27-28 ; 145.15-16. **x 137.1** Ez 3.15. **y 137.2** Voir 92.4 et la note. **z 137.3** *nos ravisseurs :* traduction incertaine (le mot hébreu correspondant est inconnu par ailleurs) ; anciennes versions grecque et syriaque *ceux qui nous affligeaient ;* ancienne version araméenne *celui qui nous pille.* **a 137.5** Sans doute faut-il sous-entendre : (oublie) *elle aussi l'art de jouer ;* anciennes versions : syriaque *m'oublie ;* grecque et latine *soit oubliée.* Certains supposent que deux consonnes du texte hébreu ont été inversées et traduisent *se dessèche.* — *Si je t'oublie, Jérusalem* Jr 51.50.

qui disaient au jour de Jérusalem[b] :
« Rasez, rasez jusqu'aux fondations ! »

8 Fille de Babylone[c], promise au ravage,
heureux qui te traitera
comme tu nous as traités !
9 Heureux qui saisira tes nourrissons
pour les broyer sur le roc[d] !

PSAUME 138 (137)

1 *De David.*

Je te célèbre de tout mon cœur ;
face aux dieux[e] je te chante.
2 Je me prosterne vers ton temple[f] saint
et je célèbre ton *nom,
à cause de ta fidélité et de ta loyauté,
car tu as fait des promesses
qui surpassent encore ton nom.

3 Le jour où j'ai appelé et où tu m'as répondu[g],
tu as stimulé mes forces.
4 Que tous les rois de la terre[h] te célèbrent, SEIGNEUR,
car ils ont entendu les promesses de ta bouche.
5 Qu'ils chantent sur les routes du SEIGNEUR :
« Grande est la gloire du SEIGNEUR !
6 Si haut que soit le SEIGNEUR,
il voit le plus humble[i]
et reconnaît de loin l'orgueilleux. »

7 Si je marche en pleine détresse,
tu me fais revivre,
tu portes la main
sur mes adversaires[j],
et ta droite me rend vainqueur.

b 137.7 *jour de Jérusalem :* allusion au jour où Jérusalem succomba devant l'assaut des Babyloniens (2 R 25). Sur l'intervention des Edomites à cette occasion, Ez 35.5 ; Jl 4.19 ; Ab 1-21 ; Lm 4.21 , voir Jr 49.7-22. ***c 137.8*** Manière hébraïque de désigner la population de Babylone. ***d 137.9*** Es 13.16 ; Os 14.1 ; Na 3.10. ***e 138.1*** Après *je te célèbre* certains manuscrits ajoutent *SEIGNEUR. — de tout mon cœur* 9.2+. — *les dieux :* on sous-entend *des nations.* Certaines versions anciennes ont interprété autrement : grecque *les anges ;* araméenne *les juges ;* syriaque *les rois ;* 29.1 ; 82.1 ; 86.8 ; 89.7 ; voir Jb 1.6 ; 2.1. ***f 138.2*** 5.8. ***g 138.3*** *appel* et *réponse* 99.6+. ***h 138.4*** 68.33. ***i 138.6*** 113.6-8 ; Es 57.15 ; voir Lc 1.48. ***j 138.7*** Autre texte : *sur le nez de mes adversaires* ou *contre mes adversaires en colère.*

8 Le SEIGNEUR fera tout pour moi.
SEIGNEUR, ta fidélité est pour toujours !
N'abandonne pas les œuvres de tes mains[k].

PSAUME 139 (138)

1 *Du *chef de chœur ; de David, psaume.*

SEIGNEUR, tu m'as scruté[l] et tu connais,
2 tu connais mon coucher et mon lever ;
de loin tu discernes mes projets[m] ;
3 tu surveilles ma route et mon gîte,
et tous mes chemins te sont familiers.

4 Un mot n'est pas encore sur ma langue,
et déjà, SEIGNEUR, tu le connais.
5 Derrière et devant, tu me serres de près[n],
tu poses la main sur moi.
6 Mystérieuse connaissance qui me dépasse[o],
si haute que je ne puis l'atteindre !

7 Où m'en aller, pour être loin de ton souffle ?
Où m'enfuir, pour être loin de ta face ?
8 Je gravis les cieux, te voici !
Je me couche aux enfers, te voilà[p] !
9 Je prends les ailes de l'aurore
pour habiter au-delà des mers[q],
10 là encore, ta main me conduit,
ta droite me tient.

11 J'ai dit : « Au moins que les ténèbres m'engloutissent,
que la lumière autour de moi soit la nuit ! »
12 Même les ténèbres ne sont pas ténébreuses pour toi,
et la nuit devient lumineuse comme le jour :
les ténèbres sont comme la lumière[r] !

k 138.8 Autre traduction *Ne relâche pas l'œuvre de tes mains.* — *fidélité pour toujours* 100.5 ; 107.1 + ; 136.1. ***l 139.1*** 11.4-5 ; Jr 12.3 ; 1 Ch 28.9 ; He 4.13. ***m 139.2*** *mon coucher et mon lever* 2 R 19.27. — *projets discernés* à l'avance Am 4.13 ; Jb 31.4. ***n 139.5*** *derrière et devant :* toutes les versions anciennes sauf l'araméenne rattachent ces mots à la fin du v. 4 et interprètent *tu connais ce qui est derrière et ce qui est devant* (c'est-à-dire le passé et l'avenir). — *tu me serres de près :* autre texte (versions anciennes sauf l'araméenne) *tu m'as créé.* ***o 139.6*** Jb 11.7-9 ; Rm 11.33. ***p 139.8*** Impossible de se cacher à Dieu Jr 23. 23-24. — *même aux cieux* Am 9.2-4. ***q 139.9*** *ailes* 55.7. — *au-delà des mers :* autre traduction *aux limites de l'Occident.* ***r 139.12*** Jb 12.22 ; 34.21-22 ; 1 Co 4.5.

13 C'est toi qui as créé mes reins ;
tu m'abritais[s] dans le sein maternel.
14 Je confesse que je suis une vraie merveille[t],
tes œuvres sont prodigieuses :
oui, je le reconnais bien.

15 Mes os ne t'ont pas été cachés
lorsque j'ai été fait dans le secret,
tissé dans une terre profonde[u].

16 Je n'étais qu'une ébauche et tes yeux m'ont vu.
Dans ton livre ils étaient tous décrits,
ces jours qui furent formés
quand aucun d'eux n'existait[v].
17 Dieu ! que tes projets sont difficiles pour moi,
que leur somme est élevée[w] !
18 je voudrais les compter, ils sont plus nombreux que le sable.
Je me réveille, et me voici encore avec toi.

19 Dieu ! si tu voulais massacrer l'infidèle !
Hommes sanguinaires, éloignez-vous[x] de moi.
20 Tes adversaires disent ton *nom pour tromper,
ils le prononcent pour nuire[y].

21 SEIGNEUR, comment ne pas haïr ceux qui te haïssent,
ne pas être écœuré par ceux qui te combattent ?
22 Je les hais d'une haine parfaite,
ils sont devenus mes propres ennemis.

23 Dieu ! scrute-moi[z] et connais mon *cœur ;
éprouve-moi et connais mes soucis.
24 Vois donc si je prends le chemin périlleux,
et conduis-moi sur le chemin de toujours[a].

s 139.13 *tu m'abritais :* autres traductions *tu m'as tissé* (version latine de S. Jérôme ; voir Jb 10.11) ; *tu m'as pris* (versions grecque et syriaque). ***t 139.14*** Autre traduction *Je te remercie d'avoir fait de moi une vraie merveille.* ***u 139.15*** L'intérieur de la terre est ici une image poétique du sein maternel (voir v. 13 ; Jb 1.21 et la note ; *Si* 40.1). — v. 14-15 : façonné par Dieu dans le secret Jb 10.8-12 ; Qo 11.5. ***v 139.16*** *ébauche :* traduction incertaine d'un terme qui ne se trouve qu'ici dans l'A.T. — *quand aucun d'eux n'existait :* traduction incertaine. ***w 139.17*** *tes projets* 40.6. — *que leur somme est élevée :* autre traduction *que leurs principes sont élevés !* ***x 139.19*** *éloignez-vous* 6.9+. ***y 139.20*** Le texte hébreu est obscur ; la traduction (incertaine) est inspirée d'Ex 20.7. ***z 139.23*** *scrute-moi* 26.2+ ; Jb 31.6. ***a 139.24*** *le chemin périlleux :* on peut comprendre aussi, avec la version latine de s. Jérôme, *le chemin des idoles,* ou avec la version syriaque *le chemin du mensonge.* — *le chemin de toujours :* on peut comprendre soit *le chemin qui a toujours été le tien* (c'est-à-dire la conduite qui est enseignée traditionnellement en Israël ; voir Jr 6.16 ; 18.15) ; soit *le chemin de l'éternité* (avec les versions grecque et syriaque). — *conduis-moi* 5.9+.

PSAUME 140 (139)

1 *Du *chef de chœur. Psaume de David.*

2 SEIGNEUR, délivre-moi de l'homme mauvais,
préserve-moi de l'homme violent,
3 de ceux qui ont prémédité le mal,
qui provoquent des guerres chaque jour.
4 Ils ont dardé leur langue comme le serpent,
ils ont du venin d'aspic[b] entre les lèvres. **Pause.*

5 SEIGNEUR, garde-moi des mains de l'impie,
préserve-moi de l'homme violent,
de ceux qui ont médité ma chute.
6 Des orgueilleux ont dissimulé des pièges devant moi,
ils ont tendu des cordes, un filet[c] au bord du chemin,
ils m'ont posé des traquenards. *Pause.*

7 J'ai dit au SEIGNEUR : « Tu es mon Dieu ! »
SEIGNEUR, prête l'oreille[d] à ma voix suppliante.
8 Dieu Seigneur, la force qui me sauve,
tu as protégé ma tête le jour du combat.

9 SEIGNEUR, ne cède pas aux désirs de l'impie,
ne laisse pas réussir leurs intrigues,
car ils se redresseraient.
10 Que le crime de leurs lèvres recouvre
mes assiégeants jusqu'à la tête !
11 Que des braises se déversent sur eux,
qu'il les précipite[e] dans le feu,
dans des gouffres d'où ils ne se relèveront pas !

12 Les mauvaises langues ne resteront pas dans le pays ;
l'homme violent et méchant,
on le pourchassera sans répit[f].

b ***140.4*** *aspic :* le sens du terme hébreu correspondant n'est pas connu ; on l'a traduit ici d'après les anciennes versions grecque, syriaque et latine. Mais les manuscrits hébreux de Psaumes trouvés à Qumrân et la version araméenne ont compris qu'il s'agissait de *l'araignée ;* Rm 3.13 ; voir Ps 58.5 ; Jb 20.16. ***c 140.6*** *filet* 9.16+. ***d 140.7*** *Tu es mon Dieu* 22.11+. – *prête l'oreille* 71.2+. ***e 140.11*** *braises* 120.4 ; voir 11.6. – *qu'il les précipite :* le texte hébreu laisse hésiter entre deux interprétations possibles *que Dieu les précipite...,* ou *que le crime les précipite... ;* les anciennes versions grecque et latine ont lu *tu* (c'est-à-dire Dieu) *les précipiteras...* ***f 140.12*** *sans répit :* traduction incertaine ; version araméenne *dans la *Géhenne ;* versions grecque, syriaque et latine *pour la perdition.*

13 Je sais que le SEIGNEUR fera justice au malheureux,
qu'il fera droit aux pauvres[g].
14 Oui, les justes célébreront ton nom
et les hommes droits[h] habiteront en ta présence.

PSAUME 141 (140)

1 *Psaume. De David.*

SEIGNEUR, je t'ai appelé : vite ! à moi !
prête l'oreille[i] à ma voix quand je t'appelle.
2 Que ma prière soit l'encens placé devant toi,
et mes mains levées[j] l'offrande du soir.

3 SEIGNEUR, mets une garde à ma bouche,
surveille la porte de mes lèvres ;
4 retiens mon cœur sur la pente du mal,
que je ne me livre pas à des pratiques impies
avec des hommes malfaisants :
alors je ne goûterai pas de leurs régals[k].

5 Que, par fidélité, le juste me frappe et me reprenne !
Que l'huile parfumée n'enduise pas ma tête[l],
mais que dure ma prière face à leurs méchancetés !

6 Leurs chefs ont été précipités sur le rocher,
eux qui s'étaient régalés de m'entendre dire :
7 « Comme on laboure et défonce le sol,
on a dispersé nos os à la gueule des enfers. »

8 Les yeux sur toi, DIEU Seigneur,
je me suis réfugié près de toi[m] ; ne me laisse pas rendre l'âme ;
9 garde-moi du filet[n] qu'on m'a tendu
et des prières des malfaisants.
10 Les infidèles tomberont dans leur trappe,
tandis que moi, je passerai outre.

g 140.13 72.4 ; 146.7 ; Jb 36.6 ; Pr 29.26. **h 140.14** 11.7. **i 141.1** *appel au Seigneur* 3.5+. — *vite !* 31.3+. — *prête l'oreille* 71.2+. **j 141.2** geste de la prière ; 28.2+et la note. **k 141.4** *leurs régals :* traduction incertaine. **l 141.5** Le texte des v. 5-7 est obscur et la traduction incertaine. — *l'huile parfumée :* voir 23.5 et la note. **m 141.8** *réfugié près de Dieu* Ps 7.2+. **n 141.9** *filet* 9.16+. — Pris à leur propre piège (v. 10) 7.16+.

PSAUME 142 (141)

1 *Instruction de David. Prière quand il était dans la caverne[o].*

2 A pleine voix, je crie vers le SEIGNEUR ;
à pleine voix, je supplie le SEIGNEUR[p].
3 Je répands devant lui ma plainte,
devant lui j'expose ma détresse.

4 Quand je suis à bout de souffle,
c'est toi qui sais où je vais :
sur la route où je marche,
on m'a tendu un piège[q].

5 Regarde à droite et vois :
personne qui me reconnaisse !
Plus de refuge pour moi,
personne qui ait souci de ma vie !

6 J'ai crié vers toi, SEIGNEUR !
en disant : « C'est toi mon asile,
ma part[r] sur la terre des vivants ! »

7 Sois attentif à mes cris,
car je suis si faible !
Délivre-moi[s] de mes persécuteurs,
car ils sont plus forts que moi.

8 Sors-moi de ma prison
pour que je célèbre ton nom.
Autour de moi les justes feront cercle
quand tu m'auras fait du bien.

PSAUME 143 (142)

1 *Psaume. De David.*

SEIGNEUR, écoute ma prière,
prête l'oreille à mes supplications[t],
par ta fidélité, par ta justice, réponds-moi !

o 142.1 1 S 24 ; voir Ps 57.1. ***p 142.2*** *appel au Seigneur* 3.5+. ***q 142.4*** *tu sais* 139.2-3. — *un piège* 141.9. ***r 142.6*** *mon asile* voir 7.2+. — *ma part* 73.26 ; voir 16.5. ***s 142.7*** *soit attentif* 5.3+. — *si faible* 79.8. — *délivre-moi* Jr 31.11. ***t 143.1*** *écoute* 4.4 ; 102.2 ; 145.19. — *prête l'oreille* 71.2+. — *supplications* 55.2 ; 119.170 ; 140.7 ; 1 R 8.28.

2 N'entre pas en jugement avec ton serviteur,
car nul vivant n'est juste[u] devant toi.

3 L'ennemi m'a persécuté,
il m'a terrassé, écrasé ;
il m'a fait habiter dans les ténèbres,
comme les morts des temps passés[v].

4 Je suis à bout de souffle,
j'ai le cœur ravagé.
5 J'évoque les jours d'autrefois,
je me redis tout ce que tu as fait[w],
je me répète l'œuvre de tes mains.
6 Je tends les mains vers toi;
me voici devant toi, comme une terre assoiffée[x]. *Pause.*

7 Vite ! réponds-moi, SEIGNEUR !
Mon souffle s'est arrêté.
Ne me cache pas ta face,
sinon je ressemble à ceux qui descendent dans la *fosse[y].

8 Dès le matin, annonce-moi ta fidélité,
car je compte sur toi.
Révèle-moi le chemin à suivre
car je suis tendu vers toi[z].

9 SEIGNEUR, délivre-moi de mes ennemis ;
j'ai fait un abri[a] près de toi.
10 Enseigne-moi à faire ta volonté,
car tu es mon Dieu[b].
Ton esprit est bon,
qu'il me conduise sur un sol uni !

11 Pour l'honneur de ton nom, SEIGNEUR, tu me feras vivre ;
par ta justice tu me sortiras de la détresse ;
12 par ta fidélité tu extermineras mes ennemis

u 143.2 Rm 3.20. ***v 143.3*** Autre traduction possible *comme ceux qui sont morts pour toujours.* ***w 143.5*** *les jours d'autrefois* 77.6. — *ce que tu as fait* 77.13. ***x 143.6*** *les mains vers toi* 77.3 ; 88.10 ; voir 28.2+et la note. — *une terre assoiffée* 63.2 ; Es 32.2. ***y 143.7*** *vite, réponds-moi* 31.3+. — *Ne me cache pas ta face* 27.9+. — *ceux qui descendent dans la fosse* 22.30+. ***z 143.8*** *Dès le matin ta fidélité* 59.17. — *compter sur le Seigneur* 9.11+ ; 55.24+. — *le chemin à suivre* 25.4+. — *tendu vers toi* 86.4. ***a 143.9*** Autres textes *je me suis réfugié* (ancienne version grecque) ; *j'ai été protégé* (ancienne version latine). ***b 143.10*** *tu es mon Dieu* 22.11+.

et tu feras périr tous mes adversaires,
car je suis ton serviteur[c].

PSAUME 144 (143)

[1] *De David.*

Béni soit le SEIGNEUR, mon rocher,
qui entraîne mes mains pour le combat,
mes poings[d] pour la bataille.
[2] Il est mon allié, ma forteresse,
ma citadelle, et mon libérateur,
mon bouclier, et je me réfugie près de lui ;
il range mon peuple sous mon pouvoir[e].

[3] SEIGNEUR, qu'est-ce que l'homme[f], pour que tu le connaisses,
ce mortel, pour que tu penses à lui ?
[4] L'homme ressemble à du vent,
et ses jours à une ombre qui passe[g].

[5] SEIGNEUR, déplie les cieux et descends.
Touche les montagnes et qu'elles fument[h].
[6] Lance les éclairs, disperse-les,
envoie tes flèches, mets-les en déroute[i].
[7] D'en haut, tends la main pour me sauver,
pour me délivrer des grandes eaux[j],
des mains d'une race étrangère,
[8] dont la bouche est menteuse
et la droite parjure[k].

[9] Dieu, je te chanterai un chant nouveau,
et pour toi je jouerai[l] de la harpe à dix cordes :
[10] c'est toi qui donnes la victoire[m] aux rois,

c 143.12 86.16 ; 116.16. ***d 144.1*** *Béni soit le Seigneur* 28.6+. — *mon rocher* 28.1+. — *entraîne mes mains au combat* 18.35. — *mes poings* ou *mes doigts.* ***e 144.2*** Tout le verset 18.3+. — *mon allié :* d'autres traduisent *mon amour* ou *ma force.* — *citadelle* 9.10+. — *mon peuple :* certains manuscrits hébreux (dont un trouvé à Qumrân) et plusieurs versions anciennes ont lu ici *les peuples* (voir Ps 18.48). ***f 144.3*** 8.5+. ***g 144.4*** *du vent* 39.6 ; 62.10. — *une ombre qui passe* 102.12 ; Jb 8.9 ; 14.2, 3. ***h 144.5*** *déplie les cieux et descends* 18.10+. — *que les montagnes fument* 104.32+. ***i 144.6*** *éclairs, flèches* 18.15. — *mets-les en déroute :* il s'agit des ennemis. ***j 144.7*** *d'en haut... grandes eaux* 18.17. ***k 144.8*** *la (main) droite* est *parjure :* c'est elle, en effet, que l'on a levée pour prêter serment (Dn 12.7), alors que ce serment n'a pas été tenu ; 26.10. ***l 144.9*** *chant nouveau* 33.3+. — Musique pour le Seigneur 147.7+. ***m 144.10*** 33.16-19.

qui sauves ton serviteur David
de l'épée meurtrière.
11 Sauve-moi et délivre-moi
des mains d'une race étrangère,
dont la bouche est menteuse
et la droite parjure.

12 Ainsi nos fils sont comme des plantes,
bien venus dès leur jeune âge ;
et nos filles sont des cariatides[n],
des modèles pour un palais.

13 Nos greniers sont pleins[o],
regorgeant de toutes sortes de choses.
Nos troupeaux multiplient par milliers,
par dizaines de mille dans nos campagnes.

14 Nos alliés portent le fardeau[p] ;
plus de brèche ni de sortie,
plus d'alerte sur nos places.

15 Heureux le peuple[q] qui a tout cela !
Heureux le peuple qui a pour Dieu le SEIGNEUR !

PSAUME 145 (144)

1 *Louange. De David.*

Alef Mon Dieu, mon roi, je t'exalterai
et je bénirai ton nom à tout jamais[r].
Beth 2 Tous les jours je te bénirai
et je louerai ton nom à tout jamais.
Guimel 3 Le SEIGNEUR est grand, comblé de louanges[s] ;
sa grandeur est insondable.

n* *144.12 *Ainsi :* le sens du terme hébreu correspondant, qui introduit cette deuxième partie du psaume, est peu clair. — *nos fils comme...* 128.3. — *cariatides :* figures féminines sculptées dans la pierre et servant de colonnes ; autre traduction *angles sculptés.* ***o 144.13*** Dt 28.8 ; Pr 3.10 ; voir Lc 12.16-21. ***p 144.14*** Autre traduction *Nos bœufs sont gras* ou encore *nos bœufs sont chargés.* ***q 144.15*** *Heureux* 1.1+ *le peuple...* 33.12. ***r 145.1*** *Alef :* voir 25.1 et la note. — Dans un manuscrit des psaumes trouvé à Qumrân chaque verset du Ps 145 est suivi de ce refrain *le Seigneur est béni et son nom est béni à tout jamais.* — *mon Dieu, mon roi* 5.3 ; 44.5 ; 84.4 ; voir 93.1+. — *je t'exalterai* 30.2. — *je bénirai ton nom* 34.2 ; voir 68.20. ***s 145.3*** *Le Seigneur est grand* 48.2 ; 95.3 ; 147.5. — *comblé de louanges* 18.4 ; 96.4.

Daleth 4 D'une génération à l'autre[t] on vantera tes œuvres,
on proclamera tes prouesses.
Hé 5 Je répéterai le récit de tes miracles,
la gloire éclatante de ta splendeur.
Waw 6 On dira la puissance de tes prodiges
et je raconterai tes hauts faits.
Zaïn 7 On célébrera le souvenir de tes immenses bienfaits,
on acclamera ta justice.

Heth 8 Le SEIGNEUR est bienveillant et miséricordieux[u],
lent à la colère et d'une grande fidélité.
Teth 9 Le SEIGNEUR est bon pour tous,
plein de tendresse pour toutes ses œuvres.
Yod 10 Toutes ensemble, tes œuvres te loueront[v], SEIGNEUR,
et tes fidèles te béniront.
Kaf 11 Ils diront la gloire de ton règne[w]
et parleront de ta prouesse,
Lamed 12 en révélant aux hommes tes prouesses
et la gloire éclatante de ton règne.
Mem 13 Ton règne est un règne de tous les temps[x]
et ton empire dure à travers tous les âges.
Noun 13 bis (Dieu est véridique,
fidèle en tous ses actes.)[y]

Samek 14 Le SEIGNEUR est l'appui de tous ceux qui tombent,
il redresse[z] tous ceux qui fléchissent.
Aïn 15 Les yeux sur toi, ils espèrent tous,
et tu leur donnes[a] la nourriture en temps voulu ;
Pé 16 tu ouvres ta main
et tu rassasies tous les vivants que tu aimes.

Çadé 17 Le SEIGNEUR est juste dans toutes ses voies,
fidèle en tous ses actes[b].
Qof 18 Le SEIGNEUR est proche de tous ceux qui l'invoquent[c],
de tous ceux qui l'invoquent vraiment.
Resh 19 Il fait la volonté de ceux qui le craignent[d],
il écoute leurs cris et les sauve.

t 145.4 78.4. ***u 145.8*** Ex 34.6+. ***v 145.10*** 103.22. ***w 145.11*** 1 Ch 29.11. ***x 145.13*** 9.8+ ; Dn 4.31. ***y 145.13 bis*** Ce verset 13 bis, omis dans le texte hébreu traditionnel, a été conservé par les versions anciennes ; il figure aussi dans un des manuscrits des Psaumes trouvé à Qumrân. ***z 145.14*** *l'appui de ceux qui tombent* 94.18. — *il redresse* 146.8. ***a 145.15*** v. 15-16 : *ils espèrent... tu donnes* 104.27-28. ***b 145.17*** Dt 32.4. ***c 145.18*** Dt 4.7 ; Es 58.9 ; Jr 29.13. ***d 145.19*** Autre traduction *il exerce sa faveur envers ceux qui le craignent.* — *ceux qui craignent le Seigneur* 15.4+. — *il écoute et sauve* 34.18.

Shîn 20 Le SEIGNEUR garde tous ses amis,
mais il supprimera tous les infidèles.
Taw 21 Ma bouche dira la louange du SEIGNEUR,
et toute chair bénira son saint *nom,
à tout jamais[e] !

PSAUME 146 (145)

1 Alléluia !

O mon âme[f], loue le SEIGNEUR !
2 Toute ma vie je louerai le SEIGNEUR,
le reste de mes jours, je jouerai pour mon Dieu[g].

3 Ne comptez pas sur les princes,
ni sur les hommes[h] incapables de sauver :
4 leur souffle partira, ils retourneront à leur poussière,
et ce jour-là, c'est la ruine de leurs plans[i].

5 Heureux qui a pour aide le Dieu de Jacob,
et pour espoir le SEIGNEUR[j], son Dieu !

6 Auteur de la terre et des cieux[k],
de la mer, de tout ce qui s'y trouve,
il est l'éternel gardien de la vérité :
7 il fait droit aux opprimés,
il donne du pain aux affamés ;
le SEIGNEUR délie les prisonniers[l],
8 le SEIGNEUR ouvre les yeux des aveugles,
le SEIGNEUR redresse[m] ceux qui fléchissent,
le SEIGNEUR aime les justes,
9 le SEIGNEUR protège les immigrés,
il soutient l'orphelin et la veuve[n],
mais déroute les pas des méchants.
10 Le SEIGNEUR régnera toujours.

e 145.21 *... à tout jamais :* ces mots, en excédent dans le dernier vers, proviennent probablement du refrain que le texte hébreu traditionnel n'a pas conservé (voir v. 1 et la note). ***f 146.1*** *Alléluia* 104.35 et la note ; 106.1+. — *O mon âme* 103.1, 22 ; 104.1, 35. ***g 146.2*** *Toute ma vie* Ps 104.33. — Musique pour le Seigneur 147.7+. ***h 146.3*** 60.13 ; 118.8-9. ***i 146.4*** *retour à la poussière* 103.14+. — *la ruine de leurs plans* 33.10. ***j 146.5*** *Heureux* 1.1+. — *Dieu comme aide* 27.9 ; 46.2 ; 121.2 ; 124.8. — *Dieu comme espoir* 25.5 ; 40.1 ; 71.5 ; 130.7 ; 131.3. ***k 146.6*** 121.2+. ***l 146.7*** *il fait droit aux opprimés* 10.18 ; 103.6. — *du pain aux affamés* 107.9. — *libération des prisonniers* 68.7 ; 107.14-16 ; Es 42.7 ; 49.9 ; 61.1. ***m 146.8*** *il ouvre les yeux des aveugles* Es 29.18 ; 35.5 ; 42.7 ; Jn 9.7, 32. — *il redresse* Ps 145.14 ; Lc 13.13. ***n 146.9*** 10.18 ; 68.6 ; Dt 10.18.

Il est ton Dieu, *Sion, d'âge en âge !

Alléluia[o] !

PSAUME 147 (146—147)

1 Alléluia !

Qu'il est bon[p] de chanter notre Dieu,
qu'il est agréable de le bien louer !
2 Le SEIGNEUR, qui rebâtit Jérusalem,
rassemblera les bannis d'Israël[q].
3 C'est lui qui guérit les cœurs brisés[r]
et panse leurs blessures.

4 Il dénombre les étoiles ;
sur chacune il met un nom[s].
5 Notre Seigneur est grand et plein de force ;
son intelligence est infinie[t].
6 Le SEIGNEUR soutient les humbles[u],
jusqu'à terre il abaisse les infidèles.

7 Entonnez pour le SEIGNEUR l'action de grâce,
jouez pour notre Dieu sur la cithare[v] ;
8 c'est lui qui couvre les cieux de nuages,
qui prépare la pluie[w] pour la terre
et fait pousser l'herbe sur les montagnes ;
9 il donne la nourriture au bétail
et aux petits du corbeau[x] qui réclament.

10 Il n'apprécie pas les prouesses du cheval,
il ne s'intéresse pas aux muscles de l'homme[y].

o 146.10 *il règnera toujours* 9.8+ ; Ex 15.18. — *Alléluia* Ps 104.35+. ***p 147.1*** *Alléluia* 104.35 et la note ; 106.1+. — *Qu'il est bon de...* 92.2. ***q 147.2*** La reconstruction de Jérusalem, en particulier des murailles de la ville, s'est effectuée principalement au temps de Néhémie (après l'année 445 avant Jésus-Christ) (voir Ne 3—4) ; Ps 102.17+ ; Es 44.28 ; Am 9.11. — *les bannis d'Israël rassemblés* Es 11.12 ; 56.8. ***r 147.3*** Es 61.1 ; voir Jb 5.18. ***s 147.4*** Es 40.26 ; *Ba* 3.34-35. ***t 147.5*** *Notre Seigneur est grand* 145.3+. — *son intelligence est infinie* Es 40.28. ***u 147.6*** 146.9 ; Es 40.29. ***v 147.7*** Musique pour le Seigneur 33.2 ; 68.33 ; 71.22-23 ; 81.3-4 ; 98.4-5 ; 101.1 ; 104.33 ; 105.2 ; 144.9 ; 146.2 ; 149.3 ; Jg 5.31 voir Col 3.16. — *cithare :* voir Ps 92.4 et la note. ***w 147.8*** 104.13, 14 ; 135.7 ; Jb 5.10. ***x 147.9*** *nourriture pour le bétail* 104.27-28 ; 145.15-16. — *pour les petits du corbeau* Jb 38.41. ***y 147.10*** *aux muscles* ou *aux jambes* (c'est-à-dire *à l'agilité*). — Les chevaux, la force musclée 20.8-9 ; 33.16-17 ; Am 2.15.

11 Mais le SEIGNEUR s'intéresse à ceux qui le craignent,
à ceux qui espèrent en sa fidélité[z].

12 Glorifie le SEIGNEUR, Jérusalem !
*Sion, loue ton Dieu.
13 Car il a renforcé les verrous de tes portes[a] ;
chez toi il a béni tes fils.
14 Lui qui donne la paix à ton territoire,
il te rassasie de fleur de froment.

15 Il envoie ses ordres[b] à la terre,
et aussitôt court sa parole.
16 Il répand la neige comme des flocons de laine,
il éparpille le givre comme de la cendre.
17 Il jette ses glaçons comme des miettes ;
devant ses gelées[c] qui résistera ?
18 Il envoie sa parole, c'est le dégel[d] ;
il fait souffler le vent, les eaux s'écoulent.

19 Il proclame sa parole à Jacob,
ses décrets et ses commandements à Israël[e].
20 Cela, il ne l'a fait pour aucune des nations,
et elles ne connaissent pas ses commandements.

Alléluia[f] !

PSAUME 148

1 Alléluia !

Louez le SEIGNEUR depuis les cieux[g] :
louez-le dans les hauteurs ;
2 louez-le, vous tous ses *anges ;
louez-le, vous toute son armée[h] ;
3 louez-le, soleil et lune ;
louez-le, vous toutes les étoiles brillantes ;

z 147.11 *ceux qui craignent le Seigneur* 15.4+. — *espérer en sa fidélité* 33.18+. ***a 147.13*** *tes portes :* il s'agit des portes de la ville, aménagées dans les murs de défense qui la protégeaient des agressions extérieures. ***b 147.15*** 33.9 ; 107.20 ; Es 9.7 ; 55.11. ***c 147.17*** v. 16-17 : *neige, glace* Jb 37.10 ; 38.22. ***d 147.18*** *dégel* Jb 6.16. ***e 147.19*** Dt 4.7-8. ***f 147.20*** *nations ignorantes* Ac 14.16. — *Alléluia* Ps 104.35+. ***g 148.1*** *Alléluia* 104.35 et la note ; 106.1+. — *depuis les cieux* Lc 2.14. ***h 148.2*** 103.20, 21. — *ses anges :* autre traduction *ses messagers.* — *toute son armée :* d'après le texte hébreu « écrit ». Le texte hébreu que la tradition juive considère comme « à lire » et les versions anciennes ont compris *toutes ses armées.*

4 louez-le, vous les plus élevés des *cieux,
et vous les eaux qui êtes par-dessus les cieux.

5 Qu'ils louent le nom du SEIGNEUR,
car il commanda, et ils furent créés[i].
6 Il les établit à tout jamais ;
il fixa des lois qui ne passeront pas[j].

7 Louez le SEIGNEUR depuis la terre :
dragons et vous tous les abîmes[k],
8 feu et grêle, neige et brouillard,
vent de tempête exécutant sa parole[l],
9 montagnes et toutes les collines,
arbres fruitiers et tous les cèdres,
10 bêtes sauvages et tout le bétail,
reptiles et oiseaux,
11 rois de la terre et tous les peuples,
princes et tous les chefs de la terre,
12 jeunes gens, vous aussi jeunes filles,
vieillards et enfants !

13 Qu'ils louent le *nom du SEIGNEUR,
car son nom est sublime[m], lui seul,
sa splendeur domine la terre et les cieux.
14 Il a relevé le front de son peuple.
Louange pour tous ses fidèles,
les fils d'Israël, le peuple qui lui est proche !

Alléluia[n] !

PSAUME 149

1 Alléluia !

Chantez pour le SEIGNEUR un chant nouveau ;
chantez sa louange dans l'assemblée des fidèles[o].
2 Qu'Israël se réjouisse de son Auteur,
que les fils de *Sion[p] fêtent leur roi.

***i* 148.5** 33.9. ***j* 148.6** *qui ne passeront pas :* autre traduction *et il ne les trangressera pas.* — Des lois permanentes Jr 31.35-36 ; 33.25. ***k* 148.7** *dragons :* ou *monstres marins.* — *les abîmes* semblent personnifier ici les puissances de la nature dangereuses pour l'homme. ***l* 148.8** *neige...* 147.16-17 ; Jb 38.22. — *vent exécutant sa parole* Ps 104.4. ***m* 148.13** 8.2 ; 113.4. ***n* 148.14** *proche de Dieu* Es 58.2. — *Alléluia* Ps 104.35+. ***o* 149.1** *Alléluia* 104.35 et la note ; 106.1+. — *chant nouveau* 33.3+. — *dans l'assemblée des fidèles* 68.27. ***p* 149.2** *les fils de Sion :* expression hébraïque désignant les habitants de Jérusalem.

3 Qu'ils louent son *nom par la danse ;
qu'ils jouent pour lui du tambour et de la cithare[q].
4 Car le SEIGNEUR favorise son peuple ;
il pare de victoire les humbles.

5 Que les fidèles exultent en rendant gloire,
que sur leurs nattes ils crient de joie,
6 exaltant Dieu à plein gosier,
tenant en main l'épée à deux tranchants.
7 Tirer vengeance des nations
et châtier les peuples,
8 enchaîner leurs rois
et mettre aux fers leurs élites,
9 exécuter contre eux la sentence écrite,
c'est l'honneur de tous ses fidèles !

Alléluia[r] !

PSAUME 150

1 Alléluia[s] !

Louez Dieu dans son *sanctuaire ;
louez-le dans la forteresse de son firmament.
2 Louez-le pour ses prouesses[t] ;
louez-le pour tant de grandeur.

3 Louez-le avec sonneries de cor ;
louez-le avec harpe et cithare[u] ;
4 louez-le avec tambour et danse ;
louez-le avec cordes et flûtes ;
5 louez-le avec des cymbales sonores ;
louez-le avec les cymbales de l'ovation[v].

6 Que tout ce qui respire loue le SEIGNEUR !

Alléluia !

q 149.3 Voir 92.4 et la note. — Musique pour le Seigneur Ps 147.7+. ***r 149.9*** *Alléluia* 104.35+. ***s 150.1*** *Alléluia !* 104.35 et la note ; 106.1+. — Le Ps 150 sert de conclusion à l'ensemble du psautier comme 41.14 ; 72.19 ; 89.53 ; 106.48 servaient successivement de conclusion aux quatre premiers livres du recueil. ***t 150.2*** 105.2 ; 145.4. ***u 150.3*** Voir 92.4 et la note. — v. 3-5 : Louange à Dieu avec instruments de musique 147.7+. ***v 150.5*** *cymbales sonores... cymbales de l'ovation :* ou *petites et grosses cymbales.*

Un psaume supplémentaire (151) dans la Bible grecque

L'ancienne version grecque de l'A.T. a retenu un psaume qui ne figure pas dans les manuscrits hébreux. Il semble consister en extraits de deux psaumes non canoniques, dont certaines parties (en hébreu) ont été découvertes à Qumrân. En voici le texte :
1 Psaume écrit spécialement pour David et
hors du compte. Quand il livra à Goliath le
combat singulier. *J'étais le plus petit d'entre*
mes frères, le plus jeune dans la maison de
mon père. Je menais paître le troupeau de
mon père. 2 *Mes mains ont fabriqué une*
flûte, mes doigts ont confectionné une
harpe. 3 *Qui l'annoncera à mon Seigneur ?*
Le Seigneur lui-même, en personne, entend.
4 *Il a envoyé son messager, il m'a pris au*
milieu du troupeau de mon père et m'a
donné l'onction de son huile. 5 *Mes frères*
étaient beaux et grands, pourtant le Seigneur
ne les a pas préférés. 6 *Je suis allé affronter le*
Philistin. Il m'a maudit par ses idoles. 7 *Mais*
moi, j'ai arraché son épée, je l'ai décapité et
j'ai lavé de l'affront les enfants d'Israël.

GLOSSAIRE

GLOSSAIRE

Agrippa voir **Hérode**

Alliance Terme technique qui désigne le *lien* que Dieu établit :
— soit avec l'humanité tout entière en la personne de Noé (Gn 9.9-17),
— soit avec un homme, comme Abraham (Gn 15.18), ou David (Ps 89.4-5),
— soit avec le peuple d'Israël (Ex 19.5-6).
Cette alliance est normalement accompagnée d'une promesse de Dieu, d'un engagement de son ou de ses partenaires, et souvent confirmée par un *sacrifice (Gn 15.9-17 ; Ex 24.3-8).
Les *prophètes annoncent que Dieu conclura une *alliance nouvelle* avec son peuple (Jr 31.31-34). Selon le N.T. la mort de Jésus établit cette alliance nouvelle et l'étend à tous les hommes (Lc 22.20 ; voir 2 Co 3.6).
En grec le mot traduit par *alliance* peut avoir parfois aussi le sens de *testament* (He 9.16-17). L'expression *Ancien Testament* (2 Co 3.14) désigne les livres de l'ancienne alliance, de même que *Nouveau Testament* désigne les livres bibliques de la nouvelle alliance.

Amen Mot hébreu conservé tel quel dans le N.T. et signifiant : *c'est vrai, il en est bien ainsi* ou *qu'il en soit bien ainsi !*
En Ap 3.14 il sert de titre pour désigner le Christ.

Anciens 1) Dans le *judaïsme du temps de Jésus les *anciens* étaient les chefs de familles qui détenaient une autorité dans la vie civile et religieuse. Les évangiles (Mt 16.21, etc.) et les Actes (4.5 ; 22.5, etc.) associent souvent les anciens aux *scribes et aux *grands prêtres (voir **Sanhédrin**).
2) Dans Ac 11—21 et dans les épîtres les *anciens* sont les responsables des communautés chrétiennes locales.
3) En 2 Jn 1 et 3 Jn 1 *l'Ancien* est un titre, qui semble désigner un représentant de la première génération chrétienne.
4) Dans l'Apocalypse (4.4 ; 5.5, etc.) les *vingt-quatre anciens*

représentent peut-être symboliquement l'ensemble du peuple de Dieu.

Ange *L'ange du Seigneur* est une expression empruntée à l'A.T. qui indique d'une manière indirecte une intervention de Dieu lui-même (comparer avec la note sur Mt 3.2). En général et comme dans le *judaïsme de la même époque, le N.T. présente les *anges* comme des messagers directs (Lc 2.9-10 ; Ac 7.30) et même comme des commissionnaires de Dieu (Mt 4.6 ; 13.49 ; He 1.14). Le terme *archange* désigne un ange de rang supérieur (1 Th 4.16 ; Jude 9).
Le N.T. mentionne aussi des *anges de *Satan* (Mt 25.41 ; 2 Co 12.7 ; Ap 12.7, 9) pour désigner des envoyés ou des représentants du *diable.
Enfin les *anges* sont parfois considérés comme les gardiens de certains hommes ou leurs représentants auprès de Dieu (Mt 18.10 ; Ac 12.15). Dans Ap 2—3 les *anges des Eglises* sont probablement les représentants de ces Eglises.

Apôtre Ce titre désigne un *envoyé* du Christ. Le N.T. l'attribue notamment aux Douze, c'est-à-dire aux hommes que Jésus avait choisis pour l'accompagner. Mais Paul, parce qu'il a vu le Christ ressuscité (1 Co 9.1), revendique ce titre lui aussi (Ga 1.1).
Le N.T. applique également cette appellation à d'autres personnes connues pour leur activité missionnaire (Ac 14.14 ; Rm 16.7).

Autel L'*autel* est l'emplacement en forme de table où sont offerts les *sacrifices. Les *cornes* (Ap 9.13) situées aux quatre coins supérieurs de l'autel étaient considérées comme la partie la plus sacrée de celui-ci.

Avènement Ce terme désigne la *venue* glorieuse du Christ à la fin des temps (Mt 24.3, 27, 37, 39 ; 1 Jn 2.28). Voir **Jour**.

Berger Homme chargé de conduire un troupeau vers les pâturages et de veiller à la sécurité des moutons et des chèvres qui lui sont confiés.
Dans la Bible ce terme sert souvent d'image pour désigner les dirigeants du peuple d'Israël (voir par exemple Mt 9.36).
Jésus s'est désigné lui-même comme le bon berger (Jn 10.11).
La tâche qui revient aux responsables des communautés chrétiennes est souvent comparée, dans le N.T., à celle des bergers (voir Jn 21.15-17 ; Ac 20.28-29, etc.).

Blasphémer - Blasphème - Blasphémateur Comme les anciens Israélites, les Juifs contemporains de Jésus considéraient comme *blasphème* toute parole jugée insultante pour l'honneur de Dieu. En

s'appuyant sur l'A.T. (Lv 24.11-16) ils réclamaient la peine de mort contre le *blasphémateur*.
Jésus a été accusé de *blasphémer* (Mt 9.3 ; Jn 10.33-36) et le *Sanhédrin l'a condamné pour blasphème (Mc 14.61-64).
Le N.T. qualifie aussi de blasphème l'opposition au Christ (1 Tm 1.13) ou au Saint-Esprit (Lc 12.10).

César Nom porté par les premiers empereurs de Rome. Dans le N.T. il est l'équivalent courant du titre d'*empereur*.

Christ, Messie Les rois d'Israël et les grands prêtres recevaient l'onction d'huile comme signe de leur nouvelle fonction (1 S 10.1 ; Lv 8.12). C'est pourquoi les rois portaient le titre d'*Oint* (en hébreu *Machiah*, transcrit *Messie* en français ; en grec *Christos*, transcrit *Christ*).
Le titre de *Messie* a été transféré au roi sauveur dont les Juifs attendent la venue à la fin des temps. Le N.T. rapporte les témoignages de ceux qui ont reconnu ce *Messie (Christ)* en la personne de Jésus (Mt 16.16).

Ciel - Cieux - Céleste Le N.T. reprend l'usage que l'A.T. et les *Juifs du premier siècle faisaient du mot *ciel*. Outre son sens habituel (Mt 16.3) ce mot désigne souvent le *domaine particulier de Dieu* (voir Mt 6.9-10 ; Jn 1.51, etc.).
Par extension il en vient à désigner *Dieu lui-même* dans des tournures employées pour parler de lui sans avoir à le nommer expressément (voir Mt 3.2 et la note). C'est en ce sens qu'il faut comprendre, entre autres, des expressions comme « le *royaume des cieux », « un *ange du ciel » (Ga 1.8) ou l'aveu du fils cadet en Lc 15.18.

Circoncire - Circoncision La *circoncision* est pratiquée par les *Juifs sur les garçons nouveau-nés une semaine après leur naissance (Gn 17.12 ; Lc 2.21). C'est une opération rituelle qui consiste à exciser le prépuce.
La circoncision est le signe par excellence qu'un homme est membre d'Israël, le peuple de *l'Alliance (Gn 17.11 ; Jos 5.2-5). D'où l'appellation de *circoncis* pour désigner les *Juifs. En Ga 2.12 cette appellation est étendue aux chrétiens d'origine juive partisans de maintenir cette pratique. Inversement les *païens sont appelés parfois les *incirconcis* (Ac 11.3).
L'apôtre Paul a milité pour que la circoncision ne soit pas imposée aux nouveaux chrétiens d'origine païenne (1 Co 7.18-19 ; Ga 2.3-5 ; 5.2-4).

La *circoncision du cœur* (Rm 2.28-29) est l'expression imagée d'une disponibilité entière au service de Dieu.

Cœur Le mot *cœur* est assez rarement employé au sens propre dans le N.T. Mais au sens figuré, les langues bibliques l'utilisent avec des nuances parfois inhabituelles au français.

1) Il désigne ainsi souvent le *centre caché de l'homme*, l'endroit intérieur et secret où la personnalité de l'homme est, pour ainsi dire, concentrée (Mt 12.34 ; 15.19 ; 1 Co 4.5 ; Ep 1.18). Le *cœur* est alors le résumé de l'homme tout entier, si bien que l'expression *dans leur cœur* est sensiblement équivalente à *au plus profond d'eux-mêmes* (Rm 2.15).

2) Le *cœur* est parfois regardé comme le siège des *sentiments* (Jn 16.6), mais aussi de la *pensée* (Mc 2.6,8 ; 6.52 ; Lc 3.15, etc.) et de la *volonté* (Rm 10.1 ; 2 Co 9.7).

Démon Expressions synonymes : *esprit impur* ou, plus simplement, *esprit*. L'idée que le N.T. se fait des *démons* est commune au milieu culturel juif du premier siècle de notre ère : ce sont des êtres spirituels au service de *Satan.

On regardait les démons comme responsables de diverses maladies et infirmités, notamment des maladies nerveuses (Mc 9.15-18) ou mentales (Mc 5.2-5). C'est pourquoi *chasser le démon* d'un homme possédé (appelé parfois *démoniaque* : Mt 4.24 ; 8.16) est synonyme de *guérir le malade*.

Des gens faisaient métier de chasser les démons (Mt 12.27 ; Mc 9.38 ; Ac 19.13) ; ils utilisaient des procédés plus ou moins magiques. Mais Jésus manifeste sa supériorité sur les démons par le seul pouvoir de sa parole (Mc 5.9-13).

Plusieurs passages du N.T. considèrent que le culte rendu aux idoles s'adresse en réalité aux démons (1 Co 10.20-21 ; Ap 9.20).

Diable voir **Satan**

Disciple Dans le N.T. le mot *disciple* désigne *l'élève* d'un maître (par exemple Jean le Baptiste : Mc 2.18 ; voir aussi Mt 10.24-25). Parfois même, en un sens plus large, il qualifie les *adeptes* d'un chef de file (par exemple Moïse : Jn 9.28) ou d'une tendance religieuse (par exemple celle des Pharisiens : Mt 22.16).

L'usage le plus fréquent du mot concerne les *disciples de Jésus*. Le N.T. désigne ainsi les douze hommes que Jésus avait choisis pour l'accompagner (Mt 10.1), mais aussi un groupe plus étendu (Lc 10.1), et même le cercle encore plus large des gens qui ont accepté son enseignement (Jn 4.1 ; 7.3 ; 19.38, etc.). Le propre du disciple est de *suivre* Jésus (Mt 8.22 ; 10.38 ; 19.27, etc. ; voir Mc 9.38).

Dans le livre des Actes (6.1-2, etc.) le terme *disciple* sert à désigner les membres de la communauté chrétienne, en alternance avec d'autres appellations comme *les frères* (Ac 1.15), *les croyants* (Ac 2.44), *les chrétiens* (Ac 11.26) ; voir aussi Ep 1.1 *(les *saints)*.

Docteurs de la Loi voir **Légistes**

Evangile - Evangéliste *Evangile* est la transcription d'un mot grec signifiant *bonne nouvelle*. Dans le N.T. cette bonne nouvelle concerne toujours la personne et l'œuvre de Jésus, même dans l'expression *l'Evangile de Dieu* (Rm 1.1).

Un *évangéliste* est un homme qui transmet cette bonne nouvelle à d'autres (Ac 21.8 ; Ep 4.11 ; 2 Tm 4.5).

Dans notre traduction le mot *évangile* est utilisé avec diverses nuances de sens ; il peut désigner :

— le message même de bonne nouvelle et son contenu, en particulier dans l'expression caractéristique de l'apôtre Paul *mon Evangile* (Rm 2.16 ; voir 2 Th 2.14), c'est-à-dire « l'Evangile que je prêche » ;

— mais aussi la *proclamation de ce message*, comme en Ph 4.3 ; il est alors équivalent d'*évangélisation*.

Par extension le langage courant utilise le mot *évangile* pour désigner les livres rapportant les paroles et les actes de Jésus : évangile selon Matthieu, les quatre évangiles, etc. (voir Mc 1.1).

Fils de David C'est un titre donné au *Messie attendu par les *Juifs contemporains de Jésus. Il provient de la promesse faite jadis au roi David par l'intermédiaire du prophète Natan (2 S 7.12, 14-16 ; voir aussi Jr 23.5 ; 33.15, 17 ; Mi 5.1 ; Ps 89.30,37 ; 132.11). Etant donné cette promesse le roi sauveur attendu devait être un *descendant de David*.

Fils de l'homme Sauf en Ac 7.56 et Jn 12.34 l'expression *le Fils de l'homme* apparaît toujours dans le N.T. comme prononcée par Jésus lui-même. Dans de nombreux cas il est évident que ce titre lui servait à se désigner lui-même.

En certains passages l'expression évoque l'autorité d'un personnage encore *à venir*, le juge de la fin des temps (Mt 16.27 ; 19.28 ; 25.31-32 ; 26.64 ; Lc 17.24 ; Jn 5.26-29). Cet emploi est sans doute inspiré de Dn 7.13.

En d'autres passages le même titre fait au contraire allusion à la condition *présente* de Jésus, à sa faiblesse, à son dénuement

(Mt 8.20) et aussi à ses souffrances (Mt 17.22-23 ; 20.18 ; 26.2, 24, 45 par. ; Mc 8.31 ; Jn 6.53).
Une troisième catégorie de textes combine les deux emplois ci-dessus, évoquant à la fois la présence et l'autorité du Fils de l'homme (Mt 9.6 par. ; 12.8 par. ; 13.37 ; Jn 9.35).
Peut-être Jésus a-t-il préféré ce titre nouveau et mystérieux pour éviter celui de *Christ-Messie, que l'usage populaire interprétait en un sens difficilement compatible avec l'Evangile (voir Mc 8.29-33).

Géhenne Ce mot est la transcription de l'hébreu *Gué-Hinnom* (vallée de Hinnom). La vallée ainsi désignée, située au sud de Jérusalem, était tristement célèbre par les sacrifices d'enfants et les cultes idolâtriques qu'on y avait pratiqués (2 R 23.10 ; Jr 7.31-32). Dans le N.T. ce nom est devenu synonyme de *lieu de malédiction*, où devaient être envoyés ceux qui tomberaient sous la condamnation de Dieu.

Grand(s) prêtre(s) Le *grand prêtre* (Lv 21.10-15) était le chef des divers officiants du *temple, à savoir les *prêtres et les *lévites (sur ce dernier terme voir aussi Lc 10.32 et la note). Responsable spirituel d'Israël, il était le médiateur entre le peuple et Dieu. Au jour du Grand Pardon (Lv 16 ; Nb 29.7-11) c'est lui qui offrait le sacrifice de sang dans le lieu très saint du temple (He 9.7). Il présidait aussi le *Sanhédrin.
Le N.T. emploie souvent l'expression *les grands prêtres* pour désigner à la fois les anciens grands prêtres encore en vie et les membres des quatre familles sacerdotales au sein desquelles on choisissait le grand prêtre en fonction.
L'épître aux Hébreux présente Jésus comme le grand prêtre idéal et définitif (He 4.14 ; 7.26-27, etc.).

Hadès C'est le nom grec du lieu que les Israélites nommaient le séjour des morts. L'Apocalypse (6.8 ; 20.13-14) personnifie *l'Hadès* comme elle le fait aussi pour la puissance de la mort.

Hérode Le N.T. désigne sous ce nom trois personnages de la même famille :
— Hérode le Grand (Mt 2 ; Lc 1.5) : voir ci-dessous §1.
— Hérode Antipas (Mt 14 ; Mc 6 ; 8.15 ; Lc 3 ; 8.3 ; 9.9 ; Ac 4.27 ; 13.1) : voir §4.
— Hérode Agrippa Ier (Ac 12) : voir §6.
1) **Hérode le Grand,** l'ancêtre de cette famille, régna sur l'ensemble de la Palestine de 37 à 4 avant J.-C. (Mt 2.1 et la note). Le N.T. mentionne plusieurs de ses descendants :

A. — Ses fils :

2) **Hérode Philippe** (Mc 6.17 et la note).

3) **Archelaüs** (Mt 2.22 et la note), qui succéda à son père pendant 9 ans à Jérusalem et fut ensuite déposé par les Romains.

4) **Hérode Antipas,** qui régna sur la Galilée et la Pérée de 4 avant J.-C. à 39 après J.-C. avec le titre de *tétrarque* (voir Mc 1.14 ; 6.14 et les notes).

5) **Philippe le Tétrarque** (Mc 8.27 et la note), qui régna sur les districts nord-est de la Palestine entre les années 4 avant J.-C. et 34 après J.-C.

B. — Les petits-enfants d'Hérode le Grand :

6) **Hérode Agrippa Ier,** qui régna sur le nord puis sur l'ensemble de la Palestine de 37 à 44 après J.-C. (Ac 12.1 et la note).

7) **Hérodiade** (Mc 6.17), qui quitta son mari (et oncle) Hérode Philippe (voir §2) pour épouser Hérode Antipas (voir §4).

C. — Les arrière-petits-enfants d'Hérode le Grand :

8) **Hérode Agrippa II,** fils d'Hérode Agrippa Ier ; il régna avec le titre de roi à partir de l'an 48 après J.-C. sur un territoire constamment agrandi. C'est devant lui que comparut l'apôtre Paul (Ac 25.13 et la note).

9) **Bérénice et Drusille** (Ac 24.24 et la note) étaient les sœurs du précédent.

Imposer les mains - Imposition des mains *L'imposition des mains* est un geste qui consiste à poser les mains sur la tête de quelqu'un.

Le N.T. mentionne l'imposition des mains en diverses circonstances :

1) pour accompagner une bénédiction (Mt 19.13) ;

2) lors de guérisons (Mt 9.18 ; Mc 16.18 ; Lc 4.40 ; Ac 28.8) ;

3) en relation avec le don du Saint-Esprit (Ac 8.17-19) et le baptême (Ac 19.6) ;

4) lorsqu'un homme se voit confier une responsabilité dans l'Eglise ou dans la mission chrétienne (Ac 6.6 ; 13.3 ; 1 Tm 4.14, etc.).

Impur - Impureté voir **Pur**

Incirconcis - Incirconcision voir **Circoncire - Circoncision**

Jeûne - Jeûner Le *jeûne* consiste à s'abstenir de manger et de boire pendant un temps déterminé. Comme les Israélites de l'A.T. les *Juifs du temps de Jésus pratiquaient le jeûne pour des motifs religieux : on voulait ainsi accompagner la prière ou exprimer une humiliation devant Dieu (Dt 9.18 ; Jl 2.12, 15 ; Jon 3.5-9).

Le jeûne était aussi pratiqué communautairement, par exemple au jour du Grand Pardon (Nb 29.7-11 ; Ac 27.9). Les *Pharisiens s'imposaient de jeûner deux fois par semaine (Lc 18.12). Jésus s'est opposé à l'aspect formaliste de cette pratique (Mt 6.16-18). Les premières communautés chrétiennes ont conservé la pratique du jeûne occasionnel (Ac 13.2-3 ; 14.23).

Joug Le *joug* est une pièce de bois assez pesante servant à atteler des bœufs à un chariot ou à une charrue ; on l'attache sur la nuque des animaux.
Le N.T. n'emploie ce mot qu'au sens symbolique pour exprimer la *contrainte* qui pèse sur certains hommes : par exemple les esclaves (1 Tm 6.1) ou les *Juifs, soumis aux obligations de la *Loi (Ac 15.10).
En contraste avec ces obligations le *joug* que Jésus propose à ses *disciples est doux à supporter (Mt 11.29-30).

Jour Les *prophètes avaient annoncé le *jour du Seigneur* (Es 2.12 ; Am 5.18) comme le jour où Dieu viendrait juger définitivement aussi bien Israël que les nations païennes. Le N.T. reprend cette attente d'un jour décisif, mais il applique l'expression à *l'avènement glorieux du Christ (Ph 1.6 ; 2.16, etc.).
Selon les situations ce *jour* est attendu soit comme le *jour de la colère* de Dieu (Rm 2.5), le jour du jugement (Mt 10.15 ; 1 Co 3.13), soit au contraire comme le jour de la *délivrance* (Ep 4.30).
L'expression *en ce jour-là* (Mt 7.22 ; Lc 10.12, etc.) est presque toujours une allusion à cette période finale.

Juif(s) - Judaïsme Depuis le retour de l'exil l'appellation *les Juifs* désigne les membres du peuple d'Israël. Les Juifs se distinguent des autres peuples en particulier par leur observance du *sabbat et la pratique de la *circoncision (voir aussi **Pur**). Leur religion est le *judaïsme* (Ga 1.13).
Les *païens convertis au judaïsme étaient appelés *prosélytes* (voir Mt 23.15 et la note), et les sympathisants *adorateurs de Dieu* ou *ceux qui craignent Dieu* (Ac 13.16 et la note). En Ga 2.13 l'appellation *les Juifs* est appliquée à des chrétiens d'origine juive.
Dans l'évangile selon Jean la même appellation désigne souvent les autorités civiles ou religieuses du peuple juif.

Légistes Comme les *scribes auxquels ils sont parfois assimilés, les *légistes* ou *docteurs de la Loi* étaient les spécialistes de la Bible d'Israël (notre Ancien Testament). Ils étaient chargés de l'expliquer et de l'enseigner.

Lèpre - Lépreux La Bible utilise le même terme pour désigner, à côté de la lèpre proprement dite, aussi d'autres maladies de peau. Tout homme déclaré *lépreux* était considéré comme *impur, c'est-à-dire qu'il était exclu de la vie communautaire ; les lépreux devaient vivre hors des villes et des villages, à bonne distance des bien-portants. Jésus ne s'est pas laissé arrêter par ces interdictions. Il a approché et guéri (le N.T. dit *purifié) de nombreux lépreux (Mt 8.3 ; 11.5, etc.).
La *Loi juive exigeait que la guérison d'un lépreux soit constatée par un prêtre et suivie d'un *sacrifice (Lv 14.1-32 ; voir aussi Mt 8.4 ; Lc 17.14)

Levain C'est un ferment naturel qu'on mélange à la pâte à pain pour la faire lever. Voir **Pains sans levain.**
Le mot est employé d'une manière imagée en Mt 16.6, 11-12 par., ainsi qu'en 1 Co 5.6-8 et Ga 5.9, avec des nuances péjoratives.

Loi Ce terme désigne d'abord l'ensemble des commandements de Dieu pour Israël, en particulier ceux que Moïse promulgua au Sinaï (Ex 20).
Par extension *la Loi* en vint à désigner parfois les livres où sont consignés ces commandements, c'est-à-dire essentiellement les *cinq premiers livres de la Bible*. L'expression *la Loi* est alors synonyme de *les livres de Moïse* (voir 2 Co 3.15 et la note).
En un sens encore plus large elle désigne l'ensemble de l'A.T. (Jn 10.34 ; Rm 3.19, etc.), dans le même sens que l'expression *la Loi et les Prophètes*.
L'apôtre Paul utilise parfois le même mot pour parler d'une force qui pousse l'homme à agir — en bien ou en mal selon les cas ; par exemple Rm 7.22-23 ; 8.2.

Messie voir **Christ, Messie**

Ministère - Ministre *Ministère* traduit le mot grec *diaconia*, qui exprime l'idée de *service* ; et *ministre* rend un mot de la même racine qui signifie *serviteur*.
Ces termes de *ministère* (Rm 11.13 ; 1 Co 12.5, etc.) et de *ministre* (2 Co 3.6 ; Ep 3.7) ont été adoptés pour la traduction lorsqu'il s'agissait du service assuré par des hommes qui travaillent à propager *l'Evangile.
Le même mot grec a été traduit par *diacre* (Ph 1.1) lorsque le service portait plutôt sur l'entraide fraternelle (voir 1 Tm 3.8 et la note).

Monde Trois mots grecs ont été traduits par *monde* :

1) Le premier désigne la terre habitée, le monde entier ; il ne fait pas difficulté.

2) Le second est parfois rendu par **siècle* ; quand il a été traduit par *monde*, il désigne le monde *actuel*, en général par opposition au monde *à venir*.

3) Les renvois au présent article (*) ne concernent que le troisième. Selon les contextes celui-ci peut désigner :

a) *l'univers créé* par Dieu (Jn 1.10 ; Rm 4.13) ;

b) *le monde d'ici-bas*, par contraste avec le monde de Dieu (voir **Ciel**) et Dieu lui-même (Jn 17.14 ; 18.36) ;

c) *l'humanité dans son ensemble* (Mt 5.14 ; Jn 3.16-17 ; 17.11, 13) ;

d) *l'humanité* considérée du point de vue de son *opposition à Dieu* et au Christ (Jn 7.7 ; 17.14 ; 1 Jn 2.15-16, etc.). C'est dans cette même ligne de pensée que le N.T. évoque parfois la figure du *prince de ce monde* (voir **Satan**) : Jn 12.31, etc.

Monnaies

Le *denier* : unité de monnaie romaine (Jn 6.7 ; 12.5 ; Ap 6.6). Il représentait le salaire journalier d'un ouvrier agricole (Mt 20.2). Pièce en argent.

La *drachme* : ancienne monnaie grecque, en argent ; elle équivalait au denier.

Le *didrachme* : cette pièce valait deux drachmes et représentait le montant de l'impôt personnel que les Israélites devaient verser annuellement pour le *temple (Mt 17.24).

Le *statère* : cette pièce valait quatre drachmes (c'est-à-dire deux fois le montant de l'impôt pour le temple : Mt 17.27).

La *mine* (Lc 19.13) est une unité de compte (il n'existait pas de pièces correspondant à cette valeur) ; elle valait 100 deniers.

Le *talent*, autre unité de compte, valait 6 000 deniers. Voir **Poids et mesures.**

Mystère - Mystérieux Dans le N.T. le mot *mystère* évoque en général *le plan de Dieu* pour sauver le monde ; mais ce mot indique en même temps que :

a) ce plan était resté *caché* ;

b) il est maintenant *dévoilé* (en la personne du Christ).

Ce terme apparaît surtout dans les écrits de l'apôtre Paul (Rm 11.25 ; 1 Co 2.7 ; Ep 3.3 ; Col 1.26, etc.).

En Mc 4.11 il désigne la *présence cachée* du *règne de Dieu en la

personne de Jésus. En Ap 10.7 il représente le plan de Dieu au moment de son achèvement.
En Ap 17.5, l'adjectif *mystérieux* évoque le secret du nom porté par la « grande prostituée ». En 2 Th 2.7 le *mystère de l'impiété* semble désigner une force secrète adversaire de Dieu, qui sera démasquée au dernier jour.

Nom Pour le N.T. comme pour l'A.T. le *nom* d'une personne est étroitement lié à celle-ci, à tel point que ce nom désigne parfois *la personne elle-même*, par exemple Dieu, ou le Christ (Jn 12.28 ; 17.6, 11 ; Ac 3.16, etc.).
L'expression *au nom de...* est très fréquente ; elle exprime diverses nuances possibles :
1) Faire des miracles (Mt 7.22, etc.), chasser des *démons (Mc 9.38, etc.), prier (Jn 14.13-14) *au nom de Jésus*, c'est faire ces choses en prononçant le nom de Jésus, donc en communion avec lui.
2) *Baptiser au nom de...* (Mt 28.19 ; Ac 8.16 ; 1 Co 1.13), c'est attacher quelqu'un par le baptême à celui dont on prononce le nom.
3) *Prophétiser (Mt 7.22, etc.), être envoyé (Jn 14.26) ou accueillir quelqu'un (Mt 18.5) *au nom de Jésus*, c'est faire ces choses comme un représentant de Jésus.
Invoquer le nom (du Seigneur) est une expression empruntée à l'A.T. Elle signifie, au sens propre, qu'on fait appel à Dieu ou qu'on s'adresse à lui par la prière. Le N.T. l'emploie aussi au sens dérivé : *ceux qui invoquent le nom du Seigneur* sont ceux qui se réclament du Seigneur, c'est-à-dire ses disciples.

Oindre — Onction Lors de la cérémonie antique d'*onction* (voir **Christ**) on versait de l'huile sainte sur la tête du nouveau roi — ou du nouveau *grand prêtre. Ce personnage était désormais un *oint du Seigneur* ou un *messie* (voir 1 S 24.7 ; Ac 4.27, etc.).
En un sens dérivé le qualificatif *oint* ou un *messie* peut donc être appliqué à l'homme que Dieu a choisi pour une mission de salut (Lc 4.18).
Dans le N.T. *l'onction* sert aussi d'image pour décrire le don du Saint-Esprit (2 Co 1.21) ou de la Parole de Dieu (1 Jn 2.20) reçu par le croyant.

Orgueil - S'enorgueillir Notre traduction a rendu ainsi en particulier un nom et un verbe grecs de la même famille, fréquents surtout dans les écrits de l'apôtre Paul. Ils expriment les idées de satisfaction personnelle, de fierté et parfois même de vantardise. A un premier niveau (Rm 2.17, 23 ; 3.27 ; 1 Co 1.29 ; 3.21 ; 4.7 ; 5.6,

etc.) ces termes font allusion à la prétention orgueilleuse de l'homme qui croit à sa propre valeur, et qui oublie qu'il doit à Dieu tout ce qu'il est et tout ce qu'il a.
A un second niveau (Rm 5.2-3, 11 ; 15.17, etc.) ces mots expriment la nouvelle assurance que l'homme trouve, en se confiant au Christ et en travaillant à son service (voir, bien que la traduction soit parfois différente : 2 Co 1.12 ; 7.4 ; Ph 1.26 ; 2.16 ; 1 Th 2.19).

Païen - Paganisme Dans le N.T. le terme *païen* désigne essentiellement des individus ou des nations *qui ne sont pas *juifs.*
Mais en des passages comme Ga 2.12 ; Ep 3.1 (voir aussi Rm 16.4) cette appellation est étendue à des *chrétiens d'origine païenne* (par opposition à des chrétiens d'origine juive).
Enfin en 1 P 2.12 ; 4.3 l'appellation *les païens* semble même désigner les *non-chrétiens.*

Pains sans levain Voir **Levain.** Au moment de la *Pâque les *Juifs étaient tenus de faire disparaître de leurs maisons toute trace de pain levé et de ne consommer pendant une semaine que des pains non levés (Ex 12.15-20 ; 13.3-10).
En 1 Co 5.8 l'expression *pains sans levain* est employée au sens figuré pour souligner la pureté de la vie chrétienne.

Pâque La *Pâque* est l'une des plus grandes fêtes que les *Juifs contemporains de Jésus venaient célébrer à Jérusalem. Elle avait lieu au printemps et commémorait la sortie d'Egypte (Dt 16.1-8).
La célébration de la Pâque était marquée par les *jours des *pains sans levain* (Ex 12.15-20 ; voir Ac 12.3 ; 20.6) et par le repas familial au cours duquel était consommé *l'agneau pascal* (Ex 12.1-14).
Les trois premiers évangiles décrivent le dernier repas de Jésus comme un repas pascal (Mc 14.12-25 par.). Le quatrième évangile fait ressortir que la mort de Jésus a coïncidé avec le sacrifice de l'agneau pascal (Jn 18.28 ; 19.14, 31, 36, 42 ; voir aussi 1 Co 5.7).

Parabole Ce mot est décalqué sur le grec *parabolè.* Le N.T. l'emploie comme un terme technique pour désigner *une manière de parler par images.* Ce genre d'enseignement indirect était familier à Jésus : à l'aide de comparaisons brèves (Mt 5.13, 14) ou de récits plus étoffés empruntés à la vie quotidienne ou à l'actualité (Mt 20.1-16 ; Lc 15.11-32), Jésus présentait à ses auditeurs une réalité que ceux-ci avaient ignorée ou mal saisie jusqu'alors (Mc 4.33 ; Mt 13.35).
Cependant des passages comme Mc 4.11 ; 7.17 utilisent le terme grec *parabolè* avec une nuance différente ; la parabole est comprise

ici comme un *enseignement énigmatique*. En effet l'image proposée par la parabole n'a aucun sens pour ceux qui n'accueillent pas le message de Jésus.

Pasteur voir **Berger**

Pécheur - Pécheresse En de nombreux passages du N.T., ce terme désigne une personne qui est en état de désobéissance à l'égard de Dieu, donc en situation de rupture avec lui (Mt 26.45 ; Jn 9.16 ; Rm 5.8, etc.).

Mais dans les évangiles *pécheur* est aussi l'appellation péjorative que les *scribes et les Pharisiens appliquaient aux *Juifs qui n'observaient pas la *Loi et ne pratiquaient pas la religion commune (Mc 2.15 ; Lc 7,37 ; 19.7, etc.). On traitait ainsi de *pécheurs* les collecteurs d'impôts (voir la note sur Mc 2.15). Jésus lui-même a été qualifié de pécheur par ses adversaires (Jn 9.24).

Pentecôte Avant de devenir aussi une fête chrétienne, *la Pentecôte* fut une des grandes fêtes que les *Juifs venaient célébrer à Jérusalem (Ac 2.1, 5). Elle avait lieu au temps des moissons, le cinquantième jour après la *Pâque, d'où son nom (*pentèconta* signifie *cinquante* en grec).

Lors de la Pentecôte les Juifs commémoraient la promulgation de la *Loi au Sinaï.

Pharaon C'était le titre des anciens rois d'Egypte. Le N.T. fait allusion soit au Pharaon contemporain de Joseph (Ac 7.10, 13 ; voir Gn 39 ; 41—42 ; 45), soit au Pharaon du temps de Moïse (Ac 7.21 ; Rm 9.17; voir Ex 2—14).

Pharisiens Les *Pharisiens* formaient une sorte de parti religieux caractérisé par un zèle très apparent pour les choses de Dieu. Ils exigeaient pour eux-mêmes et pour les autres une obéissance rigoureuse à la *Loi et aux traditions explicatives qui l'accompagnaient (Mc 7.1-23).

Contrairement aux **Sadducéens* les Pharisiens croyaient à l'existence des *anges et à la résurrection des morts (Ac 23.7-8). Ils étaient nombreux parmi les *scribes et les *légistes.

Du fait de son interprétation de la *Loi (Mc 3.16), de ses fréquentations (2.16) et de la liberté qu'il prenait à l'égard des règles du *pur et de l'impur (7.1-23), Jésus s'est heurté de plus en plus à l'opposition des Pharisiens.

Avant sa conversion, l'apôtre Paul avait été un membre zélé du parti pharisien (Ac 23.6 ; Ph 3.5).

Poids et mesures

Unités de longueur :

— le *stade* (Jn 6.19, etc.) : environ 185 m
— la *brasse* (Ac 27.28) : environ 1,85 m
— la *coudée* (Jn 21.8 ; Ap 21.17) : environ 45 cm.

Unités de capacité :

Trois termes différents ont été traduits par *mesure* :
— en Jn 2.6 chaque mesure est d'environ 40 litres ;
— en Mt 13.33 ; Lc 13.21 la mesure mentionnée vaut environ 15 litres ;
— en Ap 6.6 il s'agit d'une mesure de 1,1 litre.

Unités de poids :

— le *talent* (Ap 16.21) : environ 26,2 kg
— la *livre*, unité de poids mentionnée en Jn 12.3 ; 19.39, est sans doute la *livre romaine*, qui correspond à 336 g.

Prémices Dans l'A.T. les *prémices* représentaient les *premiers produits* d'une récolte ; on les offrait à Dieu en reconnaissance pour la *totalité* de cette récolte (Lv 2.12 ; Nb 15.20-21 ; comparer Rm 11.16).

Le N.T. emploie souvent ce terme au sens figuré pour exprimer l'idée qu'*une partie* est donnée ou acquise à l'avance comme *garantie de la totalité*. L'expression peut s'appliquer ainsi au don de l'Esprit de Dieu (Rm 8.23), aux premiers convertis d'une province (Rm 16.5 ; 1 Co 16.15) et même au Christ ressuscité (1 Co 15.20, 23).

Prétoire

1) Le N.T. utilise ce terme pour désigner la *résidence d'un gouverneur* (romain) : Mt 27.27 ; Mc 15.16 ; Ac 23.35.

2) En Ph 1.13 *prétoire* doit avoir le sens ci-dessus si l'on estime que l'apôtre a rédigé sa lettre à Ephèse ou à Césarée. Mais si l'on pense que Ph a été écrite et envoyée de Rome, le *prétoire* désigne alors la *garde de l'empereur* ou garde prétorienne.

Prêtre Le *prêtre* est celui qui officie pendant le culte, en particulier pour offrir les *sacrifices au nom de la communauté tout entière. Le N.T. mentionne ainsi des prêtres *païens (Ac 14.13) ou des prêtres juifs (Lc 1.5 ; Jn 1.19, etc.). Ces derniers officiaient exclusivement au *temple de Jérusalem.

L'Apocalypse présente les chrétiens comme remplissant ensemble une fonction de prêtres (Ap 1.6 ; 5.10, etc. ; voir aussi 1 P 2.5 et la note).

Le *sacerdoce* (Lc 3.2 ; He 7.5) désigne le *ministère — ou la fonction — du prêtre.

Prophète - Prophétesse
Prophétiser - Prophétie Dans le N.T. comme dans l'A.T. le terme *prophète* désigne rarement un homme qui annonce l'avenir (Ac 11.27-28). Le N.T. réserve généralement ce titre à des hommes considérés comme des *porte-parole de Dieu.* Il s'applique donc :

1) aux prophètes de l'A.T. (Jn 8.52-53 ; Ac 3.18, etc.) et à leurs écrits, en particulier dans l'expression *la *Loi et les Prophètes.*

2) au personnage que les *Juifs appelaient *le Prophète* et qu'ils attendaient pour la fin des temps selon Dt 18.15 (Ac 3.22-23 ; 7.37) : voir Jn 1.21 et la note, 25 ; 6.14 ; 7.40.

3) à des hommes comme Jean le Baptiste (Mt 11.9, etc.) ou à Jésus lui-même (Jn 4.19, etc.) que l'on considérait comme de nouveaux envoyés de Dieu après la longue période sans prophètes qui suivit le retour de l'exil.

4) aux nombreux membres de l'Eglise primitive (Ac 13.1 ; 21.9-10 ; 1 Co 12.10 ; Ep 2.20, etc.) qui parlaient sous l'influence de l'Esprit de Dieu pour exhorter ou pour apporter une *révélation.

La *prophétie* désigne en général le message des prophètes (Jn 11.51 ; Ap 1.3). Le verbe *prophétiser* (Ac 19.6 ; 1 Co 11.4-5) indique l'action d'un prophète.

Comme l'A.T., le N.T. connaît de *faux prophètes* (Ac 13.6 ; 1 Jn 4.1 ; Ap 2.20, etc.) En Tt 1.12 le titre de prophète est attribué à un païen, le poète crétois Epiménide. Une telle appellation souligne la clairvoyance de cet homme lorsqu'il s'exprimait sur le compte de ses contemporains.

Pur - Purifier Pour le *judaïsme contemporain de Jésus comme pour l'A.T. un homme doit être en état de *pureté* s'il veut être en communion avec Dieu et pouvoir, par exemple, participer au culte et prier.

Les causes d'*impureté* et de *souillures* étaient nombreuses : consommation d'aliments interdits, contact avec un mort ou avec un *païen, accouchement, maladies comme la *lèpre, etc. On faisait disparaître l'impureté par des rites de purification (Mc 7.1-5 ; Jn 2.6, etc.).

Jésus a voulu dépasser le ritualisme de ces pratiques (Mc 7.14-23) ; les *apôtres de même (Rm 14.14, 20).

Si le N.T. maintient l'idée d'une *purification* nécessaire, il présente celle-ci comme l'œuvre de Dieu (Jn 15.2-3 et la note) ou du Christ (Jn 15.3 ; Ep 5.26).

Règne de Dieu (ou des cieux)

Royaume de Dieu (ou des cieux) Le N.T. ne définit nulle part l'expression très fréquente *le Règne* ou *le Royaume de Dieu.* La traduction a préféré *Règne* quand le contexte exprimait plutôt le *fait* que Dieu est roi et *Royaume* quand il s'agissait plutôt du *domaine* où il est roi.

Cette royauté de Dieu est présentée tantôt comme une réalité *actuelle* (Mt 13.24) et cachée (Lc 17.20-21), liée à la personne de Jésus (Mt 12.28), et tantôt comme une réalité *à venir* (Mc 9.1 ; Lc 22.30 ; voir aussi 1 Co 6.9-10 ; 15.50, etc.).

Sur l'expression *le Règne* ou *le Royaume des cieux,* qui est propre à Mt, voir Mt 3.2 et la note ; voir aussi **Ciel.**

En des passages comme Rm 14.17 ; 1 Co 4.20, l'expression *le Règne de Dieu* semble avoir un sens plus large et désigner le nouveau régime de salut instauré par le Christ. Enfin la tournure *entrer dans le Royaume de Dieu* (Mt 5.20 ; 7.21 ; 18.3 ; 19.23-24, etc.) équivaut sensiblement à *avoir part au salut* ; le sens est alors très voisin de celui de « entrer dans la *vie » (Mt 18.8 ; 19.17).

Révélation - Révéler Le N.T. emploie le verbe *révéler* et le mot *révélation* en trois sens principaux :

1) Pour désigner *l'apparition* glorieuse du Christ lors de son *avènement (1 Co 1.7 ; 2 Th 1.7 ; voir aussi, en un sens voisin, Rm 8.19). En 2 Th 2.3, 6, 8 *se révéler* est sensiblement équivalent à *se manifester, se démasquer.*

2) Pour désigner l'acte par lequel Dieu (ou le Christ) *fait connaître* à un homme *l'Evangile et la mission apostolique que cet homme devra remplir (Ga 1.12, 16 ; Ep 3.3).

3) Pour désigner une *communication particulière* de la volonté de Dieu (1 Co 14.6 ; Ga 2.2 ; Ap 1.1).

Sabbat C'est le *septième jour de la semaine juive,* caractérisé par une cessation complète de tout travail. Des règles minutieuses précisaient ce qu'il était interdit de faire ce jour-là. Sur l'expression *un chemin de sabbat,* voir Ac 1.12 et la note.

Le jour du *sabbat* les *Juifs du temps de Jésus se réunissaient à la *synagogue pour la lecture des livres saints et la prière (Lc 4.16).

Sacerdoce - Sacerdotal voir **Prêtre**

Sacrifices - Sacrifier Contrairement au sens actuel du mot français, le *sacrifice,* dans le langage biblique, n'est pas un renoncement coûteux mais un *don* que l'on présente à Dieu.

Le N.T. mentionne des sacrifices *païens (Ac 14.13 ; 1 Co 10.28)

et des sacrifices offerts par les *Juifs (Lc 13.1 ; 1 Co 10.18). On offrait un sacrifice à Dieu par reconnaissance envers lui, ou à l'occasion d'un vœu (Ac 21.26), ou encore pour expier un péché.
Le N.T. interprète souvent *la mort du Christ* comme un sacrifice d'expiation offert en faveur de tous les hommes.
C'est aussi en termes de sacrifices que le N.T. décrit certains dons faits par les chrétiens (Ph 4.18) et surtout l'offrande que ceux-ci font d'eux-mêmes à Dieu (Rm 12.1 ; Ph 2.17, etc.).

Sadducéens Dans le *judaïsme du temps de Jésus les *Sadducéens* formaient un parti religieux qui se recrutait principalement parmi les *prêtres. Seuls les cinq premiers livres de la Bible (la *Loi) faisaient autorité pour eux ; ils n'admettaient ni l'existence des *anges ni la résurrection des morts. Partisans de l'ordre, ils cherchaient à s'accommoder au mieux de l'occupation romaine.
Bien que les Sadducéens diffèrent profondément des *Pharisiens, le N.T. les nomme souvent à côté de ceux-ci parmi les adversaires de Jésus.

Saint - Sainteté Le mot grec traduit par *saint* n'exprime pas l'idée de perfection mais désigne essentiellement *ce qui appartient en propre à Dieu*. Selon que ce terme est appliqué à Dieu lui-même ou à ses créatures, il prend les nuances suivantes :

1. a) *Dieu* est qualifié de *saint* pour indiquer qu'il est *à part*, c'est-à-dire qu'il est Dieu (Jn 17.11 ; 1 P 1.15, etc.)
b) *Le Saint (de Dieu)* est un titre appliqué au *Christ* dans le N.T. (Jn 6.69 ; Ac 3.14 ; 1 Jn 2.20 ; Ap 3.7) pour souligner que le Christ appartient à Dieu d'une manière particulière.
c) *L'Esprit* est aussi qualifié de *saint* pour préciser qu'il est l'esprit *de Dieu*.

2. Le N.T. applique encore le qualificatif *saint* :
a) à des *hommes*, pour exprimer qu'ils sont *mis à part pour servir Dieu* (Ac 3.21 ; 1 Co 7.34 ; Ep 1.4 ; 5.26). Ainsi, l'expression *les saints* désigne tout simplement *les chrétiens* (1 Co 1.2 ; 6.1-2, etc.) ;
b) à des **anges* (Ac 10.22), pour exprimer l'idée qu'ils sont *au service de Dieu* ;
c) à des *objets*, comme le *temple, pour exprimer l'idée que ces objets sont *réservés au service de Dieu* (Ac 6.13 ; 21.28 ; 1 Co 3.17, etc.).

La *sainteté* est la marque particulière de Dieu, son caractère divin ; elle est aussi la qualité d'une personne ou d'un objet qui appartiennent à Dieu (1 Th 3.13 ; 1 Tm 2.15, etc.).

Samarie - Samaritains Au temps de Jésus la *Samarie* constituait la province centrale de la Palestine. Depuis plusieurs siècles ses habitants, les *Samaritains*, étaient en conflit religieux avec les *Juifs (Lc 9.53 ; Jn 4.9 ; Mt 10.5 et la note). Juifs et Samaritains se méprisaient et se détestaient mutuellement.
Jésus a refusé d'entrer dans cette querelle (Lc 9.55 ; Jn 4.7). Après la Judée la Samarie fut le premier champ d'action des missionnaires chrétiens (Ac 1.8 ; 8.5).

Sanctifier - Sanctification Ces termes sont dérivés du mot **saint*, et leurs nuances sont étroitement apparentées à celles de ce mot.
1) Une expression comme *sanctifier le Christ* (1 P 3.15) exprime l'idée que le Christ doit être reconnu pour ce qu'il est en réalité, c'est-à-dire comme le Seigneur. Voir aussi la traduction donnée pour la première demande du Notre Père en Mt 6.9.
2) La *sanctification* est ce qui *rend* un homme *saint*, c'est-à-dire apte et consacré au service de Dieu (Ac 20.32 ; Rm 6.19, 22).

Sanctuaire voir **Temple**

Sang L'A.T. considère que « la vie d'une créature est dans le sang » (Lv 17.11). Ceci explique les divers emplois figurés du mot dans le N.T.
1) Il est utilisé parfois au sens de *vie* (Mt 27.4).
2) Le sang (répandu) évoque la mort violente (Mt 27.24-25 ; Lc 11.50 ; Ap 6.10).
3) Le sang évoque parfois enfin le *sacrifice, en particulier dans l'expression *le sang du Christ* (Mc 14.24 ; 1 Co 11.25 ; Ep 1.7, etc.)
4) L'expression *la chair et le sang* (Mt 16.17 ; Jn 1.13 ou He 2.14) désigne la nature humaine, dans sa condition terrestre, limitée et mortelle.

Sanhédrin On désigne ainsi le conseil supérieur qui avait autorité sur le peuple juif et siégeait à l'occasion comme tribunal des affaires religieuses.
Il était composé de 71 membres recrutés parmi les *grands prêtres, les *scribes et les *anciens. Il était présidé par le grand prêtre en fonction.

Satan Nom commun d'origine hébraïque désignant l'accusateur auprès d'un tribunal (Ps 109.6 ; voir Za 3.1-2 ; Jb 1.6). A la suite du *judaïsme le N.T. l'a repris comme nom propre personnifiant les forces du mal. C'est à la fois l'adversaire des hommes et l'adversaire de Dieu lui-même.
Cette appellation a de nombreux synonymes dans le N.T. : le diable, le Mauvais (Jn 17.15), ou le Malin (Ep 6.16), le *Tentateur

(Mt 4.3), Béliar (2 Co 6.15), le pouvoir des ténèbres (Lc 22.53), le prince de ce monde (Jn 14.30), l'ennemi (Mt 13.39), etc.
L'apparition de Jésus a marqué la défaite de Satan (Lc 10.18).

Scribes Au temps de Jésus les *scribes* étaient des experts de la Bible d'Israël (notre Ancien Testament). Voir **Légistes.**
Le N.T. mentionne souvent les *scribes* avec les *Pharisiens, qui comptaient de nombreux scribes dans leurs rangs. Il les nomme aussi avec les *anciens. Les scribes avaient leurs représentants au *Sanhédrin.

Siècle Dans notre traduction ce terme ne désigne jamais une période de cent ans, mais les différents âges entre lesquels on répartissait l'histoire de l'univers.
Avant les siècles (1 Co 2.7) équivaut donc à *avant le commencement du monde*, c'est-à-dire *de toute éternité.*
Roi des siècles (1 Tm 1.17) veut dire *roi depuis toujours et pour toujours.*
L'expression *aux siècles des siècles* (construite sur le même modèle que les expressions hébraïques traduites par « roi des rois » ou « cantique des cantiques », qui sont des superlatifs) signifie pratiquement *pour toujours.*

Signe Un *signe* est une indication qui permet de connaître ou de reconnaître quelque chose ou quelqu'un. L'A.T. désigne souvent les miracles comme des *signes*, parce qu'ils signalent une intervention de Dieu.
Le N.T. a repris cet usage dans l'expression *signes et prodiges* (Jn 4.48 ; Ac 2.19 ; 4.30, etc.). Mais c'est surtout l'évangile selon Jean qui qualifie méthodiquement de *signes* les interventions marquantes opérées par Jésus (Jn 2.11 ; 4.54 ; 6.2, etc.). Leur but est, en effet, de faire reconnaître qui est réellement Jésus (Jn 12.37).

Sion A l'origine *Sion* désignait la plus ancienne partie de Jérusalem. C'est le nom poétique de Jérusalem dans l'A.T. La *fille de Sion* (Za 9.9 cité en Jn 12.15) désigne la population de Jérusalem.

Souiller - Souillure voir **Pur**

Synagogue Désignant d'abord la *communauté juive* d'une ville ou d'un quartier (Jn 9.22 ; Ac 9.2 ; Ap 2.9, etc.), ce terme sert aussi à nommer le *bâtiment* où cette communauté se réunit pour la prière, la lecture des livres saints et l'enseignement religieux.
Ces réunions avaient lieu le jour du *sabbat. Le culte à la synagogue ne comportait jamais de sacrifices ; ceux-ci, en effet, ne pouvaient être offerts qu'au *temple de Jérusalem. Les synagogues étaient administrées par un *chef* — ou président — (Mc 5.35-36 ; Ac 13.15 ; 18.8, etc.) assisté d'un servant (Lc 4.20).

Temple Dans le N.T. le terme s'applique principalement au temple de Jérusalem, reconstruit à partir du règne *d'Hérode le Grand.
Au sens large du mot, le *temple* était l'ensemble architectural comprenant les bâtiments et les cours (parvis) qui y donnaient accès. Celles-ci étaient bordées de portiques (voir Jn 10.23 ; Ac 5.12).
Au sens restreint du mot, le temple était le bâtiment central ou *sanctuaire*, comprenant le « lieu très saint » (où seul était admis le grand prêtre, une fois par an, au jour du Grand Pardon).
Le temple dans son ensemble, et plus particulièrement le sanctuaire, était considéré comme le lieu où Dieu était présent. C'est pourquoi l'évangile selon Jean (2.21) parle du corps du Christ comme du temple par excellence. Les épîtres comparent également la communauté chrétienne à un temple de Dieu (voir 1 Co 3.16 ; 6.19 ; comparer 1 P 2.5).

Tenter - Tentation - Tentateur *Tenter* traduit parfois le même verbe grec que l'expression *mettre à l'épreuve*, et *tentation* le même terme qu'*épreuve*. La distinction est parfois difficile à établir.
En général on a traduit par *épreuve* lorsqu'il s'agit d'une difficulté à traverser, dont la foi doit sortir affermie (Jn 6.6 ; 2 Co 13.5 ; Jc 1.2-3 ; 1 P 1.6 ; Ap 2.10, etc.). On a traduit par *tentation* quand la mise à l'épreuve est accompagnée d'une mauvaise intention. Par exemple l'homme peut en venir à tenter Dieu (1 Co 10.9) ; mais Dieu ne tente pas l'homme (Jc 1.13) ; c'est *le Tentateur* (voir **Satan**) qui essaie d'exploiter l'épreuve de l'homme (1 Co 7.5 ; 1 Th 3.5) ou de Jésus (Mt 4.3) pour le détourner de Dieu.

Testament voir **Alliance**

Vie éternelle Dans le même sens que l'expression *la vie éternelle* on trouve aussi l'expression simplifiée *la vie*. Ainsi en Mt 7.14 ; 19.16-17 ; Jn 5.26 (voir 5.40) ; 6.63 ; Ac 11.18 ; 1 Jn 5.12, etc. Mais le qualificatif *éternelle* reste déterminant pour le sens, même quand il est sous-entendu.
Le terme grec traduit, faute de mieux, par *éternelle* ne précise pas tellement la durée (indéfinie) de cette vie, mais plutôt sa *qualité* profonde : il désigne une vie *différente* de la vie ordinaire, plus précisément la vie qui a cours dans le monde de Dieu (Mt 18.8), la vie de Dieu lui-même (Ep 4.18) et du Christ (Jn 5.26 ; voir aussi 5.21). Cette vie peut devenir celle de l'homme (Jn 3.16).
Selon les contextes la *vie éternelle* est présentée comme une réalité *déjà actuelle* (Jn 5.24-25) ou encore *à venir* (Mt 25.46). En des passages comme Mt 18.8 ; 19.17, etc., l'expression *entrer dans la vie* équivaut à peu près à *entrer dans le *Royaume de Dieu*.

La terre Sainte au temps de Jésus-Christ

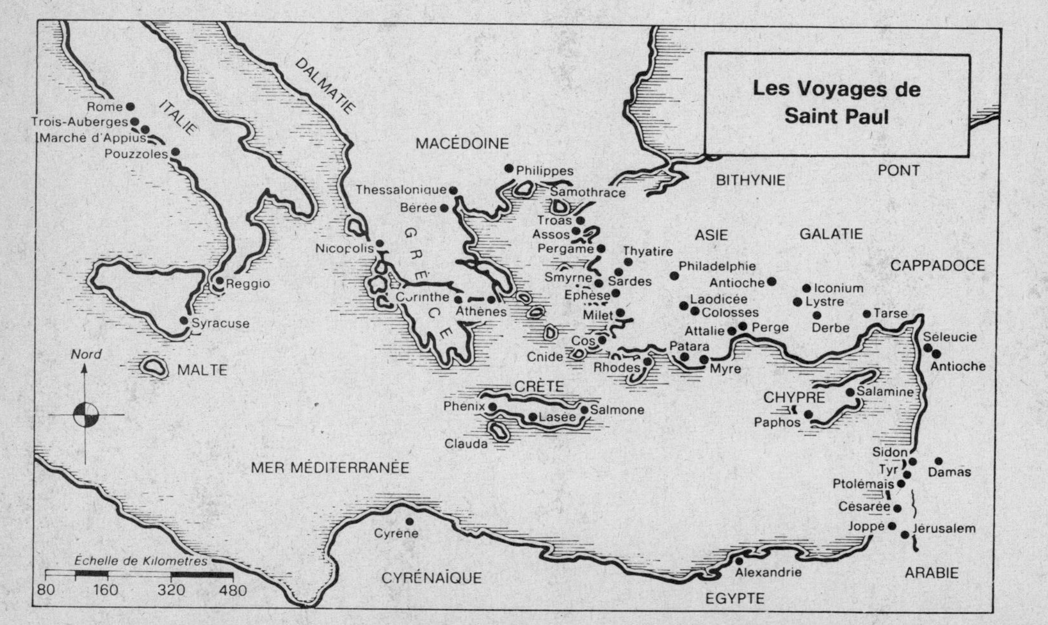
Les Voyages de
Saint Paul
Rome
Trois-Auberges
Marché d'Appius
Pouzzoles
ITALIE
DALMATIE
MACÉDOINE
Philippes
Thessalonique
Bérée
Samothrace
Troas
Assos
Pergame
Nicopolis
GRÈCE
Reggio
Corinthe
Athènes
Syracuse
Nord
MALTE
BITHYNIE
PONT
ASIE
GALATIE
CAPPADOCE
Thyatire
Philadelphie
Smyrne
Sardes
Éphèse
Antioche
Iconium
Lystre
Laodicée
Colosses
Milet
Tarse
Derbe
Attalie
Perge
Cos
Patara
Séleucie
Antioche
Cnide
Rhodes
Myre
CRÈTE
CHYPRE
Salamine
Phénix
Lasée
Salmone
Paphos
Claude
MER MÉDITERRANÉE
Sidon
Tyr
Damas
Ptolémaïs
Césarée
Joppé
Jérusalem
Cyrène
Échelle de Kilomètres
80
160
320
480
CYRÉNAÏQUE
Alexandrie
ARABIE
EGYPTE

Signe de la croix

Au nom du Père, et du Fils, et du Saint-Esprit. — Amen.

Notre Père

Notre Père qui es aux cieux, que ton nom soit sanctifié, que ton règne vienne, que ta volonté soit faite sur la terre comme au ciel.

Donne-nous aujourd'hui notre pain de ce jour. — Pardonne-nous nos offenses, comme nous pardonnons aussi à ceux qui nous ont offensés. — Et ne nous soumets pas à la tentation, mais délivre-nous du mal. — Amen.

Je vous salue Marie

Je vous salue Marie, pleine de grâce, le Seigneur est avec vous, vous êtes bénie entre toutes les femmes et Jésus, le fruit de vos entrailles, est béni.

Sainte Marie, Mère de Dieu, priez pour nous, pécheurs, maintenant et à l'heure de notre mort. — Amen.

Gloire au Père

Gloire au Père, au Fils et au Saint-Esprit. — Comme il était au commencement, maintenant et toujours dans les siècles des siècles. — Amen.

Je crois en Dieu

Je crois en Dieu, le Père tout-puissant, Créateur du ciel et de la terre. Et en Jésus-Christ, son Fils unique, notre Seigneur, qui a été conçu du Saint-Esprit, est né de la Vierge Marie, a souffert sous Ponce Pilate, a été crucifié, est mort et a été enseveli, est descendu aux enfers, le troisième jour est ressuscité des morts, est monté aux cieux, est assis à la droite de Dieu le Père tout-puissant; d'où il viendra juger les vivants et les morts.

Je crois en l'Esprit-Saint, à la sainte Église catholique, à la communion des saints, à la rémission des péchés, à la résurrection de la chair, à la vie éternelle. — Amen.

Je confesse à Dieu...

Je confesse à Dieu tout-puissant, je reconnais devant mes frères que j'ai péché, en pensée, en parole, par action et par omission; oui, j'ai vraiment péché. C'est pourquoi je supplie la Vierge Marie, les anges et tous les saints, et vous aussi mes frères, de prier pour moi le Seigneur notre Dieu.

Que Dieu tout-puissant nous fasse miséricorde; qu'il nous pardonne nos péchés et nous conduise à la vie éternelle. — Amen.

Acte d'adoration

Mon Dieu, je t'adore et je te reconnais pour mon Créateur, mon souverain Seigneur et pour le Maître absolu de toutes choses

Acte de foi

Mon Dieu, je crois fermement tout ce que la Sainte Église catholique croit et enseigne, parce que c'est toi qui l'as dit, et que tu es la vérité même.

Acte d'espérance

Mon Dieu, appuyé sur tes promesses et sur les mérites de Jésus-Christ mon Sauveur, j'espère avec une ferme confiance que tu me feras la grâce d'observer tes commandements en ce monde, et d'obtenir par ce moyen la vie éternelle.

Acte de charité

Mon Dieu, qui es digne de tout amour à cause de tes perfections infinies, je t'aime de tout mon coeur, et j'aime mon prochain comme moi-même pour l'amour de toi.

Acte de contrition

Mon Dieu, j'ai un extrême regret de vous avoir offensé parce que vous êtes infiniment bon, infiniment aimable, et que le péché vous déplaît; pardonnez-moi par les mérites de Jésus-Christ mon Sauveur; je me propose moyennant votre sainte grâce, de ne plus vous offenser et de faire pénitence. Amen.

Acte de remerciement

Mon Dieu, je te remercie de tous les biens que j'ai reçus de toi, surtout de m'avoir créé, racheté par ton Fils et fait enfant de ton Église.

Acte d'offrande

Mon Dieu, j'ai tout reçu de toi; je t'offre mes pensées, mes paroles, mes actions, ma vie et tout ce que je possède, et je ne veux l'employer qu'à ton service.

Acte d'humilité

Mon Dieu, je ne suis que cendre et poussière; réprime les mouvements d'orgueil qui s'élèvent dans mon âme, et apprends-moi à me mépriser moi-même, toi qui résiste aux superbes et qui donnes ta grâce aux humbles.

Acte de demande

Mon Dieu, source infinie de tous les biens, donne-moi tout ce qui m'est nécessaire pour la vie et la santé de mon corps, mais surtout la grâce de faire en toutes choses ta sainte volonté. Par Jésus-Christ Notre-Seigneur. — Amen.

Les dix commandements

1. Un seul Dieu tu adoreras,
   Et aimeras parfaitement.
2. Dieu en vain tu ne jureras,
   Ni autre chose pareillement.
3. Les dimanches tu garderas,
   En servant Dieu dévotement.
4. Père et mère tu honoreras,
   Afin de vivre longuement.
5. Homicide point ne seras,
   De fait ni volontairement.
6. Impudique point ne seras,
   De corps ni de consentement.
7. Le bien d'autrui tu ne prendras,
   Ni retiendras sciemment.
8. Faux témoignage de diras,
   Ni mentiras aucunement.
9. L'oeuvre de chair ne désireras,
   Qu'en mariage seulement.
10. Biens d'autrui ne désireras,
    Pour les avoir injustement.

Le texte au-dessus est fourni par
Le Centre Catholique de Diffusion de la Parole de Dieu

Fondée depuis 1940, SOCABI (Société catholique de la Bible) est un organisme officiellement reconnu par la CECC (Conférence des Évêques catholiques au Canada). Depuis ce temps, elle concentre ses énergies dans l'éducation biblique et dans la promotion de la compréhension de la Parole de Dieu.

La lecture de ce texte vous préoccupe? Suscite en vous des interrogations? N'hésitez pas pour tout renseignement ou service, communiquez avec nous.

SOCABI
(Société catholique de la Bible)
Centre 7400
7400, boul. St-Laurent, bureau 519
Montréal, Québec H2R 2Y1

tél. (514) 274-4381